Les microrégions du guide :
(voir la carte à l'intérieur de la couverture ci-contre)

Aquitaine

Bordelais, Landes, Pays basque, Béarn, Lot-et-Garonne

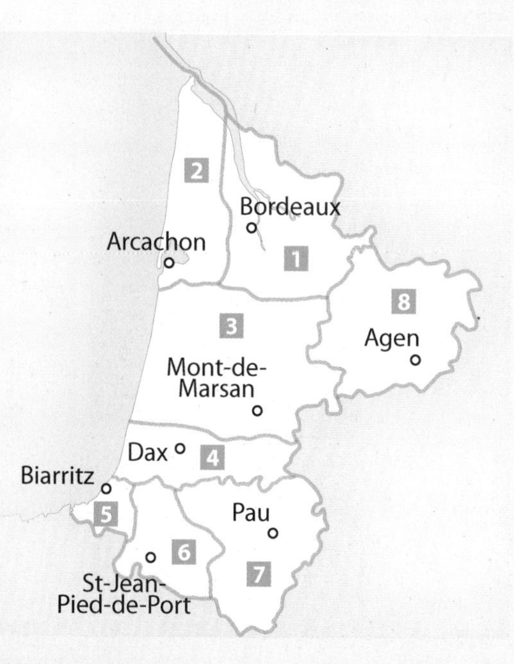

Le Guide Vert, mode d'emploi : un guide en 3 parties

Organiser son voyage :

- Avant de partir.
- À faire sur place de A à Z.
- Des activités pour tous.
- Un agenda des événements.

Comprendre la destination :

- La destination aujourd'hui.
- Histoire.
- Art et culture.
- Gastronomie.
- Nature...

Découvrir la destination :

- Notre sélection de sites.
- Des circuits conseillés.
- Des cartes.
- Notre sélection d'adresses pour tous les budgets.

En fin de guide : l'explication des symboles et la table des cartes et plans

Le Guide Vert : découvrir la destination

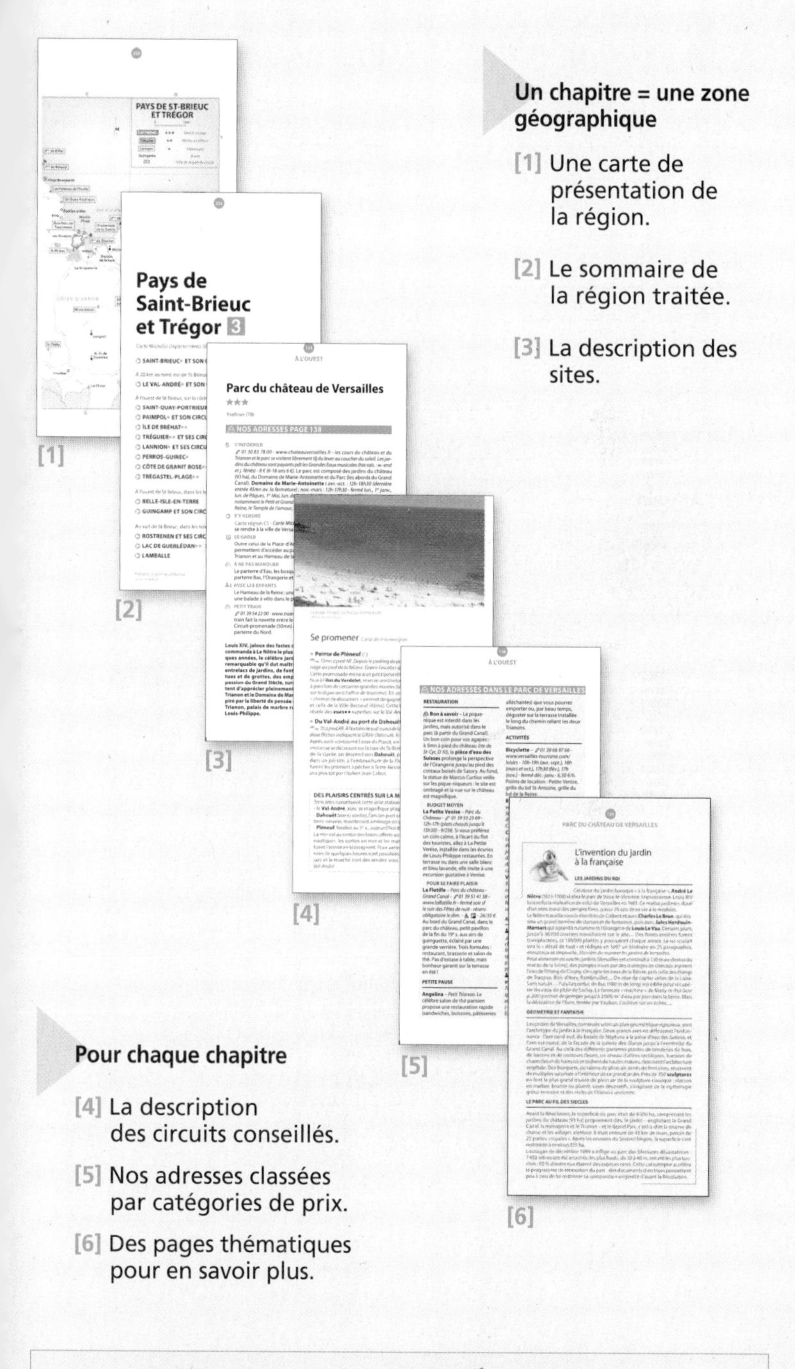

Un chapitre = une zone géographique

[1] Une carte de présentation de la région.

[2] Le sommaire de la région traitée.

[3] La description des sites.

Pour chaque chapitre

[4] La description des circuits conseillés.

[5] Nos adresses classées par catégories de prix.

[6] Des pages thématiques pour en savoir plus.

Retrouvez-nous sur : ***Voyage.ViaMichelin.fr***

Sommaire

1/ ORGANISER SON VOYAGE

ALLER EN AQUITAINE

AVANT DE PARTIR

SUR PLACE DE A À Z

EN FAMILLE

MÉMO

2/ COMPRENDRE L'AQUITAINE

L'AQUITAINE AUJOURD'HUI

L'AQUITAINE GOURMANDE

VIGNOBLES ET VINS D'AQUITAINE

TRADITIONS ET FOLKLORE

HISTOIRE

ART ET CULTURE

3/ DÉCOUVRIR L'AQUITAINE

1 BORDEAUX ET LE VIGNOBLE BORDELAIS

2 LES LANDES DU MÉDOC ET LE BASSIN D'ARCACHON

3 LES LANDES DE GASCOGNE

4 LE PAYS DE L'ADOUR

5 LA CÔTE BASQUE ET LE LABOURD

6 LA BASSE-NAVARRE ET LA SOULE

7 LE BÉARN

8 LE LOT-ET-GARONNE

1/ ORGANISER SON VOYAGE

Applications recommandées

M. Barraud/Ojo Images/Photononstop

Aller en Aquitaine

Par la route

LES GRANDS AXES

A 10 (Paris-Bordeaux)
A 62 (Agen-Bordeaux)
A 63 (Bordeaux-Bayonne)
A 64 (Toulouse-Pau)
A 89 (Bordeaux-Clermont-Ferrand)
A 65 (Bordeaux-Pau)
Infos autoroutières ✆ 0 892 681 077 - www.autoroutes.fr - fréquence FM 107.7.

LES CARTES MICHELIN

Cartes **Départements 335** (Gironde, Landes), **336** (Gers, Lot-et-Garonne) et **342** (Hautes-Pyrénées, Pyrénées-Atlantiques).
Carte **Région 524** (Aquitaine).
Carte de France 721.
En ligne : calcul d'itinéraires sur **www.ViaMichelin.fr**

En train

GRANDES LIGNES

Au départ de Paris, nombreux **TGV** pour Bordeaux (3h), Agen ou Dax (4h), Pau (5h).
Train Corail Téoz entre Bordeaux et Montpellier, Marseille, Toulon, Nice.
Train Corail de nuit **Lunéa** entre Pau et Paris (8h10), Nice et Bordeaux (12h), ou Lyon et Dax (10h).
Informations et réservations - ✆ 3635 (0,34 €/mn) - www.voyages-sncf.com, www.corailteoz.com et www.lunea.voyages-sncf.com

TRAINS EXPRESS RÉGIONAUX

Depuis Bordeaux, vous pouvez rejoindre la pointe de Grave (2h), Arcachon (52mn), Dax (1h10), Mont-de-Marsan (1h20), Agen (1h15).
Depuis Dax, gagnez Orthez (30mn), Pau (50mn), d'où vous accéderez même à Oloron-Ste-Marie (37mn).
Informations et réservations - ✆ 3635 (0,34 €/mn) - www.ter-sncf.com/aquitaine

En avion

LES COMPAGNIES AÉRIENNES

Air France - ✆ 3654 (0,34 €/mn, achat de billets) ou 0 820 320 820 (0,12 €/mn, infos réservation) - www.airfrance.fr - Vols pour **Bordeaux** depuis Brest, Lille, Lyon, Marseille, Nantes, Nice, Paris, Rennes et Strasbourg. Vols pour **Pau** depuis Paris et Lyon. Vols pour

DISTANCES	Agen	Arcachon	Bayonne	Bordeaux	Mont-de-Marsan	Pau
Agen	-	192	252	141	120	166
Arcachon	192	-	180	72	125	210
Bayonne	252	180	-	191	106	114
Bordeaux	141	72	191	-	134	205
Mont-de-Marsan	120	125	106	134	-	86
Pau	166	210	114	205	86	-

Biarritz depuis Paris, Lyon, Nice et Genève.

CCM-Airlines – ✆ 3654 (0,34 €/mn) - www.aircorsica.com - Vols pour **Bordeaux** depuis Ajaccio, Bastia et Calvi (avr.-oct.).

Easyjet – www.easyjet.com - Vols pour **Bordeaux** depuis Bâle/Mulhouse, Genève et Lyon. Vols pour **Biarritz** depuis Paris et Lyon.

Compagnie Baboo – www.flybaboo.com - ✆ 0 800 445 445. Vols pour **Biarritz** depuis Genève.

Ryanair – www.ryanair.com - Vols pour **Bordeaux** depuis Bruxelles.

LES AÉROPORTS DE LA RÉGION

Aéroport international Bordeaux-Mérignac – 33700 Mérignac - ✆ 05 56 34 50 50 - www.bordeaux.aeroport.fr

Aéroport international Pau-Pyrénées – 64230 Uzein - ✆ 05 59 33 33 00 - www.pau.aeroport.fr

Aéroport international de Biarritz-Anglet-Bayonne – 7 esplanade de l'Europe - 64600 Anglet - ✆ 05 59 43 83 83 - www.biarritz.aeroport.fr

LIAISONS DEPUIS LES AÉROPORTS

Aéroport Bordeaux-Mérignac

En bus – La navette Jet'Bus (hall B, niveau Arrivée) relie l'aéroport à la gare de Bordeaux via le centre-ville, ttes les 45mn. Trajet de 45mn. Horaires depuis l'aéroport : 7h45-22h45 ; depuis la gare de Bordeaux : 6h45-21h45. 7 € aller, 12 € A/R.

En taxi – Devant l'aérogare, côté hall A.

En voiture – Les comptoirs de location de voitures se trouvent dans le hall A.

Aéroport Pau-Pyrénées

En bus – Devant la gare SNCF de Pau, navette Idelis, ttes les heures (sf dim. et j. fériés), 1 € - www.reseau-idelis.com

En taxi – Devant l'aérogare. Vers le centre-ville, le temps moyen est de 15mn et le tarif de 20 à 25 € (jour), de 25 à 30 € (nuit, dim. et j. fériés).

En voiture – Les comptoirs de location de voitures se trouvent dans la « rue » commerçante de l'aérogare.

Aéroport Biarritz-Anglet-Bayonne

En bus Chronoplus – L'aéroport est desservi par les lignes 8A, 8B et C. Ces lignes relient Bayonne, Anglet et/ou Biarritz (voir plan exact des lignes aux arrêts).1 € (ticket valable 1h) ou 2 € (ticket valable 24h) - www.chronoplus.eu

En autocar ATCRB – La ligne St-Jean-de-Luz-Bayonne passe par l'aéroport. Comptez 30mn et 3 € vers St-Jean ; 20mn et 1 € vers Bayonne. Horaires et arrêts desservis : voir sur www.transdev-atcrb.com

En taxi – Devant l'aérogare. Tarif moyen de 12 € pour Biarritz, 15 € pour Bayonne.

En voiture – Les comptoirs de location de voitures se trouvent dans le hall Arrivée.

Avant de partir

Météo

SERVICES MÉTÉO FRANCE

Prévisions par département – ✆ 0 892 680 2 suivi du numéro du département (1,35 €/appel et 0,34 €/mn) - www.meteo.fr

SAISONS

Printemps : douceur, pluies fréquentes, gare aux changements rapides de météo.
Été : chaleur, ciel dégagé, orages fréquents mais vite dissipés, imprévisibilité.
Automne : très doux et ensoleillé.
Hiver : douceur, imprévisibilité, brume, neige en basse altitude près des Pyrénées.

Adresses utiles

LES INSTITUTIONS

Comité régional du tourisme d'Aquitaine
Cité Mondiale - 23 parvis des Chartrons - 33074 Bordeaux Cedex - ✆ 05 56 01 70 00 - www.tourisme-aquitaine.fr

Maison de l'Aquitaine
21 r. des Pyramides - 75001 Paris - ✆ 01 55 35 31 42 - http://paris.aquitaine.fr

Comités départementaux de tourisme
Maison du tourisme de la Gironde – 21 cours de l'Intendance - 33000 Bordeaux - ✆ 05 56 52 61 40 - www.tourisme-gironde.fr
Landes – 4 av. Aristide-Briand - BP 407 - 40012 Mont-de-Marsan Cedex - ✆ 05 58 06 89 89 - www.tourismelandes.com
Lot-et-Garonne – 271 r. de Péchabout - 47000 Agen - ✆ 05 53 66 14 14 - www.tourisme-lotetgaronne.com
Pyrénées-Atlantiques / Agence touristique du **Béarn** – 22 ter r. J.-J.-de-Monaix - 64000 Pau - ✆ 05 59 30 01 30 - www.tourisme64.com
Béarn Pays basque – 2 allée des Platanes - 64100 Bayonne - ✆ 55 59 46 52 52 - www.tourisme64.com

Offices de tourisme
Les adresses des offices de tourisme se trouvent dans la rubrique « S'informer » de chaque site dans la partie « Découvrir l'Aquitaine ».
En ligne : une mine d'informations sur **http://fr.franceguide.com**

TOURISME DES PERSONNES HANDICAPÉES

Le symbole ♿ signale les sites accessibles aux personnes à **mobilité réduite**.

Accessibilité des infrastructures touristiques
Association Tourisme et Handicaps – 43 r. Max-Dormoy - 75018 Paris - ✆ 01 44 11 10 41 - www.tourisme-handicaps.org
Association La Pierre Handiski – Résidence Super Arlas - Galerie marchande - 64570 Arette-la-Pierre-St-Martin - ✆ 06 85 60 51 14 et 06 86 00 13 95 - www.lapierrehandiski.com
Association Handiplage - 39 r. des Faures - 64100 Bayonne - ✆ 05 59 50 08 38 - www.handiplage.fr. Le guide *Handi-Plus Aquitaine* comprend des adresses et informations nécessaires à un public handicapé (loisirs, sites touristiques, plages aménagées).

Bon à savoir – Dix-huit postes **handipêche** ont été ouverts sur les plans d'eau du **littoral landais** : communes de Vielle-St-Girons, Léon, Moliets-et-Maâ, Messanges, Azur, Soustons, Seignosse, Tosse, Ondres et Tarnos, et communautés de communes des Grands Lacs et de Mimizan.

Accessibilité des transports

SNCF Accès Plus – 0 890 640 650 (0,11 €/mn, 7h-22h) - www.accessibilite.sncf.fr

Avion – Air France propose aux personnes handicapées le service d'**assistance Saphir** : 0 820 01 24 24 - www.airfrance.fr

Se loger

Retrouvez notre sélection d'hébergements dans « Nos adresses à… » situées en fin de description des sites de la partie « Découvrir l'Aquitaine ».

Bon à savoir – Les comités départementaux de tourisme proposent un service de réservation en ligne, des formules thématiques de courts séjours et des offres promotionnelles.

NOTRE SÉLECTION

Hôtel ou chambre d'hôte, voire camping, à vous de choisir ! Les établissements sont classés par catégorie de prix *(voir le tableau ci-contre)*. Les tarifs communiqués, prix mini/maxi pour une chambre double, sont ceux pratiqués en haute saison.

À consulter aussi :
Le Guide Michelin France et **Le Guide Camping Michelin France**.

SERVICES DE RÉSERVATION

Fédération nationale des comités départementaux de tourisme (RN2D) – 74-76 r. de Bercy - 75012 Paris - 01 44 11 10 20 - www.destination-france.net
Vous y trouverez des hôtels et chambres d'hôtes, mais aussi des hébergements locatifs labellisés (Gîtes de France, Clévacances...) et des courts séjours thématiques.

Fédération nationale Clévacances – 54 bd de l'Embouchure - 31022 Toulouse Cedex 2 - 05 61 13 55 66 - www.clevacances.com - Locations de vacances ou chambres d'hôtes.

www.camping-gironde.fr : adresses de camping sur le bassin d'Arcachon, sur le littoral ou dans les vignes.

www.landes-reservation.fr : hébergements et séjours à thème sur le littoral landais.

www.reservation-lotetgaronne.com : même contenu, mais pour le Lot-et-Garonne.

HÉBERGEMENT RURAL

Fédération nationale des Gîtes de France et du Tourisme vert – 56 r. St-Lazare - 75439 Paris Cedex 09 - 01 49 70 75 75 - www.gites-de-france.com

Fédération des Stations Vertes de Vacances – 6 r. Ranfer-de-Bretenières - 21016 Dijon - 03 80 54 10 50 - www.stationsvertes.com

Les gîtes Bacchus – D'abord propres à la Gironde, ces gîtes se sont étendus à toute l'Aquitaine. Ils ont pour vocation de vous accueillir au cœur du vignoble, dans les domaines d'exploitation viticole mêmes. Liste disponible auprès des comités départementaux de tourisme ou des Gîtes de France.

Label St-Jacques – Il concerne les gîtes et chambres d'hôtes situés à proximité des chemins deSt-Jacques s'étant engagés à valoriser ce thème : accueil, mise à disposition de documentation, etc.

Pour les randonneurs
En ligne : **www.gites-refuges.com**
www.grandsgîtes.com

AUBERGES DE JEUNESSE

Fédération unie des auberges de jeunesse (FUAJ) – 27 r. Pajol - 75018 Paris - ✆ 01 44 89 87 27 - www.fuaj.org
Ligue française pour les auberges de jeunesse (LFAJ) – 67 r. Vergniaud - bâtiment K - 75013 Paris - ✆ 01 44 16 78 78 - www.auberges-de-jeunesse.com

POUR DÉPANNER

Centrales de réservation des principales chaînes hôtelières :
B & B – ✆ 0892 782 929 (0,34 €/mn) www.hotel-bb.com
Campanile – www.campanile.fr
Kyriad – ✆ 0 825 003 003(0,15 €/mn) - www.kyriad.fr
Ibis – ✆ 0 825 882 222 (0,15 €/mn) - www.ibishotel.com

Se restaurer

Retrouvez notre sélection de restaurants dans « Nos adresses », en fin de description des sites de la partie « Découvrir l'Aquitaine ». Comme pour « Se loger », ils sont listés par catégorie de prix, sur la base mini/maxi en haute saison.

NOTRE SÉLECTION

Pour répondre à toutes vos envies, nous proposons des **restaurants** régionaux, mais aussi classiques, gastronomiques et des adresses où faire une petite pause.À consulter aussi : **Le Guide Michelin France**.
En ligne : les fermes-auberges sur **www.bienvenue-a-la-ferme.com**

LABELS

Assiette et café de pays
Label de qualité créé par la Fédération nationale des pays touristiques. L'**assiette de pays** est un plat unique, préparé à base de produits du terroir.
Le **café de pays** est un bar convivial qui propose l'« assiette de pays » ou un « casse-croûte de pays », à base de produits régionaux, et informe sur le patrimoine, les traditions et les manifestations locales.
http://aquitaine.bienvenueaupays.fr

Sites remarquables du goût
En Aquitaine, ce label récompense St-Émilion (Gironde) pour ses vins, le domaine d'Ognoas à Arthez-d'Armagnac (Landes) pour l'eau-de-vie d'Armagnac, St-Aubin (Lot-et-Garonne) pour sa Foire aux pruneaux et Espelette (Pyrénées-Atlantiques) pour ses piments.
www.sitesremarquablesdugout.com

Villes de terroir
Les offices de tourisme des villes membres mettent l'accent sur les circuits originaux et des parcours de découverte hors des sentiers battus. En Aquitaine, seule Pau fait partie du réseau.
www.villes-de-terroir.com

NOS CATÉGORIES DE PRIX				
	Hébergement		Restauration	
	Province	Grandes villes	Province	Grandes villes
Premier prix	jusqu'à 45 €	jusqu'à 65 €	jusqu'à 14 €	jusqu'à 16 €
Budget moyen	de 45 € à 65 €	de 65 € à 100 €	de 14 € à 25 €	de 16 € à 30 €
Pour se faire plaisir	de 65 € à 100 €	de 100 € à 160 €	de 25 € à 40 €	de 30 € à 50 €
Une folie	plus de 100 €	plus de 160 €	plus de 40 €	plus de 50 €

Sur place de A à Z

Pour connaître les activités proposées et obtenir de la documentation, adressez-vous aux **comités départementaux** et **comités régionaux** de tourisme *(voir p. 10)*. Certaines brochures sont téléchargeables sur leurs sites Internet.

BAIGNADE

Plages océanes : Attention aux vagues déferlantes du fait de leur puissance et aux courants des baïnes (cuvettes séparées de la mer qui, avec la marée, se remplissent d'eau et créent, en se vidant, un fort courant vers le large). Un conseil : si vous êtes pris dans une baïne, ne cherchez pas à nager à contre-courant, mais laissez-vous porter par le courant jusqu'à ce que, celui-ci ayant perdu de sa force en se fondant dans la masse de l'Océan, vous puissiez regagner le rivage. Information sur la propreté des plages : **http://baignades.sante.gouv.fr**

Lacs et étangs : Vous trouverez des plans d'eau douce à Hourtin-Carcans, Lacanau, Biscarosse, Aureilhan-Mimizan, Léon, Hossegor... Mais attention, la baignade n'est pas autorisée partout; renseignez-vous dans les offices de tourisme.

Centres naturistes – Grayan-et-l'Hôpital (au sud de Soulac), Montalivet-les-Bains (au sud de Soulac), Le Porge (entre Lacanau et Arcachon), Vielle-St-Girons (au nord de Moliets-Plage), mais aussi Anglet, Biarritz et Hendaye.

CERF-VOLANT

L'ensemble de la côte atlantique, par la largeur de ses plages et ses vents d'ouest, est un terrain de prédilection pour cette activité : de la pointe de Grave ou de la dune du Pilat en Gironde jusqu'à Hossegor et Moliets dans les Landes.

COURSE À PIED

Marathon des châteaux du Médoc – Il a lieu début septembre depuis plus de 25 ans. Les concurrents, déguisés, traversent villages et châteaux, en se ravitaillant de kilomètre en kilomètre au gré des dégustations ! Bulletin d'inscription disponible dès novembre par courrier à l'AMCM : 5 r. Étienne-Dieuzède - 33250 Pauillac - ✆ 05 56 59 17 20 - www.marathondumedoc.com

Course pédestre des grands vignobles – Longue de 16 km, elle a lieu le dernier dimanche d'octobre et traverse le prestigieux vignoble de St-Émilion, classé au patrimoine mondial de l'Unesco. Inscriptions à partir de mi-sept. auprès de M. Frustier : secrétariat ASPTT - Cedex 203 - 33500 Libourne - ✆ 05 57 51 12 70.

Course des Crêtes du Pays basque – Couvre des distances de 7 à 27 km. Les adeptes prennent le départ à Espelette chaque année au début du mois de juillet depuis bientôt trente-cinq ans. Un dîner animé vient clôturer la journée. Prévoir 17 € de participation, licence sportive requise ou à défaut certificat médical sans contre-indication pour pratiquer la course à pied.

CYCLOTOURISME

L'Aquitaine est un paradis pour les deux-roues. Son réseau « véloroutes et voies vertes » compte 10 itinéraires, soit près de 2 000 km. Les **véloroutes** sont des itinéraires

fléchés pour cyclistes, de moyenne ou longue distance, qui permettent de relier entre elles des villes ou des régions en empruntant voies vertes, pistes cyclables et routes à faible trafic.
Les **voies vertes** sont réservées aux piétons et véhicules non motorisés. Pour obtenir des cartes des voies cyclables, adressez-vous aux comités départementaux du tourisme et aux offices de tourisme de toute la région.
www.voiesvertes.com
http://troisv.amis-nature.org

ESCALADE

Ne partez pas sans un guide ou un moniteur d'escalade breveté d'État.
Fédération française de la montagne et de l'escalade – 8-10 quai de la Marne - 75019 Paris - 01 40 18 75 50 - www.ffme.fr
Bon à savoir – Le plus haut mur d'escalade d'Aquitaine se trouve à **Oloron-Ste-Marie** *(voir p. 487)*.

GOLF

C'est à **Pau** que le golf a fait son apparition en France en 1856.
Il est rapidement devenu un sport roi en Aquitaine, qui compte aujourd'hui une cinquantaine de parcours.
Demander la brochure *Golf* du Comité régional du tourisme d'Aquitaine *(voir p. 10)*.
www.golf-bordeaux-gironde.fr
www.tourismelandes.com
www.tourisme-aquitaine.fr

GASTRONOMIE

Route gourmande du Pays basque – Ferme Berrain - N 10 - 64501 St-Jean-de-Luz Cedex - 05 59 54 56 70 - www.routegourmandebasque.com
Route du fromage Ossau-Iraty Pyrénées – 05 59 37 86 61.
« Routes des vins », p. 22.
Bon à savoir – Tous les produits phares de la région

ESPAGNE PRATIQUE

Horaires

Ils sont assez différents de ceux pratiqués en France. À titre indicatif : déjeuner 13h-15h30, dîner 20h30-0h.
Bureaux de poste – 9h-14h. Les bureaux principaux dans les grandes villes restent ouverts 24h/24.
Banques – 9h-14h en semaine. En été, elles ferment le samedi.
Magasins – 10h-14h, 17h-20h. Cependant, de plus en plus de commerces restent ouverts le midi et même le samedi après-midi. Fermés le dimanche. En été, dans les régions touristiques, commerces ouverts jusqu'à 22h-23h.
Pharmacies – 9h30-14h, 16h30-20h. Service de garde assuré la nuit, les dimanches et jours fériés. La liste des établissements de garde est affichée en vitrine des pharmacies.
Sites touristiques – 10h-19h.
Courrier – Les bureaux de poste sont signalés par le nom *Correos*. Les timbres *(sellos)* sont aussi en vente dans les bureaux de tabac *(estancos)*.
Téléphone – Pour appeler la France depuis l'Espagne, composer le 00, suivi du 33, puis le numéro du correspondant (9 chiffres). De la France vers l'Espagne, composer le 00, suivi du 34, puis le numéro de l'abonné (9 chiffres).

sont sur www.gastronomie-aquitaine.fr
« Souvenirs » et « Stages de cuisine » p. 18-19.

PATRIMOINE

Musées – **http://musees-aquitaine.com** - Le site recense près de 120 établissements.
Châteaux – **Fédération nationale des routes historiques** : www.routes-historiques.com - Voici deux itinéraires qui concernent la région : la route des châteaux d'Aquitaine et celle des plus belles demeures du Béarn et du Pays basque.
Bastides – **Route des bastides 64** : www.bastides64.org
Métiers d'art – **Route des métiers d'art en Aquitaine** : www.tourisme-aquitaine.com - Dans chaque département.
Villes et pays d'art et d'histoire – Ce réseau propose des visites générales ou insolites (1h30 ou plus), conduites par des guides conférenciers et des animateurs du patrimoine agréés par le ministère. Visites découvertes et ateliers du patrimoine pour les enfants (merc., sam. et vac. scol.). Bordeaux *(p. 100)*, Oloron-Ste-Marie *(p. 478)*. En ligne : **www.vpah.culture.fr**

PÊCHE EN EAU DOUCE

Le **Parc national des Pyrénées** est réputé avec ses quelque 230 lacs, alevinés de salmonidés, et ses gaves.
Bon à savoir – Les championnats du monde de **pêche au saumon** se déroulent chaque année de mars à juillet dans le gave d'Oloron.
Dans les vallées du **Lot** et de la **Garonne**, on trouve des carnassiers (brochet, sandre), des aloses et des mulets : ils remontent la Garonne, respectivement au printemps et en été. En Gironde, outre la Garonne, les eaux poissonneuses de la **Dordogne** et de l'**estuaire** sont notamment fréquentées par les lamproies et les aloses.
www.federation-peche-gironde.com et **www.club-halieutique.com**

PÊCHE EN MER

On la pratique à pied, en bateau ou en plongée dans l'enclave du **bassin d'Arcachon** ou sur les **côtes landaises**. Des sorties de pêche en mer sont organisées à la belle saison : pêche à la ligne, à la traîne, au « gros » sur la côte basque (thon), à la demi-journée ou à la journée. Mieux vaut s'inscrire à l'avance.
Fédération française des pêcheurs en mer – Résidence Alliance, centre Jorlis - 64600 Anglet - 05 59 31 00 73 - www.ffpm-national.com

PELOTE BASQUE

Chaque village du **Pays basque**, du **Béarn** et des **Landes** du sud possède son fronton ou son trinquet où des parties de pelote ont lieu régulièrement. En outre, ce sport s'est fortement développé en **Gironde** et dans le **Lot-et-Garonne** au point de devenir un véritable sport régional reconnu par le ministère de la Jeunesse et des Sports. En **été**, il vous sera très facile d'assister à un match, voire de vous exercer sur les frontons.
Fédération française de pelote basque – Trinquet Moderne - 60 av. Dubrocq - BP 816 - 64100 Bayonne - 05 59 59 22 34 - www.ffpb.net
« Comprendre l'Aquitaine », p. 67.

PROMENADES EN BATEAU

Vous trouverez des informations (location de bateaux, croisières accompagnées) dans la rubrique « Nos adresses / Activités » des sites de la partie « Découvrir l'Aquitaine ». Voici les cours d'eau sur lesquels on peut naviguer :

- Adour (de Bayonne à Dax).
- Gaves Réunis (de Peyrehorade au Bec du Gave).
- Luy (d'Oeyreluy à Tercis-les-Bains).
- Baïse (de St-Léger à Moncrabeau).
- Lot (de Nicole à Lustrac).
- Garonne et canal latéral (Meilhan-sur-Garonne à St-Romain-le-Noble).
- estuaire de la Gironde (Bourg à la pointe de Grave, via l'île Nouvelle).
- courants d'Huchet et de Léon (Landes).
- Douze, Midouze et Leyre (Landes).
- Isle (au départ de Libourne).
- Dordogne (au départ de Ste-Foy-la-Grande).Vous pouvez également explorer le bassin d'Arcachon.

Pour découvrir l'estuaire de façon originale :www.gensdestuaire.fr

Location de bateau habitable – Pour deux à douze personnes, le bateau habitable permet une approche insolite des sites parcourus sur le canal latéral de Garonne, sur le cours inférieur du Lot et sur la Baïse. Diverses formules existent : à la journée, au week-end ou à la semaine. Voici les coordonnées de loueurs présents sur ces trois axes fluviaux.

Aquitaine Navigation – Port de Buzet-Val d'Albret - 47160 Buzet-sur-Baïse - 05 53 84 72 50 - www.aquitaine-navigation.com

Crown Blue Line – Écluse 44 - 47430 Le Mas-d'Agenais - 05 53 89 50 80 -www.crownblueline.fr

Canalous Plaisance –BP 63 - 71160 Digoin - 03 85 53 76 74 - www.canalous-plaisance.fr

RANDONNÉE ÉQUESTRE

Il existe des itinéraires balisés dans toute la région, à travers la forêt, la campagne ou la montagne.

Comité national de tourisme équestre – Parc équestre - 41600 Lamotte-Beuvron - 02 54 94 46 80 - www.ffe.com

En ligne : les itinéraires départementaux sur **www.tourisme-equestre.fr**

RANDONNÉE PÉDESTRE

Itinéraires

Renseignez-vous auprès des comités régionaux et départementaux de tourisme, les syndicats d'initiative et les offices de tourisme qui éditent souvent leurs propres parcours.

Les « GR »

Le **GR 6** relie St-Macaire et Monbazillac (Dordogne).
Sa variante, le **GR 636**, traverse le Lot-et-Garonne par Monflanquin.
Le **GR 8** parcourt la Côte d'Argent et se prolonge dans le Pays basque, de Lacanau à Sare.
Le **GR 10** traverse les Pyrénées d'ouest en est, franchissant plusieurs cols de plus de 2 000 m d'altitude. Il s'adresse aux randonneurs bien entraînés, habitués à marcher en terrains variés.

Fédération française de la randonnée pédestre – 64 r. du Dessous-des-Berges - 75013 Paris - 01 44 89 93 90 - www.ffrandonnee.fr

Randonnées accompagnées

Elles sont intéressantes pour la découverte de la faune et de la flore ainsi que pour les parcours en montagne, nécessitant une certaine expérience du terrain.

La Balaguère – 65400 Arrens-Marsous - 0 820 022 021 - www.labalaguere.com.
Cet organisme propose des « voyages à pied » dans les Pyrénées, libres ou accompagnés, avec ou sans portage, parfois thématiques (histoire, santé, musique) et pour tous niveaux.

Chemins de St-Jacques-de-Compostelle

Il existe **quatre voies** (www.compostelle-france.fr) principales et historiques (ceux qu'empruntèrent les pèlerins depuis le Moyen Âge) partant de quatre points différents et aboutissant à Ostabat (sauf la route d'Arles qui passe par le col du Somport) ; après Ostabat, un chemin commun, le *camino francés*, conduit à Puente-la-Reina (Espagne) où il rejoint le chemin d'Arles pour finir à St-Jacques-de-Compostelle :

– **Via Turonensis**, ou chemin de Tours, via Poitiers, Aulnay, Saintes, Blaye, Bordeaux et Dax.

– **Via Lemovicensis**, ou chemin de Vézelay, via Bourges, Neuvy-St-Sépulchre, St-Léonard-de-Noblat, La Coquille, Périgueux, Ste-Foy-la-Grande, Bazas, St-Sever, Orthez et Sauveterre-de-Béarn.

– **Via Tolosane**, ou chemin d'Arles, via Montpellier, St-Guilhem-le-Désert, Castres, Toulouse, Auch, Oloron-Ste-Marie, le col du Somport.

– **Via Podiensis**, ou chemin du Puy-en-Velay, via Saugues, Aubrac, Conques, Cahors, Moissac, Lectoure, Aire-sur-l'Adour, Navarrenx et St-Jean-Pied-de-Port.

Il existe aussi une voie littorale, qui longe la côte de Soulac-sur-Mer à Hendaye, puis le littoral espagnol. La Fédération française de randonnée pédestre a balisé le chemin du Puy : il s'agit du **GR 65**, dit « sentier de St-Jacques », et de sa variante, le **GR 653**, qui passe à Pau, reliant le col du Somport à Auch et Toulouse. Les autres chemins étant partiellement balisés, mieux vaut se procurer un bon guide ou suivre un « pèlerinage organisé ».

Le Comité régional du tourisme d'**Aquitaine** édite une brochure : *Chemins de St-Jacques-de-Compostelle*. Le Comité départemental du tourisme du **Béarn** propose un *Guide de découverte* consacré aux chemins de St-Jacques-de-Compostelle dans le Béarn et le Pays basque. Consultez également le site **www.aucoeurduchemin.org**

« Comprendre l'Aquitaine », p. 77.

RUGBY

En dehors des grands matchs nationaux et internationaux, vous pourrez vous procurer le calendrier des matchs d'amateurs auprès des offices de tourisme.

Fédération française de rugby – 9 r. de Liège - 75431 Paris Cedex 09 - 01 53 21 15 39 - www.ffr.fr

SKI ET MONTAGNE

À **Arette-la-Pierre-St-Martin** et **Gourette**, on peut s'adonner à différents types de glisse moderne. On pratique plus spécialement le ski de fond dans les stations d'**Issarbe** et **Somport-Candanchu**.

Pour plus d'informations sur ces 4 stations de sports d'hiver, consultez les sites Internet **www.lespyrenees.net** et **www.pyrenees-online.fr** : annuaire des sites pyrénéens et infos sur les stations de ski.

Carte N'Py – Les stations de ski de Gourette et de La Pierre-St-Martin ainsi que 6 stations des Hautes-Pyrénées se sont associées pour proposer à leurs vacanciers une carte leur épargnant l'achat de forfaits séparés, tout en leur proposant des offres avantageuses. www.n-py.com

SOUVENIRS

Retrouvez notre sélection d'adresses de boutiques ou d'artisans dans la rubrique « Nos adresses à… » située en fin de description des principaux sites de la partie « Découvrir l'Aquitaine ».

Produits du terroir

Les marchés au gras – Sur ces marchés traditionnels, on peut acheter des canards et des oies, des foies crus ou déjà préparés. Les plus pittoresques se tiennent à Agen, Dax, Langoiran, Monségur, Orthez, Peyrehorade et Villeneuve-sur-Lot.

Les produits frais : Confits et foie gras, jambon de Bayonne, charcuterie basque, huîtres du bassin d'Arcachon, caviar de la Gironde (assez rare cependant), fromage de brebis des Pyrénées (appellation Ossau-Iraty).

Les douceurs : Chocolats de Bayonne, pruneaux d'Agen, canelés de Bordeaux, macarons de St-Émilion et de St-Jean-de-Luz (mouchous), gâteau basque, coucougnettes de Pau, confiture de cerise noire d'Itxassou et miel des montagnes.

Les vins et eaux-de-vie : Grands et petits crus bordelais, vins locaux comme le jurançon, le tursan, le buzet, armagnac et floc de Gascogne dans les Landes, izarra (liqueur) au Pays basque.

Folklore

Les sonnailles : Fabriquée par le berger, chaque cloche possède un son particulier permettant à celui-ci de reconnaître chacune de ses bêtes. Les sonnailles sont encore fabriquées à Nay (dans le Béarn).

Les échasses : Hautes de 85 cm à 1,20 m, elles sont maintenues à la jambe par des sangles de cuir, le pied reposant sur un petit plateau de bois. Une démonstration ? Rendez-vous aux férias landaises de Dax ou de Mont-de-Marsan, entre autres.

Le chistera : Équipement indispensable à la pelote (au moins l'une de ses trois variantes), il prend la forme d'un long gant d'osier courbe, dans lequel la balle vient se loger avant d'être immédiatement relancée. *maison Gonzalez, p. 324.*

Le makhila : Cette canne typiquement basque est plus qu'un bâton de marche, car son pommeau cache une lame. Vous trouverez des ateliers spécialisés à Bayonne *(voir p. 317)* et Larressore *(voir p. 386)*.

Le bourdon de pèlerin : Il s'agit du grand bâton compagnon des pèlerins de St-Jacques.

La gourde du marcheur : Originaire d'Espagne, cette gourde souple et légère en peau de chèvre fait désormais partie du patrimoine béarnais.

Habillement et décoration

Le parapluie du berger : Constitué d'armatures en rotin, en jonc ou en bois pour éviter la foudre, ce parapluie se caractérise principalement par sa grande taille (de 140 à 180 cm d'envergure), qui permettait aussi aux bergers de se protéger du soleil. Vous en trouverez à Pau.

L'espadrille : Cousue en spirale, fermée par une toile de lin ou de coton, il s'agit de la chausse par excellence du Pays basque. C'est à Mauléon-Licharre *(voir « La capitale de l'espadrille », p. 440)* qu'elles sont fabriquées.

Le linge basque : Vous en trouverez partout au Pays basque, mais aussi à Oloron-Ste-Marie et à Coarraze.

La pure laine : Dans les Pyrénées, la laine apportée par les bergers à la filature est tricotée puis frottée sur un « métier de cardes », qui remplace les chardons d'autrefois, pour donner aux couvertures et aux pull-overs une douceur pelucheuse.

Le béret : Symbole de la France, le béret est en fait originaire du Béarn, avant d'être basque. Une grande fabrique de bérets subsiste à Oloron-Ste-Marie (société Beatex Prod) ainsi qu'à Nay (société Blancq-Olibet). On peut également s'en faire faire sur mesure à Bayonne.

STAGES DE CUISINE

Bon à savoir – Retrouvez les grands chefs de la région, leurs conseils et leurs recettes sur www.cuisine-aquitaine.org

En Gironde

L'Atelier des chefs – 25 r. Judaïque - Bordeaux - ✆ 05 56 00 72 70 - www.atelierdeschefs.com

Quai des saveurs – 16 quai des Chartrons - Bordeaux - ✆ 05 56 52 94 22 - http://gastronomie.aquitaine.fr/le-quai-des-saveurs

Le Chapon fin – 5 r. Montesquieu - Bordeaux - ✆ 05 56 79 10 10 - www.chapon-fin.com

Planète Cooking – Planète Bordeaux - RN 89 - Sortie 5 - 33750 Beychac-et-Caillau (20mn de Bordeaux) - ✆ 05 57 97 19 92 36 - www.planete-bordeaux.fr

Dans les Landes

Office du tourisme d'Hagetmau – Pl. de la République - 40700 Hagetmau - ✆ 05 58 79 38 26 - www.tourisme-hagetmau.com

Dans le Lot-et-Garonne

L'Atelier des Sens – Restaurant Michel Trama - 52 r. Royale - 47270 Puymirol - ✆ 05 53 95 31 46 - www.aubergade.com

Cantelause – 47240 Boussès - ✆ 05 53 65 92 71 (Mme Thollon Pommerol).

SURF

Avec les impressionnants rouleaux du golfe de Gascogne, les plages des côtes landaises et de la côte basque constituent un paradis pour les adeptes du surf.
Les **meilleurs spots** se trouvent à Lacanau-Océan, Le Porge-Océan, Arcachon (Arbousiers), Mimizan, Seignosse-Le Penon, Hossegor, Capbreton, Anglet (Sables d'Or et Cavaliers), Biarritz (côte des Basques et Grande Plage), Bidart (Centre), Guétary (Parlementia), St-Jean-de-Luz (Lafitenia) et Hendaye (Grande Plage).

Fédération française de surf – 123 bd de la Dune - 40150 Hossegor - ✆ 05 58 43 55 88 -www.surfingfrance.com

THALASSOTHÉRAPIE

Les côtes d'Aquitaine sont célèbres pour leurs centres de thalassothérapie, notamment sur la côte basque. On trouve des centres principalement à Arcachon, Hendaye, Biarritz, Anglet et St-Jean-de-Luz.

France Thalasso – Syndicat national professionnel de la thalassothérapie - 125 bd de la Mer - 64700 Hendaye - ✆ 05 59 51 35 03 - www.france-thalasso.com

Bon à savoir – Un site spécialement dédié à la thalasso sur la côte basque : www.thalassocotebasque.com

THERMALISME

L'abondance des sources minérales et thermales depuis la rive sud de l'Adour dans les Landes jusqu'aux Pyrénées a fait la renommée de la région dès l'Antiquité.
Le thermalisme fut remis au goût du jour au 19e s., grâce notamment à la création par Napoléon III d'une route thermale reliant les stations de Cambo-les-Bains et Eaux-Bonnes (sources sulfurées), Salies-de-Béarn (source salée) et Dax (boues).

Centre national des établissements thermaux – 1 r. Cels - 75014 Paris - ✆ 01 53 91 05 75 - www.france-thermale.org

URGENCES

Police Secours – ✆ 17.
Pompiers – ✆ 18 ou 112.
Samu – ✆ 15.
SOS Médecins – ✆ 3624 (0,12 €/mn).
Centre antipoison – ✆ 05 56 96 40 80 (CHU de Bordeaux).

Chéquiers et cartes de crédit

Chéquiers volés – ✆ 0892 683 208 (0,34 €/mn).

Carte Visa – ✆ 0 892 705 705 (0,34 €/mn).
American Express – ✆ 01 47 77 72 00.
Mastercard – ✆ 0 800 901 387.

Téléphone portable

Orange – ✆ 0 800 100 740.
Bouygues Télécom – ✆ 0 800 291 000.
SFR – ✆ 06 10 00 19 00.

VIGNOBLES ET VINS

VISITE DES CAVES

Les caves sont généralement ouvertes à la visite et proposent quelquefois des dégustations. Vous trouverez leurs coordonnées dans les offices de tourisme et les Maisons du vin (voir ci-dessous).
www.vins-bordeaux-aquitaine.com

En Gironde

Bon à savoir – La Maison de la Gironde (comité départemental du tourisme) propose un guide gratuit : *Voyages au pays des vins de Bordeaux*. Demandez la liste des sites appartenant au label **Vignobles et chais en Bordelais**, garantissant un accueil de qualité.
Maison du vin de Bordeaux – 1 cours du 30-Juillet - 33000 Bordeaux - ✆ 05 56 00 22 66 - www.bordeaux.com
Maison des Bordeaux et Bordeaux supérieurs – Planète Bordeaux - 33750 Beychac - ✆ 05 57 97 19 20/35 - www.planete-bordeaux.net
Maison du tourisme et du vin de Pauillac – La Verrerie - 33250 Pauillac - ✆ 05 56 59 03 08 - www.pauillac-medoc.com
Maison des vins de Graves – 61 cours du Mar.-Foch - 33720 Podensac - ✆ 05 56 27 09 25 - www.vins-graves.com - Vinothèque et dégustation gratuite.
Maison du vin de St-Émilion – Pl. Pierre-Meyrat - 33330 St-Émilion - ✆ 05 57 55 50 55 - www.maisonduvinsaintemilion.com
Maison du vin des Premières Côtes de Blaye – 12 cours Vauban - 33390 Blaye - ✆ 05 57 42 91 19 - www.aoc-blaye.com
Maison du vin des Côtes de Bourg – 1 pl. de l'Éperon - BP 45 - 33710 Bourg - ✆ 05 57 94 80 20 - www.cotes-de-bourg.com - Dégustation gratuite.
Maison des vins de l'Entre-Deux-Mers – 4 r. de l'Abbaye - 33670 La Sauve - ✆ 05 57 34 32 12 - www.vins-entre-deux-mers.com
Maison des vins de Ste-Foy-Bordeaux – 6 r. Notre-Dame - ✆ 05 57 46 31 71 - www.saintefoy-bordeaux.com
Maison des vins Cadillac, Côtes de Bordeaux et des Premières Côtes de Bordeaux – D 10 - rte de Langon - 33410 Cadillac - ✆ 05 57 98 19 20 - www.cadillaccotesdebordeaux.com
Maison du vin de Barsac – Pl. de l'Église - 33720 Barsac - ✆ 05 56 27 15 44 -www.maisondebarsac.fr
Maison du vin des côtes de Castillon – 6 allée de la République - 33350 Castillon-la-Bataille - ✆ 05 57 40 00 88 - www.cotes-de-castillon.com

Dans les Landes

Les Vignerons Landais Tursan-Chalosse – 40320 Geaune - ✆ 05 58 44 51 25 - www.tursan.fr - Sur demande, visite des chais et de la chaîne d'embouteillage, dégustation et vente.
Pour en savoir plus : www.france-sudouest.com

Dans le Lot-et-Garonne

Les Vignerons de Buzet – av. des Côtes-de-Buzet - 47160 Buzet-sur-Baïse - ✆ 05 53 84 74 30 - www.vignerons-buzet.fr
Union interprofessionnelle des vins des Côtes de Duras – Maison du vin - D 668 - 47120 Duras - ✆ 05 53 94 13 48 - www.cotesdeduras.com

Côtes du Marmandais – Cave du Marmandais - 47250 Cocumont - ✆ 05 53 94 50 21 - www.cavedumarmandais.fr

Le Cellier du Brulhois – Cave de Goulens - 47390 Layrac - ✆ 05 53 87 01 65 - www.vigneronsdubrulhois.com

Dans le Béarn

Le comité départemental du tourisme du Béarn *(voir p. 10)* édite une carte guide gratuite, *Destination vignoble* : appellations, contact des propriétés, calendrier des manifestations…

Cave des producteurs de Jurançon – 53 av. Henri-IV - 64290 Gan - ✆ 05 59 21 57 03 - www.cavedejurancon.com - Visite des chais et des mosaïques gallo-romaines, dégustation gratuite.

Cave coopérative Béarn-Bellocq – rte de Puyoô - 64270 Bellocq - ✆ 05 59 65 10 71 - www.cavedejurancon.com

Cave coopérative de Crouseilles (Madiran) – Château de Crouseilles - 5 rte de Madiran - 64350 Crouseilles - ✆ 05 62 69 66 77

Au Pays basque

Syndicat de défense de l'appellation Irouleguy – CD 15 - 64430 St-Étienne de Baïgorry - ✆ 05 59 37 94 80.

STAGES DE DÉGUSTATION

Office du tourisme de Bordeaux – 12 cours du 30-Juillet -33080 Bordeaux Cedex - ✆ 05 56 00 66 00 - www.bordeaux-tourisme.com

École du vin – 1 cours du30-Juillet - 33075 Bordeaux Cedex - ✆ 05 56 00 22 85 - http://ecole.vins-bordeaux.fr Dégustation au bar à vin : ✆ 05 56 00 43 47 - http://baravin.bordeaux.com

École du Bordeaux – 2 r. Michel-de-Montaigne - 33000 Bordeaux - ✆ 05 56 90 91 92 - *www.bordeauxsaveurs.com*

Château Maucaillou – 33480 Moulis-en-Médoc - ✆ 05 56 58 01 23 - www.chateau-maucaillou.eu

Maison du vin des Premières Côtes de Blaye – *Voir p. 21.*

Maison du vin de St-Émilion – *Voir p. 21.*

CIRCUITS ORGANISÉS

L'office du tourisme de Bordeaux propose différentes formules thématiques (réservation obligatoire, places limitées).
Demandez la brochure *Bordeaux, porte du vignoble.*

ROUTES DES VINS

Les Routes du vin (en Gironde) – *Voir la Maison du vin de Bordeaux, p. 21.*

Route des vins et des appellations de l'Entre-Deux-Mers – Office du tourisme de l'Entre-Deux-Mers - 33580 Monségur - ✆ 05 56 61 82 73 - www.entredeuxmers.com

Route des vins du Jurançon – Maison des vins et du terroir du Jurançon - 64360 Lacommande - ✆ 05 59 82 70 30 - www.vins-jurancon.fr

Routes des vins en bergeracois, bordelais et jurançon : 3 parcours fléchés. www.tourisme-aquitaine.fr

Route des vins de Bordeaux en Graves et Sauternes : 4 itinéraires thématiques à découvrir à l'aide d'un GPS et d'un guide numérique. www.tourisme-gironde.fr

VOILE, PLANCHE À VOILE, CHAR À VOILE

La côte atlantique et bon nombre de lacs (lacs de Cazeau, du Sanguinet, de Soustons, de Carcans, d'Aureilhan ; lacs de Bordeaux et de Christus à Dax) attirent les amateurs de voile et de planche à voile.
Ceux qui pratiquent le char à voile apprécieront les grandes plages de sable de la Côte d'Argent.

Fédération française de voile – 17 r. Henri-Bocquillon - 75015 Paris - ✆ 01 40 60 37 00 - www.ffvoile.fr

En famille

Vous trouverez ci-dessous les principales activités à faire en famille, classées par site. Retrouvez-les, ainsi que d'autres idées, dans la partie « Découvrir l'Aquitaine » grâce au pictogramme.

Les labels :

Famille Plus – Bordeaux. www.bordeaux-tourisme.com

Circuits touristiques en Gironde, élaborés pour les 7-12 ans : www.surlespistesderobin.com

Stations vertes – 3 stations en Gironde, 14 stations dans les Landes, 6 stations dans le Lot-et-Garonne, 6 stations dans les Pyrénées-Atlantiques. www.stationsvertes.com

CHAPITRE DU GUIDE	P.	NATURE	MUSÉES, MONUMENTS	LOISIRS
Agen	512		Musée des Beaux-Arts, Villascopia (Castelculier)	Walibi Aquitaine
Aire-sur-l'Adour	295		Maison du Jambon de Bayonne (Arzacq)	
Ainhoa	378	Grotte des Sorcières (Zugarramurdi), grottes d'Urdazubi		
Anglet	319	Parcours-aventure(forêt du Pignada)		
Arcachon	208		Aquarium et musée	
Bassin d'Arcachon	215	Parc ornithologique du Teich, zoo (La Teste), île aux Oiseaux en bateau	Maison de l'huître (Gujan-Mestras)	Petit train (Cap-Ferret), Parc de loisirs (La Hume)
La Bastide-Clairence	396	Bois de Mixe		Domaine du lac de Sames
Bayonne	304	Observation	Muséum d'histoire naturelleMusée basque	Atelier du Chocolat Journées du chocolat
Bazas	241		Château de Roquetaillade	
Biarritz	325		Musée de la Mer,Cité de l'Océan,Musée du Chocolat	
Biscarrosse	247	Promenade en barque	Musée de l'Hydraviation	
Blaye	177	Site Terres d'Oiseaux (St-Ciers-sur-Gironde)	Citadelle	
Bordeaux	100		Cap Sciences, Planète Bordeaux (Beychac),Bordeaux monumental,musée d'Aquitaine	Balade en calèche, Miroir d'eau
Bourg	182	Grottes de Pair-non-Pair	Musée « Au temps des calèches »	

Cambo-les-Bains	384	Forêt des Lapins (Itxassou)	Musée de la Chocolaterie,Maison labourdine (Ustaritz)	
Capbreton	280	Pinède des Singes, Reptilarium, parc animalier Océafaunia (Labenne)		
Dax	266	Conservatoire avicole (Magescq)	Musée de l'Hélicoptère	
Duras	533		Maison des Vignerons	
Entre-Deux-Mers	147	Ferme « Oh ! Légumes oubliés » (Sadirac), grotte Célestine (Rauzan)		
Espelette	381		Atelier du piment	
Forêt d'Iraty	432			Randonnées
Graves, Sauternes et Barsac	140	Réserve géologique de Saucats-La Brède	Écomusée de la Vigne et du Vin (Gradignan)	
Grottes d'Isturitz et d'Oxocelhaya	400	Grottes, ferme Agerria		
Haut-Médoc	186		Petit musée d'Automates (Pauillac), Fort Médoc	
Hendaye	358	Plage, promenade en mer		Activités nautiques,parcours-aventure,Semaine des enfants
Hossegor	274			Port miniature (Soustons)
Lacanau-Océan	203	Étang de Cousseau		Médoc Océan, Lacanau Surf-Club
Larrau	435	Gorges de Kakuetta		
Libourne	170	Lac des Dagueys	Musée du Chemin de Fer (Guîtres)	Parcours d'énigmes au château de Vayres (été)
Marmande	528	Réserve de la Mazière (Villeton)	Scénovision « Gens de Garonne » (Couthures-sur-Garonne)	
Mauléon-Licharre	439			Rafting
Mimizan	251	« Les pieds sur Terre » (Onesse-et-Laharie)		Plages, descente en barque du courant d'Huchet
Mont-de-Marsan	257	Parc de Nahuques		
Monflanquin	548	Promenade en gabare (Fumel)	Visites-spectacles de la ville, musée des Bastides	
Nérac	521		Conservatoire végétal régional d'Aquitaine (Montesquieu)	Train touristique de l'Albret
Oloron-Ste-Marie	478	Arboretum de Payssas (Lasseube)	Circuit du patrimoine et « voyage immobile » à la villa Bourdeu	

Orthez	467		Château Moncade	Chasse aux trésors,balade en canoë
Ossès	404			Parcours-aventure,sports d'eaux vives, base de loisirs du Baigura
Parc naturel régional des Landes de Gascogne	230	Forêt d'art contemporain	Écomusée de Marquèzeet son pavillon,Graine de Forêt (Garein)	Centre du Graoux (Belin-Béliet), domaine de loisirs d'Hostens, balade en calèche (Moustey), piscines (Sore, Sabres, Salles et Pissos)
Pau	452	Haras national de Gelos, zoo d'Asson, Cité des Abeilles (St-Faust),grottes de Bétharram,lac des Carolins (Lescar)	Musée des Parachutistes, musée des Arts sucrés (confiserie Francis Miot)	Balade en calèche, petit train touristique
Peyrehorade	284		Musée de l'abbaye d'Arthous, aire autoroutière d'Hastingues	
La Réole	155	Oseraie de l'île (Barie)		
La Rhune	367	Petit train de la Rhune,maison Ortillopitz	Écomusée de la Pelote et du Xistera (St-Pée-sur-Nivelle)	Base de loisirs(St-Pée-sur-Nivelle)
St-Émilion	158	Jardin de la Lamproie (Ste-Terre)	Écomusée du Libournais (Montagne)	
St-Étienne-de-Baïgorry	424			Balade à dos d'âne (Irouléguy),Chocolaterie Laïa
St-Jean-de-Luz	344	Écomusée de la Tradition basque, promenade en mer		Pêche en mer, croisières, activités nautiques (même les plus rares), parcours-aventure
St-Palais	409		Château de Camou	
St-Sever	288	Moulin de Poyaller		Ateliers préhistoriques (Brassempouy)
Sare	374	Grotte Lezea		Parc animalier (Etxola)
Sauveterre-de-Béarn	475		Chapelle de Sunarthe	
Soulac-sur-Mer	196	Promenade du marais du Conseiller (Le Verdon-sur-Mer)	Phare de Cordouan et son musée (pointe de Grave),phare de Richard,moulin à vent (Vensac)	Petit trainSoulac-Pointe de Grave
Vallée des Aldudes	428	Ferme Aquacole (Banca)		Parcours-découverte du porc basque
Vallée d'Aspe	488	Parc Ours (Borce)	Écomusées de la vallée d'Aspe (Accous, Borce, Lourdios-Ichère, Sarrance) Moulin d'Orcun (Bedous)	Balade à dos d'âne (Etsaut)
Vallée d'Ossau	495	Falaise aux Vautours (Aste-Béon)		Petit train d'Artouste, lac de Castet (Bielle)
Villeneuve-sur-Lot	537	Haras national, Grottes de Lastournelles, et de Fontirou,ferme du Chaudron Magique (Brugnac)	Atelier archéoligque d'Eysses	Dédal'Prune et Mam'zelle Prune (Granges-sur-Lot)

Mémo

Agenda

JANVIER-FÉVRIER

Bazas – Fête des bœufs gras : défilé des bœufs dans la ville, suivi d'un concours de races devant la mairie. Un banquet clôture la fête (jeu. précédant le Mardi gras).
Biarritz – Festival international des programmes audiovisuels (3e w.-end). www.fipa.tm.fr
Espelette – Foire aux pottoks (derniers mar. et merc. de janv.).
Monségur – Foire au gras (2e dim. de fév.).

CARNAVAL

Arcangues, Biarritz, St-Jean-Pied-de-Port – 3e semaine de fév.
Bayonne, St-Jean-de-Luz – Déb. fév.
Hendaye – Mi-fév.
Pau – Carnaval Biarnés (fév.-mars) : deux semaines d'animations pour revivre les traditions. www.carnavalbiarnes.fr
St-Pée-sur-Nivelle – Fév.
Sare – Carnaval des jeunes. Fév.

MARS

Biarritz – Bi Harriz Lau Xori (mi-mars) : festival d'expressions basques et d'ailleurs. www.biarritz-culture.com
St-Jean-de-Luz – Défilé des confréries gastronomiques.
St-Pée-sur-Nivelle – Fête de la confrérie de la Truite.

AVRIL

Amou – Courses de vaches landaises (dim. des Rameaux).
Bayonne – Foire aux jambons (3e w.-end).
Biarritz – Fêtes musicales de Biarritz (3e w.-end).
Biarritz – Quiksilver Biarritz Maïder Arrosteguy (compétition de surf).
Blaye – Printemps des vins - www.printemps-des-vins.com
Fargues-sur-Ourbise (près de Casteljaloux) – Fête de l'asperge (3e dim.).
Gotein – Festival de Xiru : danse, théâtre, littérature.
Hendaye – Festival de cinéma Filmar dédié à l'environnement.
Hossegor – 24 Heures de Surf Casting : pêche en bord de mer.
Landes – Printemps des Landes : une semaine d'activités et d'animations autour d'un thème annuel. http://printemps-des-landes.com
Oloron-Ste-Marie – Festival des vallées et des bergers : grande soirée béarnaise avec groupes de chanteurs (dernier sam.).
Pauillac – Printemps des châteaux du Médoc (w.-end de Pâques) : portes ouvertes dans les grands châteaux viticoles.
Pomarez – Festival Art et Courage : course landaise (fin du mois).
St-Étienne-de-Baïgorry – Journée de la Navarre (chants et danses).
St-Sever – Fête du foie gras (les 13 et 14) : démonstrations, dégustation et vente.
Ste-Terre (près de St-Émilion) – Fête de la lamproie.

AVRIL-JUILLET

Navarrenx – Championnats du monde de pêche au saumon.

MAI

Arcachon – Jumping national d'Arcachon : course sur la plage (mai ou juin selon les marées).

Bayonne – Journées du chocolat (déb. mai).
Biarritz – Festival des arts de la rue (fin mai).
Bordeaux – Foire internationale de Bordeaux. www.foiredebordeaux.com
Bourg – Journées portes ouvertes dans les châteaux (2e w.-end).
Cadillac – Journées portes ouvertes dans les châteaux de l'appellation cadillac-côtes-de-bordeaux (fin du mois).
Cambo-les-Bains – Festival d'*otxote* (chant choral).
Hendaye – Mai du théâtre.
Mimizan – Fête de la mer (le 1er) : bénédiction de la mer, animations dans les rues et sur les plages, bandas, défilé nautique.
Pauillac – Fête de l'agneau (fin avr.-déb. mai).
St-Émilion – Journées portes ouvertes des châteaux (1er w.-end).
St-Jean-de-Luz – Festival international du film de surf.
St-Jean-Pied-de-Port – Festival des musiques d'ici et d'ailleurs (dernier w.-end).
Ste-Croix-du-Mont – Fête de la commanderie du Bontemps : promotion des vins de Ste-Croix-du-Mont.

ASCENSION

Bascons – Fête de Notre-Dame de la course landaise.
Laàs – Transhumances musicales dans le parc du château : tremplin des polyphonies (concours), chanteurs et musiciens d'envergure internationale. www.transhumances-musicales.com

PENTECÔTE

Hastingues – Festival international de la céramique à l'abbaye d'Arthous. http://www.terresdaquitaine.com

JUIN

Abbayes de la Chalosse et du Pays d'Orthe – Festival des abbayes en Sud Adour : musique classique. www.festivaldesabbayes.org
Aire-sur-Adour – Férias (2e quinz. : 6 j.). www.feria-aire.com
Ainhoa – Fête des sorcières (21 juin).
Ascain – Fête du pottok (déb. juin).
Biarritz – Les Océanes (fin juin) : festival de la mer.
Bordeaux – Fête du fleuve sur les quais : dégustations de vins et de fruits de mer, son et lumière, bal, régates, feu d'artifice ; Vinexpo (années impaires, 3e w.-end de juin). www.bordeaux-fete-le-fleuve.com et www.vinexpo.com
Bordeaux – Fête du vin, place des Quinconces et sur une partie des quais : animations, concerts (années paires, dernière sem. de juin). www.bordeaux-fete-le-vin.com
Capbreton – Fête de la mer : sortie en mer des bateaux, fête traditionnelle des marins pêcheurs. www.port-capbreton.com
Itxassou – Fête des cerises (1er dim. de juin). Kermesse, messe, partie de pelote, repas, vente de cerises, etc.
Lourdios-Ichère – Fête de la transhumance en vallée d'Aspe (déb. du mois) : départ des troupeaux de vaches, brebis, chevaux. Présentation de races locales, expositions, chants et danses traditionnels.
Moliets-et-Maâ – Festival de cerfs-volants (2e w.-end).
Pau – Grand Prix automobile de Pau (1er w.-end). www.grandprixdepau.com
Sadirac – Fête de la poterie (mi-juin).
St-Émilion – Jurade de printemps (3e dim.) : défilé des jurats, messe, intronisations et proclamation solennelle du jugement du vin nouveau. www.saint-emilion-tourisme.com

St-Jean-de-Luz – Udaberria Dantzan : festival de danses traditionnelles (vers le 11 juin).
St-Jean-de-Luz – Fête de la St-Jean (w.-end de la St-Jean). Grand-messe, concerts, chistera, force basque, feux de la St-Jean, bal, *toro de fuego*, etc. www.saint-jean-de-luz.com
St-Sever – *Novilladas* et *encierro* : fête de la St-Jean (24 juin).
Soulac – « Soulac 1900 » : grande parade de la Belle Époque, train à vapeur, découverte de l'estuaire de la Gironde en bateau, spectacles de rue et petits métiers d'autrefois (1er w.-end de juin). www.soulac1900.fr

JUILLET

Andernos-les-Bains – Festival jazz en liberté (dernier w.-end) : concerts gratuits en plein air. www.andernoslesbains.fr
Arcachon – Les 18 Heures d'Arcachon Sud-Ouest (1er w.-end) : régates en mer et village de guinguettes plage Pereire.
Bayonne – La Ruée au jazz (après le 14 Juil.).
Biarritz – Les Extravagances : festival de musiques actuelles.
Blaye – Jumping international (w.-end du 14 Juil.). www.jumpingdeblaye.com
Espelette – Festival international de danse Gau Argi, pour les enfants de 9 à 15 ans (mi-juil.).
Etsaut – Fête du fromage (dernier dim.).
Hendaye – Fêtes de la mer (dernier w.-end de juil.).
Itxassou – Errobiko Festibala : festival de la Nive (3e w.-end).
Lanton – Fête de l'huître et folklore maritime (w.-end du 14 Juil., 3 soirs).
Laruns – Transhumances en Ossau (déb. du mois) : passage des troupeaux dans les villages.
Mont-de-Marsan – Festival Arte flamenco (déb. du mois). http://arteflamenco.landes.org
Mont-de-Marsan – Féria de la Madeleine (2e quinz.) : cavalcades, corridas, courses landaises et bodegas. www.tourisme-montdemarsan.fr
Orthez – Féria (dernière sem.) : bandas, paella géante, courses de vaches… et corrida le dimanche.
Penne-d'Agenais – Foire à la tourtière (2e dim.) : préparation des tourtières aux pommes, concours et démonstrations.
La Pierre-St-Martin – Junte de Roncal (le 13 juil.) : célébration du traité le plus ancien d'Europe entre la vallée navarraise de Roncal (Espagne) et la vallée de Barétous (France).
St-Jean-de-Luz – Fête du thon : défilé, animations et jeux, dégustations de thon-piperade, bandas et bals (1er sam. de juil.).
St-Yzans-de-Médoc – Foire aux sarments (2e sam.) : découverte du patrimoine, des traditions et de la gastronomie médocaine.

JUILLET-AOÛT

Aramits – Soirées pastorales tous les jeudis.
Arette – Pelote basque tous les mardis à 18h au fronton.
Bassin d'Arcachon – Fête de l'huître autour du bassin dans chaque commune. www.bassin-arcachon.org
Biarritz – Biarritz Master Jaï Alaï (jeu de pelote).
Castillon-la-Bataille –Un spectacle son et lumièrede plein air reconstitue la bataille de Castillon, qui a mis finà la guerre de Cent Ans(de mi-juil. à mi-août à 22h30). www.batailledecastillon.com
Château de Vayres – Soirées mascaret et soirées mousquetaires. www.chateaudevayres.com
Hossegor – Tournoi de Cesta Punta.
Oloron-Ste-Marie – Quartiers d'été : concerts, expositions, films, animations.

St-Jean-de-Luz – Internationaux professionnels de Cesta Punta, jeu de pelote (mar. et vend. soir).
St-Jean-de-Luz/Ciboure – Régates de traînières (vers le 10 juil.).
Soustons – Pelote basque au grand chistera ; folklore landais.

AOÛT

Agen – Grand pruneau show d'Agen (dernier w.-end) : parade, concerts, gastronomie… www.grandpruneaushow.fr
Anglet – Surf de nuit/Airshow (14 août).
Arcachon – Fête de la mer (les 14 et 15) : bénédiction des bateaux, régates de pinasses à voile et musique en soirée. www.arcachon.com
Arès – Fête de l'huître (mi-août). www.fete-de-lhuitre-ares.com
Ascain – Concours de chiens de berger et Course de la Rhune (déb. du mois).
Bayonne – Fêtes de Bayonne : courses de vaches, parties de pelote, bals publics (1re sem.). http://fetes.bayonne.fr
Blaye – Les Chantiers de Blaye et de l'estuaire (fin du mois) : festival de théâtre. www.chantiersdeblaye-estuaire.com
Cambo-les-Bains – Festival international de théâtre d'Arnaga.
Château de Bonaguil – Festival de théâtre (2e sem.). http://www.bonaguil.org
Dax – Féria (2e sem.) : corridas, concours landais, jeux avec vachettes, spectacles folkloriques, bandas, bodegas, feux d'artifice. www.dax.fr
Duras – Fête des vignerons, sur le parvis du château. http://www.paysdeduras.com
Gujan-Mestras (port de Larros) – Foire aux huîtres (1re quinz.) : animations, bandas, dégustations, feu d'artifice. www.ville-gujanmestras.fr
Hagetmau – Les 5 Jours d'Hagetmau : corridas, courses landaises, feux d'artifice, orchestres.
Lacanau – Lacanau Pro (mi-août) : étape des championnats du monde de surf. http://surflacanau.com/lsc
Laruns – Hesta de Noste Dama (mi-août) : fête traditionnelle ossaloise avec danses, chants, costumes.
Mauléon-Licharre – Fête de l'espadrille (15 août).
Marmande et sa région – Festival Les Nuits lyriques en Marmandais (2e quinz.). www.festilyrique.fr
Miramont-de-Guyenne – Bastid'art : festival des arts de la rue (1er w.-end). www.ville-miramontdeguyenne.fr
Monein – Fête du vin de Jurançon (déb. du mois) : expositions et dégustations de fruits et de vin de Jurançon. www.monein.fr
Monflanquin – Fêtes médiévales : reconstitutions historiques, spectacles, animations de rue, banquet médiéval.
Nérac – Fête des vins et du terroir de l'Albret. http://www.albret-tourisme.com
Pomarez – Courses de vaches landaises.
St-Étienne-de-Baïgorry – Festival musical de Basse-Navarre (musique baroque, 1re quinz. d'août).
St-Palais – Festival de la force basque (3e dim. d'août).
St-Macaire – Les Journées médiévales (fin du mois) : marché, jeux, visites, banquet médiéval.
St-Sever – Reconstitution historique (déb. du mois une année sur deux) : vie de la cité du Moyen Âge à nos jours, spectacle son et lumière et feu d'artifice. Rens. et réserv. à l'office de tourisme.
Salies-de-Béarn – La Piperadère (le 15) : concours de piperades béarnaises, repas champêtre et festival des métiers d'antan.
Uzeste – Hestejada de las arts d'Uzeste musical (3e sem.) : variétés, théâtre, poésie, arts plastiques, danse, cinéma, etc. www.uzeste.org

SEPTEMBRE

Arcachon – Cadences : festival de danse (3e sem.). www.arcachon.com
Arette – Fête des bergers : concours de chiens de berger (3e w.-end). www.valleedebaretous.com
Bazas – Fête de la palombe : (dernier w.-end) : reconstitution d'une chasse, intronisations.
Biarritz – Le Temps d'Aimer (2e sem. de sept.) : festival de danse. www.biarritz-culture.com
Biarritz – Festival de Biarritz (fin sept.-déb. oct.) : festival consacré au cinéma et à la culture d'Amérique latine. www.festivaldebiarritz.com
Biarritz – Quiksilver Pro Junior International de surf (fin sept.-déb. oct.).
Bourg – Foire Troque-sel (1er w.-end de sept.) : depuis le Moyen Âge, elle commémore le privilège, accordé à la ville par le roi d'Angleterre, de troquer du sel sans payer la gabelle.
Contis-Plage – Festival international de Contis (mi-sept.) : courts métrages. www.cinema-contis.fr
Dax – Toros y Salsa (déb. sept.) : tauromachie et concerts au rythme de la musique latino-américaine.
Langon – Fête du vin et du fromage (1er w.-end). www.federation-langon.fr
Oloron-Ste-Marie – Championnat international de garbure. www.lagarburade.org
St-Émilion – Jurade d'automne : ban des vendanges (3e dim.), défilé des jurats, messe, intronisations et proclamation solennelle du ban des vendanges. www.saint-emilion-tourisme.com
St-Jean-de-Luz – Académie internationale de musique Maurice Ravel.
Salies-de-Béarn – Fête du sel (2e w.-end) : marché aux salaisons, artisans en costumes traditionnels, chants et danses du Béarn, etc.
La Sauve Majeure – La nuit de la Sauve : spectacle nocturne, théâtre et lumière.
Vieux-Boucau – Championnat du monde des chioulayres (siffleurs d'alouettes) (déb. sept.).

SEPTEMBRE-DÉCEMBRE

Jurançon et alentours – Fêtes des vignerons en Jurançon : portes ouvertes des chais des vignerons indépendants (déc.), dégustations des vins et produits du terroir. www.vins-jurancon.fr

OCTOBRE

Bazas – Fête de la palombe (déb. oct.). www.ville-bazas.fr
Bayonne, Biarritz – Les Translatines (mi-oct.) : festival de théâtre franco-ibérique et latino-américain.
Espelette – Fête du piment (dernier dim. d'oct.). Bénédiction du piment, défilé des confréries et nomination des Chevaliers du piment d'Espelette.
Fronsac – Journées portes ouvertes dans les châteaux (3e w.-end).
Hossegor – Festival des arts de la rue (1er w.-end vac. de Toussaint) : démonstration de diverses activités artistiques et burlesques.
Laruns – Foire aux fromages, avec marché à l'ancienne (1er w.-end).
Pau – Concours complet international d'équitation. www.event-pau.fr
St-Jean-de-Luz – Festival des jeunes réalisateurs.
St-Jean-de-Luz – Festival de chant choral (fin oct.).

NOVEMBRE

Biarritz – Festival de cirque « On s'appelle on s'fait un Cirque ! » (fin nov.).

DÉCEMBRE

St-Sever – Festivolailles (déb. déc.) : poulets et chapons de St-Sever à l'honneur. Grand marché médiéval et concours de quilles le 9.

Bazas, Montfort, St-Sever – Hailha de Nadau : le 24 décembre, tous les habitants se réunissent pour chanter les chants traditionnels en gascon ; vin chaud et défilé.

Bibliographie

OUVRAGES GÉNÉRAUX

Gironde, collectif, éd. Bonneton, 2002.
Landes, collectif, éd. Bonneton, 2001.
Lot-et-Garonne, J.-P. Poussou, éd. Sud-Ouest, 2003.
Pays basque, terre et gens, A. Sorondo, éd. Elkar, 2004.
Fêtes et traditions du Pays basque, O. de Marliave, éd. Sud-Ouest.

HISTOIRE ET PATRIMOINE

Histoire de l'Aquitaine, M. Suffran, éd. Calmann-Lévy, 2003.
L'Aquitaine au temps de François Mauriac, 1855-1970, G. Fayolle, Hachette Littérature, 2004.
La Gironde et les Girondins, F. Furet, M. Ozouf, Payot, 2004.
Aliénor d'Aquitaine, la Reine insoumise, J. Flori, Payot, 2004.
Gaston Fébus : le prince et le diable, C. Pailhès, Perrin, 2007.
L'Aventure des bastides, G. Bernard, G. Jungblut, Privat, 2003.
Histoire de Bordeaux, C. Higounet, Privat, coll. Univers de France, 2001.
Autrefois Bordeaux, S. Pacaud, Atlantica, 2004.
Autrefois Pau, P. Mirat, Atlantica, 2003.
Bordeaux secret et insolite, P. Prévôt, R. Zeboulon, Les Beaux Jours, 2005.
Le Bassin d'Arcachon : à l'âge d'or des villas et des voiliers, F. Cottin, Horizon Chimérique, 2003.
Mémoire d'un fleuve : Garonne et Gironde, L. Barron, Les Chemins de la mémoire, 2004.
La Vie d'autrefois dans les Landes, J.-F. Ratonnat, éd. Sud-Ouest, 2000.
Histoire de Bayonne, Pontet, Privat, coll. Univers de France, 1995.
Histoire du peuple basque, J.-L. Davant, éd. Elkar, 2000.
Pays basque (vie d'autrefois), J.-F. Ratonnat, éd. Sud-Ouest, coll. Histoire, 2000.

LITTÉRATURE

Les Rives de la Garonne, A. Dufilho, éd. Aubéron, 1990.
Le Pont de la Garonne, H. Sarrazin, éd. Aubéron, 1996.
Bordeaux, une enfance, F. Mauriac, M. Suffran, L'Esprit du Temps, coll. Contraste, 2000.
La Villa Belza, B. Pécassou-Camebrac, Flammarion, 2007.
Ramuntcho, P. Loti, Folio Gallimard, 1990.
Le Pays basque, P. Loti, éd. Aubéron.
Voyages au Pays basque, Stendhal, T. Gautier, V. Hugo, éd. Pimientos, coll. Voyages d'écrivains au 19e s., 2002.

En livres de poche

Ma communale avait raison, G. Coulonges, éd. Pocket.
Ciné-roman, R. Grenier, éd. Folio.
Thérèse Desqueyroux, F. Mauriac, Le Livre de Poche.
Crépuscule, taille unique, C. de Rivoyre, Le Livre de Poche.
Bords d'eaux, P. Veilletet, Arléa Poche.

GASTRONOMIE

Les Bonnes Recettes des Landes, M.-F. Chauvirey, éd. Lavielle, 2000.
Les Bonnes Recettes du Béarn, C. Lagreoulle, éd. Lavielle, 2000.
La Bonne Cuisine basque, E. Bonche, éd. J G D.
Bordeaux - Grands crus classés 1855-2005, collectif, Flammarion, 2004.
L'Esprit du Bordeaux, A. Le Bègue, Hachette, 2002.

MUSIQUE

Vous trouverez un grand choix de disques chez Agorila (13 r. Montalibet, 64100 Bayonne,www.agorila.com), spécialisé dans l'édition musicale du Pays basque.
Tatoo, Fêtes du Sud-Ouest, Agorila.
Chœurs basques, Argileak, Agorila.
Desertore, par Oskorri, éd. L'Autre Distribution.

NATURE

Les Landes de Gascogne, C. Maizeret, Delachaux et Niestlé, 2005.
Apprenez à découvrir la faune des Pyrénées, Tétras, 2004.
La Grande Flore illustrée des Pyrénées, M. Saule, Rando Éditions, 2002.
Le Guide du Parc national des Pyrénées, P. Mayoux et F. Elman, Rando Éditions.

ITINÉRAIRES

Chez Rando Éditions

100 sommets des Pyrénées, collectif, 2007.
Les Sentiers d'Émilie en Gironde, J.-Y. Rossignol, 2007.
Les Sentiers d'Émilie dans les Landes, B. Valcke, 2003.
Les Sentiers d'Émilie en Lot-et-Garonne, J.-P. Sirejol, 2002.
Les Sentiers d'Émilie en Béarn, F. Breitenbach, 2002.
Les Sentiers d'Émilie au Pays basque, N. Magrou.
Le Guide Rando Pays basque, M. Record.

Autres éditeurs

La Gironde à vélo, C. Feigné, éd. Sud-Ouest, 2004.
Randonnées sur les sentiers du Pays basque, A.-M. Minvielle, éd. Glénat, coll. Rando-Évasion, 2005.
Balades nature au Pays basque, collectif, éd. Dakota, 2006.
La Fédération française de la randonnée pédestre édite de nombreux topoguides *(voir coordonnées p. 17)*.

JEUNESSE

Raconte-moi le Béarn, C. Desplat, éd. Cairn, 2002.
Contes des Landes de Gascogne, F. Arnaudin, P. Dumas, L'École des Loisirs, 2001.
Sylvie et la forêt des Landes, J. Doutreloux, P. Morin, L'École des Loisirs, coll. Archimède, 2001.
Contes traditionnels des Pyrénées, 2 tomes, M. Cosem, Milan, 2003.
Téodosio, C. Labat, éd. Elkar, 2005.
Olentzero, C. Labat, éd. Elkar, 2005.
Ces deux ouvrages sont des contes basques adaptés pour petits et grands enfants.
Bécassine au Pays basque, Pinchon, Cauméry, éd. Gautier Languereau, 1991.
Contes traditionnels du Pays basque, M. Cosem, F. Vincent, éd. Milan, 1996.

LANGUES/TOPONYMIES

Que parli gascon – Initiation à la langue gasconne, collectif, 3 CD audio, Princi Negue, 2005.
Guide de la conversation français-basque, éd. Elkarlanean, 2000.
Noms de lieux du Pays basque et de Gascogne, Michel Morvan, éd. Bonneton, 2004.
Le comité départemental du tourisme Béarn-Pays basque édite un petit guide : *La Langue basque*.

Presse

Quotidiens : *L'Éclair des Pyrénées, La République des Pyrénées, Sud-Ouest, Le Journal du Pays basque, La République des Pyrénées, La Dépêche du Midi (Lot-et-Garonne).*
Hebdomadaires : *Sud-Ouest dimanche, La Semaine du Pays basque,*
Bimestriel : *Pyrénées Magazine, Le Festin*

BAR AU CLOU

2/ COMPRENDRE L'AQUITAINE

Bayonne.
D. Harding / Art Directors & Trips Photo /age Fotostock

L'Aquitaine, aujourd'hui

Que d'images évoque le seul nom d'Aquitaine ! Forêts des Landes et plages océanes, vins de Bordeaux et poule au pot, mousquetaires gascons et surfeurs bronzés, bergers en houppelande des vallées perdues, « bobos » en espadrilles sur le bassin d'Arcachon, fier profil d'une Aliénor deux fois reine, lyrisme rauque de Noir Désir et consonances déroutantes d'une langue basque qui ne ressemble à aucune autre... pour être convenus, ces clichés n'en disent pas moins la diversité de ce vaste territoire qui se déploie en de nombreux « pays » aux visages variés, aux histoires singulières. Si, pour les résumer tous, il fallait retenir une seule image, ce serait sans doute celle d'une certaine douceur de vivre, d'une tranquille vitalité.

Ce n'est pas un hasard si l'Aquitaine est aujourd'hui la cinquième région touristique de France. Les visiteurs viennent y goûter les délices gastronomiques qui font son quotidien (huîtres et vins, foie gras et fromages...). Ils y découvrent un riche patrimoine de pierre qui raconte l'histoire des générations passées. Ils profitent aussi des attraits indéniables qu'apportent l'océan, les grands espaces parfois vierges, un climat agréable et une nature que les autorités régionales et locales s'efforcent de protéger et de valoriser. Pour les habitants de la région, le tourisme représente en effet une source importante d'emplois et de revenus, ce qui justifie un effort constant sur les capacités d'accueil et les activités proposées : œnotourisme, aménagement de voies cyclables, équipements balnéaires et tourisme fluvial...

Avec un littoral de plus de deux cents kilomètres, partagée entre étangs, dunes et plages de sable fin, la côte offre une étendue ouverte sur l'immensité océanique. Si l'on pénètre plus avant dans les terres, les Landes constituent un décor extraordinaire : la plus grande forêt artificielle d'Europe fait face à l'Atlantique. Côté Bordelais, ce sont les vignes qui dominent le paysage. Puis se dessine le pays des délicates collines du Lot-et-Garonne. Plus au sud, formé de hauts sommets, de vertes vallées et de gaves, le Béarn abrite une faune et une flore exceptionnellement denses.

Le Bordelais

L'ESTUAIRE DE LA GIRONDE

C'est l'estuaire le plus vaste d'Europe. Il s'allonge sur 75 km, du bec d'Ambès, point de jonction entre la Dordogne et la Garonne, à l'embouchure de cette dernière. Dragué en permanence afin d'assurer sa navigabilité, c'est un

À Bordeaux, le quai Louis XVIII et les Chartrons, où s'étendaient autrefois les entrepôts du port.
P. Jacques / hemis.fr

lieu de passage et d'échanges. La route de la **corniche fleurie**, entre Bourg et Blaye *(voir p. 179)*, offre de beaux points de vue. Elle est bordée de petits ports aménagés dans les esteys (cours d'eau qui s'évanouissent dans l'estuaire) et de carrelets. Sur l'autre rive, la **pointe du Médoc** compte aussi de charmants ports, tandis que, à l'intérieur des terres, s'étendent les marais (asséchés sur l'ordre d'Henri VI) et des parcelles viticoles.

DES TERRES VITICOLES

Si l'Aquitaine est la **première région viticole française**, c'est le département de la Gironde qui concentre l'essentiel de la production. De l'estuaire de la rivière du même nom aux rives de la Garonne et de la Dordogne, le Bordelais s'étend en une immense terre viticole. Étiré le long des fleuves, c'est un maillage serré et savant de terres de caractère. Le département ne compte pas moins de **60 appellations**, soit autant de terroirs ! Dans le **Médoc**, l'Océan est presque déjà là. Au sud de Bordeaux, la région des **Graves** évoque un terrain très caillouteux, fait de graviers, de sables et de galets. Plus à l'est, les vignes de l'**Entre-Deux-Mers**, entre Garonne et Dordogne, s'écartent pour laisser place à des forêts et des coteaux. Au-dessus, **St-Émilion** rappelle que vigne et patrimoine architectural sont étroitement mêlés.
« Vignobles et vins d'Aquitaine », p. 53.

ACTIVITÉ PORTUAIRE

Le **port de Bordeaux**, qui fut longtemps l'une des principales sources de richesse de la ville, est aujourd'hui en net déclin. Premier port de France au 18e s., en particulier par le commerce entretenu avec les Antilles et notamment lié à la traite des esclaves, il n'occupe plus que la septième place. Sa position au fond de l'estuaire de la Gironde, à plus de 100 km de la pleine mer, a joué en sa défaveur, occasionnant la construction de nombreux **avant-ports** comme

LE MASCARET

Phénomène naturel fascinant et unique en France, le mascaret est une longue **vague déferlante** produite dans la Gironde et ses affluents par le flux et le reflux quotidiens : lorsque la marée monte, l'eau qui s'engouffre dans l'estuaire se heurte au courant du fleuve, créant ainsi, par effet d'entonnoir, une série de 5 à 10 vagues rapprochées qui s'amplifient au fur et à mesure de leur progression et peuvent atteindre jusqu'à 2 m de haut, selon la largeur et la profondeur du fleuve. Visible toute l'année, le mascaret est plus spectaculaire en **août** et **septembre**. Lors des grandes marées d'équinoxe, il remonte le fleuve jusqu'à plus de 200 km à l'intérieur des terres, à une vitesse de 30 km/h. Pas étonnant que cette fameuse vague attire des **surfeurs** venus de loin. Pour les amateurs de glisse, le meilleur spot se trouve sur la Dordogne, au port de **St-Pardon** (commune de Vayres) : de là, il est courant de pouvoir surfer la vague sur tout un kilomètre.
Pour connaître les horaires de passage du mascaret, contactez la mairie de Vayres (*☏ 05 57 55 25 55*) ou consultez www.mairie-vayres.fr

ceux du Verdon, de Blaye, de Pauillac, d'Ambès ou de Bassens. D'autre part, le trafic maritime s'est nettement ralenti avec la décolonisation et la fermeture des trois raffineries bordelaises. Même le vin bordelais destiné aux États-Unis ne part plus de Bordeaux : il est exporté depuis Le Havre ou le Benelux. Bordeaux garde toutefois la première place dans l'exportation du maïs, du pétrole brut des Landes et du papier kraft.
La ville de Bordeaux a su tirer parti de ces changements économiques en aménageant les quais et les bassins à flots de manière à les intégrer pleinement dans la ville. Signe de la reconversion réussie de ce site portuaire en foyer de vie urbaine et culturelle, le port de la Lune a été inscrit au **Patrimoine mondial de l'Unesco en 2007.**

LES RESSOURCES DE LA MER

Dans le **port d'Arcachon**, à la pêche industrielle (du thon et de la sardine) a succédé une importante pêche artisanale (soles, merlus, bars, rougets, dorades...). L'**huître** cultivée sur le bassin, particulièrement réputée, fait vivre 380 entreprises. On compte 672 ha de parcs ostréicoles pour une production annuelle variant entre 8 000 et 10 000 t, réalisée principalement à La Teste et à Gujan-Mestras. En outre, le bassin, véritable « maternité » européenne, fournit 60 à 70 % des 4,5 milliards de jeunes huîtres (naissain) nécessaires à la production globale française. L'ostréiculture, partagée entre l'élevage et le ramassage, effectués à bord de pinasses (bateaux traditionnels), constitue un atout touristique non négligeable. Le secteur constitue l'une des principales sources locales d'emplois, estimés à plus de 1 500.
« Coquillages et crustacés », p. 222.

Les Landes

L'ÉCOTOURISME LANDAIS

Les **Landes** recèlent un patrimoine naturel d'une richesse remarquable. La vaste façade océanique, la situation sur un axe migratoire majeur et la proximité des Pyrénées concourent à la diversité des espèces animales et végétales.
Les forêts-galeries le long des cours d'eau, caractéristiques du plateau landais, offrent par exemple un refuge pour de nombreuses espèces de chauves-souris, la loutre ou le vison d'Europe. Précurseur

en la matière, le Parc naturel régional des Landes de Gascogne s'est associé au Pays des Landes de Gascogne pour développer l'écotourisme à travers une gamme de produits et un réseau de prestataires engagés à limiter leur impact sur l'environnement par une gestion plus respectueuse des ressources (utilisation de matériaux recyclables, plantation d'essences locales adaptées au sol…), avec pour objectif la signature de la charte européenne du tourisme durable. Le Pôle touristique des Landes de Gascogne fédère les collectivités et les acteurs du tourisme réunis autour de ce projet.

LA CÔTE D'ARGENT

La vaste plaine des Landes, qui s'étend sur 14 000 km², s'inscrit dans un triangle dont la base couvrant 230 km est constituée par la côte atlantique, de la Gironde à l'Adour. Cette côte rectiligne formait, à l'origine, une immense **plage** où se sont déposés les sables rapportés par la mer. Ces sables desséchés et transportés par le vent d'ouest vers l'intérieur se sont accumulés jusqu'au siècle dernier, pour former des **dunes** progressant de 7 à 25 m par an. Aujourd'hui boisées et fixées, ces dunes, larges de 5 km, bordent la côte. Ce sont les plus étendues et les plus hautes d'Europe : la dune du **Pilat** *(voir p. 224)*, mondialement réputée, culmine à environ 107 m.

Comme le littoral girondin, celui des Landes est victime de l'érosion maritime et éolienne. Le processus, qui a débuté au 18e s., s'est nettement accéléré depuis une trentaine d'années. Les barrages et les travaux de protection des communes, à l'efficacité limitée, ont favorisé ce phénomène. Un groupement d'intérêt public réunissant la Région et l'État a vu le jour en 2005 pour tenter d'apporter des solutions concertées à la protection de la bande côtière.

UNE FORÊT REMARQUABLE

Au milieu du 19e s., la zone intérieure du département était une **lande insalubre** que les pluies transformaient en marécage. Là vivait une population de bergers, se déplaçant sur des échasses pour surveiller les moutons qu'ils élevaient pour l'engrais de leur fumier, indispensable aux cultures vivrières.

La fixation des dunes

À partir de 1788, l'ingénieur des Ponts et Chaussées **Brémontier** met au point un projet de fixation des dunes. Il construit d'abord une digue destinée à arrêter le cheminement des sables. À 70 m de la ligne atteinte par les plus hautes mers, il dispose une palissade de

LE PIN MARITIME

C'est un arbre peu fourni mais élégant, dont la croissance est rapide. Depuis l'Antiquité, il a été, dans les **Landes**, à l'origine d'une activité traditionnelle aujourd'hui révolue : le **gemmage** (ou récolte de la résine). Autrefois, le gemmeur incisait périodiquement le pin à l'aide d'un « hapchot ». Par cette plaie, la gemme coulait dans de petits pots de terre « cramponnés » au fût ou dans des sachets en plastique. Les techniques modernes ont introduit l'acide sulfurique qui activait le processus et avait l'avantage de réduire considérablement la blessure faite à l'arbre.

Pour en savoir plus sur le gemmage et la lutte contre les feux de forêt, rendez-vous à la **Maison de l'estupe-huc** à Luxey *(voir Parc naturel régional des Landes de Gascogne, p. 236)*.

madriers contre laquelle le sable s'accumule. Relevant les madriers à mesure que le sable monte, il crée une « dune littorale » de 10 à 12 m de haut, formant barrière. Pour fixer les dunes intérieures, des graines de **pin maritime** mélangées à des graines d'ajonc et de genêt sont semées. Après quatre ans, le genêt atteint près de 2 m de hauteur. Le pin, d'une croissance plus lente, grandit ainsi protégé.

L'assainissement de l'intérieur

Au début du 19e s., la plaine intérieure reste mal drainée et rebelle à toute tentative de colonisation agricole. Sous le Second Empire, l'ingénieur **Chambrelant** établit un plan de drainage, de défrichement et d'ensemencement forestier, d'où la plantation massive de pins maritimes sur près d'un million d'hectares.

Une forêt fragile…

Les pins maritimes couvrent 1 000 000 ha environ. Pour préserver cette forêt des **incendies**, un corps de sapeurs-pompiers forestiers a été créé. De nombreux observatoires reliés par téléphone et radio permettent la détection rapide des feux. L'accès, dans les moindres délais, au matériel de lutte a été amélioré et des points d'eau établis. Enfin, pour obtenir des coupures plus larges et en même temps assurer le maintien sur place des populations, l'extension des cultures a été encouragée.

L'Aquitaine a été l'une des régions les plus touchées par la **tempête** de décembre 1999 : l'ouragan a détruit plus de 29 millions de m^3 dans la forêt de pins maritimes, dont 26 millions sur le seul massif landais. La tempête Klaus du 24 janvier 2009 est venue s'ajouter à ce désastre, réduisant de 48 % la superficie forestière, soit 37 millions de m^3 de pins maritimes dévastés. Outre l'incroyable force des vents, de tels dégâts s'expliquent par la particularité de la forêt landaise : constituée d'arbres identiques s'alignant comme des dominos, elle est plus vulnérable que les autres. On estime que le chantier de reconstitution de cette forêt de résineux demandera de nombreuses années. En attendant, les sylviculteurs tentent comme ils peuvent de maintenir leurs affaires à flot.

ÉTANGS ET COURS D'EAU

Les Landes sont un département particulièrement arrosé.
À l'exception de la **Leyre** (appelée aussi Eyre dans son cours inférieur) qui vient s'évanouir dans l'Océan au creux du bassin d'Arcachon, les cours d'eau ont été arrêtés par la barrière des dunes, formant ainsi de

Parcs ostréicoles du bassin d'Arcachon.
F. Mousis / MICHELIN

nombreux **étangs**. Si ces derniers communiquent entre eux, leurs eaux se frayent péniblement un passage jusqu'à l'Océan par des « courants » capricieux dont la descente fait la joie des amateurs de sports nautiques. Les plus typiques sont les **courants d'Huchet** *(voir p. 235)* et **de Contis** *(voir p. 252)*.

PAYS DE L'ADOUR

C'est la rivière Adour qui a donné son nom à ce regroupement de plusieurs pays du sud des Landes : pays de Seignanx, de Gosse, de Maremme, sans oublier le pays d'Orthe qui entoure Peyrehorade (voir p. 285).
Plus à l'est des Landes se déploient de verdoyantes collines lacérées par les affluents de l'Adour et jalonnées de vignes, les versants s'abaissant en terrasses vers les fonds cultivés des rivières. La Chalosse et le Tursan, intégrés aux pays de l'Adour, sont de riches régions agricoles où le maïs a de loin détrôné le blé. Côté élevage, on ne tarira pas d'éloges pour le fameux bœuf de Chalosse ni pour les oies et canards qui fournissent des foies gras, faisant des **Landes** un des plus grands producteurs du Sud-Ouest dans ce domaine (près de 5 000 t de foie gras sont produites chaque année dans le département).

Entre Lot et Garonne

AGENAIS

Région de transition entre le Périgord méridional, le bas Quercy et les Landes, l'**Agenais** doit son unité à la vallée de la Garonne. Dans la partie nord au climat humide, sur les terrains argileux de Lauzun couverts de pâturages, abondent les vaches laitières.
Plus à l'est, entre Monflanquin et Gavaudun, les bois de châtaigniers, de chênes et de pins apparaissent. Peu industrialisé, l'Agenais ne possède qu'une ville de tradition ouvrière : Fumel. L'exploitation des sables riches en minerai de fer a jadis permis la création de petites usines métallurgiques avant de céder la place aux fonderies pour l'automobile.

VALLÉE DU LOT

La **vallée du Lot** est un immense verger coupé de jardins et de champs de tabac. Les petits pois, haricots verts et melons de Villeneuve-sur-Lot ont gagné depuis quelques lustres leurs galons de renommée. Villeneuve-sur-Lot s'est également spécialisée dans la prune d'ente, utilisée pour confectionner le pruneau d'Agen : 70 % de la production française, concentrée dans le Sud-Ouest, vient du Lot-et-Garonne. Depuis le

18e s., des plantations de peupliers permettent de tirer profit des terres inondables, le bois servant en menuiserie et papeterie.

Le **pays des Serres**, caractérisé par de bas plateaux allongés séparés par des vallons fertiles, s'étend au sud du Lot et porte principalement du blé sur les plateaux limoneux de Tournon-d'Agenais, tandis que les vignes se multiplient sur les pentes.

VALLÉE DE LA GARONNE

Dans la **vallée de la Garonne**, des cultures délicates très variées s'étagent en terrasses, favorisées par la qualité des alluvions et la douceur du climat. Chaque ville ou bourgade possède une spécialité : Tonneins a été jusqu'en 2000 la capitale de la cigarette (Gauloise bleue), Port-Ste-Marie produit pêches et cerises, tandis que Marmande, proche du Bordelais, est une importante zone productrice de tomates et potirons.

La Côte basque

LA CÔTE BASQUE

Cette côte est extrêmement découpée, très sauvage et abrupte par endroits. Les roches, fortement plissées et feuilletées, forment des petites falaises inclinées qui ont fait la réputation pittoresque de la « corniche basque » de St-Jean-de-Luz à Hendaye.

Biarritz offre un remarquable panorama de la Côte basque, alternant promontoires, plages et falaises. Après les villages côtiers que sont Bidart et Guéthary, St-Jean-de-Luz, avec sa baie tout entière ouverte sur l'Océan et protégée par des digues, représente un havre de paix avant la longue descente sur Hendaye, ville frontière très appréciée pour ses plages étirées de sable fin.

LA PÊCHE

La pêche est en grande difficulté. La raison principale en est l'appauvrissement de la ressource. En outre, les relations entre pêcheurs se sont considérablement dégradées à cause des différentes pêches pratiquées (la guerre, parfois ouverte, oppose schématiquement pêcheurs traditionnels et chalutiers pélagiques). Il ne reste qu'une seule criée, à St-Jean-de-Luz, dont la valeur des ventes a beaucoup baissé ces dernières années.

Du côté des Pyrénées

LES PAYSAGES

La formation

Résultat de plissements de la vieille structure hercynienne (Massif central, Ardennes), la **chaîne des Pyrénées**, que l'on voit de Pau se dessiner au-dessus des coteaux béarnais, frappe par la continuité de ses crêtes finement échancrées. Vue depuis la capitale régionale, elle ne laisse place à aucun seuil ni cime maîtresse, hormis le **pic du Midi d'Ossau** (alt. 2 884 m) qui doit la majesté de sa silhouette à des pointements de roches volcaniques. L'**érosion** n'a cessé de niveler le massif. Multipliant ses attaques contre les régions surélevées, elle fait réapparaître, par décapage, les formations sédimentaires primaires et, en certains endroits, le noyau cristallin. Lors des premières grandes invasions glaciaires, à l'aube du paléolithique, les Pyrénées apparaissent à nouveau démantelées, ayant perdu plusieurs milliers de mètres d'épaisseur depuis la phase alpine.

Les Pyrénées basques

L'écrasement des plis pyrénéens, les vallées tortueuses et les communications difficiles entre

Le berceau européen du surf

La Côte basque est le berceau européen du surf. La qualité de ses *tubes (voir encadré ci-dessous)* est mondialement reconnue. Mieux, le surf est reconnu au baccalauréat comme une discipline à part entière dans la région Aquitaine.

UNE EXPLICATION GÉOGRAPHIQUE

Le **golfe de Gascogne** forme une espèce d'entonnoir, où viennent s'écraser les vagues formées par les tempêtes et dépressions de l'Atlantique Nord. D'autre part, le plateau continental est ici très court et les fonds marins plongent de manière très abrupte, ce qui permet d'obtenir ces **vagues puissantes et rondes** que recherchent les amateurs de sensations fortes. Les vagues les plus spectaculaires sont situées au large, entre Hendaye et Ciboure, sur un site appelé **Belharra**, où le fond rocheux fait que des vagues démesurées s'écrasent en pleine mer !

UN SPORT GRAND PUBLIC

Le phénomène du surf touche désormais le grand public : la France compte 150 000 pratiquants et 31 000 licenciés : deux surfeurs sur trois sont aquitains ! Les plages de la région, notamment celles situées au sud d'**Hossegor**, qui concentrent les meilleurs spots européens, attirent un nombre croissant de touristes venus de toute l'Europe et même d'ailleurs. Des compétitions internationales sont régulièrement organisées dans le coin (l'une des épreuves du championnat du monde de surf se déroule à Hossegor ou à Seignosse-Le Penon), et de grandes marques de matériel ou d'habillement y sont nées ou s'y sont implantées, comme Billabong à Hossegor. En quelques années, le secteur de la glisse est donc devenu une activité de poids. Selon la chambre de commerce et d'industrie, il représente en Aquitaine plus de 170 entreprises et de 2 000 emplois, pour un chiffre d'affaires annuel de 700 millions d'euros. Pour accompagner ce succès, le conseil général des Landes a cofinancé un nouveau siège pour la Fédération française de surf à Hossegor, qui respecte les normes Haute Qualité Environnementale.

« Organiser son voyage », p. 20

Encadré « Le mascaret », p. 38 et page thématique « Reine des plages… » dans le chapitre « Biarritz », p. 329.

VOCABULAIRE DU SURF

Le *spot* indique le lieu propice à la pratique du surf, appréciable selon la houle *(swell)*.

Le *line up* désigne la zone où les surfeurs attendent les vagues, derrière la *barre* (l'endroit où elles se cassent).

Le *take-off* (départ) s'effectue au *peak*, au sommet de la vague.

Le *tube* désigne le cylindre formé par la vague, dans lequel le surfeur vient se glisser.

Le *roller* est le virage à négocier en haut de la vague.

Le *off-shore* est le vent d'est qui fait se redresser les vagues.

les différents bassins sont autant de raisons qui font de cette région un « pays fort bossu » selon l'expression d'un chroniqueur du 17e s. L'ensemble du Pays basque s'étend sur les deux versants de la chaîne des Pyrénées. Les accidents de relief les plus remarquables se situent à l'est du département : pic d'Anie, fier de ses 2504 m de hauteur, traits de scie des gorges de Kakuetta et d'Holçarté, arête du Contende s'élevant à 2338 m du pic d'Orhy, situé à 2017 m d'altitude, ultime borne pyrénéenne vers l'ouest. Le sous-sol de ces calcaires fissurés et criblés de gouffres est devenu pour les spéléologues un immense domaine d'exploration et d'étude (grottes d'Isturitz et d'Oxocelhaya). C'est aussi là que l'on rencontre le plus grand nombre de pins à crochets capables de vivre près de sept cents ans.

Ces « basses » Pyrénées présentent une montagne abondamment boisée et relativement peu pénétrable, telle la forêt d'Iraty, étendue sur 2300 ha, la plus importante concentration de hêtres en Europe. Ces distorsions du paysage font de cette montagne basque un paysage sublime, verdoyant, marqué par des pics, entrecoupé de terrasses, de précipices et traversé de torrents. Plus près de l'Océan, la topographie se révèle plus calme, témoignant de roches gréseuses ou cristallines composant le décor du Pays basque, tel le sommet de la Rhune, culminant à 900 m, d'où l'on domine la montagne et les flots, le mont Ursuya (Cambo), ou les monts encadrant St-Jean-Pied-de-Port. Mais, dans l'ensemble, le paysage entre l'Adour et l'Espagne fait la part belle aux collines modelées dans une masse hétérogène de sédiments de formation marine.

Les vallées béarnaises

Trois superbes vallées forment l'ossature de la montagne béarnaise. À l'ouest, pays de pâturages, court la vallée de **Barétous**. Au centre, la vallée d'**Aspe**, la plus sauvage, suit la route naturelle menant d'Oloron au col du Somport. Dominée par le pic du Midi d'Ossau, la vallée d'**Ossau**, découpée par les torrents et les lacs, est réputée pour son marbre d'Arudy et les eaux chaudes de Laruns.

L'étagement de la végétation

La diversité de la végétation des Pyrénées dépend de l'altitude. En dessous de 800 m, la montagne se couvre de forêts de chênes. Jusqu'à 1700 m, l'**étage montagnard** est le domaine du hêtre et du sapin. Entre 1700 et 2400 m d'altitude, l'**étage subalpin** est couvert de pins à crochets qui se mêlent aux bouleaux ou aux sorbiers des oiseleurs. Vers 2400 m, des forêts claires avoisinent les landines couvertes de rhododendrons et les pelouses alpines parsemées de fleurs. De 2400 à 2800 m d'altitude, à l'**étage alpin**, peu d'arbres subsistent sinon le saule nain ; une végétation bariolée et basse règne en maître. On peut découvrir d'innombrables **espèces endémiques** sur ces trois étages : lys des Pyrénées, saxifrage à feuilles longues, chardon bleu des Pyrénées, silène acaule, pavot du pays de Galles, etc. Au-delà de 2800 m, le paysage est composé de rocs sur lesquels s'accroche une végétation rudimentaire de mousses et de lichens.

LA FAUNE

Une faune variée

Parmi les animaux protégés, l'**ours brun** vit aujourd'hui dans les forêts de l'étage montagnard où survivent aussi les derniers **lynx**. L'**isard**, chassé vers les hauteurs par les remous de l'activité humaine des vallées, préfère la pelouse et les rochers de l'étage alpin.

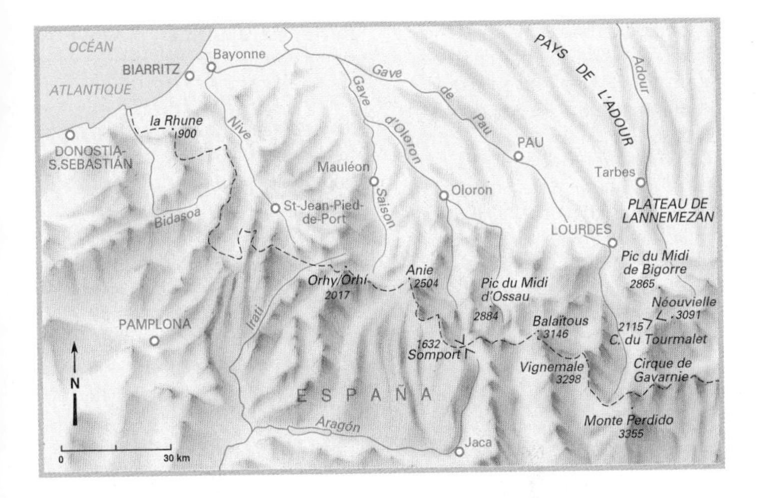

Les randonneurs discrets apercevront peut-être aussi des **sangliers**, des **chevreuils** ou même des **mouflons de Corse**, faute de pouvoir observer des bouquetins, aujourd'hui totalement disparus du massif pyrénéen. Les berges des torrents (à plus de 1 500 m d'altitude) abritent le **desman**, rongeur spécifiquement pyrénéen.

Autrefois vides de poissons, les lacs et les rivières sont aujourd'hui peuplés de **saumons** et de **truites**.

Dans les airs planent plusieurs espèces de rapaces dont l'**aigle royal** et le **vautour fauve**. Le **gypaète barbu**, le plus grand des rapaces d'Europe, reste très rare. Le **grand tétras**, ou coq de bruyère, fraye dans les sous-bois, tandis qu'au petit matin les **marmottes** sortent de leur terrier.

Côté élevage, les Béarnais s'enorgueillissent de posséder une race de vache locale très caractéristique : la **blonde des Pyrénées**. Élégante, avec sa couleur froment et son cornage en lyre haute, elle est élevée aussi bien pour sa viande que pour son lait. Déjà connue à l'époque de Gaston Phébus, comme en témoigne sa présence sur les armoiries de la ville de Pau, la race, supplantée par la création de la blonde d'Aquitaine dans les années 1960, est aujourd'hui en déclin ; elle bénéficie désormais d'un programme de conservation.

L'ours, en voie de disparition

La dernière ourse de souche pyrénéenne, **Cannelle**, a été tuée le 1er novembre 2004 lors d'une battue aux sangliers dans la vallée d'Aspe : il ne reste désormais que trois mâles. Pour pallier la menace d'extinction, 7 000 ha avaient pourtant été interdits à la chasse en automne, saison où l'ours constitue ses réserves avant l'hibernation. Par ailleurs, en 1996 et 1997, trois ours slovènes, un mâle, Pyros, et deux femelles, Melba et Ziva, ont été réintroduits dans le massif béarnais. Tous se sont bien acclimatés au climat pyrénéen et plusieurs naissances ont eu lieu. En 2006, cinq de leurs congénères (un mâle et quatre femelles) les ont rejoints. Malgré leur succès, ces mesures suscitèrent et suscitent encore de vives polémiques, principalement en raison des menaces que cette présence oursine fait planer sur les troupeaux. Plusieurs attaques ont en effet eu lieu, mais, pour les défenseurs de la sauvegarde de l'ours dans les Pyrénées, soucieux de l'image du massif et de la préservation de son patrimoine faunistique, seule l'absence de gardiennage et de protection est responsable de ces dégâts. Outre l'indemnisation des pertes, des mesures ont été mises en place par l'État visant à une meilleure cohabitation entre ours et éleveurs. Le massif compte aujourd'hui plus d'une quinzaine d'individus.

La **Maison du Parc national** à Etsaut *(voir p. 491)* présente une exposition « L'ours brun des Pyrénées ».

Encadré « Le va-nu-pieds », p. 493.

LES TERRES D'ESTIVE

Vie agricole dans la plaine, vie pastorale dans la montagne,voilà ce qui caractérise le **Béarn**. Brebis et moutons fournissentlaine, viande et surtout lait, notamment utilisé pour la fabrication du fromage.

Activité traditionnelle apparue entre le 5e et le 3e millénaire avant J.-C., le pastoralisme joua un rôle essentiel dans le développement des vallées pyrénéennes. Les montagnards des **vallées d'Aspe, d'Ossau** et **de Barétous**, jouissant de la propriété collective des pâturages, vécurent jusqu'à la fin de l'Ancien Régime à l'écart du système féodal sous un régime de « fors » assimilable, pratiquement, à l'autonomie politique. Un compte de « feux » datant du Moyen Âge fixe toujours la répartition, par commune, des bénéfices de gestion.

Le **pastoralisme** demeure une activité économique vitale qui permet le maintien d'emplois dans des régions difficiles et contribue à des productions de qualité, comme les fromages, dont certains sont labellisés. En assurant l'entretien de paysages ouverts et la préservation de la biodiversité, les pratiques pastorales participent à la protection de l'environnement.

LA TRANSHUMANCE

Un retour aux sources

Progressivement remplacée par un transport en camion tout au long du 20e s., la transhumance a été remise au goût du jour dans les années 1990. Constatant combien leurs bêtes supportaient mal le voyage routier pour gagner les estives, les bergers renouent avec cette pratique déjà connue de leurs lointains ancêtres vascons. C'est ainsi que, depuis 1996, la **vallée d'Ossau** retentit durant deux jours – ou plutôt deux nuits, car les éleveurs font leur possible pour que ces déplacements massifs ne perturbent pas la circulation routière – des sonnailles de milliers de bêtes, ovins, bovins, caprins et équidés. Ces **sonnailles** au timbre unique permettent à l'oreille exercée du berger de surveiller la bonne conduite du troupeau ou de déceler une brebis égarée. En tête des troupeaux sont placées les brebis les plus robustes, tandis que le berger et son chien ferment la marche.

Compagnon indispensable du berger, le chien est en effet toujours là pour regrouper ou protéger le troupeau. Le **berger des Pyrénées**, ou labrit, tend aujourd'hui à être remplacé par son collègue d'outre-Manche, le **border collie**, réputé moins caractériel et plus efficace pour rassembler les bêtes. Mais ce petit chien noir et blanc n'aboie pas et ne peut donc être utilisé pour protéger le troupeau. Pour cette tâche, le montagne des Pyrénées, ou **patou**, se révèle excellent : les associations militant pour la réintroduction de l'ours offrent même des subventions aux bergers qui souhaitent en acquérir.

Un prétexte festif

Durant la Fête de la transhumance qui a lieu début juin en **vallée d'Aspe** et début juillet en **vallée**

OBSERVER LES OISEAUX

Vous pourrez observer des oiseaux migrateurs ou autochtones sur les sites suivants :

– En **Gironde** : le marais du Conseiller *(voir p. 200)*, la pointe du Cap-Ferret *(voir p. 218)*, le domaine des Certes d'Audenge *(voir p. 219)*, le parc ornithologique du Teich *(voir p. 220)*, le marais de Bruges *(voir p. 124)*, l'étang de Cousseau *(voir p. 204)* ;

– dans les **Landes** : le courant d'Huchet *(voir p. 252)*, l'étang Noir *(voir Hossegor, p 277)*, le marais d'Orx *(voir p 282)* ;

– en **Béarn** : la falaise aux Vautours à Aste-Béon *(voir p 498)*.

En outre, de nombreuses sorties ornithologiques peuvent vous être proposées par les offices de tourisme, les associations ornithologiques ou les guides de montagne, notamment dans les **Pyrénées**.

d'Ossau, chaque village traversé résonne de chants béarnais et s'emplit du fumet de la garbure, à déguster sans modération, avant d'entamer un solide morceau de fromage de brebis.

Dans la **vallée de Barétous**, élus français et espagnols commémorent encore, 600 ans après, le traité de la Junte de Roncal, conclu le 13 juilllet 1375, qui mit fin à d'âpres querelles. En échange de trois génisses, les éleveurs du Barétous acquirent par ce traité le droit de continuer à faire paître leurs bêtes sur le versant espagnol de la montagne, où les pâtures sont bien plus grasses *(voir p. 484-485)*.

Là-haut, sur la montagne

Pendant tout l'été, les troupeaux vont paître là-haut et la cabane du berger servira de maison, de laiterie et même de fromagerie. Fait de murs en pierres sèches et d'un toit très pentu, le *cuyala* est constitué de deux pièces : l'une pour les bergers, l'autre pour les fromages. Chaque jour, la plupart des bergers consacrent en effet plusieurs heures à la fabrication des fromages : traite des brebis le matin et le soir (il faut 5 à 6 l de lait de brebis pour donner 1 kg de fromage !), caillage du lait, égouttage, découpage, brassage et chauffage du caillé. Viennent ensuite le moulage et le pressage, puis le fromage est salé. Commence alors un affinage de plusieurs semaines, pendant lequel il sera régulièrement retourné et lavé.

Dès les premiers froids, les troupeaux emprunteront le chemin inverse pour redescendre dans la plaine et hiverner.

L'Aquitaine gourmande

Grâce aux ressources de l'Aquitaine, des femmes et des hommes perpétuent et développent des savoir-faire souvent ancestraux, toujours de qualité, maintenant une activité spécifique et identitaire : vins des côtes, huîtres du bassin, fromages du Pays basque ou foie gras des Landes… Autant de métiers qui attestent d'un véritable art de vivre. Fière de ses traditions et de la qualité des produits de son terroir, l'Aquitaine sait ainsi cultiver ses foyers d'art culinaire, toujours inventifs. Ici, la qualité est reine et le goût souverain.

En Gironde

POISSONS ET FRUITS DE MER

La cuisine bordelaise accommode les **aloses**, saumons, **lamproies**, anguilles et éperlans que lui apporte la Garonne. La lamproie à la bordelaise est cuite dans son sang, comme un civet, puis agrémentée de vin rouge corsé et de poireaux. Avant d'être servie, l'alose est préalablement marinée dans du vin blanc et de l'huile parfumée de laurier.
Mais le « poisson roi » de l'estuaire demeure l'**esturgeon**. Vers 1920, un Russe blanc apporta en Aquitaine la recette de la confection du caviar. En une quinzaine d'années, l'industrie du caviar s'organise. Dans les années 1950, la production était de 3 à 5 t par an. Aujourd'hui, la quasi-disparition des esturgeons russes et iraniens qui tenaient le haut du marché profite aux entreprises aquitaines. Elles représentent aujourd'hui la plus grande partie (environ 20 t.) de la production française.
Les **chevrettes** de l'estuaire sont devenues une spécialité de Bourg-sur-Gironde. Ces crevettes blanches que l'on pêche en été se préparent avec du laurier et un peu d'anis. Nombreux sont les cafés qui vous en proposeront à l'apéritif.
Si vous passez par le bassin d'Arcachon, impossible d'en repartir sans une bourriche sous le

LA SAUCE « BORDELAISE »

Nombre de plats sont agrémentés de cette fameuse **sauce au vin**. Pour la préparer, il faut mettre à bouillir deux verres de bordeaux rouge et ajouter 6 échalotes hachées, une branche de thym, une pincée de sel, de poivre blanc et de muscade. Laisser bouillir pour réduire le mélange aux trois quarts. Hors du feu, ajouter 60 g de moelle de bœuf hachée, ébouillantée auparavant, et une pincée de persil ciselé. Enfin, ajouter quelques noisettes de beurre et remettre à cuire sans laisser bouillir.

Spécialité des Landes, le pastis est un gâteau parfumé à la fleur d'oranger ou au rhum.
J.-D. Sudres / MICHELIN

bras, après avoir goûté les **huîtres** dans une cabane traditionnelle de pêcheur.
Bassin d'Arcachon, p. 222.

VIANDES

En matière d'élevage, la Gironde n'est pas en reste. L'**agneau de Pauillac** est réputé pour son exceptionnelle tendreté. Élevé en bergerie, il est abattu non sevré à l'âge de 75 jours maximum. Label Rouge lui aussi, le **bœuf de Bazas**, réputé pour sa finesse, est issu d'élevages sélectionnés des meilleures races à viande, en particulier la fameuse bazadaise. Élevé en pâturage, il est nourri de maïs, d'orge ou de blé.

DOUCEURS

À Bordeaux, on se régale de **canelés**, petits gâteaux caramélisés dont l'intérieur est moelleux. La ville de St-Émilion est, quant à elle, célèbre pour ses délicieux **macarons**. Trempées dans du vin rouge à l'apéritif ou servies avec le café, ces petites merveilles moelleuses et délicatement croustillantes existent depuis 1620, date de leur invention par les religieuses de la ville. La légende affirme que les **pralines** (amandes rissolées dans le sucre) furent créées à **Blaye**, en 1649, par le duc César de Choiseul du Plessis-Praslin. Celui-ci, envoyé par Mazarin pour mettre fin à l'insurrection de la ville de Bordeaux hostile au pouvoir royal, invita à dîner les jurats bordelais et les séduisit en leur servant ces confiseries, inventées pour l'occasion par son cuisinier. On raconte que ce bonbon, « le plus simple qui soit », permit aussi au duc de conquérir le cœur de nombreuses dames de la Cour ! Enfin, la **figue de Bourg**, est aussi appelée « gourmandise du roi » : le jeune Louis XIV voulut, lors d'une promenade dans un jardin à Bourg, cueillir une figue sur une branche trop haute pour lui. Un moine le souleva pour lui permettre d'atteindre l'objet de ses vœux, mais ce geste lui valut d'être condamné pour crime de lèse-majesté. La reine mère gracia le moine et l'histoire se conclut avec la création d'une confiserie à base de figue confite, enrobée de pâte d'amande et de chocolat.

Dans les Landes

VIANDES

Le **foie gras** d'oie et de canard relève d'une tradition régionale qui a depuis longtemps traversé les frontières. Aujourd'hui, à l'aide d'une gaveuse pneumatique, les palmipèdes ingurgitent de la semoule puis des grains de maïs, deux à trois fois par jour. Après un mois, l'oie ou le canard sont si lourds qu'ils ne marchent plus qu'avec peine. Quand ils refusent de se lever, ils sont « à point ».
Filet détaché des flancs de la bête, le **magret** se mange frais et grillé, plus ou moins saignant selon les goûts. Fumé, il entre dans la composition de la salade landaise. Quant à la graisse, elle sert à confectionner le **confit**.
Autre volaille prestigieuse, le **poulet fermier** des Landes est le premier produit à s'être vu décerner le Label Rouge en France, en 1965. Élevé en plein air et en totale liberté, sa chair tendre en fait un mets de choix.
Pour le plus grand bonheur des amateurs de gibier à plume, le département des Landes est réputé comme le pays de la **palombe** (ou pigeon ramier). Celle-ci se mange rôtie, et de préférence saignante, en salmis ou en confits.
Le **salmis** est une préparation à partir d'une pièce de gibier ou d'une volaille rôtie détachée en morceaux. La chair de la carcasse se hache menu avec les abats pour obtenir une sauce épaisse, passée au tamis fin. Après cuisson, on ajoute les morceaux du volatile.
Les bovins sont également fièrement représentés dans les Landes, par l'intermédiaire du célèbre **bœuf de Chalosse**, issu de la race limousine ou de la blonde d'Aquitaine. Élevé en alternance entre prairie et étable, l'animal, nourri de fourrage et de maïs, produit une viande goûteuse et fondante.

PIBALES

À la fin de l'hiver, on pêche les civelles, ici nommées **pibales**, petits alevins d'anguilles qui remontent la Gironde et l'Adour. C'est la nuit que les pêcheurs capturent, avec des filets à mailles serrées, ces petites bêtes. Vendues à prix d'or sur les marchés aquitains, les pibales, que l'on fait revenir dans l'huile d'olive, constituent un mets très prisé, notamment des Espagnols. C'est une pêche réglementée en raison de la raréfaction de la petite anguille, dont le marché asiatique a fait flamber les prix.

FRUITS ET LÉGUMES

Associé au pays d'Orthe *(voir p. 285)*, le **kiwi de l'Adour** est le seul kiwi reconnu par une Identification géographique protégée (IGP, catégorie qui succède aux AOC à l'échelle européenne) : on dit qu'il est le meilleur d'Europe ! Favorisé par un climat océanique doux et la richesse des terres alluviales, il est cultivé sur plus de 600 ha dans les vallées du Gave et de l'Adour qui fournissent à elles seules un quart de la production française.
L'**asperge des sables**, dont le département produit 3 500 t par an, vient d'être reconnue par une Identification géographique protégée. Le sol sablonneux des Landes, ainsi que celui du Blayais en Gironde, lui fournit un terroir idéal. Blanche, fraîche et tendre, elle apparaît sur les marchés dès le mois de mars. Aussi bien cuisinée en vinaigrette qu'en omelette, elle accompagne également les salades landaises aux côtés des gésiers et du magret.

Dans le Lot-et-Garonne

PRUNEAUX ET TOMATES

La **tomate de Marmande**, cultivée sous serre, est disponible sur le marché de février à novembre.
Agen a acquis une réputation internationale grâce au pruneau, qui s'obtient à partir d'une prune fraîche provenant d'un arbre greffé, le **prunier d'ente**. S'il en existe plusieurs variétés, la Robe-Sergent fournit la presque totalité des plantations actuelles. Mais Agen n'est en réalité qu'un lieu de transit. La prune est surtout cultivée dans la **vallée du Lot**, où elle est calibrée dès la cueillette puis séchée au four ou en étuve. Étendue sur plus de 11 000 ha, la filière du pruneau rassemble près de 1 500 producteurs.
Le pruneau constitue la base de nombreuses friandises, comme la **tourtière**, gâteau feuilleté garni de pruneaux.
Musée du Pruneau à Granges-sur-Lot, p. 541.

En Béarn

GARBURE

C'est le potage de campagne typique du Béarn. Plat complet, il se prépare à partir de légumes frais : pommes de terre, choux, fèves, haricots... auxquels on ajoute un confit d'oie, plongé dans le bouillon en cours de cuisson.

JAMBON DE BAYONNE

Quoi qu'en laisse croire son nom, il n'est pas fabriqué à Bayonne, mais dans les montagnes environnantes, et surtout les montagnes béarnaises. Produit à partir d'élevages porcins qui pâturent dans les forêts de hêtres, de châtaigniers et de chênes, le jambon de Bayonne est mis à sécher neuf mois durant, après une période de salaison de quinze jours. Grâce à un climat où alternent les périodes humides et sèches, il n'est pas nécessaire de le fumer.
Maison du jambon de Bayonne, à Arzacq, p. 297.

LE SAUMON

Il est également présent sur les cartes du Béarn. Le saumon remonte les eaux de l'Adour pour venir frayer dans le gave d'Oloron. On le pêche dès l'automne et jusqu'au printemps.

FROMAGE DE BREBIS

Ce « fromage du pays » au goût fort et fruité, confectionné par les bergers sur les estives, compte

LA POULE AU POT

Elle était l'un des mets favoris du bon roi Henri. La tradition exige de barder une poule de 2 kg avant de préparer la farce en mélangeant le foie de la volaille, le gésier, éventuellement 200 g de jambon de Bayonne coupés en petits morceaux, 2 œufs battus salés, poivrés et muscadés, un hachis d'échalote, d'ail, de persil et d'estragon, et 30 g de mie de pain préalablement trempée dans du lait froid. Brider soigneusement la poule. Dans une marmite, on met la poule avec le cou et les ailerons dans au moins 3 l d'eau que l'on porte à ébullition. On écume, on sale modérément et on laisse frémir 40mn à petits bouillons. On ajoute les légumes classiques du pot-au-feu : carottes, navets, poireaux, oignon piqué de clous de girofle, branche de céleri, gousse d'ail et on laisse cuire pendant 1h30 à 2h. Ce plat savoureux se sert avec tous les légumes accompagnés de moutarde à l'ancienne, de cornichons et de gros sel.

autant de variétés qu'il y a de producteurs. Sur le plateau d'Iraty est fabriqué l'**ossau-iraty**, AOC depuis 1980. Les bergers béarnais fabriquent également un fromage frais, le **greuilh** (ou breuihl), mousseux et léger.

Au Pays basque

POISSONS

Autrefois, chaque saison apportait son poisson : au printemps l'**anchois**, à partir du 29 juin le **thon**, et pendant l'hiver la **dorade**, sans oublier les pêches plus lointaines qui ramenaient de Terre-Neuve la morue. Aujourd'hui, grâce au commerce mondial ou à la congélation, on trouve ces poissons toute l'année, mais, si vous le pouvez, dégustez-les de préférence en saison, sur les nombreux ports de pêche de la côte.

La **morue** en risotto, en salade ou en ragoût n'en sera que meilleure. Le **marmitako guipúzcoan**, ragoût à base de thon, de pommes de terre, de tomates et de poivrons en prendra plus de goût, et le **ttoro**, cette soupe de poissons préparée avec ail et piment à St-Jean-de-Luz, n'en aura que plus de saveur.

FROMAGES

Culture pastorale oblige, les Basques utilisent le lait de brebis pour produire des fromages. Ce sera l'**ossau-iraty**, AOC depuis 1980, dans les Pyrénées-Atlantiques, et plus spécifiquement aux abords de la forêt d'Iraty dont il tire son nom. Il se fabrique à partir du lait entier de brebis manech à tête noire ou rousse, brassé, moulé et pressé puis salé au gros sel et affiné au minimum trois mois. Autre produit laitier que vous retrouverez sur les tables des deux côtés de la frontière hispano-française : le *mamia*, du lait caillé de brebis que l'on déguste avec du miel liquide.

DOUCEURS

Impossible de repartir du Pays basque sans avoir goûté à son **chocolat** ! Les meilleurs se dénichent à Bayonne, selon une tradition remontant au 16e s.

Côté pâtisseries, les gourmands se régaleront des **macarons** de St-Jean-de-Luz, de *goxua* (une sorte de baba au rhum nappé de crème pâtissière et de caramel) et, bien entendu, de **gâteau basque** au cœur de cerise ou de crème d'amande.

Vignobles et vins d'Aquitaine

L'Aquitaine constitue la première région viticole de France en AOC (appellation d'origine contrôlée) avec plus de 30 % de la production française. Si les vignobles sont particulièrement concentrés autour de la capitale, Bordeaux, la région se distingue aussi par le Jurançon, l'Irouléguy ou encore le vin du pays de Tursan. Certains terroirs, ou crus, sont plus connus, plus prestigieux et plus coûteux que d'autres, mais qu'il s'agisse d'un grand nom ou d'une petite exploitation, le vin est toujours le résultat d'un croisement entre un sol spécifique, un climat propice et le travail des vignerons, nourri de traditions et d'innovations.

De la vigne au vin

La vigne est une plante pérenne, c'est-à-dire qu'elle survit, se développe et donne du fruit même si elle n'est pas cultivée. Mais produire du raisin destiné à faire du vin est une autre histoire…

UNE CULTURE CONTRAIGNANTE

Sans le travail de l'homme, la vigne demeurerait à l'état de liane : Il faut la tailler pour maîtriser son développement, la palisser sur des murs ou l'attacher sur des fils de fer pour la maintenir à la verticale et favoriser ainsi l'exposition au soleil de ses feuilles et de ses fruits… Toute l'année, les viticulteurs sont à pied d'œuvre, bien avant la période des vendanges *(voir tableau p. 57)*. La durée de vie d'un pied de vigne varie entre 40 et 60 ans. Jeune, il produit de gros volumes de vins légers et acides. Plus il est âgé, plus ses rendements sont modestes et ses raisins concentrés. La loi n'autorise pas à faire du vin avec des raisins d'un pied qui a moins de trois ans, ce qui implique de consacrer parfois une part importante du terrain au renouvellement des cultures.

SOLS, CLIMATS ET CÉPAGES

La vigne peut pousser sur des sols pauvres. On dit qu'elle doit souffrir pour fournir de bons résultats, c'est-à-dire des raisins lentement mûris. Les plants croissent en absorbant par leurs racines l'eau qu'ils relâchent par leurs feuilles (c'est l'évapotranspiration). L'épanouissement des fruits de la vigne est conditionné par la qualité du terroir sur lequel elle pousse. Par « terroir », on entend la combinaison d'un sol, d'un sous-sol et d'un climat. Une bonne terre viticole se distingue par sa capacité à gérer le régime hydrique de la vigne, en fonction des saisons et du climat. Mais le résultat dépend aussi du cépage cultivé *(voir p. 56)*. Un cépage donne sa meilleure expression aromatique s'il est implanté sur un sol qui lui convient. Ainsi, les calcaires donnent des vins

Quels cépages pour quels vins ?

Un cépage est un plant de vigne identifiable à ses sarments, ses feuilles et ses grappes. Tous ne sont pas à égalité face aux maladies et aux parasites, tous ne sont pas non plus aptes à produire des vins de qualité. En matière viticole, on ne retient que les cépages dits nobles.

LES CÉPAGES ROUGES

Cabernet franc

Ce cépage, bien implanté dans le Bordelais, aime les sols sablo-graveleux chauds. Ses grappes sont petites et composées de baies rondes et bleues.

Il apporte aux vins une robe rouge cerise qui prend des tons grenat avec le temps et un nez de fruits rouges (cerise, framboise), de réglisse ou de poivron. Sa présence va parfois de pair avec une petite acidité, mais se caractérise toujours par des tanins très fins. Il est souvent associé au cabernet-sauvignon.

Cabernet-sauvignon

C'est LE cépage du Médoc. Tardif, il est remarquable sur des sols de graves, chauds et secs. Ses grappes sont formées de petits grains violet foncé.

Il confère au vin une robe très colorée, rubis foncé à grenat profond. En cas de sous-maturité, il apporte un parfum caractéristique de poivron. Autrement, son bouquet mêle des arômes de cassis et des notes de cuir, de fumée. Ce cépage donne des vins de longue garde, très tanniques, qui gagnent en finesse avec le temps.

Merlot

Ce cépage noir est particulièrement bien implanté à St-Émilion, dans le Médoc et à Pomerol (Petrus). Précoce et vigoureux, il pousse sur des sols argilo-calcaires. Ses grappes portent des raisins d'un bleu noir.

Il apporte au vin une robe grenat, un nez marqué par la violette, les fruits rouges, les épices et parfois le pruneau. Sa bouche est puissante et complexe, plus souple lorsqu'il est associé au cabernet-sauvignon.

LES CÉPAGES BLANCS

Sauvignon

Ce cépage vigoureux, d'origine bordelaise, s'adapte aux marnes calcaires, aux argiles à silex comme aux calcaires durs. Ses petites grappes sont composées de baies ovoïdes jaune d'or.

Il revêt une robe pâle à reflets verts. Marqué par le terroir, il présente en général des odeurs de buis et de cassis, des notes fumées, et peut avoir des accents de pierre à silex. En bouche, les arômes sont vifs, plus ou moins charpentés.

Sémillon

Cépage bordelais, il donne en assemblage, toujours avec le sauvignon et la muscadelle, de grands vins liquoreux comme le sauternes, et des vins blancs secs (graves), moelleux ou mousseux (premières-côtes-de-bordeaux). Vigoureux, il apprécie les sols de graves ou argilo-calcaires. Ses grappes se reconnaissent à leurs raisins sphériques blanc doré qui deviennent rosés à maturité.

Dans un vin sec, il apporte une robe paille à reflets dorés, des arômes discrets de fruits secs et de miel. Il en résulte des vins gras, puissants, marqués en bouche. Dans les liquoreux, il offre une robe dorée, brillante, des arômes typiques de miel et d'agrumes, de la rondeur en bouche, bref, de l'opulence !

qui se distinguent par leur rondeur, leur moelleux ; l'argile produit des vins colorés, tanniques. Dans le Bordelais, les vins de Médoc sont produits sur des graves (cailloux et argile), ceux de St-Émilion en partie sur du calcaire, tandis que le fameux vignoble de Petrus se trouve sur une boutonnière d'argile qui a une excellente capacité de rétention hydrique. On se réfère souvent au terroir comme à une sorte de carte d'identité du vin, car il donne des indications sur le type de vin produit ; c'est pourquoi on parle de « typicité ».

LE TRAVAIL DU VIGNERON

Tout au long de l'année, le vigneron entretient les vignes *(voir tableau ci-dessous)*, il parcourt les rangs, surveille la météo et les plants de vigne, goûte le raisin, croque les grains pour évaluer la maturité du fruit, décider de la nécessité d'un effeuillage, estimer la date des vendanges ou déterminer la qualité de la récolte.

Le moment des vendanges est attendu avec bonheur mais aussi avec inquiétude, car tant que les raisins n'ont pas été récoltés et mis en cuve, rien n'est acquis et le travail d'une année peut être subitement détruit par un orage de grêle ou une pluie diluvienne. Pour empêcher les impatients de cueillir le raisin avant qu'il ne soit mûr, le ban des vendanges est proclamé officiellement, donnant souvent lieu à des manifestations, processions et dégustations.

St-Émilion, p. 164

Lorsque les grappes de raisin sont cueillies par les vendangeurs, elles sont coupées avec un sécateur, déposées dans une hotte ou une cagette, puis déchargées dans une benne. Il existe aussi des

LE CALENDRIER DE LA VIGNE ET DU VIGNERON		
Hiver	**Repos végétatif** de novembre à février.	**Taille** des sarments. **Épierrage** pour dégager les pieds des ceps. **Buttage :** pour protéger les pieds de vigne contre le gel, on les recouvre avec de la terre prise entre les rangées.
Printemps	**Débourrement :** croissance des bourgeons en mars-avril. **Floraison** en mai-juin.	**Débutage :** les pieds de vigne sont libérés de leur protection hivernale. **Taille** des sarments. **Palissage :** les sarments sont attachés aux fils de fer. **Ébourgeonnage :** suppression des bourgeons pour limiter la production. **Labourage :** pour aérer le sol. **Binage :** pour supprimer les mauvaises herbes.
Été	**Croissance** des grappes. **Véraison** en août : maturation des raisins.	**Vendanges vertes :** suppression d'une partie des grappes pour limiter le rendement et améliorer la qualité du raisin. **Effeuillage :** suppression de certaines feuilles pour optimiser l'ensoleillement des grappes. **Traitement** contre les maladies et les parasites.
Automne		**Vendanges** en septembre-octobre **Égrappage** **Vinification** (fermentation, macération et remontage)
Durant l'année (et les années) suivantes)		=> **Élevage** (ouillage, clarification, soutirage) => **Mise en bouteilles**

LE BAN DES VENDANGES

Plus connu pour désigner une manifestation folklorique, c'est avant tout un **arrêté préfectoral** qui définit chaque année et pour chaque appellation la date à partir de laquelle les viticulteurs peuvent commencer les vendanges. Le préfet se soumet pour cela à l'avis d'un comité technique composé de responsables syndicaux, de techniciens, d'œnologues et de chercheurs qui analysent le degré de maturité et la richesse en sucre d'une parcelle témoin. Libre ensuite à chaque vigneron de fixer la date de démarrage de ses propres vendanges, après avoir analysé et goûté son raisin, la maturité étant aussi fonction du type de vin recherché. Car si le viticulteur ne peut pas, sauf dérogation, vendanger avant la date autorisée (le non-respect de cette convention entraîne le risque que toute sa récolte soit exclue de l'appellation), rien en revanche ne lui interdit de la retarder. Une telle réglementation vise à garantir la qualité du vin : certains viticulteurs, par crainte de voir leurs raisins endommagés par les premières pluies d'automne, seraient tentés de se livrer à des vendanges précoces.

machines à vendanger qui ont pour inconvénient de secouer les ceps et de ne récolter que les baies, sans les rafles (cette « charpente » de la grappe, qui contient de l'eau, du tanin et des acides organiques).

L'ÉLABORATION DU VIN

Une fois cueillis, les grains de raisin sont rassemblés, selon leurs cépages et les parcelles dont ils proviennent, dans de grandes cuves. La **vinification** commence : elle consiste à produire du vin par la fermentation alcoolique de raisin frais, de moût de raisin et de jus de raisin. Au cours de la **fermentation**, qui est un phénomène naturel, les sucres du raisin se transforment en alcool sous l'action des levures et dégagent du gaz carbonique.

Une fois la **macération** achevée, les vins sont stockés dans des fûts ou des cuves qui devront toujours être pleins sous peine d'oxydation. L'**ouillage** consiste donc à ajouter du vin de même qualité dans les barriques au fur et à mesure de l'évaporation, soit une fois par semaine.

L'opération suivante consiste à **clarifier le vin** pour éliminer toutes les particules indésirables. On procède par filtrage à travers un filtre de coton, ou par **collage** (cette méthode consiste à introduire dans la cuve ou le fût des blancs d'œufs qui entraînent par gravité les impuretés vers le fond). Le vin doit alors être soutiré afin de le séparer du dépôt qui risque de l'altérer. Un deuxième soutirage est effectué au printemps et un troisième en septembre de l'année qui suit les vendanges. Enfin, le vin subit une dernière opération délicate : il est **mis en bouteilles** à l'aide d'une machine embouteilleuse.

Bon à savoir – Toute visite d'une exploitation viticole s'organise autour de la présentation des chais. On vous y présentera les étapes de l'élaboration du vin, ainsi que les machines et les opérations nécessaires… avant de vous faire déguster quelques échantillons des vins produits.

Vendanges dans le Bordelais.
Ph. Roy / hemis.fr

Les vins de Bordeaux

L'HISTOIRE D'UN SUCCÈS

Ce sont les Romains, dit-on, qui ont introduit la vigne en Aquitaine. Mais le vin qu'on buvait alors ressemblait sans doute à une piquette relevée de miel et d'épices. Ce sont surtout les trois siècles de domination anglaise, du 12e au 14e s., qui ont pérennisé la réputation des vins de Bordeaux au-delà des mers. Les vins clairets appréciés en Europe du Nord n'avaient vraisemblablement pas grand-chose à voir avec les bordeaux d'aujourd'hui, mais ils n'en ont pas moins assuré la prospérité d'une région à laquelle se sont intéressés dès la Renaissance des marchands des Pays-Bas et de l'Allemagne hanséatique. Bordeaux doit en effet son succès tout autant à ses terroirs et à son climat qu'à ces marchands venus du froid (là où la vigne ne poussait pas) qui ont mis en place un système encore en vigueur aujourd'hui, fondé sur la trilogie « producteurs, négociants, courtiers ». Les premiers exploitent la vigne et transforment le jus de raisin en vin. Les deuxièmes vendent la production. Les troisièmes servent d'intermédiaires entre les deux premiers.

Musée du vin et du négoce à Bordeaux, p. 118.

Le 18e s. est l'âge d'or de Bordeaux, avec l'institution des crus, terroirs délimités autour des principaux villages, et des châteaux, bâtis sur la prospérité viticole. Ainsi naît une « aristocratie du bouchon » qui, faute de blason, acquiert ses titres sous le Second Empire grâce au fameux classement de 1855 *(voir p. 60)*, véritable privilège héréditaire transmis non aux hommes mais aux châteaux.

Victime, comme les autres vignobles, du phylloxéra et autres calamités naturelles, le vignoble bordelais n'en a pas moins survécu avec brio voire insolence, si l'on en juge par les prix actuels des grands crus dans un contexte que d'autres jugent morose. Sur ses marchés d'export, le vin de Bordeaux est de plus en plus concurrencé par les vins du Nouveau Monde, mais il reste une référence incontournable sur les marchés internationaux et les cartes des restaurants, comme dans les caves des particuliers.

APPELLATIONS ET CLASSEMENTS

Le vin de Bordeaux n'est pas toujours rouge : l'entre-deux-mers est un vin blanc, la couleur du vin de Sauternes est dorée et il existe des vins AOC Bordeaux blancs ! En réalité, la production des vins de Bordeaux se partage entre 75 % de rouges et 25 % de blancs.

Les appellations

Au sein d'une région délimitée, plusieurs niveaux d'appellations peuvent se superposer, de l'appellation la moins restrictive à la plus restrictive (géographiquement et qualitativement). La région de Bordeaux en est un bon exemple : de manière générale, les vins produits dans la région de Bordeaux sont appelés Bordeaux ou Bordeaux supérieur. On distingue en plus les appellations dites régionales (Entre-Deux-Mers, Graves, Médoc, Haut-Médoc…) ou communales (Pessac-Léognan, Pomerol, St-Émilion, Pauillac, St-Estèphe…). À chacune de ces AOC correspond un cahier des charges spécifiques.

Le classement de 1855

Le premier classement officiel des vins de Bordeaux est établi en **1855**, à la demande de Napoléon III, pour l'Exposition universelle de Paris. Ce classement est effectué par le syndicat des courtiers sur un critère de prix (le cru classé premier étant le plus cher…), qu'on associe assez naturellement à la renommée du cru. Le **classement des vins rouges** ne comprend que des vins du **Médoc, à l'exception du Château Haut-Brion** (Graves). 61 châteaux sont répertoriés et répartis en 5 classes. À une modification près (ajout dans la première classe, en 1973, du Château Mouton-Rotschild), le classement de 1855 fait toujours référence pour les vins du Médoc. **Les vins blancs** et liquoreux **de Sauternes** sont également classés à cette occasion (soit 26 châteaux classés en 3 catégories). Château d'**Yquem**, inclassable, figure seul en tant que cru exceptionnel.

Autres classements

Un siècle plus tard, les vins de St-Émilion et les vins de Graves font à leur tour l'objet de classements. Le classement de St-Émilion, révisable tous les 10 ans (dernière révision en 2006) comporte trois catégories (premiers grands crus classés,

VINS DE TABLE, VINS DE PAYS ET AOC

En France, il existe trois catégories de vins.
- les vins de table,
- une catégorie intermédiaire dans laquelle on trouve majoritairement des vins de pays,
- les vins d'AOC (Appellation d'origine contrôlée) ou, à l'échelle européenne, d'AOP (Appellation d'origine protégée).

Les vins de pays et les vins d'AOC sont issus d'une zone géographique délimitée et répondent à des règles strictes (par exemple, seuls les cépages autorisés dans l'aire de production peuvent être implantés et leur nombre est réglementé à l'hectare ; de même, les conditions dans lesquelles doit être effectué l'élevage et sa durée sont réglementées) rassemblées au sein d'un cahier des charges spécifique à chaque appellation.

Le respect de ces conditions est contrôlé par des organismes tiers, qui garantissent la qualité du vin produit.

grands crus classés et grands crus). Le classement des vins de Graves, en 1959, recense 16 châteaux qui produisent aussi bien du vin blanc que du vin rouge.
S'ils restent globalement valables, les classements des vins sont régulièrement contestés… par les vignerons mécontents de ne pas en faire partie. Mais le seul vrai classement est celui que le consommateur peut faire en comparant le rapport qualité-prix.

ÉVOLUTION ET RÉVOLUTION

Quel que soit le classement qui lui est attribué, dans le Bordelais, un château, c'est d'abord **des vignes et un chai**, auxquels s'ajoute bien souvent une majestueuse maison de maître. Derrière des noms aux consonances aristocratiques vivent des domaines viticoles de taille, d'organisation et de revenus très divers. Cependant, depuis les années 1990, certains parmi les domaines les plus prestigieux ont

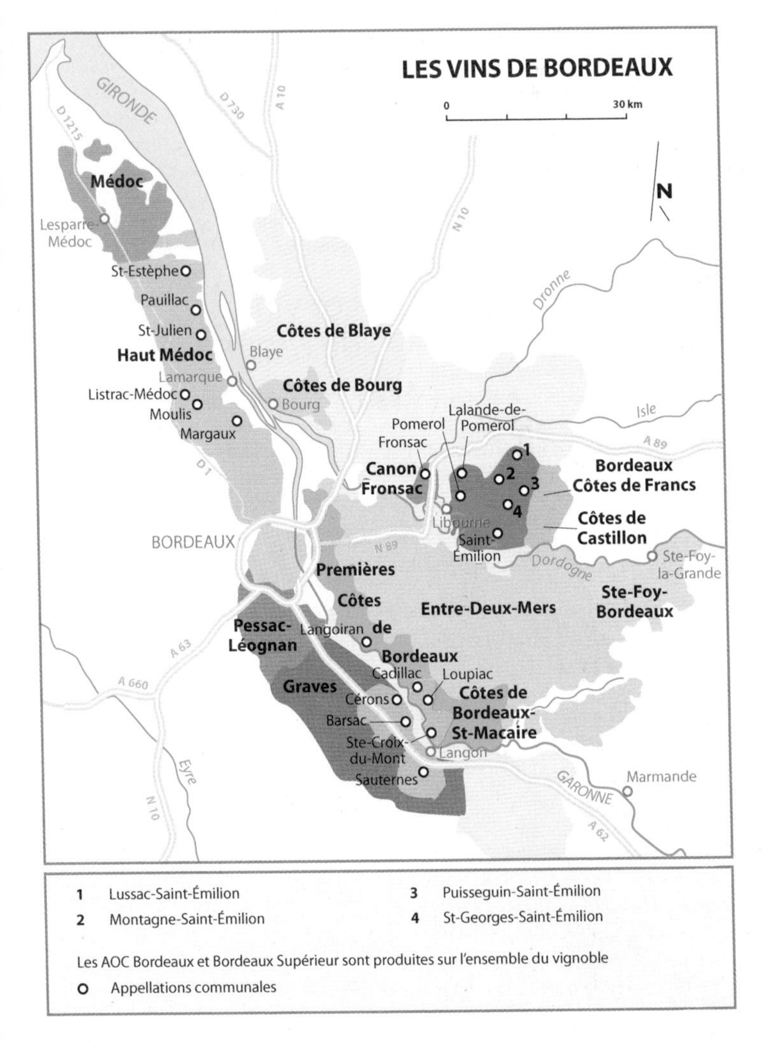

été achetés par des industriels et des financiers… Citons l'initiative de Daniel et Florence Cathiard, anciens champions de ski et propriétaires des magasins Go Sport, qui ont créé à **Château Smith-Haut-Lafitte** un luxueux spa de vinothérapie, les Sources de Caudalie. Autre exemple, l'acquisition par LVMH de **Château d'Yquem** (Sauternes) et Cheval Blanc (St-Émilion). Le vin garde une valeur symbolique importante pour l'image et la communication des marques auxquelles les domaines sont progressivement associés… jusqu'à leur prochaine revente ? Autre sujet parfois sensible : il arrive aujourd'hui que certains domaines français suivent plus ou moins les goûts et les exigences de leurs clients étrangers, surtout lorsque ceux-ci représentent plus de 30 % des débouchés de la propriété. Dans ce contexte sont apparues certaines polémiques, liées par exemple au rôle joué depuis les années 1980 par Robert Parker, célèbre critique américain et inventeur d'un nouveau système de notation des vins sur 100. Ce faisant, Parker a largement contribué à populariser les vins de Bordeaux aux États-Unis, mais aussi à encourager une certaine uniformisation (« parkerisation ») de la production bordelaise, selon ses détracteurs. Parmi ces derniers, Jonathan Nossiter critique dans son film *Mondovino* (2004, disponible en DVD) la tendance à la mondialisation des pratiques et la standardisation du goût des vins, dominés par des préférences pour des crus concentrés, riches en extraits… et en degré d'alcool.
Vu l'importance des sommes en jeu dans la commercialisation des vins de Bordeaux, les domaines attirent logiquement les convoitises internationales. Après les Anglais, les Hollandais, les Allemands, les Américains et les Japonais, c'est au tour des Chinois d'investir (6 domaines ont été achetés en Bordelais au cours des trois dernières années).

Les vins du sud de l'Aquitaine

Les vignobles du sud de l'Aquitaine ne sont pas rattachés à Bordeaux. Ils sont rassemblés avec les vins de Cahors, de Bergerac et de

LECTURE D'UNE ÉTIQUETTE

Qualité du vin comme « grand cru »

Nom du château, du cru, du domaine

Appellation (obligatoire)

Mention Appellation Contrôlée avec la région d'origine (obligatoire)

Millésime

Nom et adresse de l'embouteilleur (obligatoire)

Degré d'alcool (obligatoire)

Lieu de mise en bouteille (obligatoire)

Volume net (obligatoire)

Mention exigée pour l'exportation

Château de Malle.

L'art de la dégustation

« On prend son verre au creux de la main, on le réchauffe, on l'agite en lui donnant une impulsion circulaire afin que l'alcool dégage son parfum. Alors on le porte à ses narines, on le respire, et puis on pose son verre et on en parle... » (Talleyrand).

Faites comme lui et, avant même de porter le verre à vos lèvres, goûtez le vin avec vos yeux et votre nez. Prenez votre temps et oubliez voscomplexes! Si vous voulez mettre des mots sur vos sensations, nous vous indiquons les termes les plus usités *(voir l'encadré ci-dessous)*.

LA VUE

La dégustation commence par un examen visuel de la « robe » et du « disque » du vin. La **robe**, différente selon les crus, désigne la couleur et la limpidité du vin. Le **disque** est la surface du vin dans le verre : il doit être brillant et ne présenter aucune particule. La transparence est un gage de qualité du vin.

L'ODORAT

Chaque vin a son **parfum**, à l'odeur évocatrice classée en 10 familles : animale, boisée, épicée, balsamique, chimique, florale, fruitée, végétale, empyreumatique et éthérée.

On commence par inhaler le nectar puis on le fait tourner dans le verre pour mieux libérer les **arômes**, en essayant de distinguer chaque famille.

LE GOÛT

L'examen gustatif débute par une **« attaque en bouche »** de quelques secondes, où le vin entre brièvement en contact avec la langue. Ensuite, l'**« évolution en bouche »** permet d'apprécier plus longuement toutes les nuances du vin qui éclatent sur le palais. On avale alors une gorgée pour se délecter de la **« fin de bouche »**.

UN PEU DE VOCABULAIRE

Bien en bouche : vin riche et équilibré, qui remplit la bouche.
Charnu : vin qui a du corps et donne la sensation de mordre dans un fruit.
Gras : vin à la fois moelleux, charnu, corsé et riche en alcool (signes d'un grand vin).
Corsé : vin riche en alcool, qui a du « corps », de la « cuisse »...
Souple : vin peu chargé en tanin, agréable au palais.
Gouleyant : vin facile à boire, fruité, frais.
Nerveux : vin qui dénote un caractère vif, avec une pointe d'acidité.
Rond : vin souple, charnu, légèrement velouté.
Chaleureux : vin qui procure, par sa richesse en alcool, une sensation de chaleur.
Épais : vin très coloré, donnant une sensation de lourdeur et d'épaisseur.
Râpeux : vin très astringent, qui racle le palais.

Gaillac sous la bannière « vins du Sud-Ouest » qui regroupe en réalité tous les vins qui, durant des siècles, furent tenus à l'écart du marché par Bordeaux. Jaloux de leurs privilèges géographiques et commerciaux, les Bordelais ont en effet inventé toutes sortes de ruses fiscales et réglementaires pour empêcher les vins du « haut pays » de les concurrencer. Ainsi, les vins de l'Agenais, du Jurançon ou de l'Irouléguy n'avaient la possibilité d'atteindre le port de la Lune, à Bordeaux, qu'après le départ des vins bordelais. Leur qualité en était souvent affectée, sans parler des taxes que les consuls bordelais et libournais faisaient payer sur ces vins. Le développement du chemin de fer et du réseau routier a fort heureusement permis à ces vins de sortir de leur enclavement, sans perdre pour autant leur identité. Aujourd'hui, le sud de l'Aquitaine reste un véritable laboratoire de cépages anciens, dont la culture est, dans certains cas, probablement antérieure à la conquête romaine.

LES VIGNOBLES DES LANDES

L'appellation **Tursan** (VDQS : Vin Délimité de Qualité Supérieure), dont le vignoble s'étend sur 400 ha, se décline en vins blancs, vins rouges et rosés corsés et généreux. L'inventaire ne serait pas complet sans l'**armagnac**, cette eau-de-vie à l'arôme délicat de pruneau et de violette. Les Landes accueillent l'une de ses trois régions de production, le Bas-Armagnac, pays de sables fauves. Obtenu à partir de la distillation de vins blancs, l'armagnac titre 40°.

Écomusée de l'Armagnac, à Château Garreau, p. 260.

LE LOT-ET-GARONNE

Sur la rive gauche de la Garonne, le terroir des vins de **Buzet**, adossé à la forêt des Landes, s'étend sur une quarantaine de kilomètres de coteaux, entre Bordeaux et Toulouse. Il existe une petite production de blancs et de rosés, mais le vignoble de Buzet est surtout apprécié et reconnu pour ses vins rouges souples et légers qui, grâce aux arômes du chêne apportés par le passage en barrique, prennent beaucoup de corps après quelques années de garde. Pour les rouges, l'encépagement (ensemble des cépages constituant un vignoble) est celui de la trilogie bordelaise : merlot, cabernet franc et cabernet-sauvignon.

Le vignoble des **Côtes du Brulhois**, qui se situe au sud d'Agen, entre Dunes, Donzac, Goulens et Layrac, produit des vins rouges et rosés légers aux parfums fruités et épicés, classés VDQS.

Dans la vallée de la Dourdèze se trouvent les **Côtes de Duras**. Les vins rouges sont légers et fruités, les blancs de sauvignon très fruités.

Au nord de Marmande, sous l'influence bordelaise, les **Côtes du Marmandais** produisent des vins rouges bien charpentés, aux parfums de fruits.

EN BÉARN

Une appellation vient immédiatement à la bouche : **Jurançon** ! Les vignobles de Jurançon s'étendent sur la rive gauche du gave de Pau (environ 800 ha), englobant 25 communes. On distingue le blanc sec du **blanc moelleux**. C'est ce dernier, dont on a chanté « la couleur de maïs » et « la couleur d'ambre », qui est le plus fameux. Les plants tardifs sont vendangés souvent après la Toussaint, au stade de la pourriture noble.

Au sud-est de la Gascogne, le terroir de **Madiran** produit un vin rouge, réputé pour sa vigueur tannique, qui développe des arômes de pain grillé et d'épices. Il jouxte l'appellation **Pacherenc du Vic-Bilh**, vin blanc sec ou moelleux, apprécié pour son bouquet

UN PUISSANT VOISIN
Les congrégations religieuses et les commerçants d'Agen firent prospérer le **vignoble de Buzet**, implanté par les Romains, jusqu'à ce que Aliénor d'Aquitaine autorisât les seuls vignerons et négociants du Bordelais à commercer avec l'Angleterre et l'Europe du Nord. L'abolition de ce privilège permit aux vins de Buzet de connaître un certain développement jusqu'au milieu du 19e s. Ils resteront néanmoins colonie bordelaise, vendus sous le nom de Bordeaux jusqu'en 1911 : un décret réserve depuis lors l'appellation Bordeaux aux seuls vins de la Gironde. L'AOC Buzet fut accordée en 1973.

agréable. Les **Côtes de St-Mont** se déclinent en vins blancs, rouges et rosés corsés et fruités (VDQS). Également de vieille réputation, les vins d'appellation **Béarn-Bellocq** comptent parmi les plus anciens du Béarn. Le rosé léger et fruité est produit principalement près de Salies-de-Béarn et Bellocq. Le rouge est puissant et généreux.

AU PAYS BASQUE

Le vignoble d'**Irouléguy** couvre 200 ha initialement plantés par les moines de Roncevaux au 13e s., non loin de St-Étienne-de-Baïgorry. Déclaré AOC en 1970, il produit des vins rouges exclusivement à partir de tannat (*bordelesa* en basque), de cabernet franc *(acheria)* et de sauvignon. Les blancs s'obtiennent à partir de courbu *(xuri cerratia)* et de manseng *(ixiriota xuri)*.

Cidre

Ceux que le vin ne tenterait pas pourront toujours se rabattre sur le cidre, dont les Basques se revendiquent les premiers producteurs, avant même les Bretons et les Normands. Ils dégustaient autrefois ce breuvage acidulé et pétillant directement au tonneau, ou *kupela*.
Actuellement, la tradition se perd un peu, mais les cidreries ne continuent pas moins de proposer du cidre maison en hiver.

Spiritueux

Élaborée à partir de plantes aromatiques, de graines, d'écorces et d'armagnac, l'**izarra**, spécialité d'Hendaye, peut être de couleur verte (à dominante de menthe poivrée) ou jaune (à dominante d'amandes amères).

Traditions et folklore

Des tonalités de la langue basque ou béarnaise aux sons des bandas et des « olés » des aficionados de la corrida, en passant par le siffleur des montagnes, les chants dans les églises basques, les fêtes traditionnelles du Sud-Ouest sont hautes en couleur ! Les fêtes de la Madeleine à Mont-de-Marsan, les grands rendez-vous du Bordelais ou le Pruneau Show d'Agen, les coutumes landaises et la féria de Dax sont autant d'événements où retentissent ces accents chantants si caractéristiques de l'Aquitaine.

Une région dynamique

LA LANGUE DE GASCOGNE

Le gascon est la langue ancestrale d'une bonne partie de l'Aquitaine. Considéré comme une variété de l'occitan, il n'est pas uniforme.
On ne parle pas tout à fait le même gascon dans les Landes, en Gironde, dans le Béarn et aux marges des Pyrénées. Et même à l'intérieur d'un département, la langue peut varier d'un « pays » à l'autre.
Le gascon, toujours pratiqué, atteste en tout cas de la grande variété des traditions aquitaines.
Chaque ville, chaque village organise des manifestations diverses, dont certaines puisent leurs origines dans des racines très anciennes, à l'image de Moncrabeau, dans le Lot-et-Garonne, la « capitale des menteurs » *(voir p. 523)*. Festivals, théâtre, soirées thématiques et fêtes anciennes rythment donc un calendrier chargé *(voir « Agenda », p. 26)*.

LE CŒUR ET LE CORPS

L'Aquitaine est aussi une grande région sportive. On est robuste dans les « pays ». Et la discipline emblématique des Aquitains est sans conteste le rugby. Des tout-petits aux vétérans, les rencontres inondent le calendrier. Côté clubs, Biarritz, Bordeaux-Bègles, Agen, Mont-de-Marsan, Dax, Bayonne, Pau évoluent dans les deux championnats de l'élite.
L'Aquitaine s'illustre également dans le **football**, avec le club des Girondins de Bordeaux, le basket, le hand-ball, et bien d'autres sports pratiqués autant avec le corps qu'avec le cœur.

Deux langues régionales

LE MYSTÈRE DE LA LANGUE BASQUE

Objet de fascination pour les linguistes du monde entier, la langue basque fait partie, avec la famille des langues

Danses folkloriques sur échasses en Gironde.
P. Frilet / hemis.fr

finno-ougriennes (le finnois, l'estonien et le hongrois), des seules langues non indo-européennes du Vieux Continent et l'on a coutume de la considérer comme la plus ancienne d'Europe. Elle possède, en outre, la particularité de n'être apparentée à aucune autre langue répertoriée, ce qui en fait une langue isolée. Son enracinement géographique actuel date de plusieurs millénaires, bien que la première mention écrite de son existence ne remonte qu'à la *Guerre des Gaules* de César.

L'originalité d'*euskara* ne réside pas tant dans son vocabulaire que dans sa grammaire : 22 cas de déclinaison, langue agglutinante (les mots sont formés en collant au radical des préfixes, suffixes, voire des infixes), système de conjugaison complexe, syntaxe sujet-objet-verbe et, enfin, genre (masculin/féminin) inexistant, sauf attaché au verbe pour le tutoiement.

Lexique franco-basque dans le deuxième rabat de couverture.

Côté espagnol, la langue basque est aujourd'hui parlée, écrite, audiovisuellement diffusée et enseignée aux enfants comme aux adultes. Son assise est fragile, **côté français**, où la langue est en perte de vitesse et ne bénéficie d'aucune officialité, la France n'ayant pas ratifié la Charte européenne des langues minoritaires. Mais l'enseignement public (depuis 1983), l'enseignement privé, et les ikastolas (écoles associatives créées à partir des années 1960) désormais sous contrat avec l'État proposent l'*euskara* tantôt comme matière, tantôt comme langue d'enseignement.

LA LANGUE BÉARNAISE

Dès le 7e s., les Béarnais, comme la plupart des peuples colonisés par l'Empire romain, prennent conscience qu'ils ne pratiquent plus la langue de Virgile, au point d'en perdre complètement leur latin. Et de fait, ils parlent béarnais, un dérivé du bas latin, langue aux accents chantants qui acquiert ses lettres de noblesse au cœur du Moyen Âge, sous la plume et dans la bouche de quelques troubadours pyrénéens. Mais la langue ne sert pas uniquement la littérature : elle est tout aussi bien administrative et juridique.

À partir de **1270**, les textes officiels cessent d'être rédigés en latin pour l'être en béarnais. Henri II d'Albret puis sa fille Jeanne le consacrent comme langue d'État au 16e s. Le français, déjà imposé au reste de la France depuis 1539 par l'ordonnance de Villers-Cotterêts, ne prend progressivement sa place qu'à partir de l'annexion du Béarn à la France en 1620, mais les États du Béarn continuent de rédiger leurs délibérations en béarnais jusqu'à la veille de la Révolution.

Que le béarnais soit une **langue d'oc**, par opposition aux langues d'oïl, parlées au nord de la Loire et dont provient le français actuel, nul n'en peut douter. Mais s'agit-il d'une variante locale de la langue d'oc, autrement appelée « occitan », et parlée dans tout le Sud de la France ? Le débat est encore vif : langue inscrite dans le gascon, lui-même inscrit dans l'occitan, le béarnais est considéré par certains comme une sous catégorie de ce dernier, tandis que d'autres lui confèrent un statut à part.

Quoi qu'il en soit, le béarnais est encore bien vivant aujourd'hui. Vous pourrez l'entendre parler sur les marchés de Pau, d'Orthez, de Navarrenx ou d'Oloron. Langue maternelle de la plupart des anciens du pays, le béarnais est également remis à l'honneur dans certaines écoles, les *calandretas*, nées à Pau il y a vingt ans, où l'on pratique l'immersion linguistique en occitan dès la maternelle, avec introduction progressive du français en primaire.

Courses landaises et corridas

LA COURSE LANDAISE

Entre l'Adour et le bassin d'Arcachon, la course landaise reste la forme la plus prisée de la tauromachie en Guyenne. Un document de 1457, relatant la coutume immémoriale de faire courir des vaches et des bœufs dans les rues de St-Sever à l'occasion des fêtes de la St-Jean, atteste qu'elle était déjà pratiquée au Moyen Âge. Mais c'est au 19e s. que se fixent les règles de la course landaise telle qu'on la connaît aujourd'hui.

Chaque **écarteur** affronte une vache de course. Installé au centre de la piste, il doit esquiver le coup de tête de la bête maintenue en ligne par un teneur de corde. Quant au **sauteur**, il s'adonne à divers sauts par-dessus les cornes de la vache : saut de l'ange, saut périlleux ou saut les pieds dans le béret. Par souci de sécurité, les cornes sont emboulées. Le spectacle dure deux heures et il n'y a jamais de mise à mort.

À la différence des trois autres formes de tauromachie (corrida, corrida portugaise et course

LES SIFFLEURS DES MONTAGNES

C'est dans le village d'**Aas**, aux confins de la vallée d'Ossau, que l'on peut encore aujourd'hui rencontrer les derniers dépositaires béarnais de l'art de siffler. Pour communiquer sur de longues distances (jusqu'à 2 km), au cœur d'un relief escarpé, les bergers d'Aas avaient inventé un langage à forts décibels leur permettant d'échanger des phrases courtes relatives à leur vie pastorale ou quotidienne. L'efficacité d'un tel langage fit ses preuves pendant la Seconde Guerre mondiale, lorsqu'un passeur arrêté par les Allemands parvint à s'enfuir et à obtenir l'aide d'un berger des environs pour échapper à ses poursuivants.

camarguaise), la course landaise se pratique exclusivement avec des femelles. Les **vaches** ne sont autres que les cousines, sœurs ou filles des taureaux de corrida. Élevées spécialement à l'usage de la course landaise, les 1 200 bêtes qui constituent le cheptel landais proviennent pour la plupart d'élevages espagnols et sont réparties entre quinze **ganaderias**. Chaque vache est entourée de soins par son *ganadero* ; elle participe à une vingtaine de courses par an pendant au moins dix ans.

LA CORRIDA

C'est en Espagne que la corrida fut codifiée à la fin du 18e s., avant d'arriver en France en 1853. Le spectacle commence par le passage des *bandas* (groupes musicaux) à travers les rues de la ville et se poursuit par la corrida dans une arène où six taureaux sont combattus et mis à mort par trois matadors. La corrida se déroule en trois parties pendant lesquelles le taureau se fait tout d'abord piquer, puis harponner par deux banderilles avant d'être en théorie mis à mort à l'épée au terme du combat. Dans le **Sud-Ouest**, la corrida est pratiquée dans la même zone que la course landaise. Plusieurs arènes constituent des rendez-vous incontournables pour les aficionados, dont les principales sont à Aire-sur-l'Adour, St-Sever, Mont-de-Marsan (fêtes de la Madeleine) et Dax (féria).

Jeux basques

LA PELOTE BASQUE

Malgré un nom très empreint de sa région d'origine, la pelote basque se pratique aussi dans le Béarn, dans les Landes et en Gironde. Elle réunit des femmes et des hommes. Alliant la rapidité au coup d'œil, l'intelligence stratégique à la finesse, la pelote basque revêt plusieurs formes. Par exemple, le jeu au **grand chistera**, du nom de la gouttière en osier qui prolonge le gant protecteur, se pratique à deux équipes de trois joueurs ; il est de loin le plus prisé des touristes. La pelote, plus grosse qu'une balle de tennis, doit allier la dureté à l'élasticité. Elle comporte un noyau de buis ou de caoutchouc enrobé de laine et garni de cuir de chevrette ou de veau. Lancée contre le mur du fronton, elle est reprise de volée ou après un premier rebond, à l'intérieur des limites tracées sur le terrain.

Une variante importée d'Amérique latine, la **cesta punta**, se joue sur un fronton couvert à trois murs. Le but se marque sur le « mur à gauche », entre deux des lignes verticales numérotées. Les connaisseurs préfèrent cependant des jeux plus anciens et plus subtils, comme le **« jeu net »** au petit gant et le jeu à **main nue**.

Autres exemples : la **pala** et la **paleta**, qui se pratiquent avec une raquette en bois et sur un fronton ou dans un trinquet (surface fermée comportant quatre murs). La pala se joue avec une pelote en cuir. La paleta utilise une pelote en gomme pleine ou en gomme creuse (ou « baline »).

Pour en savoir plus sur les règles, les disciplines et les grandes subtilités de ce sport, rendez-vous sur le site de la Fédération française de pelote basque, installée à Bayonne : www.ffpb.net ou sur celui de la fédération internationale : www.fipv.net/fr.

LES JEUX DE FORCE

Le goût du défi est un trait essentiel du caractère basque. Ainsi la tradition se plaît-elle à mettre en concurrence des équipes de douze colosses venus défendre l'honneur de leur village. Chacun des équipiers a sa spécialité parmi huit épreuves inspirées des activités quotidiennes à la ferme. Ces jeux animent de nombreuses fêtes locales, dont la plus connue est celle de St-Palais.

L'**orga yoko** (lever de charrette) consiste à faire tourner à bout de bras une charrette de 350 kg sur son timon en faisant le plus grand nombre de tours possible, tandis que l'*aizkolari* (bûcheron) doit couper à la hache des troncs de 35 à 60 cm de diamètre le plus vite possible, et que le *segari* (scieur de bois) scie dix troncs de 60 cm de diamètre, toujours le plus rapidement possible. Le **zakulari** (porteur de sac) court avec un sac de 80 kg sur les épaules.

Le **lasto altari** (lever de bottes de paille) consiste à hisser à 8 m de hauteur une botte de paille de 45 kg le plus grand nombre de fois possible en deux minutes.

Pour le **harri altxatzea** (lever de pierres), on effectue une levée de pierres de 250 ou 300 kg le plus de fois possible. Les *esneketariak* (porteurs de bidons de lait) doivent parcourir la plus grande distance avec deux bidons de 40 kg.

Enfin, la **soka tira** (tir à la corde), épreuve reine, oppose deux équipes de huit hommes tirant chacune de son côté une corde afin que le milieu de celle-ci (marqué par un foulard noué) franchisse un repère au sol.

Les chants basques

Vecteur de culture, le chant est omniprésent, depuis les offices religieux jusqu'aux fêtes patronales. Celles-ci donnent parfois lieu à des défis entre **otxote** (formation à huit voix) ou entre **bertsolari**, ces poètes qui improvisent en public des vers chantés. Chanter est une telle institution que même pendant les parties de pelote les points sont psalmodiés !

Les chants les plus anciens se reconnaissent à leur caractère modal (à l'instar du grégorien), tandis que les musiques plus récentes sont tonales, et syllabiques pour les mélodies populaires, c'est-à-dire qu'à chaque note correspond une syllabe. L'une des formes mélodiques les plus répandues, le **zortziko**, adopte un rythme irrégulier de 5 croches par mesure pour accompagner les danses.

Au niveau du répertoire, chaque région a développé ses propres traditions musicales, mais certaines mélodies sont connues de tous. Elles correspondent généralement à des poèmes épiques. Le plus répandu est le **chant de Lelo**, relatant la résistance des Cantabres (supposés être les ancêtres des Basques) face aux troupes romaines conduites par Auguste. Il provient d'un manuscrit du 16e s. Autre chant arrivé jusqu'à nous, le **chant « Jeiki jeiki »** fait allusion à la rivalité qui opposa marins basques et hollandais à propos des zones de pêche à la morue à la fin du 18e s.

Aujourd'hui, le patrimoine musical est transmis et développé entre autres par le biais des **sociétés chorales** qui ont adapté les chansons populaires pour l'orphéon. En France, on n'en compte pas moins d'une cinquantaine dont les plus renommées seraient Oldarra de **Biarritz**, le chœur d'hommes d'**Arcangues**, Adixkideak, celui d'**Hendaye**, Gaztelu-Zahar, et le chœur mixte Xaramela de **Bayonne**. Elles s'inspirent pour beaucoup du répertoire folklorique.

Histoire

Théâtre de querelles historiques, objet de revendications, l'Aquitaine a connu un passé tumultueux. Des conquêtes romaines au royaume des Wisigoths, de Charlemagne aux invasions normandes, du duché de Guyenne à la guerre de Cent Ans, des guerres de Religion au gouvernement Poincaré de 1914, l'Aquitaine s'est toujours trouvée intimement liée à l'histoire de France, et de l'Europe.

Une terre convoitée

LA PRÉHISTOIRE

À l'époque de l'*Homo sapiens*, entre -35 000 et -10 000 av. J.-C. (paléolithique supérieur), l'homme de **Cro-Magnon**, caractérisé par le fort volume de son crâne et par son langage articulé, consacrait une part non négligeable de son temps à la création d'œuvres artistiques, comme en témoignent les dessins et ornements découverts en 1881 dans la **grotte de Pair-non-Pair** en Gironde. Quant à la **Dame de Brassempouy**, elle gisait dans les Landes. Sculptée il y a plus de 20 000 ans dans de l'ivoire de mammouth, cette Vénus serait la plus ancienne représentation de visage humain que l'on ait retrouvée dans le monde.

DE L'ÂGE DES MÉTAUX À L'EMPIRE CAROLINGIEN

Dès -1800, de grands mouvements de peuples fixent la physionomie ethnique de l'Occident. Les populations des Pyrénées atlantiques forment déjà une souche homogène résistant aux influences extérieures. Entre le 6e et le 3e s. av. J.-C., les **Celtes**, surnommés « les plus raffinés des barbares », apportent avec eux les prémices de la civilisation. Selon la thèse la plus répandue, la tribu des Bituriges vivisques s'installe sur un méandre de la Garonne et crée le port de **Burdigala**, future ville de Bordeaux, qui devient la capitale de l'Aquitaine. Le commerce se développe et, déjà, le vin fait la fortune de la nouvelle cité.
Mais la conquête de la Gaule par **César** vient bouleverser les rapports établis : en 56 av. J.-C., P. Licinius Crassus, légat de César, mène deux campagnes victorieuses et soumet l'Aquitaine, malgré l'active résistance de certaines peuplades. L'**Aquitania**, dont le territoire s'étend alors des Pyrénées à la Loire, devient, sous la férule d'Auguste, l'une des quatre provinces de la Gaule romaine ; elle s'urbanise et s'organise grâce à l'aménagement de voies de communication et à la création d'administrations. À partir du 4e s. pénètre progressivement le christianisme.
Avant même que l'Empire romain ne sombre en 476, l'Aquitaine est envahie en 418 par les **Wisigoths** qui la rattachent à leur royaume d'Espagne. Ils perpétuent la culture latine et le droit romain écrit. En 466, Bordeaux devient la capitale d'un royaume florissant qui s'étend de Gibraltar à la Loire. Mais en 507,

c'est au tour de **Clovis** de s'emparer de l'Aquitaine tant convoitée ; les Wisigoths sont battus à Vouillé et la province est intégrée au royaume franc. Peu après, à la fin du 6ᵉ s., les **Vascons**, peuple ibérique dont descendent les Basques, se répandent dans le plat pays, la « Gascogne ». Pendant toute la période mérovingienne, l'Aquitaine n'aura cessé d'être un duché indépendant gouverné par divers parents des souverains, malgré une tentative de **Dagobert** en 630 de créer un royaume aquitain.

Au siècle suivant, ce sont les **Arabes** qui tentent d'envahir le pays : Bordeaux est incendiée et de nombreuses villes rasées.

Si la progression des Arabes est enrayée au début des années 730, il faudra plusieurs années à **Charlemagne** pour refouler les « Sarrasins » jusqu'aux Pyrénées. C'est en 778 qu'a lieu la célèbre **bataille de Roncevaux**, contée dans *La Chanson de Roland*, où l'arrière-garde de Charlemagne est écrasée, non seulement par les Arabes, mais aussi par les Vascons. Pour soumettre ces derniers, Charlemagne crée la même année, pour son fils **Louis le Pieux**, un royaume d'Aquitaine sous l'autorité du roi franc. L'Aquitaine passe alors entre les mains des différents

LES GRANDES DATES

- **56 av. J.-C.** – Crassus, lieutenant de César, conquiert l'Aquitaine.
- **418** – Invasion de l'Aquitaine par les Wisigoths, eux-mêmes chassés par les Francs de Clovis en 507.
- **778** – L'arrière-garde de Charlemagne est écrasée à Roncevaux.
- **781** – Charlemagne fait sacrer son fils Louis roi d'Aquitaine.
- **1137** – Le prince Louis, fils du roi de France et futur Louis VII, épouse Aliénor d'Aquitaine.
- **1152** – Mariage d'Aliénor d'Aquitaine avec Henri Plantagenêt. Le Labourd et la Soule passent sous suzeraineté anglaise.
- **1154** – Henri Plantagenêt, duc d'Aquitaine, devient roi d'Angleterre ; l'Aquitaine passe sous domination anglaise pendant trois siècles.
- **1347** – Gaston Phébus proclame l'indépendance du Béarn.
- **1453** – Dernière bataille de la guerre de Cent Ans, gagnée à Castillon-la-Bataille par les frères Bureau ; l'Aquitaine revient à la France.
- **1571** – Au cœur des guerres de Religion, Jeanne d'Albret impose le calvinisme aux Béarnais.
- **1607** – Henri IV réunit à la France son propre domaine royal (Basse-Navarre) et les fiefs qu'il détient comme héritier de la maison d'Albret (Foix-Béarn).
- **1659** – Traité des Pyrénées, qui fixe les limites des royaumes de France et d'Espagne.
- **1771** – Le trafic maritime de Bordeaux est à son apogée.
- **1789** – Début de la Révolution française et abolition des fors, institutions populaires basques au nord des Pyrénées.
- **1914** – Devant l'offensive allemande, le président Poincaré, le gouvernement et les Chambres s'installent temporairement à Bordeaux.
- **1940** – Le gouvernement Reynaud s'installe à Bordeaux.
- **1998** – Procès de Maurice Papon, secrétaire général de la préfecture de la Gironde de 1942 à 1944, accusé de crimes contre l'humanité.
- **2007** – Inscription du Vieux Bordeaux au Patrimoine mondial de l'Unesco.

souverains carolingiens qui doivent lutter contre les invasions des **Normands**, tandis que ces derniers détruisent Bordeaux en 848. En 877, l'Aquitaine est à nouveau constituée en duché par le roi carolingien **Louis le Bègue**, avant d'être, deux siècles plus tard, unie au duché de Gascogne (1058).
Le titre de duc revient alors à la dynastie poitevine qui s'illustre surtout par le prince troubadour **Guillaume IX**, grand-père d'Aliénor d'Aquitaine.

L'AQUITAINE AU CŒUR DES GUERRES MÉDIÉVALES

Les deux mariages d'**Aliénor d'Aquitaine** vont marquer un tournant dans l'histoire du duché et de la France tout entière. En 1137, Aliénor, qui vient tout juste d'hériter de l'Aquitaine à la suite de la mort de son père, épouse le futur **Louis VII**. La même année, tous deux se retrouvent propulsés à la tête du royaume de France alors que s'éteint Louis VI le Gros. Ce mariage laissait espérer un prochain retour de l'Aquitaine au royaume de France, mais le couple royal se brouille et l'annulation du mariage est prononcée en 1152. Aliénor épouse aussitôt **Henri Plantagenêt**, livrant du même coup l'Aquitaine à l'héritier de la dynastie angevine qui règne alors sur l'Angleterre.
Les effets ne s'en font pas attendre : deux ans plus tard, en 1154, la couronne d'Angleterre revient à Henri II. La France est cernée de toutes parts par les possessions de son vassal anglais. Jusqu'au 15e s., l'Aquitaine ne cessera d'être ballottée entre les deux puissances. Confisquée à Jean sans Terre par Philippe Auguste en 1204, elle revient aux Anglais par le **traité de Paris**, signé par Saint Louis en 1259. L'accord est remis en question à plusieurs reprises et les troupes royales envahissent la Guyenne en 1296 puis en 1324. Cette période est marquée par la fondation des **bastides**, villes neuves *(voir p. 82)*.

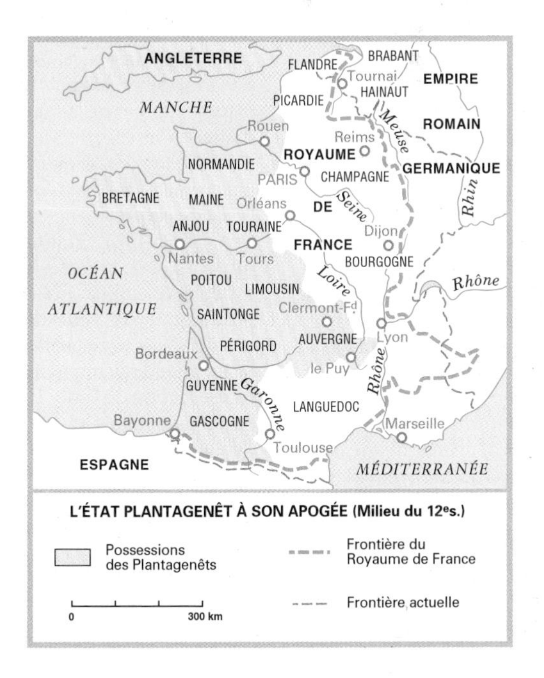

LE « FOR DE MORLAÀS »

De tout temps, les Béarnais, à l'instar des populations pyrénéennes, ont montré un goût très vif pour la liberté. Le suzerain, qu'il soit roi de Navarre, d'Angleterre ou de France, devra rendre très lâches les liens assujettissant le petit État. À l'intérieur du Béarn même, le vicomte accorde nombre de privilèges aux habitants. Au 11e s., Gaston IV le Croisé octroie le « for (droit) de Morlaàs ». C'est une sorte de charte politique et judiciaire qui limite les pouvoirs seigneuriaux et soumet tout le monde à l'impôt de la taille. À leur avènement, les vicomtes de Béarn sont tous tenus de « jurer le for ».

La **guerre de Cent Ans** éclate en 1337, lorsqu'Édouard III d'Angleterre affiche ses prétentions sur la couronne de France. En 1356, son fils, surnommé le Prince Noir, capture le roi de France Jean II le Bon et demande en rançon les pleins droits sur l'Aquitaine. En 1360, lors du **traité de Brétigny**, la France abandonne à nouveau l'Aquitaine aux Anglais, tandis que le Prince Noir renonce au trône de France. En 1380, c'est au tour des Anglais de se plier à la force française, mais ils conservent Bordeaux et Bayonne. La France reconquiert définitivement l'Aquitaine après la **bataille de Castillon** en 1453, qui marque la fin de la guerre de Cent Ans.

« Bordeaux, capitale de l'Aquitaine », p. 106-107.

LE RATTACHEMENT DU BÉARN ET DE LA BASSE-NAVARRE À LA COURONNE DE FRANCE

Côté pyrénéen, le Béarn, vicomté vassal de l'Aquitaine depuis le 9e s., suit les aléas du duché jusqu'en 1290, où il est réuni par mariage au comté de Foix. En proclamant l'indépendance du Béarn en 1347, **Gaston III Phébus**, dernier comte de Foix-Béarn, maintient une paix relative au nord des Pyrénées. Son héritage passe de mains en mains pendant la guerre de Cent Ans et finit par échoir à la famille de Navarre. Avec l'union de Catherine de Navarre et de Jean d'Albret en 1484, les Albret, désormais « rois de Navarre », deviennent prépondérants dans les Pyrénées gasconnes. Mais, dépossédés par Ferdinand le Catholique en 1512, ils ne conservent que le pays situé au nord des Pyrénées (Basse-Navarre). **Jeanne d'Albret**, reine de Navarre de 1555 à 1572, mariée à Antoine de Bourbon, veille à maintenir l'indépendance de ses États entre la France et l'Espagne et, durant les **guerres de Religion**, elle impose le calvinisme. Son lieutenant, Montgomery, et, du côté catholique, Blaise de Monluc, rivalisent d'atrocités. C'est le fils de Jeanne d'Albret et d'Antoine de Bourbon, **Henri IV**, qui, roi de France et de Navarre, réunira son propre domaine royal (Basse-Navarre) et les fiefs qu'il détient comme héritier de la maison d'Albret (Foix-Béarn) à la Couronne en **1607**. La paix religieuse s'installe enfin grâce à la promulgation de l'**édit de Nantes** par le même Henri IV. En 1620, l'indépendance du Béarn et de la Basse-Navarre est définitivement oubliée avec la proclamation de l'**édit d'Union** par Louis XIII ; les deux territoires sont rattachés au royaume de France. La révocation de l'édit de Nantes en 1685 par Louis XIV occasionne de nombreuses persécutions contre les protestants, exécutées par les dragons du roi, et permet surtout à ce dernier d'asseoir l'autorité royale sur la province.

Enfin, en 1659, le **traité des Pyrénées** confirme le partage de la Navarre entre les royaumes de

Aliénor d'Aquitaine fut successivement reine de France, puis d'Angleterre.
Image asset Managemen/Age fotostock

France et d'Espagne, fixant peu ou prou les limites actuelles entre les deux États. C'est à l'occasion du **mariage de Louis XIV** avec l'infante Marie-Thérèse d'Espagne, mariage hautement politique puisqu'il scelle une alliance entre deux ennemis traditionnels, que ce traité est signé sur l'île des Faisans, en plein milieu de la Bidassoa, fleuve désormais frontière.

L'ESSOR DE BORDEAUX ET LA NAISSANCE DU PYRÉNÉISME

Provoquant des disettes et des épidémies, les guerres de Religion et les luttes de pouvoir auront rendu la vie dure aux Aquitains tout au long des 16e et 17e s.
Au 17e s., les seigneurs de Navarre affirment leur autorité face au pouvoir royal un peu partout en Guyenne, en érigeant des forteresses défensives (château Trompette à Bordeaux, citadelle de Blaye). La **Fronde** est très vive en Gironde : en 1649, Bordeaux s'érige en république autonome, avec le soutien des Anglais. Au début du 18e s., un redressement s'amorce : les villes connaissent une forte croissance et les populations urbaines doublent ou triplent de volume. De 1743 à 1757, **Tourny**, intendant de Guyenne, donne au développement économique de Bordeaux une impulsion décisive. À la veille de la Révolution, le Bassin aquitain est considéré comme l'une des régions les plus prospères de France, en particulier grâce au développement des grands vignobles et à celui du commerce colonial et maritime.
Le 18e s. voit réellement l'apogée de Bordeaux, sous l'égide de son parlement. En 1754, la thèse de **Théophile de Bordeu** sur les eaux minérales d'Aquitaine contribue à la spécialisation des stations de cure et à l'essor du thermalisme.
Le Second Empire est une période faste pour les stations thermales des Pyrénées centrales. Par ailleurs, la côte est aménagée : en 1786, l'ingénieur **Brémontier** présente son projet de fixation des dunes et d'assainissement des marais grâce à la plantation de pins dans les Landes *(voir p. 42)*.

LE TOURNANT DU 19e S.

Modernisation

Au 19e s., le développement des chemins de fer apporte la consécration balnéaire de la côte atlantique ; le train arrive à Bordeaux en 1852 et le tourisme prend son essor. Cependant, la côte landaise reste encore inexplorée. C'est pourquoi, en 1905, le journaliste bordelais **Maurice Martin** décide de se lancer dans une expédition de découverte des lieux qu'il rendra célèbres sous le nom de « Côte d'Argent ».

Le succès touristique de la région doit beaucoup à la viticulture. Le premier **classement des vins**, esquissé dès les années 1725 avec Haut-Brion, Margaux, Lafite et Latour, s'élargit dès 1855 avec la classification des grands crus du Médoc, établie à la demande de Napoléon III en vue de l'Exposition universelle de Paris.

L'Aquitaine profite peu du développement industriel et demeure avant tout agricole. Le 19e s. verra en outre une émigration massive des Béarnais et des Basques vers les États-Unis.

L'ère des nationalismes

En France, la République est proclamée après la chute du Second Empire. Mais le nationalisme français reste un phénomène intellectuel, limité à la classe politique, car le peuple lui-même ne semble pas éprouver le sentiment d'appartenance nationale. La IIIe République décide donc d'y remédier grâce à deux principaux moyens : l'école et l'armée. D'une part, l'école, devenue entièrement laïque et gratuite avec les lois Ferry (1881-1882), répand la langue française et diffuse une histoire et une géographie nationales aux enfants. Ce système éducatif est donc destiné à imposer le français, langue nationale depuis 1851, au détriment des langues régionales, interdites en classe. D'autre part, le service militaire se charge de transformer les jeunes adultes en citoyens soldats. À partir des années 1950, et surtout 1970, les langues régionales, comme le basque, commencent à être reconnues. En 2008, elles sont inscrites dans la Constitution française, pour avoir contribué au patrimoine de la France.

LES FILS DE L'AIR

Du fait de conditions climatiques particulièrement favorables, la région entretient des rapports privilégiés avec l'**aviation** dès ses débuts. En 1909, les **frères Wright**, deux Américains qui avaient effectué le premier vol au monde à bord d'un aéroplane motorisé de leur conception (1903), créent la première école de pilotage sur la lande du Pont Long, au nord de Pau (les frères reposent dans la chapelle du Mémorial de l'aviation, sur la commune de Lescar). Ils seront imités par **Blériot**, puis, en 1912, l'armée française y établit la première école militaire d'aviation. En 1953, l'ETAP (École des Troupes Aéroportées) s'implante à son tour sur le site. Elle formera au saut tous les parachutistes français. Aujourd'hui, l'aéronautique reste un secteur puissant de l'économie régionale (Pau, Bordeaux), au voisinage de Toulouse.

Vous pourrez visiter l'exposition « Pau, terre d'aviation » au palais Beaumont et le musée national des Parachutistes à **Pau** *(p. 458)*, mais aussi le musée de l'Aviation légère de l'Armée de terre et de l'Hélicoptère à **Dax** *(p. 269)*, et le musée historique de l'Hydraviation à **Biscarrosse** *(p. 248)*.

L'AQUITAINE CONTEMPORAINE

En 1914, devant l'offensive allemande, le président **Poincaré**, le gouvernement et les Chambres s'installent temporairement à Bordeaux, comme l'avait fait le gouvernement **Gambetta** en 1870 durant la guerre franco-prussienne. Le réflexe sera le même en 1940, avant que le gouvernement de Pétain, élu chef de l'État à Bordeaux, ne déménage à Vichy.
L'Aquitaine devient une région productrice d'énergie, tout particulièrement grâce à l'éruption du gaz de Lacq en 1951 et au début de l'exploitation du pétrole à Parentis en 1954. Plus de 70 ans après l'ouverture du tunnel ferroviaire du Somport en 1928, c'est par la route qu'il est désormais possible de traverser les Pyrénées, depuis l'ouverture d'un tunnel routier en 2003.

Ils ont fait l'histoire

ALIÉNOR D'AQUITAINE

Née aux environs de 1122, elle est la fille aînée de Guillaume X d'Aquitaine. En 1137, alors qu'elle n'a que 15 ans, la mort de son père, son mariage au futur Louis VII et la mort de son beau-père Louis VI font d'elle la duchesse d'Aquitaine et la reine de France. Dix ans plus tard, elle prend part à la 2e croisade. De retour en France, les deux époux se brouillent malgré la naissance de leur deuxième fille et obtiennent l'annulation du mariage sous prétexte d'une parenté trop proche (cousinage au 9e degré). Sans attendre, Aliénor épouse **Henri Plantagenêt**, héritier de la Normandie et de l'Anjou, mais aussi du royaume d'Angleterre, à la tête duquel il est bientôt appelé, sous le nom d'Henri II. Aliénor met alors au monde huit enfants dont le troisième fils sera **Richard Cœur de Lion** (1157) et le dernier **Jean sans Terre** (1166). Après quelques années aux côtés de son époux aussi bien en Normandie qu'en Angleterre, elle se retire à Poitiers dans son duché de France où elle s'entoure d'une cour joyeuse. Instigatrice d'un complot qui oppose Henri II à deux de ses fils, Aliénor est arrêtée et emprisonnée par son mari pendant près de quinze ans. À la mort de ce dernier, en 1189, la reine, libérée par son fils Richard, s'empresse de le faire couronner avant son départ en croisade. Elle assume le pouvoir pendant l'absence de son fils et garantit le trône des tentatives d'usurpation de Jean sans Terre. Richard revenu, Aliénor se retire à l'abbaye de Fontevrault. En 1199, elle accourt au chevet de Richard mourant et négocie avec lui la mise sur le trône de son frère Jean sans Terre. Avant de s'éteindre à Fontevrault le 31 mars 1204, elle part en Castille, où sa fille Aliénor règne aux côtés d'Alphonse VIII : son dernier acte politique sera de ramener sa petite-fille Blanche et de l'unir au futur Louis VIII, dont le fils **Saint Louis** réunira l'Aquitaine à la France.

« Bordeaux, capitale de l'Aquitaine » p. 106-107.

LES ESPRITS FORTS DU BÉARN

Gaston Phébus

Le plus célèbre des comtes de Foix et vicomtes de Béarn est Gaston III (1331-1391), qui adopte vers 1360 le surnom de Phébus (ou Fébus), signifiant « le brillant » ou « le chasseur ». Ayant pour devise « toques-y si gauses » (touches-ysi tu l'oses), c'est un politique avisé, qui exerce un pouvoir absolu, méprisant les « fors » pourtant jurés par lui. Lettré, poète, il s'entoure d'écrivains et de troubadours ; mais brutal et sans scrupule, il fait assassiner son frère et tue involontairement son fils unique au cours d'une querelle. Au retour d'une expédition de chasse, il tombe foudroyé par une hémorragie cérébrale.

La Marguerite des Marguerites

Grâce à la protection des rois de France et à la suite de mariages profitables, les **Albret**, petits seigneurs landais, se trouvent au 16e s. en possession du comté de Foix, du Béarn et de la Basse-Navarre. Henri d'Albret épouse **Marguerite d'Angoulême**, sœur de François Ier, en 1527. La beauté, l'intelligence et la bonté de Marguerite de Navarre seront célébrées par les poètes. Elle use de son influence sur son frère pour protéger les esprits libres et les novateurs religieux (Clément Marot, Calvin…). En 1542, elle commence la composition d'un recueil de contes galants dans la lignée des fabliaux, l'*Heptaméron*, resté inachevé. Son château de Pau, où se déroulent fêtes et bals, sera un des grands centres d'activité intellectuelle en Europe.

La rude Jeanne d'Albret

On avait dit de Marguerite de Navarre : « Corps féminin, cœur d'homme et tête d'ange. » Sa fille, Jeanne d'Albret, n'a pas éveillé autant de lyrisme : « Elle n'a de femme que le sexe », disait crûment un contemporain. Son mariage l'unit à **Antoine de Bourbon**, descendant de Saint Louis, ce qui permettra à leur fils (futur Henri IV) de recueillir l'héritage des Valois quand cette branche s'éteindra avec Henri III. Jeanne devient reine de Navarre à la mort de son père, puis abjure le catholicisme pour la religion réformée. Assurant l'avenir de sa maison et de sa religion, elle obtient le mariage de son fils Henri avec **Marguerite de Valois**, fille de Catherine de Médicis et d'Henri II. Elle meurt à Paris, en 1572, deux mois avant les noces de son fils.

« Lou Nouste Henric », le grand Béarnais

Henri de Navarre, futur **Henri IV**, naît à Pau le 13 décembre 1553. On raconte que le grand-père d'Albret lui frotta d'abord les lèvres avec une gousse d'ail et les mouilla d'un peu de vin de Jurançon. Puis, avant de placer l'enfant dans l'écaille de tortue qui lui servira de berceau, il le montra à la foule, s'écriant : « Voici le lion enfanté par la brebis de Navarre », répondant ainsi au trait insolent qui avait accueilli autrefois la naissance de sa mère : « Miracle ! La vache a enfanté une brebis. » Le jeune Henri passe les premières années de sa vie au château de Coarraze, entre Pau et Lourdes. À 12 ou 13 ans, Henri entre officiellement en religion réformée. Six jours après son mariage avec Marguerite de Valois éclate le massacre de la **St-Barthélemy** (1572). Le jeune époux n'échappe à la mort que -par l'abjuration ; il reviendra ensuite à la religion réformée jusqu'à l'abjuration solennelle précédant son avènement (1589). Pour ménager l'esprit d'indépendance de ses Béarnais, Henri IV prend le titre de « roi de France et de Navarre ». Louis XIII, en 1620, réunira définitivement le Béarn à la Couronne.

Les pèlerins de St-Jacques

Vieux de plusieurs siècles, le chemin de St-Jacques-de-Compostelle rassemble encore aujourd'hui des jacquets de plus en plus nombreux. Longeant l'ancienne voie romaine qui va de Bordeaux à Astorga, en passant par St-Jean-Pied-de-Port, en Basse-Navarre, c'est un pèlerinage toujours chargé d'émotions.

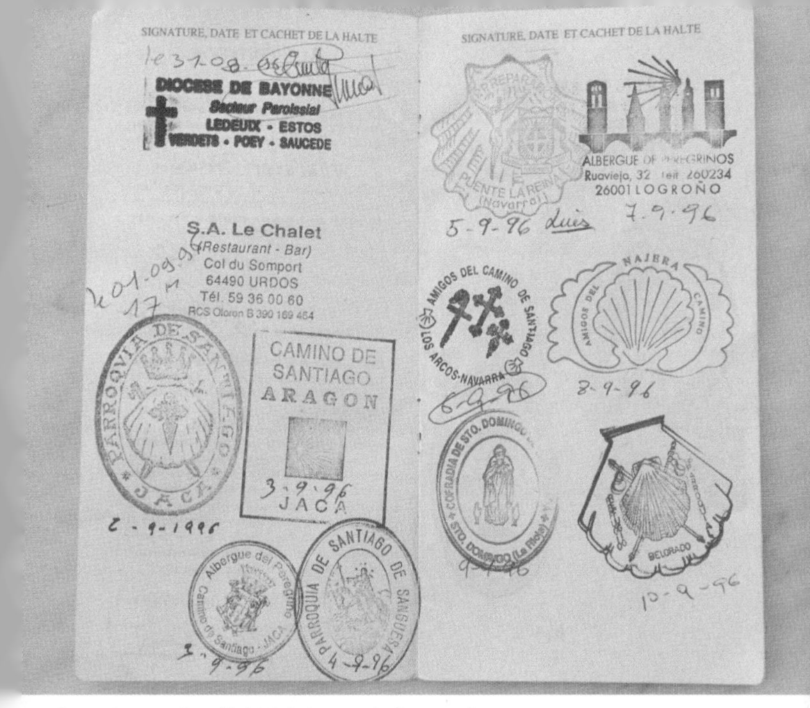

Carnet de route d'un pèlerin de St-Jacques-de-Compostelle.
Ch. Boisvieux / hemis.fr

L'APÔTRE ET SA POSTÉRITÉ

Selon la légende, l'apôtre Jacques le Majeur aurait été chargé par Jésus d'évangéliser l'Espagne. De retour en Palestine, il fut décapité en l'an 42 sur l'ordre d'Hérode et son corps, placé dans une barque, aurait échoué sur la Côte de Galice. Il aurait alors été enterré à Compostelle… puis oublié jusqu'au début du 9e s. où un ermite du nom de Pelayo (Pélage) vit soudain une mystérieuse étoile le guider vers l'emplacement du tombeau du saint. Il découvre alors les saintes reliques qu'un évêque local décrète appartenir à l'apôtre (Rome attendra 1884 pour officialiser cette identification). Le roi des Asturies Alphonse II ordonne alors d'élever une église sur le « champ de l'étoile », ou *Campus stellae*, qui deviendra Compostelle. Le lieu attire aussitôt les pèlerins malgré un raid audacieux conduit par le futur calife de Cordoue, al-Mansūr (997), qui toutefois respecte le sépulcre de l'apôtre.

Entre-temps, lors de la bataille de Clavijo opposant en 844 le roi des Asturies aux Maures, Jacques serait apparu pour prodiguer ses conseils au roi chrétien. Il aurait même participé au combat sur un cheval blanc et terrassé les Maures (d'où son surnom de « Matamore »). Bien que cette bataille et ce haut fait soient imaginaires, ils ont fait de l'apôtre le symbole de la Reconquête. Son image de saint batailleur lui valut même d'être « exporté » aux Amériques par les *conquistadores* sous le surnom de « Mataindios » ! Il est aujourd'hui le saint patron de l'Espagne.

LE CHEMIN DE LA FOI

Au Moyen Âge, le tombeau de saint Jacques le Majeur attire en Espagne une foule considérable de pèlerins venus de toute l'Europe. La dévotion envers « Monsieur saint Jacques » est si vivante que **Santiago de Compostela** devient un lieu de rassemblement exceptionnel, d'autant que les deux grands lieux de pèlerinage de la

chrétienté sont alors inaccessibles (Jérusalem) ou en plein déclin (Rome). Depuis le premier pèlerinage accompli par l'évêque du Puy en 951, des millions de jacquets, jacquots ou jacobits, ont pris la route pour aller vénérer les reliques de l'apôtre.
Une organisation très complète d'**hospices** facilitait le voyage et pourvoyait, le long des principaux itinéraires, à l'hébergement des pèlerins et au maintien de leur bonne santé spirituelle.
Les itinéraires pour les pèlerins venus du nord convergeaient à Ostabat, en Basse-Navarre, avant le franchissement des Pyrénées, opérant leur jonction. St-Jean-Pied-de-Port représentait la dernière étape avant l'ascension vers le col frontière. Les pèlerins gagnaient Roncevaux par la route des hauteurs, section de l'ancienne voie romaine de Bordeaux à Astorga.
Chaque pèlerin portait une croix de feuillage faite de ses mains avant la montée. Au terme de la première escalade, au col de Cize (Ibañeta), près de la Croix de Charles, le jacquet priait, chantait et plantait sa croix. À l'ermitage voisin, la cloche sonnait par temps de brouillard et durant une partie de la nuit afin de rallier les égarés.

LE PÈLERIN

Au Moyen Âge, la pratique des grands pèlerinages fit du pèlerin un personnage familier des villages qui ponctuaient le chemin. Il était accueilli avec respect, voire enthousiasme, car il contribuait à la vitalité du commerce local. Son costume ressemblait à celui des voyageurs de l'époque : une vaste cape et un mantelet court (esclavine), une panetière (musette), une gourde, un couvert et une écuelle. En plus de cela, il était équipé d'un coffret contenant les papiers et les sauf-conduits ainsi que d'un gros bâton à crosse (bourdon). La route n'était pas sans dangers : des bandes de « coquillards », faux pèlerins, dont fit partie le poète **François Villon**, rançonnaient sans vergogne les jacquets en leur imposant des péages quand ils ne les dépouillaient pas de leurs biens. De multiples trafics sévissaient : ainsi, à l'église de Villafranca del Bierzo (León), les pèlerins découragés par l'ascension du dernier col avant la Galice pouvaient-ils se procurer de faux certificats contre monnaie sonnante et trébuchante.
Enfin parvenus à Santiago, ils se voyaient remettre les insignes du pèlerinage : coquille et médaille, ainsi que la **« compostela »**, attestation en latin, d'abord destinée à prouver que ceux qui avaient été condamnés à effectuer le pèlerinage avaient bien accompli leur peine, puis généralisée par la suite. À son retour, le fidèle qui avait pris la coquille et le bourdon était considéré comme un notable. Les confréries de St-Jacques avaient leur chapelle particulière dans les églises ; elles constituaient des fraternités (frairies ou *hermandades* en Espagne) et conservaient les comptes rendus de voyage.

LA COQUILLE

Fréquente sur les côtes de Galice et en particulier au cap Finisterre, la coquille de *vieira* était donnée aux pèlerins, qui la rapportaient en témoignage de leur équipée après l'avoir accrochée à leur manteau ou à leur chapeau. Devenue l'un des symboles du pèlerinage (et l'un des attributs du pèlerin avec le bourdon), elle prit bientôt le nom de coquille st-Jacques. Depuis lors, elle orne les façades d'églises et de demeures nobles, qui ne sont parfois liées que de loin au pèlerinage.

DÉCLIN ET RENOUVEAU

Accentuant l'insécurité, la guerre de Cent Ans marque l'amorce du déclin. La Réforme, qui s'oppose au culte des reliques, s'accompagne d'un changement des mentalités. Et puis, il devient de plus en plus difficile, du point de vue administratif, de franchir les frontières : au 18e s., quiconque voulait se rendre à St-Jacques-de-Compostelle devait se munir d'un extrait de baptême légalisé par l'autorité de police, d'une lettre de recommandation de son curé et d'un formulaire, dûment rempli, de son évêque.

Après une longue éclipse, et depuis les années 1980, les pèlerins reprennent la route de Compostelle. Si nombre d'entre eux sont animés par des préoccupations spirituelles (ce sont ceux qui se font remettre la *compostela* après avoir vénéré les reliques), randonneurs ou cyclotouristes (voire cavaliers) purs et durs sont tout aussi nombreux.

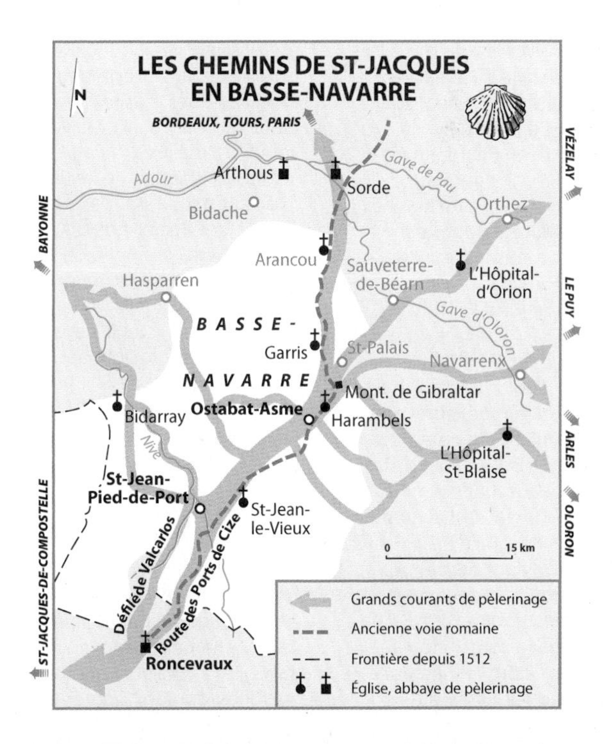

Art et culture

De la présence romaine aux châteaux féodaux et aux villas excentriques du 19e s., chaque siècle a su apposer son cachet en léguant à la région de véritables chefs-d'œuvre. Sur les chemins de Compostelle, l'Aquitaine a hérité d'un riche patrimoine religieux : de nombreuses églises et abbayes romanes jalonnent les itinéraires de St-Jacques. Mais ce sont les bastides qui illustrent tout particulièrement la Guyenne. L'édification de ces villes neuves au plan rigoureux fut encouragée par les ducs, les princes et les rois pour mettre en valeur le pays aux alentours du 13e s. Si le 17e s. voit fleurir les fortifications Vauban, le 18e s. est marqué par un souci d'urbanisation d'un style très classique. Quant aux habitats traditionnels, ils sont surtout remarquables dans le Béarn, fier d'arborer ses imposantes cases béarnaises, et dans les Landes où l'habitat rural se groupait autour de l'airial.

L'empreinte gallo-romaine

Anciennes voies rectilignes, villas comme celles de **Plassac** en Gironde, de **Géou** à Labastide-d'Armagnac (Landes) et de **Lalonquette** en Béarn, tracés de villes, trésors monétaires retrouvés au gré des recherches et du hasard, mosaïques de Labastide ou statues repêchées dans la Garonne, la présence romaine, ou plutôt l'époque gallo-romaine, a laissé de très nombreux témoignages en Aquitaine. À ce titre, les archéologues, dont les services d'archéologie préventive, continuent d'effectuer un travail exceptionnel. Et c'est loin d'être fini ! À Bordeaux, par exemple, où trônent encore les restes du **palais Gallien**, les travaux d'urbanisme et du tramway ont permis de mettre au jour des découvertes significatives, comme ce quartier d'artisans gallo-romain fouillé en 2009, cours Georges-Clemenceau. À Villeneuve-sur-Lot, le site d'**Eysses**, accompagné de visites et d'un atelier, est toujours étudié et s'avérera, à terme, d'une grande importance.

La région réserve donc des surprises. Car s'il reste peu d'édifices, des musées permettent de se familiariser avec la vie de nos lointains ancêtres. Ne manquez pas le musée d'Aquitaine de Bordeaux, bien sûr, mais aussi, par exemple, le musée des Beaux-Arts d'Agen avec, notamment, sa splendide Vénus. On peut également découvrir des sites : celui de Brion sur la commune de St-Germain-d'Esteuil, dans le Médoc, est passionnant, avec son théâtre de 57 m de diamètre, capable d'accueillir 3 000 spectateurs. De quoi faire rêver...

La cité médiévale

Du 11e au 14e s., les villes nouvelles se sont multipliées, adoptant une architecture militaire. Des siècles mouvementés du Moyen Âge, la région a conservé nombre de bastides, donjons, églises fortifiées, châteaux, sauvetés et castelnaux, au caractère à la fois défensif et résidentiel.

L'ARCHITECTURE MILITAIRE

L'émiettement de l'autorité féodale au Moyen Âge a entraîné une dispersion générale des points fortifiés. Le Sud-Ouest, et particulièrement l'ancienne Aquitaine, partagée trois siècles durant entre deux couronnes, fut alors saupoudré de châteaux forts. Des fortifications grossières se multiplièrent en rase campagne : un fossé, une palissade d'enceinte (*pau* en langue d'oc, *plessis* en langue d'oïl), une tour de bois puis de pierre élevée sur une « motte » suffisaient à offrir un simple refuge.

Les premiers donjons

Au début du 11e s. apparaissent des donjons de pierre, rectangulaires, caractérisés par une maçonnerie peu épaisse et l'absence de meurtrières. Le rez-de-chaussée, obscur, servant de magasin, l'accès se fait par le premier étage au moyen d'une échelle ou d'une passerelle escamotable.

Les châteaux de brique

Certains châteaux du Béarn portent la marque de **Sicard de Lordat**, ingénieur militaire de Gaston Phébus au 14e s. Construits en brique par souci d'économie, ils possèdent une tour carrée, à cheval sur l'enceinte polygonale, tandis que les casernements et le logis d'habitation s'adossent intérieurement aux courtines. **Morlanne** et surtout **Montaner** sont les exemples les plus achevés de ce type.

Les châteaux clémentins

Bertrand de Got devient pape sous le nom de Clément V en 1305. Rome alors en pleine révolution, il demeure dans sa région natale bordelaise. Il est à l'origine des « châteaux clémentins » : Villandraut, Roquetaillade, Duras, Budos et Fargues sont des « **palais-forteresses** », résidentiels et défensifs. Tous présentent sensiblement la même architecture : ils sont dépourvus de donjon. Leur plan rectangulaire porte à chaque angle une tour cylindrique. Un des côtés est percé d'une entrée, précédée d'une bastille, accostée de deux tours cylindriques de mêmes proportions que les tours d'angle. L'intérieur est bordé sur trois côtés par les appartements, vastes salles voûtées et superposées. Seul le **château de Roquetaillade** échappe à ce plan intérieur : il possède un donjon carré central plus élevé que les tours.

Les églises fortifiées

Nombreuses dans le Sud-Ouest,elles occupent une place importante dans l'histoire de l'architecture militaire.

Les deux types de **mâchicoulis** seraient apparus pour la première fois en France, à la fin du 12e s., sur des églises des pays de langue d'oc : mâchicoulis classiques sur corbeaux et mâchicoulis ménagés sur des arcs bandés entre les contreforts.

Traditionnel **lieu d'asile**, l'église représentait, avec son architecture robuste et son clocher tout désigné comme poste de guet, un refuge pour les populations menacées par les assaillants.

LES « VILLES NOUVELLES » DU MOYEN ÂGE

Sauvetés et castelnaux

Les **sauvetés** sont issues d'initiatives ecclésiastiques : prélats, abbés ou dignitaires d'un ordre militaire de chevalerie ont recouru à des « hôtes », initialement des fugitifs et des errants, pour assurer le défrichement et la mise en valeur de leurs terres.

Les **castelnaux** sont à l'origine des agglomérations créées par un seigneur dans la dépendance d'un château. Muret, Auvillar, Mugron et Pau en sont autant d'exemples.

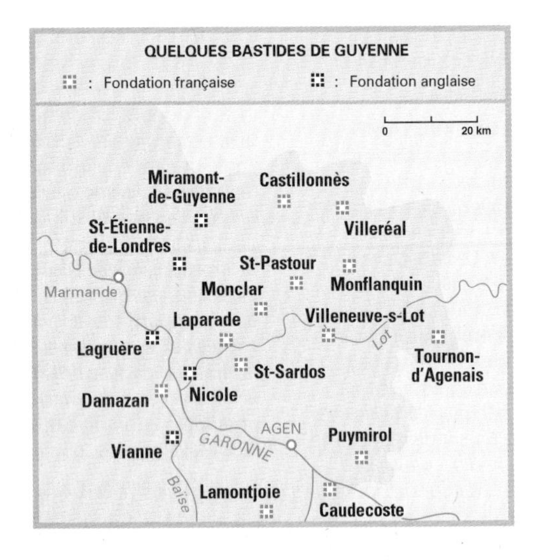

Les bastides

Nées des besoins démographiques, financiers et économiques ou liées aux préoccupations politiques et militaires, les bastides constituent le premier **habitat aggloméré** dans la région Aquitaine. La plupart sont issues d'un contrat de **paréage** entre le roi et le seigneur du lieu ou entre un abbé et le seigneur laïc. Cette charte de coutumes précisait le statut des habitants, le programme du lotissement et les redevances. Le peuplement était encouragé par la garantie du droit d'asile et l'exemption du service militaire.

Si le plan des bastides se rapproche souvent d'un **modèle type**, en échiquier carré ou rectangulaire, il s'en éloigne parfois selon le relief et la nature du site. On reconnaît l'intervention d'un arpenteur professionnel dans le tracé rectiligne des rues se coupant à angle droit et dans le découpage de lots de valeur égale. Les colons recevaient, outre une parcelle à bâtir, une parcelle de jardin et, hors de l'agglomération, une parcelle cultivable.

La multiplication des bastides s'est accompagnée de l'édification de nombreuses **églises**. Bâties près de la place centrale ou à la périphérie, solidaires du cimetière, elles sont caractéristiques du gothique languedocien, avec une nef unique, comme à Geaune, dans le Tursan.

Musée des Bastides à Monflanquin, p. 549 et Route des bastides 64, p. 20.

Du classicisme à l'Art déco

Du 16e au 19e s., l'Aquitaine s'enrichit de nouvelles bâtisses. Aux fortifications érigées par Vauban succèdent un style Louis XVI inspiré de l'art antique, puis un éclectisme triomphant. Le style néoclassique s'accompagne d'un mélange des genres pour s'offrir de somptueuses villas, rehaussées par l'avènement de l'Art déco.

L'ÉPOQUE CLASSIQUE

La fin de la Renaissance avait été une époque de stagnation pour l'art français. Avec Henri IV commence une ère de prospérité matérielle

BORDEAUX : LA RENAISSANCE

Bordeaux a longtemps souffert d'une image peu flatteuse : centre ancien noirci par la pollution (et du fait de la composition de la pierre, très calcaire), quais de la Garonne encombrés d'entrepôts abandonnés, ville repliée sur elle-même malgré sa longue tradition portuaire... Tout ceci appartient désormais au passé : une politique ambitieuse de grands travaux a réussi à redonner à la ville son cachet et son attractivité : les rives du fleuve ont été rendues à la vue et aux piétons, les façades néoclassiques ont retrouvé leur éclat... Pour couronner cet effort de valorisation, et suite au classement par l'Unesco de 3 édifices religieux situés sur les chemins de St-Jacques-de-Compostelle (St-Seurin, St-André et St-Michel), Bordeaux a obtenu en 2007 le classement du plus vaste périmètre urbain (1 800 ha) jamais classé au **Patrimoine mondial** au titre « d'ensemble urbain exceptionnel ». Ce souci de préserver l'héritage du passé est aussi une manière de préparer l'avenir. La ville s'est d'ailleurs dotée d'une charte d'écologie urbaine et de développement durable pour accompagner ses transformations.
Bordeaux monumental : une exposition incontournable pour cerner l'évolution de la ville *(voir p. 105)*.

qui permet aux artistes de s'engager dans une voie nouvelle. L'avènement de la dynastie des **Bourbons** amène un changement radical. L'art dit classique se développe de 1589à 1789.

Les fortifications

Nées au 16e s., elles protègent surtout les cités frontalières. Courtines et bastions sont couronnés d'une plate-forme où sont placés les canons, tandis que des tourelles permettent de surveiller fossés et alentours. Sébastien Le Prestre de **Vauban** (1633-1707), maître incontesté en matière de fortifications, établit son système caractérisé par des bastions que complètent des demi-lunes, dans un ensemble protégé par de profonds fossés. Profitant des obstacles naturels, utilisant les matériaux du pays, il s'attache à donner aux ouvrages une valeur esthétique.

En Gironde, son empreinte reste manifeste à **Blaye**, où la citadelle protectrice du port de Bordeaux participait d'un système de défense comprenant **fort Pâté** et **fort Médoc**. Dans le Béarn, **Navarrenx** témoigne également des travaux de l'architecte militaire.

L'architecture Louis XVI

De majestueux bâtiments évoquent le style Louis XVI, inspiré de l'artantique, dont l'architecte parisien Victor Louis fut un insigne représentant : sa manière, noble et sobre, s'exprime au **Grand Théâtre** de Bordeaux.

« Le Bordeaux des intendants », p. 106.

Quant aux **chartreuses**, ce sont ces petits châteaux caractéristiques de la Guyenne et plus particulièrement du vignoble bordelais. Bâties aux 18e et 19e s., elles ont été conçues par l'aristocratie locale pour servir de maisons de campagne. Basses, habituellement sans étage, les chartreuses s'ouvrent de plain-pied sur une terrasse ou un parterre fleuri ; celle de **Loudenne** compte parmi les plus charmantes.

L'ÉCLECTISME DU 19e S.

Au 19e s., l'architecture européenne tend vers l'éclectisme, remettant au goût du jour les styles passés (antique, roman, gothique, Renaissance et classique) et empruntant largement aux styles étrangers, notamment à l'Orient. De la Gironde aux Pyrénées thermales,

ABC d'architecture

Architecture religieuse

BORDEAUX – Plan de la cathédrale St-André (11e-14e s.)

La nef de la cathédrale de Bordeaux ne possède pas de bas-côtés. Elle était primitivement divisée en trois travées carrées dont le nombre fut doublé au 13e puis au 16e s.

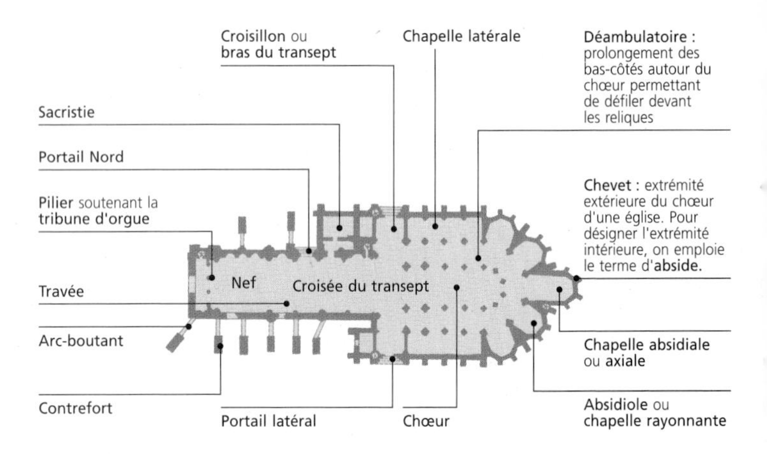

MARMANDE – Coupe longitudinale de l'église Notre-Dame (13e-16e s.)

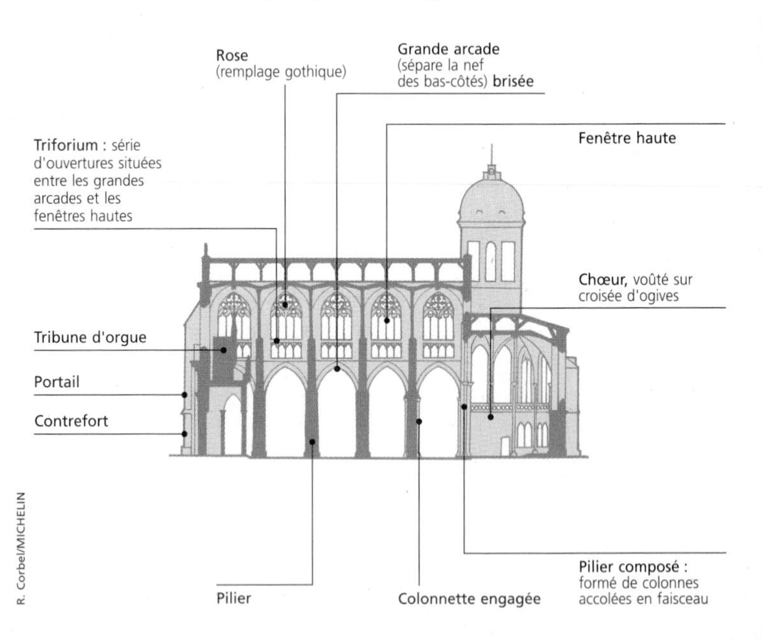

ART ET CULTURE

MOIRAX – Chœur de l'église Ste-Marie (11e-12e s.)

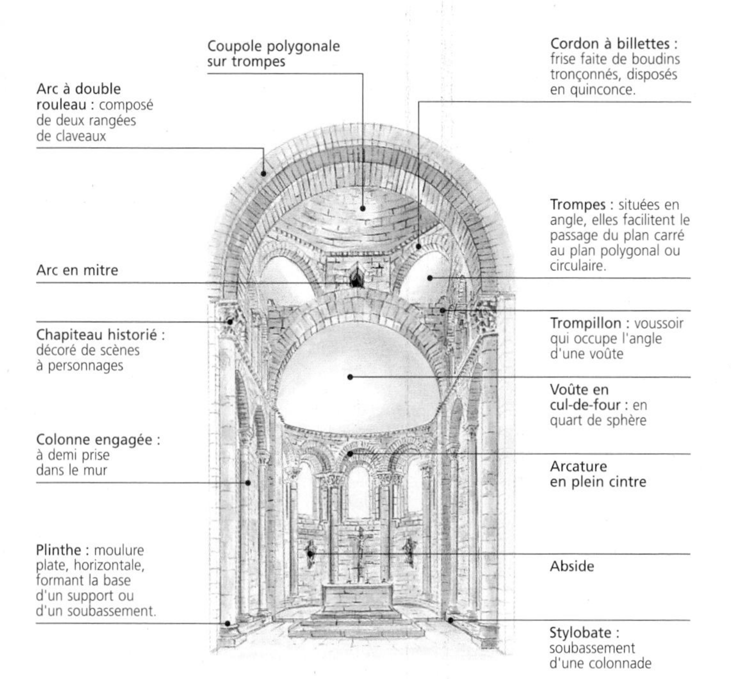

PETIT-PALAIS – Église St-Pierre (fin 12e s.)

La façade occidentale de l'église de Petit-Palais s'inspire de l'art saintongeais (voir le Guide Vert Michelin Poitou-Vendée-Charentes), caractérisé par la superposition d'arcatures et le pignon triangulaire.

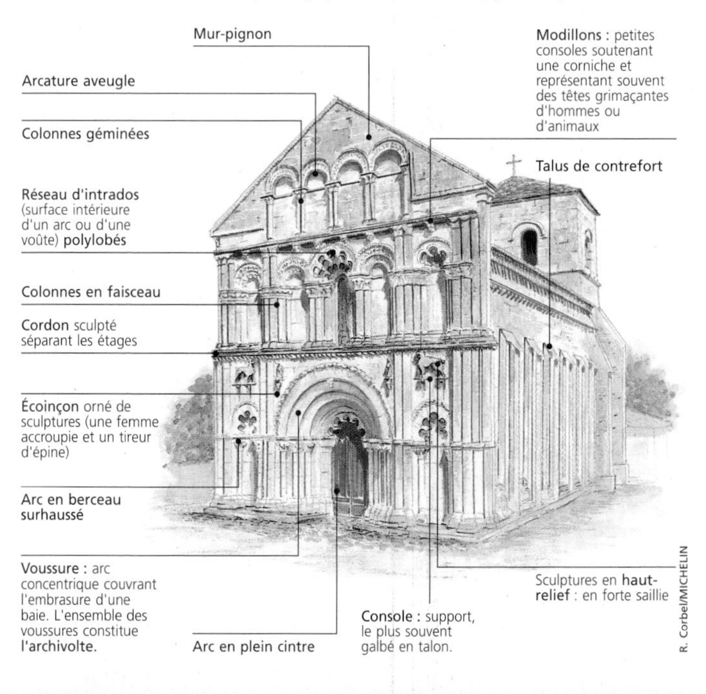

BAZAS – Façade de la cathédrale St-Jean (13e s.)

La particularité de cette façade tient dans la superposition de trois étages de styles et d'époques différentes : le 1er, gothique rayonnant (13e s.), le second, gothique flamboyant (16e s.) et le troisième, baroque (18e s.).

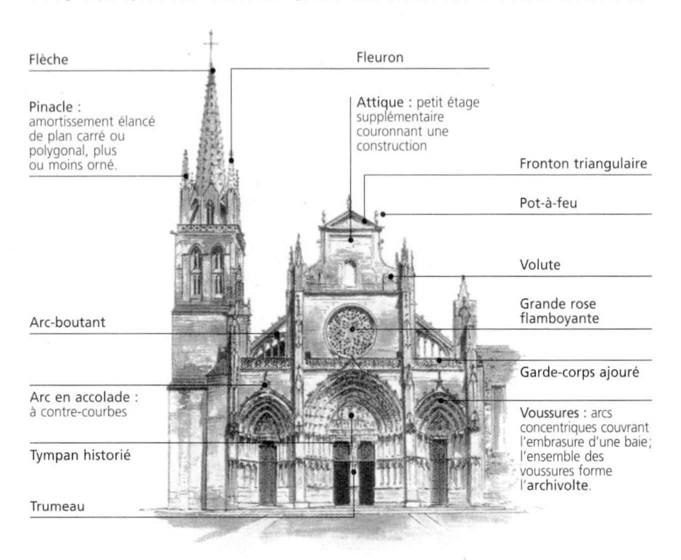

ST-JEAN-DE-LUZ – Intérieur de l'église St-Jean-Baptiste (17e s.)

Transformées pour la plupart au 17e s., les églises basques se distinguent par leur nef unique sur les murs latéraux de laquelle sont posées des galeries. Un retable monumental occupe le chœur.

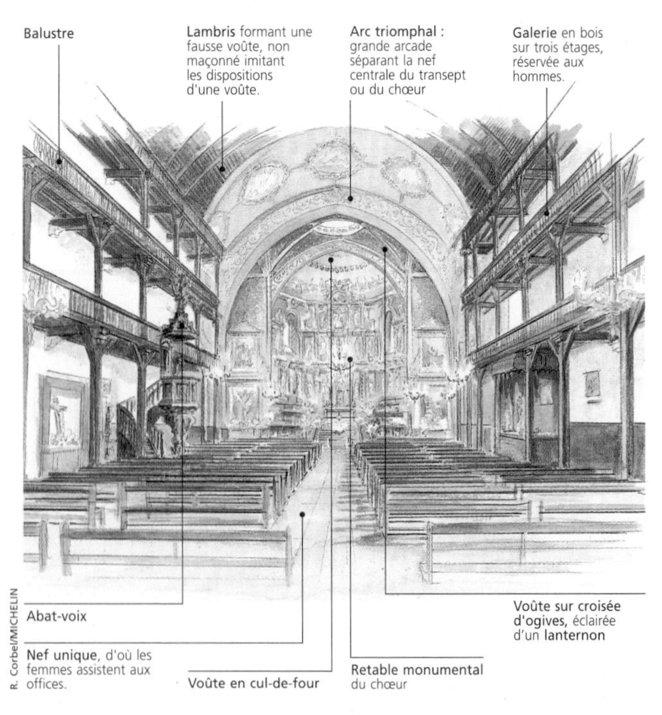

Architecture militaire

ORTHEZ – Pont Vieux (13e-14e s.)

Ce pont fortifié, édifié au 13e s. par Gaston VII Moncade, vicomte de Béarn, a été terminé par Gaston Fébus au 14e s. ; il comporte de nombreuses similitudes avec le pont Valentré à Cahors, qui date de la même époque.

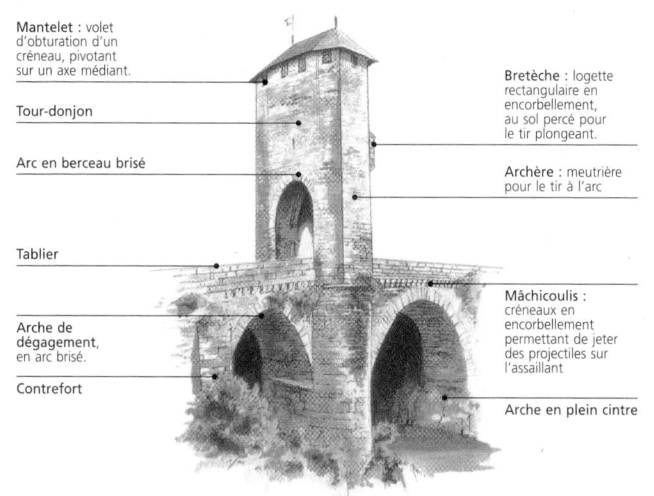

ROQUETAILLADE – Château neuf (14e s. – restauré au 19e s.)

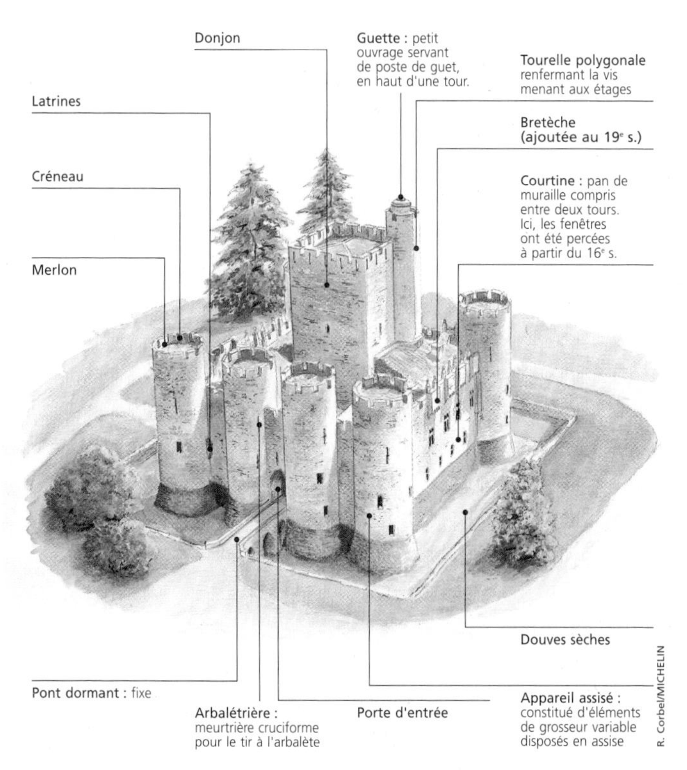

Architecture civile

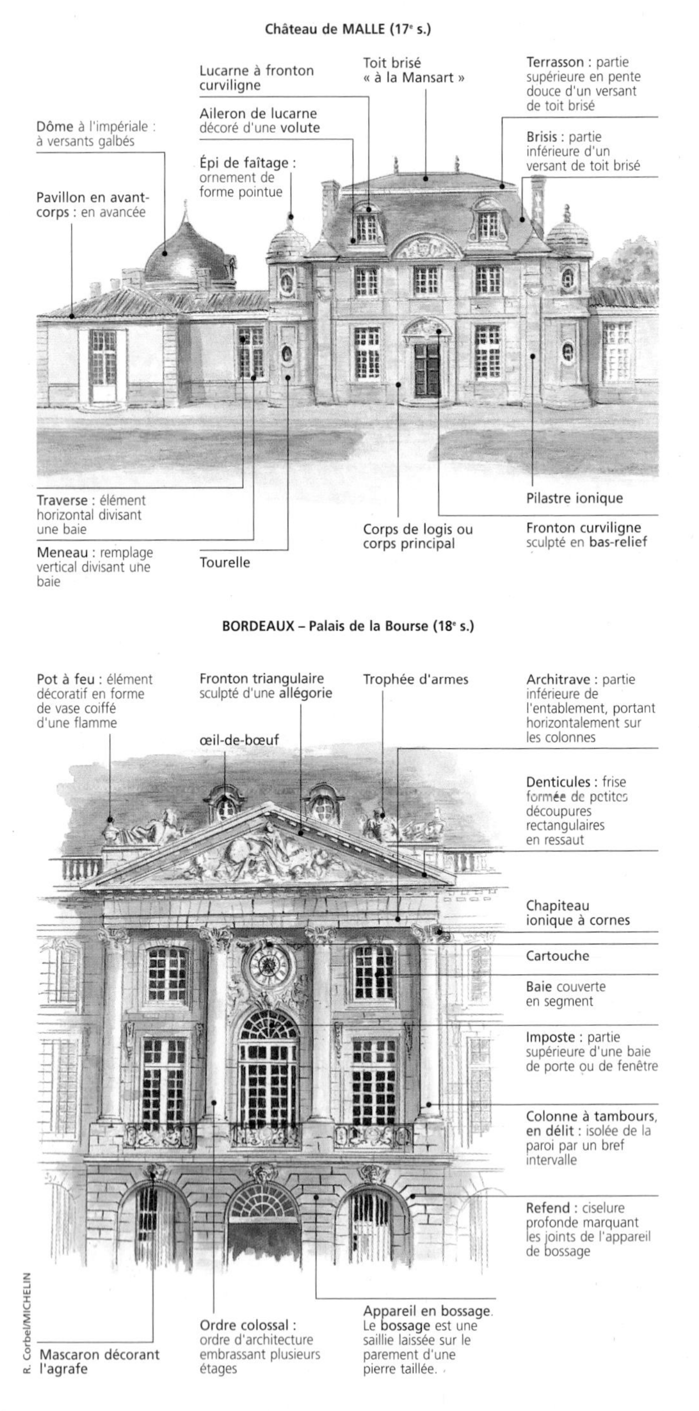

BORDEAUX – Cage d'escalier du Grand Théâtre (fin 18e s.)

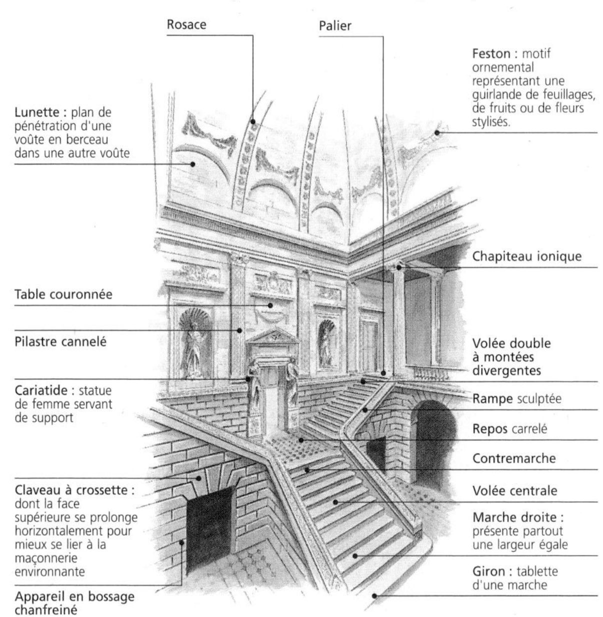

ARCACHON, Ville d'Hiver – Villa Trocadéro (fin 19e s.)

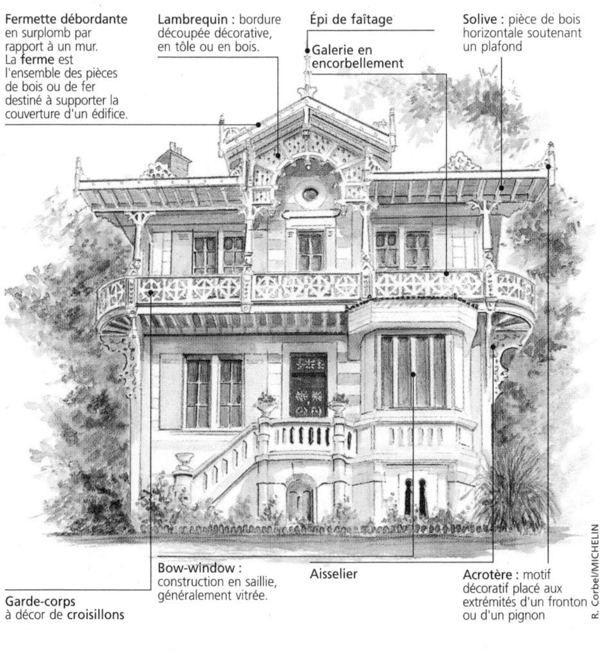

en passant par la côte, ce type d'architecture est prétexte à des constructions originales et à des **villas** somptueuses qui ont fait la réputation de certaines stations.
Soulac-sur-Mer, p. 196.
Terre de prédilection pour cet art de bâtir si varié, le **bassin d'Arcachon** s'est couvert de bâtiments de tous styles : villa algérienne au Cap-Ferret, ville d'hiver à Arcachon, conçue par les frères Pereire (chalets suisses, maisons basques, cottages anglais, villas mauresques, etc.).
En Bordelais, si le style néoclassique domine, il existe de curieux mélanges au **château Lanessan** (Renaissance espagnole et style batave) ou au **château Cos-d'Estournel** (orientalisme et classicisme).
Quand les Pyrénées découvrent le tourisme en 1860, les **stations thermales** bénéficient de cette vague d'éclectisme : à **Eaux-Chaudes**, l'établissement thermal est de style néoclassique ; à **Salies-de-Béarn**, il s'affiche résolument oriental.

L'ART DÉCO

L'architecture Art déco hérite de l'Art nouveau le goût pour la décoration ; mais cette fois, les formes sont épurées et les lignes se redressent. Les architectes ont souvent recours à la ferronnerie, à l'art du verre et à la céramique. À Dax, l'Atrium Casino et le Splendid Hôtel reflètent encore aujourd'hui le faste de cette décoration.
À **Hossegor**, dans les Landes, entre 1920 et 1930, les architectes des villas balnéaires s'inspirent fortement de l'habitat rural basco-landais : ce style néorégional allie colombages et appareillage de brique en épi, typiquement landais, aux toits en débord, murs porteurs saillants et façades crépies blanches propres au Pays basque, tout en introduisant çà et là une décoration Art déco.

Quelques grandes figures d'Aquitaine

La région a inspiré les Aquitains de naissance ou d'adoption : en témoigne le nombre de musées, dont certains de premier ordre, où vous pourrez notamment admirer les œuvres d'artistes qui lui sont liés par leur biographie ou leurs sources d'inspiration.

Michel de Montaigne

Né en 1533 au château de Montaigne en Périgord et fils de riches négociants gascons anoblis, le jeune Montaigne apprend le latin dès son plus jeune âge. À 6 ans, il entre au collège de Guyenne, haut lieu de l'humanisme bordelais. Après des études de droit, il devient magistrat, d'abord à Périgueux, puis au parlement de Bordeaux où il se lie d'amitié avec Étienne de La Boétie. En 1570, il résilie ses charges pour se consacrer à l'administration de son domaine et, surtout, à l'écriture des *Essais*, qui paraissent à compte d'auteur, à Bordeaux. Montaigne se lance ensuite dans un grand voyage européen, et fréquente plusieurs villes d'eaux pour soigner ses calculs vésicaux. En juin 1581, alors qu'il séjourne aux eaux de Lucques, il reçoit une lettre des jurats de Bordeaux qui lui annoncent son élection comme maire. Pendant ses deux mandats, jusqu'en 1586, Montaigne doit user d'une habile diplomatie pour empêcher la ville de sombrer dans le chaos des guerres de Religion. Terrassé par ses coliques néphrétiques, il meurt le 13 septembre 1592. Son cœur est déposé en l'église St-Michel et son corps enterré à l'église des Feuillants à Bordeaux.

Peintres et sculpteurs

Le musée des Beaux-Arts de Bordeaux consacre une petite salle à **Odilon Redon** (1840-1916) : natif

OÙ VOIR DE L'ART CONTEMPORAIN ?

Les amateurs se précipiteront au CAPC, musée d'Art contemporain de **Bordeaux** *(voir p. 117)* installé dans un ancien entrepôt colonial superbement restauré. Quant au musée de la Création franche à **Bègles** *(voir p. 120)*, il s'attache à faire connaître au public les figures multiples de l'Art brut. À **Mont-de-Marsan** *(voir p. 257)*, le centre d'art contemporain accueille d'importantes expositions temporaires.

de la ville, il passa une partie de son enfance au domaine de Peyrelade, près de Listrac dans le Médoc. C'est dans cette campagne que naîtront les premiers fusains de l'enfance, inspirés par ses promenades à travers champs, vignes et bois. Il y retournera régulièrement après son installation à Paris. Le musée accueille également quelques toiles des peintres bordelais **Pierre Lacour** (1745-1814), qui en fut le fondateur, et **André Lhote** (1885-1962). Ce peintre cubiste, théoricien et critique d'art, qui fit ses études aux Beaux-Arts de Bordeaux, est aussi l'auteur des peintures murales de la faculté de médecine de cette ville (1957), inspirées par l'Art nouveau. Aux alentours, le prieuré de Gayac à Gradignan *(voir Bordeaux)* restitue l'univers d'un autre peintre bordelais méconnu, **Georges de Sonneville** (1889-1978).

L'**école libournaise** s'est développée à la fin du 19e s. autour des figures du romantique Théophile Lacaze, de Jeanne-Louise Brieux, et surtout de **René Princeteau** (1848-1914), dont vous pourrez voir les toiles au musée des Beaux-Arts de Libourne. Issu d'une riche famille libournaise, cet artiste sourd et muet connut le succès parmi la société mondaine parisienne grâce à son talent pour peindre les scènes équestres, ses autres thèmes de prédilection tournant autour de la chasse, des scènes militaires et de la vie rurale. Il fut l'ami et le premier maître de **Toulouse-Lautrec** (1864-1901), qu'il encouragea à se lancer dans la peinture et accueillit à ses débuts dans son atelier parisien. Ce dernier passera lui-même dans la région de nombreux étés, puis la fin de sa vie, au château de Malromé (propriété acquise par sa mère, au sud de Bordeaux), mais aussi à Arcachon et Taussat, sur la côte.

Le très beau musée des Beaux-Arts d'Agen présente des œuvres décoratives réalisées par des artistes originaires de la région, et possède aussi des toiles de **Goya** (1746-1828), qui passa la fin de sa vie en exil à Bordeaux, où il mourut. À signaler aussi : un fonds de tableaux impressionnistes, parmi lesquels ceux de l'artiste roumain Grigorescu (1838-1907).

À Pau, le musée des Beaux-Arts mêle habilement œuvres anciennes et contemporaines, toiles de maîtres et d'artistes locaux ou régionaux. Il accueille notamment *La Naissance d'Henri IV* (1827) qui assura le succès à **Eugène Devéria** (1805-1865), l'un des principaux représentants du mouvement romantique français en peinture qui s'était installé à Pau. On peut aussi y voir des tableaux de son élève palois **Victor Galos** (1828-1879), dont les paysages, qui s'inscrivent dans une lignée pré-impressionniste, n'ont de cesse de célébrer la beauté des Pyrénées.

À Mont-de-Marsan, le musée Despiau-Wlérick abrite une importante collection de sculptures modernes figuratives, dont celles de **Charles Despiau** (1874-1946) et **Robert Wlérick** (1882-1944), originaires de la ville, mais vous pourrez également admirer leurs œuvres et celles d'autres sculpteurs dans les rues de la ville. Le musée consacré à **Georgette Dupouy** (1901-1992), à Dax, permet de découvrir cette artiste peintre injustement méconnue, qui vécut dans la ville thermale.

Maurice Ravel

Né au Pays basque, à Ciboure précisément, en 1875, dans une maison aisément reconnaissable à son style hollandais, Ravel est le compositeur du fameux *Boléro*, mais également de plusieurs autres pièces directement inspirées du Pays basque et de sa musique populaire. Il passa régulièrement ses vacances dans son port d'origine jusqu'en 1910.

L'art de la terre cuite

Du fait de la nature argileuse de certains sols, les hommes ont très tôt développé le travail de la terre : aujourd'hui, cette activité se trouve bien représentée dans les musées de la région.

Un savoir-faire

La Gironde est internationalement réputée pour ses carreaux, moulés et non pressés. Jadis, les tuiles étaient façonnées par les femmes… sur leurs cuisses, de différents gabarits ! Aujourd'hui, onze tuileries artisanales résistent dans le département.

La pratique très ancienne de la poterie à **Sadirac**, dans l'Entre-Deux-Mers, s'est perpétuée en se spécialisant *(voir Entre-Deux-Mers)*. Le musée souterrain de la poterie à **St-Émilion** *(voir ce nom)*, permet d'apprécier l'évolution de cet art à travers de nombreuses pièces, de l'Antiquité à nos jours.

Un maître

Dans le Lot-et-Garonne, c'est le céramiste de la Renaissance **Bernard Palissy** (1510-1590) qui a laissé son empreinte ; un musée lui est consacré à St-Avit, et d'autres œuvres sont visibles au musée des Beaux-Arts d'Agen *(voir p. 514)*.

Un style

Dans les Landes, une manufacture royale de faïence fut créée à **Samadet** dans le Tursan, qui devint célèbre au 18e s. Un musée rappelle l'histoire de ce qui fut ici un important pôle régional.

À Aire-sur-l'Adour, la Maison de la Céramique présente des créations contemporaines *(voir p. 298)*. Enfin, un festival international de la céramique est organisé en mai par l'association Terres d'Aquitaine à l'abbaye d'Arthous *(voir p. 286)*.

L'habitat traditionnel

Dans le Béarn

Les **cases béarnaises** sont toutes construites sur un même plan rectangulaire et dotées d'un toit d'ardoises (ou de tuiles, au nord), dont les quatre pentes sont fortement inclinées pour évacuer la neige ou la pluie. L'extrémité de la pente du toit est parfois adoucie par un « coyau » en surplomb qui protège les murs de la pluie. De vastes dimensions, ces demeures sont bâties avec des matériaux locaux : galets roulés et polis par les gaves pour les murs de clôture ou même ceux des bâtiments, pierres de taille issues de la montagne voisine, bois, marbre, pierres sèches que l'on utilise également pour les **cabanes de bergers**.

Si la maison est dotée de dépendances (étable, hangar, poulailler), celles-ci s'articulent autour d'une **cour centrale**, la « parguie ». Vous pourrez observer de telles bâtisses à Oloron-Ste-Marie, Sarrance, Lourdios-Ichère, Lescun et Borce, jusqu'aux Hautes-Pyrénées, avec quelques variantes suivant l'altitude.

La **façade** des maisons de plaine est toujours très sobre : le seul élément décoratif est un tympan de marbre que l'on peut observer au-dessus de la porte. Dans les vallées, le marbre est également utilisé pour encadrer les fenêtres et la plupart des maisons sont dotées d'un balcon de bois.

Dans les Landes

Crépie de couleur claire et s'élevant le plus souvent dans une clairière – survivance de l'ancien *airial* –, la maison landaise typique fait partie du paysage. Elle est dépourvue d'étage et ne comporte qu'un grenier avec lucarne sous le toit de tuiles. La façade est protégée par un large auvent soutenu par des poutres de bois, l'*estantade*.

L'écomusée de la Grande Lande a reconstitué le quartier de Marquèze *(voir p 232)*.

On peut encore voir, le long des routes forestières, de petites **cabanes** où les gemmeurs *(voir p. 64)* rangeaient leurs outils. Ces cabanons rectangulaires, assez bas et sommaires, sont fabriqués en pin des Landes (planches assemblées horizontalement) et couverts d'un toit de tuiles peu pentu. Deux cabanes sont souvent accolées l'une à l'autre.

Au Pays basque

En **Basse-Navarre**, l'habitat est dispersé, mais les maisons rassemblées en quartiers. Les constructions, munies parfois de balcons, possèdent souvent de beaux encadrements de portes et de fenêtres en grès, pierre du pays.

Dans la **vallée de la Soule**, les maisons réunies le long d'une route ou près d'un pont sont petites et peu profondes. Les murs en galets, la charpente dont la forte pente se termine par un ressaut (coyau), la toiture couverte d'ardoises et percée de lucarnes sont les caractéristiques de ces maisons montagnardes qui peuvent posséder plusieurs dépendances encadrant une cour.

Les constructions rurales basques n'ont jamais été des modèles figés, mais elles se sont continuellement adaptées aux modes de vie. Ainsi, l'introduction du maïs au 16e s. a nécessité plus de place pour entreposer le matériel agricole et les récoltes, mais aussi pour accueillir l'augmentation de la population résultant de ce contexte économique favorable. Les agrandissements en largeur et en hauteur, tout en s'intégrant dans la volumétrie traditionnelle, ont fait davantage appel à la pierre.

On peut lire ces évolutions sur les façades des maisons rurales. Les murs pignons ont une allure plus ou moins symétrique, soulignée par les jeux de lignes des pans de bois.

LES LINTEAUX DES MAISONS NAVARRAISES

Beaucoup de maisons rurales, en particulier en Basse-Navarre, portent des linteaux au-dessus de leurs portes d'entrée et parfois de leurs fenêtres. Ces pierres sculptées présentent des symboles solaires tels que rosaces, croix basques, ostensoirs… mais on peut y lire surtout le nom de la maison, suivi des prénoms et des noms du maître et de la maîtresse de maison, de la date de construction ou de reconstruction et, parfois, du nom du « maître maçon ». Ces inscriptions témoignent de l'importance de la maison dans la société traditionnelle : « l'*etxe* » donnait son nom à ses habitants.

3/ DÉCOUVRIR L'AQUITAINE

Le petit train d'Artouste, dans la vallée d'Ossau.
R. Mann / age fotostock

VICARD

+ d'adresses

Bordeaux et le vignoble bordelais 1

Carte Michelin Départements 335 - Gironde (33) et Landes (40)

Au château Gruaud-Larose, dans le Médoc.

Ph. Roy / hemis.fr

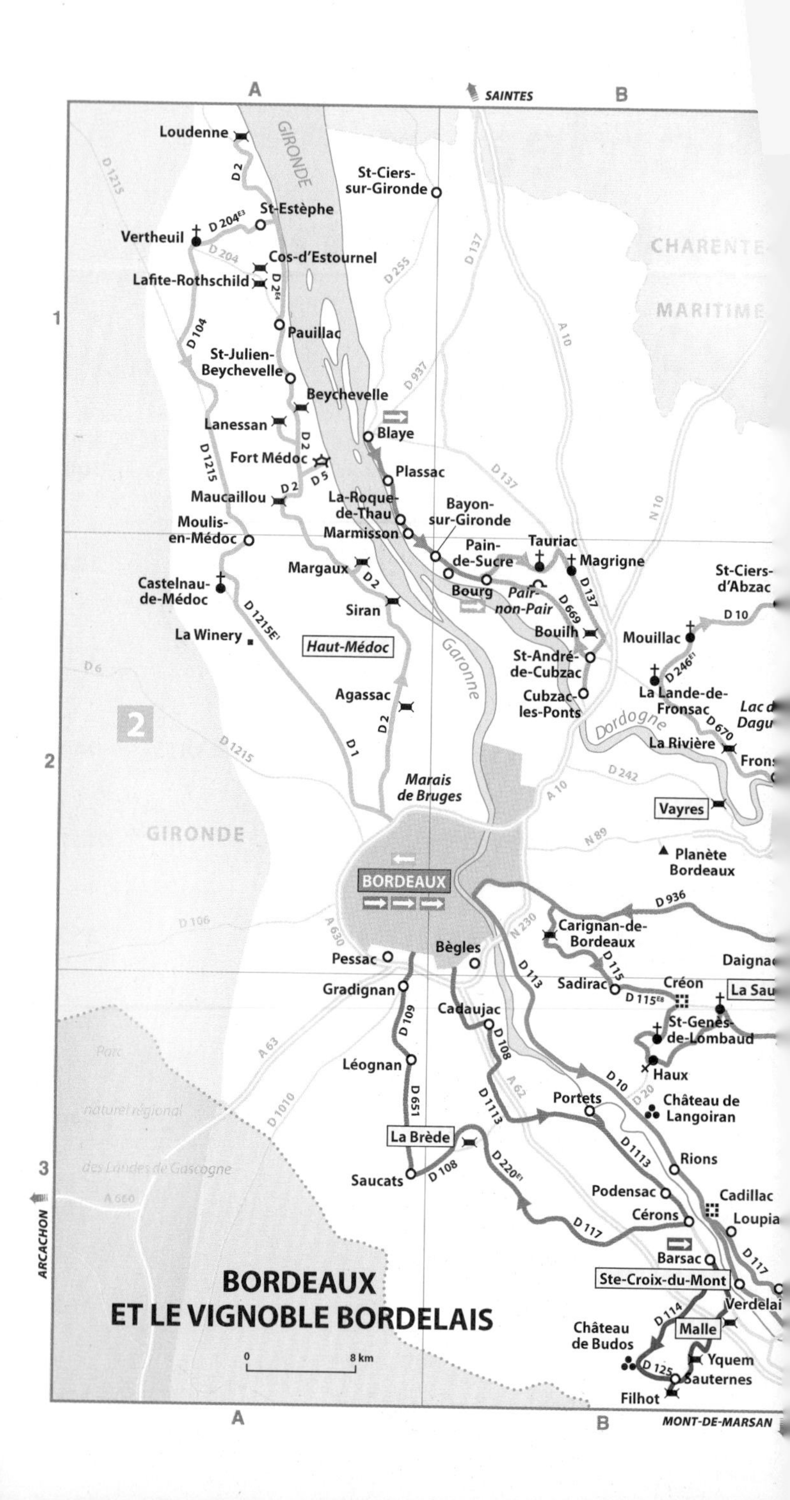
BORDEAUX
ET LE VIGNOBLE BORDELAIS
SAINTES
ARCACHON
MONT-DE-MARSAN
GIRONDE
CHARENTE-MARITIME
Loudenne
St-Estèphe
Vertheuil
Cos-d'Estournel
Lafite-Rothschild
Pauillac
St-Julien-Beychevelle
Beychevelle
Lanessan
Fort Médoc
Maucaillou
Moulis-en-Médoc
Castelnau-de-Médoc
La Winery
Margaux
Siran
Haut-Médoc
Agassac
Marais de Bruges
St-Ciers-sur-Gironde
Blaye
Plassac
La-Roque-de-Thau
Marmisson
Bayon-sur-Gironde
Pain-de-Sucre
Tauriac
Magrigne
Bourg
Pair-non-Pair
Bouilh
St-André-de-Cubzac
Cubzac-les-Ponts
St-Ciers-d'Abzac
Mouillac
La Lande-de-Fronsac
La Rivière
Vayres
Planète Bordeaux
Garonne
Dordogne
BORDEAUX
Pessac
Bègles
Gradignan
Cadaujac
Léognan
La Brède
Saucats
Carignan-de-Bordeaux
Sadirac
Créon
St-Genès-de-Lombaud
Haux
Château de Langoiran
Portets
Rions
Podensac
Cérons
Cadillac
Loupiac
Barsac
Ste-Croix-du-Mont
Verdelais
Malle
Château de Budos
Yquem
Sauternes
Filhot
Parc naturel régional des Landes de Gascogne
0 8 km

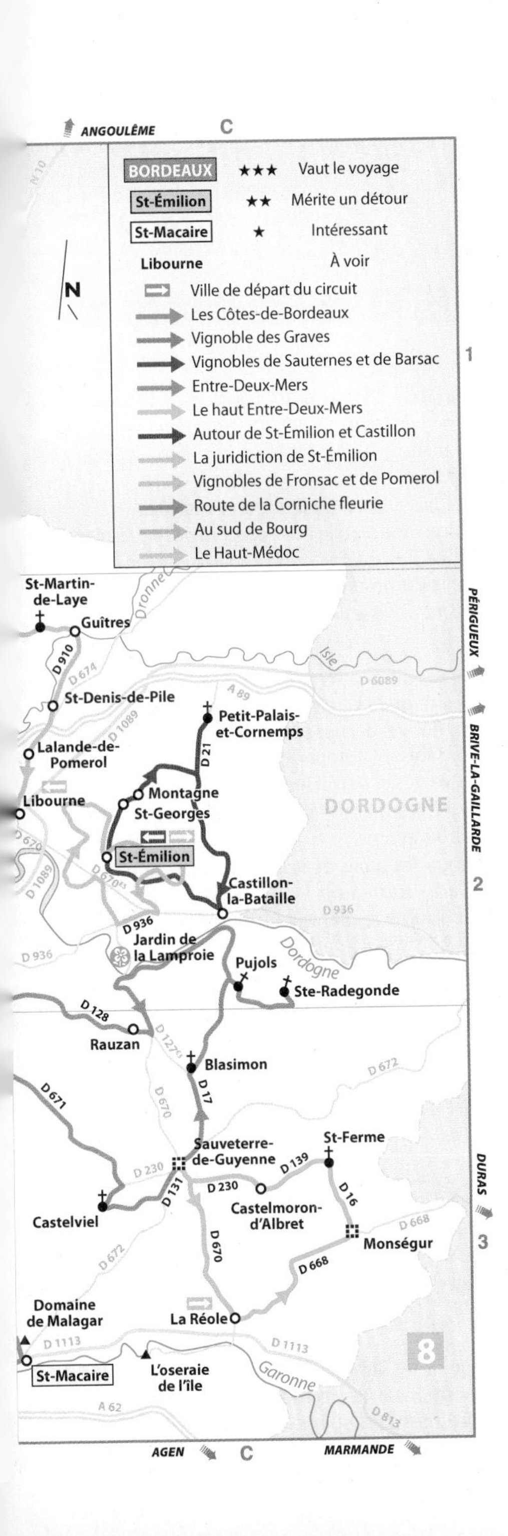
ANGOULÊME
C
BORDEAUX ★★★ Vaut le voyage
St-Émilion ★★ Mérite un détour
St-Macaire ★ Intéressant
Libourne À voir
Ville de départ du circuit
Les Côtes-de-Bordeaux
Vignoble des Graves
Vignobles de Sauternes et de Barsac
Entre-Deux-Mers
Le haut Entre-Deux-Mers
Autour de St-Émilion et Castillon
La juridiction de St-Émilion
Vignobles de Fronsac et de Pomerol
Route de la Corniche fleurie
Au sud de Bourg
Le Haut-Médoc
N
1
St-Martin-de-Laye
Guîtres
Dronne
Isle
D 910
D 674
D 6089
A 89
PÉRIGUEUX
BRIVE-LA-GAILLARDE
St-Denis-de-Pile
Petit-Palais-et-Cornemps
D 1089
Lalande-de-Pomerol
D 21
Libourne
Montagne
St-Georges
DORDOGNE
St-Émilion
D 670
Castillon-la-Bataille
2
D 936
Jardin de la Lamproie
Dordogne
Pujols
Ste-Radegonde
D 128
Rauzan
Blasimon
D 672
D 671
D 17
D 670
St-Ferme
Sauveterre-de-Guyenne
D 139
DURAS
D 230
D 131
D 16
Castelviel
Castelmoron-d'Albret
D 668
Monségur
3
D 672
Domaine de Malagar
La Réole
D 1113
8
St-Macaire
L'oseraie de l'île
Garonne
A 62
D 813
AGEN
C
MARMANDE

Bordeaux

★★★

232 260 Bordelais – Gironde (33)

NOS ADRESSES PAGE 125

S'INFORMER

Office du tourisme de Bordeaux – *12 cours du 30-Juillet - 05 56 00 66 00 - www.bordeaux-tourisme.com - juil.-août : 9h-19h30 ; mai-juin et sept.-oct. : 9h-19h ; nov.-avr. et 1er dim. du mois : 9h45-18h30 ; autres dim. et j. fériés : 9h45-16h30 - fermé 1er janv. et 25 déc.*

Visites guidées – Bordeaux, labellisé **Ville d'art et d'histoire** et classé depuis juin 2007 au Patrimoine mondial de l'Unesco, propose des visites découvertes *(2h)* animées par des guides conférenciers agréés par le ministère de la Culture et de la Communication - *8,50 € (-12 ans 7,50 €).*

Rubrique « Visites » dans « Nos adresses » p. 125.

SE REPÉRER

Carte de microrégion AB2 (p. 98-99) – *carte Michelin Départements 335 H5.*

C'est d'abord sur la rive gauche de la Garonne que s'est développée la ville de Bordeaux. À l'abri du fleuve, derrière le « front » majestueux des façades 18e, les **quartiers** s'organisent autour de chaque église (Ste-Croix, St-Michel…), de part et d'autre des axes qui les relient aux quais.

De nombreuses communes jouxtent Bordeaux, dont elles sont séparées par une ceinture de grands boulevards.

La **rocade** est accessible depuis les quais de la Garonne. Elle rejoint plusieurs autoroutes : l'A 10 (Paris-Bordeaux), l'A 63 (Bordeaux-Bayonne-Espagne) et l'A 62 (Bordeaux-Toulouse-Marseille).

SE GARER

Chaque 1er dim. du mois, le centre-ville est interdit aux voitures. Pour vous garer en ville, vous avez le choix entre 27 parkings (soit 15 000 places). Parmi les plus grands : parking couvert de Tourny (pl. de Tourny), parking couvert Mériadeck (r. Claude-Bonnier), parking couvert de la Cité mondiale (20 quai des Chartrons), parking couvert de la place de la Bourse, parking couvert du Chapeau Rouge (cours du Chapeau-Rouge) et parking couvert des Salinières (quai des Salinières).

À NE PAS MANQUER

Le Grand Théâtre, place de la Comédie ; la cathédrale St-André ; la vue depuis la tour Pey-Berland ou depuis la flèche St-Michel ; le musée d'Aquitaine ; la porte de la Grosse Cloche et la porte Cailhau ; la place de la Bourse ; la rue Ste-Catherine ; les quais et le miroir d'eau ; le Conseil interprofessionnel des vins de Bordeaux.

ORGANISER SON TEMPS

Comptez plusieurs jours pour visiter Bordeaux jusque dans ses moindres recoins. Un passage par l'exposition Bordeaux monumental vous donnera un aperçu général et vous permettra de bâtir un itinéraire en fonction de vos centres d'intérêt. Prévoyez une journée autour du quartier Pey-Berland où sont rassemblés les principaux musées.

La place de la Bourse, aménagée par les architectes Gabriel père et fils au 18e s.
R. Cintract / hemis.fr

AVEC LES ENFANTS

Les animations de Bordeaux monumental ou du musée d'Aquitaine ; une visite de la ville en calèche ; le miroir d'eau et ses fontaines à effet brouillard au bord du fleuve, idéal par temps chaud ; Cap Sciences ou le musée des Compagnons du Tour de France. Bordeaux est une ville « Famille Plus » *(voir p. 23)* : renseignez-vous auprès de l'office de tourisme et sur Internet.

Au front des maisons de Bordeaux, des silènes couronnés de pampres invitent le passant à goûter la capitale de la dive bouteille. Cette ville de courses lointaines, qui depuis des siècles a le commerce dans la peau, séduit les visiteurs autant que ses habitants par ses multiples facettes. Avec l'un des secteurs sauvegardés les plus vastes de France, désormais classé au Patrimoine mondial de l'Unesco, elle s'est métamorphosée au gré des nombreux aménagements urbains : l'arrivée du tramway, la réhabilitation de l'ensemble de ses quais rive gauche rendant l'accès au fleuve, le développement rive droite d'un nouveau quartier qui laisse la part belle aux espaces verts. Voilà une ville aussi fière de son patrimoine que résolument tournée vers l'avenir.

Se promener Plan de ville p. 102

Le secteur du **Vieux Bordeaux★★**, inclus entre le quartier des Chartrons et le quartier St-Michel, compte quelque 5 000 immeubles d'une architecture 18e s. La vaste campagne de réhabilitation a redonné tout son éclat à la belle pierre ocre extraite des carrières alentour (St-Macaire, Bourg-sur-Gironde).

GARONNE OU GIRONDE ?

C'est bien la **Garonne** qui coule à Bordeaux. Elle se fait Gironde au bec d'Ambès (au nord de Bordeaux), où elle rencontre la Dordogne.

C
D
1
2
3
R. Croix-de-Seguey
R. D. Johnston
R. de la Course
d'Aviau
Verdun
LES CHARTRONS
Petit Hôtel Labottière
R. Fondaudège
R. E. Zola
Jardin public
Muséum d'histoire naturelle
MUSÉE D'ART CONTEMPORAIN
R. Ferrère
Rue Paulin
ST-FERDINAND
Naujac
Palais Gallien
Rue Duplessy
Rue Turenne
R. Fondaudège
Cours de Verdun
Foch
Monument aux Girondins
Esplanade des Quinconces
Crs de Tournon
Pl. de Tourny
Pl. des Quinconces
Allées de Tourny
MAISON DU VIN DE BORDEAUX
R. Huguerie
Pl. des Grands-Hommes
Pl. du Chapelet
Pl. de la Comédie
GRAND THÉÂTRE
N.-DAME
Pge Sarget
Crs de l'Intendance
Crs Chapeau-Rouge
R. Capdeville
St-Seurin
POL.
Pl. des Martyrs de la Résistance
Site paléochrétien de St-Seurin
R. Abbé de l'Épée
R. du Palais Gallien
Crs G. Clemenceau
Rue Lachassaigne
Rue Judaïque
Pl. Gambetta
R. de Grassi
Pte Dijeaux
Pte Dijeaux
R. des Remparts
PL. DU PARLEMENT
Rue Bonnac
R. du Château-d'Eau
R. Dr.-Nancel-Pénard
PEY-BERLAND
VIEUX BORDEAUX
V. Carles
Centre Jean-Moulin
Trois-Conils
MUSÉE DES ARTS DÉCORATIFS
Palais Rohan
Pl. St-Projet
Pl. Jullian
Rue Bonnier
MÉRIADECK
HÔTEL DU DÉPT
Esplanade Ch. de Gaulle
MUSÉE DES BEAUX-ARTS
CATH. ST-ANDRÉ
TOUR PEY-BERLAND
Crs d'Alsace
Saint-Bruno
Hôtel de région
Tribunal de grande instance
R. Duffour Dubergier
ST-PAUL
Rue d'Albret
ÉCOLE NATLE DE LA MAGISTRATURE
R. Mal Joffre
MUSÉE D'AQUITAINE
PALAIS DES SPORTS
Cimetière de la Chartreuse
Rue Mal Juin
Pl. de la République
R. de Cursol
Crs François de Sourdis
Crs de la Libération
R. J. Burguet
STE-EULALIE
Crs Pasteur
Catherine
Rue Mouneyra
Belleville
Pl. de Pressensé
R. Ed. Costedoat
Crs A. Briand
R. Villedieu
Porte d'Aquitaine
Rue Tondu
R. L. Mie
Belfort
Pl. de la Victoire
ST-VICTOR
R. F. Audeguil
Rue de Pessac
R. de Lamourous
St-Genès
Mazarin
Leberthon
Crs de l'Argonne
Crs de la Somme
R. P. Duhen
R. Cadroin
R. St-Nicolas
ST-NICOLAS
N.-D. DES ANGES
R. des Treuils
R. A. Bayssellance
R. G. Rioux
Barrière de Pessac
SE LOGER
Étap'Hôtel ... 1
Hôtel Acanthe ... 3
Hôtel Citéa ... 5
Hôtel de la Presse ... 14
Hôtel de la Tour Intendance ... 6
Hôtel de l'Opéra ... 12
Hôtel des Quatre Sœurs ... 8
Hôtel Gambetta ... 16
SE RESTAURER
Bar-cave de la Monnaie ... 5
La Boîte à Huîtres ... 7
La Brasserie bordelaise ... 8
La Cheminée Royale ... 16
L'Oiseau Cabosse ... 3

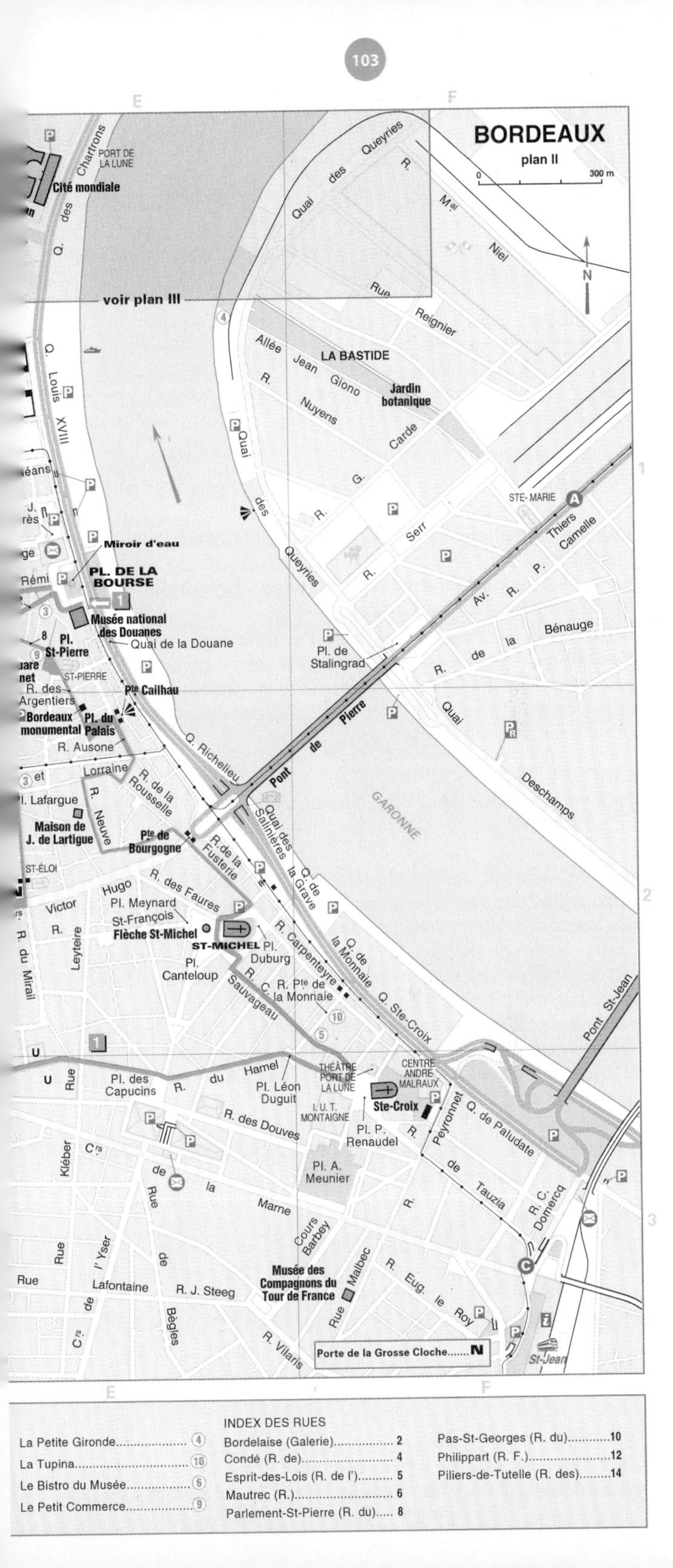
BORDEAUX
plan II
0
300 m
N
E
F
1
2
3
PORT DE LA LUNE
Cité mondiale
Q. des Chartrons
voir plan III
Quai des Queyries
R. Mal Niel
Rue Reignier
LA BASTIDE
Allée Jean Giono
Jardin botanique
R. Nuyens
R. G. Carde
R. Serr
Q. Louis XVIII
Miroir d'eau
PL. DE LA BOURSE
Musée national des Douanes
Quai de la Douane
Pl. St-Pierre
ST-PIERRE
R. des Argentiers
Pte Cailhau
Bordeaux monumental
Pl. du Palais
R. Ausone
Q. Richelieu
Pont de Pierre
Pl. de Stalingrad
STE-MARIE
Av. Thiers
R. P. Camelle
R. de la Bénauge
Quai Deschamps
GARONNE
Lorraine
R. de la Rousselle
R. Neuve
Pl. Lafargue
Maison de J. de Lartigue
Pte de Bourgogne
R. de la Fusterie
Quai des Salinières
Q. de la Grave
ST-ÉLOI
Victor Hugo
R. des Faures
Pl. Meynard
St-François
Flèche St-Michel
ST-MICHEL
Pl. Duburg
Pl. Canteloup
R. Carpenteyre
Q. de la Monnaie
R. Pte de la Monnaie
R. C. Sauvageau
Q. Ste-Croix
Pont St-Jean
R. Leyteire
R. du Mirail
Rue Hamel
Pl. des Capucins
Pl. Léon Duguit
THÉÂTRE PORT DE LA LUNE
CENTRE ANDRÉ MALRAUX
Ste-Croix
I. U. T. MONTAIGNE
R. des Douves
Pl. P. Renaudel
R. Peyronnet
Q. de Paludate
R. de Tauzia
R. C. Domercq
Pl. A. Meunier
Crs de la Marne
Kléber
Cours Barbey
Rue de l'Yser
Rue Lafontaine
R. J. Steeg
Crs de Bègles
Rue Malbec
R. Eug. le Roy
Musée des Compagnons du Tour de France
R. Vilaris
St-Jean
Porte de la Grosse Cloche....... N

Remarquez les **mascarons** qui ornent les façades bourgeoises. Ces clefs de fenêtres, dont le nom vient de l'italien *maschera* (« masque »), représentent des têtes souvent grotesques et introduisent des éléments évoquant principalement le vin (pampres, tonneaux).

★★ DE LA PLACE DE LA BOURSE AU QUARTIER ST-MICHEL

Circuit 1 tracé en vert sur le plan de ville p. 102-103. Cette visite parcourt le lacis de ruelles pittoresques s'étendant entre les quartiers St-Pierre et St-Michel. Compter une journée.

★★ Place de la Bourse E1

Cette jolie place en fer à cheval fut aménagée de 1730 à 1755 d'après les plans des architectes Gabriel père et fils. Elle est cantonnée par deux édifices caractérisés aux étages par des colonnes portant des frontons triangulaires : au nord le palais de la Bourse *(voir l'ABC p. 88)*, et au sud l'ancien hôtel des Fermes, qui abrite le **musée national des Douanes**. La **fontaine des Trois-Grâces** (1860) orne le milieu de la place.

En face, côté fleuve, le **miroir d'eaua** avec sa dalle de granit, imaginé par **Michel Courajoud**, reflète l'élégante façade 18e s. grâce à un système original de fontaines alternant effet miroir (avec 2 cm d'eau) et effet brouillard. Petits et grands se sont approprié le lieu : on s'y rafraîchit, on se photographie pieds nus… Une animation permanente incontournable !

Musée national des Douanes E1

1 pl. de la Bourse - 05 56 48 82 82 - www.musee-douanes.fr - - tlj sf lun. 10h-18h - fermé 1er janv. et 25 déc. - visite sur RV (1h30) - 3 € (-18 ans gratuit), gratuit 1er dim. du mois.

C'est dans une grande salle aux belles voûtes restaurées de l'**hôtel des Fermes** qu'est retracée l'histoire des douanes en France. À droite, présentation chronologique avec gravures, archives, matériel, dont la balance de l'hôtel des Fermes (1783). À côté du guichet, un portrait de saint Matthieu, patron des douaniers, rappelle que celui-ci exerçait les fonctions de publicain (collecteur d'impôts et douanier) lorsque Jésus fit sa rencontre. À gauche, l'organisation est thématique : la douane armée (uniformes, armes), la vie de la brigade et la vie des bureaux, les activités douanières (saisies de drogues ou de contrefaçons) et, pour clore la visite, l'ordinateur, nouvel allié du douanier qui a avantageusement supplanté l'arithmomètre !

Par la rue Fernand-Philippart, gagner la place du Parlement.

Remarquez les façades Louis XV : arcades au rez-de-chaussée, fenêtres hautes aux étages surmontées de mascarons et d'agrafes, balcons ornés de ferronnerie.

★ Place du Parlement D-E1

Anciennement place du Marché-Royal, elle présente un harmonieux quadrilatère d'immeubles Louis XV ordonnés autour d'une cour centrale au pavage ancien remis en valeur. Au centre, fontaine du Second Empire.

Par la rue du Parlement-St-Pierre, gagner la place St-Pierre.

Place St-Pierre E1

Cette placette charmante se pare d'une église des 14e et 15e s. (très remaniée au 19e s.).

Poursuivre par la rue des Argentiers.

Au n° 14 de cette rue, la **maison dite de l'Angelot**, construite vers 1750, présente un beau décor sculpté (haut-relief avec un enfant et des agrafes rocaille).

Bordeaux monumental E2

28 r. des Argentiers - ✆ 05 56 48 04 24 - ♿ - juil.-août : 9h30-12h30, 14h-19h, dim. et j. fériés 9h30-12h30, 14h-18h ; mai-juin et sept.-oct. : 9h30-12h30 (10h dim. et j. fériés), 14h-18h ; nov.-avr. : 10h-12h30 (sf dim. et j. fériés), 14h-18h - fermé 1er janv. et 25 déc. - gratuit.

Animations pour les enfants : rallyes pédestres (chasse au trésor et jeux de piste dans la ville) et jeux variés au sein de l'exposition.

Le rez-de-chaussée de cet autre bâtiment du 18e s. abrite une exposition (vitrine permanente du patrimoine) qui retrace les grandes étapes du développement de la ville. Plus d'une centaine de monuments sont présentés, donnant un aperçu de sa richesse architecturale. Cette remontée dans le temps (de la ville actuelle à la ville gallo-romaine) est une invitation à partir à la découverte de Bordeaux selon ses centres d'intérêt. Plan lumineux et vidéos complètent le dispositif multimédia (une borne interactive permet de consulter des fiches thématiques et d'imprimer l'itinéraire de son choix).

Poursuivre jusqu'à la place du Palais.

Place du Palais E2

Elle doit son nom au palais de l'Ombrière, qui fut érigé au 10e s. par les ducs de Guyenne. Reconstruit au 13e s., il devint le séjour des rois d'Angleterre, ducs d'Aquitaine, puis en 1462, sous Louis XI, le siège du parlement de Bordeaux, avant d'être démoli en 1800 pour ouvrir la rue du Palais.

Porte Cailhau E2

Cet arc de triomphe dédié à Charles VIII date de 1495. Il juxtapose les éléments défensifs et décoratifs (toits coniques, mâchicoulis, lucarnes et fenêtres surmontées d'arcs en accolade), à tel point qu'il prend des airs de décor de théâtre. Son nom viendrait soit des Cailhau, vieille famille bordelaise, soit des cailloux accumulés à ses pieds par la Garonne et qui servaient à lester les navires. À l'intérieur, une **exposition** retrace l'histoire de cette porte. Au dernier niveau, sous les combles, vue insolite sur les quais et le pont de Pierre, terminé en 1822. *✆ 05 56 00 66 00 - www.bordeaux-tourisme.com - juil.-août : 10h-13h, 14h-19h - fermé 1er janv. et 25 déc. - 3,50 € (-12 ans 3 €).*

Prendre la rue Ausone et traverser le cours d'Alsace-et-Lorraine, pour emprunter à droite la rue Porte-St-Jean qui rejoint la rue de la Rousselle.

Dans cette rue s'alignent les anciennes boutiques de marchands de vins, de grains ou de salaisons, caractérisées par un rez-de-chaussée en hauteur surmonté d'un entresol bas de plafond. Au n° 25 se trouve la **maison de Montaigne**.

Prendre à droite pour rejoindre la rue Ste-Colombe et tourner à gauche pour gagner l'impasse de la rue Neuve.

Elle conserve, du 14e s., un mur percé de deux fenêtres géminées à remplage. Après le porche, à droite, s'élève la **maison de Jeanne de Lartigue** (E2), épouse de Montesquieu, aux arcades surmontées de bustes.

Tourner à gauche dans la rue Renière puis à droite.

En traversant le cours Victor-Hugo, vue sur la **porte de Bourgogne** (E2), parfois surnommée porte des Salinières (18e s.).

Emprunter en face à gauche la rue de la Fusterie qui mène à la place Duburg et à la basilique St-Michel.

★ Basilique St-Michel E2

Pl. Canteloup - ✆ 05 56 80 33 37 ou 06 75 33 78 87 - juin-sept. : lun. et sam. 14h-19h, mar.-vend. et dim. 10h30-13h, 14h-19h - possibilité de visite guidée - 3,5 € (enf. 3 €).

La construction de la basilique, commencée en 1350, se poursuivit durant deux siècles, au cours desquels elle subit nombre de remaniements, comme

Bordeaux, capitale de l'Aquitaine

Bordeaux est la capitale de l'Aquitaine. Le mot *Aquitania*, qui signifie « le pays des eaux », apparaît pour la première fois dans les *Commentaires* de César. Avec la prononciation anglaise, Aquitaine se transforme en Guyenne. Ce nom lui restera jusqu'à la Révolution.

LA CITÉ DES « ROIS DU MONDE »

Burdigala est fondée par une tribu celte au 3e s. avant J.-C., les Bituriges vivisques. Leur nom signifie « rois du monde », rien de moins ! Au 7e s., le bon **roi Dagobert** crée un duché d'Aquitaine dont Bordeaux est la capitale. L'un des ducs d'Aquitaine, le mythique **Huon de Bordeaux**, est resté célèbre. Ayant occis, sans le connaître, l'un des fils de Charlemagne, il est condamné à l'exil. Après moult aventures, il épouse la fille de l'émir de Babylone. Une chanson de geste (13e s.) reprit ce thème en or pour broder d'étonnantes péripéties : afin de gagner son pardon, Huon doit se rendre à Babylone, couper la barbe de l'émir, lui arracher quatre molaires et rapporter le tout à l'empereur. Exploit couronné de succès, bien entendu, et cela grâce au roi des elfes, Obéron.

LA DOT D'ALIÉNOR

En 1137, Louis, fils du roi de France, épouse Aliénor d'Aquitaine, qui lui apporte en dot le duché d'Aquitaine, le Périgord, le Limousin, le Poitou, l'Angoumois, la Saintonge, la Gascogne et la suzeraineté sur l'Auvergne ainsi que sur le comté de Toulouse. Le mariage a lieu dans la cathédrale de Bordeaux. Le couple est mal assorti et sans héritier. Après quinze années de vie conjugale, le roi, à son retour de croisade, fait prononcer son divorce (1152). Outre sa liberté, Aliénor recouvre sa dot. Son remariage, deux mois plus tard, avec Henri Plantagenêt, comte d'Anjou, suzerain du Maine et de la Touraine et duc de Normandie, est pour les Capétiens une véritable catastrophe politique : les domaines réunis d'Henri et d'Aliénor sont déjà aussi vastes que ceux du roi de France. En 1154, le Plantagenêt devient, par héritage, roi d'Angleterre, sous le nom d'Henri II. Cette fois, l'équilibre territorial est rompu, et la lutte franco-anglaise qui s'engage durera trois siècles.

LA CAPITALE DU PRINCE NOIR

Au 14e s., Bordeaux est la capitale de la Guyenne, rattachée depuis deux siècles à la couronne anglaise. Le commerce ne se ralentit pas pendant la guerre de Cent Ans : la ville continue d'exporter ses vins en Angleterre et fournit des armes à tous les belligérants. Le Prince Noir (fils du roi d'Angleterre Édouard III), ainsi nommé à cause de la couleur de son armure, y établit son quartier général et sa cour. C'est l'un des meilleurs capitaines de son temps et l'un des plus féroces pillards. Il répand la terreur tour à tour sur le Languedoc, le Limousin, l'Auvergne, le Berry et le Poitou, mais il meurt sans avoir pu régner ailleurs qu'à Bordeaux. En 1453, la ville est reprise définitivement par l'armée royale française avec toute la Guyenne. C'est la fin de la guerre de Cent Ans.

LE BORDEAUX DES INTENDANTS

C'est Richelieu qui, le premier, installe dans les provinces ces hauts représentants du pouvoir central, puis Colbert qui met l'organisation au point. D'une cité aux rues étroites et tortueuses, entourée de marais, Claude Boucher, le

marquis de Tourny, et Dupré de St-Maur font au 18e s. l'une des plus belles villes de France, aux solides constructions de pierre. Apparaissent alors les grandioses ensembles que forment les quais, la place de la Bourse, les allées de Tourny, des monuments comme l'hôtel de ville, le Grand Théâtre, l'hôtel des Douanes, l'hôtel de la Bourse, des plantations comme les cours et le Jardin public. Bordeaux exploite au maximum les avantages de sa situation atlantique et devient le premier port du royaume.

UN ANCIEN GRAND PORT

Sur la Garonne, Bordeaux (à 98 km de l'Océan) occupe la situation privilégiée de « ville de premier pont » et, par la vallée de la Garonne et le seuil de Naurouze (franchi par le canal du Midi), commande la plus courte liaison continentale Atlantique-Méditerranée. L'exportation du « claret » au temps de la domination anglaise ainsi que le trafic des denrées en provenance des « Isles » au 18e s. sont la clé de son dynamisme portuaire.

LE COMMERCE TRIANGULAIRE

Au 18e s, le statut portuaire permet à Bordeaux de devenir le deuxième port négrier français, après Nantes. À partir de 1672, le commerce triangulaire se met en place entre l'Europe (point de départ), l'Afrique (où sont embarqués des prisonniers destinés à être vendus comme esclaves) et l'Amérique, en particulier les Antilles, d'où les navires repartent chargés de marchandises. Il dure jusqu'à la Restauration. Après une interruption durant la Révolution, le trafic reprend sur autorisation de Bonaparte. Longtemps occulté dans la mémoire bordelaise, il est désormais reconnu et condamné.

DES HAUTS ET DES BAS

La ville fait grise mine à l'Empire, car son commerce maritime est profondément atteint par le blocus. Elle retrouve le sourire sous la Restauration. Le grand pont de Pierre et l'immense esplanade des Quinconces datent de cette époque. Sous le Second Empire, le commerce continue à se développer grâce à l'amélioration des communications et à l'assainissement des Landes. En 1870, en 1914 devant l'offensive allemande et en 1940, Bordeaux sert de refuge au gouvernement. On la dit « capitale tragique ». À la fin de la dernière guerre, la cité du 18e s. retrouve le dynamisme de ses armateurs, financiers et négociants d'autrefois.

UNE VILLE EN MUTATION

Avec l'arrivée du tramway, c'est tout un programme de réhabilitation des rues qui est mis en œuvre (centre piétonnier), parallèlement à un plan de sauvegarde du patrimoine architectural (façades restaurées). Les places de la Comédie, de Pey-Berland et de la Victoire font peau neuve ; celle de la Bourse se reflète désormais dans un miroir d'eau, et celle des Quinconces est bordée d'arbres plantés. Sur la rive gauche, les **quais** (4,5 km de long sur 80 m de large) ont été aménagés afin que piétons, cyclistes, tramway et automobilistes circulent harmonieusement. Différentes escales paysagées et sportives agrémentent le parcours ; déjà les Bordelais redécouvrent les bords du fleuve, qui deviennent le cadre de manifestations et où des guinguettes font leur apparition.

l'édification des chapelles latérales qui ne débuta qu'à partir de 1475. L'ensemble s'impose par l'ampleur de ses dimensions. Dans la première chapelle du bas-côté droit, statue de sainte Ursule abritant mille vierges sous son manteau. Les vitraux modernes, derrière le maître-autel, sont dus à Max Ingrand. Le croisillon gauche offre un portail à voussures moulurées qui abrite un tympan orné, à gauche, de la scène du péché originel et, à droite, de celle d'Adam et Ève chassés du paradis. La tribune d'orgue et la chaire datent du 18e s. ; la chaire, faite d'acajou et de panneaux de marbre, est surmontée d'une statue de saint Michel terrassant le dragon. La basilique est classée au patrimoine de l'Unesco depuis 2007.

Flèche St-Michel E2

Pl. Canteloup - ✆ 05 56 00 66 00 - tlj sf lun. et sam. : 10h30-13h, 14h-19h - fermé 1er janv. et 25 déc. - 3,50 € (3 €). C'est le clocher (fin 15e s.) isolé de la basilique St-Michel. Les Bordelais en sont fiers car c'est le plus haut du Midi. Avec ses 114,60 m (cathédrale de Strasbourg 142 m), il laisse loin derrière lui les 50 m de la tour Pey-Berland.

Prendre la rue Camille-Sauvageau.

Abbatiale Ste-Croix F3

Pl. Pierre-Renaudel - ✆ 05 56 94 30 50 - 10h-18h - gratuit.

L'église de l'ancienne abbaye Ste-Croix, construite au 12e et 13e s., a été fortement restaurée au 19e s. La **façade★** est de style roman saintongeais *(voir p. 85)* tandis que la tour de gauche est plus récente. Les voussures des fenêtres aveugles qui encadrent le portail central sont décorées de curieuses sculptures représentant l'Avarice et la Luxure.

L'orgue de Dom Bedos, chef d'oeuvre du genre, réalisé au 18e s., a été récemment restauré. En été, concert gratuit, le mercredi à 18h30.

Rejoindre la place de la Victoire en passant par la place Léon-Duguit et la place des Capucins.

Porte d'Aquitaine D 2-3

Piqué de manière un peu anachronique au milieu de la place de la Victoire où se déploient les terrasses de café, cet imposant **arc de triomphe** élevé au 18e s. arbore un fronton triangulaire aux armes royales ainsi qu'à celles des armes de la ville. La colonne en marbre, sculptée par **Timer**, présente des bas-reliefs racontant l'histoire du vin.

Prendre le cours Pasteur à droite ou le tramway ligne B direction Quinconces.

★★ Musée d'Aquitaine D2

20 cours Pasteur - ✆ 05 56 01 51 00 - www.bordeaux.fr - 11h-18h - fermé lun. et j. fériés - gratuit - expos temporaires : 5 € (gratuit -18 ans).

Demander le livret « Jeu de découverte sur les collections permanentes ».

Aménagé dans les locaux de l'ancienne faculté des lettres et des sciences, ce musée d'histoire retrace, à travers d'importantes collections réparties sur deux niveaux, la vie de l'homme aquitain de la préhistoire à nos jours.

On aborde tout d'abord la section **préhistoire et protohistoire** qui rassemble de précieux témoins des activités artisanales et artistiques des chasseurs de l'âge de pierre. Vous verrez notamment la *Vénus à la corne*, trouvée à Laussel (20 000 ans avant J.-C.), et le bison de l'abri du Cap-Blanc (magdalénien moyen). Une vitrine montrant un ensemble de haches trouvées dans le Médoc illustre la diversité de l'outillage façonné par les métallurgistes de l'**âge du bronze** (4000-2700 avant J.-C.). L'**âge du fer** est représenté par l'abondant matériel funéraire (urnes, bijoux, armes) découvert dans les nécropoles girondines ou

Le miroir d'eau, conçu par Michel Courajoud, s'étend entre la place de la Bourse et la Garonne.
R. Cintract / hemis.fr

les tumulus pyrénéens, mais surtout par le prestigieux **trésor de Tayac**, masse d'or composée d'un torque (collier rigide en métal), de monnaies et de petits lingots datant du 2e s. av. J.-C.

La section **gallo-romaine** rassemble, autour d'un rempart antique reconstitué, des mosaïques, des fragments de corniches ou de bas-reliefs, des céramiques, verreries et autres objets illustrant tous les aspects de la vie quotidienne, économique et religieuse dans la capitale de la province d'Aquitaine. Remarquez en particulier l'autel dit « des Bituriges vivisques » en marbre gris des Pyrénées, le **trésor de Garonne** composé de 4000 pièces de monnaie aux effigies des empereurs Claude à Antonin le Pieux et l'altière statue d'Hercule en bronze.

Les premiers temps chrétiens et le haut Moyen Âge sont évoqués à travers des sarcophages en calcaire ou en marbre gris, des mosaïques et d'autres pièces significatives découvertes lors de travaux urbains (chapiteaux romans de la cathédrale St-André, rosace flamboyante du couvent des Grands-Carmes). D'autres pièces proviennent de Gironde, dont de beaux bas-reliefs en albâtre.

L'âge d'or bordelais (18e s.) s'accompagne de la mise en œuvre de grands projets d'urbanisme et de la construction de magnifiques hôtels particuliers luxueusement aménagés (belle armoire bordelaise provenant du château Gayon, céramiques et verreries). Au 19e s., l'**Aquitaine** est une société rurale. Plusieurs scènes illustrent l'habitat et l'agriculture traditionnels. L'accent est mis sur les principales ressources des pays aquitains que recèlent le territoire pastoral béarnais, les Landes de Gascogne, la Gironde et son vignoble, le bassin d'Arcachon et l'ostréiculture. Une dernière salle présente, au moyen d'une frise chronologique et d'objets symboliques, les changements et les enjeux du 20e s.

Le musée propose également dans ses salles permanentes une collection d'**art primitif** dont la plus ancienne pièce date de la seconde moitié du 19e s. Parmi les objets phares : une statue en écorce peinte de Vanuatu (État d'Océanie), une marmite sacrificielle décorée d'êtres totémiques de Nouvelle-Calédonie. La

présence de ces collections à Bordeaux est traditionnellement liée à l'expansion coloniale de la ville et au rayonnement de son port. Dans cet esprit, un espace de quatre salles vient d'ouvir sur le thème « **Bordeaux, le commerce atlantique et l'esclavage** », s'articulant autour de l'histoire de Bordeaux au 18e s., du commerce négrier, des conditions de vie des esclaves et de l'héritage de cette période.
Prendre le cours Victor-Hugo.

★ Porte de la Grosse Cloche (E2, N)

R. St-James. Les Bordelais sont très attachés à leur « Grosse Cloche », rescapée de la démolition d'un beffroi du 15e s. Autrefois, quand le roi voulait punir Bordeaux, il faisait enlever la cloche et les horloges.
Prendre l'étroite rue St-James qui passe sous la Grosse Cloche, et la place Fernand-Lafargue, puis suivre en face la rue du Pas-St-Georges, pour atteindre à gauche la place Camille-Jullian.
En face de la place se trouve le **square Vinet**, un nouvel espace vert où s'élève le plus long **mur végétal** du monde, réalisé par le paysagiste Michel Desvignes, dans le sillon du botaniste Patrick Blanc à qui l'on doit, entre autres, le mur végétal du musée du Quai Branly à Paris.
Longer la place Camille-Jullian vers la rue Ste-Catherine.

Rue Ste-Catherine D1-2

Cette très longue rue piétonne, récemment réaménagée par l'architecte Wilmotte, suit le tracé d'une ancienne voie romaine. C'est la rue la plus commerçante de la ville. En la remontant, remarquez certaines maisons au rez-de-chaussée sous arcades et au 1er étage percé de larges baies en arc de cercle. À l'angle avec la rue de la Porte-Dijeaux s'ouvre la **Galerie-Bordelaise**, passage couvert édifié par Gabriel-Joseph Durand en 1833, qui débouche sur le Grand Théâtre.
À droite, la rue St-Rémi ramène à la place de la Bourse.

QUARTIER PEY-BERLAND

Circuit 2 tracé en vert sur le plan de ville, p. 102-103. Compter une demi-journée.

★ Cathédrale St-André D2

Voir l'ABC d'architecture p. 84. Pl. Pey-Berland - 05 56 52 68 10 - www.cathedrale-bordeaux.fr - juin.-sept : lun. 15h-19h30, mar.-sam. 10h-13h, 15h-19h30, dim. et j. fériés 10h-13h, 15h-20h30 ; reste de l'année : lun. 14h-18h30, mar., jeu.-dim. et j. fériés 10h-12h, 14h-18h - fermé lun. de Pâques, 1er Mai et lun. de Pentecôte - possibilité de visite guidée - concert d'orgues gratuit mar. en juil.-août à 18h30.
La cathédrale St-André et sa célèbre tour occupent le centre de la place Pey-Berland, aux alentours de laquelle se situent les principaux musées de la ville. C'est le plus majestueux des édifices religieux de Bordeaux. La nef a été élevée aux 11e-12e s. et modifiée aux 13e et 15e s. ; le chœur, de style gothique rayonnant, et le transept actuel ont été reconstruits aux 14e et 15e s. Plus tard, la voûte de la nef menaçant de s'écrouler, on ajouta les importants contreforts et arcs-boutants qui la flanquent irrégulièrement.
Aborder la cathédrale par la face nord et la contourner par la droite. Le **portail Royal**, du 13e s., est célèbre pour ses sculptures inspirées de la statuaire de l'Île-de-France. Admirez les dix apôtres qui ornent les ébrasements, et le tympan gothique représentant le Jugement dernier. Le **portail nord** (porche de bois) date quant à lui du 14e s. Ses sculptures illustrent l'Ascension. Le **chevet** se distingue par l'harmonie de ses proportions et par son élévation.

LE BORDELUCHE

Issu du gascon, le bordeluche fut longtemps le parler des quartiers populaires de Bordeaux. Sur le marché des Capucins, au contact des « étrangers » venus du Périgord, de l'Agenais, du Médoc, de la Chalosse et même d'Espagne, il s'est enrichi d'expressions truculentes et imagées. C'est un parler vrai et affectif qui, aujourd'hui, réapparaît sur les places et les marchés de Bordeaux.

Loin des conventions, le bordeluche est fait de mots simples évoquant la vie de tous les jours : une *mounaque*, est une poupée et par extension une femme quelconque; *grigoner* signifie nettoyer, *se harter* se goinfrer; une *escarougnasse* est une égratignure; être *dromillous*, c'est être mal réveillé, attardé; une *bernique* est une femme maniaque du ménage et de la propreté, un *sangougnas* un homme sans goût; celui qui est *quintous* est coléreux; s'il est *pignassous*, c'est qu'il est fâché; enfin, avoir les *monges*, c'est avoir peur.

Remarquez, dans les contreforts séparant la chapelle axiale de la chapelle de gauche, Thomas, patron des architectes, tenant une équerre, et Marie Madeleine avec son vase de parfum. Enfin, gagnez le **portail sud** : ce dernier est surmonté d'un fronton percé d'un oculus et de trois rosaces. L'étage supérieur, orné d'arcades trilobées, est dominé par une élégante rose, inscrite dans un carré.

À l'intérieur de l'édifice, la nef forme un beau vaisseau dont les parties hautes, de la fin du gothique, prennent appui sur des bases du 12e s. L'opulente chaire, en acajou et marbre de différentes couleurs, est du 18e s. Le **chœur★** gothique est plus élevé que la nef. Son élévation est accentuée par la forme élancée des grandes arcades surmontées d'un triforium aveugle, éclairé par les fenêtres hautes flamboyantes. Il est entouré d'un déambulatoire sur lequel ouvrent des chapelles.

Contourner le déambulatoire par la droite. Contre le quatrième pilier à droite du chœur, jolie sculpture du début du 16e s. figurant sainte Anne et la Vierge. La chapelle axiale renferme des stalles du 17e s. En face, fermant le chœur, belle porte en bois sculpté du 17e s. Revenez vers la façade ouest, au revers de laquelle s'élève la tribune d'**orgue Renaissance**. En dessous, deux bas-reliefs également Renaissance : à droite, le Christ descendant aux Enfers; à gauche la Résurrection (le Christ est représenté monté sur un aigle, comme Jupiter).

★ Tour Pey-Berland D2

Pl. Pey-Berland - ✆ 05 56 81 26 25 - http://pey-berland.monuments-nationaux.fr - juin-sept. : 10h-13h15, 14h-18h; reste de l'année : tlj sf lun. 10h-12h30, 14h-17h30 - fermé 1er janv., 1er Mai et 25 déc. - 5 € (-18 ans gratuit).

La montée est assez ardue (229 marches par un étroit escalier à vis). À la 2e terrasse, faire attention à ne pas se cogner la tête : la porte est étroite et très basse.

Construite au 15e s. à l'initiative de l'archevêque du même nom et couronnée d'un clocher, elle est toujours restée isolée du reste de la cathédrale. La flèche, tronquée par un ouragan au 18e s., supporte la statue de Notre-Dame d'Aquitaine installée au 19e s. *(restaurée en 2002).*

Du sommet de la tour, **vue★★** panoramique sur la ville et ses clochers. Prenez un peu de recul pour voir, côté sud, les deux flèches dominant le transept nord et, au premier plan, les deux puissantes tours carrées en terrasses qui flanquent le transept sud.

STENDHAL À BORDEAUX
En 1838, Stendhal, alors consul de France pour les États pontificaux, séjourne à plusieurs reprises dans la ville : son *Journal de voyage de Bordeaux à Valence* livre ses impressions sur le Bordeaux du début du 19e s. – L'office de tourisme organise des visites sur les pas de l'écrivain.

Centre Jean-Moulin D2

48 r. Vital-Carles - 05 56 79 66 00 - 14h-18h - fermé lun. et j. fériés - gratuit.
Le centre Jean-Moulin constitue un véritable musée de la Résistance et de la Déportation et présente un panorama de la Deuxième Guerre mondiale. Au rez-de-chaussée, tracts, correspondances clandestines, imprimerie, poste radio... illustrent la Résistance et la clandestinité, notamment le rôle qu'a joué Jean Moulin.
Au 1er étage, la déportation et le nazisme sont évoqués par des toiles pathétiques de J.-J. Morvan sur le thème *Nuit et Brouillard* ainsi que par des maquettes, photos de camps et uniformes de détenus.
Au 2e étage, les Forces françaises libres : les hommes et le matériel, dont le bateau *S'ils-te-mordent* qui relia Carantec à l'Angleterre, rempli de volontaires, et la reconstitution du bureau clandestin de Jean Moulin.

Hôtel de ville - Palais Rohan D2

Pl. Pey-Berland - 05 56 00 66 00 - www.bordeaux-tourisme.com - ♿ - visite guidée merc. 14h30 sur demande préalable, réserv. à l'office de tourisme - 3,50 €.
L'hôtel de ville occupe l'ancien palais épiscopal, construit au 18e s. pour l'archevêque **Ferdinand Maximilien de Mériadeck**, prince de Rohan, et marque l'introduction du néoclassicisme en France. La **cour d'honneur** est fermée sur la rue par un portique à arcades ; à l'opposé s'élève le palais dont la façade, quelque peu solennelle, est animée par le ressaut de l'avant-corps central et des pavillons d'angle. Lors de la visite, on remarquera notamment l'escalier d'honneur, des salons ornés de beaux lambris d'époque et une salle à manger avec grisailles de Lacour.
Prendre la rue des Trois-Conils, à gauche.

★ Musée des Arts décoratifs D2

39 r. Bouffard - 05 56 10 14 00 - ♿ - lun., merc.-vend. 11h-18h - w-end : 14h-18h - fermé mar. et j. fériés - possibilité de visite guidée (1h) sur réserv. - gratuit - expos temporaires : 5 € (-18 ans gratuit).
L'**hôtel de Lalande** (1779), l'un des plus beaux bâtiments anciens de Bordeaux, a conservé ses lucarnes et ses hauts toits d'ardoise. Il est tout à fait représentatif des hôtels particuliers, organisés autour d'une cour et d'un jardin, que se fit construire l'aristocratie parlementaire du 18e s. Ici, Pierre de Raymond de Lalande fit appel aux services de l'architecte Étienne Laclotte.
Dans l'aile des communs, quatre petits salons, traités dans le goût et l'esprit du 19e s., présentent la **collection Raymond Jeanvrot**, qui rassembla au cours de sa vie (1884-1966) de nombreux éléments sur l'histoire de sa famille (appartenant à la société créole bordelaise) et sur les Bourbons de la Restauration. Viennent ensuite les salles du musée proprement dit, aux élégantes boiseries et pièces de mobilier, dont la salle de compagnie, décorée d'une terre cuite du 18e s. symbolisant l'Amérique. La **salle à manger** présente une collection de faïences stannifères (contenant de l'étain) bordelaises et un ensemble de porcelaines dures du 18e s. À côté, le **salon Cruse-Guestier**, avec ses meubles en marqueterie et ses bronzes de Barye, est caractéristique d'un intérieur de négociant bordelais.

Par l'**escalier d'honneur**, orné d'une remarquable rampe en fer forgé, on atteint les pièces du 1er étage : céramiques françaises et étrangères, verreries. Belles carafes et gourdes du 18e s. dans le **salon Jonquille**, décoré d'un lustre en verre de Venise. Une pièce regroupe le mobilier bordelais que l'on trouvait chez les aristocrates de la ville. Dans les combles sont rassemblées les collections antérieures au 18e s. : mobilier Renaissance et 17e s., ferronnerie, serrurerie, émaux champlevés. Une salle expose le design des années 1950 à nos jours. *Reprendre la rue des Trois-Conils vers la gauche.*

★ Musée des Beaux-Arts CD2

20 cours d'Albret - ✆ 05 56 10 20 56 - 11h-18h - fermé mar. et j. fériés - gratuit - expos temporaires : 5 € (-18 ans gratuit).

Aménagé dans les galeries sud et nord du jardin de l'hôtel de ville, le musée conserve de très belles œuvres du 15e au 20e s.

L'**aile sud** abrite des tableaux de la Renaissance italienne, des œuvres françaises du 17e s., dont une toile de Vouet, *David tenant la tête de Goliath*, qui n'est pas sans rappeler le style du Caravage ; des œuvres de l'école hollandaise du 17e s. dont le *Chanteur s'accompagnant au luth* par Ter Brugghen, le symbolique *Chêne foudroyé* par Van Goyen et le beau portrait de *L'Homme à la main sur le cœur* attribué un temps à Frans Hals ; des tableaux de l'école flamande du 17e s. avec l'admirable *Danse de noces* par Bruegel de Velours, d'un style populaire et rustique. Le 18e s. et le début du 19e s. sont représentés, entre autres, par deux saisissantes toiles du Génois Magnasco, qui évoquent la vie des galériens, le gracieux *Portrait de la princesse d'Orange-Nassau* par Tischbein, la *Nature morte au carré de viande* par Chardin et quatre tableaux du Bordelais Pierre Lacour, qui fut le premier conservateur du musée en 1811.

L'**aile nord** est consacrée à la peinture moderne et contemporaine. L'école romantique est présente à travers la célèbre toile de Delacroix, *La Grèce sur les ruines de Missolonghi*. Une œuvre de Diaz de la Peña (né à Bordeaux), *La Forêt de Fontainebleau*, illustre l'école de Barbizon, qui fut la première à peindre en plein air. La seconde moitié du 19e s. s'ouvre sur le scandaleux *Rolla* d'Henri Gervex, tableau de nu refusé au Salon de 1878, puis sur la grande toile d'inspiration symboliste d'Henri Martin, *Chacun sa chimère*. Du 20e s. : *L'Église Notre-Dame à Bordeaux* de l'expressionniste autrichien Kokoschka, le sinueux et tourmenté *Homme bleu sur la route* par Soutine et le très beau *Portrait de Bevilacqua* (1905), visage cerné de bleu, par Matisse. À ces œuvres vient s'ajouter *L'Entrée du bassin à flot à Bordeaux* (1912) du Bordelais André Lothe, qui intègre les concepts cubistes à la tradition picturale. La dernière salle est consacrée à des œuvres contemporaines.

La **galerie des Beaux-Arts** *(pl. du Colonel-Raynal)*, où sont organisées des expositions temporaires, complète le musée.

En revenant vers le musée des Beaux-Arts, poursuivre le cours d'Albret puis prendre à gauche la *rue des* Frères-Bonie.

Tribunal de grande instance D2

Réalisé en 1998 par Richard Rogers, le TGI de Bordeaux s'inscrit au cœur de la ville historique, dans un îlot judiciaire comprenant l'hôtel de ville, l'ancien palais de justice néoclassique de Thiac et l'École nationale de la magistrature. Ce parallélépipède de verre, d'acier et de bois se dresse à l'extrémité de l'ancienne enceinte médiévale bordée de deux tours, vestiges du

ODILON REDON

Bertrand-Jean, dit Odilon Redon (1840-1916), est natif de Bordeaux. Une petite salle du musée lui rend hommage à travers quelques-unes de ses œuvres : *Char d'Apollon* (1909), *Chevalier mystique*, *La Prière*…

fort du Hâ. L'architecte du Centre Pompidou a fait ici le choix d'une architecture symbolique et fonctionnaliste : souhaitant une justice plus transparente, il prend le parti d'un bâtiment vitré où la fonction intérieure est révélée dès l'extérieur. L'escalier monumental et l'immense parvis qui le précède privilégient l'espace public et l'idée d'une justice plus accessible et plus ouverte. L'originalité vient des sept coques de bois sur pilotis qui s'élèvent au-dessus du toit et renferment les salles d'audience.
Retraverser le cours d'Albret.

Quartier Mériadeck C2

Son nom rappelle **Ferdinand Maximilien de Mériadeck**, prince de Rohan, archevêque de Bordeaux au 18e s. Ce quartier, érigé dans les années 1970, est le centre directionnel de la région Aquitaine. Englobant bureaux, bâtiments administratifs, habitations, centre commercial, bibliothèque municipale et patinoire, il est aussi agrémenté de pièces d'eau et d'espaces verts. Des passerelles suspendues assurent l'accès vers les rues limitrophes. Les immeubles sont en verre et béton, arrondis ou cubiques, et parfois encagés dans des structures métalliques. Les plus caractéristiques sont la **Caisse d'épargne** avec ses plans courbes et rectangulaires empilés, la **bibliothèque** aux parois réfléchissantes, l'**hôtel de région** (C2) à la façade rythmée par des lames verticales en béton et l'**hôtel des impôts** où triomphe le métal.

Église St-Bruno C2

R. François-de-Sourdis - ✆ 05 56 81 44 21 - 8h30-19h - fermé j. fériés.
L'église St-Bruno, accolée au cimetière de la Chartreuse, vaut le détour pour son somptueux décor intérieur représentatif de l'architecture baroque du 17e s. Seul élément restant du couvent des Chartreux, cette ancienne chapelle a été construite en 1611-1620 sur d'anciens marais asséchés pour répondre aux exigences de la Contre-Réforme. La restauration des voûtes et des murs a dévoilé un décor de fresques en trompe l'œil de l'Italien Gian Antonio Berinzago. L'*Assomption* de Philippe de Champaigne constitue la pièce maîtresse du retable, datant de 1673.

Cimetière de la Chartreuse C2

R. François-de-Sourdis - de mi-juil. à fin sept. : visite guidée le sam. à la tombée de la nuit, s'adresser à l'office de tourisme.
À l'instar du Père-Lachaise, il s'y dégage une atmosphère romantique par la diversité de l'architecture funéraire. Dans ce « riant pré de la mort », comme le surnommait Stendhal, des épitaphes portent de nombreux noms célèbres tels que Goya, Delacroix, Flora Tristan, la mère de Gauguin… et tant d'autres qui ont fait l'histoire de la région.

★ DU TRIANGLE AU JARDIN PUBLIC

Circuit 3 tracé en vert sur le plan de ville p. 102-103. Compter une journée.
Ce quartier s'inscrit autour du triangle de grandes artères formé par le cours Clemenceau, le cours de l'Intendance, piétonnier, et les allées de Tourny, pourvues d'une agréable esplanade.

Esplanade des Quinconces DE1

Son intérêt réside avant tout dans sa superficie (126 000 m²). Elle a été aménagée, pendant la Restauration, sur l'emplacement du château Trompette qui avait été bâti après la guerre de Cent Ans par Charles VII et agrandi par Louis XIV. On agrémenta alors l'esplanade d'une série d'arbres disposés en quinconce, d'où son nom.

LES GIRONDINS
Pendant la Révolution, les députés de Bordeaux – dont le plus célèbre fut **Vergniaud** – créèrent le parti des Girondins qui obtint la majorité à la Législative et au début de la Convention. Comme ils étaient de tendance fédéraliste, les Montagnards les accusèrent de conspirer contre l'unité et l'indivisibilité de la République ; vingt-deux d'entre eux furent mis en accusation, condamnés à mort et exécutés.

Vous saluerez au passage deux grandes figures de Bordeaux : **Montaigne**, qui fut maire de la ville à deux reprises, et **Montesquieu**, qui résidait au château de la Brède *(voir p. 141)* et était membre du parlement de Bordeaux (statues datant de 1858). Face au fleuve se dressent deux colonnes rostrales.

Longtemps parc de stationnement, l'esplanade est célèbre pour son **monument aux Girondins** (D1). Monument allégorique érigé entre 1894 et 1902 à la mémoire des Girondins décapités en 1792 *(voir l'encadré ci-dessus)*, il forme un ensemble sculptural étonnant. En haut d'une colonne de 50 m de haut, la *Liberté brisant ses fers* surmonte deux remarquables **fontaines★** en bronze : des chevaux marins toute crinière au vent, cabrés et levant haut leurs sabots palmés, y tirent les chars du *Triomphe de la République* (côté Grand Théâtre) et celui du *Triomphe de la Concorde* (côté Jardin public). À terre, côté Grand Théâtre, les trois personnages tragiques ne représentent pas les Girondins, mais le Vice, l'Ignorance et le Mensonge.

1

Place de la Comédie D1

Elle délimite, avec les places Tourny et Gambetta, le cœur des plus beaux quartiers de Bordeaux. La restauration du Grand Hôtel de Bordeaux achève de lui redonner tout son cachet.

★★ Grand Théâtre D1

Voir l'ABC d'architecture p. 89. - Pl. de la Comédie - ✆ 05 56 00 66 00 - www.opera-bordeaux.com - visites guidées sur réserv. à l'office de tourisme juil.-août : 15h, 15h30 et 16h ; reste de l'année : varie selon le planning des répétitions, se rens. à l'office de tourisme - forfait visite + exposition sur les métiers du théâtre : 9,50 € ; exposition sans la visite : 5 €.

L'édifice fut élevé de 1773 à 1780 sur les vestiges d'un temple gallo-romain détruit par ordre de Louis XIV. Récemment restauré, il compte parmi les plus beaux de France et symbolise l'alliance de la richesse architecturale et de la culture. Construit par l'architecte Victor Louis, il se distingue par son péristyle à l'antique, surmonté d'une balustrade ornée des neuf Muses et des trois Grâces.

Le plafond à caissons du **vestibule** repose sur seize colonnes. À l'arrière s'ouvre un bel escalier droit, puis à double volée, dominé par une coupole (disposition imitée par Garnier pour l'Opéra de Paris).

La **salle de spectacle**, parée de lambris et de douze colonnes dorées à l'or fin, témoigne d'une harmonieuse géométrie et d'une acoustique parfaite. Du plafond, peint en 1917 par Roganeau sur le modèle des fresques primitives de Claude Robin, se détache un lustre scintillant de 14 000 cristaux de Bohême.

En face du théâtre, la petite rue Mautrec mène à la place du Chapelet.

★ Église Notre-Dame D1

R. Mably - lun. 14h30-19h, mar. et jeu. 8h30-12h, 14h30-18h (merc. 19h), vend. 8h30-13h, 14h30-18h30, sam. 8h30-12h, 14h30-19h30, dim. 10h-12h, 18h-19h30 - visite guidée lun. - vend 14h30-17h et 1er dim. du mois 15h-17h.

La façade de l'église Notre-Dame, de style jésuite baroque, donne un air très romain à la place du Chapelet. Ancienne chapelle des Dominicains, elle fut édifiée entre 1684 et 1707. Le portail central est surmonté d'un bas-relief illustrant l'apparition de la Vierge à saint Dominique. On y voit le frère mendiant recevoir le chapelet des mains de la Vierge, ce qui explique le nom de la place. L'**intérieur** frappe par la pureté du travail de la pierre : voûte en berceau de la nef percée par les lunettes des fenêtres hautes, voûtes d'arêtes des collatéraux, tribune d'orgue prolongée sur les côtés par deux balcons arrondis aux courbes harmonieuses. La décoration de ferronnerie contribue également à la noblesse de l'ensemble ; remarquez en particulier les portes qui ferment les deux côtés du chœur.
Pénétrez dans le **cloître** du 17e s., appelé cour Mably, et accolé au mur latéral droit de l'église. La magnifique salle capitulaire, à droite en entrant, sert de salle d'exposition.
Prendre le passage Sarget à gauche de la place du Chapelet et emprunter le cours de l'Intendance sur la droite.

Cours de l'Intendance D1

Ici alternent les commerces de luxe et les enseignes à la mode. On y trouve également la **Maison du tourisme de la Gironde** *(voir p. 10)*. À droite, au niveau de la rue Voltaire, on aperçoit la jolie rotonde des Grands-Hommes (centre commercial). Des abords du n° 57 (maison de Goya, qui y mourut en 1828, aujourd'hui centre culturel espagnol), bel aperçu sur les tours de la cathédrale St-André, dans l'échancrure de la rue Vital-Carles.

Place Gambetta D1

Cette place, agrémentée d'un petit jardin à l'anglaise, se caractérise par l'unité architecturale des maisons Louis XV, au rez-de-chaussée sur arcades et au dernier étage mansardé. C'est là qu'on dressa l'échafaud durant la Révolution. Un peu en retrait s'élève la **porte Dijeaux** (D1), datée de 1748, point de départ de la rue commerçante piétonnière du même nom.
Remonter la rue Judaïque vers la place des Martyrs-de-la-Résistance.

Basilique St-Seurin C1

Pl. des Martyrs-de-la-Résistance - ✆ 05 56 00 66 00 - mar.-sam. 8h30-11h30 et 14h-17h30 - possibilité de visite guidée : sam. 14h30-18h ou sur demande (1 sem. avant la visite) - gratuit.

Comme la cathédrale St-André et la basilique St-Michel, qui se trouvent, elles aussi, sur le chemin de St-Jacques-de-Compostelle, la basilique St-Seurin est depuis 1999 inscrite au Patrimoine mondial de l'Unesco.
Entrez par le porche ouest (11e s.), aux intéressants chapiteaux romans. Il est enterré d'environ 3 m. L'ensemble manque d'envolée car l'église fut, comme le porche, remblayée au début du 18e s. À l'entrée du **chœur**, beau siège épiscopal en pierre (14e-15e s.) ; en face, retable orné de quatorze bas-reliefs en albâtre retraçant la vie de saint Seurin. À gauche du chœur, dans la chapelle N.-D.-de-la-Rose (15e s.), un retable orné de douze panneaux d'albâtre figure la vie de la Vierge. La **crypte**, du 11e s., recèle des colonnes et des chapiteaux gallo-romains, de beaux sarcophages en marbre sculpté du 6e s. et le tombeau (17e s.) de saint Fort.

Site paléochrétien de St-Seurin C1

Pl. des Martyrs-de-la-Résistance - ✆ 05 56 00 66 00 - 14h-19h - fermé 1er janv. et 25 déc. - 3,50 € (-13 ans 3 €).

Une nécropole, des fresques, des sarcophages et des amphores, constituant un véritable musée archéologique, nous révèlent l'art des premiers chrétiens.
Prendre la rue Capdeville, puis à droite la rue du Dr-André-Barraud.

Palais Gallien C1

R. du Dr-André-Barraud. *S'adresser à l'office de tourisme - ☎ 05 56 00 66 00 - juil.-sept. : 14h-19h - fermé 1er janv. et 25 déc. - possibilité de visite guidée (1h) - 3,50 € (-12 ans 3 €).*

Amphithéâtre romain dont les gradins en bois pouvaient contenir 15 000 spectateurs. Il n'en reste que quelques travées et arcades envahies par les herbes folles, qui charmeront les âmes romantiques.

Poursuivre rue du Dr-André-Barraud, traverser la rue Fondaudège pour prendre en face la rue St-Laurent.

À proximité, au n°14 de la rue Francis-Martin, le **Petit Hôtel Labottière** *(www.petithotellabottiere.fr - visite réservée aux hôtes de l'hôtel)*, hôtel particulier néoclassique de la fin 18e s. est dû à Laclotte, l'architecte du musée des Arts décoratifs *(voir p. 112)*.

Continuer dans la rue St-Laurent, puis tourner à droite dans la rue Émile-Zola.

Jardin public D1

Cours de Verdun. Aménagé à la française au 18e s., il fut transformé en parc à l'anglaise sous le Second Empire. On s'y promène à l'ombre de beaux arbres (palmiers, magnolias, etc.), au milieu de massifs richement fleuris.

Retourner au Grand Théâtre par le cours de Verdun, la place de Tourny puis les allées du même nom.

1

LES CHARTRONS

Circuit 4 tracé en vert sur le plan p. 119. Compter une bonne demi-journée.

Le quartier des Chartrons s'étend au nord des Quinconces, entre le quai du même nom et les cours de Verdun, Portal et St-Louis. Ce nom rappelle un ancien couvent de chartreux qui fut transformé au 15e s. en un gigantesque entrepôt de vins. Le quartier connut, comme toute la ville, son heure de gloire au 18e s. La haute société bordelaise, enrichie par le négoce, y édifia alors de beaux hôtels. Au 19e s. se multiplient de petites maisons populaires de plain-pied aux hautes portes étroites, dont les façades ornées de clefs de fenêtres sculptées imitent celles des demeures bourgeoises. Ces **échoppes** dessinent le paysage urbain bordelais, dès que l'on s'éloigne du centre-ville.

Cours Xavier-Arnozan

C'est l'ancien « pavé » des Chartrons. De grands négociants, qui souhaitaient disposer d'une habitation somptueuse à l'écart de la cohue du port, y firent bâtir de belles demeures vers 1770. De splendides **balcons★** sur trompe sont ornés d'un garde-corps en ferronnerie.

À mi-chemin du cours, la rue Foy permet de rejoindre le musée d'Art contemporain.

★ Musée d'Art contemporain

7 r. Ferrère - ☎ 05 56 00 81 50 - www.capc-bordeaux.fr - ♿ - tlj sf lun. et j. fériés 11h-18h (merc. 20h) - possibilité de visite guidée w-end 16h, 17h - collections permanentes gratuites hors périodes d'expos temporaires, périodes d'expos : 5 € (y compris pour les collections permanentes seules).

Le CAPC (Centre d'arts plastiques contemporain) - musée d'Art contemporain est installé dans l'ancien **entrepôt Lainé★★**, construit en 1824 pour servir de stockage aux denrées coloniales de Bordeaux. Il a été réaménagé de façon particulièrement réussie.

Autour de la spectaculaire **nef centrale** sont répartis les galeries d'exposition, une bibliothèque et le centre d'architecture Arc en rêve. La terrasse, située au second étage entre les toits du bâtiment, abrite le Café du Musée (aménagé par Andrée Putman).

Le **musée** présente des collections permanentes qui couvrent une période allant de la fin des années 1960 jusqu'aux tendances les plus actuelles de la création, ainsi que des expositions temporaires.
Rejoindre le quai des Chartrons et prendre à gauche.

Cité mondiale

20 quai des Chartrons. Conçue sur les plans de l'architecte bordelais Michel Petuaud-Letang, elle arbore, côté quai des Chartrons, une harmonieuse façade de verre incurvée, où s'imbrique une tour ronde. Inaugurée en janvier 1992, la Cité mondiale, consacrée aux vins et spiritueux jusqu'en 1995, est aujourd'hui devenue un centre d'affaires et de congrès, avec divers commerces et restaurants.
Prendre le passage Notre-Dame situé derrière la Cité, puis tourner à droite.

Rue Notre-Dame

C'est la colonne vertébrale du quartier des Chartrons : aux négociants d'hier se sont substitués les antiquaires et les brocanteurs. Rendez-vous des chineurs et des flâneurs, la rue Notre-Dame incite à la balade. Il s'y dégage une atmosphère de calme et de village privilégiant la découverte des façades en pierre, des têtes coiffées des mascarons (motifs architecturaux ornementaux), au gré des ruelles pavées et de leurs nombreuses boutiques.

Place du Marché-des-Chartrons

C'est à l'emplacement de l'ancien couvent des Carmes que l'architecte Charles Burguet réalisa en 1869 une première halle métallique à six faces. Aujourd'hui restaurées, les 18 baies de la halle des Chartrons associent pierre, fer et verre pour offrir un espace lumineux et ouvert sur l'extérieur, endroit idéal pour accueillir de nombreuses manifestations culturelles, et faire une pause aux terrasses des cafés qui l'entourent.

Église St-Louis-des-Chartrons

R. Notre-Dame.
Elle dresse fièrement ses deux flèches, illuminées de bleu la nuit, pour marquer le cœur du quartier. Sa rosace monumentale, ses vitraux et ses contreforts en font un édifice de type néogothique, achevé en 1880. Elle renferme le plus important orgue symphonique d'Aquitaine (1881) et le plus beau de la facture Wermer-Maille.
Rejoindre la rue Notre-Dame par la rue St-Joseph, puis prendre à gauche la rue Pomme-d'Or.

Musée du Vin et du Négoce à Bordeaux

41 r. Borie - *℘ 05 56 90 19 13 - www.mvnb.fr - mai.-oct. : 10h-18h (jeu. 22h) ; nov.-avr. : 10h-18h (dim. 14h-18h) - visite et dégustation de 2 vins : 7 € (-12 ans 3,50 €).*
Installé dans trois très belles caves voûtées, typiques des Chartrons, cet espace retrace l'histoire du négoce du vin à Bordeaux. De nombreux objets et supports visuels contribuent à la mise en scène des grands thèmes abordés : l'histoire des grandes familles, les classements des vins, le travail dans les chais et le rôle du port de Bordeaux dans le négoce.
Descendre la rue Borie et traverser le quai des Chartrons.

★ Quai des Chartrons

Ligne B du tramway, direction Claveau.
Au pied de la façade ravalée des immeubles 18e s., le quai des Chartrons a totalement changé de visage et propose aujourd'hui un nouvel espace de vie

aux Bordelais, le long des berges de la Garonne. Depuis la réhabilitation des anciens hangars portuaires (H 14, 15 et H 20) en lieux culturels ou de commerce, les Bordelais ont retrouvé leur fleuve et le plaisir d'une balade (à vélo, en rollers ou à pied), avec vue imprenable sur le port de la Lune. L'assiette d'huîtres et le verre de vin blanc sont à déguster le dimanche matin à l'incontournable marché des Chartrons, installé près du Skate Park.

Cap Sciences

Hangar 20 - quai de Bacalan - ✆ 05 56 01 07 07 - www.cap-sciences.net - ♿ - 14h-18h (w.-end 19h) - fermé lun. et j. fériés (ouvert lun. 14h-18h pdt vac. scol.) - 5,50 € (-25 ans 3,80 €).

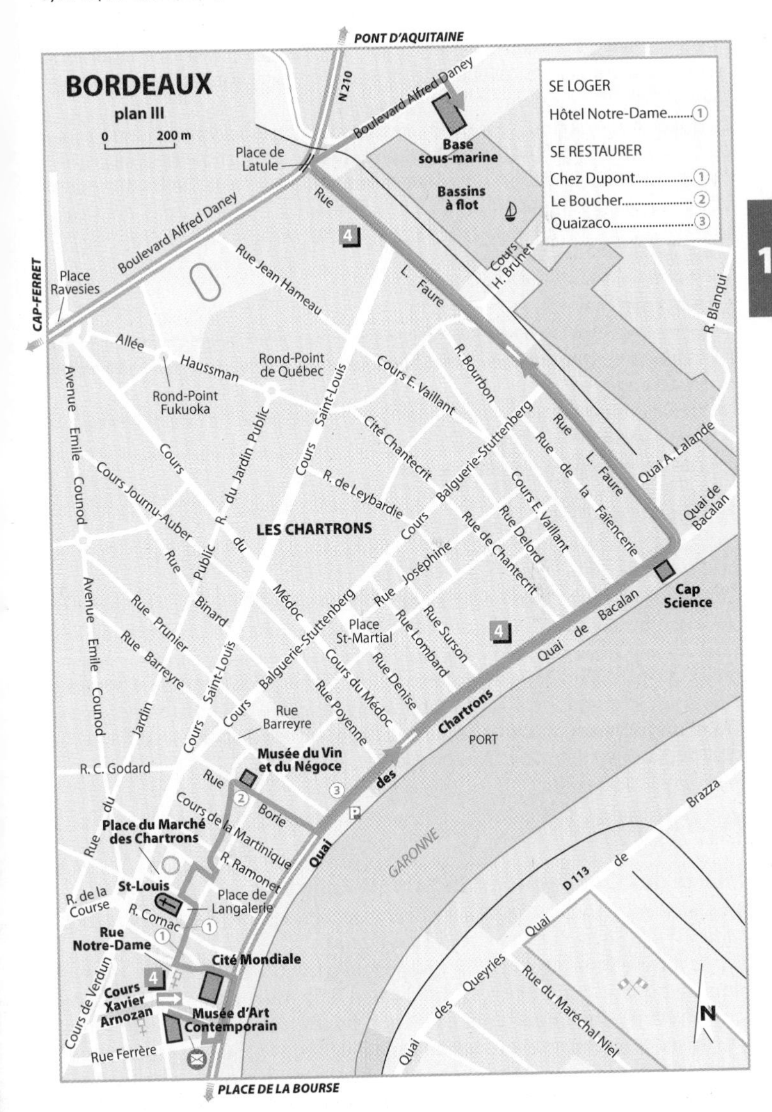

Le Centre de culture scientifique technique et industrielle de la région accueille une grande exposition annuelle, ludique et pédagogique, avec des animations organisées en permanence autour de la thématique. À l'étage prend place une autre exposition temporaire, plus petite mais également interactive. Espaces lecture et multimédia, ateliers enfants (*merc., w.-end et vac. scol., sur réserv.*).

Rejoindre le cours Alfred-Daney par le cours Lucien-Faure.

Bassins à flot

Ligne B du tramway, station « Bassins à flot ».

Pour les plus courageux, le quartier des bassins à flot est un quartier en devenir à découvrir. Loin du Bordeaux du 18e s. et longtemps délaissé pour son passé lié aux activités portuaires, il fait l'objet de futurs projets d'aménagement. Agence d'architecture, galerie d'art et Frac (Fonds régional d'art contemporain) ont d'ores et déjà investi le hangar G2.

La **base sous-marine**, vestige impressionnant de la Seconde Guerre mondiale, construite de 1941 à 1943 pour abriter la 12e flottille de sous-marins de l'armée allemande, est un nouvel équipement culturel de la ville, qui se visite. Le lieu s'anime la nuit dans une ambiance underground. *Bd Alfred-Daney - ✆ 05 56 11 11 50 - mar.-dim. 14h-19h (hiver 18h) - gratuit - expos temporaires.*

LA BASTIDE Plan de ville p. 102-103

Pour rejoindre ce quartier, prendre la ligne A du tramway, direction Dravemont ou La Gardette.

De la rive droite, depuis les jardins de Queyries, vous aurez une belle **vue** sur la prestigieuse façade des quais d'une parfaite homogénéité, qui épouse la courbe de la Garonne sur plus de 1 km.

Jardin botanique F1

Quai de Queyries - ✆ 05 56 52 18 77 - www.bordeaux.fr - avr.-oct. : 8h-20h ; nov.-mars : 8h-18h - fermé 1er janv. et 25 déc. - gratuit.

Conçu par l'architecte paysagiste Catherine Mosbach, il renouvelle le genre du jardin botanique, à vocation scientifique d'étude et de préservation des espèces, par sa présentation thématique. Le visiteur est sensibilisé à l'écologie à travers une « galerie des milieux » (reconstitution d'une prairie humide, d'un coteau calcaire, etc.), à l'ethnobotanique avec les « champs de cultures ». Outre un jardin aquatique et un jardin urbain (entretenu par les habitants du quartier), des serres tropicales complètent l'ensemble.

À voir aussi Plan p. 102-103

Musée des Compagnons du Tour de France F3

112 r. Malbec - ✆ 05 56 92 05 17 - www.compagnons.org - merc.-vend. 14h-17h30, sam. 10h-17h - fermé j. fériés - 3 € (-12 ans gratuit).

Le musée présente sur trois niveaux un parcours historique et thématique évoquant les origines, l'organisation et le fonctionnement du compagnonnage. Une importante collection de chefs-d'œuvre de charpente, menuiserie, ébénisterie ou maçonnerie illustre les prouesses techniques de ces métiers. Le musée propose des plaquettes de visites adaptées aux enfants, de 5 à 12 ans.

Lors de la Fête du Fleuve, le Belem et le Pont de Pierre.
R. Cintract / hemis.fr

À proximité Plan d'agglomération p. 122-123

Musée de la Création franche à Bègles B3

Au sud de Bordeaux (par la route de Toulouse, ou la sortie n° 20 de la rocade : suivre Bègles-centre, puis mairie) - depuis la gare St-Jean, bus 2 (dir. Bègles-Rives d'Arcins, arrêt Mairie de Bègles) ou 23 (dir. Bègles-Mussonville, arrêt Bibliothèque) - 58 av. du Mar.-de-Lattre-de-Tassigny - ✆ 05 56 85 81 73 - www.musee-creationfranche.com - 15h-19h - fermé j. fériés - gratuit.

Voilà un site original qui ne laisse pas indifférent. D'abord, c'est une histoire : celle d'une galerie, créée en 1989, attachée à diffuser **« l'Art Brut et ses apparentés »**, devenue musée municipal en 1996 et qui fait désormais référence dans le domaine (prêtant des œuvres à des musées de par le monde). Ensuite, c'est un lieu : une ancienne maison bourgeoise entourée d'un parc, qui accueille au rez-de-chaussée des expositions temporaires (5 par an) et à l'étage la collection permanente (le fonds compte 10 000 œuvres). Que l'on apprécie ou pas, on ne peut ignorer ce courant d'art basé sur la spontanéité de la créativité, en marge de toutes les institutions.

Quartiers modernes Frugès-Le Corbusier à Pessac A3

Au sud-ouest de Bordeaux, par le cours du Mar.-Gallieni, ou la rocade sortie n° 13. Fléché depuis le centre-ville de Pessac.

Construite en 1926 à la demande d'Henri Frugès, un industriel bordelais qui souhaitait investir dans une cité-jardin pour loger des ouvriers, la Cité témoigne de l'esprit d'avant-garde de leur concepteur, **Le Corbusier** (1887-1965), qui put mettre ici en pratique ses réflexions en matière d'urbanisme, d'habitat collectif et de maisons standardisées. Les 50 pavillons « zigzag », « quinconce », « gratte-ciel », etc. (sur les 150 initialement prévus), aux formes à la fois ludiques et épurées, ont subi d'importantes altérations au fil du temps, mais une politique de protection et de mise en valeur tente de restituer l'unité originelle du quartier, dans le respect de ses occupants.

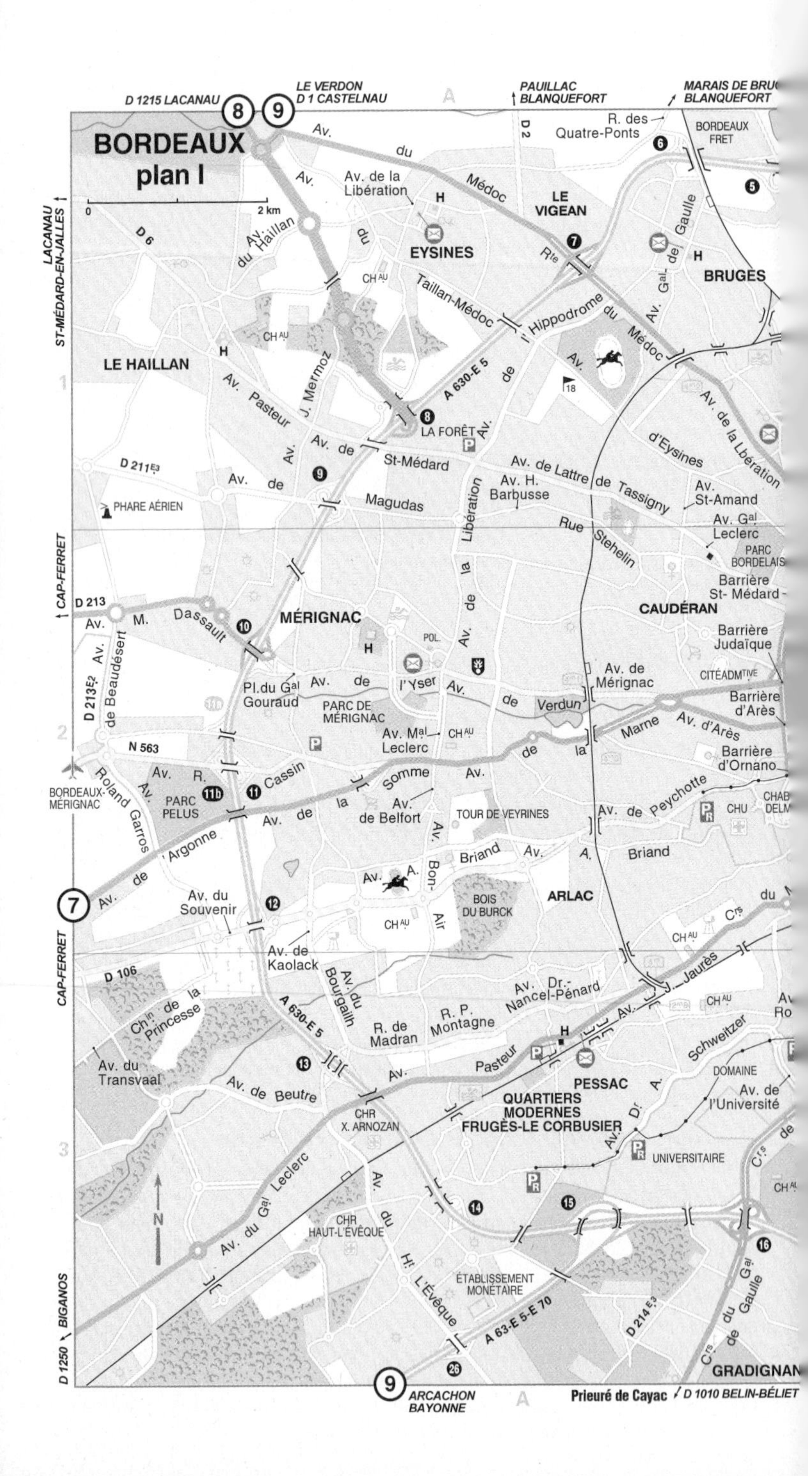
BORDEAUX
plan I
D 1215 LACANAU
LE VERDON
D 1 CASTELNAU
PAUILLAC
BLANQUEFORT
MARAIS DE BRU
BLANQUEFORT
LACANAU
ST-MÉDARD-EN-JALLES
CAP-FERRET
CAP-FERRET
D 1250 BIGANOS
ARCACHON
BAYONNE
Prieuré de Cayac
D 1010 BELIN-BÉLIET
EYSINES
LE VIGEAN
BRUGES
LE HAILLAN
BORDEAUX FRET
LA FORÊT
MÉRIGNAC
CAUDÉRAN
PARC DE MÉRIGNAC
PARC PELUS
BORDEAUX-MÉRIGNAC
TOUR DE VEYRINES
BOIS DU BURCK
ARLAC
PESSAC
QUARTIERS MODERNES FRUGÈS-LE CORBUSIER
DOMAINE UNIVERSITAIRE
CHR X. ARNOZAN
CHR HAUT-L'ÉVÊQUE
ÉTABLISSEMENT MONÉTAIRE
GRADIGNAN
PHARE AÉRIEN
PARC BORDELAIS
Barrière St- Médard
Barrière Judaïque
Barrière d'Arès
Barrière d'Ornano
CITÉADMTIVE
A 630-E 5
A 63-E 5-E 70
D 214E3
N 563
D 213
D 213E2
D 211E3
D 106
D 6
D 2
Av. du Médoc
Av. de la Libération
Av. du Haillan
Av. J. Mermoz
Av. Pasteur
Av. de St-Médard
Av. de Magudas
Av. de Lattre de Tassigny
Av. H. Barbusse
Rue Stehelin
Av. d'Eysines
Av. de la Libération
Av. St-Amand
Av. Gal Leclerc
Av. M. Dassault
Av. de Beaudésert
Pl. du Gal Gouraud
Av. de l'Yser
Av. de Verdun
Av. de Mérignac
Av. d'Arès
Av. de la Marne
Av. de la Somme
Av. R. Cassin
Av. Roland Garros
Av. de l'Argonne
Av. de Belfort
Av. Mal Leclerc
Av. de Peychotte
Av. A. Briand
Av. Bon-Air
Av. du Souvenir
Av. de Kaolack
Av. du Bourgailh
R. de Madran
R. P. Montagne
Av. Dr.- Nancel-Pénard
Av. J. Jaurès
Av. A. Schweitzer
Av. de l'Université
Ch.in de la Princesse
Av. du Transvaal
Av. de Beutre
Av. Pasteur
Av. Dr A.
Av. du Gal Leclerc
Av. du Ht L'Évêque
Crs du Gal de Gaulle
Av. Gal de Gaulle
R. des Quatre-Ponts
Rte du Taillan-Médoc
Av. de l'Hippodrome
Av. du Médoc
CHU
POL.
2 km

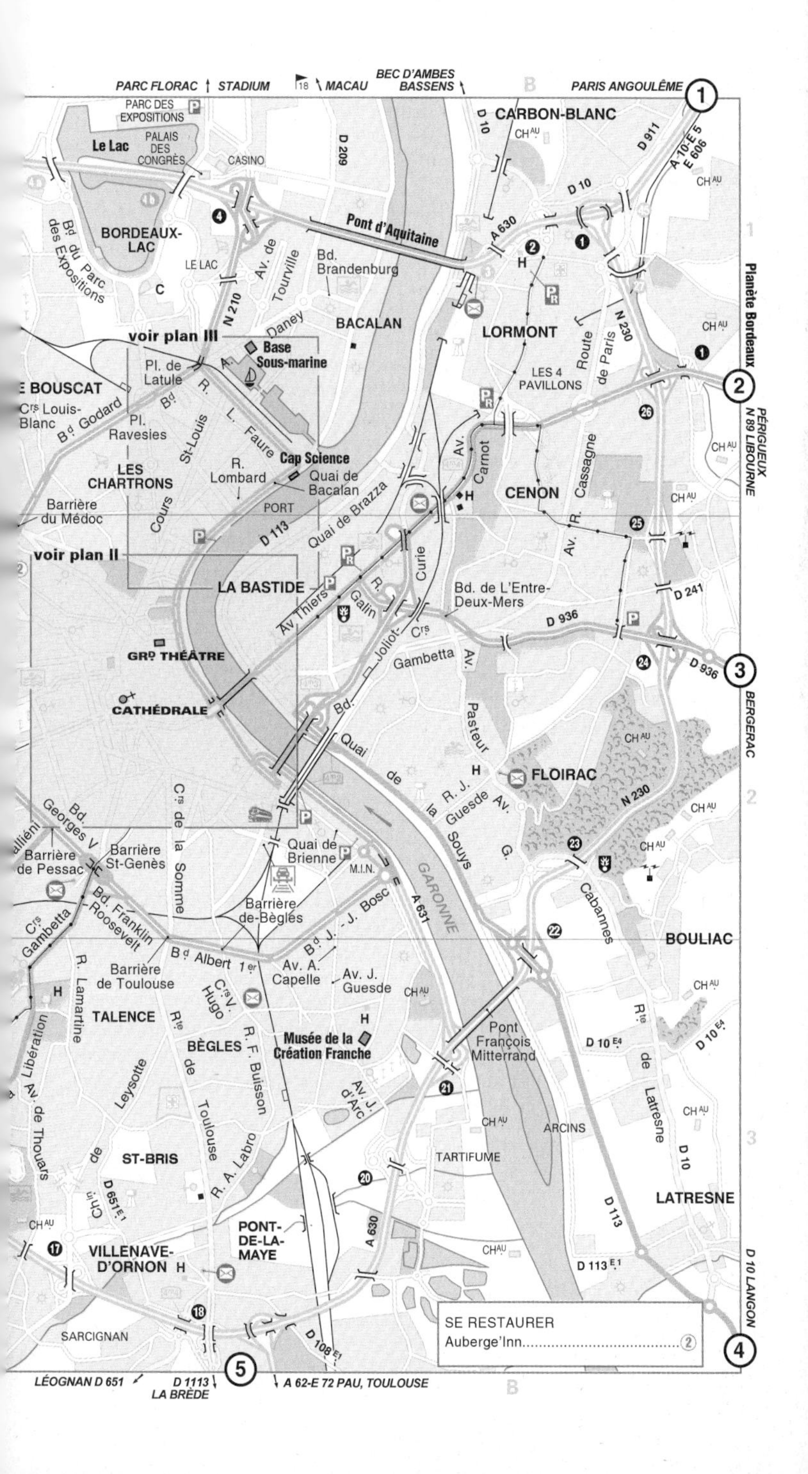

SE RESTAURER

Auberge'Inn.. ②

La **Maison Frugès-Le Corbusier** est ouverte au public et accueille des expositions temporaires sur l'urbanisme et l'architecture. *4 r. Le Corbusier - ✆ 05 56 36 56 46 - visite guidée possible - merc., vend. et dim. 14h-18h, jeu. et sam. 10h-12h - gratuit.*

Marais de Bruges A1

Au nord de Bordeaux, sortie 6 de la rocade. Prendre l'av. des Quatre-Ponts. ✆ 05 56 91 33 65 - www.sepanso.org - tlj sf jeu. et vend. 10h-18h - possibilité de visite guidée et sorties nature : renseignements et inscriptions au 05 56 57 09 89 - guide du visiteur : 4,50 €.

Dans ce milieu préservé, suivez l'itinéraire balisé et ne vous aventurez pas hors des chemins autorisés. Des grands marais de Bruges, il ne reste que cet îlot de 280 ha qui se partage entre prairies humides pour les trois quarts, jalles (anciens bras de rivières), plans d'eau et boisements. Cette réserve naturelle est située sur l'un des axes migratoires les plus importants d'Europe.

Planète Bordeaux à Beychac B2

26 km par la N 89 dir. Libourne (sortie 5) - ✆ 05 57 97 19 20 - www.planete-bordeaux.net - juin-oct. : lun.-sam. 10h-19h ; reste de l'année : lun.-vend. 9h-12h, 14h-19h, sam. 9h-19h - 5 € avec dégustation de 3 vins (-6 ans gratuit).

Siège du syndicat des **AOC Bordeaux et Bordeaux supérieur**, ce site propose un parcours pédagogique multimédia et interactif (films, animations son et lumière, maquettes) permettant de découvrir les terroirs au fil des saisons, les techniques de production et le processus de transformation du raisin en vin, le fonctionnement de l'odorat et du goût… La visite se termine bien sûr par une dégustation ! La cave-boutique propose un très vaste choix de châteaux au prix de la propriété. À l'accueil, informations et orientation vers les différentes propriétés des deux appellations.

Un questionnaire ludique est distribué aux enfants et un espace de jeu est réservé aux plus jeunes.

UN VIN DOUX AU PALAIS

La vigne a été introduite dans la région par les Romains. Ce vin, que les Anglais appellent « claret », est très apprécié des Plantagenêts. Et pour preuve, lors des fêtes du couronnement, mille barriques sont mises à sec. Le raisin est alors sacré : qui dérobe une grappe a l'oreille coupée ! La qualité des vins est l'objet de tous les soins : six dégustateurs jurés les vérifient et aucun tavernier ne peut mettre une pièce en perce avant qu'elle n'ait été soumise à leur dégustation. Les marchands pratiquant le coupage sont punis ainsi que les tonneliers dont les barriques sont défectueuses.

NOS ADRESSES À BORDEAUX

TRANSPORTS

Venir à Bordeaux

Aéroport Bordeaux-Mérignac – *Voir p. 9.* Navette (Jet'bus) vers le centre-ville (pl. de la Comédie et la gare St-Jean) 30 à 45mn, ttes les 45mn *(7j/7 - aller simple 7 €).*

Gare St-Jean – Pour rejoindre le centre-ville, prenez le tramway (ligne C).

Transports en commun

La desserte urbaine combine tramway et bus. On utilise le même titre de transport dans les deux cas, la « Tickarte » (carte magnétique) valable pour un voyage ou plus selon la formule choisie. Un trajet coûte 1,40 € et un titre journalier 4,10 €. Distributeurs sur les quais des stations *(rens. : ✆ 05 57 57 88 88 - www.infotbc.com).*

Bordeaux compte **3 lignes** de tramway :

A - Mérignac-La Gardette Bassens Carbon Blanc/Floirac Dravemont (d'ouest en est) ;

B - Claveau-Pessac (du nord au sud) ;

C - Bègles Terres Neuves-Les Aubiers (du sud au nord).

VISITE

Bon à savoir – L'accès aux collections permanentes dans tous les musées municipaux de Bordeaux est gratuit.

En bateau – *Départ quai Richelieu (rive gauche) - ✆ 05 56 49 36 88 - tlj 11h et 15h30 - 15 € (4-12 ans 8 €).* Visite commentée *(1h30)* du port et des façades des quais.

HÉBERGEMENT

Bon à savoir – Les années impaires, autour de la deuxième quinzaine de juin, il est pratiquement impossible de se loger à Bordeaux et dans la région. Agen, pourtant située à plus de 100 km, est aussi touchée par la vague de professionnels du vin qui déferle sur la ville à l'occasion du salon Vinexpo.

PREMIER PRIX

Étap'Hôtel – Plan p. 103, C2 - *37 cours du Mar.-Juin - ✆ 0 892 680 584 - www.etaphotel.com - P - 109 ch. 47/52 € - ☕ 4,90 €.* Cet hôtel de chaîne situé en plein centre-ville propose des chambres fonctionnelles toutes identiques : murs blancs crépis, tissus bleus, climatisation, TV. Une adresse pratique à prix sages, pour visiter le quartier historique de Bordeaux.

Hôtel Notre-Dame – Plan p. 119 - *36 r. Notre-Dame - ✆ 05 56 52 88 24 - www.hotelnotredame.free.fr - P - ♿ - 22 ch. 55/74 € - ☕ 7 €.* Dans la pittoresque rue des antiquaires, cet hôtel offre une halte pratique, au cœur de la ville. Fonctionnelles et actuelles, les chambres sont d'un bon rapport qualité-prix.

Hôtel de l'Opéra – Plan p. 103, D1 - *35 r. de l'Esprit-des-Lois - ✆ 05 56 81 41 27 - www.hotel-bordeaux-centre.com - 28 ch. 55/70 € - ☕ 7 €.* L'atout de cet hôtel familial loti dans un immeuble du 18e s. : sa proximité du quartier historique. Chambres simples et bien tenues, mansardées au dernier étage.

BUDGET MOYEN

Hôtel Citéa – Plan p. 103, C2 - *1 bis r. Jean-Renaud-Dandicolle - ✆ 05 56 56 18 00 - www.citea.com - 98 studios et 10 appart. - ♿ - P - 60/86 € - ☕ 7,50 €.* Cette résidence hôtelière propose plusieurs formules : studios ou deux pièces, toujours avec une

1

cuisinette équipée. Possibilité de prendre le petit-déjeuner dans le salon au rez-de-chaussée. Décoration sobre. Prix dégressifs selon la durée du séjour.

Hôtel Gambetta – Plan p. 103, D1 - *66 r. de la Porte-Dijeaux - ✆ 05 56 51 21 83 - www.hotel-gambetta.com - 31 ch. 68 € ☕.* Hôtel très bien situé, entre Gambetta et le Vieux Bordeaux. Des chambres modernes et calmes, aux tons clairs, donnant sur une rue commerçante animée.

Hôtel Acanthe – Plan p. 103, E1 - *12 r. St-Rémi - ✆ 05 56 81 66 58 - www.acanthe-hotel-bordeaux.com - fermé 23 déc.-15 janv. - ♿- 20 ch. 69/77 € - ☕ 6,10 €.* Sa situation centrale et ses prix très raisonnables sont les points forts de cet établissement. Les chambres, de taille correcte, sont claires et bien insonorisées. L'accueil est agréable.

Hôtel de la Presse – Plan p. 103, D1 - *6 r. Porte-Dijeaux - ✆ 05 56 48 53 88 - www.hoteldelapresse.com - fermé 23 déc.-5 janv. - 27 ch. 69/140 € - ☕ 12 €.* Au cœur du secteur piétonnier, ce sympathique petit hôtel décline le thème de la presse sur 4 étages, soit autant de rubriques (design, fashion, news et sports). Derrière la façade en pierre de taille, l'intérieur, récemment rénové, abrite des chambres fonctionnelles. Accès automobile réglementé.

Hôtel des Quatre Sœurs – Plan p. 103, D1 - *6 cours du 30-Juillet - ✆ 05 57 81 19 20 - www.hotel-bordeaux-centre.com - 34 ch. 90/130 € - ☕ 10 €.* Ce vénérable établissement, idéalement situé en plein cœur de Bordeaux, s'enorgueillit d'avoir hébergé le musicien Richard Wagner et l'écrivain John Dos Passos. Restauré, il abrite aujourd'hui des chambres claires, climatisées, très bien insonorisées et aménagées avec de jolis meubles peints.

POUR SE FAIRE PLAISIR

Hôtel de la Tour Intendance – Plan p. 103, D1 – *14-16 r. de la Vieille-Tour - ✆ 05 56 44 56 56 - www.hotel-tour-intendance.com - 37 ch. 98/158 € - ☕ 12 €.* Rénovation réussie pour cet hôtel du centre-ville : façade typiquement bordelaise bien mise en valeur, pierres apparentes et tomettes à l'intérieur. Les chambres confortables, modernes, climatisées et personnalisées participent au charme de l'endroit. Accueil agréable et souriant.

RESTAURATION

L'huître dans l'assiette – Le bassin d'Arcachon est proche, mais si vous n'avez pas le temps ou pas prévu d'y faire un saut, vous trouverez facilement un restaurant affichant le traditionnel plateau d'huîtres sur sa carte.

Quais des Chartrons et de Bacalan – Autrefois à l'abandon, les quais des Chartrons et de Bacalan ont subi un changement radical : les hangars ont été transformés en lieux de balade, de restauration et de commerce. Le **Quai des Marques** *(hangars 15-19)* vous offre en journée l'occasion d'une balade shopping (marques à prix réduits) et d'une escale gourmande et ensoleillée en bord de fleuve : bistrots, glaciers, cuisine basque ou tapas.

PREMIER PRIX

L'Oiseau Cabosse – Plan p. 103, D2 - *30 r. Ste-Colombe - ✆ 05 57 14 02 07 - mar.-merc. 9h30-19h30, jeu.-sam. 9h30-22h, dim. 10h30-19h30 - 9,50/14,50 €.* Un salon de thé-librairie qui propose du bio très bon : tartes, plats mijotés, salades saines et colorées…

Quand vient le dessert, impossible de faire l'impasse sur l'atelier chocolat maison ! Le dimanche, brunch copieux et savoureux, en terrasse ou à l'intérieur, autour d'une grande table.

BUDGET MOYEN

La Cheminée Royale – Plan p. 103, D1 - *56 r. St-Rémi - ✆ 05 56 52 00 52 - fermé lun. midi et dim. - formule déj. 12,50 € - 16/22 €.* La grande cheminée où sont préparées les grillades (pavé de bœuf maître d'hôtel, brochettes, etc.) trône dans la salle à manger de ce restaurant du centre-ville. Les menus proposés tournent autour d'une cuisine traditionnelle parfaitement maîtrisée.

Le Bistro du Musée – Plan p. 103, D2 - *37 pl. Pey-Berland - ✆ 05 56 52 99 69 - www.lebistrotdumusee.com - fermé dim. - ♿ - formule déj. 13,50 € - 13,50/33 €.* D'emblée, on éprouve de la sympathie pour ce bistrot à la jolie devanture en bois vert foncé et au cadre soigné : murs de pierres apparentes, parquet en chêne, banquettes en moleskine et décor d'outils vignerons. Cuisine du Sud-Ouest escortée d'une belle carte de vins du Bordelais.

Quaizaco – Plan p. 119 - *80 quai des Chartrons - ✆ 05 57 87 67 72 - www.quaizaco.com - fermé 8-18 août, sam. midi et dim. - formule déj. 12/15 € - 26/36 €.* Derrière la façade ancienne de ces entrepôts du 18e s. se cache un intérieur qui tranche, avec meubles et tableaux contemporains (expositions temporaires). Carte actuelle.

La Petite Gironde – Plan p. 103, E1 - *75 quai des Queyries - ✆ 05 57 80 33 33 - www.lapetitegironde.fr - fermé 24 déc.-déb. janv. et dim. soir - ♿ - P - 17/33 €.* Ce restaurant posé sur la rive droite de la Garonne arbore un joli décor, parfaitement dans l'air du temps. Terrasse « les pieds dans l'eau » très prisée. Plats traditionnels.

La Boîte à Huîtres – Plan p. 103, D1 - *36 cours du Chapeau-Rouge - ✆ 05 56 81 64 97 - lun. 10h-15h, mar.-dim. 10h-15h, 18h-23h30 - 15/30 €.* Bivalves de Quiberon à déguster sur l'agréable terrasse d'un cours rendu aux piétons, à l'ombre du majestueux Grand Théâtre.

Bar-cave de la Monnaie – Plan p. 103, F2 - *34 r. de la Porte-de-la-Monnaie - ✆ 05 56 31 12 33 - www.latupina.com - lun.-sam. 12h-14h30, 19h-23h, dim. 12h-14h30 - 15/32 €.* Dans une petite rue qui semble tout entière possédée par le très médiatique Jean-Pierre Xiradakis (3 enseignes, dont ce bar-cave et La Tupina), un bistrot traditionnel de quartier pour les amoureux de terroir : pièce du boucher, andouillette à l'ancienne, pied de porc et vin à prix doux.

Chez Dupont – Plan p. 119 - *45 r. Notre-Dame - ✆ 05 56 81 49 59 - fermé dim. et lun. - 16/25 €.* Une cuisine du marché présentée avec goût et raffinement sur un mode bistrot, dans un lieu chaleureux, en plein cœur des Chartrons.

Auberge'Inn – Plan p. 123, B2 - *245 r. de Turenne - ✆ 05 56 81 97 86 - www.auberge-inn.fr - fermé 1er-24 août, 19-27 déc., 20-28 fév., sam., dim. et j. fériés - 19/50 €.* Murs en pierre ou couleur aubergine, décor contemporain épuré, mobilier moderne, chaleureuse petite terrasse et cuisine dans l'air du temps : une auberge vraiment « in » !

Le Petit Commerce – Plan p. 103, E1 - *22 r. du Parlement-St-Pierre - ✆ 05 56 79 76 58 - www.le-petit-commerce.com - tlj 10h-2h - formule déj. 12 € - 18/40 €.* Tables de bistrot, comptoir en formica et poissons selon l'arrivage (turbot, morue, anguille, merlan…) : dans cette cantine colorée et décontractée où Fabien, le chef, vient saluer ses habitués, on fait beaucoup d'effet avec peu de moyens. Un coup de cœur !

POUR SE FAIRE PLAISIR

La Brasserie bordelaise – Plan p. 103, D1 - *50 r. St-Rémi - ✆ 05 57 87 11 91 - www.brasseriebordelaise.fr - lun.-sam. 12h-15h, 19h-0h - 24/58 €.* La bouteille est reine dans ce grand restaurant-cave aux pierres apparentes, partout décoré d'hommages à Bacchus. Passé chez Jean-Pierre Xiradakis (La Tupina, *voir p. ci-dessous*), Nicolas Lascombes y délivre, sur de longues tables de bois ou au comptoir de dégustation, ce que la région fait de mieux : jambon de porc noir, épaule d'agneau braisée, andouillette, entrecôte de bœuf de Bazas, lamproie à la bordelaise. À voir : la superbe salle voûtée, au sous-sol.

Le Boucher – Plan p. 119 - *35 r. Borie - ✆ 05 57 87 20 58 - mar.-dim. 20h-0h - 30/50 €.* Cachée dans une rue ombragée du quartier des Chartrons, une salle à manger de grand-mère pour de copieuses pièces de viande grillées dans la cheminée.

La Tupina – Plan p. 103, F2 - *6 r. Porte-de-la-Monnaie - ✆ 05 56 91 56 37 - www.latupina.com - formule déj. 18 € - 35/60 €.* Ambiance décontractée dans cette maison à l'atmosphère champêtre. Plats du Sud-Ouest rôtis dans la cheminée ou mijotés sur le fourneau, comme autrefois. Belle carte des vins.

BOIRE UN VERRE

Ailleurs à Bordeaux – *3 pl. du Parlement - ✆ 05 56 52 92 86 - http://ailleurs.bordeaux.free.fr - juin-sept. 11h30-0h ; reste de l'année 11h30-20h sf sam. 0h - fermé 25 déc.* Cette boutique originale et dépaysante abrite sous le même toit un salon de thé, une bibliothèque consacrée aux voyages et une belle sélection d'objets « d'ailleurs ». L'adresse, pleine de charme, invite à savourer le bonheur de l'évasion.

Le Bar à Vin du CIVB – *1-3 cours du 30-Juillet - ✆ 05 56 00 43 47 - http://baravin.bordeaux.com - 11h-22h - fermé dim. et j. fériés.* Sélection de vins de Bordeaux *(2/8 €, le verre)*, service sommelier et assiettes gourmandes *(4,50/6 €, l'assiette)*. Initiation et perfectionnement à l'école de Bordeaux *(voir p 22)*.

Café Brun – *45 r. St-Rémi - 9h-2h - ✆ 05 56 52 20 49* - concerts live jeu. et dim. 19h-21h30. Un endroit hors du temps : le décor de bois, les murs recouverts d'affiches début du siècle plairont aux amateurs de bière et de piano jazz pour une soirée dans une ambiance chaleureuse et décontractée qui en fait un lieu original à Bordeaux.

EN SOIRÉE

Bon à savoir – Cinéma, pièces de théâtre, musique, danse… Tout l'agenda des sorties bordelaises est réuni dans l'hebdomadaire *Bordeaux Plus (www.bordeauxplus.fr)*, disponible à l'office du tourisme et dans quelques hôtels. Soirées et concerts sont détaillés dans *Clubs et Concerts (www.clubsetconcerts)*, mensuel gratuit disponible dans les bureaux de tabac, magasins et cafés. Regardez aussi le site Internet du franzine Happen *(www.happen.fr)*.

Côté Garonne, bars et petits restaurants avec terrasses comptent désormais parmi les adresses branchées de Bordeaux. Sur la **place de la Victoire**, fief des jeunes Bordelais, une

douzaine de bars et de cafés prodiguent concerts et soirées à thème. Parmi ces établissements, citons **El Bodegon** réputé pour son ambiance et **Le Plana**, lieu de passage obligé, dit-on, pour tout étudiant digne de ce nom.
Si vous recherchez une ambiance moins estudiantine, dirigez-vous plutôt vers les bars des **quartiers St-Pierre** (bars à vin) et **St-Éloi**. Le **quartier St-Michel** est quant à lui plus populaire et alternatif, voire *underground*.
Guidés par un instinct festif très sûr, de nombreux noctambules viennent finir la nuit dans l'un des bars ou l'une des discothèques qui jalonnent le **quai Paludate**. Aux alentours de trois heures du matin, c'est bien simple : l'endroit est bondé. Il faut jouer des coudes pour se frayer un passage. À fréquenter en priorité : le Comptoir du Jazz (concerts de jazz et de blues) et la Distillerie, spécialisée dans les whiskys.
Le Grand Théâtre - Opéra national de Bordeaux – *Pl. de la Comédie - rens. et réserv. mar.-sam. 13h-18h30 - ✆ 05 56 00 85 95 - www.opera-bordeaux.com - fermé j. fériés.* Le Grand-Théâtre de Bordeaux, l'un des plus beaux de France, bénéficiant d'une excellente acoustique, est le lieu de représentation de concerts symphoniques, d'opéras et de ballets.
Théâtre national de Bordeaux en Aquitaine – *Sq. Jean-Vauthier - ✆ 05 56 33 36 80 - www.tnba.org - billetterie : 13h-19h - fermé fin juil.-25 août, dim., lun. et j. fériés.* Trois salles pour une programmation pluridisciplinaire : théâtre, cirque, danse, musique, etc. Pièces classiques et contemporaines et spectacles dédiés au jeune public avec le Théâtre des Enfants.
Café L'Utopia – *5 pl. Camille-Jullian - ✆ 05 56 79 39 25 - 12h-15h, 19h-23h, w.-end 12h-23h30 - 7/11,50 €.* Ancienne église réhabilitée en cinéma au style gothique, L'Utopia propose des films d'art et d'essai à prix mini pour un engagement en faveur du 7e Art. Avec ou sans séance, c'est également un lieu d'échanges, de passage très animé pour une pause-café intelligente, ou un en-cas à base de produits du terroir.
L'Onyx – *11 r. Fernand-Philippart - ✆ 05 56 44 26 12 - www.theatre-onyx.net - spectacle 20h33 - permanence : 19h-20h les soirs de spectacle - fermé juil.-sept. et dim.-merc. - 18 €.* C'est le plus ancien café-théâtre de la ville et un lieu indispensable pour découvrir la culture « bordeluche » *(voir p. 114)*.
Théâtre « La Boîte à Jouer » – *50 r. Lombard - ✆ 05 56 50 37 37 (réserv.) - www.laboiteajouer.com - spectacles 21h - fermé juil.-août, dim., lun. et mar. - 12 €.* Ce théâtre compte deux salles de taille modeste (60 et 45 places) où se produisent de petites compagnies régionales, nationales et même internationales, spécialisées dans le théâtre contemporain et musical.
Théâtre Fémina – *10 r. Grassi - ✆ 05 56 52 45 19 - www.theatrefemina.fr - horaires d'ouverture selon spectacles.* Ce bel édifice accueille pièces de théâtre, comédies, *one-man-shows*, opérettes, chorégraphies et concerts.
Base sous-marine – *Bd Alfred-Daney - ✆ 05 56 11 11 50 - www.bordeaux.fr et programmes gratuits (*Clubs et Concerts, Happen*).* Projections, expositions, soirées DJ : surveillez la programmation proposée dans cet incroyable vestige de la Seconde Guerre mondiale, colossale structure de béton à fleur d'eau. Les spectacles n'en sont que plus étourdissants.

ACHATS

Bon à savoir – La chambre de commerce et d'industrie met en ligne un guide de shopping : www.bordeaux-shopping.com. L'office de tourisme abrite une boutique où vous trouverez des souvenirs à l'effigie de la ville et des cadeaux autour du vin.

Conseil interprofessionnel du vin de Bordeaux (CIVB) – *1 cours du 30-Juillet - 05 56 00 22 88 - www.bordeaux.com - tlj sf w.-end 9h-17h - fermé j. fériés.* Tout sur les vignobles et les crus du Bordelais : stages dispensés par l'école du Vin *(voir p. 22)*, dégustations, boutique, documentation, conseils, etc. Plusieurs cavistes à proximité.

Sélection d'adresses où acheter des vins de Bordeaux dans les chapitres suivants.

Rues commerçantes

La rue Ste-Catherine, qui traverse le Vieux Bordeaux, est longue de près de 2 km. Elle est bordée de commerces de tous types : grands magasins, boutiques de mode, bars, restaurants, etc. Formant un angle entre cette rue et la rue de la Porte-Dijeaux, à quelques pas de la Comédie, le passage de la Galerie-Bordelaise permet de faire du lèche-vitrines dans un cadre architectural romantique.

Dans le quartier des Chartrons, la rue Notre-Dame (et rues adjacentes) est devenue celle des antiquaires et des brocanteurs, tandis que la rue du **Faubourg-des-Arts**, dédiée aux métiers des arts, accueille de nombreux artisans et créateurs.

Marchés

Marchés traditionnels – *05 56 10 25 55 - mar.-sam., pl. de la Ferme-de-Richemont; mar.-dim. pl. des Capucins; dim. quai des Chartrons et pl. Pey Berland.*

Marchés biologiques – *05 56 10 25 55 - jeu. quai des Chartrons; vend. pl. Lucien-Victor-Meunier; sam. pl. St-Amand (quartier Caudéran).*

Spécialités

Huîtres Brunet – *7-11 r. de Condé - 05 56 81 66 60 - mar.-sam. 10h-12h30, 16h-20h30, dim. et j. fériés 9h-13h - fermé juil.-août.* Depuis 25 ans, cet ostréiculteur amène des naissains à maturité dans le bassin d'Arcachon pour les vendre ensuite sur son petit étal bordelais, non loin de la place des Quinconces. Chaque matin, un arrivage d'huîtres fraîches part de ses parcs pour prendre place sur ce comptoir. Si vous le demandez en téléphonant auparavant, la maison peut ouvrir les huîtres pour vous.

Chocolaterie Saunion – *56 cours Georges-Clemenceau - 05 56 48 05 75 - www.saunion.com - tlj sf lun. mat. - fermé dim., 14 juil.-15 août et j. fériés.* C'est l'un des chocolatiers les plus réputés de Bordeaux : à ne pas manquer !

Baillardran Canelés – *Galerie des Grands-Hommes - 05 56 79 05 89 - www.baillardran.com - tlj sf dim. 10h-19h30 - fermé j. fériés.* Située dans la galerie des Grands-Hommes, cette boutique confectionne de délicieux canelés, petits gâteaux bordelais à la robe caramélisée, croquants à l'extérieur et moelleux à l'intérieur.

Maison Darricau – *7 pl. Gambetta - 05 56 44 21 49 - www.darricau.com - tlj sf dim. 10h-19h - fermé j. fériés.* Depuis 1913, la maison régale les gourmands avec son Week-End à Bordeaux (spécialité), ses ganaches fondantes ou son chocolat pétillant. Michel Garrigue, qui tient actuellement les rênes de cet établissement, travaille avec de grands crus de cacao qu'il associe aux épices et herbes aromatiques rapportées de ses nombreux voyages.

Confiserie Cadiot-Badie – *26 allées de Tourny - ✆ 05 56 44 24 22 - www.cadiotbadie.com - 9h15-19h (lun. et sam. 10h) - fermé dim., 2 sem. en août et j. fériés sf Noël et Pâques.* Vous serez sûrement charmé par le style rétro de cette belle boutique fondée en 1826. Truffes (surnommées Les Diamants Noirs) et bouchons bordelais confectionnés avec passion valent vraiment le détour.

Autres achats

Librairie Mollat – *15 r. Vital-Carles - ✆ 05 56 56 40 40 - www.mollat.com - 9h30-19h30 - fermé j. fériés.* La première librairie indépendante de France, une véritable institution régionale.

Passage St-Michel – *14-17 pl. Canteloup (quartier St-Michel) - ✆ 05 56 74 01 84 - www.passage-st-michel.com - lun.-sam. 9h30-18h30, dim. 8h30-14h - fermé Noël et 1er janv.* Ancien entrepôt reconverti en galerie de brocanteurs (49 marchands).

Diabolo Menthe – *30 r. de Cheverus - ✆ 05 56 81 33 02 - mar.-sam. 14h-19h.* Un joyeux capharnaüm règne dans cette boutique. Celui du sacro-saint, indémodable Vinyle ! Des 45 et, surtout, des 33 à foison, pour tous les genres, de la variété démodée aux musiques les plus échevelées. On y trouve aussi des CD.

ACTIVITÉS

Au bord de l'eau

Par beau temps ou forte chaleur, vous aurez sans doute envie de vous baigner. Vous ne serez pas le seul : attendez-vous à des embouteillages !

Une **piste cyclable** (59 km), accessible depuis Bordeaux-Lac, permet de rejoindre Lacanau.

Les plages – Arcachon est à 50 km à l'ouest, Lacanau à 60 km au nord-ouest et Biscarrosse à 74 km au sud-ouest.

Le Porge, situé entre Lacanau-Océan et le bassin d'Arcachon, est la plage de prédilection des Bordelais.

Le lac – Il couvre 160 ha. Autour du plan d'eau se situent des équipements sportifs (centre de voile et d'aviron ,golf, tennis) ainsi qu'un ensemble de grands hôtels. Le quartier du Lac est desservi par le pont d'Aquitaine, voie d'accès à l'autoroute A 10 vers Paris.

AGENDA

En juin, la **Fête du vin** *(années paires)* alterne avec la **Fête du fleuve** *(années impaires)* – *Voir p. 28.*

Vinexpo – *5 jours en juin, les années impaires - www.vinexpo.fr.* Le grand rendez-vous mondial des professionnels du vin.

Novart Bordeaux – *10 jours en oct., les années paires - www.bordeaux.fr.* Théâtre, danse, musique et installations se produisent dans les principales institutions culturelles de la ville.

Evento – *10 jours en oct., les années impaires - ✆ 05 56 00 66 00.* Déploiement d'œuvres contemporaines dans la ville et rassemblement d'artistes, graphistes, écrivains et urbanistes.

Panoramas, le parc des côteaux en biennale – *2 jours en oct.* Ce n'est plus tout à fait Bordeaux, mais c'est encore la CUB (communauté urbaine de Bordeaux) ! Pendant 2 jours, 4 communes et 10 parcs inventent un mélange original de nature et d'art numérique, avec un temps fort : la « nuit verte ».

Les côtes de Bordeaux

Gironde (33)

NOS ADRESSES PAGE 136

S'INFORMER

Office du tourisme du Cadillacais et Langoiran – *9 pl. de la Libération - 33410 Cadillac - ✆ 05 56 62 12 92 - http://cadillac-tourisme.com - juil.-sept. : 9h30-12h, 14h-19h ; reste de l'année : lun. 9h30-12h, 14h-18h, mar.-sam. 9h30-12h, 14h-19h - fermé 1er janv., 1er Mai, 25 déc., 20 déc.-mi-janv. - Livret de découverte de la ville de Cadillac, Rions, Ste-Croix-du-Mont et Loupiac (2 €) ; jeu spécial familles (gratuit).*

SE REPÉRER

Carte de microrégion BC3 (p. 98)– *carte Michelin Départements 335 I-J 6-7.* Sur la rive droite de la Garonne, en direction de Langon par les D 113 et D 10.

À NE PAS MANQUER

Les ruelles de Rions ; le château des ducs d'Épernon à Cadillac ; la maison de François Mauriac au domaine de Malagar et son panorama ; la cité médiévale de St-Macaire.

Cette région viticole est bordée par des coteaux qui, sur une soixantaine de kilomètres, forment l'aire d'appellation des premières-côtes-de-bordeaux. La rive de la Garonne offre de beaux points de vue et est parsemée de petits châteaux où vécurent les peintres Henri de Toulouse-Lautrec et Rosa Bonheur, ainsi que les écrivains François Mauriac et Anatole France.

Circuit conseillé Carte de microrégion p. 98

Pour visualiser ce circuit de 84 km au départ de Bordeaux, se reporter à la carte de microrégion p. 98 ou à la carte des vignobles au sud et à l'est de Bordeaux, p. 150. Compter une journée.
Prendre la D 113 puis la D 10 qui suivent la Garonne au sud-est de Bordeaux.

Château de Langoiran B3

✆ 05 56 67 12 00 - www.chateaumedievaldelangoiran.com - avr.-sept. : 9h-12h, 14h-18h, j. fériés 14h-18h ; reste de l'année : lun. 9h-12h, 14h-18h, j. fériés 14h-18h - le château peut être fermé le sam. en été - 3 € (-6 ans gratuit).

De ce château du 13e s., laissé à l'abandon pendant plus de trois siècles, seuls subsistaient une enceinte ruinée et un **donjon** rond très imposant envahis par la végétation. Depuis 1972, une association veille à son entretien : dégagement des douves, aménagement de la chapelle oratoire… L'ensemble ne manque pas de charme.
Au-dessous du château médiéval se trouve le **château viticole** de Langoiran.

Rions B3

On pénètre dans cette petite cité médiévale fortifiée par la **porte du Lhyan** (14e s.), qui a conservé ses éléments défensifs d'origine : mâchicoulis, assommoir, rainures de herse et loges latérales pour les hommes d'armes. Vous ferez une jolie balade au milieu des maisons anciennes en passant par la **halle** du 18e s. avant de rejoindre le bucolique sentier des remparts, bordé de jardinets.

La bastide de Cadillac, au bord de la Gironde.
D. Schneider / Photononstop

1

Cadillac B3

Cette bastide, fondée en 1280, a donné son nom au cadillac, petite appellation de **vins blancs** liquoreux.

Encadré « Les vins des côtes de Bordeaux », p. 134.

Sur la **porte de la Mer** (la Garonne, à proximité, est sensible à l'influence des marées) figure une impressionnante échelle des crues du fleuve.

Le **château des ducs d'Épernon**, récemment restauré, fut élevé et décoré de 1598 à 1620 pour le fastueux et irascible **Jean-Louis de Nogaret de La Valette** (1554-1642), ancien mignon d'Henri III et haut personnage sous Henri IV et Louis XIII. Sa devise : « C'est dans l'adversité qu'il brille le plus. » Le château, l'un des premiers exemples d'architecture à la française, fut transformé en prison pour femmes au 19e s. Les vastes appartements aux plafonds à la française abritent huit cheminées monumentales, auxquelles travailla le sculpteur Jean Langlois; elles sont remarquables par la richesse de leur décor de marbres rares : trophées, Amours, chutes de fleurs et de fruits. Le château accueille des expositions temporaires en saison. *05 56 62 69 58 - http://cadillac.monuments-nationaux.fr/fr/ - visite libre ou guidée (à 11h, 14h30, 16h) - juin-sept. : 10h-13h15, 14h-18h; oct.-mai : mar.-dim. 10h-12h30, 14h-18h - fermé 1er janv., 1er Mai, 25 déc. - 5 € (-26 ans gratuit).*

L'**église St-Martin**, édifiée au 14e s. sur le mur d'enceinte de la bastide, a été modifiée au 19e s. (façade et clocher). La chapelle funéraire, commandée à **Pierre Biard** par le duc d'Épernon, accueille la sépulture de son épouse, Marguerite de Foix Candale, et sa crypte les dépouilles des ducs d'Épernon.

La route longe le coteau calcaire portant les vignobles compris dans l'appellation premières-côtes-de-bordeaux : vins blancs, rouges et clairets.

Loupiac B3

Célèbre pour ses vins blancs, la localité existait déjà du temps des Romains. Le poète Ausone (4e s. après J.-C.) y aurait vécu. Témoins de cette époque, les vestiges d'une **villa gallo-romaine** (1er s.-5e s. apr. J.-C.) dont les thermes, abrités sous une serre, conservent de belles mosaïques. À côté, prieuré

AUX ORIGINES DE LA MARQUE CADILLAC
Antoine Laumet (1658-1730), ayant émigré en Amérique, prit le nom de Lamothe-Cadillac. Il créa en Louisiane un comptoir qui devint plus tard Detroit, la capitale de la construction automobile. C'est en son honneur qu'une firme reprit son nom en 1902.

bénédictin du 12e s. *✆ 05 56 62 93 82 - s'adresser au château Le Portail Rouge ou à M. Jean-Pierre Bernède au ✆ 06 07 01 64 88 - visite guidée (1h) tte l'année - juil.-août : 14h-18h ; reste de l'année : dim. 14h-18h - fermé j. fériés - 3 €.*
Prendre la D 117.
La route traverse des mamelons couverts de vignes. Les châteaux se dissimulent au creux de bouquets d'arbres.
Reprendre la D 10 vers St-Macaire puis la D 120 sur la gauche.

Verdelais B3

Se garer près de la basilique, voisine du cimetière et du chemin de croix.
Notre-Dame de Verdelais protège les affligés. Est-ce pour cela que Toulouse-Lautrec et Mauriac séjournèrent chacun un temps dans son ombre ? Toujours est-il que ce petit village de pierre blonde, caché au creux des vignes, dégage un charme certain que ne vient entamer nulle morosité.
Basilique Notre-Dame – L'église a été reconstruite au 17e s. Les jours de fête mariale (15 août et 8 septembre) et les dimanches d'été, elle accueille une grande foule. Aussi les murs de ce sanctuaire, doucement éclairé par la lueur des cierges, sont-ils presque entièrement garnis d'**ex-voto**. Au-dessus du maître-autel trône la statue du 14e s., en bois, de la Vierge, invoquée surtout dans les naufrages et pour la guérison des paralytiques. À l'entrée de l'église, un cahier invite le fidèle à noter sa prière à Notre-Dame de Verdelais, consolatrice des affligés.
Tombe de Toulouse-Lautrec – À droite de la basilique, dans le paisible cimetière de Verdelais, repose le peintre **Henri de Toulouse-Lautrec-Monfa** (1864-1901). Sa pierre tombale, très simple, se trouve à l'extrémité de l'allée centrale, à gauche *(repérez une grande tombe fleurie, couronnée d'un ballon de foot : la tombe de Lautrec est juste derrière).*
Calvaire – Après un agréable chemin de croix qui grimpe à travers bois, vous atteignez le grand calvaire (19e s.). Le Christ en croix est entouré des deux larrons. À ses pieds se tiennent la Vierge et saint Jean. **Jolie vue★** sur la vallée de la Garonne et le Sauternais. Avec de la chance, vous pourrez voir les ailes du moulin de Cussol en fonction.
Prendre la D 19 en direction de St-Macaire.

Domaine de Malagar - Centre François-Mauriac B3

✆ 05 57 98 17 17 - http://malagar.aquitaine.fr - ♿ - avr.-oct. : 10h-13h, 14h-18h ; reste de l'année : lun.-vend. 14h-17h30, w.-end et j. fériés 10h-13h, 14h-17h30 - fermé 1er Mai et dernière sem. de déc. - possibilité de visite guidée (1h) - 6 € (-18 ans gratuit).
Surplombant la vallée de St-Maixant et la ville de Langon, ce domaine fut le lieu de villégiature de **François Mauriac** (1883-1970) pendant de nombreuses années. Sa maison, simple bâtisse de deux étages, s'ouvre, au rez-de-chaussée, sur le salon, « cœur de Malagar », dans lequel Mauriac rédigea *Le Nœud de vipères*, et sur le bureau, tous deux renfermant de nombreux souvenirs.
Installé dans un des chais attenant à la maison, un musée présente l'œuvre et la vie de Mauriac dans cet environnement tant aimé. Une promenade dans le parc s'impose, avec une halte sur la terrasse de pierre d'où Mauriac aimait contempler ses vignes et au loin les Landes.

★ **St-Macaire** *(voir p. 138)* C3

Sortez à l'est et reprendre la D 10 en direction de Bordeaux.

★ **Ste-Croix-du-Mont** B3

✆ 05 56 62 01 39 - www.sainte-croix-du-mont.fr.

De la terrasse du château de Tastes *(actuelle mairie)*, **vue★** très étendue en direction des Pyrénées (table d'orientation). À l'extrémité de la colline, l'**église** remaniée au cours des siècles conserve un portail roman.

Des **grottes★** s'ouvrent en contrebas, creusées dans un banc d'huîtres fossiles déposé par l'Océan à l'époque tertiaire.

LES VIGNOBLES DES CÔTES DE BORDEAUX

Terroir : Situé sur la rive droite de la Garonne, les côtes de Bordeaux suivent une bande étroite, de 60 km de long et 5 km de large, du nord de Bordeaux à Langon. L'aire est implantée sur des sols de graves caillouteuses ou d'argile sur une couche profonde de calcaire.

Production : La région produit des vins rouges bien charpentés, avec une dominante de merlot qui leur donne rondeur et souplesse. Les vins rosés ou clairets sont une des spécialités du secteur. Les vins blancs sont moelleux à liquoreux, fruités en bouche, amples, gras et aromatiques (Les vins blancs secs produits dans la région ne relèvent pas des AOC suivantes, mais peuvent bénéficier de l'AOC Bordeaux).

AOC cadillac-côtes-de-bordeaux : rouges aux cépages merlot, cabernet-sauvignon, cabernet franc et malbec.

AOC cadillac : blancs moelleux aux cépages sauvignon, sémillon et muscadelle.

AOC côtes-de-bordeaux-saint-macaire, loupiac, sainte-croix-du-mont : cépages sémillon, sauvignon et muscadelle qui produisent des blancs liquoreux.

Vous trouverez aux adresses suivantes une présentation des vignobles, des animations et dégustations et la liste des châteaux ouverts à la visite :

Maison des vins des Premières-Côtes-de-Bordeaux et Cadillac – *voir p. 137.*

Syndicat viticole de Loupiac – *✆ 05 56 62 92 22 - www.vins-loupiac.com.*

1

NOS ADRESSES DANS LES CÔTES DE BORDEAUX

Voir aussi nos adresses à St-Macaire (p. 139).

HÉBERGEMENT

Bon à savoir – Le label **Gîte Bacchus** *(21 cours de l'Intendance - 33000 Bordeaux - 05 56 81 54 23 - gites-de-france-gironde@wanadoo.fr - - à partir de 50 €)*, créé en 1996 à l'initiative des Gîtes de France de Gironde, est attribué à des hébergements situés chez des viticulteurs, au cœur de domaines viticoles. L'hôte y est accompagné et conseillé dans sa découverte du vignoble : présentation des cépages, accès aux chais, dégustations…

BUDGET MOYEN

Chambre d'hôte Le Relais des remparts – *13, pl. du Repos - 33410 Rions - 05 56 27 28 31 - www.lerelaisdesremparts.com - 3 ch. 54/59 € - table d'hôte sur réserv. 19 €.* Au cœur de Rions, cette maison du 16e s. s'organise autour d'une tour et d'une agréable cour, très paisible. Le premier étage est réservé aux chambres d'hôtes, claires et spacieuses. Sophie, l'hôtesse, propose également des cours de cuisine ou des paniers pique-nique, savoureux et pratiques, si vous souhaitez partir en excursion dans les vignobles.

Chambre d'hôte Château du Broustaret – *33410 Rions - 4 km au nord-ouest de Cadillac par D 10 - 05 56 62 96 97 - www.broustaret.net - fermé nov.-vac. de printemps - - 5 ch. 55/60 € .* La tradition d'hospitalité a plus de 25 ans dans cette propriété viticole édifiée au cœur des Premières Côtes de Bordeaux. Bois et prairies entourent la noble maison où sont aménagées des chambres simples et néanmoins confortables. Une halte au grand calme, parfaite pour découvrir le vignoble bordelais.

Chambre d'hôte Les Batarelles – *103 Deyma - 33550 Villenave-de-Rions - 1,5 km à l'ouest de Villenave-de-Rions par D 237 - 05 56 72 16 08 - www.batarelles.com - - P - 4 ch. 65/75 € .* Voici une adresse idéale pour qui souhaite faire une pause douillette au cœur du vignoble bordelais. Les chambres rénovées, coquettes et confortables, ont été aménagées avec goût. Elles comportent deux suites, l'une avec balcon, l'autre avec une terrasse privative. Une cuisine est à disposition, ainsi qu'une petite salle de fitness avec spa. Au petit-déjeuner, la propriétaire propose miels et confitures maison, au coin du feu en hiver et sur la terrasse bordée de vignes en été.

Chambre d'hôte Château Grand Branet – *859 Branet sud - 33550 Capian - 9 km au sud de Créon dir. Cadillac - 05 56 72 17 30 - http://chateaugrandbranet.free.fr - P - fermé janv. - - 5 ch. 68 € .* Joli château du 17e s., rénové au 19e s., entouré d'un parc ombragé planté d'arbres centenaires. Les cinq chambres (murs de pierres apparentes, meubles anciens) peuvent accueillir 3 ou 4 personnes. Le propriétaire vous proposera certainement une visite de son exploitation et des chais… avec dégustation à la clef!

POUR SE FAIRE PLAISIR

Chambre d'hôte Les Logis de Lestiac – *71 rte de Bordeaux - 33550 Lestiac-sur-Garonne - 10 km au nord-ouest de Cadillac par*

D 10 - ✆ 05 56 72 17 90 - www.logisdelestiac.com - ⊠ - 🅿 - 5 ch. 95/115 € ☕ - table d'hôte 25/30 €. Maison de maître du 18e s. rénovée comprenant, à l'étage, quatre chambres spacieuses et élégantes décorées sur le thème des saisons ainsi qu'une dernière au rez-de-chaussée remplie d'antiquités drôlement utilisées… À l'extérieur, invitation à la détente avec le jardin et la piscine d'eau salée.

RESTAURATION

POUR SE FAIRE PLAISIR

L'Entrée Jardin – *27 av. du Pont - 33410 Cadillac - ✆ 05 56 76 96 96 - www.restaurant-cadillac.com - 🅿 - ♿ - juil.-août : fermé dim., lun. et sem. du 15 août - 13 € déj. - 28/57 € - menu gastronomique 32 € et menu découverte 38 €.* Toutes les chambres d'hôte de la région recommandent cette adresse qui marie avec brio accueil souriant, service efficace et cadre agréable. La cuisine régionale tout est pratiquement fait maison – a de quoi combler les appétits les plus féroces.

Auberge de l'Ancienne Poste – *Pl. Cazeaux-Cazalet - 33410 Rions - 4 km au nord-ouest de Cadillac par D 10 - ✆ 05 56 27 43 31 - 🅿 - fermé dim. soir et lun. - déj. 16 € - 35,50/55 €.* Ambiance rustique pour cette maison de maître, où l'on déguste des grillades et une spécialité : la côte de bœuf préparée devant vous dans l'immense cheminée.

ACHATS

Marché au gras de Langoiran – *✆ 05 56 67 01 06 (mairie) - 1er dim. de déc.*

VINS

Maison des vins Cadillac-Côtes-de-Bordeaux et Cadillac – *La Closière - 33410 Cadillac - ✆ 05 57 98 19 20 - www.cadillaccotesdebordeaux.com - lun.-vend 9h-12h et 14h-17 ; permanence le w.-end, à consulter sur le site.* La maison des vins est installée dans un beau domaine viticole, authentique chartreuse du 18e s. En plus de la vente, elle propose des circuits de découverte et des visites-dégustations des domaines des Premières Côtes.

Château Malromé – *3 km au nord-est de Verdelais - ✆ 05 56 76 44 92 - www.malrome.com.* C'est dans ce château construit au 14e s. par Guiraud de Taste, comte de Béarn, puis reconstruit et agrandi aux 16e et 19e s., que **Toulouse-Lautrec** passa quelques années de sa vie aux côtés de sa mère, la comtesse Adèle de Toulouse-Lautrec. Le célèbre peintre y mourut à l'âge de 37 ans. Dégustation-vente de vin du domaine.

ACTIVITÉS

Randonnées à Cadillac – L'office de tourisme propose un guide (1 €, 8 randonnées) et 2 fiches gratuites (5 km et 6 km) pour découvrir le Cadillacais à pied ou à vélo, au départ de la bastide. Il existe d'autres boucles pédestres locales à Lestiac, Rions, Ste-Croix-du-Mont, Loupiac.

Saint-Macaire

★

1 670 Macariens – Gironde (33)

NOS ADRESSES PAGE CI-CONTRE

S'INFORMER

Office du tourisme de l'Entre-deux-Mers, antenne de St-Macaire – *8 r. du Canton - 33490 St-Macaire - ✆ 05 56 63 32 14 - www.entredeuxmers.com - juin-sept. : lun.-mar. 10h-13h, 15h-19h, merc.-dim. et j. fériés 11h-13h, 15h-19h - fermé 1er janv., 1er Mai et 25 déc.*

Visite – Plan commenté de la cité médiévale ; documentation sur l'Entre-deux-Mers et la Gironde sud, les randonnées pédestres ou cyclotouristiques. Cave à vin et dégustation gratuite tous les jours en juil.-août.

SE REPÉRER

Carte de microrégion C3 (p. 98) – *carte Michelin Départements 335 J7.*

À 18 km à l'ouest de La Réole. Longé par la D 1113, St-Macaire est cependant étonnamment préservé du bruit de la route. On en a une jolie vue d'ensemble depuis la route de Sauveterre (D 672).

À NE PAS MANQUER

La place du Mercadiou ; les peintures murales et la curieuse architecture de l'église St-Sauveur.

ORGANISER SON TEMPS

Comptez une demi-journée pour faire le tour de la ville. Si vous venez le jeudi matin, vous pourrez agrémenter la visite d'un petit tour au marché.

Une cité médiévale à deux pas de Bordeaux... quel bonheur ! De l'image de carte postale, St-Macaire a le charme, mais certainement pas le glacé du papier. Vous y sentirez une vie permanente derrière les balcons et les façades restaurées des vieilles ruelles. Une balade à ne pas manquer !

Se promener

Enceinte

Remontant au 12e s., époque de l'établissement de la ville, elle a conservé trois portes. L'une d'elles (porte de Benauge), couronnée de puissants mâchicoulis, constitue encore, au nord, l'accès principal à la vieille ville. Admirez la perspective du front sud des remparts, au bord de la falaise calcaire baignée jadis par la Garonne et creusée par elle de cavités.

Église St-Sauveur

Agréablement située sur le rocher de St-Macaire, au-dessus du front sud de l'enceinte, elle domine la vallée.

Vaste et imposant, l'édifice possède une abside romane ceinturée d'un cordon de billettes. Le plan de cette église dessine un trèfle suivant une formule peu courante (que l'on retrouve au St-Sépulcre de Jérusalem), la quatrième abside étant remplacée par la nef. Sous le porche du 13e s., couronné d'une rosace flamboyante, se trouvent de curieux vantaux (battants) de cœur de chêne à

ferrures, de la même époque. Au tympan, scènes sculptées montrant onze apôtres auréolés et assis. De la terrasse, vue sur la Garonne.
À la croisée du chœur et sur la voûte de l'abside est, **peintures murales★** aux couleurs chaudes (14e s.), sur le thème de l'Apocalypse et de la vie de saint Jean.

Place du Mercadiou ou Marché-Dieu

Très séduisante place entourée de couverts gothiques et Renaissance, ou « embans ». Belles demeures des 15e et 16e s., avec baies en accolade ou fenêtres à meneaux.

NOS ADRESSES À SAINT-MACAIRE

HÉBERGEMENT

BUDGET MOYEN

Appart'hôtel Les Tilleuls et restaurant Le Médiéval – *16 allée des Tilleuls - ✆ 05 56 62 28 38 - www.tilleul-medieval.com - P - ♿ -12 ch. 40/60 € - ☕ 8 € - rest. (fermé en janv.) 20/40 € - demi-pension 124 €.* Ces murs du 16e s., voisins de la mairie, abritent des petits studios fonctionnels, sobrement meublés et dotés de cuisinettes aménagées. Le restaurant, de style traditionnel, est ouvert à tous, avec produits du terroir au menu.

POUR SE FAIRE PLAISIR

Hôtel-restaurant Les Feuilles d'Acanthe – *5 r. de l'Église - ✆ 05 56 62 33 75 - www.feuilles-dacanthe.fr - fermé 25 déc.-20 janv. - P - 11 ch. 82/112 € - ☕ 10 € - rest. 16/36 €.* Cette belle bâtisse des 14e et 17e s. située au cœur de la cité médiévale de St-Macaire a été parfaitement restaurée. Les chambres et la suite sont charmantes : sol en carreaux de Gironde, mobilier en chêne, murs de pierres apparentes. Jacuzzi avec nage à contre-courant installé dans une cour intérieure.

RESTAURATION

BUDGET MOYEN

L'Abricotier – *2 r. François-Bergœing - D 1113 - ✆ 05 56 76 83 63 - www.restaurant-abricotier.com - P - fermé 12 nov.-12 déc., mar. soir et lun. - 20/40 € - 3 ch. 65 € - ☕ 7,50 €.* Cet établissement posté en léger retrait de la D 1113 abrite de coquettes salles à manger actuelles et s'agrémente d'une terrasse ombragée de mûriers. En cuisine, son chef mitonne de bons petits plats régionaux, que vous pourrez arroser d'une bouteille choisie parmi la judicieuse sélection de vins. Trois chambres côté verdure.

Graves, Sauternes et Barsac

Gironde (33)

NOS ADRESSES PAGE 145

S'INFORMER

Office du tourisme du Sauternais-Graves-Pays de Langon – *11 allées Jean-Jaurès - 33210 Langon - 05 56 63 68 00 - www.sauternais-graves-langon.com - mai-sept. : lun.-mar. et jeu.-sam. 10h-12h30, 14h-18h30, merc. 10h30-12h, 14h-18h30; reste de l'année : lun.-mar. et jeu.-sam. 10h-12h30, 14h-17h30, merc. 10h30-12h30, 14h-17h30 - fermé 1er janv., 1er nov., 1er Mai et 31 déc.*

Autre point d'accueil : 11 r. Principale - 33210 Sauternes - 05 56 76 69 13 - mai-juin et sept.-oct. : mar., jeu.-sam. 10h-12h30, 14h-18h, merc. 14h-18h; juil.-août : mar.-dim. 10h-12h30, 14h-18h. Découverte du vin et du patrimoine.

SE REPÉRER

Carte de microrégion A-B3 (p. 98) – *carte Michelin Départements 335 I-J 6-7; H 6-7.*

Région viticole au sud-est de Bordeaux, proche de Langon.

À NE PAS MANQUER

Le château de Montesquieu à La Brède, les jardins à l'italienne du château de Malle, une dégustation de Lillet ou de sauternes.

AVEC LES ENFANTS

La réserve naturelle géologique de Saucats-La Brède, l'écomusée de la Vigne et du Vin à Gradignan.

Voici une terre agréable à parcourir, avec son lot de visites, dont le beau château de Montesquieu, et de végétation souveraine. Elle est aussi indissociable du vin. Sur la rive gauche de la Garonne, en partie imbriqué dans l'agglomération bordelaise, le vignoble des Graves est le seul de France à porter un nom géologique. Depuis 1987, la partie nord des Graves, où sont concentrés les meilleurs terroirs, porte l'AOC pessac-léognan. Le sud des Graves englobe les fameuses appellations barsac et sauternes.

Circuit conseillé Carte de microrégion p. 98

VIGNOBLE DES GRAVES

Pour visualiser ce circuit de 94 km au départ de Bordeaux, se reporter à la carte de microrégion p. 98 ou à la carte p. 150. Compter une demi-journée.
Depuis Bordeaux, prendre la rocade sortie 20, puis suivre la D 108.

Château Malleret à Cadaujac B3

Du centre du bourg, suivre la dir. port de Grimat et continuer sur le chemin de Malleret. S'avancer jusqu'à la grille. 05 56 35 05 36 - visite guidée (1h) juil., sept. : lun.-vend. mat. et apr.-midi, w.-end sur RV; reste de l'année sur RV - 5 € (-14 ans gratuit).

Ce château (17e s.-19e s.), posté sur les bords de la Garonne, reçut Napoléon III. Le parc abrite plusieurs « fabriques » (belvédère, pigeonnier…) et un tulipier de

Virginie du 18e s. On peut visiter les salons du rez-de-chaussée, mais surtout les beaux **jardins à thème** : roseraie, jardins de couleurs, labyrinthe... Agrémentés de bassins, ils accueillent aussi de superbes **paons** et quelques volières.
Continuer sur la D 108, puis prendre la D 1113.

Portets B3

Le village de Portets est situé au cœur du vignoble des Graves. Ceux qui apprécient les vins de Bordeaux seront servis !
Château de Mongenan – *℘ 05 56 67 18 11 - www.chateaudemongenan.com - ♿ - visite guidée (1h) - juil.-août : 10h-12h, 14h-18h ; reste de l'année : 14h-18h - fermé 31 déc.-15 fév. - 6 € (-12 ans gratuit), billet combiné avec le Château Lagueloup 10 €.* Toute parée de vignes et de fleurs, la jolie chartreuse de Mongenan (1736) est précédée d'une terrasse qui se prolonge vers un **jardin botanique** inspiré par les préceptes de J.-J. Rousseau. Là poussent pêle-mêle plantes aromatiques, fleurs, légumes anciens et arbres fruitiers. Notez aussi un jardin d'utilité, selon le modèle du 18e s., restauré en 2010, avec plus de mille variétés de plantes médicinales, potagères et tinctoriales. Enfin, un **musée,** consacré au 18e s. (collection d'herbiers, documents historiques, costumes, etc.), inclut la reconstitution d'un temple maçonnique (objets de collection).
Château Lagueloup – *℘ 05 56 67 18 11 - www.chateaulagueloup.com - ♿ - visite guidée (45mn) sur RV - 10h-12h, 14h-18h - 6 € (-12 ans gratuit), billet combiné avec le Château de Mongenan 10 € - petit-déjeuner gourmand le sam. sur réserv.* La propriétaire du château de Mongenan a acquis, en 2000, le château Lagueloup,

1

LES VIGNOBLES DES GRAVES, SAUTERNES ET BARSAC

Terroirs : C'est entre la rive gauche de la Garonne et la lande girondine, sur les croupes graveleuses bien drainées, résultant de l'érosion pyrénéenne, que s'est développé au Moyen Âge le premier vignoble bordelais. Jusqu'au 17e s., la région des **graves** assurait en effet, quasiment à elle seule la réputation des vins de Bordeaux et la production des nombreuses quantités envoyées vers l'Angleterre. Enclavé dans la zone méridionale de la région des graves, le **sauternais** est fameux pour les vins liquoreux qui y sont produits sous trois appellations différentes.
Production : AOC graves et **graves supérieures** (appellations régionales) et **Pessac-Léognan** (appellation communale) : vins très travaillés, élevés sur lie grâce au procédé du remontage, ce qui donne des vins rouges colorés et onctueux, tout en rondeur, et des vins blancs secs et nerveux.
AOC sauternes, barsac et cérons : ces vins blancs liquoreux bénéficient d'un microclimat spécifique. Ainsi, les grains de raisin, parvenus à maturité, ne sont pas cueillis aussitôt afin qu'ils puissent subir la « pourriture noble », causée par le *Botrytis cinerea* : à l'endroit où le Ciron se jette dans la Garonne, se produit une alternance de brouillards matinaux et de journées sèches. Cette sècheresse stoppe le développement des moisissures. N'en reste que le bénédice : les enzymes des moisissures concentrent les sucres de la baie du raisin. Ces grains comme « confits » sont alors détachés un par un, puis pressés. Ils donnent des vins de très longue garde.
ℹ Vous trouverez aux adresses suivantes une présentation des vignobles, des animations et dégustations et la liste des châteaux ouverts à la visite.
Syndicat viticole des graves, à Podensac *(voir p. 146).*
Maison du sauternes, à Sauternes *(voir p. 146)*
Maison du vin de Barsac, à Barsac *(voir p. 146)*

dans lequel elle a aménagé un **musée de la Vigne et du Vin** présentant le patrimoine technique exceptionnel trouvé sur les lieux. En effet, les immenses chais ont été conçus à la fin du 19e s. par l'ingénieur **Samuel Wolf** comme une usine. Différents documents illustrent l'histoire de cette réalisation révolutionnaire. Vous verrez ces installations « modernes » (transport du raisin par wagonnets, pressoir à vapeur, foulopompe…), ainsi que le matériel de tonnellerie (car le château avait son propre atelier) et une collection d'outils de la vigne depuis le 18e s.
Dans le parc du château, un baptistère datant du 3e s. a été découvert.
Continuer sur la D 1113.

Podensac B3

Ce gros bourg est la patrie de l'apéritif **Lillet**, boisson à base de vin, aromatisée aux herbes et au quinquina. Visite des installations, du cuvier Art déco et collection d'étiquettes. *✆ 05 56 27 41 41 - www.lillet.com - de mi-juin à mi-sept. : 9h30-18h ; le reste de l'année sur RV - gratuit.*
À Podensac se trouve aussi la Maison du vin de Graves *(voir la rubrique « Achats », p. 147).*
Suivre la N 113 jusqu'à Cérons.

Cérons B3

Ce petit village a donné son nom à une minuscule appellation de vins blancs liquoreux, qui couvre moins de 100 ha. Ce sont des vins très fins.
Suivre la D 117 jusqu'à Illats et St-Michel-de-Rieufret, puis prendre la D 109 vers le nord, par la D 220E1 et la D 108.

★ Château de la Brède B3

✆ 05 56 78 47 72 (office du tourisme de Martillac) - www.chateaulabrede.com - visite guidée (45mn) - juil.-août : 9h30-18h ; vac. de Pâques : 14h-17h30 ; mai : w.-end et j. fériés 14h-17h30 ; juin et sept. : 14h-18h ; oct-11 nov. : w.-end et j. fériés 14h-16h30 - fermé mar. et de mi-nov. à mi-avr. - 7 € (12-16 ans 4,50 €) ; parc seul. 2,50 €.
Une large avenue conduit à l'austère château gothique (12e-15e s.), protégé par son plan d'eau. Commencez le tour du propriétaire par les douves. Par de petits ponts jetés entre deux anciens ouvrages fortifiés, gravés d'inscriptions latines, on rejoint le vestibule soutenu par six colonnes torses ; le long des murs sont disposées les malles de voyage de Montesquieu. De ce vestibule, on passe dans le salon orné d'un beau cabinet du 16e s. et de portraits de famille. Très simple, la **chambre** de Montesquieu est restée meublée telle qu'elle l'était de son vivant ; un montant de la cheminée porte la marque de frottement de

L'« HONNÊTE HOMME »

En l'an de grâce 1689 naît au château de la Brède Charles de Segondat, futur baron de Labrède et de **Montesquieu** ; en signe d'humilité, c'est un mendiant qui le tient sur les fonts baptismaux. Devenu président au parlement de Bordeaux, Montesquieu aime à se retirer fréquemment sur sa terre de La Brède : « C'est le plus beau lieu champêtre que je connaisse. » Là, il expédie sa correspondance commerciale (il vend beaucoup de vin aux Anglais), parcourt ses vignes, interpellant chacun en patois, visite ses chais… D'humeur égale et d'abord facile, Montesquieu trouve, comme Montaigne, le délassement dans son activité intellectuelle : « L'étude a été pour moi le souverain remède contre les dégoûts de la vie, n'ayant jamais eu de chagrin qu'une heure de lecture n'ait dissipé. » Pendant dix-sept ans, il travaillera ici à la rédaction de *L'Esprit des lois*.

Situé au point culminant du Sauternais, le château d'Yquem a été construit entre le 15e et le 17e s.
Ph. Roy / hemis.fr

son soulier, car il avait coutume d'écrire là sur son genou. À l'étage se trouve la bibliothèque qui renfermait 5 000 ouvrages.

« La nature s'y trouve dans sa robe de chambre et au lever de son lit », *dixit* le maître des lieux, à propos du **parc à l'anglaise** dont il prit l'idée lors d'un séjour outre-Manche.

Emprunter la D 108, direction Saucats.

Réserve naturelle géologique de Saucats-La Brède A-B3

05 56 72 27 98 - www.rngeologique-saucatslabrede.reserves-naturelles.org - visite libre : 2 itinéraires de randonnée (2h au total) - plan et documentation à la Maison de la réserve ; visite guidée (2h30) juil.-août : lun.-sam. 15h ; mai-juin et sept. : sam. 15h, ou sur RV - fermé j. fériés - 5 € (-12 ans 4 €). Vêtements longs et antimoustique de rigueur. Un véhicule est nécessaire pour rejoindre les sites.

Il fut un temps où l'Aquitaine était sous les eaux : les roches et fossiles qui affleurent dans cette réserve de 75 ha témoignent des trois dernières invasions de l'Atlantique à la fin de l'ère tertiaire. Sept sites, avec panneaux d'interprétation, sont aménagés sur trois secteurs (certains affleurements sont protégés par une vitrine). La Maison de la réserve présente des collections géologiques et paléontologiques.

Nombreux ateliers pour les enfants *(sur réserv.)*.

Rejoindre Léognan au nord par la D 651.

Léognan A3

Cette commune en lisière de la forêt compte un nombre impressionnant de châteaux viticoles dont la direction est indiquée depuis le centre du village.

Suivre la D 109.

Gradignan A3

Ancien prieuré de Cayac – *À la sortie sud de Gradignan, par la D 1010.* Sis dans le beau parc de Cayac, agrémenté de voies d'eau et d'un moulin, ce prieuré bâti au début du 13e s., mais restauré au 17e s., constituait jadis une étape sur la route de Compostelle. Ses dépendances accueillent aujourd'hui des expositions temporaires, ainsi que le **musée Georges-de-Sonneville** (1889-1978), peintre bordelais des Années folles et créateur de la Société des indépendants bordelais. *05 56 75 34 28 - merc., vend., sam. et 1er dim. du mois apr.-midi.*

Écomusée de la Vigne et du Vin – *288 cours du Général-de-Gaulle - à la sortie sud de Gradignan (dans l'enceinte du lycée des Graves, accès par un chemin à gauche du parking) - 05 56 89 00 79 - Visite guidée (adaptée pour les enfants) merc.-sam. et 2e dim. du mois 14h-18h - visite gratuite, visite et dégustation 6,50 €.*
Installé dans une ancienne ferme, ce musée présente une collection d'objets liés au travail de la vigne et à la fabrication du vin entre 1850 et 1950.
Pour revenir à Bordeaux, suivre la direction « Rocade » ou « Universités, Talence ».

VIGNOBLES DE SAUTERNES ET DE BARSAC

Pour visualiser ce circuit 30 km au départ de Barsac, se reporter à la carte p. 98 ou p. 150. Compter environ 2h.
Petits par la surface, mais grands par le renom de leurs vins blancs, les vignobles de Sauternes et de Barsac forment un « pays » constitué par la basse vallée du Ciron, près de son confluent avec la Garonne. Le terroir se limite à cinq communes : Sauternes, Barsac, Preignac, Bommes et Fargues. Sur les coteaux s'alignent les rangées de ceps (muscadelle, sauvignon et sémillon), généralement perpendiculaires au cours du Ciron et séparées en « clos ». Ici, les vendanges sont tardives. La cueillette des grains de raisin parvenus à maturité est retardée afin que les grains puissent subir la « pourriture noble », causée par un champignon propre à la région. Ces grains « confits » sont alors détachés un par un et transportés avec d'infinies précautions.

Barsac B3

Barsac est situé à 10 km au nord-ouest de St-Macaire par la D 1113, ou à 39 km au sud-est de Bordeaux par l'A 62, puis la D 1113.
L'**église**, curieux monument de la fin du 16e et du début du 17e s., comprend trois nefs de même hauteur dont les voûtes constituent un exemple de la survivance du gothique en période classique. Le mobilier est Louis XV : tribune, autels, retables et confessionnaux. Les sacristies sont revêtues de boiseries ou de panneaux de stuc. *05 56 27 18 58 - www.barsac.fr - ouvert tte la journée par période - se renseigner auprès de l'abbé Faure.*
À Barsac se trouve aussi la maison du vin de Barsac *(voir p. 148).*
Quitter Barsac par le sud en direction de Pujols-sur-Ciron, puis la D 114.

Budos B3

Un peu extérieur au Sauternais proprement dit, Budos conserve les ruines d'un **château féodal** (début 14e s.), propriété d'un neveu du pape Clément V. Le chemin d'accès passe sous le châtelet d'entrée, que couronne une tour carrée à merlons, puis atteint l'esplanade du château. De là, descendez dans le fossé du front ouest pour vous rendre compte de la puissance de la courtine et des tours, renforcées de bretèches.
Suivre la D 125.

Sauternes B3

Un bourg viticole incontournable pour les amateurs. Au sud du village, le **château Filhot** (premier grand cru classé) a été construit au 17e s. et remanié au 19e s.
Vous trouverez également à Sauternes la maison du sauternes *(voir p. 147).*
Quitter Sauternes par le nord (D 125E1).

Château d'Yquem B3

Le plus prestigieux (premier grand cru classé) des crus de Sauternes était déjà connu au 16e s. Du parc *(ouv. lun.-vend.)*, vue sur le Sauternais en direction de la Garonne.

Poursuivre vers le nord en direction de Preignac.

★ Château de Malle B3

Voir l'ABC p. 88. ✆ 05 56 62 36 86 - www.chateau-de-malle.fr - château : visite guidée (libre pour les jardins) - avr.-oct. : lun.-vend. 14h-17h - fermé mars-nov. et j. fériés - visite guidée et dégustation 7 € (-7 ans gratuit).

Un portail d'entrée orné de superbes ferronneries donne accès au domaine. L'aimable composition qu'offre l'ensemble du château et des jardins a été conçue au début du 17e s. par un aïeul de l'actuelle propriétaire. Le château lui-même, charmante demeure à pavillon central aux frontons sculptés semi-circulaires, coiffé d'un toit d'ardoise à la Mansart, rappelle par son plan les chartreuses girondines. Deux ailes basses en fer à cheval aboutissent à deux grosses tours rondes. Les bâtiments latéraux renferment les chais. L'intérieur du château, garni d'un beau mobilier ancien, abrite une **collection de silhouettes en trompe l'œil** du 17e s., unique en France. Elles servaient autrefois de figuration immobile au petit théâtre en rocaille du jardin.

Les **jardins** en terrasses, à l'italienne, présentent des groupes sculptés du 17e s. et un curieux nymphée en rocaille orné de statues d'Arlequin, Pantalon et Cassandre. Prolongeant ces jardins, le vignoble s'étend – fait unique en Gironde – sur les deux terroirs de Sauternes (vin blanc) et de Graves (vin rouge). La visite se termine par une dégustation de sauternes.

Par la D 8E4, Preignac et la D 1113, regagnez Barsac.

1

NOS ADRESSES DANS LES GRAVES

HÉBERGEMENT

PREMIER PRIX

Camping Beausoleil – *371 cours du Gal-de-Gaulle - 33170 Gradignan - prendre sur la rocade la sortie 16, Gradignan - ✆ 05 56 89 17 66 - www.camping-gradignan.com - ouv. tte l'année - 31 empl. 20 € - 3 mobile homes 250 à 375 €/sem.* Intéressante alternative que ce petit camping, pour les vacanciers désireux de concilier les commodités d'un hébergement peu onéreux, la proximité de Bordeaux (service de navettes pour le tram de Bordeaux) et des vignobles. Confort simple et bonne tenue.

POUR SE FAIRE PLAISIR

Chambre d'hôte Peyraguey Maison Rouge – *Haut Bommes - 33210 Bommes - ✆ 05 57 31 07 55 - www.peyraguey-sauternes.com - ⊭ - 3 ch. 72/96 € ☕.* Êtes-vous plutôt « Sauternes », « St-Émilion » ou « Médoc » ? : les noms de ces trois ravissantes et spacieuses chambres d'hôte situées en plein cœur du vignoble de Sauternes donnent le ton. Avec une invitation à la dégustation le soir, l'acclimatation se poursuit sans difficulté !

UNE FOLIE

Le Relais du château d'Arche – *33210 Sauternes - rte de Bommes, 200 m à gauche après la sortie de Sauternes - ✆ 05 56 76 67 67 - P - 9 ch. 120/160 € - ☕ 10 €.* Chartreuse du 17e s. au cœur du domaine viticole du château d'Arche dont on peut déguster les grands crus après une visite. Chambres cosy.

RESTAURATION

BUDGET MOYEN

Le Saprien – *R. Principale - 33210 Sauternes - ✆ 05 56 76 60 87 - le.saprien@orange.fr -* P *- fermé lun., merc. soir et dim. soir d'avr. à oct., le soir en sem. de nov. à mars - 15/37 €.* À l'élégante salle à manger, vous préférerez peut-être la véranda ou la terrasse qui offrent une jolie vue sur les vignes. Terrine à la gelée de sauternes, parfait glacé au sauternes, belle sélection de sauternes au verre : le grand vin blanc liquoreux est mis « à toutes les sauces » pour le plus grand plaisir des gourmets !

POUR SE FAIRE PLAISIR

Café de l'Espérance – *10 r. de l'Esplanade - 33270 Bouliac - ✆ 05 56 20 52 16 - www.saintjames-bouliac.com - déj. 15 € - 28/40 €.* Les nostalgiques du troquet de village aimeront ce petit bistrot où l'on s'attarde sous la treille, autour d'un verre. Plats traditionnels et grillades.

ACHATS.

Maison des vins de Graves – *61 cours du Mar.-Foch - 33720 Podensac - ✆ 05 56 27 09 25 - www.vins-graves.com -* P *- 9h30-18h30, w.-end et j. fériés 10h30-18h30 ; nov.-avr. : tlj sf w.-end 9h -18h.* Vous trouverez à la vinothèque 300 références de vins de l'ensemble des Graves, ainsi que des informations touristiques et une liste de châteaux ouverts sans rendez-vous.

Maison du sauternes – *14 pl. de la Mairie - 33210 Sauternes - ✆ 05 56 76 69 83 - www.maisondusauternes.com - 9h-19h, w.-end 10h-19h - fermé 25 déc.-1er janv.* Pour les amateurs du plus prestigieux des vins liquoreux, cette maison est une aubaine : les bouteilles de certains grands châteaux qui ne pratiquent pas la vente aux particuliers sur leur propriété, comme le Château d'Yquem et autres crus classés, sont disponibles ici.

Maison du vin de Barsac – *Pl. de l'Église - 33720 Barsac - ✆ 05 56 27 15 44 - www.maisondebarsac.fr - avr.-déc. : 10h-13h, 14h-19h ; janv.-mi-mars : tlj sf dim. 10h-12h30, 14h-18h30.* Ce bâtiment appartient au syndicat des viticulteurs de Barsac qui élit périodiquement un gérant chargé de sélectionner les meilleurs vins du vignoble. Citons, entre autres, les premiers et deuxièmes crus classés de Barsac (dont les châteaux Coutet et Climens) et de Sauternes ainsi que le prestigieux Château-Yquem. Grand choix également de demi-bouteilles.

Bon à savoir – Les amateurs de vins de Sauternes auront aussi intérêt à traverser la Garonne pour découvrir sur l'autre rive des vins liquoreux, proches des sauternes et barsac et d'un prix plus accessible dans les AOC Sainte-Croix-du-Mont et Loupiac *(voir p. 134)*.

ACTIVITÉS

Maison du vélo – *Parc forestier du Lac bleu - Léognan -* Location de vélos et nombreux circuits à thème.

L'Entre-deux-Mers

Gironde (33)

NOS ADRESSES PAGE 154

S'INFORMER

Office du tourisme de l'Entre-deux-Mers – *4 r. Issartier - 33580 Monségur - 05 56 61 82 73 - http://tourisme.entredeuxmers.com - 9h-12h30, 13h30-17h - fermé w.-end et j. fériés.* Circuit à Montségur *(dépliant gratuit).*

SE REPÉRER

Carte de microrégion B-C 2-3 (p. 98) – *carte Michelin Départements 335 I-J-K 6-7 – carte p. 150.*

Région viticole sur la rive droite de la Garonne, au sud-est de Bordeaux.

À NE PAS MANQUER

L'abbaye de la Sauve-Majeure et celle de Blasimon ; les bastides de l'Entre-deux-Mers.

ORGANISER SON TEMPS

Comptez une journée pour faire le circuit conseillé. Une partie du charme de l'Entre-deux-Mers réside dans son caractère en retrait, à l'écart des sentiers battus, pensez à organiser votre journée en fonction du lieu où vous souhaitez déjeuner (en particulier, les dimanche et lundi, jours de fermeture pour de nombreux établissements).

AVEC LES ENFANTS

La ferme-parc « Oh ! Légumes oubliés » à Sadirac ; la grotte Célestine à Rauzan.

Douces et verdoyantes, les collines de l'Entre-deux-Mers déroulent entre Garonne et Dordogne leurs versants couverts de vignobles, de bosquets et de prairies. L'AOC entre-deux-mers est vouée aux seuls vins blancs secs à dominante de sauvignon. Ce sont des vins fruités que l'on boit jeunes avec les huîtres du bassin d'Arcachon ou une alose de la Garonne.

Circuit conseillé Carte de microrégion p. 98

Pour visualiser ce circuit de 105 km au départ de Bordeaux, se reporter aux cartes p. 98 ou p. 150. Compter la journée.

Quitter Bordeaux à l'est par la D 936 et emprunter la D 936^{E5} sur la droite pour atteindre Carignan-de-Bordeaux.

Maison Ginestet à Carignan-de-Bordeaux B2

05 56 68 81 82 - www.ginestet.fr - visite guidée sur RD - fermé w.-end et j. fériés - gratuit.

Cette maison de négoce fondée en 1897 ouvre ses installations à la visite, du cuvier au chai de vieillissement, et fait découvrir le métier méconnu d'éleveur et vinificateur. Ne vous fiez pas aux apparences : la bâtisse moderne n'a pas le charme d'un château mais le guide est passionnant, un vrai puits de science : vous aurez du mal à en toucher le fond… et à repartir sans acheter une bouteille !

Prendre au sud-est la D 10^{E4} puis la D 115.

1

Sadirac B3

Important centre potier artisanal exploitant surtout l'argile « bleue », le bourg présente cette activité traditionnelle, dont l'apogée se situa au 18e s., dans la **Maison de la poterie-musée de la céramique sadiracaise**. Aménagée sur le site d'un ancien atelier construit en 1830 (four d'origine au fond du hall), elle abrite notamment des pièces datant du 14e s. au 18e s. et des maquettes de fours anciens. La production actuelle, assurée par trois ateliers seulement, est axée sur la poterie du bâtiment, la poterie horticole et la reconstitution de formes anciennes. *05 56 30 60 03 - www.ceramic-agap.com - mai-sept. : mar.-dim. 14h-17h30 ; oct.-avr. : mar.-sam. 14h-17h - fermé j. fériés - 2 € (-12 ans gratuit).*

La **ferme-parc « Oh ! Légumes oubliés »** remet à l'honneur des légumes et des plantes tombés en désuétude : potimarron, rutabaga, nèfles… Au programme : découverte du verger et du potager-conservatoire, initiation aux saveurs anciennes, visite d'une conserverie traditionnelle et de l'exploitation agricole. Enfin, petits et grands s'aventureront dans le **labyrinthe végétal** pour remonter le fil des grands changements alimentaires survenus au cours des siècles. *05 56 30 62 00 - www.ohlegumesoublies.com - - avr.-oct. : lun.-sam. 14h-18h - fermé dim. et j. fériés - 8,90 € (-16 ans 7,40 €).*

La D 115E8 puis la D 671 mènent à Créon.

Créon B3

62 bd Victor-Hugo - La Gare - 33670 Créon - 05 56 23 23 00 - www.tourismecreonnais.fr. - de mi-juin à mi-sept. : mar.-sam. 10h-12h30, 14h-18h, dim. 10h-12h30, 14h-17h30 ; reste de l'année : mar.-vend. 9h30-12h30, 14h-17h, sam. 9h30-12h30. Documentation sur les randonnées pédestres dans le pays de Créon.

Cette ancienne bastide, avec sa place à arcades du 13e s. qui accueille un important marché le mercredi matin, est la capitale de l'Entre-deux-Mers. Elle occupe un site très vallonné qui lui a valu le nom de « Petite Suisse ». À présent, c'est le premier village à porter le titre de « Station Vélo » *(voir la rubrique « Activités » p. 154).*

Quitter Créon par le sud sur la D 20.

St-Genès-de-Lombaud B3

Sur fond de grands arbres se découpe la jolie silhouette de l'**église** N.-D.-de-Tout-Espoir, sise à mi-pente d'un vallon. Siège d'un pèlerinage à la Vierge noire, elle se trouve à l'emplacement présumé d'une villa romaine. Sa façade à clocher-pignon présente un portail roman dont l'archivolte est sculptée d'animaux et de petits personnages. Dans la nef, chapiteaux romans, et à gauche, pierre sculptée provenant vraisemblablement d'un autel domestique romain.

Poursuivre vers le sud sur la D20, puis tourner sur la gauche en direction d'Haux.

Haux B3

Ce hameau caractéristique de l'Entre-deux-Mers, s'organise autour d'une jolie petite église, à clocher ouvert.

Traverser Haux et, arrivé aux Faures, prendre la D239 pour rejoindre La Sauve.

★ Ancienne abbaye de la Sauve-Majeure B3

05 56 23 01 55 - www.monuments-nationaux.fr - juin-sept. : 10h-18h ; oct.-mai : tlj sf lun. 10h30-13h, 14h-17h30 - fermé 1er janv., 1er Mai, 25 déc. - 7 € (enf. gratuit). À l'accueil vous sera remis un document descriptif de l'édifice. Au pied de l'abbaye, se trouve la Maison du vin de l'Entre-deux-Mers.

L'abbaye de Blasimon rappelle l'important rôle qu'eurent les monastères dans l'Entre-deux-Mers.
I. Lainey / MICHELIN

Son nom signifie la « grande forêt » en latin, *silva major*, défrichée par les moines. Fondée en 1079 par le bénédictin **Gérard de Corbie**, futur saint Gérard, l'abbaye de la Sauve-Majeure devint une puissante seigneurie foncière. Elle établit de nombreux prieurés jusqu'en Espagne et en Angleterre. Interrompue au 16e s., la vie monastique reprit au 17e s., pour s'achever avec la Terreur. En 1793, l'abbaye devint une prison, puis elle servit de carrière avant d'être laissée à l'abandon.

L'abbatiale, du 12e s., de style roman saintongeais, et du début du 13e s. *(restaurée)*, marque la transition du roman au gothique. L'abside et les absidioles orientées, en cul-de-four, sont en effet romanes, ainsi que les magnifiques **chapiteaux★** qui surmontent les colonnes de la travée droite du chœur. En revanche, les voûtes, dont subsistent les départs d'ogives, et le clocher à hautes baies abrasées sont gothiques.

À droite de l'abbatiale s'étendent les vestiges du cloître du 13e s., de la salle capitulaire et du réfectoire.

L'ensemble est inscrit au Patrimoine mondial de l'Unesco dans le cadre des Chemins de St-Jacques-de-Compostelle.

Pour aller à l'église St-Pierre à pied, suivre, à la sortie de l'abbaye, la rue de l'Église. En voiture, prendre une petite route à gauche à la sortie du village.

Église St-Pierre à La Sauve B3

Élevée en style gothique à la fin du 12e s., elle occupe une situation dominante. Prenez du recul pour sentir le caractère d'austère grandeur que revêt sa façade terminée par un clocher-mur et rythmée par des contreforts à ressauts. Le chevet plat est percé de trois baies aux côtés desquelles s'alignent quatre statues du 13e s. : de droite à gauche, saint Michel, saint Jacques, la Vierge et saint Pierre. Le portail sud est surmonté d'une autre statue de saint Pierre.

Poursuivre sur la D 671 jusqu'à St-Brice. À la sortie du village, prendre à droite la D 123 puis la D 230.

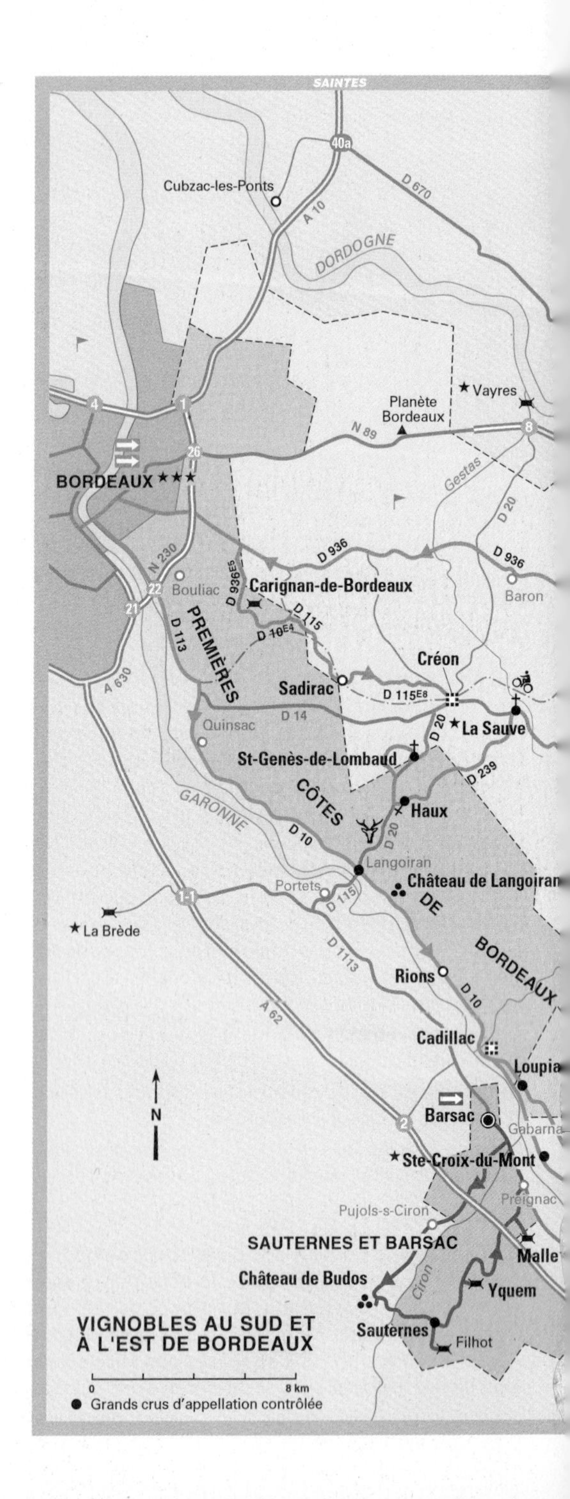
SAINTES
Cubzac-les-Ponts
DORDOGNE
BORDEAUX ★★★
Planète Bordeaux
★ Vayres
Carignan-de-Bordeaux
Bouliac
Baron
PREMIÈRES
Créon
Sadirac
★ La Sauve
Quinsac
St-Genès-de-Lombaud
CÔTES
Haux
GARONNE
Langoiran
Château de Langoiran
Portets
DE
★ La Brède
BORDEAUX
Rions
Cadillac
Loupiac
Barsac
Gabarnac
★ Ste-Croix-du-Mont
Preignac
Pujols-s-Ciron
SAUTERNES ET BARSAC
Malle
Château de Budos
Ciron
Yquem
Sauternes
Filhot
VIGNOBLES AU SUD ET À L'EST DE BORDEAUX
0
8 km
Grands crus d'appellation contrôlée

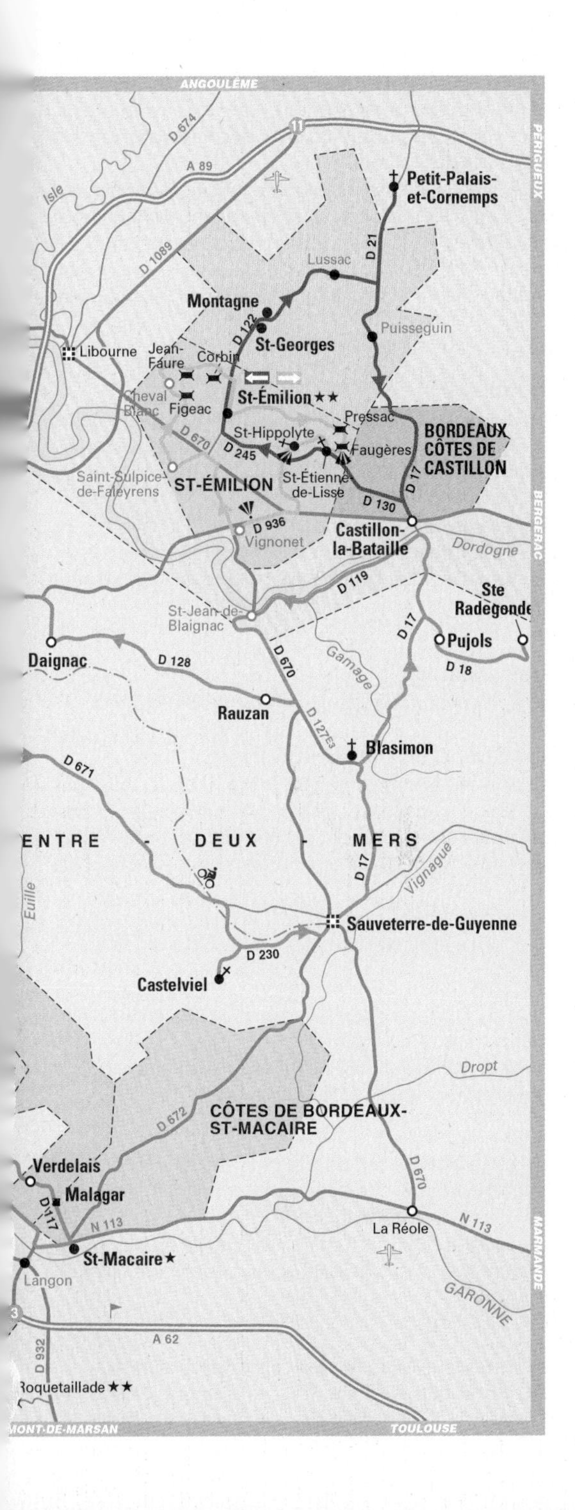
ANGOULÊME
PÉRIGUEUX
BERGERAC
MARMANDE
TOULOUSE
MONT-DE-MARSAN
Petit-Palais-et-Cornemps
Lussac
Montagne
St-Georges
Puisseguin
Libourne
Jean-Faure
Corbin
Figeac
Cheval Blanc
St-Émilion ★★
Pressac
St-Hippolyte
Faugères
BORDEAUX CÔTES DE CASTILLON
Saint-Sulpice-de-Faleyrens
ST-ÉMILION
St-Étienne-de-Lisse
Vignonet
Castillon-la-Bataille
Dordogne
Ste Radegonde
St-Jean-de-Blaignac
Daignac
Pujols
Gamage
Rauzan
Blasimon
ENTRE - DEUX - MERS
Vignague
Euille
Sauveterre-de-Guyenne
Castelviel
Dropt
CÔTES DE BORDEAUX-ST-MACAIRE
Verdelais
Malagar
St-Macaire ★
Langon
La Réole
GARONNE
Roquetaillade ★★
A 89
A 62
D 674
D 1089
D 122
D 21
D 670
D 245
D 17
D 130
D 936
D 119
D 128
D 18
D 127E3
D 671
D 230
D 672
D 117
D 932
N 113

Église de Castelviel C3

Elle se caractérise par une superbe **porte romane★** de style saintongeais dont les chapiteaux et les voussures portent un riche décor sculpté formant l'un des plus beaux ensembles de la Gironde.

On identifie les Travaux des mois *(1re voussure en partant du haut)*, le Combat des Vertus et des Vices *(2e voussure)*, des personnages reliés par une corde symbolisant la communauté des fidèles *(3e voussure)*. Sur les chapiteaux, remarquez à droite les Saintes Femmes au Tombeau et la Décollation de saint Jean- Baptiste, à gauche les péchés capitaux *(le 1er chapiteau à l'extrémité gauche représente la Luxure)*.

Poursuivre sur la D 230.

Sauveterre-de-Guyenne C3

2 r. St-Romain - 33540 Sauveterre-de-Guyenne - ✆ 05 56 71 53 45 - juil.-août : mar.-sam. 9h-12h, 14h-18h, dim. 9h30-12h30, 14h30-17h30 ; mai-juin et sept. : mar.-sam. 9h-12h, 14h-18h ; oct.-avr. : mar.-sam. 9h-12h30, 14h-17h30 - fermé janv. Plan de la bastide et du canton.

Cette bastide typique, créée en 1281 par Édouard Ier, devint définitivement française en 1451 après avoir changé dix fois de camp. Elle a conservé ses quatre portes fortifiées. La vaste place centrale entourée d'arcades s'anime le mardi, jour de marché.

Prendre la D 17 au nord.

Ancienne abbaye de Blasimon C3

✆ 05 56 71 52 12 - www.monument-nationaux.fr - w.-end 9h-18h - gratuit.

Cette abbaye bénédictine ruinée se dissimule au fond d'un vallon. Une enceinte fortifiée l'entourait, dont témoigne encore une tour isolée.

L'**église** du 12e-13e s. associe des éléments romans (décor sculpté, quelques baies en plein cintre) et gothiques (arcs brisés, belles voûtes d'ogives). Clocher-pignon ajouté au 16e s. Au côté droit de l'abbatiale, le **cloître** a conservé seulement quelques arcades aux beaux chapiteaux romans et une partie de la salle capitulaire.

Poursuivre sur la D 17 vers le nord. Prendre à droite la D 18 pour rejoindre Pujols.

Pujols-sur-Dordogne C2

Élevée sur un site stratégique, l'église St-Pierre de Pujols (11e-15e s), autrefois fortifiée, domine la vallée de la Dordogne. À l'intérieur, se trouve un sarcophage mérovingien en marbre gris des Pyrénées.

Traverser le village de Pujols et suivre l'agréable D 18 jusqu'au croisement avec la D 15. Prendre celle-ci à gauche en direction de Ste-Radegonde.

Sainte-Radegonde C2

Cette minuscule église, bâtie au 12e s. sur un site plus ancien, présente un intéressant tympan roman ouvragé. On y reconnaît notamment Adam et Ève et l'arbre de la connaissance du bien et du mal.

Revenir vers Pujols et reprendre la D 17 vers Castillon-la-Bataille. Ne pas traverser la Dordogne mais prendre la D 15, puis la D 119 jusqu'à St-Jean-de-Blaignac. Rejoindre Rauzan par la D 670.

Rauzan C3

Gros bourg-marché de l'Entre-deux-Mers, Rauzan conserve les ruines romantiques d'un **château des Duras** bâti à la fin du 13e s., qui témoigne du conflit franco-anglais durant la guerre de Cent Ans. Une enceinte à merlons et un logis seigneurial (14e-15e s.) percé de fenêtres à meneaux accompagnent

LES VIGNOBLES DE L'ENTRE-DEUX-MERS

Terroirs : Ce plateau calcaire, où les sols sont à prédominance argileuse, est le berceau de terroirs très divers. Plusieurs abbayes (à commencer par la Sauve-Majeure) y jouèrent un rôle décisif dans les grands défrichements et peuplements de ces contrées puis dans la culture de la vigne (utiles notamment pour le vin des messes célébrées quotidiennement en ces lieux).

Production : Si les **AOC entre-deux-mers et entre-deux-mers haut-benauge** ne concerne que les vins blancs secs, aux arômes délicats et fruités, seulement 1 700 ha sur les 2 700 que compte la région sont consacrés à ce type de production, obtenue par assemblage des cépages sémillon, sauvignon et muscadelle. L'**AOC sainte-foy-bordeaux** (cépages sémillon, sauvignon, muscadelle pour les vins blancs secs et moelleux ; cépages cabernet-sauvignon, cabernet franc, merlot, malbec et petit verdot pour les rouges) et l'**AOC graves-de-vayres** (cépages cabernet-sauvignon, cabernet franc, malbec, petit verdot, carmenère et merlot pour les rouges assez charpentés ; cépages sémillon, muscadelle et merlot blanc pour les blancs secs) sont aussi produits dans la région.

Vous trouverez aux adresses suivantes une présentation des vignobles, des animations et dégustations et la liste des châteaux ouverts à la visite :
Maison du vin de l'Entre-deux-Mers, à La Sauve – *voir p. 21.*
Maison du fleuve et des vins, à Port-Ste-Foy– *voir p. 21.*

le majestueux donjon rond, haut de 30 m, d'où l'on a une belle vue sur la campagne. À voir également, la tour d'honneur (fin 15e s.) avec sa magnifique voûte en palmier. *05 57 84 03 88 - mat. et apr.-midi sf lun. (sept.-juin) - fermé vac. Noël, 25 déc. et 1er janv. - 3 €.*
De l'autre côté du vallon, au fond duquel niche un charmant lavoir, l'**église** montre trois beaux portails du 13e s. et un clocher-pignon déjà de type pyrénéen.

Grotte Célestine – *05 57 84 08 69 - réserv. obligatoire, visite guidée (45mn) - juil.-août : 9h-12h, 14h-16h ; reste de l'année : mar.-dim 9h-12h17h - 6,50 € (enf. 5 €) - taille 1,20 m minimum pour visiter) - 14 °C dans la grotte, prévoir un vêtement chaud. Tout le matériel (casque, bottes) est fourni.* Les galeries d'une **rivière souterraine** furent découvertes au milieu du 19e s. lors du creusement d'un puits au centre du village. On y organisa des visites à la lueur des bougies jusqu'en 1930, date de fermeture du site afin de le préserver. À l'époque, l'accès aux galeries se faisait par un escalier donnant dans une maison au-dessus ; une aire de pique-nique avait été aménagée et les villageoises venaient même y cancaner ! Pendant la Deuxième Guerre mondiale, la grotte servit de cachette à des résistants.
À votre tour de descendre à 13 m de profondeur, à présent vêtu de la panoplie du spéléologue, pour explorer les lieux. Vous parcourrez aisément 250 m dans 5 à 15 cm d'eau, appréciant au passage les diverses **concrétions**, dont une impressionnante colonne de 3,50 m de haut et de surprenantes draperies « à dents de baleine ».
Prendre la D 128 vers Daignac.

Daignac B2

Un ruisseau, le Canedone, a creusé là un ravin que franchit un **vieux pont**. En aval, ruines d'un moulin du 13e s.
Retourner à Bordeaux par la D 936.

NOS ADRESSES DANS L'ENTRE-DEUX-MERS

HÉBERGEMENT

BUDGET MOYEN

Chambre d'hôte La Lézardière – *Boimier-Gabouriaud - 33540 St-Martin-de-Lerm - 8 km au sud-est de Sauveterre-de-Guyenne par D 670, D 230 puis D 129 - ✆ 05 56 71 30 12 - http://lalezardiere.free.fr - fermé janv.-fév. - ⊭ - 4 ch. et 1 gîte 70 € ☕ - repas 25 €.* Des chambres colorées ont été aménagées à l'étage de cette métairie du 17e s. dominant la vallée du Dropt. Table d'hôte dans la haute grange. Petit salon, où vous trouverez une abondante documentation sur la région, derrière les crèches où, jadis, mangeait le bétail. Piscine.

POUR SE FAIRE PLAISIR

Chambre d'hôte La Petite Source – *4 l'Aubrade - 33580 Rimons - 3 km à l'est de Rimons par D 230 et rte de Monségur, puis chemin à gauche - ✆ 05 56 61 21 77/06 30 02 34 89 - www.la-petite-source.fr - ⊭ - P - 5 ch. 70/80 € ☕ - repas 15/35 €.* Piscine, jardin ombragé, chambres douillettes… Cette demeure du 18e s. invite au repos dans un joli paysage de collines et de vignes. Le propriétaire propose d'intéressants mariages produits locaux-vins du terroir, accompagne volontiers ses hôtes chez les viticulteurs et dispense des cours de cuisine bordelaise.

Chambre d'hôte Château Dardenac – *33420 Dardenac - ✆ 06 83 32 34 68 - 2 ch. (2 nuits minimum) 72 € ☕.* Atmosphère détendue dans cette grande maison familiale, à l'écart des routes touristiques. Le confort est simple, l'accueil sympathique et discret. La table d'hôte vous donnera l'occasion de goûter à la production viticole du domaine.

RESTAURATION

BUDGET MOYEN

Le Baron Gourmand – *Rte de Montesquieu - 33750 Baron - 7 km au nord de Créon par la D 20 - ✆ 05 57 24 26 40 - www.barongourmand.com - P - ♿ - réserv. conseillée - 18/38 €.* En hiver près de la cheminée, en été sous les figuiers, créez votre menu à la carte : plats traditionnels, grillades au feu de bois et plateau de fromages affinés.

POUR SE FAIRE PLAISIR

Le Flore – *1 Petit-Champ-du-Bourg - 33540 Coirac - 7,5 km à l'ouest de Sauveterre-de-Guyenne par D 671 puis D 228 après St-Brice - ✆ 05 56 71 57 47 P - fermé merc. soir, dim. soir et lun. - formule déj.15/17,50 € - 29,50/42 €.* Sur la terrasse ombragée ou dans la salle à manger fleurie, préparez-vous à un repas de choix, œuvre d'un jeune chef très créatif. Son épouse saura vous guider mieux que personne parmi les saveurs subtiles que recèle la carte. Réservation conseillée.

ACTIVITÉS

La **piste cyclable Lapébie (55 km)** relie Sauveterre-de-Guyenne à Bordeaux, traverse l'Entre-Deux-Mers et passe par Créon, première station vélo de Gironde.

Cyclotourisme dans l'Entre-Deux-Mers - *✆ 05 56 61 82 73 - document disponible dans les offices de tourisme.* Ce document décrit 8 boucles de 37 à 60 km.

Point relais vélo (Créon) – *62 bd Victor-Hugo - ✆ 05 57 34 30 95.* Location à la demi-journée ou à la journée.

La Réole

4 212 Réolais – Gironde (33)

NOS ADRESSES PAGE 157

S'INFORMER

Office du tourisme de La Réole – *rue Armand Caduc - 05 56 61 13 55 - www.lareole.fr - juil.-août. : mar.-sam. 9h30-12h30, 14h30-18h30, dim. 9h30-2h30; juin et sept. : mar.-sam. 9h30-12h30, 14h30-18h; oct.-mai : merc.-sam. 9h-12h30, 14h30-18h - fermé 25 déc., 1er janv. et 1er Mai.*

SE REPÉRER

Carte de microrégion C3 (p. 98) – *carte Michelin Départements 335 K7.*

À 19 km au nord-ouest de Marmande par la D 1113. La D 9E1 qui longe la Garonne offre une jolie vue sur le château, l'église et les bâtiments conventuels.

À NE PAS MANQUER

Les chapiteaux historiés de l'abbaye de St-Ferme; Castelmoron-d'Albret, le plus petit village de France.

ORGANISER SON TEMPS

La ville de La Réole mérite que l'on s'y attarde quelques heures. Pour le circuit de découverte, comptez 3h.

AVEC LES ENFANTS

L'oseraie de l'île à Barie.

Si La Réole veut dire « la règle », elle n'a rien d'une cité tracée au cordeau. Ses rues étroites et sinueuses grimpent au-dessus des quais de la Garonne, où les cafés ont installé leur terrasse. Jadis fermée, apte à rester vaillante siège après siège, La Réole ne demande pas mieux qu'à ouvrir ses portes, à l'image de ses artisans d'art, pour notre plaisir.

Se promener

Bon à savoir – Un circuit pédestre fléché (1h30) permet de découvrir la cité médiévale, dont le château des Quat'Sos, avec son jardin paysager d'inspiration médiévale. Plan du circuit et livret d'explication disponibles à l'office de tourisme.

Ancienne abbaye

05 56 61 13 55 - juin-sept. : 8h30-18h, sam. 8h-18h, dim. et j. fériés 9h-18h; oct.-mai : 8h30-17h30 - fermé j. fériés quand j. de sem. - tarif non communiqué.

C'est l'établissement bénédictin fondé sous Charlemagne qui donna son nom à La Réole (du latin *regula* : « règle »).

L'**église St-Pierre** possède une nef gothique de type méridional dont les voûtes datent du 17e s. Elle se termine par un chevet à pans qu'il faut contourner pour visiter les bâtiments conventuels, aujourd'hui occupés par des services administratifs et la mairie. La longue façade à contreforts du **logis des moines** (18e s.) donne sur une terrasse d'où se découvre une **vue** étendue vers la vallée de la Garonne. Vous y pénétrez par un escalier à double révolution. À l'intérieur, voir les deux escaliers monumentaux : l'un est coiffé d'une coupole, l'autre d'une peinture représentant saint Benoît en extase. De la terrasse, retournez-vous pour admirer à contre-jour la belle grille d'entrée. Le **cloître** du 18e s. s'ouvre place Albert-Rigoulet par une charmante porte Louis XV.

Ancien hôtel de ville

Rare édifice civil roman encore intact, il fut offert par **Richard Cœur de Lion** aux bourgeois réolais. En bas se trouvaient la halle aux grains et, à l'étage, la salle de réunion des jurats, suivant une disposition que l'on observe à l'époque gothique dans les halles flamandes.
À l'angle de la **rue Peysseguin**, boutique du 16e s. avec baie en anse de panier.

À proximité Carte de microrégion p. 98

L'oseraie de l'île à Barie C3

8,5 km à l'ouest par la D 12, puis la D 226 - 3 Métairie de l'île - 33190 Barie - 05 56 61 21 50 ou 06 78 86 77 06 - fermé la 2e quinz. d'août - visite guidée (2h) sur RV - 2 pers. min. - visite de la ferme et labyrinthe - 6,50 €.
Dans cette ferme osiéricole de la plaine de la Garonne, vous découvrirez tout le travail de l'osier, ses techniques de culture et de transformation, notamment pour la vannerie et la tonnellerie. Le parc accueille un labyrinthe en osier vivant et des jeux pour les enfants. Exposition-vente d'artisanat ; ateliers de vannerie (*sur réserv.*).

Circuit conseillé Carte de microrégion p. 98

LE HAUT ENTRE-DEUX-MERS C3

Pour visualiser ce circuit de 45 km au départ de La Réole, se reporter à la carte p. 98. Compter environ 3h.
Sortir de La Réole au nord-est par la D 668.

Monségur C3

4 r. Issartier - 33580 Monségur - 05 56 61 82 73 - www.entredeuxmers.com - 9h-12h30, 13h30-17h - fermé w.-end et j. fériés. Dépliant indiquant les principaux sites touristiques ; circuit fléché et ponctué de panneaux explicatifs.
Cette **bastide anglaise**, rivale de la française Ste-Foy-la-Grande *(voir les alentours de Duras)*, fut fondée en 1265. Comme son nom l'indique (*Mons Securus* signifie « mont sûr »), elle occupe une situation stratégique sur un promontoire dominant la vallée du Dropt. Agréable chemin de ronde.
Le quadrillage de rues typique compte encore quelques maisons à pans de bois, et une place centrale encadrée de couverts où s'élève une surprenante **halle métallique** (19e s.). Elle abrite notamment les marchés au gras *(voir la rubrique « Achats », p. 157)*.
Quitter Monségur par le nord (D 16).

Abbaye de St-Ferme C3

05 56 61 69 92 - juin-sept. : mar.-sam. 14h30-18h ; oct.-mai : mar.-vend. 14h30-17h - visites libres pour le cloître de l'église uniquement - possibilité de visites guidées sur RD - fermé j. fériés - 3,50 € (-7 ans gratuit).
Cette abbaye bénédictine fondée au 11e s., sur la voie de Vézelay (chemin de St-Jacques-de-Compostelle), connut son apogée entre les 12e et 14e s. avant

de subir les guerres de Religion et d'être supprimée en 1770. Certaines parties du bâtiment sont propriété privée. La visite comprend la salle de justice *(qui accueille des réceptions)*, le scriptorium *(au 1er étage, qui abrite les bureaux de la mairie)* et un **musée des Vieux Outils** *(aménagé au 2e étage)* où sont présentées plus d'un millier de pièces romaines (3e s.) découvertes dans les environs. Dans l'église, romane et gothique, le chevet conserve en parfait état des **chapiteaux★** historiés remarquables. Des scènes bibliques ou fantastiques sont réalisées avec minutie et force détails.

Prendre à l'est la D 139, puis tourner à droite dans la D 230.

Castelmoron-d'Albret C3

Un rocher surmonté d'une enceinte sertie de vieilles maisons... Un petit bijou, direz-vous ! En effet, la plus petite commune de France (environ 3,5 ha) est ravissante.

Poursuivre sur la D 230.

Sauveterre-de-Guyenne C3 *(voir p. 152)*

Revenir à La Réole par la D 670.

NOS ADRESSES À LA RÉOLE

HÉBERGEMENT

Gîtes Bacchus – *Voir p. 136.*

À proximité

BUDGET MOYEN

La Camiranaise – *29, les Faures - 33190 Camiran - 6 km au nord de La Réole - ✆ 05 56 71 11 26 - fermé dernière sem. de déc. - 5 ch. 69/74 € -* ☕. Ne vous fiez pas à l'aspect imposant de cet ancien séchoir à tabac, restauré avec goût au cœur d'un petit hameau. Murs de moellons, poutres apparentes et meubles chinés vous offriront un cadre campagnard raffiné pour un agréable séjour au milieu des vignes. Piscine extérieure.

RESTAURATION

À La Réole

BUDGET MOYEN

Les Terrasses du Régula – *31 r. André-Benac - ✆ 05 56 71 10 98 - en hiver, ouv. à midi (pour dîner, sur réserv.) ; avril-oct. : lun.-vend., juil.-août : lun.-sam. - 11 € déj. en hiver - 18,90/24,90 €.* Ne vous y trompez pas, cette vitrine aux allures de boutique abrite bien un restaurant. À l'intérieur, le patron limite le nombre de tables pour assurer une cuisine et un service de qualité... Pari réussi : vous dégusterez ici de bons plats traditionnels utilisant les produits du marché, dans une ambiance chaleureuse.

Les Fontaines – *8 r. Verdun - ✆ 05 56 61 15 25 - fermé lun., merc. midi et dim. soir - 22/46 €.* Cette grande demeure bourgeoise se niche dans un ravissant jardin arboré où l'on dresse les tables de la terrasse en été. Ses deux salles à manger ont conservé leur élégant cadre d'origine. Les savoureuses recettes traditionnelles du chef y sont proposées à des prix digestes.

ACHATS

Outre le grand marché du samedi matin, sur les quais de La Réole, rendez-vous aussi sous la halle métallique de Monségur. Ici se déroulent les marchés au gras *(2e dim. de déc. et de fév.)*.

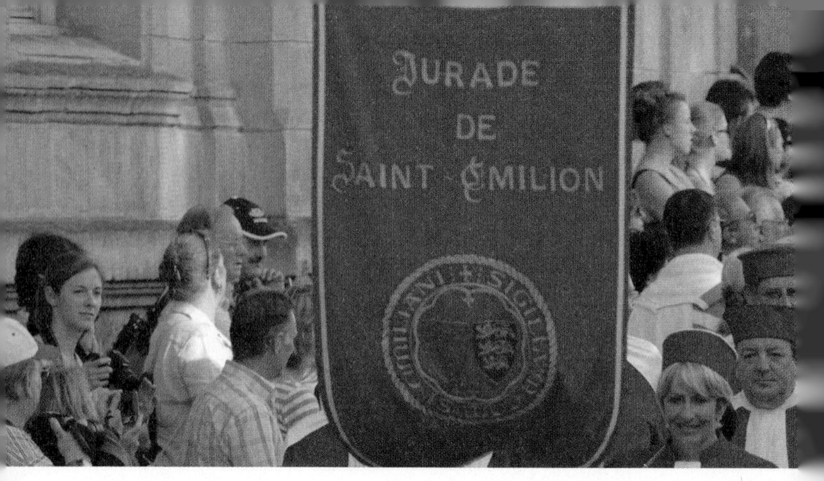

Saint-Émilion

★★

2 124 Saint-Émilionnais – Gironde (33)

NOS ADRESSES PAGE 168

S'INFORMER

Office du tourisme de St-Émilion – *Pl. des Créneaux - 33330 St-Émilion - ℘ 05 57 55 28 28 - www.saint-emilion-tourisme.com - juil.-août : 9h30-20h ; avr.-juin et sept. : 9h30-18h30 - reste de l'année : 10h-12h30,14h-17h.* Plan de la ville et guide pratique (visite de la cité médiévale et du vignoble, visites en famille, manifestations, randonnées-dégustations, etc.). Circuits de randonnées pédestre et à vélo disponibles gratuitement sur demande. Topoguide et audioguide.

SE REPÉRER

Carte de microrégion C2 (p. 98) – *carte Michelin Départements 335 K5.*
À 10 km à l'est de Libourne par la D 243.

SE GARER

Stationnez à l'extérieur du centre-ville sur les parkings *(payants)* situés en haut et en bas de la ville. Parking gratuit à l'espace Guadet, parking longue durée Villemaurine (en haut). St-Émilion se parcourt à pied… avec des chaussures confortables, car les ruelles sont pavées et pentues.

À NE PAS MANQUER

La vue sur la ville depuis la tour du Roi ou le clocher de l'église monolithe ; la place du Marché et les monuments qui la bordent ; le train des Grands Vignobles *(voir la rubrique « Activités » p. 169).*

ORGANISER SON TEMPS

C'est le soir, peu avant le coucher du soleil, que la ville est la plus belle. En revanche, si vous souhaitez éviter la foule, commencez vos visites de bon matin. Une journée ne sera pas de trop pour faire le tour de toutes les richesses de la cité. En été, des visites nocturnes sont proposées. Vous l'aurez compris : pour profiter au mieux de St-Émilion, l'idéal est de pouvoir dormir sur place.

À Saint-Émilion, la jurade proclame le jugement du vin nouveau et ouvre le ban des vendanges.
J.B. Nadeau / AGCC st-Emilion

AVEC LES ENFANTS
L'ascension du clocher de l'église monolithe… et les incontournables macarons de St-Émilion ; le jardin de la Lamproie à Ste-Terre ; l'écomusée du Libournais à Montagne.

Si vous allez à St-Émilion pour le plaisir des papilles (c'est une valeur sûre !), attendez-vous à en avoir aussi pour le plaisir des yeux. C'est certainement l'une des plus jolies cités d'Aquitaine. Une ville médiévale de pierre dorée, de placettes et de venelles, une cité originale pourvue de rares monuments souterrains. Entourée d'un paysage de vignes remarquablement préservé, elle partage avec les communes de la juridiction la fierté de leur inscription sur la liste du Patrimoine mondial de l'Unesco, au titre de « paysages culturels ».

Se promener Plan de ville p. 161

★★ Le site

Face au Midi, St-Émilion essaime, sur deux collines calcaires, ses petites maisons blondes aux toits de tuiles vieux rose. À la jonction des deux collines, le haut clocher de l'église monolithe surmonte un promontoire creusé de cavités : l'église monolithe, l'ermitage d'Émilion, les catacombes, la chapelle de la Trinité et de nombreuses caves. Au pied du promontoire et de l'église, la place du Marché est le cœur de la ville. Elle fait la liaison entre les quartiers couvrant les deux collines, dont l'une arbore le château du Roi, jadis siège du pouvoir civil, et l'autre la collégiale, symbole de la puissance religieuse. Pour avoir une belle **vue d'ensemble** du site, montez en haut du clocher de l'église monolithe ou en haut de la tour du Roi. De l'esplanade près du cloître des Cordeliers, place du Cap-du-Pont, vous avez aussi une jolie vue sur St-Émilion.

Place du Marché

Petite place pavée où les restaurants ont planté leurs parasols. De là, très jolie vue sur la charmante chapelle de la Trinité et sur l'église monolithe que domine un majestueux clocher percé de baies romanes et terminé par une flèche du 15e s.

L'ermitage, les **catacombes**, la **chapelle de la Trinité** et l'**église monolithe**, situés autour de la place du Marché, se visitent **avec un guide** (45mn). Prenez votre billet à l'office de tourisme.

Ermitage St-Émilion

Cette grotte fut agrandie par Émilion qui lui donna la forme d'une croix latine. On peut y voir le lit du saint (lit de pierre… on est ermite ou on ne l'est pas !), son siège creusé dans la roche et la source où il donnait le baptême – elle fait aujourd'hui office de puits aux vœux. Les femmes désireuses d'avoir un enfant doivent s'asseoir, dit-on, sur le siège d'Émilion. Au fond, un autel est surmonté d'une statue du saint.

Catacombes

Dans la falaise voisine de la chapelle s'ouvrent des galeries qui servaient à l'origine de nécropole, comme l'attestent les tombes creusées dans la pierre. On distingue dans la coupole centrale un orifice autour duquel s'enroule un escalier en colimaçon. À la base de cette coupole, remarquez une représentation naïve de la Résurrection des morts : trois personnages sculptés sortent de leurs sarcophages en se tendant la main.

Chapelle de la Trinité

Ce petit édifice fut construit au 13e s. par les bénédictins. Rare exemple dans le Sud-Ouest d'une abside gothique à pans, il se distingue à l'intérieur par une élégante voûte à nervures rayonnantes convergeant sur une clef frappée de l'agneau mystique. Convertie un temps en tonnellerie, la chapelle conserva ses jolies **fresques gothiques**, retrouvées sous une couche de suie. Sur ces fresques (14e s.), on reconnaît des représentations de chimères, comme cet évêque avec un corps de palombe.

★Église monolithe

✆ 05 57 55 28 28 - visites guidées (45mn) juil.-août : 10h30, 11h30, 14h30, 15h30, 16h30, 17h30 et 18h30 ; reste de l'année : sur RV auprès de l'office de tourisme - 6,80 € (-12 ans gratuit).

Attention, rareté : cette église souterraine « d'une seule pierre », la plus vaste d'Europe, a été aménagée dans le rocher à la fin du 11e s., grâce au savoir-faire d'ouvriers carriers. On dit que les moines qui la creusèrent furent, selon les moments, de cinq à cinquante-cinq.

L'intérieur frappe autant par l'ampleur des nefs taillées en profondeur dans la pierre que par la découpe parfaitement régulière des voûtes et des piliers quadrangulaires, dont deux seulement soutiennent le clocher. Au fond de la nef centrale, sous l'arcade de travée, un bas-relief représente deux anges tétraptères, ou chérubins, gardiens des portes du paradis.

DU SOBRE ERMITE AU « TAPISSIER » GIRONDIN

Au 8e s., **Émilion** abandonna sa Bretagne natale pour embrasser la vie monastique près de Royan. Il était, au monastère, chargé de la boulange. Mais sa vie était ailleurs, et il se mit en quête du havre de tranquillité nécessaire à sa méditation. Il trouva le lieu rêvé sur les pentes calcaires de la vallée de la Dordogne, et s'y aménagea une grotte alimentée en eau par une source. L'ermite Émilion allait faire des émules qui bâtirent là un monastère ; le village élevé alentour prit tout simplement son nom. Dix siècles après Émilion, ce fut un proscrit qui vint chercher refuge à St-Émilion. **Élie Guadet** était devenu un des chefs du parti girondin à la Convention et à ce titre victime de la haine que Robespierre portait à la Gironde. Déguisé en tapissier, il s'évada alors de Paris pour gagner la Normandie puis St-Émilion, sa ville natale, où il se terra en compagnie de Pétion et Buzot, ses collègues à l'Assemblée. C'est là qu'un jour de 1794 il fut arrêté et emmené à Bordeaux, où il mourut sur l'échafaud.

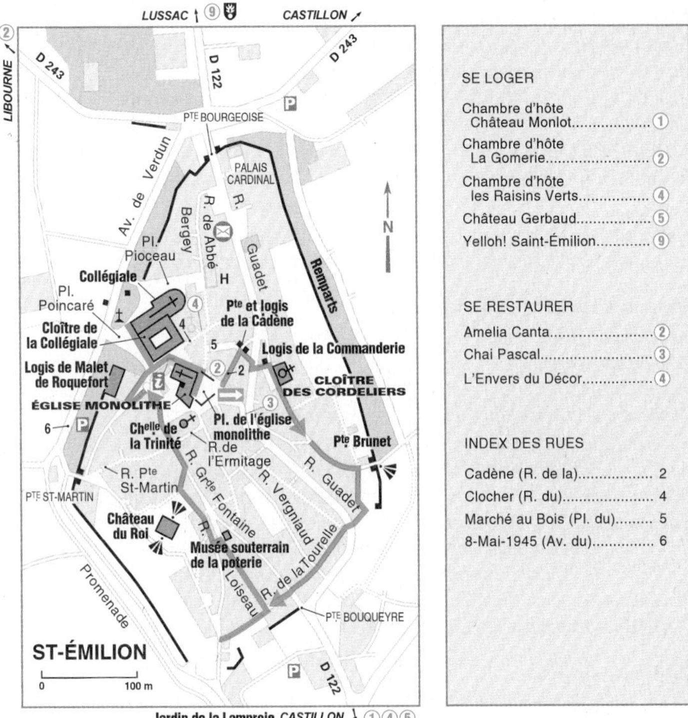

Clocher de l'église monolithe – Certes, il y a 187 marches à monter… mais cela vaut le coup d'œil : **vue** d'ensemble sur la bourgade, ses monuments et le vignoble, le tout classé au Patrimoine mondial de l'Unesco.

Une rampe mène à la porte de la Cadène.

Porte et logis de la Cadène

La porte de la Cadène tient son nom de la chaîne (du latin *catena*) qui la fermait pendant la nuit ; au travers de son arche, curieuse perspective sur la tour de l'église monolithe. Une maison à pans de bois du 15e s. est accolée à la porte.

Prendre à droite dans la rue de la Porte-Brunet.

De l'ancien **logis de la Commanderie** *(sur la droite)* qui accueillait jadis les officiers, il ne subsiste que le chemin de ronde et une échauguette d'angle.

Cloître des Cordeliers

www.lescordeliers.com - *accès libre au cloître - visite guidée des souterrains sur demande à l'office de tourisme.*

Construit comme la chapelle au 14e s., le **cloître★** carré est composé de colonnettes géminées, sur lesquelles prennent appui des arcs d'aspect roman. Au fond à droite, un arc ogival du 15e s. précède l'escalier qui conduisait aux cellules des moines. L'ensemble, tout recouvert d'une végétation où trillent les oiseaux, est très romantique. Dans la nef de l'ancienne église, accès aux **caves** creusées dans le roc à 20 m de profondeur, où naissent les crémants de bordeaux blancs et rosés.

Continuer la rue de la Porte-Brunet jusqu'aux remparts.

Porte Brunet

C'est l'une des six portes qui jalonnaient les remparts du 13e s., renforcés aux siècles suivants par un chemin de ronde sur mâchicoulis. De la porte Brunet, vue sur le vignoble. C'est par cette issue que s'échappèrent, une nuit de janvier 1794, les proscrits girondins, compagnons de **Guadet**.

Au loin, pointant haut au-dessus du dédale des ruelles, se dressent la tour du Roi et la grande flèche du clocher.

Revenir sur ses pas pour prendre à gauche la rue de la Liberté. Emprunter les escaliers à gauche (après le n° 3), poursuivre à gauche puis prendre à droite la rue de la Tourelle. Enfin, tourner à droite dans la rue André-Loiseau.

Musée souterrain de la Poterie

Hospices de la Madeleine - 21 r. André-Loiseau - ✆ 05 57 24 60 93 - www.saint-emilion-museepoterie.fr - 10h-19h - 4 € (-12 ans gratuit) - possibilité de visite guidée (ou nocturne sur RV, tarif combiné avec celle de l'église monolithique). Attention : il fait frais et humide dans les galeries, même en été.

Dans un dédale de galeries, d'où fut extraite la pierre ayant servi à l'édification du château du Roi et des remparts aux 12e et 13e s., quelque 6 000 pièces de poterie, des Romains à nos jours, ont trouvé refuge. L'évolution des poteries populaires du Sud-Ouest, et de l'art céramique en général, fait écho à l'histoire de la région et du pays. Parmi les nombreux objets, d'énormes chaudrons et d'étonnants épis de faîtage évoquent les occupants du logis qu'ils coiffaient. Plusieurs espaces, dont le « palais Wohlfahrt », sont consacrés aux œuvres d'artistes contemporains. Expositions temporaires.

Château du Roi

✆ 05 57 55 28 28 - juil.-août : tlj 11h-18h30 ; sept.-oct : tlj 14h-17h30 ; déc.-mars : w-end 14h-17h ; avr.-juin : lun.-vend. 14h-18h, w-end 11h-18h ; fermé janv. - 1,25 € (-6 ans gratuit).

Fondé selon les uns par Louis VIII, selon les autres par Henri III Plantagenêt au 13e s., il servit d'hôtel de ville jusqu'en 1720. Le donjon rectangulaire (32 m de hauteur), dit **tour du Roi**, isolé sur un socle rocheux, est muni de latrines sur sa face extérieure. Du sommet, **vue★** sur la ville et, au-delà, sur les vallées de la Dordogne et de l'Isle).

Prendre la rue de la Grande-Fontaine puis la bien-nommée ruelle du Tertre-des-Vaillants, très pentue, qui court entre des maisons creusées à même la roche.

Collégiale

Vaste édifice à la nef romane et au chœur gothique. L'entrée se fait sur le côté gauche du chœur par un somptueux portail du 14e s. monté à l'époque où Gaillard de la Mothe, neveu de Clément V, était doyen des chanoines. Son tympan est sculpté d'un Jugement dernier. Il ne reste que la base des statues d'apôtres qui garnissaient les niches. À l'extrémité du mur droit de la nef, peintures murales du 12e s. représentant la Vierge et la légende de sainte Catherine. Dans le chœur, personnages des **stalles** (15e s.), pleins de fantaisie.

Logis de Malet de Roquefort

En face de la collégiale, une maison du 15e s. est incorporée dans le rempart : sous son toit passe le chemin de ronde de l'enceinte à créneaux et mâchicoulis.

Rejoindre la place des Créneaux.

Cloître de la collégiale

✆ 05 57 55 28 28 - ♿ - tte l'année - gratuit.

St-Émilion, hier et aujourd'hui

En 1199 la charte de Falaise, signée par Jean sans Terre, permet à la commune de St-Émilion d'avoir sa propre administration gérée par des magistrats et des jurats. La juridiction s'étend aux territoires des huit communes actuelles par une charte accordée en 1289 par Édouard Ier *(voir ci-dessous).*

JURADE ET JURATS

Les célèbres vins rouges de St-Émilion étaient qualifiés au Moyen Âge de vins « honorifiques » parce qu'on les offrait en hommage aux souverains et aux personnalités de marque. Dès l'époque médiévale, le conseil municipal d'alors avait la charge de contrôler leur qualité : c'était la jurade qui, abolie à la Révolution, a été reconstituée en 1948. Elle assume encore aujourd'hui cette fonction.

Tous les ans, au **printemps** *(3e dim. de juin)*, les jurats vêtus de leurs robes écarlates bordées d'hermine et coiffés de leurs chaperons de soie entendent la messe puis se dirigent, en procession, vers le cloître de l'église collégiale, où ils procèdent à de nombreuses intronisations. En fin d'après-midi, du haut de la tour du Roi, la jurade proclame le jugement du vin nouveau.

À l'**automne** *(3e dim. de sept.)*, les mêmes jurats, du haut de la même tour du Roi, ouvrent le ban des vendanges. Ces diverses solennités s'accompagnent de banquets dignement arrosés, qui se déroulent dans la salle des Dominicains du Conseil des Vins de St-Émilion.

UN PAYSAGE CULTUREL INSCRIT AU PATRIMOINE MONDIAL

La juridiction de St-Émilion couvre une superficie de 7 846 ha dont près des trois-quarts sont couverts de vignes produisant les vins d'appellation « saint-émilion » et « saint-émilion grand cru ». Bordée au sud par la Dordogne et au nord par la Barbanne, ses paysages se caractérisent par une mosaïque parcellaire liée aux petites exploitations traditionnelles qui font partie intégrante de son identité : la juridiction témoigne en effet d'une véritable symbiose entre un terroir, des hommes et une production.

En 1289, Édouard Ier, roi d'Angleterre, accorde aux habitants des huit communes qui allaient former la juridiction – St-Émilion, St-Christophe-des-Bardes, St-Étienne-de-Lisse, St-Hippolyte, St-Laurent-des-Combes, St-Pey-d'Armens, St-Sulpice-de-Faleyrens et Vignonet – franchise, privilèges et libres coutumes.

En 1999, la juridiction de St-Émilion est inscrite sur la Liste du patrimoine mondial de l'humanité au titre des paysages culturels. Pour l'Unesco, elle « offre un exemple éminent à la fois d'un ensemble architectural de grande qualité et d'un paysage illustrant plusieurs périodes significatives de l'histoire humaine »... et « de manière exceptionnelle la culture intensive de la vigne ».

Pour que le site soit digne de cette reconnaissance, les maires des huit communes de la juridiction ont signé en 2001 une charte patrimoniale engageant celle-ci dans un projet de territoire et la mise en place d'un plan de gestion du paysage culturel.

Circuit « La juridiction de St-Émilion », p. 165.

Ce cloître du 14e s. présente des analogies avec celui des Cordeliers, notamment dans le dessin des colonnettes géminées, d'une grande élégance. Aux angles, des arcs consolident les galeries, dont l'une abrite une série de beaux enfeus qui servaient jadis de sépultures. Le réfectoire et le dortoir des religieux, restaurés, forment le « Doyenné », siège de l'office de tourisme.
Revenir à la place du Marché.

À proximité Carte de microrégion p. 98

Jardin de la Lamproie, à Ste-Terre C2

7 km au sud (D 122, D 670) - Lavagnac nord - ✆ 05 57 47 14 34 - www.jardindelalamproie.fr - avr.-sept. : mar.-sam. 10h-12h30,14h-18h30, dim. 14h-18h ; reste de l'année : mar.-sam. 10h-12h, 14h-17h - jardin et parcours : gratuit. Parcours de découverte avec fiches de questions à remplir.

Dans ce petit parc qui accueille aussi l'office de tourisme, un parcours ponctué de panneaux permet de découvrir la végétation des bords de la Dordogne. La salle d'exposition (aquarium, film…) vous invite à faire connaissance avec la curieuse **lamproie**, vieille de 450 millions d'années, qui peuple la rivière et l'estuaire, et que les amateurs dégustent… « à la bordelaise » ! Le site est aussi le siège de la Confrérie de la lamproie *(Fête de la lamproie fin avr.)*.

Circuits conseillés Carte de microrégion p. 98

JURIDICTION DE ST-ÉMILION

Pour visualiser ce circuit de 21 km au départ de St-Émilion, se reporter à la carte p. 150. Compter 3h.

– À l'exception de Cheval-Blanc, tous les châteaux que nous mentionnons ici sont ouverts à la visite. Renseignez-vous auprès de l'office de tourisme de St-Émilion pour connaître les conditions de visite.

Les huit communes de la juridiction ont conservé un patrimoine architectural varié, particulièrement bien intégré dans le paysage. Caractéristiques de l'activité viticole, les **murets de pierres** ont été élevés pour délimiter et protéger les exploitations qui sont souvent restées assez modestes (environ 8 ha). La richesse de la région explique l'incroyable densité de **très beaux châteaux** qui jalonnent le vignoble et qui sont parfois bien antérieurs à son essor au 19e s. L'abondance de ces constructions s'explique aussi par la qualité de la pierre calcaire, abondamment exploitée. Le sous-sol de St-Émilion et de ses environs est en effet un véritable gruyère. On y compte environ 200 km de **carrières**. Nombre d'entre elles sont actuellement utilisées comme chais grâce à la régularité de leur température et peuvent se visiter (ex : Franc Mayne ou Villemaurine, à St-Émilion, *se renseigner auprès de l'office de tourisme*).

Quitter St-Émilion vers l'est, par la D 243, en direction de St-Christophe-des-Bardes.

On aperçoit sur la droite la chartreuse de **La Couspaude** (18e s) puis, sur la gauche, le domaine de **Soutard**, puis de nouveau sur la droite, l'imposant **château de Haut-Sarpe**, dont le pavillon central est inspiré du Trianon de Versailles.

St-Christophe-des-Bardes C2

Outre une église romane à l'élégant portail du 12e s., cette commune possède certains des plus beaux châteaux de la juridiction, citons celui de **Laroque**, avec sa tour du 13e s, et la chartreuse de **Fombrauge** (17e s.).

LE VIGNOBLE DE ST-ÉMILION ET SES SATELLITES

Terroir : La juridiction de St-Émilion s'étend sur huit communes. En outre, quatre autres terroirs alentour sont dits **satellites de St-Émilion**. Ils possèdent le même type de sol à dominante argilo-calcaire, mais tous ne bénéficient pas de l'influence du fleuve.

On distingue les **saint-émilion** des **saint-émilion-grand-cru** qui ont fait l'objet d'un classement en 1955. En principe, la distinction n'a rien de géographique. Dans la pratique, les grands crus sont presque tous situés sur le plateau ou en coteau.

Production : Le vignoble produit des vins rouges au vieillissement remarquable.

AOC saint-émilion, saint-émilion-grand-cru, montagne-saint-émilion, puisseguin-saint-émilion, saint-georges-saint-émilion, lussac-saint-émilion : cépages cabernet franc, malbec, cabernet-sauvignon et merlot. Les saint-émilion se distinguent par leurs arômes puissants et leur caractère corsé, charpenté.

Vous trouverez aux adresses suivantes une présentation des vignobles, des animations et dégustations et la liste des châteaux ouverts à la visite :

Syndicat viticole de St-Émilion – 05 57 55 50 50 - *www.vins-saint-emilion.com*

Maison des vins de l'union des satellites de St-Émilion, à Montagne – *voir p. 169.*

Rubrique « Activités », p. 169.

Poursuivre sur la D 243 jusqu'au panneau indiquant, sur la droite, le château de Pressac.

St-Étienne-de-Lisse C2

Château de Pressac – Construit au Moyen Âge, et fortement remanié par la suite, ce château vit la signature du traité qui mit fin à la guerre de Cent Ans, après la bataille de Castillon *(voir page suivante).*

Poursuivre sur le chemin et tourner dans la première route qui part sur la droite, et encore à droite pour rejoindre le château de Faugères.

Château Faugères – Au milieu des vignes, dominant la chartreuse du 18e s. de Faugère, le chai construit par l'architecte Mario Botta, s'élève majestueusement, soulignant de manière inédite les lignes du paysage viticole.

Revenir sur ses pas. À l'embranchement avec la D 245, tourner à droite en direction de St-Étienne-de-Lisse.

L'**église** fortifiée a la particularité d'avoir un plan tréflé très rare dans la région, ainsi que, à l'extérieur, de nombreux modillons sculptés sur la corniche du chevet, très amusants à observer.

Pour une belle vue sur la vallée de la Dordogne, montez à la **croix de Touran**.

Continuer sur la D 245 et tourner juste avant St-Laurent-des-Combes vers la droite, pour rejoindre St-Hippolyte par une jolie route en lacets.

St-Hippolyte C2

Devant l'église, beau **point de vue** sur le vignoble.

Sur le domaine du **château de Ferrand**, d'anciennes carrières abandonnées forment de surprenantes grottes.

1

Revenir sur ses pas sur la route en lacets, traverser la D 245, en laissant St-Laurent-des-Combes sur la droite et descendre vers le sud en direction de St-Pey-d'Armens. Arrivé là, prendre sur la droite la D 936 pour 1 km, avant d'obliquer sur la gauche en direction de Vignonet.

Juste avant **Vignonet**, beau point de vue sur les côteaux de St-Émilion.

De là, gagner St-Sulpice-de-Faleyrens par la D 670. Tourner à gauche sur la D 936, puis à droite sur la D 122 en direction de St-Émilion, qu'on laisse sur sa droite pour se rendre à St-Sulpice de Faleyrens par la D 19.

Peu après la traversée de St-Sulpice, remarquez sur la gauche le **château de Lescours** (14e s.).

Tourner à droite et traverser la D670 et la voie ferrée pour rejoindre l'extrémité ouest du vignoble de St-Émilion, qu'on nomme parfois en raison de ses sols sableux « graves de Saint-Émilion ». Poursuivre jusqu'à la jonction avec la D 243, qu'on suit sur 1 km en direction de Libourne, avant d'obliquer à droite sur la D 145.

Visible sur la gauche, le **château de Figeac** est encore aujourd'hui le plus grand domaine du vignoble de St-Émilion, avec ses 40 ha de vignes.

Emprunter sur la droite la D 244, d'où l'on aperçoit le nouveau chai du **château heval-Blanc**, immense ellipse immaculée, réalisé par l'architecte Christian de Portzamparc.

Poursuivre sur la D 244 jusqu'à St-Georges d'où l'on rejoint St-Émilion par la D 122.

AUTOUR DE ST-ÉMILION

Pour visualiser ce circuit de 52 km au départ de St-Émilion, se reporter à la carte p. 150. Compter 3h.

Il est recommandé de parcourir les vignes à l'automne, lorsque les rangées de ceps s'animent de la fièvre des vendanges *(2e quinz. de septembre)* et qu'une lumière caressante dore les contours du paysage. Cependant, en toute saison, le promeneur jouira du tableau équilibré que composent les coteaux couronnés de châteaux et de bouquets d'arbres, tandis que se dégagent des échappées sur les vallées de la Dordogne et de l'Isle.

Quitter St-Émilion au nord près de la porte Bourgeoise par la D 122.

Après St-Émilion et peu avant St-Georges apparaît à droite le **château St-Georges**, bel édifice Louis XVI sommé d'une balustrade et de pots à feu.

St-Georges C2

Petite église romane du 11e s. à tour carrée s'élargissant vers le haut et abside courbe offrant des modillons sculptés aux sujets savoureux, traités dans un style cubiste.

Montagne C2

Ce petit village abrite une **église** romane à trois absides polygonales que surmonte une tour carrée munie d'une chambre forte. De la terrasse voisine de l'église, vue sur St-Émilion et la vallée de la Dordogne.

À proximité, l'**écomusée du Libournais** propose au visiteur une incursion dans le terroir à travers une présentation des ressources locales, des activités traditionnelles et de l'aspect social dans le vignoble libournais à la fin du 19e s. et au début du 20e s. Une autre partie est consacrée aux **techniques viticoles** actuelles : ce panorama vous permettra de faire le point sur vos connaissances ou de les compléter avant de vous rendre sur le terrain. D'intéressants espaces mis en scène (tonnellerie, maréchalerie, charronnage...) complètent la visite. Le **jardin ethnobotanique** est lui aussi instructif ; vous y découvrirez les différentes utilisations (ludiques, curatives, ornementales, etc.) des plantes

DU CÔTÉ DE CASTILLON-LA-BATAILLE

Terroir : La région des côtes de Castillon se situe dans le prolongement des côteaux de Saint-Émilion. Elle partage avec ces derniers les mêmes caractéristiques, mais ses sols sont plutôt argilo-siliceux ou argilo-graveleux.

Production : Relativement récente (1989), l'**AOC castillon-côtes-de-bordeaux** s'applique à des vins rouges au goût puissant, résultant d'un assemblage de cépages cabernet-sauvignon, cabernet franc, merlot, malbec, petit verdot.

Vous trouverez à l'adresse suivante une présentation du vignoble, des animations et dégustations et la liste des châteaux ouverts à la visite : **Maison du vin des côtes de Castillon**, à Castillon-la-Bataille – *voir p. 169.*

et arbres. *05 57 74 56 89 - avr.-11 Nov. : 9h30-12h30, 14h-18h - fermé reste de l'année - 6 € (-10 ans gratuit).*

Continuer la D 122 jusqu'à Lussac et la suivre sur 2 km. Prendre à gauche la D 21 sur 4,5 km.

Petit-Palais-et-Cornemps C2

Voir l'ABC d'architecture p. 85. Au milieu de son cimetière, l'**église** St-Pierre de Petit-Palais (fin 12e s.) offre une ravissante **façade★** romane saintongeaise, de dimensions réduites mais bien proportionnée et sculptée avec délicatesse d'une profusion de motifs. L'élévation comporte trois étages d'arcs, aux dessins différents, dont plusieurs polylobés suivant une mode venue des Arabes ; la cathédrale de Zamora (Espagne) s'en est inspirée.

Le **portail** est encadré de portes aveugles qui donnent une idée fausse du plan de l'église, pourvue d'une nef sans bas-côtés. La disparité entre les deux baies aveugles situées aux extrémités du second registre, l'une polylobée, l'autre régulière, constitue une autre particularité de cette façade. Remarquez, à l'archivolte du portail central, un cordon d'animaux se poursuivant, et, dans les écoinçons, d'amusants personnages figurant d'un côté une femme, de l'autre un homme se retirant une épine du pied.

Revenez sur la D 21 puis empruntez vers le sud la D 17.

Castillon-la-Bataille C2

En 1453, les troupes anglaises placées sous les ordres du général Talbot subirent une lourde défaite devant les troupes des frères Bureau, qui, par une manœuvre audacieuse et l'utilisation de l'artillerie, remportèrent une victoire éclatante. Cette bataille marqua la fin de la domination anglaise en Aquitaine et, du même coup, de la guerre de Cent Ans.

Chaque été, la ville de Castillon organise une reconstitution haute en couleurs de la bataille de 1453. Mémorable ! *(voir p. 31).*

Construite sur une butte, Castillon domine la rive droite de la Dordogne dont les berges ont inspiré Michel de Montaigne et Edmond Rostand. Ses coteaux produisent l'AOC castillon-côtes-de-bordeaux.

Revenir à St-Émilion par la D 130, St-Étienne-de-Lisse et la D 245.

1

NOS ADRESSES À SAINT-ÉMILION

HÉBERGEMENT

Bon à savoir – Le domaine viticole **Château Gerbaud** *(D 936 - 33330 St-Pey-d'Armens - 8 km au SE de St-Émilion par D 670 dir. Castillon-la-Bataille et route à droite - ✆ 09 75 21 00 29 et 06 03 27 00 32 - www.chateau-gerbaud.com - 4 €)* dispose d'une aire de stationnement (48h maxi) réservée aux camping-cars; certains emplacements sont ombragés, mais tous bénéficient de la proximité des vignes.

À St-Émilion

BUDGET MOYEN

Chambre d'hôte La Gomerie – *La Gomerie - ✆ 05 57 24 68 85 - www.ms-favard.fr - P - ⊭ - 4 ch. 57/63 € ☕.* Cette demeure girondine de 1789 se trouve au cœur d'une exploitation viticole de 2 ha. Les chambres, simples, possèdent du mobilier d'époque. Petit-déjeuner servi l'hiver dans la véranda, l'été sous la tonnelle dressée dans le jardin.

Yelloh ! Saint Émilion -Domaine de la Barbanne – *2 Les Combes - ✆ 05 57 24 75 80 - www.camping-saint-emilion.com - fermé oct.-mars - ♿ - P 130 empl. 15/29 €.* Hébergement en chalet-motel dans ce camping doté d'un équipement complet : épicerie, restaurant, laverie, club pour les enfants, location de vélos, piscines, tennis, minigolf... Draps et serviettes fournis ; location possible pour une nuit. Navette gratuite pour le village.

À proximité

BUDGET MOYEN

Chambre d'hôte Aux Raisins Verts – *49 r. Paul-Bert - 33350 Castillon-la-Bataille - ✆ 06 31 41 68 40 - http://auxraisinsverts.free.fr - P - ⊭ - 3 ch. 59 € ☕ - suite familiale 99 € ☕ - table d'hôte 20 €.* Cette maison de maître, entourée d'un grand parc, est tenue par un couple qui a aménagé quatre chambres à thème (Napoléon, Louis XVIII, botanique, Gustav). Les pièces, claires et fraîches, sont joliment aménagées (mobilier ancien). Les animaux sont acceptés.

POUR SE FAIRE PLAISIR

Chambre d'hôte Château Monlot – *33330 St-Hippolyte - ✆ 05 57 74 49 47 - www.chateaumonlot.com - P - 5 ch. 80/110 € ☕.* Ce « château » est l'archétype des demeures bourgeoises de la région. Ses chambres, agrémentées de meubles de style, tableaux et photos anciennes, portent chacune le nom d'une ville de Gironde (St-Émilion, Bordeaux, Arcachon, Margaux, Sauternes). La salle du petit-déjeuner, au décor vigneron, est fort agréable. L'été, on profite du jardin arboré.

RESTAURATION

BUDGET MOYEN

Amelia Canta – *2 pl. du Marché - ✆ 05 57 24 62 81 - fermé nov.-fév. - formule déj. 15 € - 20/26 €.* L'une des adresses les plus agréables de la place du Marché, où sont installés plusieurs restaurants. Cuisine traditionnelle soignée, service attentif et attrayant choix de vins.

L'Envers du Décor – *11 r. du Clocher - ✆ 05 57 74 48 31 - fermé fin déc.-déb. janv. - déj. 19 € - le soir et w.-end menu 30 € et carte.* Ce bistrot à vins adossé à la collégiale assure, outre la restauration, la vente à emporter de bonnes bouteilles. Dans la salle à manger, mariage réussi du bois, des vieilles pierres et de l'aluminium. Fleurs et laurier agrémentent la terrasse, plaisante et calme. Vins au verre et cuisine du marché.

Chai Pascal – *37 rue Guadet - ✆ 05 57 24 52 45 - www.chai-pascal.com. - 15/26 €.* Un bar à vin de poche, à mi-hauteur de St-Émilion. Nul doute que vous apprécierez la déco sobre, la carte représentative des vignobles alentour, l'atmosphère chic et détendue et la jolie vue sur le paysage.

ACHATS

Marché – *✆ 05 57 24 72 09 (mairie) - Dim. pl. Bouqueyre.*

Ferlion Macarons - Nadia Fermigier – *9 r. Guadet - ✆ 05 57 24 72 33 - www.macarons-saint-emilion.com - nov.-mai : lun.-vend. 8h-12h30 et 15h-19h, sam. 8h-19h, dim. 9h-19h - juin-oct. : 8h-19h15, dim. 9h-19h15 - fermé 3 sem. en nov. et 2e sem. de fév.* Les archives attestent l'existence de macarons à St-Émilion dès 1620. Après moult péripéties, la recette échut en 1930 à la famille Blanchez. Les délicieux gâteaux se travaillent encore de façon totalement artisanale dans cette boutique.

Matthieu Mouliérac – *Tertre de la Tente et 35 r. Guadet/r. de la Cadène - ✆ 05 57 74 41 84* et *06 75 23 70 40 - www.macaron-saint-emilion.com - 10h-19h ; hors sais. 11h-18h.* Fabrication artisanale de véritables macarons, canelés bordelais et craquants aux noisettes. Dégustation et vente.

ACTIVITÉS

Initiation à la dégustation

Maison du vin de St-Émilion – *Pl. Pierre-Meyrat – ✆ 05 57 55 50 55.* Grand choix de vins présentés par millésime (exception faite des grands crus classés) ; elle propose aussi des cours de dégustation.

Cercle des Œnophiles – *12 r. Élie-Guadet - ✆ 05 57 74 45 55.* « Dégustation-conseil » de vins de propriétés.

Vignobles et Châteaux – *4 r. du Clocher - ✆ 05 57 24 61 01 - www.vignobleschateaux.fr - 9h-20h.* Cette boutique propose une sélection de vins de la région, de crus français et européens, de champagnes et de cognacs. Beaux articles de verrerie.

Maison du vin des côtes de Castillon – *6 allée de la République - 33350 Castillon-la-Bataille - ✆ 05 57 40 00 88 - www.cotes-de-castillon.com.* Présentation du vignoble, dégustation et liste des châteaux ouverts à la visite, même sans réservation, même le week-end

Maison des vins de l'union des satellites de St-Émilion - *pl. de l'Église - 33570 Montagne - ✆ 05 57 74 60 13 - www.montagne-saint-emilion.com - oct.-avr. : lun.-vend. 9h30-12h, 14h15-17h ; mai-sept. : lun.-vend. 9h30-12h, 14h15-17h, w-end 11h-12h15, 14h15-18h15.* Ce lieu réunit toutes les appellations satellites, avec un vaste choix de crus et de millésimes. Vente de vins au tarif de la propriété.

Autres activités

Le vignoble à vélo – *✆ 05 57 55 28 28 (office de tourisme) - forfait 1/2 journée 12 €, 1 journée 15 €, 2 jours 22 €. Réservation conseillée en saison.*

Le train des Grands Vignobles – *✆ 05 57 51 30 71 - www.visite-saint-emilion.com - parcours commenté (1h30) - de Pâques au 11 Nov. : départs toutes les 45mn 10h30-12h, 14h-18h30 - fermé de mi-nov. à mi-avr., 1er janv. et 25 déc. - 6,50 € (4-14 ans 5 €).*

Libourne

23 296 Libournais – Gironde (33)

NOS ADRESSES PAGE 174

S'INFORMER

Office du tourisme du Libournais – *40 pl. Abel-Surchamp - 33500 Libourne - 05 57 51 15 04 - www.libourne-tourisme.com - juin-sept. : 9h30-12h30, 14h-18h30 (sam. 18h) ; oct.-mai : 9h30-12h30, 14h-18h (sam. 17h30) - fermé dim. et j. fériés.* Visites et balades nocturnes.

SE REPÉRER

Carte de microrégion C2 (p. 98) – *carte Michelin Départements 335 J5.*

Dans une région fertile, étape sur la route de Paris à Bordeaux (23 km à l'est par la N 89 et la D 1089) avant que ne soient construits les ponts de Cubzac *(voir Bourg p. 182)*, Libourne se situe au confluent de l'Isle et de la Dordogne. Le cœur de la ville se trouve place Abel-Surchamp, où se tient le marché les mardis, vendredis et dimanches matin (le plus animé).

À NE PAS MANQUER

La place Abel-Surchamp bordée d'arcades et de maisons anciennes ; l'hôtel de ville (dans lequel se trouve le musée des Beaux-Arts) ; le château de Vayres.

ORGANISER SON TEMPS

Attention, le musée des Beaux-Arts est fermé le week-end. Après une matinée de visite de Libourne, comptez une demi-journée pour suivre le circuit.

AVEC LES ENFANTS

Le lac des Dagueys ; le château de Vayres et ses parcours d'énigmes ; le musée du Chemin de Fer à Guîtres.

Ampleur du fleuve, maisons cossues à la bordelaise, marchés renommés et actifs, vins prestigieux exportés dans le monde entier : pas de doute, Libourne est bien la sœur de Bordeaux.

Se promener

Place Abel-Surchamp

Spacieuse et aérée, l'ancienne place royale est bordée de maisons bâties entre le 16e s. (n° 16 et n° 35) et le 19e s. L'**hôtel de ville** du 15e s. a été modifié au début du 20e s. dans un style néogothique.

Musée des Beaux-Arts

42 pl. Abel-Surchamp - 05 57 55 33 44 - www.ville-libourne.fr - mar. 14h-18h ; merc.-sam. 9h30-13h, 14h-18h - fermé j. fériés - gratuit.

Au cours de la montée par l'escalier, remarquez le beau groupe en marbre blanc de Falconet (18e s.). Belles œuvres des écoles flamande, française et italienne (16e s.-20e s.). Vous y trouverez notamment *Trois têtes de vieillards* par Jordaens, *Jésus chassant les vendeurs du Temple* par Bartolomeo, *La Pentecôte* par Charles Le Brun, *L'Amitié* par Foujita, et des tableaux de Raoul Dufy. L'école libournaise est illustrée par des portraits de Lacaze et des natures mortes de Jeanne-Louise Brieux, mais surtout par un ensemble de peintures de **René Princeteau** (1843-1914) : scènes de courses *(Le Saut dans la rivière)* et

images de la vie rurale *(L'Arrivée au pressoir)* tiennent une place importante dans son œuvre. Natif de Libourne, René Princeteau fut le maître et l'ami de Toulouse-Lautrec. Il conquit le Tout-Paris malgré son infirmité (il était sourd et muet) grâce à ses scènes animalières et champêtres.
Des expositions temporaires sont organisées à la **chapelle du Carmel** (annexe du musée).

Quais de l'Isle et des Salinières

Aujourd'hui lieu de promenade, c'est là que se trouvait le port dont il reste… les platanes. L'ensemble situé quai des Salinières, constitué par la **porte du Grand Port** flanquée de la tour Richard et de la tour Barrée, est un vestige de l'ancienne muraille édifiée à partir de 1314, suite à la destruction de la ville par les Français en 1294. Derrière la tour, la rue des Chais rappelle que l'on stockait là le vin en partance.

Quai Souchet

Au confluent de la Dordogne et de l'Isle, ce quai vous permet de voir le **grand pont** (1824) avec ses neuf arches et le tertre de Fronsac.

UNE BASTIDE PORTUAIRE

En 1268, le **prince Édouard**, fils du roi d'Angleterre et arrière-petit-fils d'Aliénor d'Aquitaine, décide de fonder une bastide portuaire sur ce site privilégié, point de jonction entre la navigation fluviale et maritime, pour assurer un débouché aux produits du Périgord et seconder Bordeaux. Lorsqu'il devient roi d'Angleterre, c'est **Roger de Leyburn**, son lieutenant, qui est chargé de réaliser le projet et donne son nom à la ville : Leyburnia, devenue Libourne au fil du temps, va prospérer grâce à son commerce, souvent en concurrence avec la grande cité du vin voisine.

À proximité Carte de microrégion p. 98

Lac des Dagueys B2

Au nord-ouest (dir. Angoulême). Baignade surveillée juil.-août : 11h-19h.

Une vaste plaine de loisirs a été aménagée autour de ce plan d'eau de 40 ha, aux portes de la ville : plage et bassin pour les tout-petits, activités nautiques, pêche, aires de jeu et de pique-nique…

6 km. Boucle des Dagueys balisée autour du lac.

★ Château de Vayres B2

9,5 km au sud-ouest. Quitter Libourne par la D 1089 vers Bordeaux. Après Arveyres, tourner à droite dans la D 242 et, près de l'église de Vayres, prendre le chemin qui conduit au château. 05 57 84 96 58 - www.chateaudevayres.com - visite guidée (55mn) ; avr.-juin : dim. et j.fériés, 14h-18h30 ; de début juil. à mi-sept : 14h-19h ; vac. scolaire de printemps et d'automne : merc. 14h-18h30 - fermé de nov. à Pâques - 9,50 € (-5 ans gratuit) - nocturnes en été.

Les visites sont complétées par un parcours d'énigmes dans le parc.

Cette ancienne demeure de la famille d'Albret fut réaménagée au 16ᵉ s. par **Louis de Foix**, l'architecte du phare de Cordouan *(voir p. 198)*. Dans la grande cour d'honneur, il ajouta une galerie d'apparat à la manière italienne. La façade sur la Dordogne fut remaniée en 1695 et embellie d'un pavillon placé en saillie et coiffé d'un dôme, ainsi que de terrasses et d'un escalier monumental à double révolution donnant accès aux jardins à la française qui s'étendent jusqu'à la rivière.

À l'intérieur, visite de pièces meublées Louis XIII et Louis XIV. À noter les belles cheminées dans le salon Henri IV et le Grand Salon tendu d'une tapisserie d'Aubusson ; la bibliothèque imposante créée dans le donjon ; la salle à manger (14e s.) avec ses cuivres du 18e s. et son potager en faïence ; la chapelle du 13e s., dite « des murmures », construite comme une salle d'écho. Chaque année, une partie du château fait l'objet d'une restauration minutieuse.
Avant ou après la visite, vous pourrez faire le tour du château en suivant la « promenade du Moulin » et flâner dans le **jardin médiéval**.
Vayres constitue un endroit privilégié pour observer le phénomène du mascaret *(voir p. 38)*.

Circuit conseillé Carte de microrégion p. 98

VIGNOBLES DE FRONSAC ET DE POMEROL

Pour visualiser ce circuit de 60 km au départ de Libourne, se reporter à la carte p. 98 ou p. 150. Compter 3h.
Quitter Libourne par l'ouest, D 670.

Fronsac B2

Barrail de Tourenne - 05 57 84 86 86 - oct.-mai : lun.-vend. mat. et apr.-midi, sam. mat. (juin-sept.).
Se garer sur le parking de la Maison des vins. Franchissez le portail d'entrée du château de Fronsac *(accès autorisé)* menant au sommet du **tertre** que couronne le château. De cette éminence, belle **vue**, très étendue, sur les vallées de la Dordogne et de l'Isle, sur Libourne et les vignobles de Fronsac.
Dans le village, l'**église** romane vaut également le coup d'œil.
Poursuivre sur la D 670.

Château de La Rivière B2

Restauré par Viollet-le-Duc, il doit son charme à son style hétéroclite (16e-19e s.). C'est le plus important domaine de l'appellation avec ses 3 km de caves souterraines *(voir la rubrique « Achats », p. 176)*.
Poursuivre sur la D 670, puis tourner à droite (la D 246E1) en direction de Guîtres.

LES VIGNOBLES DE POMEROL ET FRONSAC

Terroirs : Ces territoires, situés respectivement à l'ouest et à l'est de Libourne, offrent des paysages bien distincts. Tout en vallons et côteaux, Fronsac se caractérise par ses sols argilo-calcaires, naturellement draînés, tandis que Pomerol, très petit terroir (moins de 800 ha) d'apparence moins riante, est constitué de sols graveleux et argileux.
Production : Le vignoble produit des vins rouges au vieillissement remarquable.
AOC fronsac et canon-fronsac : cépages cabernet franc, merlot, cabernet-sauvignon et malbec. Des vins fermes et charnus qui s'affinent avec l'âge.
AOC pomerol et lalande-de-pomerol : cépage merlot essentiellement, et cabernet franc, malbec, cabernet-sauvignon. Les pomerols sont de grands vins, d'une couleur profonde, riches et complexes au palais.
Vous trouverez aux adresses suivantes une présentation des vignobles, des animations et dégustations et la liste des châteaux ouverts à la visite :
Syndicat viticole de Pomerol – *05 57 25 06 88 - www.vins-pomerol.fr*
Maison des vins de Fronsac, à Fronsac – *voir p. 176.*

Vue sur les vignes et l'église de Pomerol.
I. Lainey / MICHELIN

La Lande-de-Fronsac B2

L'église romane (12e s.) fut fortifiée au 14e s. Elle vaut pour son superbe portail d'inspiration byzantine, dont le tympan représente l'Apocalypse selon saint Jean.

Poursuivre sur la D 246^{E1}, puis la D 246.

Mouillac B2

Restaurée au 19e s. après avoir été laissée à l'abandon suite à la Révolution, l'église romane (11e s.) se caractérise par son abside polygonale ornée d'arcatures.

Prendre à droite la D 10 en direction de Guîtres.

En chemin, vous pourrez également vous arrêter à **St-Ciers-d'Abzac** et **St-Martin-de-Laye**, qui comptent tous deux une église romane (12e s.).

Guîtres C2

4 av. de la Gare - 33230 Guîtres - ✆ 05 57 69 11 48 (saison) ou 05 57 69 10 34 (hors sais.) - juil.-août : lun.-vend. 10h-12h30, 14h-17h30, w-end 13h30-17h30 ; reste de l'année : lun.-vend. 10h-12h30, 14h-17h30.

Seul vestige d'une abbaye bénédictine, l'**église** de style saintongeais fut fortifiée et maintes fois remaniée au cours des siècles, avant d'être restaurée au 19e s. puis en 1964. Remarquez la façade avec portail du 13e s. et pignon du 14e s., le puissant chevet à cinq absidioles et la façade du 12e s. du croisillon nord du transept au portail à moitié enterré.

Musée du Chemin de Fer – *✆ 05 57 69 10 69 - www.trainguitres.com - parcours en train à vapeur : de déb. mai à mi-juil. et de fin août à fin oct. : dim. et j. fériés 15h30 (dép. du train à 15h30) ; de mi-juillet à fin août : dim. et j. fériés (dép. 15h30) - parcours en train diesel : juil.-août : merc. (dép. 15h30) - train à vapeur 13 € (enf. 7 €) ; train diesel : 8 € (enf. 5 €).* Dans l'ancienne gare, des collectionneurs ont réuni de vieux wagons et locomotives. La Mountain 241-P-9 (1947), une des plus puissantes machines à vapeur utilisées par la SNCF, est maintenue

PETRUS, UN VIN DE LÉGENDE

Petrus tient son nom du lieu. Situé au point le plus haut de l'appellation pomerol, ce petit domaine de 11,5 ha a une production relativement faible, ce qui rend ce vin rare… et cher ! La qualité exceptionnelle de petrus est due au mariage d'un cépage, le merlot, d'un terroir, une boutonnière d'argile, d'une bonne exposition, et du travail des vignerons dont bénéficient les vignes âgées d'une quarantaine d'années.

Après des vendanges effectuées l'après-midi et une cuvaison courte, l'élevage est pratiqué pendant vingt et un mois dans des barriques neuves. Ensuite, il faut savoir l'attendre de longues années avant de le boire. Petrus se distingue par sa robe très sombre, son caractère minéral aux parfums de truffe et de fruits noirs, et en bouche sa finesse, sa rondeur, son volume… Un moment magique !

avec son fourgon en excellent état. Il vous emmène en 45 minutes au moulin de Charlot, à Marcenais, transformé en crêperie. Vous pourrez y goûter avant que la micheline ne sonne le départ pour Guîtres, 1h30 plus tard.

Quitter Guîtres par le sud (D 910).

St-Denis-de-Pile C2

L'église (du 12e s., remaniée au 19e s.), située au bord de l'Isle, renferme une *Visitation*, attribuée aux frères Le Nain et donnée par Louis XVIII, et une Vierge à l'enfant en bois (17e s.).

Continuer vers le sud (D 245).

Lalande-de-Pomerol C2

L'église (12e s.) fut construite par les Hospitaliers de St-Jean. Le clocher fut modifié au 17e s. et les chapelles latérales ajoutées à la fin du 18e s.

NOS ADRESSES À LIBOURNE

HÉBERGEMENT

À Libourne

BUDGET MOYEN

Hôtel des Vignobles – *35 r. André-Nhévoit - ☏ 05 57 51 23 29 - www.hotel-des-vignobles.fr - ♿ - 8 ch. 53 € - ☕ 6,20 €.* Ce petit hôtel dissimule une ravissante cour pavée très verdoyante où l'on dresse la table pour le petit-déjeuner aux beaux jours. Les chambres sont bien tenues et soignées. Une cuisinette équipée est à disposition.

Hôtel La Tour du Vieux-Port – *23 quai Souchet - ☏ 05 57 25 75 56 - http://latourduvieuxport.fr - ♿ - 14 ch. 63/76 € - ☕ 6 € - rest. 15/29,50 €.* Cet hôtel-restaurant faisant face à la Dordogne propose des chambres spacieuses et rénovées avec goût par la propriétaire. Dans l'une des salles à manger, vous goûterez une cuisine traditionnelle préparée avec les produits du marché.

À proximité

POUR SE FAIRE PLAISIR

Chambre d'hôte Château La Closerie de Fronsac – *1 Lariveau - 33126 St-Michel-de-Fronsac - 5 km à l'ouest de Libourne par D 670, rte de Fronsac et rte de St-André-de-Cubzac - ☏ 05 57 24 95 81 - www.lacloseriedefronsac.com - P - 4 ch. 87/117 € ☕.* Cette jolie maison vigneronne marque le point de départ d'un chemin de randonnée qui se perd dans les vignes. Les chambres, aux meubles anciens, dégagent un réel charme. Dégustation du vin de la propriété en guise de bienvenue.

RESTAURATION

À Libourne

POUR SE FAIRE PLAISIR

Chez Servais – *14 pl. Decazes - ✆ 05 57 51 83 97 - fermé 1er-10 mai et 16-30 août, dim. soir et lun. - 19 € déj. - 27/52 €.* L'engageante façade de cette petite maison en pierre abrite une coquette salle à manger et un bar : tables fleuries et joliment dressées, chaises cannées, mobilier du meilleur goût… Rejoignez les habitués du restaurant et régalez-vous de ses attrayants menus traditionnels.

À proximité

BUDGET MOYEN

Le Villagosia – *12 av. de la République - 33141 Villegouge - 12 km au nord de Libourne par D 128 - ✆ 05 57 84 40 50 - fermé 1re quinz. d'août, 25 déc.-2 janv. et le soir - réserv. conseillée - 11 € déj. - 22/29 €.* Ce restaurant ouvert il y a une poignée d'années sur les hauteurs de Libourne, dans un petit village au milieu des vignes, a ses habitués. Dans son frais décor, vous dégusterez des préparations en partie maison.

Le Bord d'Eau – *4 Poinsonnet, route de Libourne - 33126 Fronsac - 2 km à l'ouest de Libourne par D 670 - ✆ 05 57 51 99 91 - fermé 1 sem. en sept., 16-30 nov., 15 fév.-2 mars, merc. soir, dim. soir et lun. - 20/48 €.* Les pieds dans la Dordogne, cette maison sur pilotis offre une vue panoramique sur Libourne et le clocher de l'église St-Jean-Baptiste. Profusion de plantes vertes, reflets argentés de la rivière… Dans ce décor impressionniste vous sera servie une bonne cuisine traditionnelle.

EN SOIRÉE

Bon à savoir – De jour comme de nuit, **l'esplanade François-Mitterrand** est un lieu très animé grâce aux nombreux bars et brasseries qui mêlent leurs terrasses sur la place. Parmi nos adresses préférées, citons le **Bar du Lycée**, où le vin est servi au verre, et **L'Orient**, une brasserie du début du siècle.

Café du Port – *Pl. du 8-Mai-1945 - Lieu-dit St-Pardon - 33870 Vayres - ✆ 05 57 74 85 98 - oct.-mai : 10h-21h ; juin-sept. : 10h-2h.* Vous serez ici aux premières loges pour assister au spectacle du mascaret : des vagues hautes et puissantes qui remontent la Dordogne. « On entend un grondement lointain qui ressemble au tonnerre », explique Annie, la patronne. L'été, une foule nombreuse vient assister à ce phénomène pendant que les surfeurs se précipitent par centaines vers les vagues.

ACHATS

Éclancher – *16 r. Victor-Hugo - ✆ 05 57 51 01 44 - tlj sf dim. et lun. 8h30-12h, 14h-19h, sam. 8h30-12h, 14h-18h.* Cette boutique est installée dans une pittoresque maison du 18e s. et n'a presque rien changé à ses habitudes depuis 1830. Vous y trouverez les mêmes produits que l'on y vendait à cette époque : des articles de cave, de chais et de vendange, de la vannerie, des sièges en rotin et en châtaignier…

M. Lopez – *18 r. Gambetta - centre-ville - ✆ 05 57 51 15 76 - tlj sf lun. 8h-12h30, 14h30-19h, dim. 7h30-13h ; ouv. j. fériés jusqu'à*

13h sf lun. Pentecôte - fermé 2 sem. en fév. et 3 sem. en été, dim. apr.-midi et lun. Parmi les spécialités de cette pâtisserie, citons les macarons, les tartelettes aux noix, les canelés, les bouchons (amandes grillées enrobées de pralin), le Surchamp (mousse au chocolat et aux noisettes), la Galette de la Reine (brioche aux amandes), les glaces et confiseries maison…

Le Château de la Rivière – *D 670 - 6 km au nord-ouest de Libourne par D 670 - 33126 La Rivière - ✆ 05 57 55 56 51 - www.vignobles-gregoire.com - juin-sept : lun.-sam. visite à 10h30, 14h30, 16h30 ; oct.-mai : en sem. et sur RV - fermé dim. - 6 € (gratuit jusqu'à 15 ans).* Un superbe château dont les origines remontent à 769 se dresse dans ce domaine de 65 ha produisant des vins AOC fronsac. La boutique vend les vins des Vignobles Grégoire, entité regroupant les crus des trois propriétés familiales. Vous pourrez, en plus, arpenter gratuitement le jardin Renaissance.

Bon à savoir – Les vignobles de Fronsac et Canon-Fronsac, moins connus que ceux de Pomerol ou de St-Émilion constituent une alternative extrêment intéressante à ces derniers par leur rapport qualité-prix.

Maison des vins de Fronsac – *Le Bourg - 15 km au sud-est de St-André-de-Cubzac par D 670 - 33126 Fronsac - ✆ 05 57 51 80 51 - www.vins-fronsac.com - 10h-12h45, 13h15-19h - fermé dim.* 69 viticulteurs adhérents déposent régulièrement à la Maison des vins de Fronsac un petit stock de leur production, offrant ainsi une vitrine des appellations fronsac et canon-fronsac. Des crus de 1993 à 2008, soit plus de 100 références constituant un large échantillon de ces vins racés de grande garde, sont mis en vente aux prix de la propriété.

ACTIVITÉS

Randonnée – *Documentation avec plan disponible gratuitement à l'office de tourisme.* Deux circuits départementaux (Les Peyrats - 35 km ; La Barbanne - 16 km) et 6 boucles locales (4 à 10 km) sillonnent le Libournais.

Lambert Voyages – *84 r. Montesquieu - ✆ 05 57 74 19 10 - www.mongolfiere-lambert-voyages.com - heures de décollage selon la saison (se renseigner).* Amoureux du ciel, cette agence de voyages vous propose des baptêmes de l'air en montgolfière.

Pêche – La **Dordogne**, qui parcourt Libourne et sa région, accueille de nombreuses espèces qui feront le bonheur des pêcheurs : gardons, goujons, brèmes, carpes, ablettes, perches, sandres, brochets, mulets venus de la mer, ainsi que de grands migrateurs remontant la rivière, comme les lamproies et les aloses.

Blaye

4 687 Blayais – Gironde (33)

NOS ADRESSES PAGE 180

S'INFORMER

Office du tourisme de Blaye – *Allées marines - 33390 Blaye - ☏ 05 57 42 12 09 - www.tourisme-blaye.com - avr.-oct. : 10h-12h30, 14h-17h30 ; nov.-fév. : mar.-sam. 10h-12h30, 14h-17h - fermé 1er janv., 1er nov., 11 Nov., 25 déc.*

SE REPÉRER

Carte de microrégion A1 (p. 98) – *carte Michelin Départements 335 H4.*
Sur la rive droite de la Gironde, à 43 km en aval de Bordeaux. Il est possible de traverser le fleuve : un bac relie Blaye à Lamarque dans le Médoc *(voir la rubrique « Transport », p. 180).*

À NE PAS MANQUER

Dans la citadelle, la vue sur l'estuaire depuis la tour de l'Éguillette ou la place d'Armes ; la route de la Corniche qui relie Blaye à Bourg ; la villa gallo-romaine de Plassac.

ORGANISER SON TEMPS

Pour la visite guidée de la citadelle, comptez 1h. Prévoyez un peu plus si vous souhaitez aussi visiter les musées et expositions ou vous attarder dans l'échoppe d'un artisan.

AVEC LES ENFANTS

Le « jeu des familles » pour découvrir la citadelle, le site Terres d'Oiseaux à St-Ciers-sur-Gironde.

Un tertre colonisé par les Romains, une tombe de héros chevaleresque, une citadelle et le verrou Vauban. Et puis des vignes de bon aloi, des asperges réputées, un port sur la Gironde où débarquent au printemps lamproies et aloses... Un petit détour par Blaye s'impose donc ; on pourra toujours prétexter que c'est pour l'Histoire uniquement !

Se promener

★ La citadelle

Un plan de la citadelle disponible à l'office de tourisme localise les bâtiments et les artisans installés sur le site. ☏ 05 57 42 12 09 - ♿ - visite libre toute l'année - juil.-août : visite guidée à 14h, 15h30, 17h - 5 € ; avr.-sept. : visite guidée de la citadelle par ses souterrains (sur réservation un jour avant) - 5 € (-12 ans 3 €).

Découverte ludique de la citadelle avec le « jeu des familles » en vente à l'office de tourisme - 2 €.

Accès à pied par la porte Dauphine, toutes deux timbrées de l'écusson fleurdelisé.

Ce site fortifié appartient au Réseau des Sites majeurs Vauban, inscrit depuis 2008 au Patrimoine mondial de l'Unesco, tout comme le verrou Vauban, constitué, sur l'estuaire de la Gironde, de la citadelle du fort Pâté et du Fort Médoc.

Au 17e s., la ville perchée fut rasée et céda la place à la citadelle terminée par Vauban en 1689. Le fort Paté sur un îlot de la Gironde et le fort Médoc, sur la rive gauche, complétaient ce système de défense destiné à protéger Bordeaux de la flotte « angloise ».

Au 17e s., lors de l'édification de la citadelle de Blaye, les **marais** jusqu'alors insalubres furent asséchés et en partie transformés en labours et prairies, selon une technique importée de Hollande : un système de canaux permet de drainer l'eau qui est rejetée dans l'estuaire à marée basse, tandis que des digues empêchent les eaux saumâtres d'y pénétrer à marée haute, et protègent le marais des eaux de ruissellement venant de l'intérieur.

Encore habitée en partie, cette petite ville à l'ancienne (près de 1 km de long), animée en saison par les artisans, s'enflamme lors des festivals de musique et de théâtre *(voir p. 30)*.

Château des Rudel

C'est le berceau de **Jaufré Rudel**, troubadour du 12e s. qui inspira nombre de romantiques. Il s'éprit sans la voir d'une « princesse lointaine », Melissende de Tripoli. Il s'embarqua pour la rejoindre, mais tomba malade sur le vaisseau et expira à l'arrivée dans les bras de sa bien-aimée…

De ce château médiéval, subsistent deux tours ainsi que les bases des murs et le pont d'accès. Au centre de la cour se trouve un vieux puits à la margelle usée par les frottements de la corde ou de la chaîne. Du haut de la tour des Rondes, **vue** sur la ville, l'estuaire de la Gironde et la campagne (table d'orientation).

Tour de l'Équillette

Vue en enfilade sur la Gironde, peuplée d'îlots, jusqu'à l'Océan.

Place d'Armes

De l'esplanade, au bord de la falaise sur la Gironde, vue sur l'estuaire et les îles. C'est justement pour cette raison que le **conservatoire de l'Estuaire** s'est installé à cet endroit *(voir l'exposition à la Manutention)*.

Près de la place d'Armes, l'ancien **couvent des Minimes**, du 17e s., avec sa chapelle et son cloître, accueille régulièrement des expositions temporaires.

La Manutention

Ce bâtiment carré, construit en 1677 pour abriter la prison de la citadelle et de la ville, servit ensuite de boulangerie, de magasin et de manutention.

Il abrite l'intéressante **exposition** du conservatoire de l'Estuaire : « Estuaire vivant ». Dans plusieurs salles sont évoqués les thèmes maritimes, les différentes méthodes de pêche, la faune et la flore. *Pl. d'Armes - ✆ 05 57 42 80 96 - www.estuairegironde.net - expositions sur l'estuaire - avr.-oct. : 14h-19h - 3 € (enf. 1,70 €) - billet combiné avec le musée d'histoire de la citadelle 5,50 €.*

À voir également : le **musée de la Boulangerie**, où l'histoire du pain est présentée autour de deux anciens fours, et le **musée d'Histoire de la citadelle** qui retrace l'histoire de la citadelle. *R. du Couvent-des-Minimes - ✆ 06 82 34 72 66 - de mi-mars à oct. : 10h-12h30, 13h30-19h ; reste de l'année : 13h30-17h30 - fermé 24 déc.-2 janv. - 4 €.*

LABOUREURS D'ESTUAIRE

Les nombreux petits ports du Blayais et du Médoc ont le vent en poupe : on récolte des trésors dans l'estuaire ! Au printemps, les grands poissons migrateurs (l'alose et la monstrueuse lamproie sortie tout droit de la préhistoire) remontent l'estuaire pour frayer en amont. En hiver s'ouvre la chasse à la précieuse **pibale** *(voir p. 50)*. La Gironde est aussi la seule réserve d'**esturgeons** (espèce protégée, dont la capture est interdite) d'Europe occidentale ; ses élevages approvisionnent le Bordelais en caviar maison.

À proximité Carte de microrégion p. 98

St-Ciers-sur-Gironde A1

20 km au nord par la D 255.

05 57 32 88 88 - www.cc-estuaire.fr - de mai à mi-juin : 10h-19h ; de mi-juin à mi-sept. : lun.-dim. 10h-20h ; nov.-fév. : lun.-vend. 10h-17h ; mars-avr. et de mi-sept. à fin oct. : 10h-18h - fermé 1er janv., 25 déc

Deux circuits en voiture au départ du village : les grands marais de St-Ciers (42 km) et l'art roman entre vignes et forêts (58 km).

St-Ciers-sur-Gironde est le chef-lieu d'un canton rural et préservé de la Haute-Gironde, situé en « pays gabaye », aux confins du Poitou-Charentes – on y parlait encore récemment un dialecte mêlant langues d'oïl (poitevin-saintongeais) et d'oc.

Jouxtant l'office de tourisme, un petit **musée d'Archéologie** présente des objets mis au jour dans les environs, ainsi que des métiers anciens. *De mi-juin à mi-sept. : merc. et sam. 14h30-17h30 - reste de l'année : sur RV (Mme Mornon 05 57 32 98 29) - 1 € (-12 ans gratuit).*

Terres d'oiseaux (réserve naturelle ornithologique) – *Braud-St-Louis - 05 57 32 88 80 - www.terresdoiseaux.fr - de mai à mi-sept : tlj. 10h-19h ; de mi-sept. à mi-déc. et en mars-avril : se rens. - 6 € (-12 ans 4 €) - en été, sorties en voilier et en kayak, location de vélos, promenades en calèche.*

En bordure de l'estuaire de la Gironde, au pied du port des Callonges, découverte d'un espace naturel de 120 hectares, spécialement aménagé (observatoires et prêt de jumelles) pour observer les oiseaux sauvages et migrateurs, dont beaucoup font escale dans le marais. Exposition thématique mensuelle dans le bâtiment d'accueil.

Le **chemin des oiseaux** (30 km au départ d'Étauliers, à vélo ou en voiture) traverse ce charmant paysage entre vignes et marais : observatoire de la réserve de chasse, à proximité de la centrale nucléaire du Blayais, port des Callonges... *(non fléché - document gratuit à l'office de tourisme).*

Circuit conseillé Carte de microrégion p. 98

ROUTE DE LA CORNICHE FLEURIE

Pour visualiser ce circuit de 16 km au départ de Blaye, se reporter à la carte de microrégion p. 98. Compter environ 1h.

Ce circuit est le prolongement de la ***Route verte*** *qui, au nord, relie Blaye à Royan, soit 80 km le long de l'estuaire de la Gironde, en passant par Braud-St-Louis et Saint-Ciers-sur-Gironde,*

Quitter Blaye par la D 669 qui longe la Gironde. Plassac est à 3,5 km.

Plassac A1

Près de l'église de Plassac, en contrebas, des fouilles ont mis au jour une **villa gallo-romaine**. Trois villas se sont succédé à cet endroit entre le 1er et le 5e s., les deux premières d'inspiration romaine, la troisième décorée de **mosaïques polychromes** de style aquitain. Un musée retrace l'historique des villas (reconstitution en 3D) et expose des peintures murales (troisième style pompéien, 40-50 apr. J.-C.), ainsi que le produit des fouilles : céramiques, bronzes, monnaies, outillage, etc. *05 57 42 84 80 - juil.-août : 10h-12h, 14h-18h30 ; mai-juin : lun.-sam. 10h-12h, 14h-18h30 ; avr. et sept.-oct. : lun.-sam. 10h-12h30, 14h-17h30 - fermé nov.-mars et j. fériés - 4 € (-15 ans 2 €).*

Reprendre la D 669 et après 2,5 km prendre à droite.

1

La route, entre falaises calcaires et fleuve, traverse une série de hameaux qui possèdent quelques habitations troglodytes en offrant de jolies vues sur l'estuaire. Elle est particulièrement charmante à l'aube ou au soleil couchant.

La Roque-de-Thau A1

Faites un premier arrêt à la Roque-de-Thau, petit port où les yoles (barques légères et allongées) se groupent dans l'estey (cours d'eau qui se déverse dans l'estuaire), et admirez l'île Verte.

Marmisson A1

Levez le nez pour apercevoir les abris-sous-roche. Se succèdent alors les villages de pêcheurs, bordés de cabanes sur pilotis avec leurs carrelets flottant au vent.
La route s'éloigne de la rive pour remonter à Bayon-sur-Gironde.

Bayon-sur-Gironde B2

Ne manquez pas l'église romane qui possède une abside à sept pans. Sur la corniche, en surplomb de l'estuaire, les châteaux de Tayac et d'Eyquem occupent des sites panoramiques et produisent de bons vins.
De retour au bord de l'eau, vous arrivez au **Pain-de-Sucre** (B2), ultime point de vue à contempler avant de rejoindre Bourg.

NOS ADRESSES À BLAYE

TRANSPORTS

Bac Blaye-Lamarque – *6 cours du Gén.-de-Gaulle - 33390 Blaye - ✆ 05 57 42 04 49 - traversée : env. 30mn - voyageur 3,10 € (-4 ans gratuit), véhicule 13,30 €.* Pour les horaires, consultez le site Internet : www.cg33.fr.

HÉBERGEMENT

À Blaye

POUR SE FAIRE PLAISIR

Chambre d'hôte Villa Prémayac – *13 r. Prémayac - ✆ 05 57 42 27 39 - www.villa-premayac.com - 5 ch. 98 € ☕.* Étape pleine de charme au pied de la citadelle, cette demeure du 18e s. dispose de chambres décorées de meubles anciens, couleurs agréables et tissus choisis. Le propriétaire, ancien professeur de golf, organise des séjours panachant découverte des greens régionaux et du vignoble bordelais.

À proximité

PREMIER PRIX

L'Escale chez Olga – *D 137 - 33390 Cartelègue - 10 km au nord-est de Blaye par D 137 - ✆ 05 57 64 71 18 - www.chez-olga.com - fermé 15-31 août et sam. - P - ♿ - 12 ch. 40/62 € - ☕ 6 € - rest. 13,50/34 €.* Cet hôtel dispose de chambres simples, confortables et très bien tenues. Après les deux salles à manger, c'est au tour de la terrasse, très prisée, d'être embellie... Un petit plus pour cette adresse qui séduit déjà par sa cuisine sans chichi, préparée avec des produits frais.

BUDGET MOYEN

Chambre d'hôte Château Pontet d'Eyrans – *25 le Pontet nord-est - 33390 Eyrans - 9 km au nord-est de Blaye par D 937 - ✆ 05 57 64 71 07 - www.chateaupontet.fr - 5 ch. 60/150 € ☕ - espace détente : soins sur RV.* Ce sont les anciennes dépendances de ce château du 19e s. qui abritent les chambres d'hôte et trois gîtes ; tous sont confortables, plaisamment aménagés, et donnent sur la piscine. Agréable parc à l'arrière.

POUR SE FAIRE PLAISIR

Chambre d'hôte La Sauvageonne – *2 les Mauvillains - 33820 St-Palais - à St-Ciers, rte de St-Palais et suivre dir. « Chez Gendron » - ☎ 05 57 32 92 15 - www.relax-in-gironde.com - ⊭ - 3 ch. et 2 gîtes 75/90 € - repas 30 €.* Cette propriété bordée de bois et de vignes a plus d'un charme : à l'intérieur, élégantes chambres aux beaux volumes; côté cuisine, les produits du jardin sont mis à l'honneur par l'un des deux associés, pâtissier-traiteur de métier. En haute saison, sauna etjacuzzi.

RESTAURATION

À Blaye

POUR SE FAIRE PLAISIR

La Citadelle – *5 pl. d'Armes - ☎ 05 57 42 17 10 - www.hotellacitadelle.com - fermé w.-end de fin oct. à déb. avr. - déj. 25 € - 25/65 € - 21 ch. 95 € - ☕ 15 €.* Sa situation exceptionnelle au cœur de la citadelle de Blaye est l'atout majeur de cette adresse. La salle à manger, moderne et éclairée de grandes baies vitrées, et la terrasse offrent une vue superbe sur l'estuaire de la Gironde. Cuisine traditionnelle.

À proximité

POUR SE FAIRE PLAISIR

La Filadière – *Rte de la Corniche fleurie, à Furt - 33710 Gauriac - 8 km au sud-est de Blaye par D 669 - ☎ 05 57 64 94 05 - ouv. sam et dim. midi - 29/32 €, enfants 9,50 €.* En été, les becs fins profitent de la vue panoramique offerte depuis la terrasse. Le reste de l'année, ils sont accueillis dans la lumineuse salle à manger habillée de couleurs vives et garnie d'un ravissant mobilier en rotin. Appétissantes recettes régionales.

ACHATS

Maison du vin de Blaye – *12 cours Vauban - ☎ 05 57 42 91 19 - www.vin-blaye.com - 8h30-12h30, 14h-18h30; juil.-août : initiation gratuite à la dégustation mar.-jeu. 11h-12h - fermé dim. et j. fériés.* Derrière la jolie façade lie-de-vin, 300 références sont stockées, dont 250 en rouge et 50 en blanc, issues de 300 domaines différents. Essayez absolument les premières-côtes-de-blaye en blanc et en rouge ainsi que le blaye en rouge.

ACTIVITÉS

Bon à savoir – Une **piste cyclable** relie Blaye à Étauliers (13 km au nord de Blaye).

Randonnée – Des boucles et des sentiers pédestres partent de Blaye et des communes du canton de St-Ciers *(documentation dans les offices de tourisme)*.

L'Estuaire au fil de l'eau – *Rens. et réserv. à l'office du tourisme de Blaye (☎ 05 57 42 12 09) - www.tourisme-blaye.com.* Balades (en vedette, péniche, voilier...) commentée et dégustation de vin; découverte de l'estuaire et ses îles. Pour les tarifs, se renseigner auprès de l'office du tourisme.

Bourg

2 198 Bourquais – Gironde (33)

NOS ADRESSES PAGE 185

S'INFORMER

Office du tourisme de Bourg – *Hôtel de la Jurade - 33710 Bourg - 05 57 68 31 76 - www.bourg-en-gironde.fr - juil.-août : 10h-12h30, 14h30-19h ; de Pâques à fin juin et sept. : mar.-dim. 10h-12h30, 14h30-18h30 ; reste de l'année : mar.-vend. 14h30-18h30 - fermé 1er janv. et 25 déc.* Visites audioguidées. Plan de découverte de la ville. Dépliant de randonnée *Le Pays de Bourg*. Un *Guide d'accueil du Pays Haute-Gironde* est aussi proposé.

SE REPÉRER

Carte de microrégion B2 (p. 98) – *carte Michelin Départements 335 H4.*

À 15 km au sud-est de Blaye par la D 669 et à 28 km au nord-ouest de Libourne par la D 670 puis la D 669.

L'ancienne *Burgo* (*borc*, ville fortifiée en occitan), longtemps appelée Bourg-sur-Gironde, n'est plus en réalité sur la Gironde mais sur la Dordogne… Voilà un beau pied de nez du **bec d'Ambès** qui, nourri par les alluvions de la Dordogne et de la Garonne, s'est simplement allongé.

À NE PAS MANQUER

Le château de la Citadelle ; le château du Bouilh.

ORGANISER SON TEMPS

Comptez 3h pour la visite de la ville et des musées.

AVEC LES ENFANTS

Le musée « Au temps des calèches » ; la grotte de Pair-non-Pair.

Haut perchée, les pieds dans l'eau, une jolie petite ville, blonde et paisible, où il fait bon flâner dans les ruelles pentues, salué par les chats qui prennent le frais devant les portes. Ajoutez l'animation du marché sous la halle le dimanche matin, la foire médiévale le premier dimanche de septembre, un verre d'excellent côtes-de-bourg… Vous verrez, les réjouissances ne manquent pas !

Se promener

Bon à savoir – Un itinéraire piétonnier en 19 étapes *(1h30)*, « Sur les pas de Louis XIV », permet de visiter librement la ville, à l'aide d'une carte, d'un livret et d'un audioguide. Deux autres parcours audioguidés en voiture *(3h30)*, « Terroir d'histoire » et « Terre d'estuaire » sillonnent la région. *Rens. et loc. à l'office de tourisme - 3 €/audioguide - 5 €/lecteur mp4.*

Terrasse du District

Ombragée de vieux ormeaux et de tilleuls, cette terrasse au nom révolutionnaire dispense l'été une douce fraîcheur. Le regard se repose d'abord sur les toits de tuiles de la ville basse, couleur terre de Sienne brûlée, puis sur la Dordogne et la Garonne qui se rejoignent au bec d'Ambès pour former la Gironde (table d'orientation).

Ville basse

De l'office de tourisme, prenez la rampe Cahoreau qui passe sous la **porte de la Mer**, creusée dans le rocher. Des escaliers mènent à un **lavoir** (1828), abreuvé par une fontaine nichée au pied de la falaise calcaire. Au **port**, les yoles des pêcheurs attendent tranquillement le passage des aloses, lamproies, anguilles… ou vont traquer la chevrette (crevette grise de l'estuaire).

L'escalier du Roy monte jusqu'à la place du District. Prendre la rue à gauche de la place.

Château de la Citadelle

Visite des jardins uniquement - juin-sept. : 10h-13h, 14h-19h sf j. de réception - de déb. mars à fin mai : w-end et j. fériés 10h-13h et 14h-19h - gratuit.

Cette résidence du 18e s., édifiée à l'emplacement de la citadelle démantelée en 1664, fut incendiée par les Allemands en 1944. Rachetée par la municipalité qui a veillé à sa restauration, elle est réservée aux réceptions ; cependant elle ouvre aux passants son jardin à la française planté de magnolias. De la terrasse, vues étendues sur la Dordogne, la Garonne et, en aval, sur la Gironde.

Dans son enceinte se trouve le **musée hippomobile « Au temps des calèches »** qui compte quarante véhicules du 19e s. ainsi que de nombreux objets et accessoires. Il donne accès à un souterrain cavalier du 16e s., qui conduit aux cuves à pétrole datant de la Deuxième Guerre mondiale. Enfin, vous verrez les salles souterraines de la Citadelle qui surplombent l'estuaire de la Gironde. *05 57 68 23 57 - juin-sept. : 10h-13h, 14h-19h ; mars-mai et oct. : w.-end 10h-13h, 14h-19h, en sem. sur demande - 4,50 € (-10 ans gratuit).*

1

Écomusée du Bourgeais – Musée Maurice-Poignant

05 57 68 42 48 - de mi-juin à mi-sept : 14h-18h ; reste de l'année : sur RV - 4,50 € (-18 ans gratuit).

Dans une ancienne dépendance du couvent des Ursulines sont réunies les collections de Maurice Poignant (ancien conseiller municipal) : archéologie, arts et traditions populaires de la région.

Circuit conseillé Carte de microrégion p. 98

AU SUD DE BOURG

Pour visualiser ce circuit de 35 km au départ de Bourg, se reporter à la carte de microrégion p. 98. Compter environ 2h.

Quitter Bourg par la D 23, au nord. À Donis, tourner à droite dans la D 133.

Église de Tauriac B2

Cette église romane possède un portail de style saintongeais.

Poursuivre jusqu'à la D 137, puis prendre à droite en direction de St-André-de-Cubzac.

Église de Magrigne B2

Une nef unique et un chevet plat caractérisent cette église romane construite par les templiers, qui renferme des peintures médiévales.

Château du Bouilh B2

05 57 43 06 59 - visite guidée en juil.-sept. : jeu. et w-end 14h30-18h30 ; oct-juil. : possibilité de visite sur RV pour groupes de plus de 10 pers. - 6 € (-12 ans gratuit).

Ceint par son vignoble, ce château fut construit selon les plans de Victor Louis (architecte du Grand Théâtre de Bordeaux), à la demande du marquis de la Tour du Pin, qui souhaitait recevoir Louis XVI. Resté inachevé, il surprend par ses communs en forme d'hémicycle. À l'intérieur du corps de logis, bel escalier monumental et pièces d'apparat meublées.

JACQUES-YVES COUSTEAU

Le célèbre commandant au bonnet rouge est né en 1910 à St-André-de-Cubzac. Entré à l'École navale à 20 ans, il devient officier canonnier puis suit une formation de pilote. Mais il doit renoncer à sa carrière d'aviateur suite à un grave accident de voiture en 1935. Pendant sa rééducation, il découvre l'extraordinaire richesse des fonds sous-marins. Aidé par des amis et des ingénieurs, il invente un scaphandre autonome permettant de fournir de l'oxygène « sur demande », ainsi que la première caméra de télévision sous-marine. En 1950, il transforme la **Calypso** en navire de recherches océanographiques; en 1959, il construit avec un ingénieur la première soucoupe plongeante. Mais c'est surtout par ses films que le commandant Cousteau devient célèbre. Il remporte la Palme d'or à Cannes en 1956 pour *Le Monde du silence*, qui fait découvrir au monde entier des espèces jamais vues. Sa grande œuvre restera sans doute sa contribution à l'éveil d'une conscience environnementale planétaire. Décédé en 1997, il est enterré au cimetière de St-André-de-Cubzac.

St-André-de-Cubzac B2

9 allée du Champ-de-Foire - Square François-Mitterrand - 33240 St-André-de-Cubzac - ✆ 05 57 43 64 80 - www.cdc-cubzaguais.fr/tourisme - lun. 14h-18h, mar.-vend. 9h-12h, 14h-18h, sam. 9h-12h - fermé dim. et j. fériés.

Un dauphin, dansant au centre d'un rond-point, porte dans sa gueule un petit bonnet rouge qui rappelle le **commandant Cousteau**, né ici. Mais l'intérêt de ce village va au-delà : une église romane, un ancien cloître des cordeliers (devenu bibliothèque municipale) et un petit castel du 15e s. au milieu d'un parc agrémentent la visite.

Au nord, sur le **coteau de Montalon**, point culminant de la région et lieu de passage du 45e parallèle (stèle), le panorama s'étend du tertre de Fronsac aux côtes de Blaye *(table d'orientation)*. S'y dressent également d'anciens moulins à vent du 18e s.

Cubzac-les-Ponts B2

Trois ouvrages d'art jouent à qui lancera le plus loin son tablier par-dessus la Dordogne. Le **pont routier**, formant viaduc, a été construit de 1874 à 1883 (par Eiffel), le pont autoroutier en 1974 et le pont de chemin de fer, en aval, en 1889. Vue d'ensemble des trois ponts depuis le port de Cubzac en parcourant la D 10, route d'Ambès.

Revenir à St-André-de-Cubzac et prendre à gauche la D 669, en direction de Bourg.

Les amateurs d'églises romanes pourront faire un crochet par **St-Gervais**.

Grotte de Pair-non-Pair B2

✆ 05 57 68 33 40 - http://pair-non-pair.monuments-nationaux.fr - visite guidée sur réserv. 3 jours av. - de mi-juin à mi-sept. : 10h-17h30 ; reste de l'année : 10h-16h - fermé lun., 1er janv., 1er Mai et 25 déc. - 7 € (-26 ans gratuit).

Le nom de Pair-non-Pair viendrait de celui d'un ancien village, perdu au jeu par un noble. Ces cavernes préhistoriques, creusées dans les pentes calcaires d'un vallon du Moron, ne prétendent certes pas rivaliser avec celles de Lascaux (sur lesquelles elles ont cependant le privilège de l'âge), mais elles se défendent bien. Gravures aurignaciennes (âge de la pierre taillée) représentant des mammouths et bouquetins, un bison et un fin cheval à tête retournée.

La D 669 vous ramène à Bourg.

NOS ADRESSES À BOURG

HÉBERGEMENT

Gîtes Bacchus – *Voir p. 136.*

BUDGET MOYEN

Chambre d'hôte Annick et Jean Poissonneau – *5 allée François-Daleau - face au Crédit Agricole - ☏ 05 57 68 39 73 - ⊠ - 4 ch. 50 €* ☕. Joli castel du 19e s. blotti dans un jardin arboré, au centre du village. Au 5e étage, une mini-terrasse offre une vue imprenable sur les toits de Bourg, l'estuaire et le pont d'Aquitaine au loin. Accueil des plus sympathiques.

Chambre d'hôte Le Petit Brésil – *26, le Pain-de-Sucre - 2 km au nord-ouest de Bourg par la rte de la Corniche fleurie sur CD 669 - ☏ 05 57 68 23 42 - guerin.gite@free.fr - ⊠ - P - 5 ch. 50 €* ☕. Une adresse bien agréable située face à l'estuaire de la Gironde. Préférez les chambres côté ouest pour la vue dégagée et le soleil. À l'heure du petit-déjeuner, confitures maison et suggestions salées (charcuterie, fromage). Visite possible des caves de la région.

RESTAURATION

À Bourg

PREMIER PRIX

L'Esprit des Lieux – *13 pl. de la Halle - ☏ 05 57 43 99 86 - fermé lun. - 5,80/12,70 €.* Décor cosy, tables et chaises en fer forgé, gravures accrochées aux murs, le cadre parfait pour une petite étape gourmande salée ou sucrée.

Le Plaisance – *cours du Port - ☏ 05 57 68 45 34 - www.restaurant-le-plaisance.com* - « Beau et bon » : c'est le commentaire qui vous viendra aux lèvres lorsque vous serez attablé dans ce restaurant avec vue panoramique sur la Dordogne devant une bouteille, que vous serez allé chercher vous-même à la cave !

À proximité

POUR SE FAIRE PLAISIR

Au Sarment – *50 r. de la Lande - 33240 St-Gervais - 8 km au sud-est de Bourg par D 669, rte de St-André-de-Cubzac - ☏ 05 57 43 44 73 - www.au-sarment.com - fermé sam. midi, dim. soir et lun. - 39/59 €.* Le chef marie produits locaux et exotiques… Les mélanges « sucrés-salés » (foie gras crème brûlée, poitrine de veau braisée aux agrumes) ravissent tous les palais.

ACHATS

Maison du vin des Côtes-de-Bourg – *1 pl. de l'Éperon - 33710 Bourg - ☏ 05 57 68 22 28 - www.cotes-de-bourg.com - de mi-juin à mi-sept. : 10h-13h, 14h-19h ; reste de l'année : tlj sf dim. 9h30-12h30, 14h-18h.* Sur la terrasse, un jardin des senteurs aide à déterminer les arômes du vin. Dans la belle salle voûtée, plus de 150 références.

Le Haut-Médoc

★

Gironde (33)

NOS ADRESSES PAGE 192

S'INFORMER

Maison du tourisme et du vin de Pauillac – *La Verrerie - 33250 Pauillac - ✆ 05 56 59 03 08 - www.pauillac-medoc.com - juil.-août : lun.-sam. : 9h30- 19h, dim. : 10h-13h, 14h-18h ; juin-sept.-oct. : lun.-sam. : 9h30-12h30, 14h-18h30, dim. : 10h30-12h30,15h-18h - fermé 1er janv. et 25 déc.* Visite des grands crus sur réservation. Dégustations et rencontres avec les viticulteurs à la Maison des vins.

SE REPÉRER

Carte de microrégion A1-2 (p. 98) – *carte Michelin Départements 335 F3 ; G 3-4-5 ; H 4-5.*

Région viticole s'étirant au nord de Bordeaux, le long de la Gironde.

À NE PAS MANQUER

Le Château Margaux, le musée des Arts et métiers de la vigne et du vin au Château Maucaillou, le Château Beychevelle, l'architecture orientalisante du Cos-d'Estournel, l'abbatiale de Vertheuil, une dégustation à la Winery.

ORGANISER SON TEMPS

La région est particulièrement agréable à la saison des vendanges ; cependant, certains châteaux sont précisément fermés à cette période. Pour la visite des chais, il est recommandé de réserver plusieurs semaines à l'avance ! Vérifiez auparavant les horaires de visite pour établir votre itinéraire en fonction de celle-ci.

AVEC LES ENFANTS

Le petit musée d'Automates à Pauillac ; Fort-Médoc ; le parcours des « pistes de Robin » *(www.surlespistesderobin.com ou auprès de l'office du tourisme).*

La presqu'île du Médoc se dresse entre Gironde et Atlantique. Favorisé par des conditions naturelles exceptionnelles et par une tradition viticole remontant au règne de Louis XIV, le Haut-Médoc est le pays des châteaux et des grands crus. L'appellation s'étend sur 4 200 ha, à l'intérieur de laquelle sont enclavés les six crus villageois : margaux, moulis, listrac, saint-julien, pauillac et saint-estèphe.

Circuit conseillé Carte de microrégion p. 98

LE HAUT-MÉDOC

Pour visualiser ce circuit de 145 km au départ de Bordeaux, se reporter à la carte ci-contre. Compter une journée.

Quitter Bordeaux au nord-ouest par la D 1215 et à Eysines prendre la D 2 à droite. Si l'on part du Parc des expositions, suivre la D 209.

Château d'Agassac, à Ludon-Médoc A2

✆ 05 57 88 15 47 - www.agassac.com - juil.-août : 10h30-18h30 ; juin et sept. : mar.-sam. 10h30-18h30 ; oct.-mai : lun.-vend. sur RV - visite guidée et dégustation 7 € (enf. gratuit), visite libre avec Ipod et dégustation 5 € (enf. 2 €).

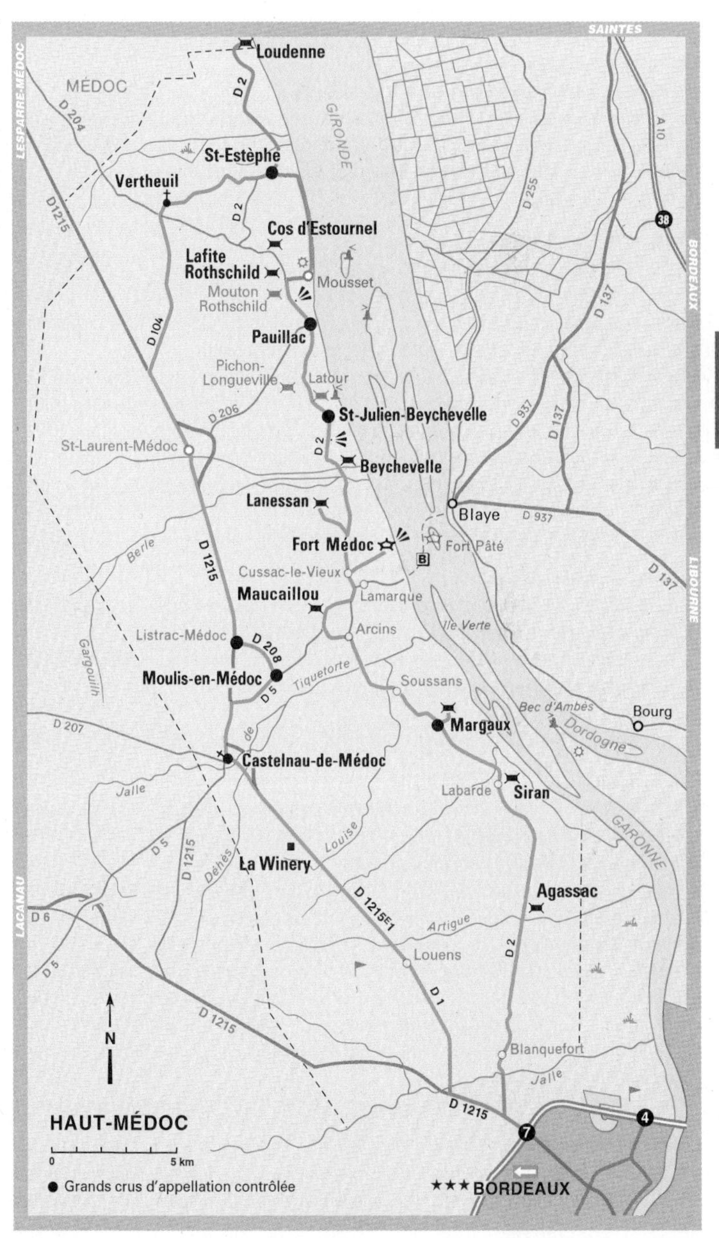

Ce château a choisi la carte de l'innovation en proposant une visite « vin-teractive » sur Ipod audio et vidéo. Une façon originale de découvrir ce domaine du 13e s. situé aux portes de Bordeaux. Avec ses allures de contes de fée, niché au cœur d'un parc arboré de 20 ha, Agassac vous séduira par ses tourelles aux toits coniques, ses douves en eau et son pigeonnier soigneusement restauré. À défaut de princesse, vous apprécierez la dégustation de ses vins...
Poursuivre sur la D 2.

Château Siran, à Labarde A2

℘ 05 57 88 34 04 - www.chateausiran.com - ♿
Cette **chartreuse** (17e s.-Directoire), entourée d'un bois qui à l'automne se tapisse de cyclamens, a appartenu aux comtes de Toulouse-Lautrec, ancêtres du peintre. Les 40 ha de vignoble sont divisés en 3 parcelles.
Poursuivre sur la D2.

Château Margaux A2

℘ 05 57 88 83 83 - www.chateau-margaux.com - visite guidée des chais (1h30) sur RV lun.-vend. - fermé w.-end, j. fériés, août et pendant les vendanges - gratuit.
Dans Margaux, prendre la direction Bordeaux; à la sortie du village, tourner à gauche et continuer jusqu'au cimetière : c'est juste derrière.
« Premier grand cru classé », le vignoble de Château Margaux fait partie de l'aristocratie des vins de Bordeaux. Il couvre 85 ha. Remarquez quelques rangées de très vieux ceps, noueux et tordus. On visite les chais, les installations de vinification et une collection de vieilles bouteilles. Le **château** est de proportions harmonieuses. Bâti en 1802 par l'architecte Combes, élève de Victor Louis, il comporte un soubassement, deux étages et un attique. Un jardin à l'anglaise contraste, par sa fantaisie, avec la sévérité des bâtiments.

Château Maucaillou A1

℘ 05 56 58 01 23 - www.maucaillou.com - visite guidée - mai-sept. : 10h-17h; oct.-avr. : 10h-16h - fermé 1er janv. - 6,90 € (-17 ans 3 €).
Le domaine propose la visite de son chai et de son **musée des Arts et Métiers de la vigne et du vin** exposant les méthodes anciennes et modernes de viticulture.
Reprendre la D 2. À Cussac-le-Vieux, prendre à droite sur la D5.

Fort Médoc A1

℘ 05 56 58 98 40 - ♿ - avr.-sept. : 10h-19h; oct.-mars : 13h-17h - possibilité de visite guidée sur demande (8 j. av.) - fermé 24 déc.-2 janv. - 2,50 € (5-12 ans 1 €).
Demander le livret « Fort Médoc 1691 ».
Conçu en 1686 par **Vauban** pour interdire les approches de Bordeaux à la flotte anglaise, l'ouvrage croisait ses feux avec ceux du fort Pâté et de la citadelle de Blaye *(voir p. 177)*. Par une porte sculptée, la porte Royale au fronton orné d'un soleil symbolisant le roi Louis XIV, on pénètre dans la cour où les principaux éléments du fort sont indiqués. Les bâtiments en ruine font l'objet de chantiers de restauration ainsi, après la chapelle et le casernement nord, les tailleurs de pierre ont œuvré à la boulangerie. La visite se clôt par le petit musée d'histoire locale.
À partir de la D 2, un chemin pris à gauche donne accès au Château Lanessan.

Château Lanessan A1

℘ 05 56 58 94 80 - www.bouteiller.com - ♿ - visite guidée (1h) sur réservation 9h-18h - fermé 1er janv., 25 déc. - 8 € (-13 ans gratuit; 13-17 ans 2 €) - des visites thématiques sont également proposées.

Vue sur la Gironde, du port de Loudenne.
I. Lainey / MICHELIN

Campé au faîte d'un domaine de 400 ha, il domine vignes, bois et prairies. Construit en 1878 par Abel Duphot, ce château apparaît comme un mélange de Renaissance espagnole et de style hollandais, notamment avec ses pignons à crémaillères et ses hautes cheminées monumentales. La visite des chais qui datent de 1887 (cuves en ciment) s'achève par une dégustation.

Dans les communs, le **musée du Cheval** présente une intéressante collection de voitures hippomobiles de 1900, dont une diligence de quinze places. La sellerie expose mors, harnais, étriers et selles. Remarquez les mangeoires en marbre dans l'écurie.

Château Beychevelle A1

℘ 05 56 73 20 70 - www.beychevelle.com - visite guidée (1h) mai.-sept. : lun.-sam. 10h, 11h30, 13h30, 17h ; oct.-avr. : lun.-vend. 10h, 11h30, 13h30, 17h - fermé 20 déc.-31 déc., dim. et j. fériés - gratuit, 8 € avec dégustation.

Le nom de Beychevelle (« baisse-voile ») viendrait du salut que les navires devaient faire au 17e s. devant la demeure appartenant alors au duc d'Épernon, grand amiral de France, qui percevait un droit de péage.

La blanche et charmante **chartreuse**, reconstruite en 1757 et agrandie à la fin du 19e s., a retrouvé sa splendeur originelle suite à une restauration. Elle présente un fronton sculpté de guirlandes et de palmes.

Au-delà de Beychevelle, vues agréables sur l'estuaire de la Gironde.

St-Julien-Beychevelle A1

Cette commune regroupe de nombreux vignobles estimés, tels les Châteaux Lagrange, Léoville, Beaucaillou, Talbot (du nom du célèbre maréchal anglais) et le Gruaud-Larose dont le propriétaire annonçait, dit-on, la qualité en hissant sur la tour un pavillon différent.

Pauillac A1

À mi-chemin entre Bordeaux et la pointe de Grave, Pauillac est dotée d'un port de plaisance. Cette cité est surtout connue comme un centre vinicole important qui s'honore de crus illustres comme les Châteaux Lafite-Rothschild,

Latour et Mouton-Rothschild ainsi que d'une coopérative, La Rose Pauillac, la plus ancienne du Médoc *(voir la rubrique « Achats », p. 193).*

Le petit musée d'Automates, dans la rue piétonne face au port, amusera vos enfants. *05 56 59 02 45 - juil.-août : 10h-13h, 14h-19h ; avr.-sept. : mar.-sam. 10h-12h30, 14h30-19h ; reste de l'année : jeu.-sam. 10h-12h30, 14h30-19h - fermé j. fériés - 3 € (enf. 2 €).*

Autour du village, possibilités de belles balades en famille *(voir la rubrique « Activités », p. 193).*

Poursuivre sur la D 2.

Château Lafite-Rothschild A1

www.lafite.com - visite guidée sur RV lun.-vend. 14h-15h30 - fermé w.-end, j. fériés et août-oct. - gratuit.

C'est le plus fameux des « premiers grands crus classés » du Médoc, dont les caves abritent une collection de bouteilles vénérables parmi lesquelles certaines portent le millésime de l'année de la Comète, 1811. Le château lui-même, dont le nom, correspondant au gascon « La Hite », provient du latin *petra ficta* (« pierre fichée »), est établi sur une terrasse plantée de beaux cèdres et limitée par une balustrade Louis XIV ; il appartient depuis le Second Empire (1868) aux Rothschild.

Poursuivre sur la D 2.

Château Cos-d'Estournel A1

05 56 73 15 50 - www.estournel.com - visites sur RV écrit (courrier postal : Château Cos-d'Estournel 33180 St-Estèphe, ou courier électronique : g.santier@estournel.com) - gratuit.

Au-delà du Château Lafite-Rothschild, à droite de la D 2, apparaît la silhouette orientale de **pagodes indiennes** édifiées au 19e s. Le fondateur du Château Cos-d'Estournel, qui exporta son vin jusqu'aux Indes, fit construire cet édifice exotique en souvenir de ses lointaines expéditions.

Prendre la D 2E3.

St-Estèphe A1

Le bourg, que domine une singulière **église** d'origine romane et à l'intérieur baroque, est situé sur un mamelon au centre d'une mer de vignes. Du port, vue sur la Gironde, le marais et les côtes de Blaye.

2 km avant St-Izans-de-Médoc, s'engager sur un chemin à droite.

Château Loudenne A1

05 56 73 17 97 - www.lafragette.com - mars-oct. : 9h-18h (visites guidées 11h, 14h30, 16h, 17h30), reste de l'année sur RV - fermé 1er janv., 1er nov., 11 Nov. - visite guidée 5 €, visite libre gratuite.

Cette ravissante **chartreuse** du 17e s. de couleur rose a appartenu à deux Britanniques pendant 125 ans, jusqu'à son rachat en 2000. La terrasse ouvre sur des **jardins à l'anglaise** (comprenant une roseraie-conservatoire) qui descendent doucement vers l'estuaire, où se trouve le petit port privé de la propriété. Les chais victoriens abritent un **musée** retraçant le travail du vin (outils et objets anciens) et de la vigne (intéressante fresque « des quatre saisons »). Possibilité de déguster les vins du Château Loudenne (cru bourgeois du Médoc) mais aussi ceux des autres propriétés de la famille Lafragette (Château de l'Hospital, au cœur des Graves, et Château de Rouillac, dans l'appellation Pessac-Léognan).

Reprendre la D 2. Revenir à St-Seurin-de-Cadourne et prendre à droite en direction de Pez, puis la D 204E3.

Vertheuil A1

L'**église romane** (11e s.), modifiée au 15e s., est une ancienne abbatiale dont l'importance est marquée par ses trois nefs, son chœur à déambulatoire à chapelles rayonnantes et ses deux clochers. Sur le côté droit, restes d'un beau **portail roman** aux voussures ornées de figures. L'intérieur relève du style poitevin par ses bas-côtés presque aussi hauts que la nef, voûtée d'ogives au 15e s. Dans le chœur, tribune suspendue et stalles de la même époque, sculptées de scènes monastiques. Au bas de la nef, fonts baptismaux monolithes également du 15e s.
Les ruines d'un château à donjon du 12e s., restauré, dominent le village.
Prendre la D 104 puis à droite la D 1215.

LES VIGNOBLES DU MÉDOC

Le terroir est principalement constitué de croupes graveleuses (sables, graviers et galets) dont la pente est tournée vers la Gironde.
Si les graviers déposés par la Gironde ne constituent pas en eux-mêmes un sol très fertile, ils ont la propriété d'emmagasiner la chaleur diurne et de la restituer au cours de la nuit, évitant ainsi la plupart des gelées printanières : les vignes médocaines sont donc taillées très bas pour profiter au maximum de cet avantage. D'autre part, les vallons encaissés que parcourent les *jalles*, perpendiculaires à la Gironde, facilitent l'écoulement des eaux et permettent de varier les expositions. Le climat bénéficie, d'un côté, de la Gironde dont la masse d'eau joue un rôle adoucissant et de l'autre, de l'écran protecteur que forme la pinède landaise face aux vents marins.
La **production** : La région du Médoc fournit environ 8 % des vins d'appellation du Bordelais. Ils donnent des vins rouges bouquetés, élégants, tanniques et de bonne garde. En 1855, les vins du Médoc ont fait l'objet d'un classement – du premier au cinquième cru – à la demande de Napoléon III. Le classement des crus bourgeois, quant à lui, a été instauré en 1932 *(voir p. 58)*.
AOC médoc et haut-médoc (appellations régionales)**, moulis, listrac, saint-estèphe, pauillac, saint-julien, margaux** (appellations communales) **:** cépages cabernet-sauvignon, merlot, cabernet franc, petit verdot et malbec.
Vous trouverez à l'adresse suivante une présentation des vignobles, des animations et dégustations et la liste des châteaux ouverts à la visite : **Maison du tourisme et du vin, à Pauillac** – *Voir « S'informer » p. 186.*
Rubrique « Achats », p. 193.

Moulis-en-Médoc A2

L'**église romane** a été quelque peu modifiée à l'époque gothique. Le bénitier extérieur, intégré à la façade, était, si l'on en croit la tradition, réservé aux lépreux. La tourelle ronde élevée à la place de l'absidiole sud renferme l'escalier en hélice donnant accès au clocher doté d'une chambre forte. L'abside, remarquable, montre à l'extérieur des modillons sculptés et des arcatures. À l'intérieur, remarquez les chapiteaux sculptés de félins ou d'oiseaux, naïvement historiés : 4e chapiteau à gauche, Tobie portant le poisson dont le fiel guérira la cécité de son père. Fresques des 12e-15e s. et sarcophages mérovingiens.
Les vignobles de Grand-Poujeaux font la renommée des vins de Moulis.
Poursuivre sur la D 1215.

1

Castelnau-de-Médoc A2

L'**église** renferme quelques éléments remarquables : un vitrail Renaissance représentant la Crucifixion, une sculpture sur bois (1736) figurant la Pentecôte, et le bas-relief d'albâtre des fonts baptismaux (14e s.) reproduisant la Trinité.
Prendre la D 1215E1 en direction de Bordeaux.

La Winery A2

Rond-point des Vendangeurs - 33460 Arsac - *℘ 05 56 39 04 90 - www.lawinery.fr - tlj sf lun. 10h-19h.*
Un restaurant, une boutique, un espace culturel, un parc, des œuvres d'art, tout est réuni dans ce nouveau temple du vin, conçu sur un concept œnologique unique en France, pour créer des passerelles entre l'art et le vin. Ici, vin rime avec contemporain. Dans une architecture moderne, vous découvrirez les mille et un vins du monde proposés à la boutique, avant de déguster le vin de votre choix sur la formule « bistronomique » du chef ou d'établir votre signe œnologique !
La D 1 rejoint Bordeaux.

NOS ADRESSES DANS LE HAUT-MÉDOC

HÉBERGEMENT

Gîtes Bacchus – *Voir p. 136.*

BUDGET MOYEN

Chambre d'hôte Château Cap Léon-Veyrin – *33480 Listrac-Médoc - 4 km de Listrac par D 5E2 - ℘ 05 56 58 07 28 - contact@vignobles-meyre.com - P - ♿ - fermé 25 déc.-1er janv. - 🚭 - 5 ch. 55 €* ☕. Cette demeure est située au cœur d'un domaine viticole de 20 ha. Les chambres sont simples et confortables. La salle du petit-déjeuner est ouverte sur le chai. Dégustation des vins de la propriété.

Hôtel Les Bruyères – *85 bis av. Blaise-Pascal, lieu-dit Issac - 33160 St-Médard-en-Jalles - 5 km à l'ouest de St-Médard-en-Jalles par D 107 rte du Porge - ℘ 05 56 05 32 24 - www lesbruyeres.fr - fermé dim. soir - P - 26 ch. 68 € - ☕ 7 € - rest. 16,50/30 €.* La proximité de Bordeaux, la climatisation, la piscine, le tennis et des prix raisonnables compensent des équipements standard. Les chambres, rénovées, sont équipées d'une douche.

Chambre d'hôte Domaine de Carrat – *Rte de Ste-Hélène - 33480 Castelnau-de-Médoc - 5 km au sud de Listrac-Médoc par D 1215 - ℘ 05 56 58 24 80 - fermé 25 déc. - P - 🚭 - 4 ch. 59/63 €* ☕. Cette maison, entourée d'une forêt, abritait jadis les écuries du château voisin. Accueil attentionné et chambres très confortables. En arrivant, vous passerez sous le splendide porche pavé autrefois emprunté par les voitures attelées.

Chambre d'hôte La Rivière – *8 quai J. Fleuret - 33250 Pauillac - ℘ 05 56 59 19 62 - 5 ch. 58 €* ☕. Dans cette grande maison bourgeoise, face à la Gironde, vous serez à pied d'œuvre pour découvrir les vignobles médocains. La décoration fraîche et fleurie des chambres et l'accueil des propriétaires qui vous aideront à organiser au mieux vos journées méritent une mention spéciale.

Le V en Vertheuil – *5 rue de l'Abbaye - 33180 Vertheuil - ℘ 05 56 41 25 12 - www.le-v-en-vertheuil.com - 65/75 €* ☕. Il fait bon s'arrêter dans cette ancienne boulangerie aux 3 chambres douillettes et royalement calmes. Sur la terrrasse ombragée, dotée d'une vue imprenable sur l'église romane, vous pourrez déjeuner (sur réserv.), goûter ou dîner de quelques crêpes…

RESTAURATION

BUDGET MOYEN

Le Lion d'Or – *Pl. de la République - 33460 Arcins - 6 km au nord-ouest de Margaux par D 2 - ✆ 05 56 58 96 79 - fermé juil., 23 déc.- 2 janv., dim., lun. et j. fériés - réserv. obligatoire - 15 €.* Cet ancien relais de poste de style bistrot est une halte sympathique, à l'image du patron-chef, sans chichi et plein de caractère. L'ardoise annonce les plats à la carte aux fidèles fréquentant l'adresse pour sa cuisine du terroir soignée et généreuse.

Table Tartine – *49 rue Jean-Jacques-Rousseau - 33340 Lesparre-Médoc - ✆ 05 56 73 46 46 - www.table-tartine.fr - déj. 13 € - 14/25 €.* Situé un peu à l'écart de la route du Médoc, ce sympathique et dynamique restaurant vaut le détour pour ses assiettes complètes, ses oeufs cocotte au foie gras… et sa dizaine de desserts maison quotidiens!

Café Lavinal – *Pl. Desquet, à Bages - 33250 Pauillac - ✆ 05 57 75 00 09 - fermé 24 déc.-1er fév. et dim. soir - 13/17,50 € déj. - 25/35 €.* Dans ce joli bistrot « néo-rétro », idéalement situé au centre de Pauillac, officie un jeune chef argentin, dont la cuisine s'inscrit dans le registre traditionnel. Ardoise du jour et vins locaux de propriété.

POUR SE FAIRE PLAISIR

Auberge de Savoie – *1 pl. Trémoille - 33460 Margaux - ✆ 05 57 88 31 76 - fermé 22-28 déc., lun., dim. soir - 31/88 €.* Accueil sympathique dans cette maison du 19e s., qui abrite deux belles salles à manger. Cuisine goûteuse et belle carte de bordeaux. Agréable terrasse.

ACHATS

Maison du vin de Margaux – *Pl. Trémoille - 33460 Margaux - ✆ 05 57 88 70 82 - juin-sept. : 10h-13h, 14h-19h ; le reste de l'année. : lun.-sam. 9h-12h, 14h-18h.* Vous y trouverez une cinquantaine de vins, vendus au prix de la propriété.

Cave coopérative La Rose Pauillac – *44 av. du Mar.-Joffre - 33250 Pauillac - ✆ 05 56 59 26 00 - P - 8h-12h, 14h-18h, lun. et sam. 9h-12h, 14h-18h (juil.-août 19h).* Cette cave produit des vins appréciés par les amateurs, notamment La Rose Pauillac et La Fleur Pauillac.

ACTIVITÉS

Pauillac est le point de départ de 6 circuits (5 à 21 km) à parcourir à pied ou à vélo. *Renseignements à la Maison du tourisme et du vin de Pauillac.*

Tonnellerie Nadalie – *99 r. Lafont - 33290 Ludon-Médoc - ✆ 05 57 10 02 02 - 9h-12h, mar. sur RV - fermé août.* Visite des ateliers de fabrication des tonneaux destinés au vin.

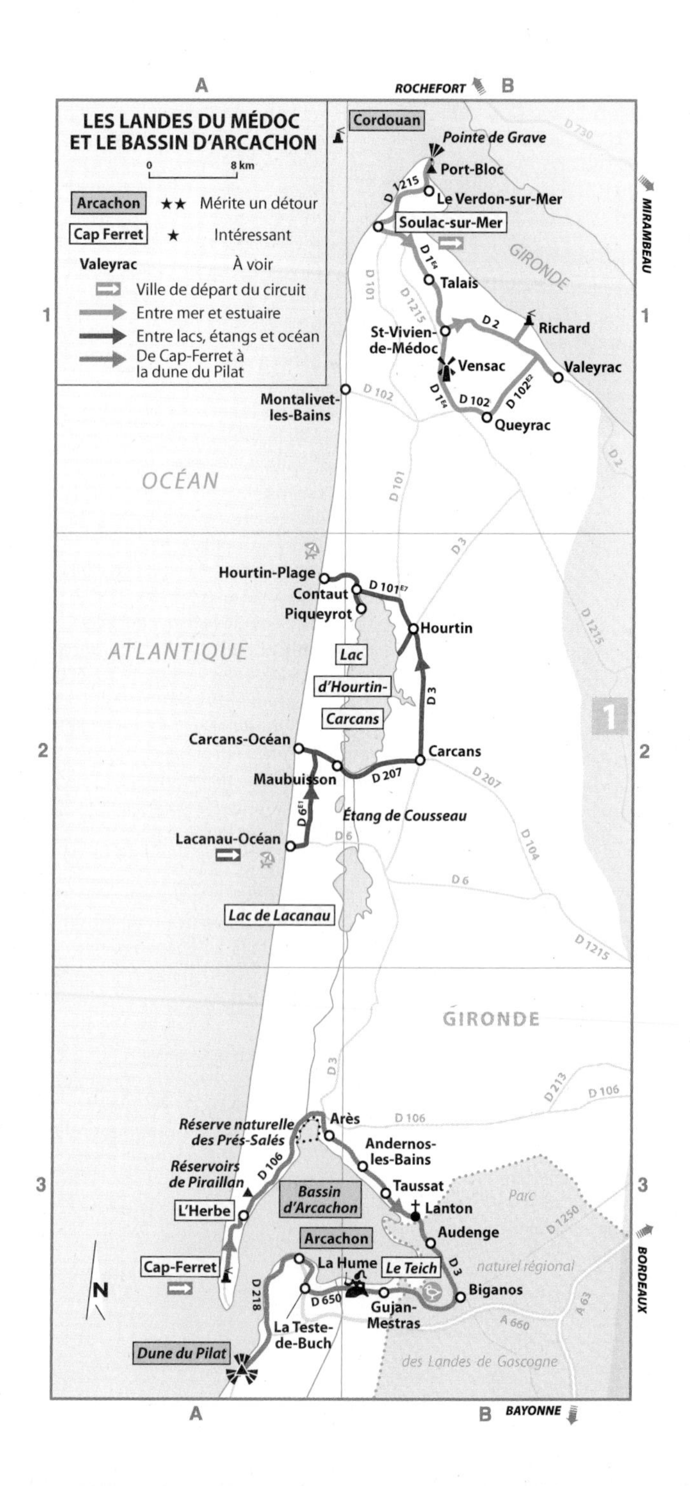
LES LANDES DU MÉDOC
ET LE BASSIN D'ARCACHON
0
8 km
Arcachon ★★ Mérite un détour
Cap Ferret ★ Intéressant
Valeyrac À voir
Ville de départ du circuit
Entre mer et estuaire
Entre lacs, étangs et océan
De Cap-Ferret à la dune du Pilat
ROCHEFORT
MIRAMBEAU
BORDEAUX
BAYONNE
Cordouan
Pointe de Grave
Port-Bloc
Le Verdon-sur-Mer
Soulac-sur-Mer
Talais
St-Vivien-de-Médoc
Vensac
Richard
Valeyrac
Queyrac
Montalivet-les-Bains
GIRONDE
OCÉAN
ATLANTIQUE
Hourtin-Plage
Contaut
Piqueyrot
Hourtin
Lac d'Hourtin-Carcans
Carcans-Océan
Maubuisson
Carcans
Étang de Cousseau
Lacanau-Océan
Lac de Lacanau
GIRONDE
Arès
Réserve naturelle des Prés-Salés
Andernos-les-Bains
Réservoirs de Piraillan
Taussat
Bassin d'Arcachon
Lanton
L'Herbe
Audenge
Arcachon
Cap-Ferret
La Hume
Le Teich
Biganos
Gujan-Mestras
La Teste-de-Buch
Dune du Pilat
Parc naturel régional des Landes de Gascogne
N

+ d'adresses

Les Landes du Médoc et le bassin d'Arcachon 2

Carte Michelin Départements 335 - Gironde (33) et Landes (40)

Soulac-sur-Mer

★

2690 Soulacais – Gironde (33)

NOS ADRESSES PAGE 201

S'INFORMER

Office du tourisme de Soulac – *68 r. de la Plage - 05 56 09 86 61 - juil.-août : 9h-19h ; reste de l'année : lun.-vend. 9h-12h30, 14h-17h30, sam. 10h-12h30, 15h-17h30 - vac. scol. : lun.-vend. 9h-12h30, 14h-17h30, sam. 10h-12h30, 15h-17h30, dim. 10h-12h30, 14h-17h.* L'office de tourisme organise des **visites guidées** du village ancien de Soulac et de la basilique Notre-Dame-de-la-Fin-des-Terres – *avr.-sept. : se rens. pour les horaires - fermé j. fériés - 4,50 € (-13 ans gratuit).*

SE REPÉRER

Carte de microrégion B1 (p. 194) – *carte Michelin Départements 335 E1.*
Au nord de l'Aquitaine, entre l'estuaire de la Gironde et l'océan Atlantique, la ville de Soulac se trouve à 100 km de Bordeaux (par la D 1215). Le petit centre ancien se groupe autour de l'office de tourisme.

SE GARER

Le parking à côté de la basilique est très pratique.

À NE PAS MANQUER

La jolie vue sur le phare de Cordouan depuis le boulevard du Front-de-Mer ; la basilique N.-D.-de-la-Fin-des-Terres ; le circuit des villas ; le beau panorama du haut du phare de la pointe de Grave.

ORGANISER SON TEMPS

Comptez une demi-journée pour la visite de Soulac, et autant pour le circuit conseillé entre mer et estuaire. À la belle saison, ne manquez pas de prolonger votre séjour par la visite du phare de Cordouan.

AVEC LES ENFANTS

Le train touristique entre Soulac et la pointe de Grave *(voir « Activités », p. 202)* ; le phare de Cordouan et son musée à la pointe de Grave ; la promenade-découverte du marais du Conseiller au Verdon-sur-Mer ; le fort de Richard ; le moulin à vent de Vensac.

À la fin du 19e s., la grande vague des bains de mer fit pousser à Soulac des centaines de maisons de poupée qui donnent un charme fou à la station. La mer est là, à quelques pas, de même que la forêt : farniente sur la plage et balades sous les pins en perspective.

Se promener

La **rue de la Plage**, entre la basilique et le front de mer, est l'axe central : piétonnière, vous y trouverez les commerces, dont le marché central couvert, et l'office de tourisme. Autour du centre-ville s'éparpillent **les villas** 19e s., qui allient brique et bois, et les chalets du 20e s., formant un ensemble

architectural harmonieux. Du front de mer, vous pourrez rejoindre, à l'ouest, le musée d'Art et d'Archéologie *(près du casino)* et, à l'est, le mémorial de la Forteresse *(près de la piscine)*.
Soulac est relativement protégée de la houle par un banc en haut fond, cependant les **quatre plages** sont surveillées. Comme sur toute la côte atlantique, la station est idéale pour tous les sports nautiques de glisse. Du quartier de l'Amélie, vous pouvez accéder à la plage centrale à vélo par une piste cyclable *(3,5 km)*. Lorsque la chaleur se fait trop forte au soleil, allez vous rafraîchir sous les pins ! La **forêt** est parcourue de sentiers pédestres et de pistes cyclables *(voir la rubrique « Activités », p. 202)*.

Basilique N.-D.-de-la-Fin-des-Terres

Pl. Aliénor-d'Aquitaine - 9h-18h - visite guidée avec l'office de tourisme (voir la rubrique « S'informer », ci-contre).
C'est à Soulac que débarquaient les pèlerins de St-Jacques en provenance des îles Britanniques ; à ce titre, la basilique a été classée au Patrimoine mondial de l'Unesco, en même temps que les chemins de St-Jacques.
Cet édifice bénédictin du 10e s. qui était, au milieu du 18e s., presque entièrement recouvert par les sables, a été dégagé et restauré à la fin du 19e s. Il présente les caractères de l'architecture romane poitevine ; l'actuel clocher a remplacé au 14e s. celui qui se trouvait sur la croisée du transept. La manière de bâtir de l'école poitevine s'affirme dans la nef centrale sans ouverture, et par les collatéraux aussi hauts qu'elle. À l'intérieur, certains chapiteaux sont historiés : au pilier gauche qui précède le chœur, vestige du retable de l'autel de sainte Véronique ; à l'entrée du chœur, à gauche, saint Pierre aux liens ; dans le chœur, Daniel dans la fosse aux lions. Dans le bras droit du transept, remarquez la statue polychrome de N.-D.-de-la-Fin-des-Terres, objet du pèlerinage dont l'origine remonte au passage des pèlerins vers St-Jacques-de-Compostelle.

Musée d'Art et d'Archéologie

1 av. El Burgo-de-Osma - ✆ 05 56 09 83 99 - ♿ - juil.-août : 15h-19h ; de mi-avr. à fin juin et sept. : 15h-18h - fermé lun.-mar. - 2,70 € (-15 ans gratuit).
Le recul constant de la côte dans le Médoc a favorisé les découvertes archéologiques, rassemblées ici par la Fondation médullienne. De la **période néolithique** (5000-2200 av. J.-C.) : silex, grattoirs, burins, poteries à décor cardial (coquilles dentelées), pointes de flèche. Les haches à bord rectiligne sont caractéristiques de l'âge du bronze dans le Médoc. La pointe de la Négade a fourni la plupart des vestiges de l'**époque gallo-romaine** : monnaies, céramiques sigillées, vases à engobe orangé (à décor de lunules ou à guillochures), verreries, fibules. Le magnifique sanglier en laiton aux formes stylisées n'est autre qu'une enseigne militaire gauloise du 1er s. avant J.-C.
Le musée expose également des peintures et des sculptures d'artistes contemporains d'Aquitaine.

Mémorial de la Forteresse du Nord Médoc

✆ 05 56 73 63 60 - www.forteresse-nord-medoc.org - de mi-juin à mi-sept. : mar., vend. et sam. 10h-12h, 17h-19h ; le reste de l'année sur RV - musée 5 € (-17 ans 2 €), musée et sites 7 € (enf. 3 €).
Le musée du Souvenir relate la libération de la poche du Médoc en août 1944. Les visiteurs souhaitant se rendre sur les sites historiques (ensemble de bunkers) suivront une visite guidée *(environ 3h)*.

2

À proximité Carte de microrégion p. 194

Montalivet-les-Bains A1

18 km au sud de Soulac par la D 101 puis la D 102^{E1}.

62 av. de l'Océan - 05 56 09 30 12 - www.ot-vendays-montalivet.fr - juil.-août : 9h-19h ; juin et sept. : lun.-sam. 9h30-12h30, 14h-18h ; avr.-mai : 9h30-12h, 14h-17h30 ; oct.-mars : lun.-vend. 9h-12h, 14h-17h30, sam. 10h-12h - fermé 1er janv., 1er et 11 nov. et 25 déc.

Cette petite station balnéaire est surtout connue comme l'un des grands centres de naturisme *(voir p. 14)* et pour son marché quotidien fort animé en été. Les activités de loisir constituent son principal attrait : 12 km de plages, 2 boucles pédestres dans les marais, des pistes cyclables dans la forêt, etc.

Circuit conseillé Carte de microrégion p. 194

ENTRE MER ET ESTUAIRE

Pour visualiser ce circuit de 85 km au départ de Soulac, se reporter à la carte p. 194. Compter 4h.

Quitter Soulac au nord par la D 1^{E4} et poursuivez sur la N 1215.

Pointe de Grave B1

Laisser la voiture près du monument commémoratif. Face à Royan, la pointe de Grave (sur la commune du Verdon-sur-Mer) est le cap formé par l'estuaire de la Gironde où prennent fin, au nord, la forêt de pins et les plages de sable rectilignes des Landes.

Un **monument commémoratif** remplace la pyramide de 75 m qui rappelait le débarquement des troupes américaines en 1917, et que les Allemands abattirent en 1942. La pointe fut l'une des poches où se retranchèrent, après le débarquement de 1944, les forces allemandes stationnées dans l'ouest ; elle ne fut réduite qu'en avril 1945.

Du haut de la dune, sur un ancien blockhaus, le **panorama★** embrasse un vaste horizon marin : le phare de Cordouan distant de 9 km en mer, la presqu'île et le phare de la Coubre, les conches de Royan, la Gironde, les installations portuaires du Verdon-sur-Mer.

Dans le phare de la pointe de Grave est installé le **musée du Phare de Cordouan**. Des photographies mettent en valeur l'exceptionnelle richesse architecturale de l'édifice et donnent un aperçu de la vie de ses gardiens. Sont également exposées les maquettes des six phares de Gironde (Cordouan, Coubre, Grave, Richard, Hourtin et Cap-Ferret). De la plate-forme *(108 marches)*, vue splendide sur l'estuaire (table d'orientation). *t 05 56 09 00 25 - www.asso-cordouan.fr - - juil.-août : 11h-19h ; mai-juin et sept.-oct. : lun., vend., w.-end. et j. fériés 14h-18h ; reste de l'année : sur RV - fermé 1er janv., Pâques, 11 Nov., 25 déc. - 2,50 € (-12 ans 1,50 €).*

De **Port-Bloc** partent différentes promenades en mer *(voir la rubrique « Activités », p. 202)*. Plus au sud, un nouveau port de plaisance (800 anneaux), **Port-Médoc**, a été aménagé.

★★ Phare de Cordouan B1

t 05 56 09 62 93 - www.vedettedelaboheme.com - visite guidée sur réserv., durée de la sortie (3h30) depuis la pointe de Grave, avr.-oct., en fonction des marées et des conditions climatiques - fermé nov.-mars - 32 € (enf. 22 €) comprenant la traversée en bateau et l'entrée du phare.

Le phare de Cordouan est le plus ancien phare de France encore en activité.
F. Leroy / hemis.fr

Avec ses étages Renaissance, qu'une balustrade sépare du couronnement classique, le phare (67,5 m) donne une impression de hardiesse.
Une poterne conduit au bastion circulaire qui protège l'édifice des fureurs de l'Océan ; c'est là qu'habitent les gardiens du phare.
Au rez-de-chaussée, un portail monumental donne sur l'escalier de 311 marches qui grimpe à la lanterne. Au premier étage se trouve l'appartement du Roi ; le deuxième étage abrite la chapelle (au-dessus de la porte, remarquez le buste de Louis de Foix) coiffée d'une belle coupole.
Depuis le débarcadère à Port-Bloc, prendre la D 1215 vers Soulac.

2

Le Verdon-sur-Mer B1

2 r. des Frères-Tard - 05 56 09 61 78 - 9h-12h15, 13h30-17h (merc. et sam. mat. uniquement) - fermé dim. et j. fériés.
Entre le bourg et la plage qui borde l'estuaire, les cabanes de pêcheurs témoignent de l'activité ostréicole qui régnait autrefois. Elle a cessé avec l'ouverture du port de commerce.

LE PHARE DE CORDOUAN

Petite histoire – Au 14e s., le **Prince Noir** fit élever une tour octogonale au sommet de laquelle un ermite allumait de grands feux. À la fin du 16e s., cette tour menaçant ruine, **Louis de Foix**, ingénieur et architecte qui venait de déplacer l'embouchure de l'Adour, se mit en devoir de bâtir, avec plus de 200 ouvriers, une sorte de belvédère surmonté de dômes et de lanternons. En 1789, l'ingénieur **Teulère** reconstruisit la partie supérieure de l'édifice, dans le style Louis XVI.
De l'Océan au fleuve – Le lent défilé des cargos constitue un des spectacles de l'estuaire de la Gironde. Le franchissement des passes de Cordouan est difficile par gros temps, mais le creusement de la « passe de l'Ouest », entretenue par des dragages réguliers, a amélioré les accès.

Le port du Verdon-sur-Mer offre le double avantage d'un port en eau profonde sans écluses ni marées et d'une passe d'entrée en Gironde, favorisant la navigation des grands porte-conteneurs et pétroliers. La puissance des équipements, la rapidité des opérations de manutention, les vastes entrepôts et moyens de stockage lui confèrent un rôle de premier plan.

Amoureux de la nature, ne manquez pas la promenade-découverte *(2h)* du **marais du Conseiller**, avec un guide qui vous expliquera l'aménagement des marécages, la flore et la faune (nombreuses espèces d'oiseaux). *Association Curuma – 05 56 09 65 57 - avr.-nov. : lun.-vend. 9h-18h - possibilité de visite guidée (2h) sur RV - 2 € (-12 ans gratuit).*

Revenir sur la D 1215 en direction de Bordeaux. Après 4 km, tourner à gauche dans la D 1E4.

La route passe par **Talais**, où vous pourrez faire une halte à l'ancien port ostréicole.

Saint-Vivien-de-Médoc B1

1 pl. Brigade-Carnot - 33590 St-Vivien-de-Médoc - 05 56 09 58 50 - lun.-vend. 8h30-12h30, 14h-17h, sam. 8h30-12h30 - fermé j. fériés.

Venez de préférence le mercredi matin pour profiter du **marché**, le plus couru du Médoc. Au passage, arrêtez-vous à l'**église** qui conserve une belle abside romane de style saintongeais, tandis que le clocher et la nef ont été reconstruits suite aux bombardements de 1943.

Faites ensuite un tour dans le petit **port de pêche**. Là s'offre la possibilité de visiter la **ferme aquacole** « Eau Médoc », qui élève des gambas sur d'anciens marais salants. *05 56 09 58 32 - de déb. juil. à mi-nov. : mat. et apr.-midi ; mars-juin : vend. apr.-midi, sam. mat. - possibilité de visite guidée sur demande 3 j. av. - gratuit ; visite et dégustation 5 €.*

Suivre la direction de Port-de-St-Vivien et prendre la première à droite (D 2). Sur la droite, le phare de Richard est indiqué.

La route emprunte une digue construite lors de l'assèchement des marais au 17e s.

Phare de Richard B1

05 56 09 52 39 - www.phare-richard.com - - juil.-août : 11h-19h ; mars-juin et sept.-oct. : tlj sf mar. 14h-18h ; reste de l'année : sur demande préalable - fermé 1er janv., 1er Mai, 25 déc. - 1,25 € (-10 ans gratuit).

Laissé à l'abandon après son extinction en 1953, il doit son réaménagement en espace muséal aux jeunes de Jau-Dignac-Loirac (commune dont le site dépend), soucieux de préserver la mémoire des anciens. Ainsi, outre l'histoire du phare (du 19e s.), c'est la vie de l'estuaire que vous découvrirez à travers des objets et documents. Après l'ascension des 63 marches s'offre à vous une vue imprenable sur l'estuaire, l'alignement des carrelets sur la digue et les polders (terres gagnées sur la mer, endiguées et mises en valeur) du Médoc *(table d'orientation au pied du phare).*

Aux beaux jours, ce lieu fort agréable *(aire de pique-nique)* se prête à une halte-déjeuner avant la visite du phare ou à une pause-goûter après.

Revenir sur la D 2.

Vous passez à Port-de-Richard et Port-de-Goulée, ancien port ostréicole devenu halte nautique.

Valeyrac B1

Le village s'enorgueillit d'une église due à Paul Abadie, l'architecte du Sacré-Cœur à Montmartre.

Revenir à Port-de-Richard et prendre à gauche la D 102E2.

Queyrac B1

Entre prairies et marais, vignoble et forêt, ce village offre un cadre naturel enchanteur qui invite à la promenade à pied ou à bicyclette. Une piste cyclable permet de rejoindre les plages de l'Océan en passant par Vensac.

Quitter Queyrac au nord par la D 102, puis traverser la D 1215 pour poursuivre sur la D 1E4.

Moulin à vent de Vensac B1

19 rte du Moulin - ✆ 05 56 09 45 00 - www.moulindevensac.fr - ♿ - visite guidée juil.-août : 10h-12h30, 14h30-18h30 ; juin et sept. : w.-end et j. fériés 10h-12h30, 14h30-18h30 ; avr.-mai et oct. : dim. et j. fériés 14h30-18h30 - fermé nov.-mars - 4 € (enf. 3 €).

Ce moulin à vent du 18e s. a été remonté sur son emplacement actuel en 1858. Il est du type tour en pierre, coiffée d'un toit conique. Sa visite vous fait découvrir les diverses opérations de la fabrication de la farine, depuis le broyage du blé jusqu'au tamisage dans la bluterie voisine, ainsi que le mécanisme principal d'entraînement dont certaines pièces, en chêne, sont d'origine.

NOS ADRESSES À SOULAC-SUR-MER

TRANSPORTS

Train – Des liaisons TER relient Bordeaux à Soulac en 1h30. Rens. à la SNCF *(voir p. 8).*

Bac – *✆ 05 56 73 37 73 (rens. à l'office du tourisme du Verdon-sur-Mer) - 20mn de traversée - se présenter 30mn av. l'embarquement - 21,60 € par voiture + 3,10 €/pers.* Des liaisons régulières (ttes les 30 à 45mn en été) relient Royan au Verdon-sur-Mer.

HÉBERGEMENT

À Soulac-sur-Mer

BUDGET MOYEN

Hôtel Michelet – *1 r. Bernard-Baguenard - ✆ 05 56 09 84 18 - www.hotelmichelet.fr - fermé nov.-fév. - 20 ch. 50/77 € - ☕ 7 €.* Cette jolie maison de la fin 19e s. appartient aux Michelet depuis trois générations. Les propriétaires actuels reçoivent leurs hôtes chaleureusement, un peu comme des amis… Une partie des chambres, standardisées mais impeccablement tenues, possède un balcon avec vue sur mer.

À proximité

PREMIER PRIX

Camping Les Lacs – *126 rte des Lacs - 33780 Soulac-sur-Mer - 3 km au sud de Soulac-sur-Mer par D 101 - ✆ 05 56 09 76 63 - www. camping-les-lacs.com - ouv. de déb. avr. à mi-nov. - réserv. conseillée - 228 empl. 28 € - restauration.* De vraies vacances dans une ambiance tonique et conviviale. Deux piscines (couverte et plein air), une salle de jeux, un bar, une pizzeria, une épicerie et des animations…

BUDGET MOYEN

Tour-Hôtel – *ZAC Belloc - 33340 Lesparre-Médoc - 15 km au sud de Soulac-sur-Mer par RN 215 - ✆ 05 56 73 39 20 - www. tourhotelmedoc.com - P - ♿ - 27 ch. 47/70 € - ☕ 8 €.* Idéalement situé entre l'Océan et l'estuaire de la Gironde, cet hôtel récent, de style motel, propose des chambres spacieuses, joliment décorées et confortables. L'environnement un peu triste (zone industrielle) n'en fait pas moins un lieu pratique pour découvrir la région.

RESTAURATION

À Soulac-sur-Mer

BUDGET MOYEN

La Pile d'Assiettes – *10 r. Brémontier - ✆ 05 56 73 69 87 - fermé 6 nov.-1er avr. - 18/33 €.* Ce restaurant aux larges baies vitrées est situé à 200 m de l'Océan. Intérieur sympathique (murs en pierres apparentes et vieilles affiches publicitaires) et agréable terrasse. Cuisine traditionnelle.

À proximité

BUDGET MOYEN

Hôtel des Pins – *L'Amélie - 33780 Soulac-sur-Mer - 2 km au sud-ouest de Soulac-sur-Mer par D 101 - ✆ 05 56 73 27 27 - www.hotel-des-pins.com - P - ouv. 1 avr.-15 nov.-oct.-mai : fermé lun. midi et vend. midi - 20/40 € - 29 ch. 55/125 € - ☕ 9,50 €.* Cet hôtel-restaurant est situé à seulement 100 m de la plage. Un imposant vivier à poissons dans la salle à manger rappelle, si besoin était, la proximité de l'Atlantique. La carte propose évidemment un bon choix de produits de la mer, complété de recettes régionales.

EN SOIRÉE

Casino de la plage – *1 av. Burgo-de-Osma - ✆ 05 56 09 51 00 - 11h-4h - fermé fév.* Machines à sous, jeux et boule, mais aussi bar, restaurant (le Banco) et discothèque.

ACTIVITÉS

Visites naturalistes – *Programme des sorties et réserv. à l'office du tourisme de Soulac.* En association avec le conseil général de Gironde, des visites naturalistes gratuites sont organisées en juil.-août *(16h-17h30)* dans différents sites naturels protégés : la dune de l'Amélie, à Soulac, la dune de Grave, le marais du Logit et celui du marais du Conseiller à Verdon-sur-Mer.

Petit train touristique – *✆ 05 56 09 86 61.* Sur rails, il relie Soulac à la pointe de Grave.

Promenade en bateau – *Rens. au 05 56 09 62 93 ou en juil.-août, au pavillon du tourisme, face au bac de la pointe de Grave - www.vedettelaboheme.com.* La pointe de Grave est le point de départ de plusieurs excursions en bateau : visite du phare de Cordouan (3 à 4h), promenade le long des falaises de Meschers (2h), tour de l'estuaire (2h), pêche en mer avec matériel fourni (1/2 j.) ou pêche à pied sur le plateau de Cordouan lors des grandes marées (4h).

Randonnées pédestres – Le **GR 8** relie Soulac à la pointe de Grave. Plan disponible dans les offices du tourisme.

Pistes cyclables du Médoc – *✆ 05 56 09 86 61(OT) - Se rens. dans les offices de tourisme.* Elles relient la pointe de Grave à Lacanau en descendant la côte jusqu'à Lacanau-Océan. Plan de toute la zone entre Lacanau-Océan et Hourtin-Plage disponible dans les offices du tourisme.

Cyclo'Star – *9 r. Fernand-Laffargue - ✆ 05 56 09 71 38 - www.cyclostar.fr - avr.-sept. et vac. de Toussaint.* Large choix de matériel : vélos, VTT, VTC, remorques pour enfants, tandems. Ouverture saisonnière d'une annexe à L'Amélie-sur-Mer en juillet et août.

Lacanau-Océan

4456 Canaulais – Gironde (33)

NOS ADRESSES PAGE 206

S'INFORMER

Les trois stations de Lacanau, Carcans et Hourtin se sont réunies pour former l'entité **Médoc Océan** dont le logo, composé de trois papillons, met en valeur l'aspect « nature » de la destination : visites naturalistes, découverte de la forêt, *Guide de séjours et d'activités* dans les offices de tourisme et sur **www.medococean.com**.

Office du tourisme de Médoc-Océan – *Pl. de l'Europe - 05 56 03 21 01 - www.lacanau.com - juil.-août : 9h-19h ; mai-juin et sept. : 9h-12h30, 14h-18h ; reste de l'année : lun.-sam. 9h-12h30,14h-17h.* Visite guidée des villas anciennes.

Office du tourisme de Carcans-Maubuisson – *127 av. Maubuisson - 05 56 03 21 01 - www.carcans-maubuisson.com - juil.-août : 9h-19h (dim. et j. fériés 10h-19h) ; avr.-juin : lun.-sam. 9h-12h30, 13h30-18h, dim. et j. fériés 10h-12h30, 14h30-18h - fermé 25 déc.-1er janv., 1er et 11 Nov.*

Office du tourisme d'Hourtin – *Espl. du Port - 05 56 09 19 00 - www.hourtin-medoc.com - juil.-août : 10h-19h ; avr.-sept. : 10h-12h30,14h-17h30 - fermé dim. oct.-mars.* Visite guidée du rivage du lac d'Hourtin.

SE REPÉRER

Carte de microrégion A2 (p. 194) – *carte Michelin Départements 335 D 4.*

À 55 km au nord-ouest de Bordeaux par la D 1215, puis la D 6. Les routes entre Bordeaux et la côte atlantique sont étroites et très empruntées par les « habitués ». Prudence donc !

À NE PAS MANQUER

L'étang de Cousseau, le rivage du lac d'Hourtin et la lagune de Contaut, trois sites naturels protégés.

ORGANISER SON TEMPS

Lacanau est surtout un lieu de séjour, mais si vous n'y passez qu'une journée, prenez le temps d'une promenade : de nombreux circuits sont possibles.

AVEC LES ENFANTS

Médoc Océan, labellisé « Famille Plus » ; l'étang de Cousseau ; le jardin des vagues au Lacanau Surf-Club *(voir la rubrique « Activités », p. 207).*

Des pins, des dunes, un long ruban de plages de sable fin, des lames géantes narguées par les surfeurs. Et que d'eau ! Lacs d'eau douce et Océan vous cernent de tous côtés. Que choisir ? Se balader à pied, pédaler, nager ou ne rien faire… L'environnement se prête à des vacances nature, à votre rythme.

Se promener Carte de microrégion p. 194

Face à l'Océan, la station s'est développée au pied des dunes couvertes de pins maritimes. Aucune excuse donc pour ne pas se balader dans les « lèdes » (vallons sablonneux parcourus de futaies) et sur les 14 km de plages. Pour les dynamiques, 120 km de pistes cyclables longent la côte dans la pinède. Plusieurs *spots* de surf réputés aussi : plage Centrale, Nord, Sud et Super Sud (à choisir en fonction des déplacements de bancs de sable). Et encore, trois parcours de golf dont un de 18 trous.

★ **Lac de Lacanau** A-B 2

2000 ha pour 8 km de long. Nombreux brochets, anguilles et perches à pêcher. Deux plages surveillées (le Moutchic, au nord, et la Grande Escoure, au sud-ouest) et toutes les possibilités de distractions nautiques : voile, planche à voile, ski nautique, canoë-kayak, location de bateaux, dériveurs et pédalos. Vous pouvez faire le tour du lac à pied ou à vélo (entre Lacanau et Les Nerps).

Circuit conseillé Carte de microrégion p. 194

ENTRE LACS, ÉTANGS ET OCÉAN

Pour visualiser ce circuit de 51 km au départ de Lacanau-Océan, se reporter à la carte p. 194. Compter 4h.

Les cours d'eau arrêtés par la barrière des dunes ont formé le long de la côte un chapelet de lacs et d'étangs reliés entre eux par des canaux. Amoureux de la nature ou sportif invétéré, vous trouverez forcément votre bonheur.

En sortant de Lacanau-Océan, prendre à gauche la D 6^{E1} qui traverse la forêt.

Étang de Cousseau A-B 2

Laisser la voiture au parking situé en bordure de la D 6^{E1} au lieu-dit Marmande. ✆ 05 56 91 33 65 - www.sepanso.org - accès libre toute l'année - possibilité de visite guidée et sorties nature : renseignements et inscriptions à l'office du tourisme de Lacanau-Océan - guide du visiteur : 4,50 €.

Vous accédez à cette réserve naturelle par un sentier traversant la forêt domaniale de Lacanau ou par des pistes cyclables bétonnées *(laissez votre vélo dans les parcs aménagés aux différentes entrées)*. Bordé à l'ouest par une série de dunes paraboliques, l'étang se prolonge à l'est par un marais *(non accessible)*. Vous suivrez le **sentier d'interprétation** pour découvrir la faune (sangliers, vaches marines, oiseaux migrateurs, insectes, etc.) et la flore (pins, arbousiers, chênes verts, nénuphars…) de la réserve, ainsi que la technique du gemmage.

Au terme de la D 6^{E1}, prendre la D 207 pour profiter du bord de mer, ou directement à droite.

Carcans-Maubuisson A2

La station balnéaire de **Carcans-Océan** compte deux plages surveillées et un spot pour les surfeurs. Des animations et activités y sont organisées pour les enfants pendant les vacances de Pâques et l'été.

LE SAVIEZ-VOUS ?

Depuis des siècles, les Landes sont parcourues de canaux naturels et artificiels (entre les étangs, pour l'irrigation des terres). Lacanau signifie « le canal ».

Le 45e parallèle de latitude nord (à égale distance entre l'Équateur et le pôle Nord) coupe l'Aquitaine au niveau de Lacanau. Il passe aussi à St-André-de-Cubzac *(voir Bourg, p. 182)*.

À 4 km vers l'intérieur se trouve **Maubuisson**, d'où l'on accède au lac d'Hourtin-Carcans *(voir ci-dessous)*. Dans un édifice en brique, à proximité de l'office de tourisme, est installée la **Maison des arts et traditions populaires**, consacrée à la forêt landaise. *05 56 03 41 96 - - de mi-juin à mi-sept. : mar.-sam. 15h-19h - 3,50 € (enf. 1,60 €).*

★ Lac d'Hourtin-Carcans B2

Ce lac sauvage et solitaire couvre une superficie de plus de 6 000 ha. Plus grand lac d'eau douce en France, il est bordé de marais au nord et de quelques tronçons sablonneux sur la rive est. Des dunes, hautes de plus de 60 m par endroits, longent la rive ouest.

De la **plage Sud** (Maubuisson), aménagée pour la baignade, vue agréable sur une partie étendue du lac. Là, vous pourrez pratiquer diverses activités nautiques, tout comme à **Bombannes**.

À 7 km au nord de Carcans par la D 3. Prendre à gauche, suivre la route puis la piste forestière.

Le **rivage du lac d'Hourtin** est classé « espace naturel sensible » afin de protéger cette zone composée de pinèdes, landes, prairies et marais, qui renferme une flore et une faune variées. Pour en apprécier toute la richesse, suivez une visite guidée *(voir la rubrique « S'informer », p. 203)*.

Tête de la « route » des lacs et canaux du Sud-Ouest, Hourtin accueille les bateaux de plaisance grâce au développement de **Hourtin-Port**, doté de 500 anneaux d'amarrage. Voile, planche à voile, canoë, pédalo..., tous les moyens sont bons pour profiter du lac. Les prestataires se trouvent à Hourtin-Port et de l'autre côté (sur la rive nord-ouest), à **Piqueyrot** (B2). Les plages aménagées près de ces deux bases nautiques sont surveillées en saison.

Hourtin B2

Le village d'Hourtin, où se tient un marché traditionnel le jeudi matin (ainsi que les mardis et samedis en saison), est distant de 11,5 km d'**Hourtin-Plage** (A2). La station balnéaire, organisée autour de l'avenue principale qui débouche sur l'océan, est surtout animée en saison, quand le temps se prête à la baignade. Une piste cyclable relie les deux localités.

Prendre la D 101^{E7} qui mène à Hourtin-Plage. À 4 km environ, parking.

2 km AR. Au lieu-dit du **Contaut** (B2), une passerelle (surveillez les enfants) serpente au sein d'une végétation dense, dans le site lacustre protégé de la lagune. Vous pouvez suivre seul ce sentier ponctué de panneaux, ou vous inscrire à une visite naturaliste *(voir la rubrique « S'informer », p. 203)*.

NOS ADRESSES À LACANAU-OCÉAN

HÉBERGEMENT

À Lacanau

BUDGET MOYEN

Yelloh ! Village Les Grands Pins – *Plage Nord - au nord de la station, à 500 m de la plage - ✆ 05 56 03 20 77 - www.lesgrandspins.com - empl. 49 € - 186 mobile homes 39/239 €.* À l'ombre d'une pinède digne des Landes, ce camping est un véritable village de vacances : bassins aquatiques et ludiques, petit centre commercial et mobile homes au grand confort.

Le Gîte Autrement – *D 104, Narsot - 2 km au nord-est de Lacanau par D 104, rte de Brach - ✆ 05 57 17 22 47 - www.gite-autrement.com - ⊄ - 6 chalets 56/83 € - ☕ 3 € - repas 17/23 €.* Six chalets en bois (simples, fonctionnels et dotés d'une terrasse) vous attendent dans un agréable petit parc. Le propriétaire propose également une formule chambre d'hôte dans sa maison attenante : location deux nuits au minimum, draps fournis et repas pour ceux qui le désirent.

Pour se faire plaisir

Vitanova Hôtel-Résidence – *Rte du Baganais - ✆ 05 56 03 80 00 - www.hotel-vitanova.com - fermé janv. - P - 30 ch. + 13 appart. - 55/122 € - ☕ 10 € - rest. 8,5/24 €.* Cet établissement organisé à la façon d'un village comprend des bungalows, des appartements, un hôtel et un centre de balnéothérapie, le tout à l'abri d'une pinède. Plaisantes chambres avec balcon et agréable terrasse d'été au restaurant. Différentes formules d'hébergement : avec ou sans soins.

Vitalparc Hôtel – *Rte du Baganais - ✆ 05 56 03 91 00 - www.vitalparc.com - fermé du 14 nov. à mi-fév. - ♿ - P - 57 ch. 72/123 € - ☕ 11 € - rest. 25 €.* Dressé dans une pinède, ce complexe hôtelier moderne propose plusieurs formules d'hébergement : chambres, appartements pour familles ou petites villas mitoyennes à louer. Espace de remise en forme et de balnéothérapie *(voir la rubrique « Activités »).*

À proximité

PREMIER PRIX

Hôtel de la Côte d'Argent – *La Plage - 33990 Hourtin-Plage - ✆ 05 56 09 10 25 - www.camping-cote-dargent.com - fermé de mi-sept. à mi-mai - P - ♿ - 7 ch. et 2 appart. 55/82 € - ☕ 5 €.* Dans l'enceinte du camping, cet hôtel neuf propose des chambres spacieuses, très bien équipées et modulables en fonction des besoins. De plus, vous bénéficierez de toutes les installations : piscines couverte et découverte, tennis, animations, ainsi que du centre commercial. Mais pour plus de calme, préférez celles sur l'arrière !

BUDGET MOYEN

Chambre d'hôte La Villa Ashram – *18 r. des Genêts-d'Or - 33121 Maubuisson - ✆ 05 56 03 49 19/06 77 58 55 24 - ⊄ - 3 ch. 70/80 € - ☕ 6 €.* Quiétude et détente garanties dans cette agréable maison tenue par Madame François, qui a décoré les chambres d'hôte et le gîte indépendant de ses peintures et créations personnelles. Le lac d'Hourtin-Carcans, situé à 300 m, et la nature environnante offrent un large choix d'activités.

RESTAURATION

À Lacanau

PREMIER PRIX

Le Squale – *Pl. du Gén.-De-Gaulle - ✆ 05 56 26 33 70 - fermé de sept. à fin mai - 11/30 €.* Telle une grande halle aux poissons, ce restaurant-self pittoresque fera le bonheur des amateurs de produits de la mer. Le matin, ses filets de pêche sont vidés devant vous pour votre menu. Ne craignez pas l'affluence et servez-vous directement à la cuisine panoramique.

BUDGET MOYEN

Le Kayoc – *2 allée Ortal - ✆ 05 56 03 20 75 - www.restaurant-kayoc-lacanau.com - ouvert tte l'année, fermé 24 déc. soir - 19 € déj. - menu 26 €.* La salle à manger située au premier étage offre une vue imprenable sur la plage et l'Océan. Tout en admirant le paysage, vous vous régalerez de fruits de mer, à moins que vous ne soyez tenté par la formule plus simple du rez-de-chaussée.

Le Bistrot des Cochons – *1 r. du Dr-Darrigan - ✆ 05 56 03 15 61 - fermé janv. - 22/40 €.* Située en léger retrait de l'animation de la station, cette petite adresse doit son succès à la qualité irréprochable de sa cuisine autant qu'à la réussite de son décor façon « brocante ». La paisible terrasse dressée à l'ombre d'un vieux chêne invite à s'attarder.

EN SOIRÉE

Casino – *Rte du Baganais - ✆ 05 57 17 03 80 - www.groupecogit.com - 12h-4h.* Cette imposante architecture moderne aux formes arrondies abrite le casino de Lacanau. Machines à sous, roulette, black-jack, poker et restaurant.

ACTIVITÉS

Randonnées – Le *Plan des pistes cyclables et du GR 8* couvrant toute la zone entre Lacanau-Océan et Hourtin-Plage est disponible dans les offices de tourisme de Médoc Océan ou téléchargeable sur www.medococean.com.

Lacanau Surf-Club – *17 bd de la Plage - Lacanau - ✆ 05 56 26 38 84 - www.lacanausurfclub.com - juil.-août : 9h-19h ; avr.-juin et sept.-nov. : 9h-12h, 14h-18h ; de mi-nov. à fin déc. et de fév. à Pâques : 9h-12h, 14h-17h - fermé janv. et 25 déc. - cours à l'unité : adulte 34,50 € (2h30), 9-13 ans 29,50 € (2h), 5-8 ans 24,50 € (1h30). Pour les autres formules, se rens. sur le site Internet. Élu meilleur club de France en 2010.* Partenaire du Lacanau Pro. Cours et stages de surf de Pâques à la Toussaint pour tous les niveaux. Jardin des vagues pour les 5-8 ans ainsi que les 9-13 ans. Découverte et pratique du *stand-up paddle*.

Vitalparc – *Rte du Baganais - Lacanau-Océan - ✆ 05 56 03 92 44 - www.vitalparc.com - 10h-13h, 15h-19h, dim. 10h-13h, 15h-20h - fermé de mi-nov. à mi-fév.*
Cet espace de remise en forme situé au sein du complexe hôtelier Aplus propose de multiples formules pour votre bien-être.

Centre de balnéothérapie et d'esthétique Hôtel Vitanova – *Rte du Baganais - Lacanau - ✆ 05 56 03 80 00 - www.hotel-vitanova.com - ouv. 10h-18h - fermé janv.* Ce centre de balnéo et d'esthétique propose des soins à la carte. Espace forme avec accès à la piscine couverte chauffée à 32 °C, au sauna et à la salle de musculation. Cours d'aquagym et de natation. Activités pour bébés nageurs.

2

Arcachon

★★

12 153 Arcachonnais – Gironde (33)

NOS ADRESSES PAGE 212

S'INFORMER

Office du tourisme d'Arcachon – *Espl. G.-Pompidou - ℘ 05 57 52 97 97 - www.arcachon.com - juil.-août : 9h-18h, avr.-juin : lun.-sam. 9h-18h, dim. et j. fériés 10h-13h, 14h-17h, reste de l'année : lun.-sam. 9h-18h - fermé 1er janv. et 25 déc.* Visites guidées à pied ou à vélo - *4 € (-12 ans gratuit).*
Pensez à retirer le *Guide pratique du bassin d'Arcachon*, très utile.

SE REPÉRER

Carte de microrégion A3 (p. 194) – *carte Michelin Départements 335 D 7.*
À 60 km de Bordeaux (D 1250 ou A 63). Les quatre « villes » d'Arcachon correspondent à quatre quartiers, chacune avec ses caractéristiques propres. La plus fréquentée est bien sûr la ville d'été, qui borde la mer.

À NE PAS MANQUER

La ville d'hiver, la jetée Thiers et le boulevard de la Mer, qui offrent une vue d'ensemble sur le bassin d'Arcachon.

ORGANISER SON TEMPS

Si le bain de mer s'impose en été, après une petite promenade sur le front de mer (1h), la ville d'hiver se visite toute l'année (comptez 2h). Le soir, Arcachon est toujours très animée. Le samedi, en juillet et en août, des compétitions de chistera rappellent que le Pays basque n'est pas loin *(voir la rubrique « En soirée », p. 213).*

AVEC LES ENFANTS

L'aquarium et son musée, pour faire connaissance avec les animaux marins du bassin d'Arcachon.

Des senteurs balsamiques d'océan et de pin. Un air de vacances les pieds dans l'eau, l'épuisette à la main. Une pincée de snobisme. Des villas éclectiques, plantées au cœur des bois. Un parfum d'autrefois... Plus besoin de faire la réputation d'Arcachon, belle aux quatre saisons, née de l'imagination hallucinée de pionniers audacieux. Elle a ses fidèles, ses inconditionnels. Elle sait les retenir et les faire revenir.

Se promener Plan de ville p. 214

★ LE FRONT DE MER OU LA VILLE D'ÉTÉ

À la fois détendue aux terrasses des restaurants de fruits de mer, mondaine dans son casino ou sportive lors des régates à la voile, la ville d'été, qui occupe une position centrale, longe la mer entre la jetée de la Chapelle et la jetée d'Eyrac. La jetée Thiers (embarcadère pour les promenades en mer dans le bassin d'Arcachon) a conservé son style rétro. De part et d'autre, les promeneurs affluent dès le début de la soirée.

Arcachon ou le commerce de la mer

ARCACHON ET LA PLAGE

Naissance d'une cité balnéaire

En 1841, une ligne de chemin de fer relie déjà Bordeaux et La Teste, plage de prédilection des Bordelais. Quatre ans plus tard, un débarcadère, desservi par une route tracée à travers les prés-salés, est édifié sur la baie à 5 km au nord de La Teste. Quelques villas se construisent : Arcachon, station balnéaire, est née.

L'envol

1852 : les **frères Pereire**, habiles banquiers bordelais, fondent la Compagnie des chemins de fer du Midi. Ils rachètent la ligne Bordeaux-La Teste, la prolongent jusqu'à Arcachon (1857) où ils ont acquis des terrains, et, pour rentabiliser la ligne, créent des infrastructures : une gare, un « buffet chinois », un Grand Hôtel, un casino mauresque et des villas. Dans la ville ainsi bâtie, au beau milieu du 19e s., l'essor industriel bat son plein. C'est donc un ingénieur, **Paul Régnault**, qui est choisi pour réaliser les premiers édifices. Il sera secondé par un jeune homme du nom de… Gustave Eiffel. Les frères Pereire organisent ensuite une promotion de la nouvelle ville et, bon coup de pub, y invitent Napoléon III. Il n'en fallait pas plus pour que le Tout-Paris et le Tout-Bordeaux se pressent à Arcachon. Déjà fréquentée pour ses bains de mer, elle devient très rapidement une station d'hiver réputée pour son air balsamique, propre à enrayer la tuberculose pulmonaire qui fait alors des ravages. La ville d'hiver est pendant des décennies un lieu de rendez-vous pour les célébrités, d'Alexandre Dumas à Cocteau en passant par Marylin…

ARCACHON ET L'OCÉAN

Vieux loups de mer

Dans l'histoire de la pêche maritime, Arcachon fait figure de port pionnier. En effet, en 1837 y est mis en service le *Turbot*, premier chalutier à vapeur du monde, doté de roues à aubes. En 1865, ce sont les premiers vapeurs à hélices et coque en fer français qui y sont lancés. Au tournant du siècle, Arcachon est le deuxième port de pêche de France après Boulogne-sur-Mer. Toujours en quête d'innovation, une société y fait construire en 1927 le *Victoria*, premier chalutier à moteur du pays.

La pêche industrielle arcachonnaise décline dans les années 1950, les chalutiers gagnant les ports bretons, et laisse le relais aux pêcheurs artisans.

Sur les quais

Aujourd'hui, les quais d'Arcachon accueillent bon an mal an 2 000 t de poisson, dont de nombreuses espèces fines : sole, bar, merlu, rouget, turbot, encornet, etc. La flottille, qui opère au large dans le golfe de Gascogne, se compose de chalutiers traditionnels et de catamarans fileyeurs. À l'intérieur du bassin, les techniques de pêche restent traditionnelles : suivant le maillage des filets et la façon de les faire tenir, on pêche à la jagude, au loup, au palet, à la trahine, différents filets de pêche, au balai (bouquets de genêts où s'agglutinent les crevettes), à l'esquirey (sorte de poche de filet poussée devant soi, au bout d'un manche), ou à la foène (trident servant à attraper les anguilles).

Partir de la jetée d'Eyrac (à l'est).
Vous passez devant le **palais des congrès** (B3) et le **casino** (B3), ancien château Deganne.

Aquarium et musée B3

2 r. Prof.-Jolyet - ✆ 05 56 54 89 28 - juil.-août : 9h45-12h15, 13h45-19h ; mars-juin et sept.-oct. : lun.-vend. 9h45-12h15, 13h45-18h30, sam. 14h-18h - 4,90 € (-10 ans 3,15 €).
L'aquarium, à l'entresol, présente les animaux marins les plus représentatifs du bassin et du proche Océan. À l'étage, collections d'oiseaux, de reptiles, de poissons et d'invertébrés de la région, section réservée aux huîtres, produit de fouilles archéologiques locales.

Jetée Thiers B3

De la jetée Thiers, **vue★** d'ensemble sur le bassin et la station. Les stars de la marine ne sont pas oubliées : Éric Tabarly, Florence Arthaud, Yves Parlier et bien d'autres ont imprimé leur pied dans le bronze. Suivez-les sur la **chaussée des Pieds marins**, près de la jetée Thiers.
Poursuivre sur le front de mer, puis sur le boulevard de la Plage.
Sur la jetée de la Chapelle s'élève la **croix des Marins**. Remontant la rue, vous arrivez à la **basilique Notre-Dame** (A3), du 19e s. À l'intérieur, la **chapelle des Marins** est tapissée d'ex-voto, offerts par des marins sauvés des eaux.
Rejoignez le **boulevard de la Mer★** (A1), à l'ouest, qui quitte la ville d'été pour la ville de printemps. Face au Cap-Ferret, il est bordé de pins et de sable.
Le long de la **plage Pereire** court une agréable promenade piétonne ombragée *(3 km)*. Vous pouvez pousser jusqu'au **Moulleau**, pour voir une surprenante église perchée sur une butte.

★ LA VILLE D'HIVER

En retrait de la ville d'été, elle est bien abritée des vents du large. La paisible vieille dame chic et excentrique est tout en dentelle festonnée. Ses belles artères jalonnées de villas fin 19e s.-déb. 20e s. sillonnent une forêt de pins. C'est l'endroit le plus reposant d'Arcachon.
Conçue pour des tuberculeux, la ville d'hiver est une sorte de parc urbain où les villas se parent de dentelle de bois sur les pignons, les balcons, les escaliers extérieurs et les vérandas.
Un **conseil** : suivez une visite guidée (1h30) de la ville d'hiver *(voir la rubrique « S'informer », p. 208)* ou louez un audioguide à l'office de tourisme.
De la place du 8-Mai, prenez l'amusant ascenseur, dont la station supérieure, située en bordure du parc mauresque, domine la ville d'été.
Ci-après, quelques buts de promenade.

Parc mauresque A3

Regroupant de nombreuses essences exotiques, il s'ouvre sur la ville et le bassin d'Arcachon. Tous les édifices d'origine n'ont pas été conservés. Le casino mauresque, notamment, qui s'inspirait à la fois de l'Alhambra de Grenade et de la mosquée de Cordoue, a été détruit dans un incendie en 1977.

Observatoire Ste-Cécile A3

Si vous avez le vertige, évitez l'ascension à la plate-forme. L'escalier ajouré, en colimaçon et légèrement houleux, risque de vous donner un bon mal de mer.
Construction à charpente métallique due à Gustave Eiffel, l'observatoire est accessible par une passerelle franchissant l'allée Pasteur. De la plate-forme, **vue** sur la ville d'hiver, Arcachon et le bassin.

Villas

Chalets à pans de bois, suisse ou basque, cottage anglais, villa mauresque, manoir néogothique ou maison coloniale, les architectes s'en sont donné à cœur joie! Les villas sont pour la plupart construites sur le même plan : un étage de service, un rez-de-chaussée surélevé, réservé aux pièces de réception et au salon-véranda; à l'étage supérieur, les chambres de maître.

Pins atlantiques aux longs fûts, chênes, érables, robiniers, prunus, micocouliers, platanes, tilleuls… À la floraison, les mimosas, les catalpas et les magnolias ajoutent une touche de couleur. Un vrai paradis!

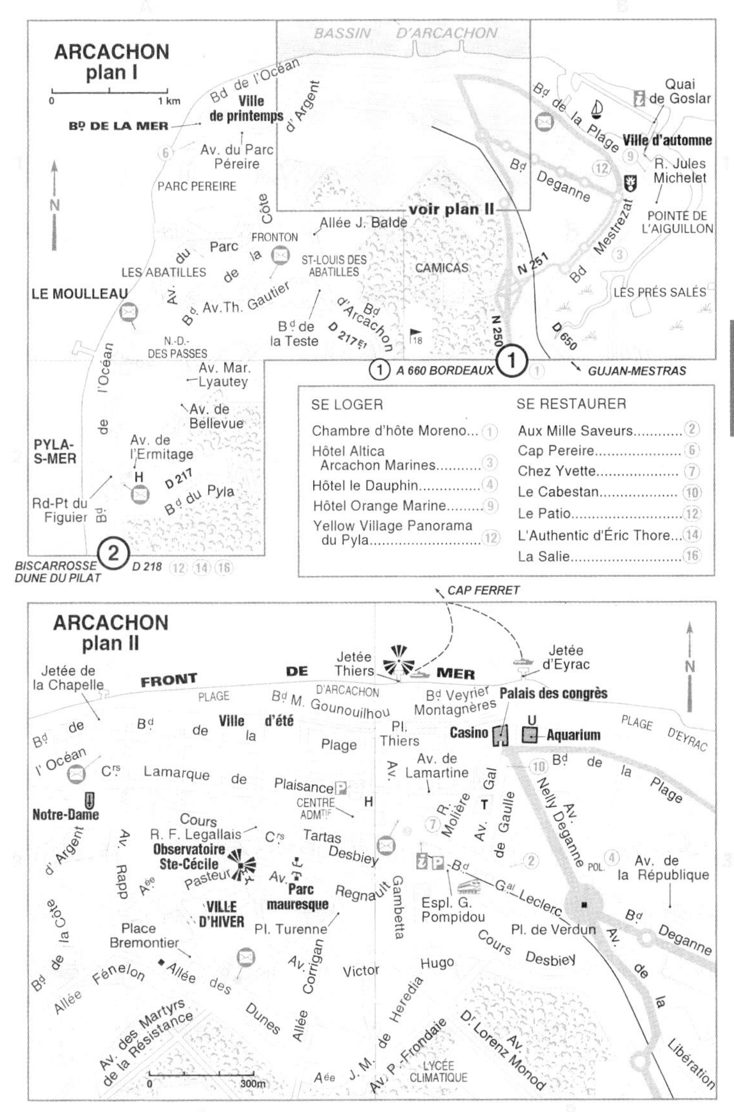

Allée Rebsomen – La villa Theresa (n° 4) est un monument historique privé.
Allée Corrigan – On y voit la villa Walkyrie (n° 12), l'hôtel de la Forêt et la villa Vincenette (n° 16) avec son bow-window garni de vitraux.
Allée Dr.-F.-Lalesque – Villas L'Oasis, Carmen (n° 14) et Navara.
Angle de la rue Velpeau et de l'allée Marie-Christine – Villa Maraquita (n° 8).
Allée du Moulin-Rouge – La villa Toledo (n° 7) possède un superbe escalier en bois découpé ; il s'agit de l'ancien gymnase Bertini.
Allée Faust – Villas Athéna, Fragonard, Coulaine, Graigcrostan (n° 6), Faust et Siebel.
Allée Brémontier – Villas Brémontier (n° 1), avec tourelle et balcon, Glenstrae (n° 4) et Sylvabelle (n° 9).
Allée du Dr.-Festal – Villas Trocadéro (au n° 6, *voir l'ABC p. 89*) et Monaco.
Allée Pasteur – Villas Montesquieu et Myriam. À l'angle des allées Pasteur et Alexandre-Dumas se trouve la villa Alexandre-Dumas (n° 7).

LA VILLE D'AUTOMNE B1

à l'est, Arcachon revêt sa vareuse. C'est son côté maritime, avec son port de plaisance où s'alignent les voiliers, et son port de pêche où vont et viennent les chalutiers.

LA VILLE DE PRINTEMPS A1

Sportive (tennis, piscine, fronton) et cossue, elle tient ses quartiers à proximité du **parc Pereire**. À l'extrémité sud, les Arbousiers sont LE spot des surfeurs. La **source des Abatilles** (dans le quartier du même nom), qui jaillit à 465 m de profondeur, donne un très bon cru d'eau minérale.

NOS ADRESSES À ARCACHON

Voir également « Nos adresses dans le bassin d'Arcachon », p. 224.

TRANSPORTS

Eho – *Tlj sf dim., 1er Mai, 11 Nov. - gratuit.* Ces minibus électriques circulent dans la ville (marquage bleu au sol). Ligne A : centre-ville, La Chapelle, Pereire, Le Moulleau ; ligne B : centre-ville, ville d'hiver, Abatilles ; ligne C : centre-ville, Aiguillon, St-Ferdinand.
Union des bateliers d'Arcachon – *Voir p. 224.*

HÉBERGEMENT

POUR SE FAIRE PLAISIR

Hôtel Orange Marine – *35 bd Chanzy - ✆ 05 57 52 00 80 - www.hotel-orange-marine.fr - P - fermé 15 déc.-10 fév. - ♿ - 21 ch. 69/89 € - ☕ 8 € - rest. 10,90/18 €.* Voici une petite adresse qui ne vous ruinera pas. Située à deux pas du port de pêche, elle abrite des chambres impeccablement tenues, à choisir de préférence côté mer. Les autres donnent sur un joli patio agrémenté d'une fontaine, où l'on dresse le couvert en été.
Hôtel Le Dauphin – *7 av. Gounod - ✆ 05 56 83 02 89 - www.dauphin-arcachon.com - ♿ - P - 50 ch. 78/120 € - ☕ 9 €.* Cette demeure bourgeoise du 19e s. à la jolie façade de briquettes jouit d'une situation privilégiée, à 300 mètres de la mer, dans un quartier calme d'Arcachon. Les chambres confortables sont toutes climatisées. Quelques

suites familiales en mezzanine. Piscine, salle de fitness et vélos à disposition de la clientèle. Accueil chaleureux.

RESTAURATION

BUDGET MOYEN

Cap Pereire – *1 av. du Parc-Pereire - ✆ 05 56 83 24 01 - www.restaurantcappereire.com - fermé 15 nov.-15 déc., 5 jan.-1er fév. - ♿ formule 20 € - 6/15 €.* Cet établissement est proche du paisible parc Pereire. Architecture d'inspiration coloniale, salle à manger au décor marin, terrasse dressée face à l'Océan et cuisine de la mer. À ce restaurant gourmand s'ajoute un bar à sushis, préparés par un professionnel.

Aux Mille Saveurs – *25 bd du Gén.-Leclerc - ✆ 05 56 83 40 28 - www.auxmillesaveurs.com - fermé vac. scol. Toussaint, vac. scol. fév., dim. soir sauf juil.-août, mardi soir sauf août et merc. - 19,50/48 €.* Mille saveurs vous attendent dans l'assiette, subtilement relevée d'épices. Grande salle à manger entièrement redécorée et agrandie d'une véranda.

Chez Yvette – *59 bd du Gén.-Leclerc - ✆ 05 56 83 05 11 - restaurant.yvette@orange.fr - 25 €.* Une véritable institution. Gérée par une famille d'ostréiculteurs depuis plus de 30 ans, l'adresse est réputée pour ses produits de la mer. Cadre marin. Ambiance animée et décontractée.

Le Cabestan – *6 bis av. du Gén.-de-Gaulle - ✆ 05 56 83 18 62 - www.everyoneweb.com/restaurantlecabestan - ♿ - 22/32 €.* Le chef, qui a fait ses classes dans des restaurants gastronomiques de renom, commence à être réputé. Il mise davantage sur sa cuisine, raffinée, que sur le cadre, très simple, de son établissement. Accueil très agréable, service rapide et efficace.

UNE FOLIE

Le Patio – *10 bd de la Plage - ✆ 05 56 83 02 72 - www.lepatio-thierryrenou.com - fermé 19-31 oct., 16-28 fév., dim. soir et lun. - formule déj. 37 € - 56/80 €.* Ce restaurant affiche un décor contemporain vert anis, chocolat et taupe. Salle ouverte sur un patio-terrasse pour savourer une cuisine axée sur l'Océan.

EN SOIRÉE

Bon à savoir – C'est au cœur du **Moulleau**, quartier chic d'Arcachon, que se concentre l'essentiel de l'animation nocturne. L'été, de nombreux bars, des restaurants et des boutiques de luxe attirent un monde fou.

Casino de la Plage – *163 bd de la Plage - ✆ 05 56 83 41 44 - www.casinoarcachon.com - 12h-3h, j. fériés et veille de j. fériés 12h-4h.* Ce casino est doté d'une salle de jeux et de 100 machines à sous. Mais on peut tout aussi bien profiter du restaurant et des bars. Nombreuses soirées et apéritifs.

Café de la Plage – *1 bd Veyrier-Montagnères - ✆ 05 56 83 31 94 - www.cafedelaplage.com - 8h-2h.* Situation idéale sur la plage, près du casino. On vient ici pour se montrer et boire un whisky – la carte en propose 90. Très bonne ambiance musicale le soir.

Le Fronton ou **Pilatoris arcachonnais** – *14 av. du Parc - ✆ 05 56 83 17 87 ou 06 98 92 04 83 - www.arcapelote.com - tlj horaires diurnes ; mur à gauche : 9h-23h - de 6 € à 10 € (par pers.) selon les parties.* Ce fronton de pelote basque a été construit en 1932 dans le parc des Abatilles. Chaque vendredi soir en juillet et août, des compétitions de chistera s'y déroulent. Notons l'excellence des Arcachonnais dans cette discipline : ils ont obtenu plusieurs titres de champions de France en grand chistera. Un fronton mur à gauche couvert permet la pratique d'autres spécialités : la cesta punta, le yoko garbi, le frontennis.

ACHATS

Marché – *Centre ville - ✆ 05 57 52 98 98 (mairie) - 6h-13h.* Dans ce marché couvert et en plein air se côtoient des poissonniers, des vendeurs exclusifs de fruits de mer, un caviste, un boucher, un charcutier, un fromager, des marchands de primeurs et un bel étal de produits du Sud-Ouest.

Sébastien Gruel – *43 r. Lamarque - ✆ 05 56 83 31 74 - mar.-sam. 8h30-12h45, 15h30-19h30 (dim. 12h45) ; tlj en sais. 8h30-13h, 16h-20h - fermé dim. apr.-midi et lun.* Le fils de Michel Gruel a repris la fabrication des fameuses conserves du Sud-Ouest désormais estampillées à son nom : le comptoir et les rayonnages de ce vaste magasin ne proposent que des produits entièrement préparés sur place par cet artisan. Le rayon traiteur mérite également le détour.

La Torréfaction de la Côte d'Argent – *46 av. du Mar.-de-Lattre-de-Tassigny - ✆ 05 56 83 07 18 - www.ambiancescafes.com - tlj 9h15-12h45, 14h30-19h30 - dim. 10h-13h et j. fériés 10h-12h45.* Cette brûlerie au décor luxueux exerce son activité depuis plus de 70 ans. Douze sortes de cafés à base de grands crus du Guatemala, du Brésil, de Colombie ou de St-Domingue y sont torréfiées. La maison propose également 200 thés différents, (belle sélection de thés verts), ainsi que de nombreuses idées cadeaux, comme de la vaisselle de porcelaine anglaise ou russe.

Pâtisserie Alain Guignard – *11 av. N.-D.-des-Passes, Le Moulleau - ✆ 05 56 54 50 92 - en sais. : 7h30-20h ; hors sais. : tlj sf lun. 8h-12h30, 16h-19h - ouv. j. fériés - fermé janv.* En été, les entremets glacés maison connaissent un succès équivalent à celui des chocolats hors saison. Les habitués apprécient ses canelés et ses tartes feuilletées aux fruits, coupées à la demande.

Ô Sorbet d'Amour – *Av. N.-D.-des-Passes - ✆ 05 56 54 52 16 - www.osorbetdamour.fr - juin à sept. : 9h-19h30 - hors sais. : 14h-19h.* Le plus grand artisan glacier du bassin propose plus de parfums maison et fabrique lui-même ses cornets.

ACTIVITÉS

Petit train touristique – *285 bd de la Plage - 33120 Arcachon - ✆ 05 57 72 45 00 - juil.-août : 11h, 15h, 16h, 17h et 18h - 5 € (4-12 ans 3 €).*

Pistes cyclables – Vous pourrez parcourir les quatre saisons d'Arcachon à vélo, et suivre la balade du front de mer, depuis le port jusqu'à la jetée du Moulleau. Carte gratuite disponible à l'office de tourisme.

Dingo Vélos – *1 r. Grenier - ✆ 05 56 83 44 09 - www.dingo-velo.com - tlj de fin mars à mi-nov. et vac. scol. d'hiver - 10 € vélo de ville pour 1 journée (-12 ans 8 €).* Outre les vélos traditionnels (VTT et VTC), ce magasin propose tandems, vélos à trois ou cinq places. Également karts à pédales (enfants et adultes).

Thalazur Arcachon – *Av. du Parc - ✆ 05 57 72 06 66 - www.thalazur.fr - lun.-sam. 9h-19h15 ; dim. 9h-12h30, 14h30-18h30 - fermé 4-17 janv. - 28 €.* Parcours marin (piscine de 250 m, hammam, jacuzzi, sauna, cours d'aquagym) et soins à la carte (enveloppement d'algues, massages, soins esthétiques, etc.).

Bassin d'Arcachon

★★

Gironde (33)

NOS ADRESSES PAGE 224

S'INFORMER

Procurez-vous le *Guide pratique du bassin d'Arcachon* auprès de l'un des offices de tourisme du Bassin qui organisent, entre autres, des **visites naturalistes**.

Office du tourisme d'Andernos-les-Bains – *Espl. du Broustic - 33510 Andernos-les-Bains - ✆ 05 56 82 02 95 - www.andernoslesbains.fr - juil.-août : lun.-sam. 9h30-12h30,14h30-18h30, dim. et j. fériés 10h-12h30 ; le reste de l'année : lun.-sam. 9h30-12h30, 14h30-17h30.*

Office du tourisme de Lanton – *1 rte du Stade - 33138 Lanton - ✆ 05 57 70 26 55 - www.tourisme-coeurdubassin.com - juil.-août : lun.-vend. 9h30-13h, 14h-19h, w.-end et j. fériés 9h30-12h30, 15h30-18h30 ; avr.-juin et sept.-oct. : lun.-vend. 9h30-12h30, 14h-18h, sam. 9h30-12h30 ; janv.-mars et nov.-déc. : lun.-jeu. 9h30-12h30, 14h-18h, vend. 9h30-12h30.*

Office du tourisme d'Arès – *Pl. Weiss - 33740 Arès - ✆ 05 56 60 18 07 - www.ares-tourisme.com - juil.-août : 9h-19h - juin et sept. : lun.-sam. 9h30-12h30, 14h-18h, dim. 9h30-12h30 - fermé 1er janv. et 25 déc.*

Office du tourisme de Lège-Cap-Ferret – 1, av. du Gén.-de-Gaulle - 33950 Lège-Cap-Ferret - *✆ 05 56 03 94 49 - www.lege-capferret.com - juil.-août : lun.-sam. 9h-18h30, dim. et j. fériés 10h-13h, 15h-18h30 ; juin-sept. : lun.-sam. 9h-12h30, 14h-18h30.*

Office du tourisme de La Teste-de-Buch – *Pl. Jean-Hameau - 33260 La Teste-de-Buch - ✆ 05 56 54 63 14 - www.tourisme-latestedebuch.fr - lun.-sam. 9h-12h30, 14h-17h30 (18h juil.-août).*

SE REPÉRER

Carte de microrégion A-B 3 (p. 194) – *carte Michelin Départements 335 D-E 6-7.* À marée haute, le bassin couvre 15 500 ha. De chaque côté de la passe d'entrée, des ports ostréicoles apparaissent entre les pins et les mimosas. Les côtes bordées de dunes boisées s'étalent sur plus de 80 km.

À NE PAS MANQUER

L'ascension de la dune du Pilat, plus haute dune d'Europe ; le panorama depuis le phare du Cap-Ferret (52 m) ; L'Herbe, un des plus jolis villages ostréicoles du bassin ; la Maison de l'huître à Gujan-Mestras, pour tout savoir sur la reine du bassin ; une dégustation d'huîtres dans une cabane de pêcheur.

ORGANISER SON TEMPS

Il est possible de faire le tour du bassin en une journée, du Cap-Ferret à la dune du Pilat, mais il ne faudra pas perdre de temps (attention aux limitations de vitesse, pratiquement 50 km/h sur l'ensemble du trajet) et vous passerez à côté de beaucoup de choses ! Mieux vaut prévoir de vous attarder quelques jours sur place (Audenge se situe à mi-parcours). Enfin, la circulation autour du bassin est infernale en été, venez de préférence hors saison.

AVEC LES ENFANTS

Le parc de loisirs à La Hume; la promenade en bateau jusqu'à l'île aux Oiseaux; le parc ornithologique du Teich; le zoo à La Teste; le petit train du Cap-Ferret; la Maison de l'Huître à Gujan-Mestras.

Mer ou étang, lac ou océan? Le bassin est une échancrure dans la longue Côte d'Argent, une lagune (vaste vivier pour les pêcheurs) sertie par la forêt, autrefois domaine des résiniers. Il est difficile de résister à cet univers entre deux eaux : l'eau douce de l'Eyre et le sel des marées. Les oiseaux, les bateaux colorés, les sites naturels protégés, tout incite à faire le tour de ce morceau de mer pris sur la terre. Enfin, vous grimperez la dune du Pilat, d'où se découvre le banc d'Arguin à l'horizon.

Découvrir Carte p. 217

LES OISEAUX DU BASSIN D'ARCACHON

L'île aux Oiseaux

À défaut de pouvoir accoster sur l'île, voici quelques détails permettant de vous faire une idée de ces drôles d'insulaires.

Les oiseaux en question fuient maintenant un peu cette petite île plate, boisée d'une forêt naine. En effet, les crassats, bancs de sable envasés portant une végétation sous-marine, font désormais les beaux jours des ostréiculteurs. La surface de l'île oscille entre 1 000 ha à marée basse et 300 ha à marée haute.

D'étranges échassiers restent fidèles au poste : les fameuses **cabanes tchanquées** (*tchanque* signifie « échasse » en gascon) qui se dressent au-dessus de l'eau à marée haute.

Pour les promenades organisées en vedette ou en pinasse, adressez-vous à l'Union des bateliers arcachonnais *(voir la rubrique « Transport », p. 224).*

Réserve naturelle du Banc d'Arguin

05 56 91 33 65 - www.sepanso.org - accès libre toute l'année - possibilité de visite guidée et sorties nature : renseignements et inscription au 05 56 91 33 65 - guide du visiteur : 4,50 €.

Situé à l'embouchure des passes, le banc d'Arguin est un îlot de sable qui change constamment de forme en fonction des humeurs de l'océan Atlantique (sa longueur avoisine les 2 km pour 2 km de large). Il a été classé réserve naturelle en 1972. N'oubliez pas vos jumelles pour observer, de mars à août, de nombreuses sternes caugeks (4500 couples) et des huîtriers pie; l'hiver, vous y verrez entre autres le courlis cendré, la barge rousse, le bécasseau variable, le pluvier argenté, le goéland et la mouette rieuse.

D'autres oiseaux sont à découvrir au parc ornithologique du Teich.

Circuit conseillé Carte de microrégion p. 194

DE CAP-FERRET À LA DUNE DU PILAT

Pour visualiser ce circuit de 80 km au départ du Cap-Ferret, se reporter à la carte de microrégion p. 194 ou à la carte ci-dessus. Compter une journée.

La route ne présente que peu d'intérêt mais, à tout moment, vous pouvez gagner un point du rivage ou une jetée pour avoir une vue sur le bassin.

À marée basse, dans le bassin, les **crassats** font le bonheur de la faune et de la flore marines. Ils sont encerclés par des chenaux secondaires, les **esteys**.

Un **GR de pays** balisé (le sentier du littoral) et une **piste cyclable** *(75 km)*, qui suivent partiellement le même tracé, font le tour du bassin. Les parties les plus intéressantes du sentier sont signalées ci-dessous par commune *(plan dans les offices du tourisme)*.

★ Cap-Ferret A3

Cette station balnéaire est située sur l'étroite bande de terre entre Océan et bassin. Le cap court sur une vingtaine de kilomètres. Balades à vélo dans la pinède (pistes cyclables dans la forêt de Lège), baignades au calme dans le bassin ou plus houleuses côté Océan (les plages de l'Horizon et du Truc Vert au Cap-Ferret, du Grand-Crohot à Lège-Océan sont surveillées en saison), dégustation d'huîtres dans les petits restaurants en plein air (près du débarcadère de Bélisaire)… un vrai programme de vacances!

8 km. Un **sentier d'interprétation** a été aménagé entre la plage de l'Horizon et la pointe du Cap-Ferret. La **dune** est un espace naturel protégé, vous pourrez suivre des visites naturalistes de découverte du site *(voir la rubrique « S'informer » au début du chapitre)* et sur la migration des oiseaux.

Phare – *05 56 03 94 49 - www.ville-lege-capferret.fr - juil.-août : 10h-19h30 ; avr.-juin et sept. : 10h-12h30, 14h-18h ; le reste de l'année : merc.-dim. 14h-17h - 4,50 € (-12 ans 3 €).* De ses 53 m de haut, il veille la nuit sur l'Océan et l'étroite passe d'entrée dans le bassin (3 km de large). Sa lentille tournante porte à 50 km. À l'intérieur, l'univers de la presqu'île et du phare est présenté à travers un spectacle audiovisuel et une galerie d'écrans. Le **panorama★** sur la presqu'île, le bassin et Arcachon, la dune du Pilat, les passes d'entrée et l'Océan vaut la montée des 258 marches, courage!

Quitter Cap-Ferret par l'avenue de la Vigne en direction de Bordeaux.

2

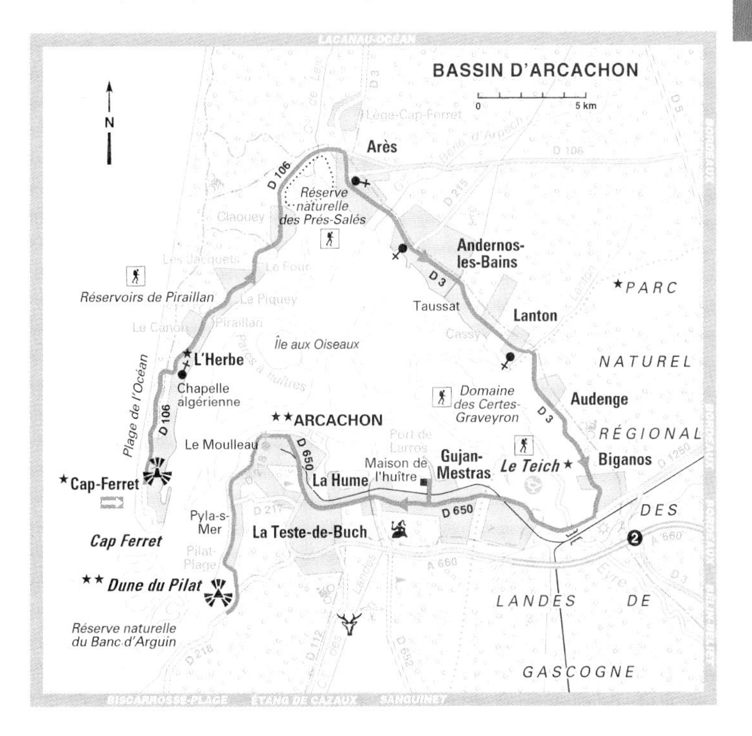

La route sinueuse se faufile entre des dunes boisées, parsemées de villas. L'air sent le pin et la marée.

Depuis le débarcadère Bélisaire (côté bassin), un service de **petit train** permet de se rendre jusqu'à la côte de l'Océan (plage de l'Horizon). *05 56 60 60 20 - départ Bélisaire : juil.-août : 11h15-12h30 (ttes les 45mn), 14h10-18h10 (ttes les 20mn) ; 2e quinz. de juin et 1re quinz. de sept. : 11h15, 14h45-17h45 (ttes les 30mn) ; 1re quinz. de juin et 2e quinz. de sept. : 14h45-17h15 (ttes les 30mn) ; avr.-mai : 14h45-16h45 (ttes les 30mn). Dép. Océan : juil.-août : 11h30, 12h05, 12h45, 14h30-18h30 (ttes les 20mn) ; 2e quinz. de juin et 1re quinz. de sept. : 11h45, 15h-18h (ttes les 30mn) ; 1re quinz. de juin et 2e quinz. de sept. : 15h-17h30 (ttes les 30mn) ; avr.-mai : 15h-17h (ttes les 30mn) - AR 5 € (-10 ans 3,70 €).*

Après 4 km, au rond-point de l'Herbe, suivre la direction du bd de la Plage pour atteindre le parking.

LA FLOTTE ARCACHONNAISE

Ligne effilée et couleurs vives, la **pinasse** est le symbole du bassin. Construite autrefois en bois de pin (d'où son nom), elle est aujourd'hui en iroko (bois d'Afrique), acacia ou acajou. De faible tirant d'eau, elle s'échoue aisément et peut remonter les chenaux même quand leur niveau est très bas : c'est l'embarcation des ostréiculteurs du bassin. Avec leur allure de gondoles, les pinasses font l'objet de toutes les attentions : on restaure et on bichonne les anciennes pour les faire concourir lors de régates.

★ L'Herbe A3

Il y a 150 ans, Léon Lesca, constructeur du port d'Alger, fit bâtir une demeure mauresque : la **villa algérienne**. Il ne reste de cette « folie » que l'anachronique chapelle face à la mer, portant la croix et le croissant ! Jolie vue sur le bassin et l'île aux Oiseaux. Empruntez la rue semi-piétonnière pour rejoindre le **village ostréicole★** où les cabanes rivalisent de couleurs.

Les **villages ostréicoles** du Cap-Ferret, de l'Herbe, du Canon, de Piraillan, du Piquey et des Jacquets sont inscrits à l'inventaire des sites classés : c'est dire l'intérêt qu'ils suscitent et l'attention qu'on leur prête !

Revenir sur la D 106.

Réservoirs de Piraillan A3

À la sortie du village. Ces anciens réservoirs à poissons, 40 ha au milieu de la forêt, sont devenus un royaume pour les oiseaux (notamment les hérons cendrés). N'oubliez pas vos jumelles ! Agréable promenade à faire seul ou en compagnie d'un guide naturaliste *(voir la rubrique « S'informer » au début du chapitre).*

Poursuivre sur la D 106. Après Claouey, au lieu-dit Jane-de-Boy, parking.

Réserve naturelle des Prés-Salés d'Arès et de Lège A3

Le sentier rejoint Arès (12 km AR). Avant de partir, se renseigner sur les indices de marée et sur la réglementation : www.reserve-naturelle-pres-sales.org. Possibilité de découverte avec un guide naturaliste (voir la rubrique « S'informer », p. 215).

Le sentier du littoral serpente jusqu'à Arès, dans cette zone protégée de 200 ha (la plus grande zone de prés-salés d'Aquitaine) qui vit au rythme des marées et constitue un garde-manger précieux pour de nombreuses espèces d'oiseaux. La **cabane du résinier**, autrefois occupée par les gemmeurs, abrite une exposition sur la faune et la flore. Elle propose également des animations et la visite du sentier balisé.

Poursuivre sur la D 106.

Arès B3
Petite station balnéaire, classée « Famille Plus », avec port ostréicole et port de plaisance. Sur le front de mer, la tour ronde est le reste d'un ancien **moulin** à vent décapité au 19e s. pour échapper aux taxes !
Le plan d'eau de St-Brice offre un bon espace de baignade.
2 km. Le **sentier du littoral** rejoint la plage des Quinconces à Andernos.
D'Arès à Biganos défile le décor immuable des pins.

Andernos-les-Bains B3
Abrité au fond du bassin, le site a été habité dès la préhistoire. Avec ses 4,6 km de plages et son casino, c'est une importante station balnéaire, très animée en saison.
Dans le centre-ville, la **maison Louis-David** (villa du 19e s.), qui abrite un petit musée (objets découverts sur les vestiges d'une villa gallo-romaine) et des expositions artistiques temporaires, vaut le coup d'œil *(avr.-sept. : 10h-19h).*
Devant la plage et à côté de la petite **église St-Éloi** (abside du 11e s.), vestiges d'une villa gallo-romaine du 4e s. De la **jetée** (la plus longue de France, avec 232 m !), belle vue sur le bassin d'Arcachon, le port ostréicole, le port de plaisance et l'ensemble des plages.
Différents circuits permettent d'admirer les villas anciennes, divers attraits de la station et le site naturel des Quinconces. On peut même s'initier aux patins à vase, utilisés pour traverser les grèves vaseuses ou faire remonter les coques ensablées. *Documentation disponible à l'office de tourisme.*
Poursuivre sur la D 3.

Lanton B3
Cette commune comprend **Taussat**, avec sa plage et son charmant port ostréicole, et Cassy, où se trouvent également des cabanes à huîtres.
Dans le bourg de Lanton, jolie **église** romane (12e s.) dont l'abside surélevée présente des lignes sobres et harmonieuses. Baie centrale encadrée de colonnettes géminées supportant des chapiteaux ornés, à gauche, de hérons et de pommes de pin, à droite, de feuillages stylisés.

Audenge B3
Ce village est aussi connu pour le **domaine des Certes**, site préservé de 396 ha, et le domaine voisin de **Graveyron.** Vous pourrez cheminer, exclusivement à pied, d'écluses en prairies marécageuses et zones agricoles, jumelles au cou !
20 km AR. Pour Certes (15 km), parking devant le château des Certes, avant d'arriver à Audenge ; retour à pied par la piste cyclable pour éviter la départementale. Pour Graveyron (5 km), retour par la digue intérieure du domaine. Cette partie du delta de la Leyre a été endiguée au 18e s. La faible rentabilité des salines a entraîné leur reconversion en réservoirs à poissons au 19e s. La faune et la flore y sont donc riches et variées : pour les apprécier pleinement, suivez une visite naturaliste *(voir la rubrique « S'informer », p. 215).*

Biganos B3
Le joli petit port ostréicole de Biganos, qui fait partie du Parc naturel régional des Landes de Gascogne, se niche dans la forêt *(aire de pique-nique sous les arbres).*
À la sortie de Biganos, vous pourrez goûter au **caviar** de Gironde au Moulin de la Cassadotte *(voir la rubrique « Achats », p. 227).*
Prendre à droite pour gagner la D 650 par la D 3E12.
La route passe à la base du delta marécageux de l'Eyre. Le bassin conserve là une frange de végétation jusqu'aux abords du Teich.

2

Pour en savoir plus sur ce milieu, faites une halte au **Relais nature du delta de la Leyre** *(voir la rubrique « Activités », p. 227).*

5 km. Le sentier du littoral traverse ici, sur une ceinture de digues, le **delta de l'Eyre**, situé entre les deux bras principaux de la rivière, et refuge d'une avifaune abondante.

★ Parc ornithologique du Teich B3

05 56 22 80 93 - www.parc-ornithologique-du-teich.com - juil.-août : 10h-20h ; de mi-avr. à fin juin et 1re quinz. de sept. : 10h-19h ; reste de l'année : 10h-18h - possibilité de visite guidée sur demande préalable - 7 € (enf. 5 €).

Cette réserve naturelle de 120 ha contribue à sauvegarder les espèces d'oiseaux sauvages menacées et à préserver leur milieu naturel. Vous pourrez y découvrir l'avifaune européenne en sillonnant les quatre parcs à thème : le parc des Artigues, le parc de la Moulette, le parc de Causseyre et le parc Claude-Quancard. Le choix s'offre entre plusieurs parcours pédestres, le plus long atteignant 6 km ; tous sont fléchés et jalonnés de postes d'observation surélevés permettant au regard d'embrasser le bassin d'Arcachon. Jumelles recommandées.

Gujan-Mestras B3

Constituée de sept ports ostréicoles, Gujan-Mestras est la capitale de l'huître du bassin d'Arcachon avec ses cabanes à toiture de tuiles, ses chenaux encombrés de pinasses, ses dégorgeoirs et ses magasins de vente et d'expédition. Le **port de Larros**, où il fait bon flâner sur la jetée-promenade, accueille des chantiers de construction navale.

Maison de l'huître – *Port de Larros - 05 56 66 23 71 - www.maisondelhuitre.com - - visite libre ou guidée (45mn) - juil.-août : 10h-12h, 14h30-18h ; reste de l'année : lun.-sam. 10h-12h, 14h30-18h - fermé du 25 déc. à déb. janv. et dim. de sept. à juin - 4,50 € (enf. 2,50 €). Le nouveau musée a doublé sa superficie et accueille une scénographie moderne et interactive.* Ici, vous pourrez vous initier à la culture de l'huître, de la préparation des collecteurs à la consommation, à travers un film *(15mn)* et une exposition ludique (divers supports sont à manipuler). Découvrez ainsi la longue histoire de l'huître et l'appétit qu'elle suscitait déjà chez nos ancêtres, les différentes variétés à travers le monde, l'évolution des savoir-faire et les mille et une façons de la cuisiner… Après ça, vous serez incollable.

La Hume offre une agréable plage et une zone de **parc de loisirs** *(le long de la D 652)* pour tous les goûts, les âges et les envies *(voir la rubrique « Activités », p. 227).*

À CHAQUE SAISON SON OISEAU

Au printemps et à l'automne, les prairies et les digues qui bordent l'**Eyre** sont l'étape traditionnelle de dizaines de milliers de migrateurs (comme l'oie cendrée ou la mouette rieuse). L'hiver, c'est au tour de la sarcelle, du bécasseau variable ou du grand cormoran d'y faire une halte. On y dénombre aussi plus de 1 000 couples de hérons cendrés, d'aigrettes garzettes ou de hérons garde-bœufs. La gorge-bleue préfère pousser son chant en été, au bord des sentiers. Les amateurs de botanique seront également comblés : arbres à baies (arbousiers, ronciers) dont sont friands les oiseaux frugivores ; iris d'eau, joncs, aulnes où viennent se nourrir et nicher canards et poules d'eau ; tamaris et chênes plantés pour consolider les digues.

À gauche : la forêt de pins ; à droite : l'Océan ; au milieu : la dune du Pilat.
I. Lainey / MICHELIN

2

La Teste-de-Buch A3

Ancienne capitale du pays de Buch, peuplée par les Boii,ou Boiens, avant la colonisation romaine (c'est ainsi que l'on dénomme encore les habitants de Biganos). Plus vaste commune de France (18 000 ha), elle offre trois profils différents.

Côté bassin : le complexe ostréicole et ses cabanes à huîtres.

Le sentier du littoral permet de longer les **prés-salés** (départ de la digue est). Une piste pour vélos et piétons longe la partie ouest. Visites guidées en saison *(voir la rubrique « S'informer » au début du chapitre).*

Dans le bourg, sur la place Jean-Hameau (où se trouve l'office de tourisme), la façade de la **maison Lalanne** (18e s.) est décorée d'une ancre, de cordages et de têtes représentant les enfants du propriétaire.

Côté mer, de belles plages au Pyla-sur-Mer et bien sûr… la **dune du Pilat** *(voir p. ci-dessous)* et le **Banc d'Arguin** *(voir p. 216).*

Enfin vous pourrez rejoindre le **lac de Cazaux** à travers la forêt, en voiture ou à vélo (piste cyclable), pour la baignade ou les activités nautiques.

En cours de route, le **zoo du bassin d'Arcachon** ravira les amateurs de fauves et autres grands mammifères des cinq continents. *05 56 54 71 44 - www.zoodubassindarcachon.com - de déb. avr. à mi-sept. : 10h-19h ; de mi-sept. à mi-nov. : merc., w.-end et vac. scol. 14h-18h ; de mi-nov. à fin déc. : se renseigner - fermé 1er janv. et 25 déc. - 13 € (enf. 9 €).*

★★ Arcachon A3 *(voir p. 208)*

La route traverse successivement les stations balnéaires du Moulleau, de Pilat-sur-Mer et de Pilat-Plage avant de s'élancer vers la dune.

★★ Dune du Pilat A3

Accès par la D 218 au sud de Pilat-Plage. Laisser la voiture au parking payant. Pour gagner le sommet, escalader à flanc de dune (montée assez difficile) ou emprunter l'escalier (présent seulement lors de la saison estivale). S'équiper de chaussures montantes de randonnée ; attention, le sable peut être très chaud.

Coquillages et crustacés

Le bassin d'Arcachon ne manque pas d'allure, ni de trésors à déguster. Seiche (ou casseron) juste grillées, bar de bonne taille, rouget (ou vendangeur) à la chair maigre et parfumée, et sole si délicate offrent des moments exceptionnels. Le bassin, c'est aussi cette petite merveille protégée par une coquille récalcitrante : l'huître.

PLAISIR DES SENS

Les huîtres du bassin d'Arcachon sont connues et appréciées depuis fort longtemps. Les poètes latins Ausone, Sidoine Apollinaire, puis plus tard Rabelais les ont goûtées… et chantées.

Essor et luttes de pouvoir

L'exploitation abusive des bancs naturels d'huîtres a fini par entraîner leur épuisement. En 1859, l'intervention du naturaliste Coste permit heureusement le développement de l'ostréiculture. Jusqu'en 1920, l'huître plate d'Arcachon, ou **gravette** *(ostrea edulis)*, était la reine incontestée du bassin, n'offrant à l'huître creuse portugaise qu'un rôle secondaire. Mais cette dernière accéda au devant de la scène lorsqu'une maladie ravagea les parcs d'huîtres gravettes, la laissant seule indemne… Règne de courte durée, puisqu'en 1970, malgré les soins dont elle faisait l'objet, une nouvelle épidémie l'évinça au profit d'une variété japonaise (celle que l'on consomme donc aujourd'hui, presque toujours).
Aujourd'hui, le bassin d'Arcachon est l'un des grands sites ostréicoles d'Europe (près de 800 ha de concessions). C'est le **premier centre naisseur**, qui fournit la laitance aux bassins bretons, normands, languedociens et hollandais. Justement, comment se développent ces petits miracles ?

LA PERLE RARE

Le cycle de développement de l'huître dure environ quatre ans. Il commence, en juillet, par le captage du naissain (larve) sur les collecteurs, traditionnellement des tuiles demi-rondes enduites d'un mélange de chaux et de sable, disposées dans des cages en bois, ou ruches, placées le long des chenaux. Au printemps suivant a lieu le détroquage, opération consistant à détacher les jeunes huîtres de leur support. Elles sont ensuite placées dans des parcs entourés de grillage à mailles serrées, pour les protéger contre les crabes, leurs prédateurs. À dix-huit mois, les huîtres agglutinées sont séparées les unes des autres : c'est le désatroquage. Elles vont alors rejoindre les parcs d'engraissement, dont les eaux riches en plancton assurent leur croissance jusqu'à la troisième année. Pendant cette période, on les tourne et les retourne, ce qui leur donne une forme régulière. Parvenues à maturité, elles sont triées puis débarrassées de leurs impuretés grâce à un séjour dans des bassins-dégorgeoirs. Un dernier lavage et un conditionnement en caissettes de bois ou bourriches, les voilà fin prêtes pour leur dernier voyage… vers nos assiettes.

L'APPEL DES PAPILLES

Différents crus

Du fait de la diversité des conditions naturelles dans le bassin d'Arcachon, le goût des **huîtres** varie en fonction de leur zone d'élevage. L'huître du banc d'Arguin présente des notes sucrées et lactées. Celle de l'île aux Oiseaux se caractérise par des arômes végétaux et minéraux. L'huître du Cap-Ferret possède des saveurs de légumes frais et d'agrumes. Quant à celle du Grand Banc, elle évoque les fruits blancs et la noisette grillée.

Un mets de choix

Ce n'est que depuis le Second Empire qu'on savoure les huîtres crues : dans l'Antiquité, elles étaient servies chaudes, cuisinées au miel ou bien conservées dans le sel, alors qu'au Moyen Âge on en faisait des civets ou des pâtés. Les recettes d'huîtres chaudes développent autrement les arômes : essayez les beignets d'huîtres à l'apéritif ou les huîtres en gratin (n'ajoutez rien d'autre qu'un soupçon de gruyère râpé et de chapelure pour les faire gratiner). À Arcachon, on sert fréquemment les huîtres froides, accompagnées de crépinettes (galettes de chair à saucisse) bien chaudes et d'un vin blanc sec.

À LA PÊCHE AUX MOULES

En dehors des huîtres, d'autres bivalves et coquillages peuplent les eaux du bassin, tout comme de nombreux crustacés.

Coquillages et crustacés

À marée basse, il suffit de se baisser pour récolter des trésors. Les coques et les palourdes se ramassent en grattant le sable sur environ 5 cm (deux petits trous signalent leur présence). Elles sont nombreuses du côté du banc d'Arguin et sur les crassats. Avant de les consommer, laissez-les dégorger quelques heures dans l'eau salée. Les bigorneaux se récoltent à la main sur les crassats. Pour les déguster en apéritif, passez-les quelques minutes au court-bouillon. Les moules sauvages se détachent au couteau près des parcs à huîtres. Mangez-les à l'églade, une tradition landaise : disposez-les sur un lit d'aiguilles de pin sèches, charnière en l'air ; recouvrez-les d'équilles puis allumez le tout : c'est un régal !

Les crabes verts, nombreux sur les plages à marée basse, s'attrapent à l'épuisette et se mangent cuits au court-bouillon. Les crevettes se pêchent à l'esquirey (sorte de poche de filet que l'on pousse devant soi, au bout d'un manche) ou à l'épuisette. On repère la présence des couteaux par la trace en forme de clé qu'ils laissent sur le sable ; il faut alors y déposer un ou deux grains de gros sel : croyant la marée revenue, les couteaux remontent.

La collecte des huîtres, même sauvages, est quant à elle interdite.

Avis aux pêcheurs

Si le ramassage des coques et des palourdes est libre, n'en prenez pas plus de 2 kg par personne et par marée. La taille réglementaire pour les récolter est de 3 cm pour les coques, 4 cm pour les palourdes. Parfois, leur pêche est interdite en raison de conditions sanitaires particulières. Enfin, attention aux crassats, où les risques d'envasement sont constants.

L'HUÎTRE EN PRATIQUE

Le bassin d'Arcachon abrite une multitude de petits ports ostréicoles. Chaque été (mi-juillet), l'**huître** y est dignement fêtée. À cette occasion, les ostréiculteurs sortent de leurs cabanes colorées pour parader dans leur costume traditionnel : vareuse bleu marine et pantalon de flanelle rouge ; musique, danses et distractions côtoient les stands de dégustation d'huîtres.

Énorme ventre de sable qui enfle chaque année sous l'action des vents et des courants (actuellement environ 2,7 km de long, 500 m de large et 105 m de haut, soit 60 millions de mètres cubes de sable !), c'est la plus haute dune d'Europe. Le versant ouest descend en pente douce vers l'Océan alors que le versant est plonge en pente abrupte vers l'immense forêt de pins : une vraie piste noire ! Une balade revigorante à ne pas manquer.

Le **panorama★★** sur l'Océan et la forêt landaise est superbe au coucher du soleil…

DANS LE BASSIN D'ARCACHON

TRANSPORT

Union des bateliers arcachonnais – *76 bd de la Plage - 33120 Arcachon - ✆ 05 57 72 28 28 - www.bateliers-arcachon.com.* Tour de l'île aux Oiseaux *(1h45 - 14 €, enf. 10 € - dép. d'Arcachon et du Cap-Ferret)* ou tour du bassin *(21 €, enf. 14,50 € - dép. de la dune du Pilat).* Également, traversées transbassin : Arcachon (jetées Thiers et d'Eyrac), Cap-Ferret, Le Moulleau, dune du Pilat, Andernos, Le Canon, Grand-Piquey et promenades en pinasse.

HÉBERGEMENT

PREMIER PRIX

Yelloh Village Panorama du Pyla – plan I, p. 211 - *À 7 km au sud du Pilat par D 218 - Rte de Biscarosse - ✆ 05 56 22 10 44 - www.camping-panorama.com - de mi-avr. à mi-oct. - 450 empl. 43 € - 70 [mobile-home] et 20 [chalet] : nuitée 29/175 € (sem. 203/1 225 €).* Installé à 2 pas de la dune du Pilat, sur 15 ha de pinède, ce camping (l'un des rares de la région à avoir vue sur la mer) mérite bien son nom. Agréable bar-restaurant et piscine.

Hôtel Altica Arcachon Marines – plan I, p. 211 - *75 av. du Gén.-Leclerc - 33120 La Teste-de-Buch - ✆ 05 57 52 06 50 - www.altica.fr - ♿ - P - 46 ch. 42/46 € - ☕ 5,50 €.* Ce bâtiment moderne situé à proximité du stade conviendra pour une simple étape. Les chambres, aménagées dans l'esprit des chaînes hôtelières économiques, bénéficient néanmoins toutes d'une salle de bain privée. Les prix très raisonnables incitent à recommander l'adresse.

Hôtel de la Plage « Chez Magne » – *À L'Herbe - 33950 Lège-Cap-Ferret - ✆ 05 56 60 50 15 - 10 ch. 50/70 € - ☕ 7 €.* La façade rouge et jaune de l'hôtel situé au bord de l'eau est à l'image de ce pittoresque village composé de maisonnettes peintes et toutes colorées. Chambres restaurées et rafraîchies, donnant parfois sur le bassin. Douche et W.-C. en commun sur le palier.

BUDGET MOYEN

Hôtel Le Grain de sable – *37 av. de la Libération - 33740 Arès - ✆ 05 56 60 04 50 - www.hotelgraindesable.com - ♿ - P - 14 ch. 52/71 € - ☕ 7,50 €.* Cette charmante maison régionale arbore une décoration intérieure évoquant les vacances et l'évasion. Les chambres, spacieuses, sont personnalisées sur des thèmes variés, tandis que le cadre de la salle du petit-déjeuner et du salon s'inspire du bassin d'Arcachon.

Chambre d'hôte Moreno – plan I, p. 211 - *33 chemin de la Péguilleyre - 33120 La Teste-de-Buch - ✆ 05 56 66 57 54 - www.peguilleyre33.com - P - [cartes non acceptées] - 1 suite 4 pers. 130/140 € ☕ et*

2 ch. 70/80 € ☕. Cette grande villa se trouve dans un quartier résidentiel. Les deux chambres et la suite, bien aménagées et fonctionnelles, disposent d'un balcon. Le petit-déjeuner est servi sur la terrasse aux beaux jours. Piscine. Accueil simple et discret.

Chambre d'hôte Les Tilleuls – *17 bis r. des Écoles - 33380 Mios - ✆ 05 56 26 67 85 - 🚭 - 3 ch. 54/60 €* ☕. Joli mariage de brique rouge et de bois dans ces anciennes granges et écuries rénovées, situées à l'écart de l'animation du bassin d'Arcachon. Les chambres, meublées à l'ancienne, sont décorées avec goût et simplicité. Salon-bibliothèque et agréable jardin planté de tilleuls centenaires. Les animaux ne sont pas acceptés.

Chambre d'hôte Les Oyats – *20 bd du Page - 33510 Andernos-les-Bains - ✆ 05 56 82 47 14 - www.lesoyats.com - P - 🚭 - 3 ch. 58 €* ☕. Trois chambres de plain-pied, agréables quoiqu'un peu exiguës, sont aménagées dans une maison située en léger retrait de la station balnéaire. Décoration inspirée du bassin d'Arcachon et deux terrasses d'été.

POUR SE FAIRE PLAISIR

Chambre d'hôte Les Albatros – *10 bd de Verdun - 33510 Andernos-les-Bains - ✆ 05 56 82 04 46 - www.lesalbatros.com - fermé nov.-janv. - 🚭 - 3 ch. 59/77 €* ☕. Cette belle maison blanche entourée d'un joli jardinet fleuri est située à 100 m de la plage, du bassin et du bourg. Ses chambres personnalisées portent des noms évocateurs : « Romantique », « Mer » et « Safari », la plus spacieuse. Les propriétaires sont aux petits soins.

Hôtel Le Colibri – *59 bis r. du Gén.-de-Gaulle - 33740 Arès - ✆ 05 56 60 22 46 - www.hotelcolibri.net - ♿ - P - 15 ch. 68/77 € et 17 chalets 77 € - ☕ 6,50 €.* Depuis la rue, rien ne laisse deviner la véritable originalité de ce lieu : 17 petits chalets blancs dotés d'une terrasse couverte sont installés sur une pelouse, autour de la piscine, juste derrière l'immeuble abritant des studios et des chambres. Une formule intéressante entre hôtel et hébergement de plein air.

UNE FOLIE

Les Rives de Saint-Brice – *33740 Arès - ✆ 05 57 26 99 31 - www.residence-nemea.com - réserv. conseillée - 132 maisonnettes 129/1 277 €/sem. pour 4, 6 ou 8 pers. ; w.-end de 2 nuits en hiver 104/168 €.* Construit dans un esprit « village de pêcheurs », cet ensemble de maisonnettes colorées disséminées dans un parc boisé diffuse une ambiance de vacances… Aire de jeux, buvette, piscines couverte et découverte.

RESTAURATION

PREMIER PRIX

La Cabane d'Édouard – *Port de Claouey - cabane 1-3 - 33950 Lège-Cap-Ferret - ✆ 05 57 70 30 40 - www.lacabanededouard.com - huîtres entre 3,50 € et 5 € la douzaine.* Une petite terrasse sous les canis au milieu des parcs à huîtres, avec vue imprenable sur le bassin, vous accueille pour une dégustation d'huîtres et plateaux de fruits de mer… sur place ou à emporter. Un lieu comme on aimerait en trouver plus souvent !

L'Étoile – *13 pl. de l'Étoile - 33510 Andernos-les-Bains - ✆ 05 56 82 00 29 - fermé 24 déc. - 13,50 € déj. 13,50/30 €.* Cet établissement situé à 100 m de la plage est une adresse incontournable pour les gens de

2

la région : la cuisine, traditionnelle, copieuse et d'un très bon rapport qualité-prix, vous est servie dans une ambiance familiale.

Le Bistrot – *3 av. du Gén.-de-Gaulle - 33120 La Teste-de-Buch - 4 km au sud d'Arcachon - ☎ 05 57 15 11 11 - P - fermé dim. en hiver - 11,50 € déj. - 15/31 € - 6 ch. 45 € - ☕ 6 €.* Cet endroit connaît un grand succès, et ce n'est pas surprenant. Le décor (murs jaunes, objets décoratifs, dessins à thèmes fruitier et floral) est chaleureux, le service efficace et souriant et la terrasse sous les arbres délicieuse. Plats régionaux.

BUDGET MOYEN

L'Authentic d'Éric Thore – plan I, p. 211 - *35 bd de l'Océan - 33115 Pyla-sur-Mer - ☎ 05 56 54 07 94 - fermé dim. soir et merc. - 20/30 €.* Une table décorée dans un charmant esprit de vacances, recréant l'atmosphère des cabanes tchanquées. Pergola appréciable aux beaux jours. Cuisine créative.

La Salie-Sud – plan I, p. 211 - *Plage de la Salie-Sud - ☎ 05 56 22 12 49 - fermé dim. soir et lun.* Laissez Arcachon derrière vous, suivez, plein Sud, la route qui longe l'Océan. Après la dune du Pyla, un chemin sur la droite indique « Salie Sud », encore un peu de patience… vous y êtes : perdue au milieu de la pinède, cette paillotte appréciée des habitués du Pyla sert plats de poissons et cuisine du Sud-Ouest. Parfait pour les longues soirées d'été.

L'Escale – *Jetée Bélisaire - 33950 Lège-Cap-Ferret - ☎ 05 56 60 68 17 - www.lescale-restaurant.com 19/26 € déj. - 25/39 €.* Vue sur le bassin, les parcs à huîtres et la dune du Pilat. La cuisine, préparée avec la pêche du jour, est honorable, et le service efficace.

L'Escalumade – *8 bd Pierre-Dignac, au port de Larros - 33470 Gujan-Mestras - ☎ 05 56 66 02 30 - fermé 3 sem. en janv., 3 sem. en nov., dim. soir sf juil.-août et lun. - 23/47 €.* Une bonne table sans prétention, au calme. Cette cabane d'ostréiculteur convertie en restaurant est coquette avec ses boiseries, ses baies vitrées et sa terrasse au-dessus de l'eau. Poissons, coquillages et crustacés.

POUR SE FAIRE PLAISIR

Pinasse Café – *2 bis av. de l'Océan - 33970 Cap-Ferret - ☎ 05 56 03 77 87 - www.pinassecafe.com - 31,50-38,50 €.* Bistrot original et décontracté, situé sur le bassin et les parcs à huîtres. Cuisine régionale, axée sur les produits de l'Océan.

En soirée

Casino du Lac de la Magdeleine – *Chemin du Loup, voie rapide d'Arcachon - 33470 Gujan-Mestras - ☎ 05 57 73 00 78 - à partir de 10h.* Construction aux allures coloniales qui abrite machines à sous, poker…

ACHATS

Moulin de la Cassadotte (La Truite Argentière) – *Au Moulin de la Cassadotte - 33380 Biganos - ☎ 05 56 82 64 42 - 9h-12h, 14h-18h – visites sur rdv - fermé nov. à fév.* Le caviar français est né en 1993 au Moulin de la Cassadotte sous la marque « Caviar de Gironde ». Depuis plus de 10 ans, ce savoir-faire ne cesse d'évoluer et des visites guidées de l'exploitation sont organisées avec dégustation *(20 €/pers.).*

Cash Vin – *R. Lagrua - 33260 La Teste-de-Buch - ☎05 56 22 22 50 - www.cash-vin.com - tlj sf dim. et* *lun. mat. 9h30-12h30, 14h30-19h ; juil.-août tlj sf dim. apr.-midi 9h30-13h, 15h-19h30.* Ce caviste propose plus de 300 appellations vendues en bouteille, en cubitainer et parfois en magnum. Ces bordeaux proviennent autant de grands crus que de petits domaines.

ACTIVITÉS

Randonnée – Un topoguide *(en vente dans les offices de tourisme)* recense les boucles au départ des différentes communes du bassin.

Cyclotourisme – Une piste cyclable relie Mios à Bazas (70 km), à travers le Parc naturel régional des Landes de Gascogne. Fiches-circuits disponibles dans les offices de tourisme.

Au **Teich**, vous pouvez, à côté de la gare, louer mais aussi faire réparer votre vélo, grâce à l'Association Insercycles.

Cycles Roumegoux & Fils – *53 ter av. du Gén.-de-Gaulle - 33740 Arès - ✆ 05 56 60 20 88.* Location de VTT, VTC, monocycles et remorques pour transporter les enfants.

Nature

Vent d'Arguin Organisation – *1 r. Jean-Larrieu - 33260 La Teste-de-Buch - ✆ 05 57 15 11 97 - www.ventdarguin.com - juil.-août - sur réserv., 5/6 pers. minimum.* Découverte du bassin d'Arcachon à bord du *Tip Top One*, maxi-catamaran de 23 m de long, ou du *Vent d'Arguin*, catamaran de 12 m. Sorties en mer pour la demi-journée, la journée ou un dîner.

Maison de la nature du bassin d'Arcachon – *R. du Port - 33470 Le Teich - ✆ 05 56 22 80 93 - www.parc-ornithologique-du-teich.com.* L'un des trois centres du Parc naturel régional des Landes de Gascogne *(voir p. 232)*. Il propose des animations nature comme la descente accompagnée de la Leyre en barque (2h) ou la descente libre en canoë, des sorties en kayak (3h) et des promenades au crépuscule (juil.-août uniquement) dans le parc ornithologique du Teich.

Relais nature du delta de la Leyre – *33470 Le Teich - ✆ 05 56 22 61 53 - juin-sept. : mat. et apr.-midi - gratuit.* Expositions, documentations et informations sur les visites guidées.

Parcs de loisirs de la Hume

Rte des Lacs - 33470 Gujan-Mestras.

Aqualand – *✆ 05 56 66 39 39 - www.aqualand.fr - 18 juin-4 sept. : 10h-19h - 25 € (enf. 18 €).* Centre aquatique. Boutiques et restauration rapide.

Kid Parc – *✆ 05 56 66 06 90 - www.kidparc.com - juil.-août : 10h30-19h ; avr.-juin : 10h30-18h ; sept. : merc. et w.-end 10h30-18h30 ; d'oct. à déb. nov. : w.-end et vac. scol. 12h-18h - 8,20 € (enf. 2-12 ans 12 €).* Jeux, manèges, spectacles de clowns et attractions aquatiques sur un espace de 15 000 m².

2

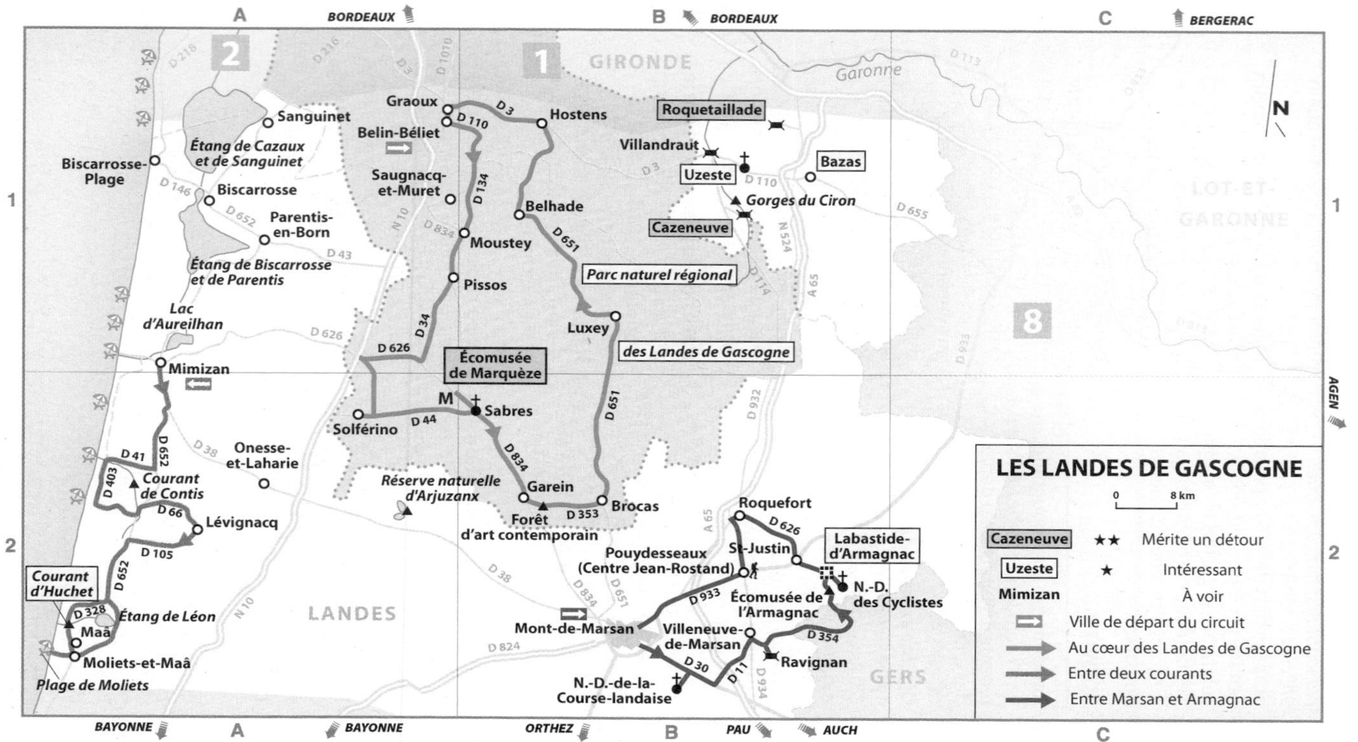
LES LANDES DE GASCOGNE
0
8 km
Cazeneuve
★★ Mérite un détour
Uzeste
★ Intéressant
Mimizan
À voir
Ville de départ du circuit
Au cœur des Landes de Gascogne
Entre deux courants
Entre Marsan et Armagnac
A
B
C
1
2
BORDEAUX
BORDEAUX
BERGERAC
AGEN
BAYONNE
BAYONNE
ORTHEZ
PAU
AUCH
GIRONDE
LOT-ET-GARONNE
LANDES
GERS
Garonne
1
2
8
N
Graoux
Hostens
Roquetaillade
Villandraut
Uzeste
Bazas
Gorges du Ciron
Cazeneuve
Belin-Béliet
Saugnacq-et-Muret
Belhade
Moustey
Pissos
Parc naturel régional
des Landes de Gascogne
Luxey
Écomusée de Marquèze
M
Sabres
Solférino
Réserve naturelle d'Arjuzanx
Garein
Forêt d'art contemporain
Brocas
Sanguinet
Étang de Cazaux et de Sanguinet
Biscarrosse-Plage
Biscarrosse
Parentis-en-Born
Étang de Biscarrosse et de Parentis
Lac d'Aureilhan
Mimizan
Onesse-et-Laharie
Courant de Contis
Lévignacq
Courant d'Huchet
Étang de Léon
Maâ
Moliets-et-Maâ
Plage de Moliets
Roquefort
St-Justin
Labastide-d'Armagnac
Pouydesseaux (Centre Jean-Rostand)
Écomusée de l'Armagnac
N.-D. des Cyclistes
Mont-de-Marsan
Villeneuve-de-Marsan
Ravignan
N.-D.-de-la-Course-landaise
D 3
D 110
D 134
D 651
D 34
D 626
D 44
D 834
D 353
D 652
D 41
D 403
D 66
D 105
D 328
D 933
D 30
D 11
D 354
D 934
D 932
D 114
D 655
D 146
D 43
D 38
D 824
D 216
D 218
D 1010
N 10
N 524
A 65

+ d'adresses

Les Landes de Gascogne 3

Carte Michelin Départements 335 - Gironde (33) et Landes (40)

Parc naturel régional des Landes de Gascogne

★

Landes (40) et Gironde (33)

NOS ADRESSES PAGE 237

S'INFORMER

Maison du Parc – *33 rte de Bayonne - 33830 Belin-Béliet - 05 57 71 99 99 - www.parc-landes-de-gascogne.fr - lun.-vend. 9h-12h, 14h-ladee18h - fermé j. fériés.*

Écomusée de Marquèze – *Rte de Solférino - 40630 Sabres - 05 58 08 31 38 - juil.-août : 10h-18h. Le point d'informations touristiques se trouve dans le musée.* Le Parc naturel régional des Landes de Gascogne met à disposition une carte-guide répertoriant l'ensemble des sites à visiter et des activités proposées.

Pour le nord du Parc, voir « Nos adresses dans le bassin d'Arcachon » p. 227.

SE REPÉRER

Carte de microrégion A-B 1-2 (p. 228) – *carte Michelin Départements 335 G-H 9-10.*

Le Parc naturel régional des Landes de Gascogne (créé en 1970) regroupe 41 communes des Landes et de Gironde et couvre 315 300 ha au cœur du massif forestier gascon. Il s'étend à partir de l'extrémité est du bassin d'Arcachon, de part et d'autre du val de l'Eyre, englobant au sud les vallées de la Grande et de la Petite Leyre ainsi que les zones boisées de la Grande Leyre.

À NE PAS MANQUER

L'un des nombreux circuits de randonnée au cœur du Parc ; l'écomusée de Marquèze à Sabres.

ORGANISER SON TEMPS

Comptez deux jours pour parcourir le Parc naturel dans son ensemble. Si vous vous attardez à faire quelques balades, baignades, observations ou loisirs, il y a facilement de quoi vous occuper plus longtemps.

AVEC LES ENFANTS

L'écomusée de Marquèze et son pavillon ; Graine de Forêt à Garein ; nombreuses activités de plein air : baignade, vélo, balade en calèche ou avec ânes, etc. *(voir la rubrique « Activités », p. 239).*

Que ceux qui ne peuvent vivre sans l'odeur des gaz de pots d'échappement passent leur chemin ! Ici la nature est reine, et la pinède, entrecoupée de vastes pistes forestières, réserve bien des surprises : refuges pour la faune et la flore, petits villages ou airials, souvenirs d'un passé rural original... Des richesses et des paysages à découvrir à pied, à cheval, à vélo ou sur l'eau.

Dans la forêt des Landes de Gascogne.
J.-D. Sudres / hemis.fr

Circuit conseillé Carte de microrégion p. 228

AU CŒUR DES LANDES DE GASCOGNE

Pour visualiser ce circuit de 120 km à travers le Pac naturel régional, se reporter à la carte p. 228. Compter une journée.
Vous partez à la découverte de la grande forêt landaise avec ses sites de régénération, ses clairières, ses réserves de chasse et ses maisons basses. Pour aller à l'essentiel et mieux comprendre ce territoire, il faudra vous arrêter à l'**écomusée de Marquèze**, à Sabres, un incontournable! Ce quartier landais évoque la vie rurale landaise aux 18e et 19e s. À visiter aussi, l'espace « Graine de Forêt » à Garein.
Bon à savoir – Le **billet jumelé de l'écomusée** permet de bénéficier de tarifs préférentiels pour visiter plusieurs sites du Parc naturel régional *(renseignez-vous au 05 58 08 31 31).*

Belin-Béliet

Aliénor d'Aquitaine aurait vu le jour à Belin en 1123. Un bas-relief a été érigé à sa mémoire à l'emplacement du château des ducs d'Aquitaine *(accès par la rue Ste-Quitterie : suivre le fléchage « Hôtel d'Aliénor »).*
Au sud du village, la **Maison du Parc** *(voir la rubrique « S'informer », page ci-contre)* a pris ses quartiers.
Au nord de la localité se trouve le **Centre du Graoux** *(voir la rubrique « Activités », p. 239).*
Quitter Belin-Béliet à l'est par la D 110 et la D 134. À Joué, prendre à droite la D 110E5 pour gagner Moustey en traversant Peyrin et Biganon.

Moustey

Située sur le chemin de St-Jacques-de-Compostelle, la place centrale de ce village compte deux églises construites en garluche (pierre ferrugineuse locale). Le mur sud de Notre-Dame possède une porte murée dite « porte des Cagots » *(voir p. 335).*
Attelages des Vallées de la Leyre dans la rubrique « Activités », p. 240.
Gagner Pissos par la D 834 au sud.

3

DES MARÉCAGES AUX PINS

À l'origine était la Grande Lande, un vaste territoire parcouru par les bergers et parsemé d'îlots d'habitations *(voir p. 39)*, sur lesquels les habitants vivaient en autarcie. Une vie rude donc, fondée sur un **système agropastoral**.

Dès le 18e s., on commence à planter quelques résineux, mais c'est à la suite de la loi sur l'assainissement et le boisement à grande échelle, promulguée par Napoléon III en 1857, que naît une immense mer de pins et une vague de nouveaux métiers. La forêt devient un bien précieux, même si les propriétaires doivent attendre quelques années avant que leurs parcelles deviennent rentables. Le **gemmage** *(voir l'encadré p. 39)* s'intensifie et l'exploitation de la résine s'industrialise au 19e s.

De nos jours, cette activité a disparu et les petits-fils des gemmeurs sont devenus bûcherons. Mais là encore, il y a du pain sur la planche. Un pin de dix ans sert à faire du papier; à vingt ans, on en fait des poteaux; à trente ans, il devient meuble, palette, planche ou lambris. Bref, pas de retraite en perspective!

Avec l'évolution technique, la **sylviculture** est devenue intensive et les quelques landes restantes, menacées, sont désormais préservées. Les tempêtes de 1999 et 2009 ont cependant fragilisé le territoire.

Graine de Forêt, p. 234.

Pissos A1

L'**église de Richet**, un peu en dehors du village, est coiffée par un clocher en bardeaux.

Dans le centre, arrêtez-vous à la **Maison des artisans** *(voir la rubrique « Achats », p. 340)* si vous voulez faire quelques emplettes. Un peu plus loin, sur la route de Sore, vous pourrez faire un petit tour au **Relais nature de la haute Lande** (dans une bergerie traditionnelle) pour faire connaissance avec la faune sauvage landaise. *05 58 04 41 40/05 58 08 91 58.*

Prendre la D 34 au sud. À Commensacq, qui s'enorgueillit d'une belle église romane, prendre à droite la D 626. À l'entrée de Labouheyre, prendre à gauche la D 402 en direction de Solférino. Elle traverse le parc de Peyre (gîtes forestiers) sur réserv.

Solférino A2

En 1857, **Napoléon III** achète quelque 7 000 ha de landes. Les terres assainies, il aménage un domaine expérimental où il installe des fermes modèles. Un village est créé en 1863.

Prendre la D 44 à l'est.

Gare de Sabres - Écomusée de Marquèze A2

Rte de la Gare - 40630 Sabres - 05 58 08 31 31 - www.parc-landes-de-gascogne.fr - juil. - août 10h-19h (dern. entrée 17h20) ; avr., juin et 1re quinz de sept. : 10h-12h, 14h-18h ; mai et 2e quinz. de sept. : lun.-sam. 14h-18h, dim. et j. fériés 10h-12h, 14h-18h - 13 € (visite du pavillon, trajet en train et visite du quartier de Marquèze) ; 6 € (pavillon seult).

À l'entrée de Sabres se trouve la gare d'où part le **petit train pour Marquèze** *(départ ttes les 40mn juil.-août : 10h10-17h20 ; avr., mai et de mi-sept. à déb. nov. lun.-sam. 14h-16h40, dim. et j. fériés 10h-12h et 14h-16h40 ; juin et 1re quinz. de sept. : 10h-12h, 14h-16h40.*

Au départ de la gare de Sabre, le train parcourt près de 5 km à travers bois pour vous déposer dans l'**airial**, vaste espace principalement planté de chênes centenaires, où étaient répartis les habitations principales et les bâtiments d'exploitation. C'est également à la gare que se trouve la billetterie de l'écomusée de Marquèze.

En attendant le train, visitez le **pavillon de Marquèze** *(face à la gare)*, qui abrite une exposition didactique et interactive sur l'aventure de l'aménagement du territoire des Landes de Gascogne au cours des derniers siècles et la transformation des paysages qui en découle. Le parcours sonore (patois gascon, vidéos...) *ravit les plus petits qui pourront suivre* le « chemin des enfants », *spécialement conçu pour eux.*

Le pavillon propose également une exposition temporaire, traitant cette année (31 mars - 11 nov. 2013) de la transhumance entre les Pyrénées et les plaines de Gascogne.

Juil.-août : 10h-19h ; avr.-juin et 1re quinz. de sept. : 10h-18h ; mai et du 16 sept. au 11 nov.: lun.-vend. et dim. 10h-12h, 14h-18h, sam. 14h-18h - 6 € (enf. 4 €).

Vous pourrez aussi vous rendre à pied jusqu'au village de Sabres, qui abrite une église romane.

★★ Le quartier de Marquèze A2

Accès par chemin de fer au départ de la gare de Sabres. Un Guide du visiteur *très complet est remis à l'achat du billet en gare de Sabres (voir ci-dessus). À l'arrivée du train en gare de Marquèze (consulter l'affichage des horaires), une visite guidée (1h) de l'airial est proposée. Il est intéressant de la suivre avant de parcourir librement l'ensemble du site, au gré des évocations sonores et des rencontres inattendues théâtralisées.*

Le quartier de Marquèze occupe près de 20 ha dans la zone protégée des vallées de l'Eyre. Il a été reconstitué pour présenter la vie telle qu'elle s'organisait ici à la fin du 19e s. Près d'une trentaine d'édifices de toute nature et de tailles différentes jalonnent ce vaste parcours de découverte, ponctué de mises en scène sonores.

La maison de maître est reconnaissable à son *estandade* (large auvent). À proximité, vous trouverez la maison du berger (dit aussi « brassier », lorsque le berger était sous contrat avec un propriétaire), au poutrage plus grêle et aux dimensions plus modestes ; plus loin, à droite, la maison des métayers et son cortège de granges, loges à porcs, ruches et poulaillers.

3

LA VIE D'AUTREFOIS À MARQUÈZE

L'écomusée de Marquèze organise plusieurs manifestations permettant de faire revivre les traditions landaises du 19e s.

L'**omelette des bergers**, le week-end de Pâques, et la **maïade**, qui se déroule le 1er Mai, sont les fêtes du printemps.

Mi-mai a lieu la **tonte des moutons**. La laine sera ensuite cardée et filée.

Le 24 juin est le jour de la **Saint-Jean**, qui donne lieu à un rite marquant la venue de l'été. Dans l'espoir d'obtenir de bonnes récoltes, on accroche des croix fleuries aux portes des maisons.

En juillet, on met la main à la pâte pour préparer divers pains et pâtisseries. Fin juillet, les anciennes races locales de bétail s'invitent sur l'airial.

Mi-août, on sort les cuviers pour la grande lessive, la « **bugade** ». La cendre remplace ici la lessive en poudre. Le rinçage se fait en rivière.

Fin août et en septembre, ce sont les **travaux des champs**. En octobre, c'est au tour des recettes traditionnelles d'être à l'honneur...

Et à tout moment, on peut assister à divers travaux : gemmage des pins, cuisson du pain, meulage du seigle, labourage à l'aide des bœufs, etc.

Une petite promenade dans la forêt où opérait le **résinier**... et vous voilà à la maison du meunier. Elle date de 1834 et se trouve (vous vous en doutez) à côté du **moulin de bas** aux deux meules broyant gros et petits grains. Peut-être verrez-vous aussi la fabrication du pain dans l'un des trois fours répartis sur le site.

La visite ne serait pas complète sans un détour par le **parc à moutons**, pour voir ces anciens défricheurs de la lande dont le fumier enrichissait les champs. Une **grange-exposition** présente l'ancien système agropastoral. Une nouvelle maison, dite « Malichecq », a pris ses quartiers sur l'airial. Datant du Moyen Âge, selon les historiens, elle a été déménagée du quartier de Guiraute à Sabres.

Des bâtiments sont équipés de jeux pour les enfants, derrière la maison de maître et près du poulailler. Le parcours « Les p'tits curieux mènent l'enquête », permet également aux enfants de découvrir l'ensemble de l'airial, de façon amusante.

En 2013, des installations ont pris place dans quelques maisons. Ces « Maquinas Poeticas », qui rendent hommage au génie populaire des Landes de Gascogne, apportent un complément historique à la visite, tout en restant ludique!

Quitter Sabres au nord par la D 834 dir. Bordeaux, au sud-est dir. Mont de Marsan.

Graine de Forêt, à Garein B2

05 58 08 31 31/06 88 81 30 08 - juil.-août : 9h30-12h30, 14h-18h ; avr.-juin et sept.-oct. : dim. et j. fériés 13h-18h, vac. scol. 14h-18h - 5 € (enf. 3,50 €).

Cet espace muséographique interactif et ludique sur le thème de la filière bois a été aménagé dans une maison traditionnelle. Là, vous trouverez toutes les réponses à vos questions concernant la sylviculture, qui reste la première ressource de la région : maquette animée présentant les différents intervenants de la chaîne du bois, films sur le travail des bûcherons modernes (comme si vous y étiez !) et la fabrication du papier, puzzles, etc.

2,6 km AR. Complétez vos connaissances sur le terrain en parcourant le sentier jalonné de bornes sonores dans la forêt... afin d'y planter votre graine de pin !

Sortir de Garein à l'est, par la D 353 vers Brocas. À 1 km environ du sentier Graine de forêt, prendre à droite, au bout de la piste.

Forêt d'art contemporain B2

Se renseigner auprès du parc ou sur www.laforetdartcontemporain.com

Le site été créé par trois acteurs : le parc, les Floralies de Garein, Culture et Loisirs de Sabres. Il a pour objectif de devenir, à terme, un grand itinéraire d'art contemporain dans l'espace forestier. Des artistes de tous horizons ont commencé à prendre possession des lieux pour sensibiliser le public, notamment les jeunes. Ils contribuent ainsi à valoriser le patrimoine naturel et culturel des Landes de Gascogne.

Forges de Brocas B2

05 58 51 48 46 - de mi-juin à mi-sept. : tlj sf lun. 15h-19h - 3,10 € (-12 ans gratuit).

Dans un cadre verdoyant, vous verrez un haut-fourneau, des ateliers et des logements ouvriers en ruine. Pour découvrir l'histoire de cet important site métallurgique au 19e s., rendez-vous dans l'ancienne minoterie. C'est là que le **musée des Forges** a pris place. Il rassemble divers objets en fonte et diffuse un film sur la technique de moulage.

Quitter Brocas vers le nord par la D 651.

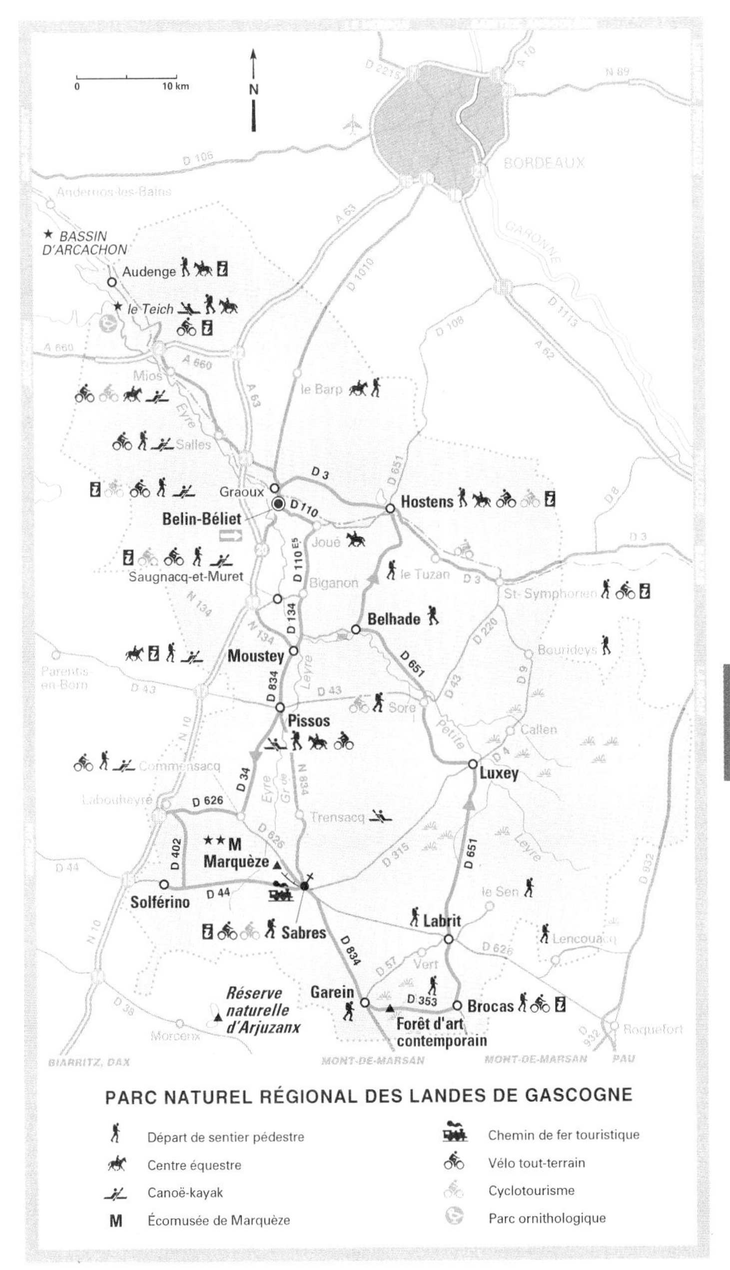
0
10 km
N
BORDEAUX
GARONNE
BASSIN D'ARCACHON
Andernos-les-Bains
Audenge
le Teich
Mios
Salles
Graoux
Belin-Béliet
Saugnacq-et-Muret
le Barp
Hostens
Joué
le Tuzan
Biganon
Belhade
St-Symphorien
Bourideys
Moustey
Parentis-en-Born
Pissos
Sore
Callen
Luxey
Commensacq
Labouheyre
Trensacq
Marquèze
Solférino
Sabres
le Sen
Labrit
Lencouacq
Vert
Garein
Brocas
Réserve naturelle d'Arjuzanx
Forêt d'art contemporain
Morcenx
Roquefort
BIARRITZ, DAX
MONT-DE-MARSAN
MONT-DE-MARSAN
PAU
D 106
D 2215
N 89
A 10
A 63
D 1010
D 108
D 1113
A 62
A 660
D 3
D 110
D 651
D 110 E5
D 134
N 134
D 220
D 9
D 43
D 834
D 34
N 834
D 626
D 402
D 44
D 315
D 4
N 10
D 57
D 353
D 932
D 38
D 8
Eyre
Leyre
Petite Leyre
PARC NATUREL RÉGIONAL DES LANDES DE GASCOGNE
Départ de sentier pédestre
Centre équestre
Canoë-kayak
M Écomusée de Marquèze
Chemin de fer touristique
Vélo tout-terrain
Cyclotourisme
Parc ornithologique

OBSERVER DES OISEAUX

En hiver, les **grues cendrées** habitant la Scandinavie descendent, en formations en « V », à la recherche d'un climat plus serein. Plusieurs milliers resteront dans les Landes, glanant leur nourriture dans les résidus des champs de maïs. La période d'hivernage s'étend de mi-novembre à début mars, les mois les plus favorables à l'observation étant décembre et janvier (à leur arrivée, elles peuvent se montrer farouches).

Au nord du Parc, le delta de l'Eyre et la **réserve ornithologique du Teich** abritent de nombreuses espèces d'oiseaux *(voir p. 220)*.

Luxey

La **Maison de l'estupe-huc** (qui signifie « éteins le feu ») présente les risques et la réalité des feux de forêt dans les Landes *(projection de trois vidéos)* et évoque l'évolution des techniques des sapeurs-pompiers à travers des documents, objets et matériels d'époque. *✆ 05 58 04 70 70 ou 05 58 08 06 18 - 4,50 € (enf. 2,50 €).*

L'**atelier de produits résineux Jacques et Louis Vidal de Luxey★** *(actuellement en réfection - pour connaître la date de réouverture, se rens. à l'atelier ou à la mairie de Luxey au 05 58 04 70 70)* a fonctionné entre 1859 et 1954. Il illustre le fonctionnement d'une structure économique au début de la révolution industrielle dans la Grande Lande. Depuis la réception des gemmes (ou résines) jusqu'au stockage de l'essence de térébenthine, toutes les étapes du traitement de la résine sont abordées. *✆ 05 58 08 01 31 - sur réservation.*

La D 651 mène à Belhade par Sore et Argelouse.

Belhade B1

Savez-vous que Belhade signifie « belle fée » en gascon ? Dans tous les cas, vous vous arrêterez devant son **église** à clocher-mur pour admirer le portail aux beaux chapiteaux sculptés.

À l'ouest de la localité, sur la gauche, vue sur le **château privé de Belhade** et ses tours rondes crénelées.

Poursuivre sur la D 651.

Hostens B1

On y exploita le lignite à ciel ouvert entre 1933 et 1963. Puis les excavations furent comblées par des remontées de la nappe phréatique formant les **lacs de Lamothe** et **du Bousquet**.

Le **domaine de loisirs d'Hostens**, créé sur l'ancien site d'exploitation, est un parc de détente de 500 ha *(voir la rubrique « Activités », p. 239)*.

3 km. Un **sentier d'interprétation** (« sentier des Demoiselles ») vous permet de découvrir le milieu naturel.

Retour à Belin-Béliet par la D 3 et la N 10.

À proximité Carte de microrégion p. 228

Réserve naturelle d'Arjuzanx A2

Au sud du Parc - Maison Barreyre (de la D 38 dir. Morcenx/Mont-de-Marsan, prendre à gauche avant le bourg d'Arjuzanx) - ✆ 05 58 08 11 52 - www.reserve-arjuzanx.fr - Accès direct au lac à la sortie du village depuis la D 38 dir. Morcenx.

Ce vaste site naturel (2 600 ha) prend place sur une ancienne friche industrielle, celle d'une mine de lignite exploitée par EDF jusque vers 1990. Depuis, la nature a repris ses droits : difficile d'imaginer ce que ces lieux, couverts de végétation, étaient il y a peu ! La réserve constitue le premier site d'hivernage des **grues cendrées** en France. Elle sert de « dortoir » à 40 000 oiseaux. Une partie est en accès libre : lac *(baignade surveillée de mi-juin à déb. sept., 13h-19h, activités nautiques, pêche)*, chemins balisés pour la randonnée et le VTT *(parcours de 1,7 km à 7,3 km)*, balades équestres, etc. Une autre partie se découvre lors de **visites accompagnées par des naturalistes** - *rens., réserv. et départ Maison Barreyre - sorties thématiques gratuites (env. 3h) en mat., journée ou au crépuscule : les plantes carnivores, la nature la nuit, initiation à la macrophoto, la nuit des étoiles ; randonnée nature gratuite 15 km (6h) ; observation des grues cendrées (3h) nov.-fév. merc. et vend. 15h30 (coucher des grues), sam., dim. et vac. scol. 7h (lever des grues) et 15h30, 5 € (enf. 3 €).*

Des sorties d'observation (4h) des grues sont également organisées sur les sites de **Captieux et de Solférino** *(rens. et réserv. à la Maison du Parc : voir la rubrique « S'informer » au début du chapitre - janv.-fév. - 13 €, avec prêt de matériel optique - enf. 11 €).*

NOS ADRESSES DANS LE PNR DES LANDES

3

RECOMMANDATIONS

Réglementation du Parc

- Veuillez ne pas cueillir les plantes et ne pas couper de branches d'arbres.
- N'allumez jamais de feu et ne fumez pas en dehors des haltes prévues à cet effet. La forêt s'enflamme très vite (y compris au bord des plans d'eau) ; elle met nettement plus de temps à se reformer !
- Ne laissez pas de détritus après un pique-nique et ne jetez rien par terre ; des poubelles sont installées à plusieurs endroits.
- Ne stationnez pas votre véhicule sur les chemins ; des parkings sont aménagés à cet effet.
- Respectez le silence et la tranquillité des promeneurs, des pêcheurs et des riverains.

Autres conseils

En été, emportez du produit contre les moustiques (surtout dans les zones humides). Le climat aquitain ne requiert pas de vêtements particuliers, si ce n'est des chaussures de marche pour les randonnées pédestres et des vêtements imperméables pour les sorties printanières, parfois arrosées.

HÉBERGEMENT

PREMIER PRIX

Écogîte de Payan – *40630 Luglon - ✆ 05 58 08 32 23 - www.ecogitedepayan.com - 7 ch., grenier pour 6 personnes, roulotte - 25/40 € -* ☕. Une maison d'hôtes restaurée en éco-construction, avec des matériaux naturels et des techniques traditionnelles. Un bon exemple de l'écotourisme développé dans le Parc, au milieu d'un airial.

BUDGET MOYEN

Hôtel Au P'tit Creux – *3 r. Brémontier - 40160 Ychoux - ✆ 05 58 82 38 38 - www.auptitcreux.com - ♿ - P - 37 ch. 54 € - ☕ 7 € - rest. 19/29 €.* À la sortie du village, cette construction de style motel propose des chambres simples et fonctionnelles. Pour les familles, on pourra réserver les familiales qui bénéficient de deux salles d'eau. La salle à manger, claire, propose principalement des plats du Sud-Ouest.

Chambre d'hôte Les Arbousiers – *Le Gaille - 40630 Sabres - 7,5 km à l'ouest de Sabres par D 44 - ✆ 05 58 07 52 52/06 81 13 28 09 - www.chambres-hotes-aquitaine.com - réserv. obligatoire - 5 ch. 46/62 € ☕ - repas 20 €.* Calme garanti dans cette charmante maison landaise à colombages bâtie au milieu d'une clairière entourée d'une forêt de pins. Chambres simples et chaleureuses et table d'hôte le soir. L'accueil est convivial et vous entendrez sûrement parler d'oiseaux par la propriétaire passionnée…

Chambre d'hôte La Maranne – *Le Muret - 40410 Saugnacq-et-Muret - 15 km au nord de Pissos - ✆ 05 58 09 61 71 - la-maranne@wanadoo.fr - fermé 15 nov.-15 avr. - 5 ch. 0/66 € ☕.* Cette demeure du 19e s., au milieu d'arbres centenaires, abrite des chambres agréables et nanties parfois de meubles d'époque. Côté détente, les activités ne manquent pas : piscine, sauna, jacuzzi, vélos…

Chambre d'hôte Le Poutic – *Rte de Cazaubon - 40240 Créon-d'Armagnac - 12 km à l'est de St-Justin par D 933 et D 35 - ✆ 05 58 44 66 97 - P - www.lepoutic.com - 3 ch. 60/67 € ☕ - rest. 24 €.* La restauration de cette ferme landaise a joliment mis en valeur ses vieux murs en pierre, ses poutres et ses colombages. Les chambres ont bénéficié de la même attention pour leur décoration d'un goût sûr et soigné. Spa et salon d'été dans les dépendances. Stages de cuisine canard, foie gras et armagnac d'octobre à avril et de novembre à mars.

Chambre d'hôte Chez M. et Mme Clément – *1 r. du Stade - 33830 Belin-Béliet - ✆ 05 56 88 13 17 - P - maison.clem@wanadoo.fr - 5 ch. 75 € ☕ et un gîte.* Belle maison bourgeoise du 19e s. dans un parc ombragé d'arbres centenaires. Boiseries en chêne, parquets cirés et cheminées de marbre font le raffinement de la décoration. Toutes les chambres sont claires et la plupart ouvrent sur la nature.

RESTAURATION

Bon à savoir – Dans le Parc, plusieurs établissements proposent « L'Assiette de pays » *(voir p. 13).*

PREMIER PRIX

La Bonne Auberge – *1 r. Champs-de-Seuze - 33830 Lugos - ✆ 05 57 71 95 28 - P - fermé 2 sem. en nov., dim. soir et lun. hors sais. - 11/43 € - 5 ch. 54 € - ☕ 7 €.* Cette accueillante auberge s'ouvre sur un jardin d'agrément et une vaste terrasse ombragée de platanes. Cuivres et assiettes anciennes ornent les murs de la salle à manger rustique. Cuisine traditionnelle. Chambres un brin désuètes, mais de bon confort.

BUDGET MOYEN

Le Haut-Landais – *Pl. du Bourg - 40410 Moustey - ✆ 05 58 07 77 85 - www.lehautlandais.com - fermé nov.-fév., dim. soir et lun. - 11,50 €*

déj. - 19,50/25 €. Sur la place du village, une auberge vit depuis le 17e s. Landais de cœur et Hollandais d'origine, le patron vous prépare les spécialités régionales : aiguillettes de canard, assiettes landaises… Agréable terrasse ombragée devant la maison. Concerts et « apérolandais » l'été.

Le Café de Pissos – *42 r. Pont-Battant - 40410 Pissos - ✆ 05 58 08 90 16 - www.cafe-de-pissos.com - P - fermé 1 sem. vac. de fév., 12 nov.-6 déc., dim. soir, mar. soir et merc. sf juil.-août - 12 € déj. - 19,50/40 € - 5 ch. 42/54 € - ☕ 6 €.* Cette auberge familiale propose une authentique cuisine régionale dans un cadre campagnard ou sur la terrasse ombragée de platanes centenaires. Le bar est fréquenté par les villageois. Chambres modestes.

Ferme-auberge du Jardin de Violette – *Manoir des Jourets - 40120 Lencouacq - ✆ 05 58 93 03 90 - http://lejardindeviolette.wifeo.com - fermé dim. soir, lun. et mar. - ⊭ - réserv. obligatoire - 25/45 €.* Découvrez dans ces anciennes écuries rénovées la saveur des légumes oubliés du potager et des fleurs mitonnés avec talent pour accompagner les volailles de la ferme. Armagnac et apéritif maison.

Auberge des Pins – *Rte de la Piscine - 40630 Sabres - ✆ 05 58 08 30 00 - www.aubergedespins.fr - fermé 4-24 janv. et 1 sem. en oct. - 19/68 €.* Ravissante maison landaise nichée dans un parc planté de pins. Attablez-vous dans la belle salle à manger ornée d'armoires du pays et agrémentée de boiseries anciennes, et régalez-vous avec la délicate cuisine régionale du chef. Les chambres du bâtiment principal sont personnalisées avec goût.

ACHATS

L'atelier du souffleur de verre et la Maison des artisans– *71 rte de Sore - 40410 Pissos - ✆ 05 58 08 97 42 ou 06 88 94 99 61 - avr.-sept. 10h-12h30, 15h-18h, fermé lun. ; juil.-août 10h-12h, 15h-19h ; reste de l'année sur rdv.* Exposition-vente d'artisanat d'art (vêtements, bijoux, bougies, jouets, meubles peints, etc.) et de produits régionaux. À voir également, l'atelier du souffleur de verre.

ACTIVITÉS

Randonnées pédestres – Le comité départemental du tourisme de Gironde *(voir p. 10)* diffuse deux plans-guides décrivant les sentiers du pays du val de l'Eyre (n° 7) et de la Haute Lande girondine/vallée du Ciron (n° 1). Des balades côté landais sont proposées dans le plan-guide n° 14 du conseil général des Landes *(✆ 05 58 05 40 40 - www.cg40.fr).*

Balades à bicyclette – La *Carte-guide, Le Parc à vélo* (éditions Sud-Ouest) et *Les séjours Écocyclo* sont à votre disposition à la Maison du Parc pour vous orienter et constituer votre itinéraire d'un ou plusieurs jours. Possibilité de combiner vélo et canoë.

Baignade surveillée – Domaine de loisirs d'Hostens.

Piscines de plein air – **Sore** *(rte de Luxey - ✆ 05 58 07 60 55),* **Sabres** *(rte de Luglon - ✆ 05 58 07 52 51),* **Salles** *(rte d'Argila - ✆ 05 56 88 40 89)* et **Pissos** *(rte de Sore - ✆ 05 58 08 91 45).*

Domaine de loisirs d'Hostens – *54 rte de Bazas, domaine départemental d'Hostens - 33125 Hostens - ✆ 05 56 88 70 29 - 6h-23h - gratuit.* Base VTT proposant 6 circuits de 10 à 30 km. Également, pêche, baignade, sentiers pédestres, tir à l'arc, escalade, canoë-kayak, pédalos, Grimp'arbres, course d'orientation, animations nature, beach-polo, jardin aquatique, nage avec palmes, etc. Les activités sont réservées aux groupes. Possibilité de location de matériel sportif.

Centre du Graoux – *31 rte de Graoux - 33830 Belin-Béliet - ✆ 05 57 71 99 29 - 9h-12h30, 14h-17h.* Centre de découverte de l'environnement du Parc offrant un large éventail d'activités sportives (canoë-kayak sur la Leyre, cyclotourisme, VTT, sentiers de découverte, parcours d'orientation) ainsi que des possibilités d'hébergement.

Atelier-gîte de Saugnacq-et-Muret – *Chemin vicinal 3 - 40410 Saugnacq-et-Muret - ✆ 05 58 07 73 01 - 9h-12h, 14h-18h - fermé 25 déc.-1er janv.* Deuxième centre de découverte de l'environnement du Parc proposant canoë-kayak, cyclotourisme, VTT, circuits pédestres thématiques et parcours d'orientation. Gîtes.

Maison de la Nature du bassin d'Arcachon – *Voir p. 227.*

Attelages des Vallées de la Leyre – *Airial de Lavigne - 40410 Moustey - ✆ 05 58 07 75 60 - www.taristourisme.fr* Promenades commentées en calèche ou roulottes, randonnées accompagnées avec ânes bâtés, location de canoë-kayak et VTT, balades à poney ou à cheval. Base nautique. Petit espace camping familial. Hébergement possible (gîtes d'étape ou de séjour) et location de tipi.

Bazas

★

4 585 Bazadais – Gironde (33)

NOS ADRESSES PAGE 244

S'INFORMER

Office du tourisme de Bazas – *Pl. de la Cathédrale - ✆ 05 56 25 25 84 - mai-sept. : lun.-sam. 9h-13h, 14h30-18h30, dim. 15h-18h30 ; oct.-avr. : tlj sf dim. 9h-12h, 14h-17h30.* Il propose un plan de la cité *(gratuit)* et un guide pour découvrir Bazas à votre rythme *(1 €)*, mais aussi la carte touristique du Pays Sud Gironde.

SE REPÉRER

Carte de microrégion B1 (p. 228) – *carte Michelin Départements 335 J8.* À 60 km au sud-est de Bordeaux (A 62 et D 932) et à 40 km au sud-ouest de Marmande (D 116, D 3 puis D 655).

SE GARER

Laissez votre voiture place de la Cathédrale.

À NE PAS MANQUER

La cathédrale St-Jean ; la Vierge du 13e s. dans la collégiale d'Uzeste ; le château de Villandraut.

ORGANISER SON TEMPS

Comptez une demi-journée pour faire le tour de la ville. Au château de Villandraut, la visite dure 1h (hors saison, il n'ouvre que l'après-midi). N'hésitez pas à poursuivre la journée par une visite des magnifiques châteaux de Roquetaillade et Cazeneuve *(voir p. 243 et 245)*. Si vous êtes de passage peu avant Mardi gras, ne manquez pas la Fête des bœufs gras.

AVEC LES ENFANTS

La métairie du château de Roquetaillade.

Si vous ne connaissez de Bazas que le bœuf du même nom, prenez le temps d'y passer quelques heures. La cité, convoitée de tous côtés à travers l'Histoire, fut ballottée au gré des invasions et élevée à la dignité de cité épiscopale. Presque plus italienne que girondine, l'ancienne sous-préfecture offre un peu de calme au-dessus de la vallée.

Se promener

Place de la Cathédrale

Très jolie place entourée de maisons sur couverts du 16e s. et 17e s., particulièrement animée le samedi matin, jour du marché. Au n° 23, la maison dite de l'Astronome est décorée de symboles astronomiques (visages graves de la lune et du soleil, mage oriental à chapeau pointu, etc.).

★ Cathédrale St-Jean

Voir l'ABC d'architecture p. 86. 9h-12h, 14h-17h - visites guidées sur RV : se rens. à l'office de tourisme ou s'adresser à M. Barran (✆ 05 56 25 12 05) - 4 € (-18 ans gratuit) par l'office de tourisme, participation libre pour les visites organisées par M. Barran.

Elle fut édifiée aux 13e et 14e s. sur le modèle des grands sanctuaires gothiques du Nord de la France. Malgré les différences de style de ses trois étages – 13e, 16e et 18e s. *(de bas en haut)* –, la façade ne manque pas d'harmonie. Les Bazadais sauvèrent les **portails** du vandalisme protestant en versant 10 000 écus, ce qui en valait bien la peine ! Le portail central est consacré au Jugement dernier et à l'histoire de saint Jean-Baptiste, les portails latéraux à la Vierge et à saint Pierre.

L'**intérieur** est assez sobre. La perspective de la nef, étroite et longue, produit une forte impression. Dans le chœur, maître-autel Louis XIV en marbre de couleurs variées, un peu maniéré. Dans la chapelle axiale, toiles de François Lemoyne (18e s.).

Jardin du Chapitre

À droite de la cathédrale - 9h-12h, 14h-17h.

Composé comme un jardin médiéval, il abrite quelques vestiges (de l'âge du fer au 15e s.). Il offre une jolie vue sur le vallon où coule la petite Beuve.

Revenir à la cathédrale et prendre à gauche (avant la mairie) la rue Théophile-Servière puis la rampe Maurice-Lapierre.

Promenade de la Brèche

Avant de vous engager sous les tilleuls verts de la promenade pour une très agréable balade au pied des vieux remparts, arrêtez-vous dans la roseraie du jardin du Sultan.

Musée de Bazas

Juil.-août : mar. et sam. 10h-12h, 15h-18h ; hors sais. sur réserv. à l'office de tourisme - visite gratuite juil.-août, 2 € hors sais.

Ce musée municipal est installé au rez-de-chaussée de l'ancien hôtel de ville (façade du 17e s.). Il regroupe des collections historiques, archéologiques et d'art sacré.

À proximité Carte de microrégion p. 228

★ Collégiale d'Uzeste B1

8 km à l'ouest par la petite D 110. ✆ 05 56 65 22 47 - 9h-12h, 14h-18h (visite libre) - possibilité de visite guidée sur demande préalable : 15h-18h, sam., dim. et j. fériés - visite guidée 3 € (-18 ans gratuit).

Une bien belle église pour un si petit village ! Elle rivalise même avec la cathédrale de Bazas. Il est vrai que le pape Clément V (1305-1314) y mit du sien. Le résultat dut lui plaire puisqu'il la désigna dans son testament comme lieu de sa sépulture.

Pénétrez dans l'église par le portail sud dont le tympan porte le Couronnement de la Vierge. Dans la chapelle axiale, Vierge de la fin du 13e s., vénérée par le pape en sa jeunesse ; dans la chapelle voisine, gisant d'un membre de la famille de Grailly (14e s.) ; derrière l'autel, gisant de marbre blanc de Clément V, dont les protestants ont cassé la tête.

Villandraut B1

13 km à l'ouest par la D 110 passant par Uzeste, puis la D 3.

Environné par la forêt landaise, Villandraut domine la rive gauche du Ciron. Le bourg a donné naissance à **Bertrand de Got**, élu pape en 1305 sous le nom de Clément V.

Château – *✆ 05 56 25 87 57 - www.assoadichats.net - juil.-sept. : 10h-19h ; avr.-juin : 14h-18h ; reste de l'année : w.-end et j. fériés. 14h-18h - fermé déc.-janv. - 3,50 € (enf. 2 €) - animations et expositions en été.* Décidément, Clément V est partout : cette forteresse fut construite pour lui, sur le modèle des châteaux forts de plaine, à l'époque gothique. Une grande partie est consacrée aux aménagements résidentiels, comme il était d'usage en Italie au Moyen Âge. Le côté sud est le plus spectaculaire par l'alignement de ses quatre grosses tours, celle de droite ayant été arasée en 1592, sur ordre du parlement de Bordeaux.

★★ Château de Roquetaillade B1

8 km au nord-ouest de Bazas par les D 3 et D 223 - ✆ 05 56 76 14 16 - http://chateauroquetaillade.free.fr - ♿ - visite guidée (1h) juil.-août : 10h30-18h ; reste de l'année et vac. scol. : 14h30-17h, dim. et j. fériés visites à 15h et 16h - 8 € (enf. 5 €) ; billet combiné avec la métairie 9 € (enf. 6 €).

Le château – *Voir l'ABC d'architecture p. 87.* Cet imposant château féodal a été construit en 1306 par le cardinal Gaillard de la Mothe, neveu du pape Clément V. Il fait partie d'un ensemble composé de deux forteresses des 12e et 14e s., situées à l'intérieur d'une même enceinte. À droite du château Neuf, restes du **château Vieux** (donjon de la fin du 11e s.).

Les six énormes tours rondes du **château Neuf**, percées d'archères et crénelées, encadrent un corps rectangulaire ; deux d'entre elles flanquent l'entrée. Dans la cour se dressent le puissant donjon carré et sa tourelle. Les baies géminées et tréflées rappellent les dispositions des châteaux clémentins de la région.

À partir de 1866, Viollet-le-Duc commença à restaurer et à réaménager le château. C'est à cet architecte (qui vous accueille en personne, dans la cour d'entrée, à gauche de la porte !), que l'on doit l'escalier monumental du hall d'entrée, le mobilier et les étonnantes décorations de la **salle à manger★** dont les motifs stylisés annoncent déjà les arts décoratifs anglais de la fin du 19e s. (William Morris en particulier) et l'Art nouveau. La **chambre rose★** et la chambre verte, attribuées à Edmond Duthoit, collaborateur de Viollet-le-Duc sur ce chantier, suivent la même tendance. Cependant, des difficultés financières mirent fin à l'ambitieux projet et la décoration de la salle synodale resta inachevée.

Vous visiterez également la chambre du Cardinal et le Grand Salon tendu de tapisseries flamandes. Chacune de ces pièces meublées d'époque classique renferme une belle cheminée Renaissance. Quant à la grande cuisine, elle possède un impressionnant fourneau central.

Le parc – Le parc, planté d'arbres centenaires, abrite une **chapelle** dont l'intérieur, décoré par Duthoit, est de style oriental.

Face à l'entrée du château se trouve la **métairie** qui abrite un pigeonnier du 12e s., un four à pain, un chai, et compte quelques animaux de ferme. Vous y découvrirez le monde rural du milieu du 19e s. dans le Bazadais. *Juil.-août : 15h-19h ; reste de l'année sur RV.*

LE SAVIEZ-VOUS ?

Le cygne est l'emblème des **Mauvesin** qui firent restaurer le château de Roquetaillade au 19e s. On le retrouve partout : dans la cour d'entrée, dans le grand escalier, sur les murs, sur les chaises…

NOS ADRESSES À BAZAS

HÉBERGEMENT

À proximité

BUDGET MOYEN

Auberge de la Crémaillère – *33730 Villandraut - ☎ 05 56 25 30 67 - P - ♿ - 10 ch. 59/62 € - ☕ 7,50 € - fermé 23 déc.-23 janv., rest. fermé vend., sam. midi et dim. soir - 25/42 € - demi-pension 120 €.* Au pied du château, cette auberge rénovée a misé sur une ambiance chaleureuse et conviviale autour d'une cuisine raffinée. Les chambres refaites avec goût vous garantissent une étape agréable.

RESTAURATION

À Bazas

BUDGET MOYEN

Café-Restaurant Indigo – *25 r. Fondespan - ☎ 05 56 25 25 52/06 08 65 94 91 - fermé lun. et dim. - réserv. obligatoire - 15,50 € déj. - 25/45 €.* Cet établissement a conquis les gens de la région. Mieux vaut réserver si l'on souhaite découvrir les recettes mi-régionales (label bœuf de Bazas), mi-exotiques. Décor moderne, terrasse d'été, service décontracté mais efficace.

À proximité

BUDGET MOYEN

Ferme-auberge Aux Repas Fermiers de Haoun Barrade – *33430 Cudos - 5 km au sud de Bazas sur N 524 dir. Mont-de-Marsan - ☎ 05 56 25 06 69 ou 05 56 25 44 55 - P - ouv. 10 juil.-1er sept., w.-end et j. fériés le midi - 💳 - 16/26 €.* Dans une ambiance campagnarde, vous apprécierez les produits fermiers. Foie gras, magrets, coqs, lapins et marcassins se dégustent avec les meilleurs vins locaux. Pour les entrecôtes, il faut réserver.

ACHATS

Palmagri – *Centre bourg - 10 km au nord-est de Bazas par D 12 - 33124 Auros - ☎ 05 56 65 40 81 - http://foiegras-palmagri.fr - P - 9h-12h30, 14h-18h - fermé dim. et j. fériés.* Foie gras, boudin, magrets, etc. Les produits de cette boutique sont élaborés à partir de canards élevés de façon traditionnelle. Des cours de cuisine sont dispensés pour apprendre à découper et cuisiner un canard ou un foie gras.

ACTIVITÉS

Cyclotourisme – *☎ 05 56 25 25 84 (OT)* - Une **piste cyclable** relie Bazas à Mios (70 km) : elle traverse le Parc naturel régional des Landes de Gascogne, longe une partie de la Leyre et rejoint ensuite les pistes cyclables du bassin d'Arcachon.

Cycles Clavé – *13-15 cours du Mar.-Foch - ☎ 05 56 25 93 99 - tlj sf dim. et lun. 9h-12h, 14h-19h30 - fermé j. fériés.* Cette boutique loue des vélos et VTT pour adultes et enfants. Elle fait aussi office de réparateur en tout genre.

Château de Cazeneuve

★★

Gironde (33)

NOS ADRESSES PAGE 246

SE REPÉRER

Carte de microrégion B1 (p. 228) – *carte Michelin Départements 335 J8.*
À 10 km de Bazas par la D 9.

À NE PAS MANQUER

Les balades en canoë pour découvrir les gorges du Ciron.

ORGANISER SON TEMPS

Attention, le château est fermé de novembre à avril et il n'est jamais ouvert le matin (sauf le parc, accessible à partir de 11h). La visite guidée du château dure 1h15.

Les cours d'eau Ciron et Homburens se retrouvent discrètement sous les arbres, à quelques pas du château, comme autrefois la belle Margot et ses galants. Noyée dans la campagne bazadaise, l'ancienne demeure de famille, où Henri IV avait assigné Marguerite de Valois, n'a rien perdu de ses charmes.

Visiter

★★ Château

05 56 25 48 16 - www.chateaudecazeneuve.com - visite guidée du château juin-sept. : 14h-18h ; de Pâques à fin mai et de déb. oct. à la Toussaint : w.-end et j. fériés 14h-18h - fermé de la Toussaint à Pâques - 9 € (-12 ans 5 €).

Demeure privilégiée des **seigneurs d'Albret**, le château devient, en 1572, le fief du roi Henri III de Navarre, futur roi de France Henri IV. En octobre 1620, le roi Louis XIII y fait étape avant d'aller signer à Pau l'édit d'annexion réunissant le Béarn à la Couronne. Aujourd'hui, le château, toujours habité, est propriété de la famille de Sabran-Pontevès, descendante des Albret.

Extérieur – À la motte castrale d'origine (11e s.) fut accolée au 14e s. une importante enceinte enserrant une bâtisse qui fut transformée au 17e s. en château de plaisance. De l'ancienne « ville de Cazeneuve », qui s'étendait devant le château, ne subsiste plus que la porte d'entrée en arc de triomphe.

L'imposante façade sud du château, cantonnée de deux tours carrées et soulignée par une balustrade en pierre, surplombe les douves sèches. Le portail au fronton brisé, taillé dans l'épaisseur du mur, donne accès à la cour d'honneur.

Intérieur – La visite débute par la grande salle consistoriale puis par la galerie du rez-de-chaussée. Remarquez les chaises dites « de fumeur », en cuir de Cordoue : le fumeur s'asseyait à califourchon et puisait son tabac dans un compartiment aménagé dans le haut du dossier de la chaise. Au 1er étage, le salon de la reine Margot, entièrement décoré de mobilier Louis XV, est contigu à la chambre Louis XVI où sont rassemblés des souvenirs de Delphine de Sabran, qui fut aimée de Chateaubriand. Au bout de la galerie se trouve la **chapelle** du 17e s. au mur chaulé comme à l'origine. Elle donne sur un chemin de ronde,

3

récemment restauré, par lequel les gens du village accédaient à la chapelle. Au même étage, chambre de la reine Margot et **chambre du roi Henri IV★**, cabinet de travail du roi. La visite se termine par la salle à manger comprenant des vitrines d'argenterie et de porcelaines, puis la cuisine, dans laquelle on peut voir une panetière et un pétrin provençaux.
Avant d'aller rejoindre la fraîcheur du parc, faites un détour par la basse-cour pour voir les grottes troglodytiques (sous la cour d'honneur) et les **caves médiévales** où l'actuel propriétaire garde précieusement de grands crus.

Parc

En longeant le Ciron, faites une halte à la **grotte de la Reine**, puis flânez du côté de l'étang, caché par de gigantesques sapins de Douglas. En contrebas, à côté du lavoir et du petit moulin, s'étend la bambouseraie, arrosée par une cascade.

À proximité Carte de microrégion p. 228

Gorges du Ciron B1

Le Ciron, affluent de la Garonne, trace un sillon fortement marqué dont les versants, couverts de végétation, se resserrent en amont du pont de Cazeneuve jusqu'au pont de la Trave.
Aucune voie carrossable n'empruntant le fond de la vallée, les principaux sites ne sont accessibles que par des routes transversales ou en cul-de-sac. La descente des gorges en canoë-kayak est tout indiquée pour profiter pleinement des paysages *(voir « Nos adresses à Cazeneuve » ci-dessous).*
Du **pont de la Trave**, jolie perspective sur la rivière, un barrage et une centrale électrique. En amont, ruines du château (14e s.) qui commandait le passage.

NOS ADRESSES À CAZENEUVE

HÉBERGEMENT

À proximité

BUDGET MOYEN

Chambre d'hôte Dousud – *33430 Bernos-Beaulac - 4,5 km au sud-est de Cazeneuve par D 9 - ✆ 05 56 25 43 23 - www.dousud.fr - P - 5 ch. 70/95 € ☕ - repas 20 €.* Ce corps de ferme bâti au cœur d'un immense parc constitue un excellent point de départ pour des randonnées (pédestres, cyclistes, équestres). Les chambres sont aménagées dans les anciens box de l'écurie. Kitchenette et barbecue à disposition ou table d'hôte, sur réservation.

ACTIVITÉS

Club de canoë-kayak – 25 Grande Route – *33430 Bernos-Beaulac - en sortant de Beaulac, dir. Captieux, sur la gauche, la base est à côté de l'aire de camping-cars - ✆ 05 56 25 47 44 - mai-sept. le w.-end ; juil.-août tlj 9h-12h et 14h-18h - parcours de 45mn (10 €), de 2h45 (12 €), de 4h30 (14 €) et de 7h (16 €). Enfants 7-12 ans, 8 € sur tous les parcours.* Pour descendre les gorges du Ciron en toute sécurité.

Biscarrosse

12 031 Biscarrossais – Landes (40)

NOS ADRESSES PAGE 249

S'INFORMER

Office du tourisme de Biscarrosse – *55 pl. Georges-Dufau - 40600 Biscarrosse-Plage - ✆ 05 58 78 20 96 - www.biscarrosse.com - juil.-août : 9h-20h ; avr.-juin et sept. : lun.-vend. 9h-18h, w.-end : 10h-12h, 14h-17h ; oct.-déc. : lun.-vend. 9h-12h, 14h-17h, sam. 10h-12h ; janv.-mars : lun.-vend. 9h-13h, 14h-18h, sam. 10h-12h - fermé 1er janv., 1er et 11 Nov., 25 déc.*

SE REPÉRER

Carte de microrégion A1 (p. 228) – *carte Michelin Départements 335 E8.*

À une trentaine de kilomètres au sud d'Arcachon. Trois sites : **Biscarrosse-Plage**, sur l'Océan (par la D 218), et **Biscarrosse-Ville**, dans les terres (par la D 652), distants de 10 km ; entre les deux, sur les rives du lac Nord (Biscarrosse-Sanguinet), s'étend **Biscarrosse-Lac**. Au sud se trouve l'étang de Biscarrosse-Parentis.

ORGANISER SON TEMPS

Réservez la visite du musée de l'Hydraviation aux jours de grisaille ou aux après-midi caniculaires, pour profiter des activités de plein air que proposent Biscarrosse et ses alentours. Attention : hors saison, le musée n'ouvre que l'après-midi et il est fermé le mardi. Par ailleurs, toutes les années paires (souvent pendant le week-end de l'Ascension), Biscarrosse accueille le Rassemblement international d'hydravions sur le site Latécoère.

AVEC LES ENFANTS

Le musée historique de l'Hydraviation, une promenade en barque sur le canal et les étangs *(voir « Musée des Traditions », p. 248).*

3

Biscarrosse possède des atouts séduisants, à commencer par ses sites naturels. Pour les adeptes de sensations fortes, elle est une destination de rêve. Les aviateurs de haut vol, qui lui ont donné ses lettres de noblesse, se mêlent à présent à une nouvelle vague de sportifs : les surfeurs. Aujourd'hui, ça bouge à Biscarrosse, tant sur les eaux que dans les airs et sur terre, où l'on enfourche volontiers sa bicyclette pour découvrir le Parc régional des Landes de Gascogne.

Se promener

Biscarrosse-Plage

Voilà la zone littorale idéale pour qui aime les énormes rouleaux (plages surveillées en saison) : on y surfe évidemment, on y pêche aussi, on y lézarde… Comme toute station balnéaire d'été, l'animation se concentre autour de la rue principale où alternent boutiques, cafés et restaurants. Le soir, on se retrouve sur la place centrale qui regroupe un petit centre commercial, le fronton et le cinéma.

Musée historique de l'Hydraviation

332 r. Louis-Breguet - ✆ 05 58 78 00 65 - ♿ - juil.-août : 10h-19h ; sept.-juin : tlj sf mar. et j. fériés 14h-18h - 4,30 € (enf. 1 €).

Un système de flotteurs : rien de tel pour se poser en douceur quand les avions sont trop lourds pour les trains d'atterrissage. C'est entre les deux guerres

VILLE DE DUNES
Biscarrosse, un nom biscornu à première vue… et pourtant *Biskar* signifie « dos, dune ». Biscarrosse, c'est « l'endroit où il y a des dunes ».
L'ingénieur **Brémontier** met au point, à partir de 1788, le projet de fixation des dunes envisagé dès le Moyen Âge. En 1867, 3 000 ha de dunes littorales sont couverts de **gourbet** (plante dont les racines fixent le sable) et 80 000 ha de dunes intérieures sont plantés en pins maritimes *(voir p. 39)*.

que l'hydraviation voit son heure de gloire. **Pierre Latécoère**, fondateur de la célèbre Aéropostale auréolée par les hauts faits de Mermoz, implantera une usine de montage et une base d'essai à Biscarrosse (1930-1956).
Le musée retrace cette époque pionnière de l'aéronautique. Nombreux documents (cartes de vol, décorations, etc.), maquettes et pièces originales (moteurs, hélices, etc.) évoquent les grandes figures de l'histoire de l'hydraviation, la naissance des compagnies aériennes, l'aventure de l'Aéropostale, les premiers grands raids… En ouverture, projection d'un film (20mn) : *Naissance et crépuscule des hydravions géants*.
En face du musée, dans le hall vitré, exposition d'un hydravion de 1912 reconstruit à l'identique et appareils grandeur nature de la Seconde Guerre mondiale.

Musée des Traditions

216 r. Louis-Breguet - ✆ 05 58 78 77 37 - http://museetraditions.com - juil.-août : tlj sf dim. mat. 9h30-19h ; juin et sept. : tlj sf dim. et lun. 9h-12h, 14h-18h ; vac. scol. : 14h-18h ; reste de l'année sur RV - 4 € (enf. 3 €) - circuits en barque (1h30) : 9 € (6-12 ans 8 € ; 2-5 ans 4 €), de 2h : 11 € (enf. 10/4 €) et de 3h30 : 18 € (enf. 17/8 €).
Il faudra y passer si vous voulez découvrir l'histoire de Biscarrosse liée à son paysage de lacs et de marais, et aux activités qui s'y développèrent, notamment dans la forêt où l'on exploitait la résine. Des circuits en barque sont organisés par le musée. Un batelier vous sensibilisera à la faune et à la flore de la région (histoire du lac, observation des oiseaux migrateurs et de la végétation).

Étang de Cazaux et de Sanguinet

Cet étang, également appelé « lac Nord », est un magnifique plan d'eau de 3 600 ha piqueté de voiles, avec 5 km de plage entre Port-Maguide et Port-Navarrosse. Sports de glisse en tous genres. Détente dans la forêt que vous pourrez parcourir à pied ou à vélo. Pour les amateurs de golf, parcours de 18 trous. Au départ de Port-Navarrosse, promenades en bateau sur le lac Nord ou Sud, via le canal.

Étang de Biscarrosse et de Parentis A1

Aussi appelé « lac Sud », il comporte un port et une plage avec jeux pour les enfants *(tout près du musée de l'Hydraviation)*.
Il est relié à l'étang voisin par un **canal** bordé d'une **piste cyclable**.
Vous l'emprunterez si vous vous engagez sur le circuit pédestre fléché du **petit lac** *(7 km)*.

À proximité Carte de microrégion p. 228

Sanguinet A1

13 km de Biscarrosse, au nord-est de l'étang de Cazaux et Sanguinet.
Pl. de la Mairie - 40460 Sanguinet - ✆ 05 58 78 67 72 - juil.-août : 9h30-12h, 14h-19h, dim. et j. fériés 10h-13h - mai-juin : 9h30-12h, 14h-17h - fermé 1er Mai.

L'intéressant **Musée archéologique** expose clairement et de façon didactique les résultats de fouilles entreprises dans l'étang : vestiges préhistoriques, dont d'étonnantes pirogues monoxyles (faites d'une seule pièce de bois) en pin datant du premier âge du fer, et vestiges gallo-romains. *℘ 05 58 82 11 82 - ♿ - juil.-août : mar.-dim. 10h-13h, 16h30-19h - 3,50 € (enf. 1 €).*

Parentis-en-Born A1

9 km de Biscarrosse, au sud-est de l'étang de Biscarrosse et de Parentis.

Pl. du Gén.-de-Gaulle - 40160 Parentis-en-Born - ℘ 05 58 78 43 60 - www.parentis.com - juin-sept. : lun.-sam. 10h-13h, 15h-19h, dim. 9h-13h ; reste de l'année : tlj sf merc. apr.-midi et w.-end 9h-12h, 14h-17h.

Le nom de cette modeste localité, qui rappelle l'origine ancienne de l'un des plus typiques « pays » des Landes, le **pays de Born** (pays « du bout des terres »), possède maintenant la notoriété grâce au pétrole ! Mais vous y viendrez pour profiter des activités autour du **lac**.

NOS ADRESSES À BISCARROSSE

TRANSPORTS

Navette – Un service est assuré entre Biscarrosse-Ville et plage toute l'année.

Pistes cyclables – Plus de 20 km reliant Biscarrosse-Ville et Parentis, Biscarrosse-Ville et Biscarrosse-Lac (étang de Cazaux et de Sanguinet) ou encore Biscarrosse-Lac et Biscarrosse-Plage.

HÉBERGEMENT

À Biscarrosse

PREMIER PRIX

Hôtel Les Vagues – *99 r. des Iris - ℘ 05 58 83 98 10 - www.lesvagues.com - fermé de mi- nov. à mi-mars - ♿ - P - 29 ch. 40/118 € - ☕ 8 € - rest. 18/36 €.* À 300 m de la plage, cet établissement s'adresse à ceux qui redoutent le bruit. Les chambres confortables sont parfois dotées d'un balcon. Très agréable terrasse et jardin à l'ombre des pins.

BUDGET MOYEN

Chambre d'hôte La Villa Belle – *12 r. des Biganons - centre-ville - ℘ 05 58 78 11 90 - www.maisondhotes-lavillabelle-biscarrosse.com - ✗ - P - 3 ch. 65/105 € - 2 suites familiales 110/160 € ☕ - repas 30 € sur réserv.* Dans un quartier calme et résidentiel, cet hôtel de famille a été entièrement rénové. Chaque chambre est décorée différemment : la Marocaine, la Créole, l'Espagnole, mais aussi la Cupidon. Le soir, dîner servi en terrasse. Piscine, bibliothèque, salon pour les enfants et espace cinéma complètent le tableau.

À proximité

BUDGET MOYEN

Camping Domaine de la Rive – *Rte de Bordeaux - 8 km au nord-est de Biscarrosse par D 652, rte de Sanguinet, au bord de l'étang de Cazaux - ℘ 05 58 78 12 33 - www.larive.fr - avr.-sept. - réserv. indispensable – 800 empl. 47 € - restauration – wifi payant 10 €/3h.* Le paysage de ce camping (cinq étoiles) invite à la rêverie. Vous goûterez la baignade dans le lac ou dans l'une des jolies piscines avec toboggans ou à vagues. Théâtre de plein air, jacuzzi, hammam, spa, restaurant, club enfants... Mobile homes et chalets.

3

POUR SE FAIRE PLAISIR

Hôtel La Caravelle – *5314 rte des Lacs - 40600 Ispe - 6 km au nord de Biscarrosse par D 652 puis D 305 - ✆ 05 58 09 82 67 - www.lacaravelle.fr - fermé 1er nov.-14 fév., lun. midi et mar. midi sf juil.-août - P - 11 ch. 74/114 € - ☕ 8 € - rest. 16/40 €.* Cet hôtel a « les pieds dans l'eau » et dispose d'un ponton privé. Dans le bâtiment principal, chambres avec vue sur le lac ; à la Villa, aménagements plus récents (mais pas de vue). Terrasse panoramique.

RESTAURATION

Bon à savoir – Nombreuses guinguettes et stands de restauration rapide sur la place Georges-Dufau à Biscarrosse-Plage, face à l'office de tourisme.

À Biscarrosse

BUDGET MOYEN

La Garole – *215 av. de la Plage - ✆ 05 58 78 29 08 - fermé du 15 déc. à déb. janv. - 16/34,50 €.* Fruits de mer et poissons jouent les vedettes sur la carte de ce restaurant. Service souriant et efficace, prix sages.

À proximité

PREMIER PRIX

Cousseau – *11 r. St-Barthélemy - 40160 Parentis-en-Born - ✆ 05 58 78 42 46 - www.hotel-restaurant-cousseau.com - fermé mi-oct. à déb. nov., dim. soir et lun. soir - 11/45 €.* Ce restaurant est un pied-à-terre gourmand idéal. La salle à manger, aux tons taupe et au décor modernisé, se singularise par une forte identité landaise.

BUDGET MOYEN

Restaurant de la Poste – *12 av. du 8-Mai-1945 - 40160 Parentis-en-Born - 10 km au sud-est de Biscarrosse par D 652 - ✆ 05 58 78 40 23 - fermé merc. - déj. 11 € - 20/35 €.* Ce restaurant propose une cuisine copieuse et savoureuse (salade landaise, civet de canard sauce au vin) à un bon rapport qualité-prix. Salle à manger très bien tenue, accueil chaleureux.

EN SOIRÉE

Casino – *Bd des Sables - ✆ 05 58 78 26 99 - 12h-2h, w.-end et j fériés 12h-3h.* Ce n'est pas Las Vegas, mais avec cinquante machines à sous, deux tables et une boule, les amateurs de jeux pourront passer un agréable moment. Restaurant et bar.

ACTIVITÉS

Balades à pied et à vélo – Une dizaine de circuits sont balisés ; demandez le *plan-guide* à l'office de tourisme.

La Vigie-Maison du surf – *31 av. du Grand-Vivier - ✆ 05 58 78 37 79 - juil.-août : 9h-19h ; hors sais. : 10h-12h, 14h-18h - fermé nov.-mars.* Ici, tout est prévu pour vous faire découvrir LE sport de la station : cours en formule découverte, initiation ou perfectionnement. Location de planches de surf.

Mimizan

7 000 Mimizannais – Landes (40)

NOS ADRESSES PAGE 254

S'INFORMER

Office intercommunal du tourisme de Mimizan – *38 av. Maurice-Martin - ℘ 05 58 09 11 20 - www.mimizan-tourisme.com - juil.-août : lun.-sam. 9h-19h, dim. et j. fériés 9h-12h30, 16h-19h ; avr.-juin et sept. : lun.-vend. 9h-19h, sam. 10h-12h, 15h-17h ; oct.-mars : lun.-vend. 9h-19h, sam. 9h-12h.*

Office du tourisme de Léon – *65 pl. Jean-Baptiste-Courtiau - 40550 Léon - ℘ 05 58 48 76 03 - www.ot-leon.fr - juil.-août : lun.-sam. 9h-13h, 15h-19h, dim. et j. fériés 10h-13h ; avr.-juin et sept. : tlj sf dim. et j. fériés 9h-12h, 14h-18h ; oct.-mars : mar.-vend. 9h-12h, 14h-17h, lun. et sam. 9h-12h.*

SE REPÉRER

Carte de microrégion A1 (p. 228) – *carte Michelin Départements 335 D 9.*
À 33 km au sud-ouest de Biscarrosse. Deux têtes à cette station : Mimizan-Ville et Mimizan-Plage, distantes d'environ 6 km.

ORGANISER SON TEMPS

Les meilleurs moments pour marcher le long de la promenade fleurie sont le matin, juste après le lever du soleil, ou le soir, au moment de son coucher. Si vous vous rendez à l'étang de Léon, passez-y l'après-midi pour vous balader dans les environs ou faire la promenade en barque sur le courant d'Huchet.

Forfait 2 sites – Il permet de visiter la Maison du patrimoine et le musée-prieuré de Mimizan à tarif préférentiel.

AVEC LES ENFANTS

Les plages ; le parc « Les pieds sur Terre » à Onesse-et-Laharie ; la descente du courant d'Huchet en barque.

Perfide, la dune ! À pas de loup, elle s'est avancée, a englouti Segosa, la Mimizan gallo-romaine, puis la bourgade de Mimizan douze siècles plus tard. Nulle crainte à avoir aujourd'hui, la dune s'est fait prendre dans les filets des joncs et on peut profiter sans crainte des attraits balnéaires de la station ou découvrir la nature environnante en empruntant sentiers et pistes cyclables.

Se promener

Mimizan-Plage

Quatre **plages** surveillées au bord de l'Océan et une plage sur le courant de Mimizan, près de son embouchure.

Pistes cyclables entre l'Océan et le lac d'Aureilhan (4 km), entre l'Océan et Pontenx-les-Forges (18 km), entre Mimizan-Plage et Contis (8 km), entre Mimizan-Plage et Mimizan-Ville (4 km).

Trois **sentiers de découverte** *(dépliants à l'office de tourisme)* : « Les étangs de la Mailloveyre » à Mimizan-Plage, « Le courant des Forges » à Pontenx-les-Forges, « L'étang du Bourg-Vieux » à Bias, et des sentiers pédestres le long du courant de Mimizan, près du lac d'Aureilhan, à Saint-Paul-en-Born.

Lac d'Aureilhan A1

1 km. Départ au bout de l'av. du Lac à Mimizan. La **promenade fleurie**, le long du lac, est jalonnée de nombreuses variétés de plantes et de fleurs locales et exotiques. Jolies vues sur le lac. Vous pourrez poursuivre jusqu'au château de Woolsack *(GR 8)*.
Au niveau de la passerelle, un sentier mène à la **plage surveillée** du lac, où se trouve également une base nautique.

Musée-Prieuré de Mimizan

Entre Mimizan-Ville et Mimizan-Plage. 05 58 09 00 61 - http://musee.mimizan.com - de mi-juin à mi-sept. : tlj sf dim. sur RV ; reste de l'année : lun.-vend. sur RV - 4 € (-14 ans gratuit). La visite comprend le musée, une présentation virtuelle de l'abbaye et une visite guidée de son clocher-porche (voir ci-dessous).
Vous vous laisserez conter l'histoire locale à travers une exposition d'objets et de maquettes présentant les activités d'autrefois, forestières principalement.

Site de l'abbaye

À côté du musée, au bord de la route, vous verrez l'**église abbatiale** (classée au Patrimoine mondial de l'Unesco) avec son portail roman, surmonté d'un Christ en gloire entouré de statues de saints (celle de saint Jacques est la plus ancienne que l'on connaisse en Aquitaine). Pour pénétrer dans le clocher-porche et voir les peintures murales du 15e s., inscrivez-vous à la visite guidée comprise dans celle du musée *(voir ci-dessus)*.

À proximité Carte de microrégion p. 228

« Les Pieds sur Terre » à Onesse-et-Laharie A2

22 km au sud-est par la D 38. 05 58 07 34 77 - www.les-pieds-sur-terre.info - - juil.-août : tlj sf sam. 10h-19h ; mai-juin et sept. : merc. et dim. 14h-19h - 5 € (-12 ans 3 €).
Le parcours aménagé dans cet « espace de découverte environnementale » (15 ha), qui aborde notamment le thème des énergies, chemine entre prairie, plan d'eau, brebis et poneys landais… À voir aussi : un bélier hydraulique, autre invention de Montgolfier, une éolienne, une scierie mobile *(mise en marche à 16h)*, deux locomotives et une imposante machine à vapeur *(mise en marche à 11h et 16h)*.

Circuit conseillé Carte de microrégion p. 228

ENTRE DEUX COURANTS

Pour visualiser ce circuit de 117 km au départ de Mimizan, se reporter à la carte p. 228. Compter environ une journée.
Bon à savoir – Si vous souhaitez descendre le courant d'Huchet en barque, pensez à réserver trois jours à l'avance.
Quitter Mimizan au sud par la D 652. À 1,5 km avant St-Julien-en-Born, au rond-point, tourner à droite dans la D 41. Le courant de Contis longe la route sur la gauche.

Courant de Contis A2

06 73 04 68 89
Le courant de Contis draine jusqu'à l'Océan les eaux de plusieurs ruisseaux landais. Par une série de méandres, il se fraye un passage à travers le marais

Le lac d'Aureilhan.
M. Schneider / Photononstop

puis, en fin de parcours, entre les dunes, tantôt sous un berceau de feuillage, tantôt entre deux haies naturelles de roseaux, fougères, vergnes (aulnes) ou vignes sauvages. Des plantations de pins, peupliers, chênes-lièges, cyprès chauves complètent le tableau. À l'approche de l'Océan prédominent les pins, en aval de Pont-Rose.

Continuer sur la D 403 qui relie Contis-Plage au Cap-de-l'Homy-Plage à travers la forêt. Prendre à gauche pour rejoindre Lit-et-Mixe. Là, poursuivre au nord-est sur la D 66, puis prendre la D 41 à Uza, à droite.

Lévignacq A2

Ce charmant village typiquement landais a gardé ses vieilles maisons basses à pans de bois et toits de tuiles. L'église, fortifiée au 14e s., est aussi représentative avec son clocher très aigu et sa façade classique. À l'intérieur, sa **voûte★** de bois est décorée de peintures du 18e s. Le chœur présente un retable entouré de colonnes torses et un devant d'autel en bois doré.

Quitter Lévignacq au sud-ouest par la D 105. Au croisement de la D 5, prendre en face, légèrement à gauche et continuer tout droit. À Miquéou, prendre à gauche la D 652. À Vielle, une petite route mène à l'étang de Léon.

Étang de Léon A2

Distractions sportives, nautiques en particulier : location de pédalo, canoë, barque, base de voile, dans le cadre d'un paysage reposant. La piste cyclable permet notamment de rejoindre Vieux-Boucau. C'est aussi le point de départ pour les promenades sur le courant d'Huchet.

★ Courant d'Huchet A2

Descente du courant en barque – *Bureau des bateliers - r. des Berges-du-Lac - 40550 Léon - ☏ 05 58 48 75 39 - www.batelier.com - sur réservation, excursions en barque : avr.-sept. 10h ou 14h30 - durée de 2h (proposition valable d'avr. à sept.) 12,50 € (-6 ans 6,25 €) à 4h (proposition valable en juil.-août) 20,50 € (-6 ans 10,25 €).*

À la sortie de l'étang de Léon, le courant coule entre les joncs et les nénuphars. À gauche, un refuge de pêcheurs. La barque glisse sous une voûte de verdure. Le courant débute après le passage du « barrage de la Nasse », se rétrécit au « Pas-du-Loup » et s'engage bientôt dans la « Forêt vierge ». Des cyprès chauves, et voilà Pichelèbe.
La végétation redevient dense, difficilement pénétrable. Puis le paysage se transforme. Les hibiscus sauvages se font abondants : ce sont les bains d'Huchet. Au-delà de la dune côtière, le grondement de l'Océan... cela vous tente ?
Sentier pédestre – À partir du pont de Pichelèbe, un des sentiers vous conduit jusqu'à la plage d'Huchet (15mn, non surveillée) ou, si vous longez le courant d'Huchet, jusqu'à Moliets (4 km) et jusqu'à la Nasse (Léon, 3 km).
Réserve naturelle du courant d'Huchet –*t05 58 48 73 91 - sur réserv. à la Maison de la réserve, au bord du lac de Léon (accueil toute l'année), au chalet d'accueil de Pichelèbe (d'avr. à sept.).* Partez à la découverte de la réserve naturelle (faune, flore, histoire, activités traditionnelles, contes et légendes) en visites guidées pédestres le long du courant d'Huchet, depuis Pichelèbe.
Revenir à Vielle et prendre à gauche la D 328 vers Moliets-et-Maâ jusqu'au pont de Pichelèbe.
Contournant l'étang de Léon, la route traverse un très joli paysage alternant forêts de pins et landes. À **Maâ** (A2), allez voir la chapelle St-Laurent ; en cours de route, remarquez les maisons landaises à appareil de brique en épi.
À **Moliets** (A2), arrêtez-vous devant le portail gothique de l'église.
Revenir à Mimizan par la D 652.

NOS ADRESSES À MIMIZAN

HÉBERGEMENT

À Mimizan

PREMIER PRIX

Camping municipal de la Plage – *Bd de l'Atlantique - ✆ 05 58 09 00 32 - www.mimizan-camping.com - wifi payant 4 €/h - avr.-sept. - réserv. indispensable - 609 empl. 19,90 €.* Les pins disparus après la tempête de 1999 ont été remplacés par des feuillus qui redonnent progressivement de l'ombre à ce terrain de bonne qualité (emplacements, partie locative, aire de camping-cars), proche de la plage. Chalets et mobile homes peuvent se louer au week-end hors juillet-août.

Camping Club Marina-Landes – *Plage Sud - ✆ 05 58 09 12 66 - www.marinalandes.com - 14 mai.-17 sept. - réserv. conseillée - 583 empl. 15/49 € - restauration.* Ce camping propose des emplacements très agréables et une partie locative avec cottages, chalets et bungalows bien équipés et situés dans un cadre verdoyant. Les sanitaires sont presque tous rénovés et les services, déjà nombreux et de qualité, devraient encore évoluer. Animations et loisirs sur place.

Hôtel Atlantique – *38 av. de la Côte-d'Argent, Mimizan-Plage - ✆ 05 58 09 09 42 - www.atlantique-mimizan.fr - P - ♿ - 30 ch. 50/95 € - ☕ 7,50 € - rest. 11/18 €.* Cette maison landaise du début du 20e s., rénovée, vaut par sa situation près de la plage et loin de l'agitation touristique. Les chambres offrent deux niveaux de confort avec balcon ou vue sur mer. Salle à manger au décor « bistrot » et menus à prix doux.

Hôtel L'Airial – *6 r. de la Papeterie - ✆ 05 58 09 46 54 - www.hotel-airial.com* - P - ♿ - tte l'année - *16 ch. 43/75 € - ☕ 5,50/7,50 €.* Un petit hôtel familial construit dans les années 1970 dans un quartier résidentiel plutôt calme. L'accueil est sympathique, les chambres simples mais bien tenues. Jardin agréable.

À proximité

PREMIER PRIX

Camping municipal du Lac – *Av. de Woolsack - 2 km au nord de Mimizan par D 87, rte de Gastes, au bord de l'étang de Mimizan - ✆ 05 58 09 01 21 - www.mimizan-camping.com - avr.-sept. - réserv. conseillée - 466 empl. 14 €.* Ce camping propose des emplacements pour tentes et caravanes, des bungalows à la semaine et prévoit la création d'un espace locatif. En attendant, les sanitaires ont été rénovés et les pins sont peu à peu remplacés par des feuillus pour ombrager l'ensemble du site. Location de tentes et de caravanes.

Camping La Paillotte – *40140 Azur - 7 km au nord de Soustons par D 50 - ✆ 05 58 48 12 12 - ouv. fin mai-déb. sept. - réserv. indispensable - 310 empl. 35 € - restauration.* Aménagé comme une île tahitienne avec ses bungalows-paillotes perdus dans une végétation luxuriante, ce camping détonne. Complexe aquatique. Mini-club et plage.

BUDGET MOYEN

Yelloh ! Village Lous Seurrots – *60 av. de l'Océan - 40170 Contis-Plage - sortie sud-est par D41 - ✆ 05 58 42 85 82 - www.lous-seurrots.com - ouv. de déb. avr. à mi-sept. - 610 empl. 45 € - locatif 35/95 €.* Ici, le bois est roi : de la pinède où nichent les chalets et les emplacements de camping au restaurant, en passant par les terrasses couvertes des mobile homes. Si les installations sont relativement modestes, le site est magnifique, à deux pas du fameux courant de Contis.

UNE FOLIE

Chambre d'hôte La Bergerie St-Michel – *40550 St-Michel-d'Escalus - ✆ 05 58 48 74 04 - www.bergeriestmichel.fr - tte l'année* 🚭 *- 4 ch. 95/130 € ☕.* Un accueil souriant vous attend dans cette maison landaise au milieu des pins, dans un site protégé et à 10mn des plages. Les chambres, aménagées dans les dépendances, possèdent de beaux meubles anciens, une salle d'eau au décor design et une terrasse privative.

RESTAURATION

À Mimizan

BUDGET MOYEN

L'Émeraude des Bois – *66/68 av. du Courant - ✆ 05 58 09 05 28 - www.emeraudedesbois.com* - P *- fermé 17 sept.-27 avr. - 17/38 € - 15 ch. 56/75 € - demi-pension 106 €/114 € - ☕ 8 €.* Sympathique hôtellerie à 3mn des plages de la Côte d'Argent et de la vaste forêt de Mimizan. Salle à manger prolongée d'une véranda et agréable terrasse ombragée. Cuisine du terroir et de tradition. Chambres sobrement décorées et dotées de petites salles de bains.

À proximité

PREMIER PRIX

La Cave aux Moules – *Av. de l'Océan, échoppe St-Martin - 40660 Moliets-et-Maâ - ✆ 05 58 48 54 05 - fermé de fin sept. à mi-mai - 10/30 €.* À l'intérieur de cette grande bâtisse en bois ou sur l'une des terrasses, vous savourerez un plat de moules, LA spécialité de la maison, accommodé de multiples manières : marinières, à la crème, au roquefort, etc. Les propositions du jour sont suggérées sur des ardoises. Idéal pour un dîner en famille !

BUDGET MOYEN

L'Auberge de St-Paul – *Quartier Villenave - 40200 St-Paul-en-Born - 7 km à l'est de Mimizan par D 626 - ✆ 05 58 07 48 02 - P - ♿ - fermé déc.-fév., dim. soir et lun. sf juil.-août - 17,50/30 €.* Passez une bonne journée en famille dans cette auberge au milieu des pins. Tout le monde sera ravi : bonne table aux spécialités du Sud-Ouest et promenades pour découvrir les animaux de la ferme du parc alentour. Jeux pour les enfants.

Auberge du Soleil – *64 rte du Lac - 40140 Azur - N 10 sortie Magesq - ✆ 05 58 48 10 17 - www.auberge-du-soleil.fr - fermé 2 sem. en fév. et 3 sem. en oct. selon vacances scolaires zone C - 12,70 € déj. - 25/31 € - 6 ch. 41/49 € - demi-pension 85 €/96 € - ☕ 6,10 €.* L'atout incontestable de cette petite adresse, outre sa jolie terrasse ombragée par deux platanes, est sa carte offrant un bon choix de plats régionaux ; le cassoulet, le foie gras de canard et les pâtisseries sont faits maison.

Ferme-auberge Lesca – *428 chemin des Tucs - 40260 Castets - 14 km à l'est de Léon par D 142 - ✆ 05 58 89 41 45 - www.ferme-lesca.fr - juin-sept. - fermé lun. - réserv. obligatoire - 18/35 €.* Dégustez la garbure et les produits dérivés du canard gras dans cette ancienne grange du pays, labellisée « Assiette de Pays ». Atmosphère champêtre. Vous pourrez acheter les produits maison.

ACTIVITÉS

Visites guidées de la filière bois – *Rens. et réserv. à l'office de tourisme de Mimizan - juin-sept.* Visites guidées d'entreprises de la filière bois ; animations nature pour les enfants.

Balades à pied et à vélo – Cartes des pistes cyclables et des sentiers pédestres de la côte landaise en vente *(1 €)* dans les offices de tourisme.

Cyclo'Land – *8 r. du Casino (plage Nord) - ✆ 05 58 09 16 65 - juil.-août : 9h-20h ; avr.-juin et sept. 9h-12h30, 14h-18h ; oct.-mars : se renseigner.* Location de vélos, VTT ou VTC pour enfants et adultes.

Cycles Labat – *88 r. de la Poste - 40550 Léon - ✆ 05 58 48 71 98 - tlj sf dim. et lun. (en sais. : tlj).* Location de vélos, VTT, VTC, tandems et remorques pour enfants.

Mont-de-Marsan

32 234 Montois – Landes (40)

NOS ADRESSES PAGE 261

S'INFORMER

Office du tourisme de Mont-de-Marsan *– 6 pl. du Gén.-Leclerc - ✆ 05 58 05 87 37 - www.lemarsantourisme.fr - juil.-août : lun.-sam. 9h-18h30, dim. 10h-13h ; avr.-juin et sept.-oct. : lun.-sam. 9h-18h ; nov-mars : lun.-vend. 9h-12h30, 13h30-18h, sam. 9h-13h.* Plan commenté du centre-ville. Visites thématiques *(juil.-août).*

SE REPÉRER

Carte de microrégion B2 (p. 228) *– carte Michelin Départements 335 H-I 11.* Mont-de-Marsan se trouve à 130 km au sud de Bordeaux par l'A 65.

SE GARER

Parkings gratuits de la Préfecture et du Midou.

À NE PAS MANQUER

Le musée Despiau-Wlérick.

ORGANISER SON TEMPS

Comptez une demi-journée pour flâner dans la ville et visiter le musée Despiau-Wlérick. Pour le circuit alentour, réservez une journée complète. Si vous êtes de passage à Mont-de-Marsan un mardi ou un samedi matin, ne manquez pas le marché St-Roch.

AVEC LES ENFANTS

La chapelle N.-D. des cyclistes ; le parc de Nahuques et la Ganaderia de Buros *(voir la rubrique « Activités », p. 263).*

3

Que deviennent la Douze et le Midou lorsque leurs flots se rencontrent ? La Midouze, bien sûr ! En 1114, une bastide fut fondée par le vicomte de Marsan au pied de la paroisse St-Pierre-du-Mont. Il ne reste qu'à assembler… pour obtenir Mont-de-Marsan. C'est aujourd'hui une de ces villes un peu méconnues, qui vit discrètement dans sa quiétude administrative de capitale landaise. Son climat doux la pare l'été de palmiers, de magnolias, de lauriers-roses… et des senteurs balsamiques des forêts de pins.

Se promener

Pas de grands monuments, mais quelques édifices intéressants, et une atmosphère agréable où l'eau et la végétation ne sont jamais loin.
De l'office de tourisme, empruntez, en contrebas de la poste, la passerelle des Musées qui offre une jolie vue sur les berges verdoyantes du **Midou**. Traversez la rue Lacataye, avec le **donjon** sur votre droite, puis l'Hôtel du département, tout de verre, sur votre gauche.

★ Musée Despiau-Wlérick

Pl. Marguerite-de-Navarre - ✆ 05 58 75 00 45 - ♿ - juil.-août : 10h-12h, 14h-18h sf j. fériés ; reste de l'année : tlj sf mar. et j. fériés 10h-12h, 14h-18h - gratuit.
Il est installé dans deux édifices massifs, la maison et la chapelle romanes, ainsi que dans le « donjon » Lacataye (14e s.) en pierre coquillière ocre (roche

sédimentaire typique des Landes, dite « coquillière » car des coquillages s'y sont incrustés il y a environ 2 000 ans).
Le musée est consacré à la sculpture moderne figurative. Parmi les 700 œuvres rassemblées figurent des pièces maîtresses d'une centaine d'artistes : Carpeaux, Bourdelle, Dalou…
Mais, comme son nom l'indique, le musée est en grande partie consacré aux sculptures de **Charles Despiau** (1874-1946) et de **Robert Wlérick** (1882-1944), tous deux originaires de Mont-de-Marsan, qui modelèrent une réputation artistique très honorable à la ville.
Dans le donjon, où les sculptures se détachent sur les murs de pierre brute, le premier niveau est consacré à **Charles Despiau**. Remarquez la *Liseuse* au naturel saisissant et la série de bustes de femmes, dont *Paulette*, qui valut au sculpteur l'attention de Rodin. Au second niveau sont exposées les œuvres de **Robert Wlérick** (père de la statue équestre du maréchal Foch, place du Trocadéro à Paris). Vous y verrez ses œuvres de jeunesse, *L'Enfant aux sabots* et *Le Jeune Faune*. Au troisième niveau sont présentées les œuvres monumentales de l'Exposition universelle de 1937. Dans les escaliers se trouvent quelques belles faïences de Samadet *(voir le circuit du Tursan à Aire-sur-l'Adour)*.
De la terrasse du donjon, panorama sur la ville encadrée de forêts. Le jardin compte quelques sculptures monumentales de Despiau.
Par la rue des Musées, rejoindre la rue Victor-Hugo et prendre à gauche.
La petite rue Maubec se faufile entre l'hôtel Planté (conseil régional) et la préfecture de style Empire : admirez la **maison romane** (12e s.) en pierre coquillière. À droite, l'avenue Victor-Duruy passe devant les anciennes **écuries** de la gendarmerie (19e s.) avant de traverser la **Douze**.
Avancer jusqu'à la place Francis-Planté pour accéder au parc Jean-Rameau.

PARCOURS DES SCULPTURES

En 1988, certaines œuvres du musée descendirent dans les rues… cela plut aux passants, alors elles y prirent leurs quartiers *(plan disponible à l'office de tourisme)* ! Depuis, tous les 3 ans, de nouvelles œuvres, parfois créées pour l'occasion, sont temporairement exposées dans la rue.

Parc Jean-Rameau

Du nom d'un poète et romancier landais (1858-1942), l'ancien jardin de la préfecture se love le long de la Douze. Ponctué d'œuvres de Despiau, fleuri et planté de beaux arbres (platanes, magnolias), c'est un poumon vert dans la ville. Près de la passerelle, un petit **jardin japonais** ajoute au parc montois une note venue d'ailleurs.
Poursuivre, soit par la paisible rue Corcos, soit par la rue de la Pépinière et la petite rue des Landes qui la prolonge, non sans charme.
Le pont St-Jean-d'Août emjambe la Douze, noyée sous la verdure, et la rue Armand-Dulamond accueille plusieurs hôtels particuliers du 18e s.
À droite, la rue de Gourgues vous amène sur la place Charles-de-Gaulle avec, juste avant le pont, la **minoterie** : cet ancien moulin du 10e s. surplombe le Midou (qui rejoint la Douze quelques mètres plus bas).
Longez à droite la **cale de l'Abreuvoir** jusqu'au pont des Droits-de-l'Homme, qui offre un beau point de vue sur le confluent de la Douze et du Midou, et sur les quais qui servaient jadis à décharger le grain.
Vous pouvez alors descendre au bord de la Midouze et prolonger la promenade sur le **chemin de halage** *(partir à gauche)*.

La chapelle Notre-Dame-des-Cyclistes, à Labastide-d'Armagnac.
J.-D. Sudres / hemis.fr

Centre d'art contemporain Raymond-Farbos

3 r. St-Vincent-de-Paul - 05 58 75 55 84 - dans le cadre des expositions : lun.-vend. 10h-13h, 14h-18h, sam. 14h-18h.
Aménagé dans un ancien entrepôt à grain, ce bel espace dédié à l'art contemporain présente d'importantes expositions temporaires de peinture et de sculpture. L'étage et la mezzanine accueillent les œuvres de la collection permanente.

Circuit conseillé Carte de microrégion p. 228

ENTRE MARSAN ET ARMAGNAC

Pour visualiser ce circuit de 85 km au départ de Mont-de-Marsan, se reporter à la carte de microrégion p. 228. Compter une journée.
Quitter Mont-de-Marsan au sud-est par la D 30 ; à 13 km, tourner à droite en direction d'Artassenx et suivre la D 406 (fléchage).

Chapelle N.-D.-de-la-Course-Landaise, à Bascons B2

- merc.-vend. et 1er w.-end du mois apr.-midi - fermé lun., mar., 3 derniers w.-ends du mois et j. fériés - 4 € (-12 ans 2 €).
Près de cette chapelle du 13e s., le **musée de la Course landaise** (*05 58 52 91 76*) présente l'histoire de ce sport et en rappelle les règles (diaporama, vidéo et documents).
Revenir sur la D 30, direction Le Houga, puis après 6 km prendre à gauche la D 11.

Villeneuve-de-Marsan B2

181 Grand'Rue - 40190 Villeneuve-de-Marsan - 05 58 45 80 90.
Ancienne bastide du 13e s., Villeneuve-de-Marsan a gardé de cette époque son église de brique ainsi que sa vieille tour crénelée qui domine le vignoble d'appellation bas-armagnac.
Prendre, au sud-est, la D 1, direction Eauze. À 2 km, tourner à droite vers Perquie.

Château de Ravignan B2

05 58 45 28 39 - visite guidée juil.-août : 17h ; avr.-juin et sept. : w.-end et j. fériés 15h, 16h, 17h et 18h - 5,50 € (-12 ans gratuit).

Ce château de style classique a connu des phases successives de construction. Une simple gentilhommière vit le jour en 1663 (beaux parquets d'origine). Elle fut agrandie au 18e s. puis surélevée d'un deuxième étage et ardoisée au 19e s. L'ensemble est entouré d'un parc à la française comprenant des essences variées centenaires.

L'intérieur est meublé et décoré de portraits de famille. À remarquer : l'armoire aux épices provenant du comptoir des Indes, le retable flamand du 16e s. et une impressionnante collection de gravures évoquant Henri IV.

Enfin, lors de la visite des chais, vous dégusterez différents armagnacs.

Prendre la D 354 vers Labastide-d'Armagnac. À Arthez-d'Armagnac, prendre la direction de Mauléon-d'Armagnac (D 101 puis D 154). 1,5 km après Mauléon, au carrefour, prendre à gauche la D 209.

Écomusée de l'Armagnac – Château Garreau B2

05 58 44 84 35 - www.chateau-garreau.fr - ♿ - avr.-oct. : 9h-12h, 14h-18h, w.-end et j. fériés 14h-18h ; nov.-mars : lun.-vend. 9h-12h, 14h-18h - fermé 1er janv. et 25 déc. - 5 €.

L'eau-de-vie de Gascogne, autrement dit l'armagnac, séduit les papilles des gourmets depuis le 15e s. Son aire de production s'étend sur les Landes, le Lot-et-Garonne et le Gers, et comprend trois appellations dont le très apprécié bas-armagnac. L'écomusée, qui a été rajeuni et réorganisé, expose une série d'outils anciens liés au travail du vigneron, une dizaine d'**alambics** et une exposition de bouteilles. L'auditorium présente la fabrication de l'armagnac et un jeu autour des arômes de ce nectar.

45mn à 2h. Un parcours nature, décliné en 3 itinéraires balisés, chemine dans le parc (80 ha) à travers vignes, bois de cèpes et étangs.

Continuer sur la D 209, puis tourner à droite dans la D 626 vers Barbotan-les-Thermes.

Chapelle N.-D.-des-Cyclistes B2

En Aquitaine, Notre-Dame est également la patronne de la « petite reine ». N.-D.-des-Cyclistes abrite des accessoires, des maillots et des souvenirs des grands du cyclisme.

Faire demi-tour pour gagner Labastide-d'Armagnac par la D 626.

★ Labastide-d'Armagnac B2

Pl. Royale - 40240 Labastide-d'Armagnac - 05 58 44 67 56 - http://tourisme-landes.com - juin-sept. : tlj sf merc. et dim. 10h-12h, 14h-18h ; reste de l'année : lun., mar., jeu. et vend. 10h-12h, 14h-18h - fermé 15 déc.-6 janv., w.-end et j. fériés. Plan commenté de la ville (payant) ; plan-guide des randonnées pédestres et VTT du bas Armagnac landais.

Très jolie bastide fondée en 1291. Autour de la place Royale, vieilles maisons de pierre à pans de bois sur arcades qui, à la belle saison, resplendissent sous le soleil et les fleurs. Imposante tour-clocher du 15e s. Un marché de pays se tient sur la place en saison *(mai-sept. : dim. mat.)*.

La D 626 mène à St-Justin.

St-Justin B2

Pl. des Tilleuls - 40240 St-Justin - 05 58 44 86 06 - juil.-août : lun.-sam. 10h-12h30, 14h-19h, dim. 14h-19h ; juin et sept. : mar.-sam. 10h-12h, 14h-18h ; reste de l'année : se renseigner. Plan commenté gratuit et visites guidées.

C'est la plus ancienne bastide landaise (1280). Jadis, elle connut son heure de gloire en accueillant des personnalités (Gaston Phébus, Henri IV…) ; à présent, vous lui ferez honneur en venant apprécier son charme qui a traversé les âges. Sur la jolie **place des Tilleuls**, belles maisons anciennes à arcades et à pans de bois.
La D 626 chemine à travers bois.

Roquefort B2

Berceau des vicomtes de Marsan au 10e s., Roquefort fut une ville fortifiée (remparts et tours des 12e et 14e s.). Fondée par les bénédictins de St-Sever au 11e s., l'église, en majeure partie gothique, abrita ensuite une commanderie d'antonins, religieux hospitaliers qui soignaient le mal des ardents, fièvre violente appelée aussi « feu de saint Antoine ». À côté, ancien prieuré : portes et baies de style flamboyant.
Quitter Roquefort au sud par la D 934.

Centre Jean-Rostand B2

882, rte de Sainte-Foye - 40120 Pouydesseaux - ✆ 05 58 93 92 43 - 25 avr.- 30 oct. : lun.-vend. 9h-12h, 14h-18h ; sam. en juil.-août ; 4 €, gratuit -14 ans, tarif réduit 2 €.
Ce centre, dédié au grand biologiste qui y mena dès 1962 des recherches sur la flore, est un véritable conservatoire de la nature, et un laboratoire de biologie d'eau douce. Véritable outil d'observation et d'éducation, il permet de découvrir la diversité du milieu naturel, riche et sauvegardé. Forêts, zones sèches et humides, ruisseaux et rus, ainsi que des spécimens vivants vous dévoileront leurs secrets.
Prendre à l'ouest la D 933 qui rejoint la D 932 pour Mont-de-Marsan.

3

NOS ADRESSES À MONT-DE-MARSAN

HÉBERGEMENT

À proximité

PREMIER PRIX

Camping Le Pin – *Rte de Roquefort - 40240 St-Justin - 2,3 km au nord sur D 626 rte de Roquefort - ✆ 05 58 44 88 91 - 1er mars.-30 oct. - 11 tentes 11/18 € - bungalow, chalets, mobil homes 350/580 € (haute saison) - réserv. conseillée - restauration.* Ce terrain s'organise autour d'une ancienne ferme abritant le bureau d'accueil, le bar et la salle à manger ouverte sur une terrasse dressée près de la piscine, bien agréable en été.

BUDGET MOYEN

Chambre d'hôte Le Domaine de Paguy – *40240 Betbezer-d'Armagnac - 5 km au nord-est de Labastide-d'Armagnac par D 11 puis D 35 - ✆ 05 58 44 81 57 - www.domainedepaguy.com - fermé 25 mars-7 avr., ch. d'hôte : ouv. tte l'année - ⊭ - réserv. obligatoire - 4 ch. 62/73 € ☕ - repas 32 €.* Cette noble maison de maître (16e s.), entourée d'un vaste domaine viticole, domine la vallée de la Douze. Les chambres spacieuses et agréables donnent sur le joli jardin (piscine) et sur les vignes au milieu desquelles folâtrent poules et canards. Dans la dépendance, deux autres chambres, plus simples. Généreuse cuisine landaise.

RESTAURATION

À Mont-de-Marsan

BUDGET MOYEN

Le Don Quijote – *7 r. St-Vincent - ✆ 05 58 06 22 04 - fermé dim. midi et lun. - formule déj. 11,50 € - 22/27 €.* Tapas, charcuterie, *parilladas*, paellas, brochettes et viandes *a la plancha* régalent les clients de ce petit restaurant voué à la cuisine espagnole. Aux beaux jours, la salle à manger (climatisée) est délaissée pour le ravissant patio. Atmosphère simple et conviviale.

Le Bistrot de Marcel – *1 r. du Pont-de-Commerce - ✆ 05 58 75 09 71 - www.lesensdugout.com - fermé lun. mat., sam. et dim. tte la journée - déj. 10,90 € - 17/35 €.* La façade de ce bistrot n'offre pas d'attrait particulier mais n'hésitez pas à pousser la porte car l'intérieur, moderne, où dominent la pierre et le bois, est très agréable, de même que les deux terrasses surplombant la rivière. Dans l'assiette, plats landais.

À proximité

BUDGET MOYEN

Hôtel de France – *Pl. des Tilleuls - 40240 St-Justin - ✆ 05 58 44 83 61 - fermé mi-déc.-mi janv., dim. soir - 28/40 € - 8 ch. 40 € - ☕ 7 €.* La terrasse de cet hôtel-restaurant est dressée sur la place du village : c'est là qu'il faut s'installer aux beaux jours pour savourer les plats régionaux longuement mitonnés par le chef. L'intérieur, tout simple, comprend un café-bistrot et une sympathique salle à manger rustique.

BOIRE UN VERRE

Brûlerie Montoise – *1 r. du 4 Septembre - ✆ 05 58 75 02 63 - tlj sf dim. et lun. 9h-12h, 14h-19h - fermé 2 sem. fin juil. et j. fériés.* Les effluves de café grillé qui flottent dans la rue et un ravissant décor « tout bois » incitent à pousser la porte de cette boutique. Trois tables de style bistrot vous permettront de faire une pause pour déguster un café maison ou l'un des 90 thés proposés.

La Cidrerie – *7 r. du 4-Septembre - ✆ 05 58 46 07 08 - tlj sf dim. 11h-15h, 18h-2h, lun. 18h-2h.* Installée dans une ancienne écurie, cette auberge perpétue la tradition basque du cidre. De grandes tables en bois invitent au dialogue et l'ambiance est bon enfant.

EN SOIRÉE

Arènes de Plumaçon – *Pl. des Arènes - ✆ 05 58 75 39 08 - lun.-jeu. 8h-12h, 13h30-17h30, vend. 8h-12h et 13h30-16h30, fermé le w.-end.* Corridas, concours de vaches landaises, concerts, fêtes de la Madeleine (à la mi-juillet), ces arènes en voient de toutes les couleurs ! Chaque jour, une visite libre des arènes, de la chapelle et du bloc opératoire vous est proposée.

Café Music – *4 cale de la Marine - à proximité du cinéma - ✆ 05 58 85 92 92 - www.lecafemusic.com - permanence : mar. et dim. 15h-19h, merc. 13h-20h, jeu. et vend. 15h-22h, sam. 13h-22h - fermé de fin juil. à fin août.* Cet espace culturel situé au bord de la Midouze est destiné à la jeunesse. Labellisé « café-musique », il organise fréquemment des concerts de rap, reggae, rock, pop, salsa et musiques nouvelles. Des groupes de réputation nationale viennent s'y produire.

Théâtre municipal – *9 pl. Charles-de-Gaulle - www.montdemarsan.fr* Pour connaître le programme, se rens. à la mairie (*✆ 05 58 05*

87 57). Mont-de-Marsan propose une saison culturelle diversifiée, et cela dans trois lieux : le théâtre municipal, le centre François-Miterrand et le théâtre du Péglé.

Pôle culturel du Marsan – *190, av. Camille-Claudel - 40280 Saint-Pierre-du-Mont - ✆ 05 58 03 72 10 - www.lepolecultureldumarsan.fr* Centre de rencontres et de création, à la programmation riche.

ACHATS

La Tourtière – *7 allée Raymond-Farbos - ✆ 05 58 75 77 00 - tlj sf lun. 8h-19h, dim. 7h-12h30.* Belle leçon de cuisine dans cette pâtisserie qui prépare sous vos yeux la tourtière (légère pâte feuilletée garnie de pommes ou de pruneaux et parfumée à l'armagnac), le nid d'abeille (gâteau à la crème pâtissière), le pastis landais *(voir photo p. 49)* et le pastis des Pyrénées.

Chai de Soube – *Soube - 40240 St-Justin - ✆ 05 58 44 83 88.* Ce chai, installé dans une bergerie de 1860, abrite aussi un musée sur la vie des paysans autrefois. Actuellement, les millésimes d'armagnac compris entre 1984 et 1991 sont proposés à la vente, tandis que les plus récents vieillissent dans le chai.

Bas Armagnac Francis Darroze – *Av. de l'Armagnac - 40120 Roquefort - ✆ 05 58 45 51 22 - 8h30-18h, w.-end et j. fériés sur RV.* La « collection » de la famille Darroze, composée d'environ 200 bas-armagnacs, regroupe les récoltes d'une trentaine d'exploitations ; les alcools vieillissent paisiblement en fûts et la mise en bouteilles se fait sur commande. Les 45 millésimes vendus (les plus récents datent de 1990) portent le nom du domaine.

Domaine départemental d'Ognoas - *40190 Arthez-d'Armagnac - ✆ 05 58 45 22 11 - www.domaine-ognoas.com - mai-sept. : lun.-vend. 9h-12h, 14h-17h30, w.-end et j. fériés 14h-18h ; reste de l'année : lun.-vend. 9h-12h, 14h-17h30.* Le domaine, qui appartenait jadis à la vicomté de Marsan, produit des bas-armagnacs AOC depuis 1905 : il abrite un alambic du début du 19e s., toujours en fonction. Visite des chais et dégustation. Ognoas se trouve sur la Voie verte du Marsan *(voir ci-dessous).*

ACTIVITÉS

Voie verte du Marsan et de l'Armagnac – *Accès à Mont-de-Marsan : prendre la dir. Villeneuve.* Ancienne voie ferrée reliant Mont-de-Marsan à Gabarret (50 km au total, dont 15 km de piste cyclable de Mont-de-Marsan à Villeneuve).

Parc de Nahuques – *Rte de Villeneuve - ✆ 05 58 75 94 38 - juil.-août : lun.-vend. 9h-12h, 15h-18h45, w.-end et j. fériés 15h-18h45 ; reste de l'année : 9h-12h, 14h-17h45, w.-end et j. fériés 14h-17h45 - gratuit.* Ce parc animalier fait œuvre de pédagogie auprès des enfants qui voient évoluer en liberté chèvres, moutons, mouflons de Corse, lamas, daims, émeus, cygnes, etc.

Ganaderia de Buros – *D 656, entre Gabarret et Sos - 40310 Escalans - ✆ 05 58 44 36 57 - www.ganaderiadeburos.fr - toute l'année, sur RV.* Pour découvrir les vaches de course landaise dans leur environnement. Cette ferme écotouristique propose d'autres activités, comme un week-end de chasse à la palombe, une véritable institution dans le Sud-Ouest.

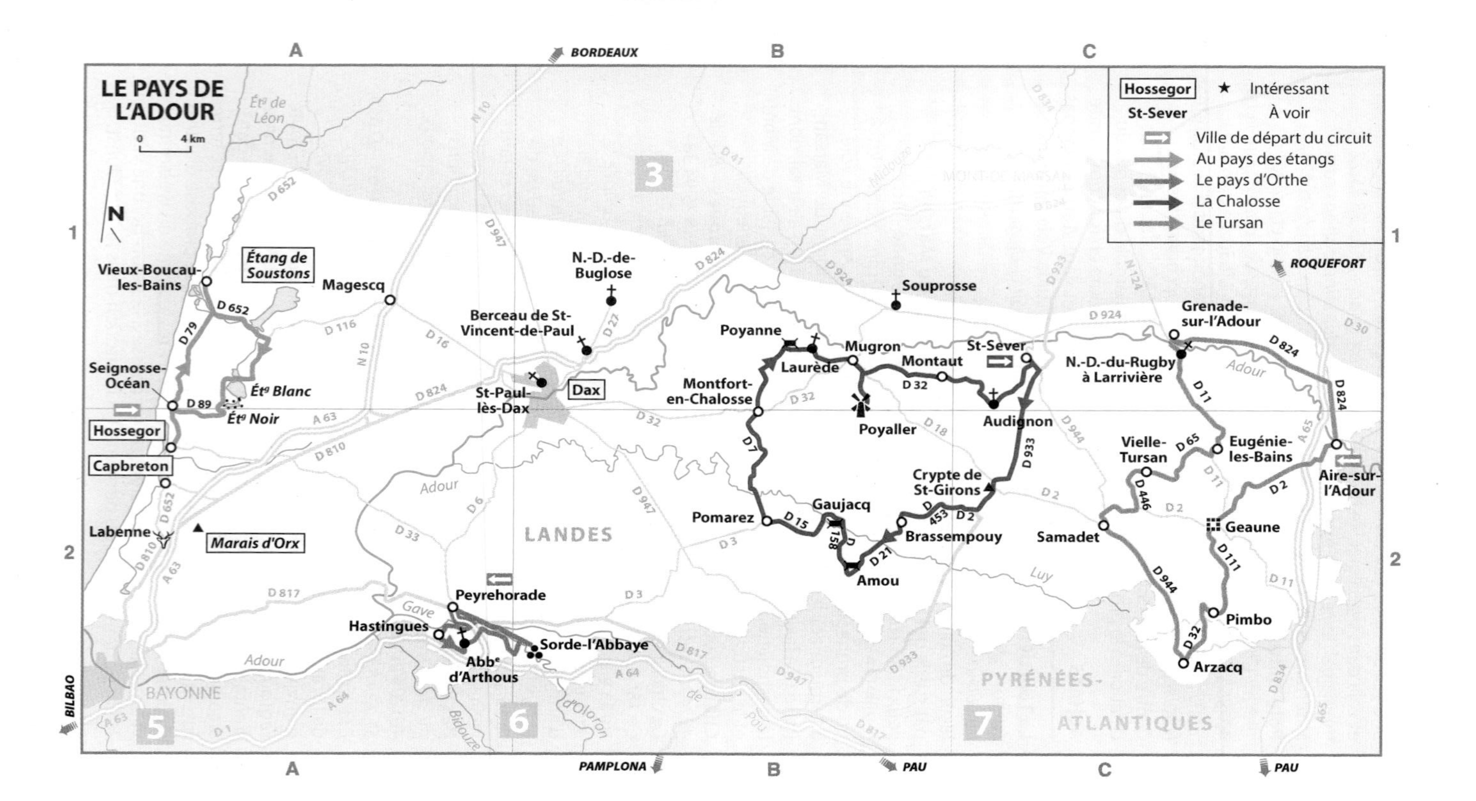
LE PAYS DE L'ADOUR
0
4 km
N
Hossegor
Intéressant
St-Sever
À voir
Ville de départ du circuit
Au pays des étangs
Le pays d'Orthe
La Chalosse
Le Tursan
BORDEAUX
ROQUEFORT
PAU
PAMPLONA
BILBAO
Étg de Léon
Vieux-Boucau-les-Bains
Étang de Soustons
Magescq
Seignosse-Océan
Étg Blanc
Étg Noir
Hossegor
Capbreton
Labenne
Marais d'Orx
BAYONNE
N.-D.-de-Buglose
Berceau de St-Vincent-de-Paul
St-Paul-lès-Dax
Dax
LANDES
Peyrehorade
Hastingues
Sorde-l'Abbaye
Abbe d'Arthous
Gave
Adour
Bidouze
d'Oloron
de Pau
Souprosse
Poyanne
Laurède
Mugron
Montaut
St-Sever
Montfort-en-Chalosse
Poyaller
Audignon
Crypte de St-Girons
Pomarez
Gaujacq
Brassempouy
Amou
Luy
Grenade-sur-l'Adour
N.-D.-du-Rugby à Larrivière
Vielle-Tursan
Eugénie-les-Bains
Aire-sur-l'Adour
Samadet
Geaune
Pimbo
Arzacq
PYRÉNÉES-ATLANTIQUES
D 652
D 79
D 89
D 116
N 10
D 16
A 63
D 810
D 947
D 824
D 27
D 32
D 6
D 33
D 817
D 3
D 7
D 15
D 158
D 21
D 453
D 2
D 933
D 18
D 924
D 944
D 11
D 65
D 446
D 111
A 65
D 30
N 124
D 834
A 64
D 1
A
B
C
1
2
3
5
6
7

+ d'adresses

Le pays de l'Adour 4

Carte Michelin Départements 335 - Gironde (33) et Landes (40)

Dax

★

20 810 Dacquois – Landes (40)

NOS ADRESSES PAGE 271

S'INFORMER

Office du tourisme de Dax – *11 cours Foch - ✆ 05 58 56 86 86 - www.dax-tourisme.com - juil.-août : 9h30-18h30, dim. et j. fériés 9h30-12h30 ; avr.-juin et sept.-oct. : 9h30-12h30, 14h-18h30, dim. et j. fériés 9h30-12h30 ; reste de l'année : lun.-vend. 9h30-12h30, 14h-18h, sam. 14h-18h - fermé le sam. en déc.* Visites guidées thématiques et nocturnes - audioguides.

Centrale de réservation – *✆ 05 58 56 68 55.* Ce numéro permet de s'informer sur les **15 établissements thermaux** de Dax et de réserver sa cure ou son hébergement de vacances.

SE REPÉRER

Carte de microrégion B 1-2 (p. 264) – *carte Michelin Départements 335 E12.* Entre Mont-de-Marsan et Bayonne (le Pays basque n'est pas loin), Dax est à 35 km au nord-est de Capbreton et à 21 km au nord de Peyrehorade.

SE GARER

Parkings près de la cathédrale et au bord de l'Adour. Attention, certaines rues du centre-ville sont piétonnes. Bus réguliers pour St-Paul-lès-Dax et St-Vincent-de-Paul.

À NE PAS MANQUER

La fontaine chaude, les parcs et jardins de la ville ; le marché au gras, le samedi matin sous les halles.

ORGANISER SON TEMPS

Attention, le musée de Borda est fermé les dimanches et lundis. En août ont lieu, pendant une semaine, les férias de Dax : la ville est très animée. Enfin, si vous êtes dans la région un jeudi en fin d'après-midi, vous entendrez le carillon des 60 cloches de l'église N.-D.-de-Buglose (en saison).

AVEC LES ENFANTS

Le musée de l'hélicoptère ; le Conservatoire avicole du Puyobrau à Magescq.

Protégée des vents maritimes par la forêt landaise, riche de ses eaux, cette ville est bien évidemment un bain de jouvence pour les curistes. Les thermes ne désemplissent pas. La ville a même, aujourd'hui, la palme française de la cure thermale. Mais rassurez-vous, à Dax, pas besoin d'avoir des douleurs. Les espaces verts, les bords de l'Adour et les spectacles taurins justifient que vous vous y arrêtiez en touriste.

Se promener Plan de ville p. 269

Centre-ville

Même si la très classique **cathédrale Notre-Dame** vous paraît un peu sévère, prenez le temps de jeter un coup d'œil à l'intérieur. Flânez ensuite dans les rues piétonnes (rues Neuve, des Carmes, St-Vincent...), bordées de commerces, de salons de thé et de magasins de douceurs.

Détail du fronton des arènes, élevé en 1913.
L. Maisant / hemis.fr

Un repère pour le passant : la célèbre **fontaine chaude** (dite aussi « de Nèhe », du nom d'une naïade), dont les eaux, captées depuis les Romains, jaillissent à 62 °C, dans un vaste bassin entouré d'arcades. Tout à côté, **statue de Jean-Charles de Borda**, célèbre ingénieur maritime dacquois du 18e s.
Arrêtez-vous **rue du Palais** sur une petite place tranquille, où les Amours joufflus d'une fontaine du 18e s. soufflent à pleins poumons leurs eaux dans le bassin.

Musée de Borda

Chapelle des Carmes - 11 bis r. des Carmes - ☏ 05 58 74 12 91 - ♿ - mar.-sam. : 14h-18h - fermé 1er janv., 1er Mai, 1er et 11 Nov. et 25 déc. - 2,50 € (-18 ans gratuit), 1er dim. du mois gratuit.

Installé dans la **chapelle des Carmes** – l'un des plus anciens édifices de la cité –, le musée présente chaque année une grande exposition basée sur ses propres collections (art, histoire, sciences, etc.). Créé en 1807 par la fameuse Société archéologique et historique de Borda, le musée doit son nom à **Jacques-François de Borda** (1718-1804), cousin de Jean-Charles, précurseur de la préhistoire.

Crypte archéologique

☏ 05 58 74 12 91 - www.dax.fr - ♿ - mar.-sam. 14h-18h - fermé lun., 1er janv., 1er Mai, 1er et 11 Nov., 25 déc. - 2,50 € (-18 ans gratuit), 1er dim. du mois gratuit - se rendre au musée de Borda pour le départ de la visite à 15h30.

Dax est un haut lieu de l'archéologie landaise. Le podium d'un important temple gallo-romain du 2e s. a été mis au jour pendant des fouilles. Le site accueille une exposition interactive qui retrace plusieurs siècles d'histoire dacquoise au travers de vestiges gallo-romains et médiévaux (bronzes, céramiques, monnaies, etc.). Le **trésor★** constitue l'attraction principale : très belles statuettes gallo-romaines de bronze représentant un Esculape (dieu de la médecine), au visage un peu empâté et aux grands yeux d'argent, et un Mercure (dieu de la richesse, des voyageurs, des voleurs…) suivi d'un coq et d'un bouquetin.

LES RICHESSES DES EAUX

Histoire d'eaux – Dax était avant tout une cité lacustre. Peu à peu, les apports de l'Adour comblèrent le lac, et la cité, bâtie sur pilotis, put s'étendre sur la terre ferme. Avec l'arrivée des Romains, les sources devinrent célèbres. On dit même que Julie, la fille de l'empereur Auguste, y fit soigner ses rhumatismes. Toujours est-il que la ville reçut les faveurs de Rome et que sa richesse grandit…

Passage royal – Beaucoup plus tard, ce furent Louis XIV et Marie-Thérèse, tout juste mariés, qui, de retour de St-Jean-de-Luz, s'arrêtèrent à Dax. Pour les accueillir, les Dacquois avaient dressé un arc de triomphe (disparu depuis) sur lequel était peint un dauphin jaillissant des eaux, surmonté d'une inscription latine ainsi traduite : « Puisse-t-il, ce petit dauphin, naître du passage royal aux eaux de Dax. »

Les boues thermales de Dax – D'un côté, de l'eau de pluie qui s'enrichit en sels minéraux et atteint une température de 62 °C ; de l'autre, les limons de l'Adour.

Musée Georgette-Dupouy

Pl. du Présidial (entrée au 12 r. du Mirail) - ✆ 05 58 56 04 34 - http://ass.gdupouy.free.fr - ♿ - lun.-sam. 14h-18h, dim. 15h-18h - fermé 1er janv. et 25 déc. - 2,50 € (-25 ans gratuit), gratuit dim. et j. fériés.

Cette artiste peintre autodidacte (1901-1992) s'installa à Dax en 1935 après son mariage et fut contrainte d'abandonner les pinceaux, alors qu'une première exposition à Paris en 1930 avait attesté de son talent. Malgré l'hostilité familiale, elle se remit à peindre en 1942, rencontra Utrillo en 1943 et dès lors se consacra de nouveau à sa passion. Méconnues du grand public (l'artiste refusa de travailler avec les galeristes), les œuvres de **Georgette Dupouy** n'en ont pas moins parcouru le monde. Ce musée, qui rassemble nombre de ses portraits, natures mortes et paysages, est à découvrir.

Architecture Art déco

En rejoignant le cours de Verdun par la rue des Carmes, vous ne manquerez pas d'admirer un des deux fleurons de l'architecture Art déco de la ville : le Splendid Hôtel, construit en 1929 par André Granet et Roger Expert. L'**Atrium**, situé cours Foch, est le deuxième édifice caractéristique de cette époque faste. Entre les deux, l'architecte Jean Nouvel signa le pendant contemporain avec l'**hôtel des Thermes** et sa façade à persiennes de bois.

Parcs et jardins

Pour des promenades nature, vous avez le choix entre les **bords de l'Adour** et les parcs et jardins. En amont du pont, le **parc Théodore-Denis** est délimité au sud par les remparts gallo-romains. En aval, le **jardin de la Potinière** descend au cœur du quartier thermal avec, en contrebas, le « trou des pauvres », ancien bain public. À l'ouest, le **bois de Boulogne**, grand parc de détente, est aussi un havre de verdure pour le promeneur (6 km de sous-bois).

Du vieux pont, empruntez la **promenade** qui borde l'Adour : vous pouvez continuer à longer ses berges jusqu'au bois de Boulogne.

À voir aussi Plan de ville ci-dessous

Parc du Sarrat

R. du Sel-Gemme - ♿ - visite guidée uniquement - mars-nov. : mar., jeu., sam. 15h30 - fermé déc.-fév. - 3,50 € (enf. gratuit).

Vous déambulerez d'un style à l'autre dans ce parc parcouru de canaux : jardin à la française débouchant sur un bassin bordé de magnolias, petit jardin japonais, cressonnière, potager biologique, etc. Arrêtez-vous devant la maison inspirée par l'architecte américain **Frank Lloyd Wright**. Ses baies vitrées qui courent sur toute la façade font véritablement entrer la nature à l'intérieur.

Musée de l'Hélicoptère et de l'Aviation légère de l'Armée de terre (ALAT)

Au sud de la ville. Prendre la D 6, direction Peyrehorade, puis la D 106 et tourner à droite dans l'avenue de l'Aérodrome. 58 av. de l'Aérodrome - ✆ 05 58 74 66 19 - www.museehelico-alat.com - ♿ - juil.-août : lun.-sam. 14h-17h45 ; mars-nov. : lun.-vend. 14h-17h45 - fermé déc.-fév. et j. fériés - 5 € (enf. 1,80 €).

Documents, souvenirs, uniformes… ainsi qu'une trentaine d'hélicoptères et d'avions, dont le Hiller UH 12 A que pilotait en Indochine Valérie André, première femme général de l'armée française.

À proximité Carte de microrégion p. 264

St-Paul-lès-Dax B1

Prendre la route de Bayonne, puis suivre la signalisation.

L'**église** présente de beaux bas-reliefs du 11e s. au chevet : animaux fantastiques, saintes, Trinité, Cène, Baiser de Judas, Crucifixion, Samson chevauchant un lion, sainte Véronique, dragon, allégorie du ciel. Cette station thermale est aussi le point de départ de balades, à pied ou en VTT, vers la forêt et les étangs.

Berceau de saint Vincent de Paul B1

4 km au nord-est par la N 824, puis à gauche la D 27.

Autour de l'**église** de style néobyzantin, observez les édifices appartenant aux œuvres de bienfaisance et d'éducation fondées par « Monsieur Vincent ». Vous pourrez visiter, à gauche sur la place, la « Ranquines », construite sur l'emplacement de sa maison natale et assemblée à partir de quelques vestiges

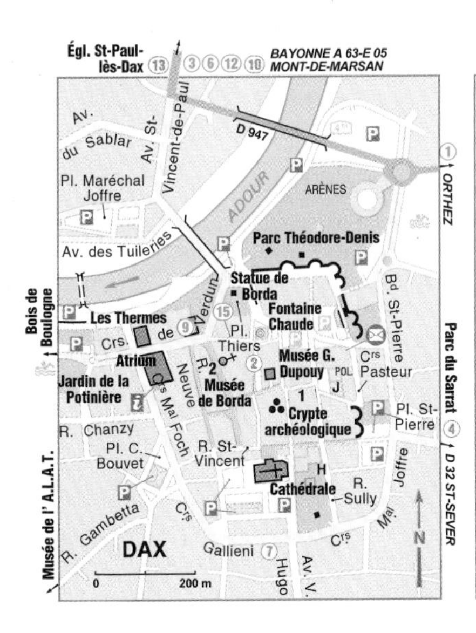

SE LOGER

SE RESTAURER

INDEX DES RUES

UN PRÉCURSEUR DES ŒUVRES SOCIALES

Vincent de Paul est né en 1581, d'une famille pauvre de paysans. Il commence ses études à Dax en 1595, puis est ordonné prêtre en 1600. Tout au long de son ministère apostolique, « Monsieur Vincent » s'efforce de lutter contre la misère et d'en combattre les causes. Nommé par Louis XIII aumônier général des galères, il prodigue aux forçats aide spirituelle et secours. C'est lui qui assiste Louis XIII sur son lit de mort. À la demande de la régente Anne d'Autriche, il siège au Conseil de conscience et participe à la réforme de l'Église catholique. Pendant la Fronde, il s'efforce de ramener la concorde, organise le ravitaillement de villes sinistrées et menacées de famine, crée des soupes populaires et l'assistance par le travail.

originaux. À l'intérieur, souvenirs du saint, dont la vie est présentée à proximité dans une **salle d'exposition**. Entre cette salle et la maison se dresse un respectable vieux **chêne**, témoin de l'enfance de Vincent.

N.-D.-de-Buglose B1

9 km au nord-est par la N 824, puis à gauche la D 27.

Important lieu de pèlerinage landais voué à la Vierge. La basilique néoromane renferme, au-dessus de l'autel, une Vierge à l'enfant en pierre polychrome découverte en 1620. La tour abrite un **carillon** de soixante cloches qu'on peut entendre sonner chaque jeudi en fin d'après-midi. Une allée conduit à une source et à la petite chapelle (enchâssée dans une chapelle moderne) édifiée là où fut trouvée la statue vénérée de Notre-Dame.

Conservatoire avicole du Puyobrau, à Magescq A1

11 km au nord-ouest par la D 16. 2695 rte de Dax - 05 58 47 71 83 - mars-sept. : 10h-12h30, 14h-19h ; oct.-fév. : tlj sf mar. 10h-12h30, 14h-19h - possibilité de visite guidée - 6 € (-12 ans 3 €).

Qui de l'œuf ou de la poule… ? Voilà en tout cas un site incontournable pour les petits citadins qui penseraient que les poulets ont les ailes panées ! Dans un cadre champêtre, ils découvriront couveuses et poussins, ainsi que 120 espèces de gallinacés du monde entier (coqs, poules, dindons, canards, paons, etc.), parfois en voie de disparition. À la belle saison, certains gambadent librement dans le bois.

NOS ADRESSES À DAX

HÉBERGEMENT

À Dax

Bon à savoir – Soyez prévoyant si vous souhaitez loger à Dax durant la féria (mi-août) : la ville est en effet prise d'assaut durant six jours… et six nuits. Il s'avère alors très difficile, voire impossible, d'y trouver une chambre.

BUDGET MOYEN

Hôtel de la Nèhe – *18 r. de la Fontaine-Chaude - 05 58 90 16 46 - www.hotel-nehe-dax.com - 20 ch. 51/63 € - 6,20 €.* Tout proche de la fontaine d'eau chaude, dans une rue commerçante et piétonne, un hôtel totalement rénové. Chambres spacieuses et fonctionnelles agrémentées d'un mobilier en bois clair.

UNE FOLIE

Splendid Hôtel – *Cours de Verdun - 05 58 56 70 70 - www.thermadax.fr - P - 106 ch. 115/175 € - 30 appart. - 13 € - rest. 15 €.* Fleuron de l'architecture Art déco de la ville, cet hôtel bien préservé abrite des chambres spacieuses au charme désuet et un centre thermal rénové. La majestueuse salle à manger fut inspirée, dit-on, par celle du paquebot Normandie.

À proximité

BUDGET MOYEN

Étap'Hôtel – *Av. de la Résistance - 40 990 St-Paul-lès-Dax - 05 58 91 90 17 - www.etaphotel.com - réserv. obligatoire - - P - 74 ch. 44/65 € - 4,90 €.* Cet hôtel, proche du casino César Palace et du lac de Christus, propose des chambres fonctionnelles et climatisées. La gérante vous réserve un accueil enthousiaste. Tarifs intéressants (prix identique pour 1, 2 ou 3 personnes), même en pleine saison.

Chambre d'hôte Capcazal de Pachiou – *606 rte de Pachiou - 40350 Mimbaste - 05 58 55 30 54 - www.capcazaldepachiou.com - P - - 5 ch. 50/90 € - table d'hôte 22 €.* Tout est d'époque dans cette maison du 17e s. : cheminées ouvragées, boiseries et meubles anciens, mis en valeur par une décoration réussie. Ajoutez à cela un accueil généreux et une table d'hôte où l'on sert une savoureuse cuisine régionale, au bon goût de « revenez-y ».

Chambre d'hôte L'Aiguade – *1301 rte de la Bretonnière - 40990 St-Paul-lès-Dax - 05 58 91 37 10 - www.laiguade.com - fermé nov.-mars - P - - 3 ch. 55/70 € - réserv. conseillée.* Les chambres au mobilier d'époque de cette maison d'architecte possèdent de très larges ouvertures donnant sur le parc. Selon la saison, vous prendrez votre petit-déjeuner dans la belle salle à manger rustique ou sur la terrasse au bord de la piscine.

POUR SE FAIRE PLAISIR

Hôtel Calicéo – *355 r. du Centre-aéré - au lac de Christus - 40990 St-Paul-lès-Dax - 05 58 90 66 00 - www.hotelcaliceo.com - - P - 47 ch. 83/97 € - 9,70 € - rest. 19/28 €.* Cet hôtel moderne face au lac de Christus est équipé d'un nouveau centre de balnéothérapie avec espace bien-être (spa et centre de soins). Chambres et suites sont garnies d'un mobilier élégant. Cuisine traditionnelle ou diététique au restaurant. Terrasse tournée vers le lac de Christus. Animaux acceptés.

4

RESTAURATION

À Dax

PREMIER PRIX

Lou Balubé – *63 av. St-Vincent-de-Paul - ✆ 05 58 56 97 92 - fermé le soir mar., merc. et jeu. - formule déj. 12,50 € - 14,50/26 €.* Avec les produits qu'il sélectionne sur le marché, le chef confectionne une cuisine mi-terroir, mi-traditionnelle que vous pourrez apprécier dans la salle à manger simple et rustique (pierres et poutres apparentes).

Au Fin Gourmet – *3 r. des Pénitents - ✆ 05 58 74 04 26 - fermé de mi-déc. à mi-janv. - formule déj. 13 € - 13/35 €.* À deux pas de la place de la Fontaine-Chaude, cette adresse, au décor un peu désuet, propose une cuisine régionale traditionnelle.

BUDGET MOYEN

L'Amphitryon – *38 cours Gallieni - ✆ 05 58 74 58 05 - fermé 22 août-3 sept., 1er-30 janv., sam. midi, dim. soir et lundi - 20/40 €.* Façade immaculée et salle à manger au décor marin. Cuisine au goût du jour à base de produits régionaux.

À proximité

PREMIER PRIX

Ferme-auberge de Thoumiou – *380 chemin de Thoumiou - 40180 St-Pandelon - ✆ 05 58 98 73 41 - fermé 16 déc.-1er mars - ouv. w.-end du 1er mars au 30 juin et du 1er au 15 sept. - ouv. tlj sf dim. soir du 1er juil. au 31 août - ♿ - P - 12,50/26 €.* La cuisine mijotée dans cette ferme rappelle les recettes de nos grands-mères. Nul doute qu'elle ravira vos papilles gourmandes. La salle à manger est installée dans l'ancienne étable, très spacieuse et accessible aux personnes handicapées.

POUR SE FAIRE PLAISIR

Le Moulin de Poustagnacq – *40990 St-Paul-lès-Dax - ✆ 05 58 91 31 03 - www.moulindepoustagnacq.com - fermé vac. de la Toussaint, 20-30 déc., vac. de fév., mar. midi, dim. soir et lundi - P - 29/69 €.* Vous serez charmé par cet ancien moulin avec terrasse au bord d'un étang. Une partie de la bâtisse a été aménagée en un restaurant, décoré de manière originale. Cuisine actuelle aux accents régionaux.

ACHATS

Marchés – *✆ 05 58 56 80 00 (mairie)* - Samedi et dimanche matin sous le marché couvert (produits fermiers, légumes, fleurs...), aux halles (gras et volailles) et place Roger-Ducos (primeurs, fleurs, charcuterie...) ; samedi toute la journée, place St-Pierre (vêtements, chaussures, livres...).

Roger Junca - Les Éleveurs gastronomes Excel – *22 bis pl. de la Fontaine-Chaude - ✆ 05 58 90 01 43 - www.roger-junca.com -* août-oct. lun.-sam. 7h30 -19h, dim. et j. fériés 7h30-12h ; nov.-juil. lun.-sam. *7h30-12h30, 15h-19h, dim. et j. fériés (sf 25 déc., 1er janv. et 1er Mai) 7h30-12h.* Depuis 1949, Roger Junca incarne le savoir-faire de la gastronomie du Sud-Ouest. Foie gras de canard mi-cuit sous vide (plusieurs fois récompensé), confits, canards, pâtés et terrines vous attendent dans sa boutique, mais peuvent aussi être livrés dans toute la France.

La Tourtière – *12 r. St-Vincent - ✆ 05 58 74 00 75 - lun.-vend. 7h-19h30, sam. 6h-19h30, dim. 7h-12h30 - fermé 2 semaines en fév. et mars ; j. fériés apr.-midi.* Cette pâtisserie vous régalera avec sa tourtière (pâte feuilletée garnie de pommes ou de pruneaux, parfumée à l'armagnac), son nid d'abeille (gâteau à la crème à base de miel) ou son pastis pyrénéen (brioche au pastis).

EN SOIRÉE

L'Atrium – *Cours du Mar.-Foch - ✆ 05 58 90 99 09 - selon spectacles : billetterie gérée par la régie municipale des fêtes.* Installée dans l'ancien casino (1928), la salle de l'Atrium offre un décor stuqué orné de personnages, d'animaux et de fleurs. Des concerts, pièces de théâtre et ballets y ont lieu.

Casino Barrière – *8 r. Eugène-Milliès-Lacroix - ✆ 05 58 58 77 77 - 10h-2h, w.-end et veille de fêtes 10h-4h.* Doté d'une salle de jeux et de machines à sous, d'un bar et d'un restaurant, ce casino vous propose aussi des spectacles, des soirées à thème, etc.

Casino César Palace – *R. du Centre-Aéré - Lac de Christus - 40990 St-Paul-lès-Dax - ✆ 05 58 91 52 72 - P - casino : 10h-2h30, vend.-sam. 10h-4h ; bowling : 15h-2h, merc. et dim. 15h-2h, sam. 15h-3h.* Ce complexe comprend un casino (70 machines à sous, jeux de boule, roulette anglaise et black-jack), un bowling, deux restaurants et deux bars. Grandes terrasses donnant sur le lac de Christus.

Arènes de Dax – *✆ 05 58 56 86 86 (OT) - Parc Théodore-Denis - ouv. j. de spectacles.* Les arènes furent édifiées en 1913 et agrandies en 1932 pour atteindre leur capacité actuelle de 8 000 places. Leur visite permet de découvrir le patio des *caballos*, la chapelle des matadors et l'infirmerie. Des corridas ont lieu chaque été vers la mi-août et lors de la 1re quinzaine de septembre. Pour les visites, se renseigner à l'office de tourisme.

Régie municipale des fêtes – *Cours Foch - ✆ 05 58 90 99 09 - www.dax.fr - de mi-juil. à fin août : tlj sf dim. 10h-18h30 ; de sept. à mi-juil. : tlj sf w.-end 9h30-12h, 13h30-17h30.* La régie tient lieu de billetterie pour la plupart des spectacles et des animations organisés par la ville : corridas, concerts et spectacles à l'Atrium, etc.

ACTIVITÉS

Promenades – L'office de tourisme met à votre disposition le guide Dax Pas à Pas pour découvrir la ville.

Séjours de remise en forme – *✆ 05 58 56 86 86 - www.dax-tourisme.com* - Pour un séjour « bien-être », vous pouvez prendre contact directement avec les établissements thermaux.

Piscine Borda – *30 r. des Lazaristes - ✆ 05 58 74 86 13 - ouv. du 1er mars au 10 déc., lun.-sam. 15h-20h - 7 € (1h), couples 12 €, 9-18 ans 5 €, tarif accès libre 15 €.* Détente aquatique en piscines de loisirs, piscine intérieure et piscine extérieure en eau chaude (32 °C). Bains californiens, cascades, cols de cygne, geysers, jacuzzi, nage à contre-courant, banquettes bouillonnantes, rampes de massage.

Calicéo – *355 r. du Centre-Aéré - 40990 St-Paul-lès-Dax - ✆ 05 58 90 66 66 - www.caliceo.com - 10h-20h30 - 14 à 24 €.* Ce centre de remise en forme est équipé de trois piscines, jacuzzis, bains bouillonnants, hydrojets, d'une rivière rapide, d'une salle de cardio-training, de hammams et saunas. Hôtel, bar et restaurant sur place. Interdit aux enfants de moins de trois ans.

Hossegor

★

3 586 Hossegoriens – Landes (40)

NOS ADRESSES PAGE 277

S'INFORMER
Office du tourisme d'Hossegor – *44 av. de Paris - 40150 Hossegor - 05 58 41 79 00 - www.hossegor.fr - juil.-août : lun.-sam. 9h-19h, dim. et j. fériés 10h-13h, 16h-19h - reste de l'année : tlj sf dim. 9h-12h, 14h-18h - fermé 1er janv., 1er Mai, 1er et 11 Nov., 25 déc.*

SE REPÉRER
Carte de microrégion A2 (p. 264) – *carte Michelin Départements 335 C13.*
Hossegor n'est séparé de la localité voisine de **Capbreton** que par le canal du Boudigau.

À NE PAS MANQUER
Les villas des années 1920 entre l'Océan et le lac ; la réserve naturelle de l'étang Noir.

ORGANISER SON TEMPS
Comptez une demi-journée pour le circuit de découverte en comptant les arrêts. Le soir, rien de plus agréable qu'une promenade sur la plage ou sur le front de mer au coucher du soleil, avant de rejoindre un bar ou un spectacle de votre choix.

AVEC LES ENFANTS
Promenades à pied ou en vélo sur les sentiers aménagés dans la forêt ; le port miniature à Soustons *(voir la rubrique « Activités », p. 279).*

Un brin boisée, un brin marine, vous prendrez goût à cette petite station balnéaire. Il y a la mer, le soleil... et le vent. Ajoutez une bonne houle venue du Gouf de Capbreton et les surfeurs qui viennent du monde entier lors des championnats, saupoudrez d'une pincée d'élégantes villas, de boutiques et de bars branchés. C'est un régal !

Se promener

La station

Agréable station balnéaire qui, au fil du 20e s., a su intégrer dans un environnement naturel généreux (pins, chênes-lièges, arbousiers) des parcs, jardins, hôtels, un terrain de golf, un casino et un complexe sportif.

Sur la longue bande de sable fin, vous aurez la place de planter votre parasol et d'étendre votre serviette ! Pour la baignade, plages du Sud et Centrale ; pour le surf, plage de la Gravière ; pour le naturisme, plage Nord sur la Côte Sauvage (vers Seignosse). Attention, la dune de la Côte Sauvage est un « espace naturel protégé » ; respectez la réglementation de la circulation piétonnière aux abords du site.

Départ de la Maison Hargous, au nord d'Hossegor en direction de Seignosse, sur la D 152. Cinq **sentiers de découverte** *(2 à 5 km)* sont aménagés dans la forêt. *Voir la rubrique « Activités », p. 279.*

La plage d'Hossegor.
R. Cintract / hemis.fr

Nombreuses pistes cyclables dans Hossegor, reliées au réseau côtier *(plan à l'office de tourisme)*. Abandonnez donc votre voiture!

★ Les villas

Brochure à l'office de tourisme. Il s'agit de propriétés privées : soyez discret; ne pénétrez pas dans les jardins.

Elles sont groupées entre la mer et le lac, sous les pins. Le style basco-landais qui les caractérise était très à la mode dans les années 1920-1930 : il s'inspire de l'habitat rural basque (façades de crépi blanc, toits en débord) et landais (colombages, remplissage en briques apparentes disposées en épi).

LE SAVIEZ-VOUS ?

Des intellectuels, séduits par le site au début du 20e s., y formèrent un cercle culturel, la « Société des amis du Lac ». Ainsi fut lancé Hossegor, dont le nom signifierait « la grande fosse » de *hoos,* « grand », et *gor,* « gouf, fosse ».

4

★ Le lac

Ce lac salé cerné par la forêt de pins occupe l'ancien bras de l'Adour. Il subit l'influence des marées grâce au **canal du Boudigau** qui le relie à l'Océan. Quatre plages sont parfaitement adaptées à la baignade des petits car l'eau y est calme. La plage du Rey, sur la rive est, est plus sportive.

7 km. Brochure à l'office de tourisme. La **Promenade du tour du lac** est ponctuée de 9 panneaux thématiques.

Circuit conseillé Carte de microrégion p. 264

AU PAYS DES ÉTANGS

Pour visualiser ce circuit de 55 km au départ d'Hossegor, se reporter à la carte p. 264. Compter 2h.

Quitter Hossegor au nord, par la D 79.

L'ADOUR, RIVIÈRE VAGABONDE

Dans un lointain passé géologique, l'Adour a creusé une profonde vallée, aujourd'hui sous-marine. À 35 km au large des côtes, l'entaille atteint jusqu'à 3 711 m de profondeur : c'est le **Gouf de Capbreton**, qui se résorbe seulement à 60 km de la côte. Des documents anciens permettent de suivre la course capricieuse imposée à l'Adour par les sables, de Capbreton à Vieux-Boucau, en passant par Bayonne. En 1571, Charles IX ordonna d'assurer à l'Adour une embouchure définitive sauvegardant le port. **Louis de Foix** (architecte du phare de Cordouan) prit la direction des travaux. Une digue de 300 m fut édifiée et un chenal direct fut ouvert sur 1 800 m. De l'ancien bras, il ne reste aujourd'hui que de petits lacs, dont celui d'**Hossegor**.

C'est un vaste circuit hydraulique que constituent les 4 étangs reliés entre eux : l'étang Noir se jette dans l'étang Blanc, qui se jette dans l'étang d'Hardy, qui se jette dans l'étang de Soustons, qui se jette, enfin, dans l'Océan !

Vieux-Boucau-les-Bains A1

05 58 48 13 47 - www.ot-vieux-boucau.fr - juil.-août : lun.-sam. 9h-13h, 14h30-19h, dim. et j. fériés 10h-12h, 15h-19h ; sept.-juin : lun.-sam. 9h-12h, 14h-18h - fermé Toussaint-Pâques, 25 déc.-1er janv., 1er Mai, 1er et 11 Nov.

Endormi en 1578 par le détournement de l'Adour et devenu Vieux-Boucau (« vieille embouchure »), le village renaît aujourd'hui grâce à **Port-d'Albret** *(qui dépend de la commune de Soustons)*, important ensemble touristique aménagé autour d'un **lac salé** de 60 ha. Ses eaux sont renouvelées quotidiennement par un barrage dont les portes suivent le rythme des marées. Du centre-ville, on accède à Port-d'Albret par le **mail**, promenade piétonnière invitant à la flânerie, notamment le soir où les illuminations lui donnent un éclat particulier. Côté mer, baignade et surf ; côté terre, sentiers pédestres autour du lac et dans la forêt, pistes cyclables vers Soustons, Seignosse, Léon *(plan en vente à l'office de tourisme)*.

Suivre la D 652 vers Soustons.

★ Étang de Soustons A1

Vous ne pouvez malheureusement pas voir ses 730 ha d'eau d'un seul regard, contours obligent. Mais ses bords perdus dans les roseaux et les pins sont facilement accessibles depuis l'office du tourisme de Soustons, installé dans une ancienne bergerie et devant lequel se tient la statue de François Mitterrand.

Le GR 8 longe les rives du lac. En prenant à droite, vous arriverez à la pointe des Vergnes, agréablement arborée : belle vue d'ensemble du plan d'eau.

Reprendre la D 652 vers Tosse. À 4 km, suivre à droite le chemin de Gaillou-de-Pountaout (panneau « étang Blanc »), qui passe entre l'étang Hardy et l'étang Blanc.

Étang Blanc A1

Ce petit plan d'eau protégé est peuplé de gabions et de cabanons aménagés par les chasseurs pour guetter les canards. Un chemin le contourne, offrant de jolies vues sur la flore du site et ses environs. Le canal reliant l'étang Noir à l'étang Blanc fait le bonheur des pêcheurs.

La route surplombe ensuite l'étang Noir dans le dernier virage.

Réserve naturelle de l'étang Noir A1

Bon à savoir – Par temps humide, la passerelle devient glissante. Absence de barrière de sécurité sur le caillebotis, surveiller les enfants.

30mn. Ce marais est enjambé par une passerelle *(1 km)* discrète, avec deux plates-formes panoramiques qui permettent une plus grande intimité avec la faune. Le site permet de découvrir la forêt primitive landaise telle qu'elle existait avant les travaux d'assainissement.
Passez préalablement à la **Maison de la réserve** (petites expositions, jeux pour les enfants). *05 58 72 85 76 - accès libre et gratuit tte l'année en visite libre.* Mieux, suivez une visite guidée (1h30) proposée en saison. *Juil.-août : lun.-vend. 10h30, 15h, 17h, dim. 10h30 sf en cas de pluie - visite guidée 3 € (-12 ans gratuit).*
Prendre à droite la D 89.

Seignosse-Océan A1

Av. des Lacs - 05 58 43 32 15 - www.tourisme-seignosse.com - juil.-août : lun.-sam. 9h-19h, dim. et j. fériés 10h-19h ; reste de l'année : lun.-sam. 9h-12h, 14h-18h. Guide de découverte de Seignosse à travers 2 petits circuits.
Cette station balnéaire, qui compte 5 plages surveillées, allie immeubles en bordure de mer et pavillons dans la forêt de pins. L'offre de sports et de loisirs y est variée : surf, parc aquatique, pistes cyclables, golf… *(voir la rubrique « Activités », p. 279).*
6 circuits balisés *(4 à 9 km)* cheminent à travers la forêt communale de Seignosse. Des sorties de découverte du littoral et de la forêt (2h30), accompagnées par des guides de l'ONF, sont organisées en saison. *Juil.-août : mar., jeu. 9h30 - 2e quinz. de juin, 1re quinz. de sept. : merc. 9h30 - 5 € - inscriptions à l'office de tourisme.*
La D 152 ramène à Hossegor.

NOS ADRESSES À HOSSEGOR

HÉBERGEMENT

À Hossegor

BUDGET MOYEN

Hôtel Les Fougères – *91 av. de Gaujacq - 05 58 43 78 00 - www.hotel-lesfougeres.com - fermé de mi-nov. à mi-mars - - P - 27 ch. 59/110 € - 8,50 €.* Cet hôtel rénové est sobrement décoré. Les chambres modernes avec, pour certaines, possibilité de kitchenette feront le bonheur des familles. Si le temps le permet, petit-déjeuner en terrasse, face à la piscine.

POUR SE FAIRE PLAISIR

Hôtel Barbary Lane – *156 av. de la Côte-d'Argent - 05 58 43 46 00 - www.barbary-lane.com - fermé 15 nov.-1er mars - 18 ch. 57/124 € - 9,50 € (basse sais.).* Cette maison landaise abrite un hôtel entièrement rénové. Les chambres sont joliment décorées : tissus aux couleurs variées, anciens lits clos fixés au mur et faïences. En été, brunch.

UNE FOLIE

Les Hortensias du Lac – *1578 av. du Tour-du-Lac - 05 58 43 99 00 - www.hortensias-du-lac.com - fermé 15 nov.-1er avr. - P - 25 ch. 140/495 € - 20 €.* Un repos bien mérité vous attend dans ces trois maisons au bord du lac et à 500 m de l'Océan. Les chambres sont élégantes, meublées de bois clair. Quelques duplex pour les familles.

À proximité

BUDGET MOYEN

Chambre d'hôte Le Bosquet – *4 r. du Hazan (rte de St-Vincent-de-*

Tyrosse) - 40230 Tosse - 10 km à l'est d'Hossegor par D 33 puis D 652 - ✆ 05 58 43 03 40 - www.lebosquet-landes.com - - 3 ch. 52 €. Cette villa moderne à proximité d'Hossegor est tranquille et conviviale. Les chambres disposent toutes d'une terrasse privative ouverte sur le parc. Jolie salle de style basque ou terrasse d'été pour le petit-déjeuner.

POUR SE FAIRE PLAISIR

Hôtel La Villa de l'Étang Blanc – *2265 rte de l'Étang-Blanc - 40510 Seignosse - ✆ 05 58 72 80 15 - P - www.villaetangblanc.fr - fermé nov. et janv. (hôtel et restaurant) - restaurant ouv. tlj à partir du 1er avr. - 25/38 € - 8 ch. 85/130 € - 8/15 €.* Cette bâtisse dans la forêt offre le grand calme. La salle à manger au joli mobilier en bois et fer forgé donne sur l'étang. Cuisine du terroir et de la mer.

Village-club Le Dunéa – *Port d'Albret Sud - à 200 m du lac - 40140 Soustons - ✆ 05 58 48 00 59 - www.club-dunez.com - avr.-15 oct. - réserv. conseillée - 20 bungalows 90 €/nuit pour 2 pers. ou 100 €/nuit pour 5 pers.* Les bungalows répartis dans le parc, autour de la piscine, offrent un confort simple avec kitchenette, salle de bains, w.-c. indépendant. Mobilier en pin. Ensemble très bien tenu. Location à la nuitée ou au week-end hors saison.

Chambre d'hôte Ty-Boni – *1831 rte de Capbreton - 40150 Angresse - 3 km à l'est d'Hossegor par D 133 - ✆ 05 58 43 98 75 - P - www.ty-boni.com - - 4 ch. 80 €.* La maison est récente, de style régional, et les chambres sont sobres et agréables. Cuisine avec lave-linge à la disposition des hôtes en été. Piscine, parc et étang. Accueil très chaleureux.

RESTAURATION

BUDGET MOYEN

La Ferme de Bathurt – *Rte de l'Étang-Blanc - 40140 Soustons - ✆ 05 58 41 53 28 - P - fermé nov., mar. soir et merc. hors sais. - 21/25,50 €.* Cette ferme transformée en restaurant constitue une adresse idéale pour les familles avec son parc et ses jeux pour les enfants. En terrasse, vous partagerez une cuisine traditionnelle régionale.

Auberge Batby – *63 av. Galleben - 40140 Soustons - ✆ 05 58 41 18 80 - www.aubergebatby.fr - fermé sem. de Noël - 25/55 € - 6 ch. 85/150 €.* Emplacement de choix, face à l'étang de Soustons, pour ce restaurant et sa terrasse ombragée de platanes. La cuisine, cent pour cent maison, s'avère très honorable. Belle carte des vins.

BOIRE UN VERRE

Marcot' – *495 av. du Touring-Club-de-France - ✆ 05 58 41 71 72 - été : tlj 8h-2h ; reste de l'année : tlj sf jeu. 8h-21h - fermeture annuelle, se rens.* Fondée en 1927, cette pâtisserie-salon de thé est une référence de qualité. Gâteaux, glaces et chocolats : tout y est fait maison.

EN SOIRÉE

Bon à savoir – Située en bord de mer, la place des Landais vit au rythme de l'activité nocturne, et l'on vient de toute la région pour s'y amuser. Les surfeurs y forment une communauté nombreuse. Entre les bars d'ambiance, les *bodegas*, les bars basques et les bars à vin (comme le Lou Balou), chacun s'y retrouve.

Parc municipal des sports Jaï Alaï – *Av. Maurice-Martin - ✆ 05 58 74 19 40 - http://www.ash-pelote.fr - compétitions :*

juil.-août, lun. et jeu. à 20h45. Jouxtant le Sporting Casino, ce fronton couvert *(jaï alaï)* accueille des parties de pala corta et de cesta punta. Au fronton extérieur du casino, parties de grosse pala et de grand chistera.

Sporting Casino – *119 av. Maurice-Martin - ✆ 05 58 41 99 99 - www.casino-hossegor.com - juil.-août : tlj jusqu'à 5h ; reste de l'année : dim.-jeu. 10h-3h, vend.-sam. jusqu'à 4h.* Cet édifice de 1923 est un chef-d'œuvre de l'architecture basco-landaise. Complexe multi-loisirs : casino, tennis, minigolf, piscine, fronton, discothèque, bar et restaurant.

ACHATS

Rip Curl – *407 av. de la Tuilerie - ✆ 05 58 41 78 00 - tlj sf dim. et lun. 10h-13h, 15h-19h ; en sais. : tlj sf dim. 10h-19h.* C'est le magasin d'usine de la société Rip Curl qui fabrique planches, combinaisons et accessoires de surf. Chaque année, cette société organise les championnats du monde de surf à Hossegor. Autre boutique située avenue du Touring-Club-de-France.

Atelier de poterie landaise – *Allée des Vergnes - 40140 Soustons - ✆ 05 58 41 14 81 - 10h-19h (dim. 17h) - fermé 2 sem. en oct.* Dans cette petite boutique située au bord du lac, vous trouverez des objets utilitaires ou décoratifs entièrement tournés à la main.

ACTIVITÉS

Bon à savoir – Une dizaine d'**écoles de surf** sont basées à Seignosse-Océan : vous n'aurez donc que l'embarras du choix pour vous initier ou vous perfectionner ! *Rens. et coordonnées à l'office du tourisme de Seignosse-Océan (voir p. 277).*

Sentiers pédestres et pistes cyclables – *✆ 05 58 41 79 00 (OT) -* Plan-guide couvrant la côte de Moliets à Labenne avec la Voie verte, pistes cyclables et sentiers pédestres.

VTT Loisirs *–119 av. des Tisserands - ZA de Pédebert - ✆ 05 58 41 75 41 -www.vtt-loisirs.fr - tlj sf dim. 9h-12h, 15h-19h ; tlj en été - fermé janv. et j. fériés sf été.* Location et vente de VTT, VTC, vélos pour enfants, scooters et motos.

Le port miniature – *Lac marin du Port-d'Albret Sud - 40140 Soustons-Plage - ✆ 06 75 14 70 56 - www.loisirs-soustons.com - juil.-août : lun.-vend. 11h-19h, w.-end 14h-19h ; avr.-juin, sept. : mer.-dim. 14h-18h (ouvert lun.-mar. si jour férié ou pont) - fermé oct.-mars - à partir de 4,50 €.* Venez naviguer sur le lac marin du Port-d'Albret à bord de la réplique électrique d'un chalutier, d'un remorqueur, d'un bateau à vapeur ou d'un Brittany Ferry… version miniature ! Les enfants peuvent piloter seul leur bateau dès 12 ans.

Capbreton

★

7 565 Capbretonnais – Landes (40)

NOS ADRESSES PAGE 282

S'INFORMER

Office du tourisme de Capbreton – *Av. Georges-Pompidou - 40130 Capbreton - 05 58 72 12 11 - www.capbreton-tourisme.com - juil.-août : 9h-19h, dim. et j. fériés 10h30-12h30, 16h-19h ; reste de l'année : 9h-12h, 14h-18h.* Deux petits circuits pour visiter librement la ville *(document gratuit).*

SE REPÉRER

Carte de microrégion A2 (p. 264) – *carte Michelin Départements 335 C 13.*
À 35 km au sud-ouest de Dax, la ville de Capbreton est limitrophe d'Hossegor dont elle n'est séparée que par le canal du Boudigau.

À NE PAS MANQUER

La vue sur la côte et sur les Pyrénées depuis l'estacade ; le marché au poisson sur le port ; la réserve naturelle du marais d'Orx.

ORGANISER SON TEMPS

Hors saison, découvrez les vignes de Capbreton ; la balade dans les marais d'Orx *(comptez 2h).*

AVEC LES ENFANTS

À Labenne : la pinède des Singes, le Reptilarium et le parc animalier Océafaunia.

Un nom qui sent le gros pull marin et l'air salin, la chasse à la baleine et les expéditions lointaines. Pourtant l'Armorique est loin et le climat serein. Quant aux baleines, nulle crainte, il y a belle lurette qu'elles ne viennent plus frayer dans les eaux landaises. Vous ferez escale à Capbreton pour les bienfaits de la mer, le grand port de plaisance et de pêche, ainsi que pour l'ambiance familiale.

Se promener

Les plages

Avis aux baigneurs – À la fin de la marée descendante et au début de la marée montante, il se forme dans les « baïnes », sortes de dépressions de forme allongée, de dangereux courants. Il faut donc se baigner sur les plages surveillées. Ce phénomène est d'ailleurs présent sur l'ensemble du littoral aquitain.

On pourra essayer le *surf casting*, pêche au lancer dans les vagues, qui se pratique toute l'année.

De sa **jetée** de bois (l'estacade, due à Napoléon III), belle vue sur la côte, les Pyrénées basques et l'embouchure du Boudigau.

Au large s'ouvre le Gouf *(voir ci-contre).*

Capbreton au coucher du soleil.
R. Mitterbauer / MICHELIN

Le port

Capbreton, autrefois embouchure de l'Adour, fut longtemps un port important. En 1578, le fleuve fut détourné au profit de Bayonne, et Capbreton connut alors un certain déclin. Le port actuel, où se côtoient bateaux de plaisance et de pêche, n'est pas sur l'Océan mais à la confluence des rivières Bourret et Boucarot.
La **capitainerie**, dans la Maison du port, accueille parfois des expositions temporaires sur des thèmes liés à la mer.

Le Gouf

Un canyon sous la mer ! Les pêcheurs avaient déjà pressenti son existence voilà plusieurs siècles. La fosse s'amorce dès la sortie du port et atteint 3 711 m de profondeur, 3 à 10 km de largeur et plus de 60 km de longueur. Elle est cependant indiscernable à la surface.

À proximité Carte de microrégion p. 264

Labenne A2

À 6 km au sud de Capbreton, par la D 652.
Accès au niveau du port ou sur le front de mer. Vous pouvez rejoindre Labenne par une agréable piste cyclable.
Vous y trouverez nombre d'activités, outre la baignade à Labenne-Océan, et plusieurs sites destinés aux familles.
Océafaunia – *Av. de l'Océan - 05 59 45 43 93 - www.oceafaunia.com - - juin-sept. : 10h-19h30 ; avr.-mai : 10h-19h - reste de l'année : 13h30-18h - fermé de mi-nov. à déc. - 8 € (4-12 ans 6 €).* Avant ou après la plage, faites une halte dans ce parc arboré où vivent lémuriens, kangourous, dromadaires, lamas, cervidés, perroquets, oiseaux aquatiques… Les plus petits apprécieront la miniferme.
La pinède des Singes – *À Labenne prendre au sud la N 10, puis à gauche la D 126, signalée « route du lac d'Irieu ». Rte de Bayonne - 05 59 45 43 66 -*

BRETONS ET LANDAIS

Que vient faire la Bretagne ici ? Plusieurs hypothèses. Prenons la plus séduisante : Bretons et Capbretonnais razziaient de concert les eaux du Grand Nord… En effet, jusqu'au 12e s., les **baleines** passaient au large de Capbreton. Lorsqu'elles disparaissaient, les marins (vignerons de vin de sable à leurs heures perdues) allaient les traquer jusqu'à Terre-Neuve. Ils étaient accompagnés dans ces expéditions par ceux de St-Jean-de-Luz, de Guéthary et de Vieux-Boucau.

♿ - *www.pinede-des-singes.com - juil.-août, vac. de Pâques et j. fériés : 11h-18h, avr.-juin et sept. : lun.-mar., jeu.-vend. 14h-18h, merc. et w.-end 11h-18h - fermé oct.-mars - 7 € (3-12 ans 4 €).* Dans une pinède parsemée d'arbousiers et de chênes-lièges, des macaques de Java font les singes en toute liberté, pour le plus grand plaisir des petits… et des grands.

Reptilarium – *À Labenne, prendre au sud la N 10. 16 av. du Gén.-de-Gaulle - 05 59 45 67 09 - www.reptilarium.fr - 10h-12h, 14h-18h30 - 8 € (3-12 ans 6 €).* Couleuvres, crocodiles, pythons, boas, caïmans, lézards, iguanes et anacondas figurent parmi les vedettes de cet espace divertissant et éducatif. Au total, plus de 150 reptiles vivants vous attendent sur 1 000 m².

★ Réserve naturelle du marais d'Orx A2

À Labenne prendre à gauche la D 71. Le marais est signalé. Laisser la voiture à la Maison du marais. Éviter les heures chaudes. 05 59 45 42 46 - site en accès libre tte l'année ; maison d'accueil (exposition, boutique et informations) : juin-sept. : 10h-12h, 14h-17h (w.-end 14h-17h tte l'année) - possibilité de visite guidée du marais sur RV - 5/10 € (1/2 journée ou journée), 6-16 ans 3/5 €.

9 km. Cette réserve naturelle à la beauté farouche est aménagée sur un ancien marécage. Étape pour l'**avifaune migratrice** (sortez vos jumelles), elle est bordée d'un sentier qui offre au regard un miroitement de bleu bordé de pinèdes. Informations sur la faune et la flore à découvrir sur le parcours et à la **Maison du marais**.

NOS ADRESSES À CAPBRETON

HÉBERGEMENT

À Capbreton

BUDGET MOYEN

Chambre d'hôte L'Océanide – *22 av. Jean-Lartigau - 05 58 72 41 40 - http://mallet.micheline.free.fr - P - - 3 ch. et 1 appart. 50/60 €.* Mme Mallet vous ouvre ses portes et vous invite à profiter de l'agréable salon avec cheminée ou du jardin qui descend jusqu'à la rivière… Deux chambres possèdent une terrasse. La troisième, spacieuse, s'avère idéale pour les familles. Un confort simple et plaisant.

Hôtel Aquitaine – *66 av. du Mar.-de-Lattre-de-Tassigny - 05 58 72 38 11 - www.hotelaquitaine-capbreton.com - P - 19 ch. 55/105 €.* Cet hôtel situé à 200 m de la plage abrite des chambres aménagées au goût du jour, toutes pourvues d'un balcon. Pour le petit-déjeuner, vous aurez le choix entre la salle à l'ambiance marine, la véranda et la terrasse dressée au bord de la piscine.

À proximité

PREMIER PRIX

Camping Sylvamar – *Av. de l'Océan - 40530 Labenne - par D 126, rte de la Plage, près du canal du Boudigau - ✆ 05 59 45 75 16 - www.sylvamar.fr - réserv. indispensable - ouv. 9 avr.-3 nov. - 510 empl. 40 € - restauration.* Ce camping propose d'agréables emplacements sous les pins ainsi que des mobile homes bien équipés et spacieux. Nombreuses activités à pratiquer sur place, sans oublier le parc aquatique.

BUDGET MOYEN

Chambre d'hôte L'Orée de la Forêt – *536 imp. des Tonnes, Lou Sarcelot - 40510 Seignosse - ✆ 05 58 49 81 31 - www.loreedelaforet.com - fermé déc.-mars - réserv. hors sais. - 5 ch. 60/88 €* . Cette ferme, parfaitement restaurée, se niche au cœur d'une belle propriété de 5 ha plantée de pins. Ses chambres sont claires et décorées avec raffinement.

RESTAURATION

À Capbreton

BUDGET MOYEN

Brasserie de l'Océan – *85 av. Georges-Pompidou - ✆ 05 58 72 06 50 - www.restaurant-capbreton.com - 12,50/24 €.* Jolie salle à manger et véranda tournées vers la brise marine. Vous trouverez sur la carte le « vin de sable » de Capbreton, ainsi que des fruits de mer qui ont fait sa réputation.

À proximité

BUDGET MOYEN

Marinero – *15 Grand-Rue - 40480 Vieux-Boucau-les-Bains - ✆ 05 58 48 14 15 - www.marinero.biz - fermé 15 déc.-31 janv. - 15/32 € - 13 ch. 36/65 € - 6,50 €.* Avec ses tons bleu et blanc, son mobilier acajou, ses transats et ses bibelots marins, on se croirait sur un paquebot ! Vaste terrasse couverte. La carte propose fruits de mer et produits de l'Océan, ainsi que des plats landais et d'influence basque ou espagnole.

EN SOIRÉE

Le Casino – *Pl. de la Liberté, front de mer - ✆ 05 58 72 13 75.* Vous pourrez tenter votre chance sur l'une des 65 machines à sous de ce casino situé sur le front de mer. Les plus fortunés se tourneront vers la roulette anglaise et les tables de black-jack.

ACHATS

Marché au poisson – *Au pied de la Maison du port - tlj mat. et apr.-midi.* Les pêcheurs vendent à quai le produit de leur pêche, en direct sur le port (tolérance accordée par Napoléon III). Ils organisent aussi en été des fêtes comme La Thonade ou Les Sardinades.

ACTIVITÉS

VTT Loisirs – *50 allées Marines - ✆ 05 58 72 19 99 - www.vtt-loisirs.fr - 9h-19h - tlj en été - fermé janv. et j. fériés sf été.* Grand choix de véhicules à deux roues : vélos classiques, VTT, VTC, tandems, scooters et motos (125 à 1 100 cm^3).

Le Jean B – *10 av. Croix-du-Sud - ✆ 06 09 73 83 27 - sais. : 10h30-12h, 14h-18h - 40 € pour la pêche ; 8 €/h la promenade.* Ce pêcheur organise des promenades et des parties de pêche en mer.

Peyrehorade

3 435 Peyrehoradais – Landes (40)

NOS ADRESSES PAGE 287

S'INFORMER

Office du tourisme du Pays d'Orthe – *147 av. des Évadés - 40300 Peyrehorade - ✆ 05 58 73 00 52 - www.tourisme-paysdorthe.fr - juil.-août : lun.-sam. 9h30-12h30, 14h30-18h, dim. 10h-12h45 ; avr.-oct : mar.-sam. 9h30-12h30, 14h-17h30, dim. 10h-12h45 ; nov.-mars : lun.-vend. 9h30-12h30, sam. 9h30-12h30 - fermé j. fériés et du 20 déc. au 1er janv. Balades famille en liberté à pied et en voiture (dépliant disponible à l'office de tourisme).*

SE REPÉRER

Carte de microrégion A2 (p. 264) – *carte Michelin Départements 335 E13.* À 30 km à l'ouest d'Orthez par la N 117. Le pays d'Orthe, dont Peyrehorade est le chef-lieu, est pris entre la Chalosse, le Béarn et le Pays basque.

SE GARER

Quai du Sablot (le long des Gaves Réunis). Mercredi (jour de marché), le centre est fermé à la circulation.

À NE PAS MANQUER

Le monastère bénédictin de Sorde-l'Abbaye ; l'abbaye d'Arthous.

ORGANISER SON TEMPS

Comptez une demi-journée pour le circuit de découverte autour de Peyrehorade avec les visites. Attention, le monastère bénédictin de Sorde-l'Abbaye et l'abbaye d'Arthous sont fermés le lundi ; hors saison, ils n'ouvrent que l'après-midi. Un pittoresque marché médiéval se tient à Peyrehorade le dernier mercredi de juillet.

AVEC LES ENFANTS

Le musée de l'abbaye d'Arthous ; le centre d'exposition de l'aire autoroutière d'Hastingues.

N'hésitez pas à faire halte à Peyrehorade avant d'aller explorer les environs. Baignée par les Gaves Réunis, ceux de Pau et d'Oloron, cette commune tranquille s'anime le mercredi avec son marché. Dans la nature d'Orthe, où se prélassent de beaux témoignages d'un passé ancien, vous découvrirez des lianes étonnantes, apportées de Nouvelle-Zélande dans les années 1960. Elles portent des kiwis, ceux de l'Adour, désormais distingués par une Indication géographique protégée (IGP).

Se promener

Peyre hourade, c'est la « pierre trouée » en gascon. Quant à savoir laquelle, il faudrait le demander au gave qui roule ses flots à travers les lieux. Les Gaves Réunis (celui de Pau et celui d'Oloron) traversent en effet la ville avant d'aller se jeter dans l'Adour. Vous pouvez arpenter les quais ou vous laisser séduire par une croisière *(voir la rubrique « Activités », p. 287)*.

Sur la grande place centrale, près de l'office de tourisme, se dresse un fronton basque : Bayonne n'est pas bien loin ! Près de là, au bord du gave, voyez le **château d'Orthe** (16e-18e s.) à quatre tourelles d'angle, qui abrite la mairie.
1h. Vous pouvez découvrir le bourg en sept étapes : les Gaves Réunis, le quartier du Sablot, la rue Lembarry, la rue de la Synagogue, la place de l'Église, le quai du Roc et le château d'Orthe *(se renseigner auprès de l'office de tourisme).*

Circuit conseillé Carte de microrégion p. 287

LE PAYS D'ORTHE

Pour visualiser ce circuit de 25 km au départ de Peyrehorade, se reporter à la carte p. 264. Compter 1h30.
Quitter Peyrehorade au sud. Après le pont, prendre à droite la D 23 qui longe les Gaves Réunis. À Hastingues, en haut de la montée, prendre en face pour arriver au parking près de l'aire d'Hastingues (sur l'autoroute A 64 dans le sens Pau-Bayonne).

Aire autoroutière d'Hastingues A2

Centre d'exposition St-Jacques-de-Compostelle - mai-sept. : 8h-20h ; oct.-avr. : 9h-18h - visite libre et gratuite.
Sa configuration géométrique symbolise le tout proche point de jonction des itinéraires français au départ de Paris, Vézelay et Le Puy, et menant au sanctuaire de **St-Jacques-de-Compostelle**. Jalonnés par des pictogrammes évoquant des sites connus, des chemins bordés de buis convergent vers un bâtiment circulaire consacré à l'histoire du célèbre pèlerinage. Sitôt entré, vous serez plongé dans un calme nuancé de documents sonores et d'une musique sacrée. Bien agréable si on vient de l'autoroute ! L'intéressante exposition s'articule comme un cheminement de pèlerin ; première salle : qui était saint Jacques ? Quelles étaient les routes de pèlerinage ? etc. Vous assisterez ensuite à la vie quotidienne des pèlerins confrontés à toutes sortes d'épreuves au cours de leur périple. Enfin, au bout d'un couloir, c'est « La Fin des terres », où l'arbre de Jessé décorant le trumeau du portique de la Gloire à St-Jacques-de-Compostelle évoque le terme du pèlerinage.
Rejoindre le village à pied (10mn).

Hastingues A2

La minuscule **bastide** tire son nom du sénéchal du roi d'Angleterre, John Hastings, qui la fonda en 1289 sur ordre d'Édouard Ier Plantagenêt, duc d'Aquitaine. La ville haute, installée sur un promontoire dominant les barthes (prairies basses) d'Arthous, n'a gardé qu'une porte fortifiée, ainsi que plusieurs maisons des 15e et 16e s. *(parcours découverte proposé par l'office de tourisme du pays d'Orthe).*
Remonter vers Hastingues et prendre à droite.

Abbaye d'Arthous A2

05 58 73 03 89 - www.arthous.landes.org - - avr.-sept. : 10h30-13h, 14h-18h30 ; reste de l'année : 14h-17h - fermé lun., 20 déc.-1er fév., 1er mai, 1er et 11 Nov. - 3 € (-18 ans gratuit), gratuit 1er dim. du mois.
En pleine campagne, une jolie abbaye du 12e s., convertie en bâtiments d'exploitation agricole au 19e s. Elle servit de halte, en des temps plus anciens, aux pèlerins de Compostelle. Les bâtiments conventuels ont été reconstruits, non sans charme, aux 17e et 18e s. dans le style traditionnel des maisons landaises

L'OR BLANC ET LE MARCHÉ

Les **pibales**, alevins nés des œufs d'anguilles dans la mer des Sargasses, remontent la Gironde et l'Adour. Ce délice, naguère accessible, est devenu hors de prix. Il se déguste frit dans l'huile d'olive parfumée à l'ail et au piment d'Espelette, tradition basque oblige. On en trouve encore parfois au grand marché de Peyrehorade, qui se tient le mercredi matin. Ce rendez-vous ne date pas d'hier. Le bourg se trouvant à un carrefour, le 1er avril 1358, Édouard III d'Angleterre signa une charte autorisant à perpétuité le vicomte d'Orthe et ses successeurs à tenir un marché hebdomadaire dans son duché. Aujourd'hui, ce marché rassemble près de deux cents producteurs locaux, commerçants et autres artisans.

à colombages. À l'abri de la galerie couverte sont exposées deux belles mosaïques du 4e s. provenant d'une villa gallo-romaine située à Sarbazan.

L'église est surtout remarquable pour son **chevet**, entièrement restauré, dont il faut détailler les modillons : loup tenant dans sa gueule un mouton, personnages simiesques jumelés, corps de femme. Elle sert de cadre à des expositions temporaires.

Le Centre départemental du patrimoine des Landes est installé dans l'un des bâtiments depuis 2002. Un musée ludique et interactif a été conçu pour les enfants. Ponctué d'expériences diverses (visites virtuelles, manipulations…), cet espace propose un voyage dans le temps. Films, panneaux, objets originaux, dont d'exceptionnelles sculptures préhistoriques de chevaux, dévoilent le patrimoine du pays d'Orthe, depuis la préhistoire jusqu'aux dernières innovations agricoles.

Poursuivre jusqu'à la D 19 et suivre, sur la gauche, la direction de Peyrehorade. Avant le pont, prendre à droite la D 33. À 3 km, prendre à gauche en direction de Sorde.

Sorde-l'Abbaye B2

Cette ancienne bastide doit son développement aux moines bénédictins qui, au Moyen Âge, possédaient un vaste domaine agricole en plus du revenu des saumons et de l'activité du moulin. L'intérêt du village réside dans les vestiges de son abbaye, classée au Patrimoine mondial de l'Unesco en 1998, qui bordent l'un des plus jolis plans d'eau du gave d'Oloron. Pour avoir une belle vue d'ensemble du site, contournez les bâtiments de l'abbaye et placez-vous aux abords de la petite centrale électrique (à l'emplacement du moulin de l'abbaye).

Le **logis des Abbés** *(ne se visite pas)*, bâtiment flanqué d'une tour polygonale, a été construit sur les ruines de thermes romains des 3e et 4e s. qui témoignent de l'antériorité de l'occupation du site. Les bâtiments, détruits pendant les guerres de Religion, furent reconstruits par la congrégation de St-Maur à la fin du 17e s. et au début du 18e s. L'abbaye fut de nouveau dévastée durant la Révolution et tomba en ruine.

De l'**église romane**, restaurée, ne subsistent que le portail, les chapiteaux historiés des absidioles et les mosaïques derrière le maître-autel. Une maquette de l'abbaye permet de se représenter les lieux.

Monastère bénédictin – *✆ 05 58 73 09 62 - Visite guidée (30mn) uniquement 1er avr.-31 oct. : mar.-dim. 11h, 12h, 15h, 16h, 17h et 18h ; nov.-mars : mar.-vend. 14h, 15h, 16h et 17h - fermé lun., j. fériés et vac. de Noël - 2 € (-12 ans gratuit).* Dans la salle capitulaire sont rassemblées des stèles discoïdales celtes provenant du cimetière de Peyrehorade. Du cloître il ne reste qu'un pilier et, du bâtiment

principal, que les façades en pierre de Bidache (les encadrements en marbre du parloir ont été pillés). De la terrasse, belle vue sur le gave d'Oloron. Au sous-sol demeurent l'embarcadère et le **cryptoportique** comptant quatorze caves (granges batelières). Avant de partir, jetez un œil au clocher du monastère, qui a été restauré en briquettes.
Revenir à Peyrehorade par la D 29.

NOS ADRESSES À PEYREHORADE

HÉBERGEMENT

BUDGET MOYEN

Chambre d'hôte La Maison Bel Air – *1455 rte de Cagnotte - 40300 Bélus - ☎ 05 58 73 24 17/06 15 41 63 84 - www.maison-belair.com - ⊭ - P - 4 ch. 52/57 € ☕ - repas 20 €.* Dans un jardin, jolie maison landaise du 18e s. restaurée avec goût. Pierres apparentes, poutres anciennes et vieux meubles chinés agrémentent la salle commune et les chambres. Celles-ci sont vastes, confortables et dotées de parquet flottant. Un gîte est également disponible.

Chambre d'hôte Maison Basta – *335 chemin de Basta, quartier Nord - 40300 Orthevielle - 8 km au nord de Peyrehorade par D 33 rte de St-Vincent-de-Tyrosse - ☎ 09 60 43 41 83 ou 06 64 13 23 33 - P - www.maison-basta.com - fermé 15 déc.-30 janv. - ⊭ - 4 ch.55/60 € : - repas 25 €.* De leurs nombreux voyages, les accueillants propriétaires ont conservé l'amour des atmosphères uniques et exotiques. Meubles choisis, bibelots chinés et agréables couleurs décorent à merveille l'intérieur de cette séduisante demeure du 18e s. Une adresse à savourer sans modération. Chèques-vacances acceptés.

RESTAURATION

BUDGET MOYEN

Le Central – *68 pl. Aristide-Briand - 40300 Peyrehorade - www.hotel-le-central.fr - ☎ 05 58 73 01 44 - fermé vend. soir, dim. soir et lun. - 15/68 €.* Cet ancien relais de poste du 18e s. est vraiment… central ! Cuisine traditionnelle réalisée à partir de produits frais : poulet des Landes, terrine de foie gras maison, poêlée de cèpes… Le Central est aussi un hôtel aux chambres simples et spacieuses, à l'accueil prévenant.

ACTIVITÉS

Randonnée – *☎ 05 58 73 00 52 (OT).* Une boucle de 9 km relie Hastingues à l'abbaye d'Arthous.

Croisières fluviales – *☎ 05 58 73 00 52 (OT).* Sur l'Adour et les Gaves réunis.

Croisadour – *Quai du Roc - 40300 Peyrehorade - ☎ 05 58 73 25 87 ou 06 87 34 56 32 - www.croisadour.com - mars-oct. - réservation conseillée - ⊭ - repas 25 €.* Chantal et Claude vous proposent de découvrir la vie du pays d'Orthe (faune, flore, culture, paysage…) à bord du bateau La Hire II. Plusieurs croisières thématiques. possibilité de déjeuner ou de dîner (tlj en juil.-août). Également, promenades en gabare.

Saint-Sever

5 000 St-Severins – Landes (40)

NOS ADRESSES PAGE 294

S'INFORMER

Office du tourisme de St-Sever – *Pl. du Tour-du-Sol - 40500 St-Sever - 05 58 76 34 64 - www.saint-sever.fr - juil.-août : lun.-vend. 9h-12h30, 14h-18h30, sam. 9h-12h30, 14h-17h ; avr.-juin et sept.-oct. : lun.-vend. 9h30-12h30, 14h-17h30, sam. 9h-12h, 14h30-16h30 ; déc.-mars : lun.-vend. 9h30-12h30, 14h-17h, sam. 9h30-12h30.*

Office du tourisme d'Hagetmau – *Pl. de la République - 40700 Hagetmau - 05 58 79 38 26 - www.tourisme-hagetmau.com - lun.-sam. 9h-12h30, 14h30-18h30.*

Voir aussi le site du Pays Adour-Chalosse-Tursan : **www.tourisme-landes-chalosse.com**

SE REPÉRER

Carte de microrégion B1 (p. 264) – *carte Michelin Départements 335 H12.*

St-Sever (prononcez « St-Sevé ») n'est qu'à 12 km au sud de Mont-de-Marsan par la D 933.

SE GARER

Le centre-ville comprend un stationnement zone bleue (disque bleu obligatoire). Mais des parkings, tout proches du centre, sont à votre disposition.

À NE PAS MANQUER

L'exposition sur le manuscrit enluminé de l'Apocalypse au couvent des Jacobins ; la crypte de St-Girons à Hagetmau ; le musée de la Chalosse à Montfort ; la Maison de la Dame de Brassempouy.

ORGANISER SON TEMPS

St-Sever et la Chalosse méritent une étape de deux jours : comptez une demi-journée de visite pour la ville et plus d'une journée si vous faites les visites du circuit de découverte. Attention aux jours de fermeture des différents sites : le lundi, Maison de la Dame de Brassempouy et musée de la Chalosse à Montfort, le mardi, crypte de St-Girons, le mercredi, château de Gaujacq.

AVEC LES ENFANTS

Le moulin de Poyaller où bondissent cerfs, biches mais aussi kangourous ; les ateliers préhistoriques au jardin de la Dame de Brassempouy.

« Cap de Gascogne », St-Sever occupe, sur le rebord du plateau de Chalosse, une position dominante en vue des immensités landaises. C'est le territoire du bien vivre et du bien manger : on y perpétue la tradition taurine avec ses cortèges de festivités, on y élève des volailles au foie gras, des bœufs labellisés... Vous l'aurez compris, après la visite de St-Sever, il vous faudra aller découvrir les richesses de la Chalosse réparties dans ce paysage rural.

Détail de l'abbaye de Saint-Sever.
B. Merz / Look/Photononstop

Se promener

Église (abbaye bénédictine)

Visite libre toute l'année - possibilité de visite guidée - ✆ 05 58 76 34 34 (OT).

Severus, venu évangéliser la région au début du 5e s., fut, dit-on, martyrisé et décapité par les Vandales. La cité se développa autour de l'église martyriale élevée à l'emplacement de la sépulture du saint homme.

Classée au Patrimoine mondial de l'Unesco, cette ancienne **abbatiale romane** est connue pour son chœur, pavé de mosaïques, et ses sept absides de profondeur décroissante (plan dit bénédictin). Les colonnes de marbre du chœur et du transept proviennent du palais des Gouverneurs romains de Morlanne. Les **chapiteaux★** sont remarquables, comme celui, énorme, à feuilles d'eau, entre la 1re et la 2e absidiole de gauche; celui à quatre grands lions de la colonne supportant la tribune du transept droit; les chapiteaux historiés, au revers de la façade. On y voit, à gauche, le Banquet chez Hérode et la Décollation de saint Jean-Baptiste et, à droite, huit personnages escaladant des arbustes.

La **sacristie** donne accès au **cloître**, reconstruit au 17e s. L'ancienne salle capitulaire recèle le **trésor** : vêtements sacerdotaux et objets liturgiques. *Lun.-vend. : mat. et apr.-midi, sam. mat.*

Longer le flanc gauche de l'église (rue des Arceaux). Prendre du recul sur la place de Verdun pour voir le chevet.

Le **chœur**, couvert d'un dôme à lanternon, apparaît flanqué au nord par les absidioles romanes aux amusants modillons *(voir aussi ceux de l'absidiole sud représentant des têtes d'animaux).*

De l'église, prendre la rue des Arceaux.

Rue du Général-Lamarque

Elle conserve quelques **hôtels** du 18e s. *(nos 6, 18, 20 et 26)* et du 19e s. *(nos 8 et 11)*. Au no 11 se trouve l'ancienne maison du **général Lamarque** (1770-1832), tribun notoire de l'opposition à la fin de la Restauration, originaire de la ville.

La maison du général est flanquée de deux pavillons et s'ouvre sur un portail néoclassique. Au n° 21, hôtel particulier du 16e s.

Ancien couvent des Jacobins

Cloître ouv. gratuitement tte l'année 9h-18h - visite guidée (couvent et abbaye) de déb. juin au 3e w-end de sept. : mar.-sam. 10h et 15h; reste de l'année sur RV (rens. à l'office de tourisme ✆ 05 58 76 34 34) - 3 € (-12 ans gratuit). Transformé en centre culturel (à la mi-août s'y tient une intéressante exposition artisanale), il possède un cloître en brique de la fin du 17e s. L'aile ouest abrite un **musée** : outre des collections archéologiques provenant de fouilles, il présente une exposition sur le **manuscrit enluminé** de l'Apocalypse de St-Sever (11e s.), chef-d'œuvre de l'enluminure romane du Midi (95 images), dont l'original est conservé à la Bibliothèque nationale, à Paris. *R. du Gén.-Lamarque - juil.-sept. : 14h30-17h ; reste de l'année : rens. à l'office de tourisme - ✆ 05 58 76 34 34 - gratuit.*

Promenade de Morlanne

Accès en voiture, se diriger vers les arènes.

Du belvédère, la **vue** porte sur l'Adour en contrebas et sur l'immense « mer de pins » dont la platitude contraste avec la Chalosse vallonnée. Au centre du jardin public se dresse la statue du général Lamarque.

À proximité Carte de microrégion p. 264

Église de Souprosse B1

18 km à l'ouest par la D 924.

L'**église St-Pierre** abrite un ensemble original : derrière un imposant maître-autel en chêne massif et un tabernacle en cuivre et laiton richement décoré d'émaux se dressent un Christ ressuscité (haut de 2,20 m) en cuivre rouge martelé et une croix (haute de 3 m) en marqueterie d'olivier.

Circuit conseillé Carte de microrégion p. 264

★ **LA CHALOSSE**

Pour visualiser ce circuit de 90 km au départ de St-Sever, se reporter à la carte p. 291. Compter une journée.

Quitter St-Sever au sud, par la D 933. Depuis l'église d'Hagetmau, suivre la direction Dax. Au carrefour de Larrigade, prendre à droite.

La crypte est indiquée quelques mètres plus loin sur la droite.

Crypte de St-Girons, à Hagetmau C2

Av. Corisande - juil.-août : 15h-18h sf mar. ; reste de l'année : sur demande à la mairie (lun.-vend. 8h30-12h15, 14h-18h, sam. 8h30-12h15) au ✆ 05 58 05 77 77 - 1,80 € (-12 ans 0,80 €).

Unique vestige de l'abbaye chargée de la garde des reliques de saint Girons, évangélisateur de la Chalosse au 4e s., la crypte repose sur quatre colonnes centrales de marbre, qui encadraient le tombeau du saint, et sur huit colonnes engagées dans les murs. Les très beaux **chapiteaux★** (12e s.) représentent la lutte de l'apôtre contre les forces du mal, la délivrance de saint Pierre, la parabole du mauvais riche, des chimères... C'est une halte traditionnelle pour les pèlerins de Compostelle qui viennent, aujourd'hui encore, se recueillir entre les bras des quatre piliers centraux.

Poursuivre la D 933 au sud et prendre à droite la D 2.

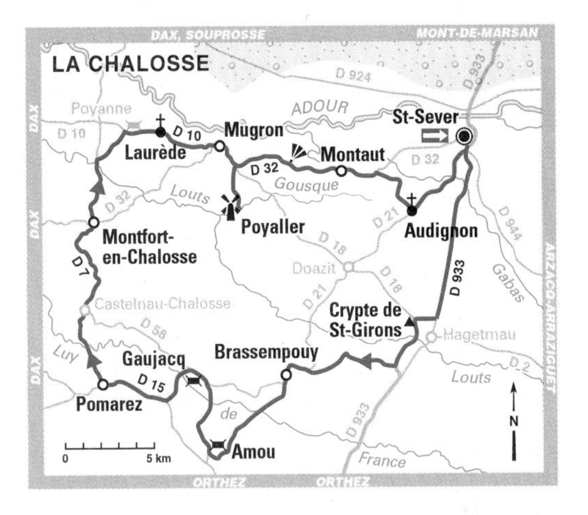

Brassempouy B2

Si vous cherchez votre chemin, demandez « Brassempouille », sinon vous ne vous y retrouverez pas ! Autre élément déroutant : le clocher (15e s.) de l'**église** (12e s.) de ce village de Chalosse semble enjamber la rue principale. Une vidéo *(27mn)* sur ses différentes phases de construction est diffusée dans une maison située à côté de la Maison de la Dame de Brassempouy. *Mêmes conditions de visite que celle-ci.*

Maison de la Dame de Brassempouy★ – *R. du Musée - ☎ 05 58 89 21 73 - http://maisondeladame.chez-alice.fr - ♿ - juil.-sept. : 14h-19h ; de mi-fév. à fin juin et de déb. oct. à mi-nov. : tlj sf lun. 14h-18h - fermé de mi-nov. à mi-fév. - 5 € (-11 ans 2,50 €) ; 2,50 € exposition temporaire ; 7,50 € billet combiné avec le jardin de la Dame de Brassempouy.* Dans cet espace, en forme de tombeau égyptien ancien, sont présentés des documents évoquant les fouilles archéologiques menées sur le site aux 19e et 20e s., et notamment les conditions de la découverte de la célèbre Dame. Vous y verrez les objets d'art (os gravés, pendentifs) et de la vie quotidienne (silex taillés) mis au jour à Brassempouy depuis la reprise des fouilles en 1981, ainsi que des vestiges préhistoriques de la Chalosse (ossements). Le point d'orgue est **« l'alcôve aux Vénus »** qui rassemble les moulages des statuettes trouvées à Brassempouy ainsi que d'autres sculptures féminines du paléolithique supérieur provenant de divers sites européens. Une partie des lieux est consacrée à une présentation de la région d'hier à aujourd'hui.

Jardin de la Dame de Brassempouy – *☎ 05 58 89 25 89 - ♿ - visite guidée juil.-août : 14h30-19h ; mai-juin et sept.-oct. : w.-end et j. fériés 15h-18h - fermé lun., dernière sem. août ; nov.-avr. - 4,50 € (-11 ans 3,50 €) ; 7,50 € avec Maison de la Dame de Brassempouy.* Revenez au temps de la préhistoire au cours d'une promenade en compagnie d'un archéologue dans un milieu reconstitué

BEAUTÉ PRÉHISTORIQUE

Brassempouy a livré l'une des plus anciennes représentations de visage humain sculpté actuellement connue (environ 23 000 ans av. J.-C.). Cette statuette en ivoire de mammouth, dite **Vénus de Brassempouy** ou Dame à la capuche, est exposée au saint des saints des musées archéologiques français, le musée des Antiquités nationales à St-Germain-en-Laye.

(habitat, flore, faune) et découvrez les gestes quotidiens, en assistant (ou en participant) aux ateliers de techniques préhistoriques (modelage de poteries, taille de silex…).

Continuer vers le sud en suivant la D 21. À Amou, prendre la D 158 direction Gaujacq, première à droite. Parking sur la gauche après la grille.

Château d'Amou B2

✆ 05 58 89 00 08 - www.chateauamou.com - mai-oct. : ouv. aux groupes (20 pers.) sur RD uniquement - 3 €.

Aux confins de la Gascogne méridionale et du Béarn, le marquis d'Amou (aïeul de l'actuel propriétaire), gouverneur de Bayonne, fit construire ce château à la demande de Louis XIV. Du site de prestige, il en a tout l'apanage : une grille finement travaillée du 18e s. ouvre sur une allée de platanes qui mène au château bâti en 1678 sur les plans de **Mansart** (architecte de Versailles). Le vestibule est pavé d'une remarquable **mosaïque gallo-romaine** entourée d'un escalier monumental sur le palier duquel se trouve une chaise à porteurs du 18e s. *(restaurée)*. Cette mosaïque fut découverte lors du tracé d'un chemin à St-Sever. Alors que les villageois s'apprêtaient à l'employer pour le remblaiement, le propriétaire d'Amou la récupéra. Dans la salle à manger, le couvert (service en argent) est dressé à la française, comme il était alors d'usage. À l'étage, enfilade de quatre chambres (tomettes 17e s. et parquet Louis XIV) qui ont conservé leur cachet d'origine. Notez que Théophile Gautier occupait la « meilleure » (la plus petite, donc la mieux chauffée !) lorsqu'il séjournait à Amou. Dans la **chapelle** aménagée au 19e s., une peinture en trompe-l'œil imite le bois. Les **dépendances**, groupées autour d'une cour carrée, constituent un ensemble d'architecture régionale intéressant, alternant pigeonnier béarnais et bâtiments gascons recouverts de tuiles canal. Le château était associé à une exploitation agricole ; un ancien pressoir rappelle que le vin de la Chalosse s'exportait autrefois dans toute l'Europe.

Poursuivre en direction de Gaujacq.

Château de Gaujacq B2

✆ 05 58 89 21 61 - http://chateau.de.gaujacq.free.fr - ♿ - visite guidée - juil.-août : 11h, 14h, 15h, 16h, 17h et 18h ; de mi-fév. à fin juin et de déb. sept. à mi-nov. : tlj sf merc. 15h, 16h et 17h (18h en juin) - 5 € (-12 ans gratuit).

Le **château** (17e s.) apparaît derrière un rideau de magnolias. Le bâtiment en quadrilatère a le charme des chartreuses du Bordelais. La cour intérieure forme un cloître avec son jardin et sa galerie. Par beau temps, de la terrasse, vous verrez se dessiner au loin la chaîne des Pyrénées. On visite plusieurs pièces meublées, décorées de boiseries et de panneaux peints. Dans la salle à manger des gardes, où la table est dressée, armoire de monstrance abritant différentes faïences, et fontaine de marbre. Remarquez dans le salon vert une commode de l'école Boule. La chambre dénommée « du Cardinal » en souvenir de François de Sourdis, archevêque de Bordeaux, de qui Louis XIII et Anne d'Autriche reçurent la bénédiction nuptiale en 1615, compte un beau *bargueño* (meuble à tiroirs espagnol) du 15e s. La salle de billard renferme un buffet en trompe l'œil.

Derrière le château, le **plantarium** *(entrée à droite du château)*, divisé en huit parterres et bordé d'une pergola, rassemble de nombreuses espèces de plantes parmi lesquelles des pivoines, des camélias, des hostas ainsi que des acers et des pieris japonais très odorants. *✆ 05 58 89 24 22 - www.thoby.com - 14h30-18h30 - fermé merc. (sf juil.-août), 1er janv. et 25 déc. - 5 € (-12 ans gratuit).*

Poursuivre sur la D 58 en direction de Donzacq. Prendre la première à gauche, la D 339, puis à droite la D 15.

Pomarez B2

On s'arrête à Pomarez pour ses **arènes** où se retrouvent les amateurs de courses landaises dans une fervente animation.
Quitter le village au nord par la D 7.

Montfort-en-Chalosse B2

Le centre de ce petit village, sur une hauteur, est coupé de ruelles et de rues en escalier.
Musée de la Chalosse★ – *05 58 98 69 27 - www.museedelachalosse.fr - avr.-oct. : mar.-vend. 10h-12h, 14h-18h30, w.-end. et j. fériés 14h-18h30 ; oct.-mars : mar.-vend. 14h-17h30 - fermé 15 déc.-31 janv. - 5 € (enf. 2,50 €).* Consacré à l'économie rurale et au monde paysan en Chalosse, il s'organise autour de la **maison de maître**, meublée et décorée dans un style rustique du 19e s. Vous traverserez les parties privées (salon, salle à manger, chambres) et les parties réservées aux tâches domestiques (« salle noire » où l'on rangeait les aliments, cuisines). À l'étage, une **médiathèque** rassemble de nombreux documents sur la vie rurale locale. Autour, vous verrez le four à pain, la souillerie (avec son cochon noir gascon), l'étable, le chai et le pressoir *(où se déroule la Fête des vendanges le 1er samedi d'octobre)* ainsi que l'atelier du maréchal-ferrant. Remarquez aussi le quillier en bois constitué d'une boule de 6 kg et de 9 quilles de 0,96 cm de haut. Enfin, vous ne partirez pas sans avoir visité aussi la **maison du métayer**.
Poursuivre par la D 7. Après 4 km, prendre à droite la D 420, puis la D 10.
La route passe devant le **château de Poyanne**, du 17e s. *(ne se visite pas).*

Laurède B1

L'**église** du village abrite une étonnante décoration baroque : monumental autel surmonté d'un baldaquin, chaire et lutrin, boiseries de la sacristie.
Poursuivre sur la D 10.

Mugron B1

6-8 r. St-Vincent-de-Paul - 40250 Mugron - 05 58 97 99 40 - www.paysdemugron.fr - juil.-août : lun.-sam. 9h-12h30, 14h30-18h ; sept.-juin : lun.-vend. 9h-12h30, 14h-17h30 - fermé dim. et j. fériés.
Chef-lieu de canton très lié au développement agricole de la Chalosse (cave coopérative, silos). Son port sur l'Adour expédiait, au temps des intendants, les vins de la région jusqu'en Hollande. Des jardins aménagés aux abords de la mairie, **vues★** sur la vallée de l'Adour.
Suivre la direction de St-Aubin au sud.

Moulin de Poyaller B1

05 58 97 95 72 - www.moulin-poyaller.com - juil.-août : 12h30-19h ; avr.-mai et vac. Toussaint : 14h-18h30 ; juin et sept.-oct. : mar.-jeu. et dim. 14h30-18h30 - visite guidée (1h30) à partir de 14h30-15h (ttes les 45mn) - fermé sam. (sf j. férié), 12 nov.-14 mars - 5,50 € (3-11 ans 3,50 €, 12-16 ans 4,50 €). Vente de conserves maison.
On vient ici pour le cadre champêtre et l'enthousiasme des propriétaires. Madame fait fonctionner le moulin et vous raconte son histoire. Monsieur vous guide dans le parc animalier où gambadent biches, cerfs (dont des cerfs blancs) et kangourous. Vous aurez aussi la possibilité de vous promener en barque sur la Gouanougue *(supplément tarifaire).*
Revenir à Mugron et prendre la D 32, à l'est.
Entre Mugron et Montaut, la route multiplie les vues sur le revers du plateau de la Chalosse dont les promontoires s'abaissent vers l'Adour et la *pignada*.

Montaut B1

L'ancien bourg fortifié allonge sa rue principale sur la crête du dernier pli de terrain de la Chalosse, dominant la plaine de l'Adour et la forêt landaise. La **tour de l'église**, formant porte de ville, est une reconstruction entreprise après les ravages des bandes de Montgomery, lieutenant de Jeanne d'Albret, pendant les guerres de Religion.
Dans l'**église**, les deux retables sont de style différent : celui de droite, du début du 17e s., à l'architecture strictement rythmée par des lignes perpendiculaires, contraste avec celui de gauche, du 18e s., d'un baroque plus sinueux et plus naïf.
Poursuivre sur la D 32 en direction de St-Sever. Après 1 km, prendre à droite.

Audignon C1

L'**église**, prise dans une boucle du Laudon, se retranche dans un cimetière d'allure fortifiée. Le retable en pierre du chœur est remarquable avec ses fresques colorées. Le chevet roman contraste avec le clocher-porche à flèche octogonale gothique. Le donjon médiéval est devenu clocher de l'église au 14e s.
Sortir d'Audignon au nord, par la D 21 qui ramène à St-Sever.

NOS ADRESSES À SAINT-SEVER

HÉBERGEMENT

À proximité

BUDGET MOYEN

Hôtel Alios – *129 av. de la Forêt-Mauco - 40500 Bas-Mauco - 4,5 km au nord-est de St-Sever par rte de Mont-de-Marsan - ☎ 05 58 76 44 00 - www.hotel-alios.com - P -10 ch. 54/65 € - ☕ 7 € - rest. 16/29 €.* Un hôtel pratique pour une étape sur la route des vacances. Les chambres sont fonctionnelles. Salle à manger contemporaine agrandie d'une véranda. Cuisine traditionnelle.

POUR SE FAIRE PLAISIR

Hôtel Les Lacs d'Halco – *3 km au sud-ouest sur rte de Cazalis - 40700 Hagetmau - ☎ 05 58 79 30 79 - www.hotel-des-lacs-dhalco.fr - P - 23 ch. 100/150 € - ☕ 15 € - rest. 30/60 €.* Esprit « zen » pour cette étonnante architecture design ouverte sur les lacs. Belles chambres contemporaines. Une rotonde « posée » sur l'eau abrite le restaurant qui offre une jolie vue sur la nature.

RESTAURATION

À proximité

PREMIER PRIX

Ferme-auberge du Moulin – *Rte de Dax - 40330 Amou - 11 km au sud de Gaujacq par D 158 puis D 15 (dir. Dax) - réserv. obligatoire - ☎ 05 58 89 30 09 - fermé nov.-mai sf dim. - 14/29 € - 4 ch. 40/60 € ☕.* Préparé sous toutes ses formes, le canard gras est la spécialité de cette maison simple. Tranquillité garantie en terrasse sous les parasols et chambres au calme.

BUDGET MOYEN

Restaurant Le Jambon – *245 av. Carnot - 40700 Hagetmau - ☎ 05 58 79 32 02 - www.hotel-restaurant-lejambon.*

com - fermé janv., dim. soir et lun. - 15/40 €. Cette grande maison du centre-ville héberge des chambres spacieuses très bien tenues. Généreuse cuisine traditionnelle et landaise servie dans une salle bourgeoise.

Aux Tauzins – *40380 Montfort-en-Chalosse - ✆ 05 58 98 60 22 - www.auxtauzins.com - ♿ - P - juil.-août : fermé lun. - 23/42 €.* Superbe vue sur la vallée de la Chalosse depuis la salle à manger panoramique de cette massive demeure de style régional, où vous dégusterez des plats traditionnels régionaux. Les chambres, rénovées, ont presque toutes un balcon.

ACHATS

Ferme Birouca - Michel Cabannes – *Rte de Pontonx - 40250 Mugron - ✆ 05 58 97 70 30 - www.lafermedufoiegras.fr* - Cette ferme élève, gave et transforme les canards. Visiter des laboratoires et vente des produits plusieurs fois médaillés (foie gras, confits, magrets, etc.) au Concours général agricole de Paris.

ACTIVITÉS

Randonnées – Guides-plans, Chalosse (autour de St-Sever et Hagetmau) et Haute Chalosse (autour de Montfort et Mugron), en vente aux offices de tourisme.

Aire-sur-l'Adour

6 089 Aturins – Landes (40)

NOS ADRESSES PAGE 299

S'INFORMER

Office du tourisme d'Aire-sur-l'Adour – *Pl. du 19-Mars-1962 - 40800 Aire-sur-l'Adour - ✆ 05 58 71 64 70 - www.tourisme-aire-eugenie.fr - juin-sept. : lun.-vend. 9h-12h, 14h-18h, sam. 9h-12h, 14h-16h ; oct.-mai : lun.-vend. 9h-12h, 14h-17h30.* Visites guidées de mai à oct.

Nombreuses informations sur : **www.pays-adourchalossetursan.fr**

SE REPÉRER

Carte de microrégion C2 (p. 264) – *carte Michelin Départements 335 J12.*
Sur la frontière avec le Gers, entre Mont-de-Marsan et Pau (N 124, N 134). Son centre commerçant et administratif se trouve entre la cathédrale et la halle aux grains.

SE GARER

Parking sur les berges de l'Adour (à côté des arènes).

ORGANISER SON TEMPS

Une demi-journée permet de se promener dans la ville basse et de visiter l'église St-Pierre-du-Mas. Vous consacrerez le reste de la journée à vous évader aux alentours.

AVEC LES ENFANTS

La Maison du jambon de Bayonne à Arzacq, très ludique.

4

Aire-sur-l'Adour n'est pas seulement une ville-étape sur la route des vacances. La cité taurine, capitale du pays du Tursan, conserve un riche patrimoine. Des berges de l'Adour aménagées en promenade, au calme de la colline du Mas, se dégage une douceur de vivre qui ajoute au charme de la ville.

Se promener

Bon à savoir – Un plan comprenant un descriptif des itinéraires est disponible à l'office de tourisme.

La ville basse invite à une déambulation au gré de ses envies, de la place du Commerce où se tient l'ancienne halle aux grains à la cathédrale St-Jean-Baptiste, en passant près du canal qui traverse la ville ainsi que par le marché couvert. Visites guidées de mai à octobre.

Église St-Pierre-du-Mas (dite de Ste-Quitterie)

R. Félix-Despagnet - 06 77 02 43 44 / 05 58 71 47 00 (mairie), 05 58 71 64 70 (office de tourisme) - www.aire-sur-adour.fr - de mi-mai à fin oct. : mar.-sam. mat. et apr.-midi, lun. apr.-midi - de nov. à mi- mai : mar.-vend. mat. et apr.-midi, lun. apr.-midi.

À mi-versant du plateau, l'église est, depuis l'évangélisation de la région au 4e s., le sanctuaire le plus vénérable de la cité. Elle est désormais classée au Patrimoine mondial de l'Unesco. Le grand portail gothique est consacré au Jugement dernier. Le chœur a été remanié au 18e s., mais il a conservé deux belles séries d'arcatures romanes du 12e s. Ses chapiteaux historiés sont ciselés avec une précision de dentellière.

La **crypte**, l'une des plus vastes d'Europe, fut aménagée à la fin du 11e s. Dans une niche repose ledit **sarcophage de sainte Quitterie★** (4e s.), qui aurait été réalisé à l'origine pour saint Sever. Ce chef-d'œuvre antique, admirable par la beauté du marbre et la douceur du modelé, use curieusement de représentations antiques pour des thèmes chrétiens. En face s'ouvre la chapelle St-Désiré. Chuchotez debout devant l'autel (ancienne pierre de sacrifice), vous n'en croirez pas vos oreilles !

Circuit conseillé Carte de microrégion p. 264

0 LE TURSAN

Pour visualiser ce circuit de 90 km au départ d'Aire-sur-Adour,se reporter à la carte p. 264. Compter 4h.

Quitter Aire-sur-l'Adour au sud par la D 2.

Geaune C2

1 rte de Chalosse - 40320 Geaune - 05 58 44 42 00 - www.tursan.org - lun., mar., jeu. et vend. 9h-12h30, 13h30-17h30 - fermé w.-end et j. fériés.

LE SAVIEZ-VOUS ?

En un temps où il ne faisait pas bon être chrétien à Aire (alors capitale wisigothique en Aquitaine), la jeune chrétienne **Quitterie** se refusa au seigneur Germain. Son promis la fit décapiter au pied de la colline du Mas. Elle se releva, ramassa sa tête et marcha jusqu'à la crypte actuelle. Sainte Quitterie est devenue la patronne de la Gascogne.

Bastide d'origine anglaise, Geaune, où se trouve la Cave coopérative des vignerons du Tursan *(voir p. 24)*, conserve une place bordée d'arcades sur trois côtés. À l'ouest, les maisons sont en bois. L'église est de type gothique languedocien (fin 14e-15e s.).
Sortir du village au sud par la D 111.

Pimbo C2

Centre d'accueil - 40320 Pimbo - 05 58 44 46 57 - mai.-oct. : lun.-vend. 10h-12h30, 13h30-18h.
C'est la plus ancienne bastide des Landes, mais vous vous arrêterez surtout pour la **collégiale St-Barthélemy** (12e s.) et son petit jardin botanique, étape sur le chemin de St-Jacques-de-Compostelle.
Poursuivre sur la D 111 en direction d'Arzacq, puis prendre la D 32.

Maison du jambon de Bayonne, à Arzacq C2

05 59 04 49 93 - www.jambon-de-bayonne.com - - visite audioguidée (1h30) - juil.-août : 10h-12h30, 14h30-18h ; sept.-juin : mar.-sam. 10h-12h30, 14h30-18h - fermé lun. et dim. mat. (fév.-mars), 1er janv., 1er nov. et 25 déc. - 6 € (enf. 2,30 €).
Un espace muséographique pour mettre en émoi vos papilles, qui se régaleront d'une dégustation à la fin de la visite (vous pourrez faire vos emplettes à la boutique). Quatre **contes** évoquent les relations entre l'homme et le cochon le long d'un parcours ponctué de différentes représentations de l'animal (planche anatomique, affiches, etc.). Un film retrace l'histoire du jambon de Bayonne, la manière dont il est produit et consommé et la place qu'il occupe dans la société. Un autre film explique l'importance de la climatologie et sa spécificité dans le bassin de l'Adour, aire de production du jambon de Bayonne. Viennent ensuite des panneaux explicatifs sur le sel et le maïs (nourriture du cochon), ainsi qu'un film sur le salage et le séchage. Voilà, vous savez tout sur le jambon ! Reste à aller voir des cochons bien vivants dans l'**airial** qui présente huit races du monde entier.
Quitter Arzacq au nord, par la D 944.

Samadet C2

Centre de la céramique - pl. de la Faïencerie - 40320 Samadet - 05 58 79 65 45 - de mi-juin à fin sept. : mar.-dim. 15h-19h.
L'histoire de cette localité, « cité de la faïence », est étroitement liée à celle de sa **Manufacture royale de faïences** qui l'a rendue célèbre au 18e s. en inondant la région de sa production. La grande époque du « Samadet » se situe entre 1732 et 1811. La faïencerie utilisait alors la technique du « grand feu », mettant en valeur le fondu de l'émail et des couleurs, et celle du « petit feu » permettant une palette plus raffinée. Aujourd'hui, deux sites de qualité témoignent de cet héritage.
★ **Musée de la Faïence et des Arts de la Table** – *05 58 79 13 00 - www.museesamadet.org - - de déb. avr. à mi-oct. : 10h-12h30, 14h-18h30 ; fév.-mars : 14h-18h ; de mi-oct. à mi-déc. : 14h-18h - fermé lun., 20 déc.-31 janv., 1er Mai et 11 Nov. - 4 € (-18 ans gratuit), gratuit 1er dim. du mois - billet combiné avec le centre culturel du Tursan 5 €.* Le musée abrite de riches collections des fameuses faïences et céramiques de la manufacture royale de Samadet. Dans la première salle est relatée l'histoire de la manufacture à l'aide d'un plan commenté et d'une maquette du site. Sont également présentés les étapes successives de la fabrication ainsi que les différents types de faïence. Dans la deuxième salle se trouvent les collections et dans la troisième une passionnante exposition sur l'**art de la table** du Moyen Âge à nos jours : à chaque période, sa table dressée. Des vitrines présentent des faïences de différentes époques et

diverses provenances et un parcours retrace la **route de la céramique**, voie commerciale entre l'Occident et la Chine au Moyen Âge.

Maison de la céramique contemporaine – *Centre culturel du Tursan - pl. de la Faïencerie - ✆ 05 58 79 65 45 - mai-oct. : apr.-midi sf lun.* Dans un édifice qui abrite également l'office de tourisme, cet espace présente une belle collection permanente de **céramiques contemporaines** sur le thème des arts de la table. Une importante exposition saisonnière sur la céramique contemporaine y est aussi organisée. Notez qu'il n'est pas nécessaire d'être connaisseur pour apprécier l'esthétique de ces œuvres.

Poursuivre vers le nord, sur la D 2. Après 5 km, prendre à gauche la D 446.

Vielle-Tursan C2

De la terrasse de la mairie, vue agréable sur le pays vallonné de Tursan, dont le **vignoble**, déjà exportateur au 17e s., connaît un regain de faveur. Les arènes accueillent des courses landaises.

Sortir à l'est par la D 65.

La route franchit les dos de terrain qui séparent les vallées parallèles des affluents de l'Adour.

Eugénie-les-Bains C2

La commune, créée en 1861, doit son nom à l'**impératrice Eugénie**, qui en fut la marraine. Deux sources, L'Impératrice et Christine-Marie, offrent leurs propriétés curatives (affections rhumatologiques, métaboliques, urologiques et gastro-entérologiques). La station est également spécialisée dans les stages « minceur » ; elle accueille d'ailleurs la table du grand chef Michel Guérard, initiateur de la « cuisine minceur » !

Quitter Eugénie au nord-est et prendre à gauche la D 11 en direction de Grenade-sur-l'Adour. Avant d'arriver à Larrivière, prendre à droite (fléchage).

N.-D.-du-Rugby, à Larrivière C1

Le Sud-Ouest, c'est bien connu, est « terre de rugby ». Voici donc un lieu incontournable pour ceux qui vouent un culte au ballon ovale ! Ils apprécieront la centaine de maillots sous vitrine et plusieurs objets ayant appartenu à des personnalités de l'ovalie.

Revenir sur Larrivière, suivre la direction Grenade-sur-l'Adour.

Grenade-sur-l'Adour C1

1 pl. des Déportés - 40270 Grenade-sur-l'Adour - ✆ 05 58 45 45 98 - juil.-août : lun.-sam. 8h30-12h30, 14h-18h ; sept.-juin : lun.-mar. et jeu. 8h30-12h30, 13h30-18h, vend. 8h30-13h - fermé j. fériés.

Après une promenade dans cette **bastide** anglaise (14e s.), qui conserve sa charmante place à couverts, faites un saut dans les deux petits musées.

Petit musée de l'Histoire landaise – *✆ 05 58 76 05 25 ou 06 70 45 24 20 - juil.-sept. : tlj sf lun. et dim. apr.-midi ; reste de l 'année : tlj sf lun., mar. et dim. apr.-midi - 3 € (-10 ans gratuit).* Il met en scène le terroir au début du 20e s. et accueille des expositions temporaires.

Pavillon de la Résistance et de la Déportation – *✆ 05 58 45 45 98 ou 06 70 45 24 20 - mêmes horaires que ci-dessus.* Ce lieu rend hommage aux villageois déportés, en représailles à une action de la Résistance grenadoise qui arrêta un convoi allemand le 13 juin 1944.

Quitter Grenade à l'est, la N 824 ramène à Aire-sur-l'Adour.

NOS ADRESSES À AIRE-SUR-L'ADOUR

HÉBERGEMENT

BUDGET MOYEN

Hôtel Le Relais des Landes – *28 av. du 4-Septembre - 05 58 71 66 17 - www.lerelaisdeslandes.com - - 31 ch. 65 € - 7,80 € - soirée étape 75/88 €.* Vous serez au calme dans cette bâtisse moderne postée au bord de l'Adour. Les chambres sont pratiques et bien équipées, et c'est un vrai plaisir de goûter au charme de la piscine et de la terrasse face au fleuve.

POUR SE FAIRE PLAISIR

Chambre et table d'hôte Le Mas – *17 r. du Château - 05 58 71 91 26 - www.le-mas.net - - P - 3 ch. et 2 suites 70/85 € - repas 25 €.* Cette ancienne demeure de notaire, à deux pas du centre-ville, allie le charme d'une construction ancienne et le confort moderne (terrasse, jardin et piscine). Table d'hôte, où l'on sert une cuisine qui varie au gré du marché.

RESTAURATION

PREMIER PRIX

Chez l'Ahumat – *2 r. Pierre-Mendès-France - 05 58 71 82 61 - P - fermé 17-31 mars et 1er-16 sept. - 11/30 € - 12 ch. 36/42 € - 5 €.* Faire une halte ici, c'est découvrir quelques recettes gastronomiques dont la Gascogne a le secret. Les copieux plats régionaux sont servis dans deux salles à manger rustiques, agrémentées d'une collection d'assiettes anciennes.

ACHATS

Bon à savoir – Un marché traditionnel se tient le mardi et le mercredi.

Ferme de Lastre – *31 rte des Pêcheurs - 7 km au nord d'Aire-sur-l'Adour par N 124 et D 934 - 40270 Le Vignau - 05 58 52 21 42 - tlj sf lun. et mar. - fermé en mai et oct.* Cela fait quelques années que ce jeune couple s'est lancé dans le canard gras. Agriculteurs céréaliers, ils l'élèvent et le nourrissent à partir de leur production de maïs jusqu'à l'abattage. Dans leur atelier, ils confectionnent foie gras, confits, rillettes.

ACTIVITÉS

Randonnées pédestres et VTT – Les guides-plans du Tursan et de Grenade-sur-l'Adour sont en vente dans les offices de tourisme.

+ d'adresses

La Côte basque et le Labourd 5

Carte Michelin Région n° 524 - Département n° 342 - Pyrénées-Atlantiques (64)

La Côte basque, vue de Biarritz

CDT64

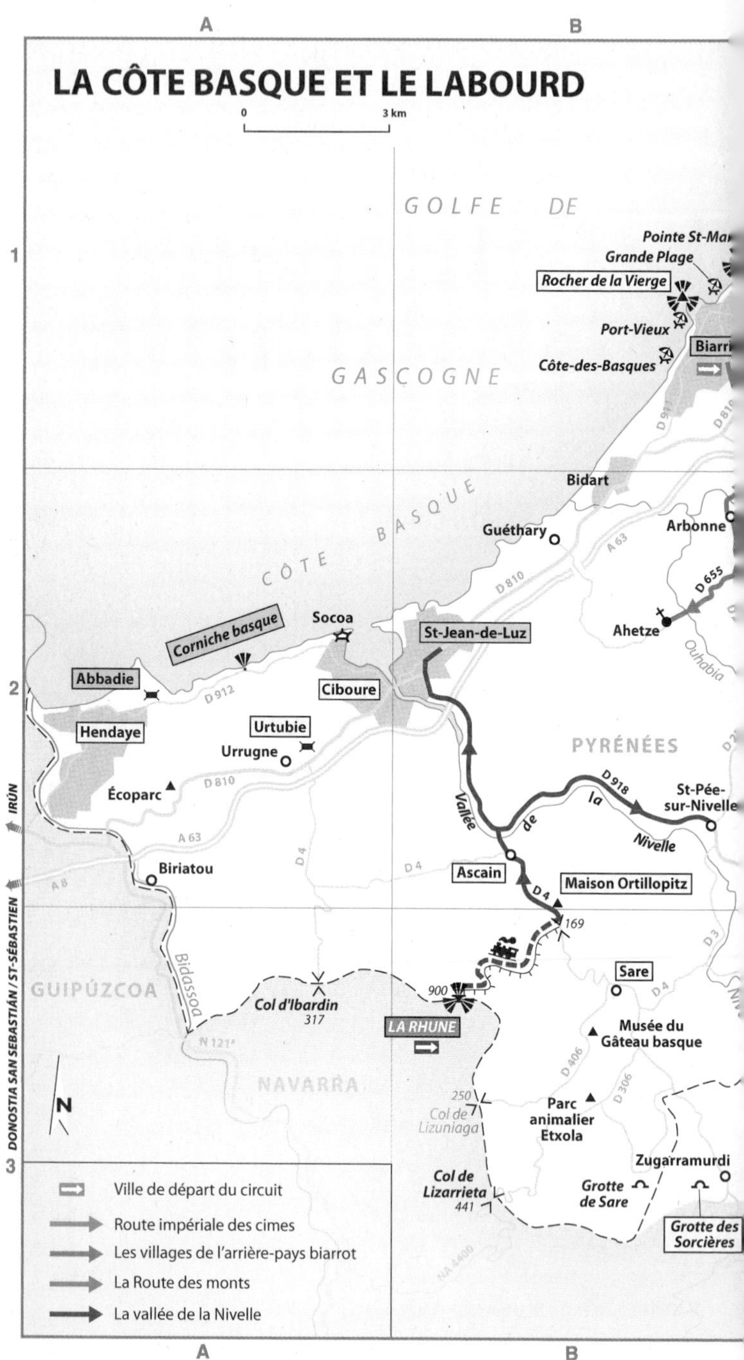
LA CÔTE BASQUE ET LE LABOURD
0
3 km
GOLFE DE GASCOGNE
CÔTE BASQUE
Pointe St-Ma
Grande Plage
Rocher de la Vierge
Port-Vieux
Côte-des-Basques
Biarr
Bidart
Arbonne
Guéthary
Ahetze
Ouhabia
St-Jean-de-Luz
Socoa
Corniche basque
Abbadie
Ciboure
Hendaye
Urtubie
Urrugne
Écoparc
PYRÉNÉES
St-Pée-sur-Nivelle
Vallée de la Nivelle
Ascain
Maison Ortillopitz
Biriatou
IRÚN
DONOSTIA SAN SEBASTIÁN / ST-SÉBASTIEN
GUIPÚZCOA
Bidassoa
Col d'Ibardin
317
900
LA RHUNE
169
Sare
Musée du Gâteau basque
NAVARRA
250
Col de Lizuniaga
Parc animalier Etxola
Col de Lizarrieta
441
Zugarramurdi
Grotte de Sare
Grotte des Sorcières
D 911
D 810
A 63
D 655
D 912
D 810
A 63
A 8
D 4
D 918
D 3
D 406
D 306
N 121
NA 4400
N
Ville de départ du circuit
Route impériale des cimes
Les villages de l'arrière-pays biarrot
La Route des monts
La vallée de la Nivelle
A
B
1
2
3

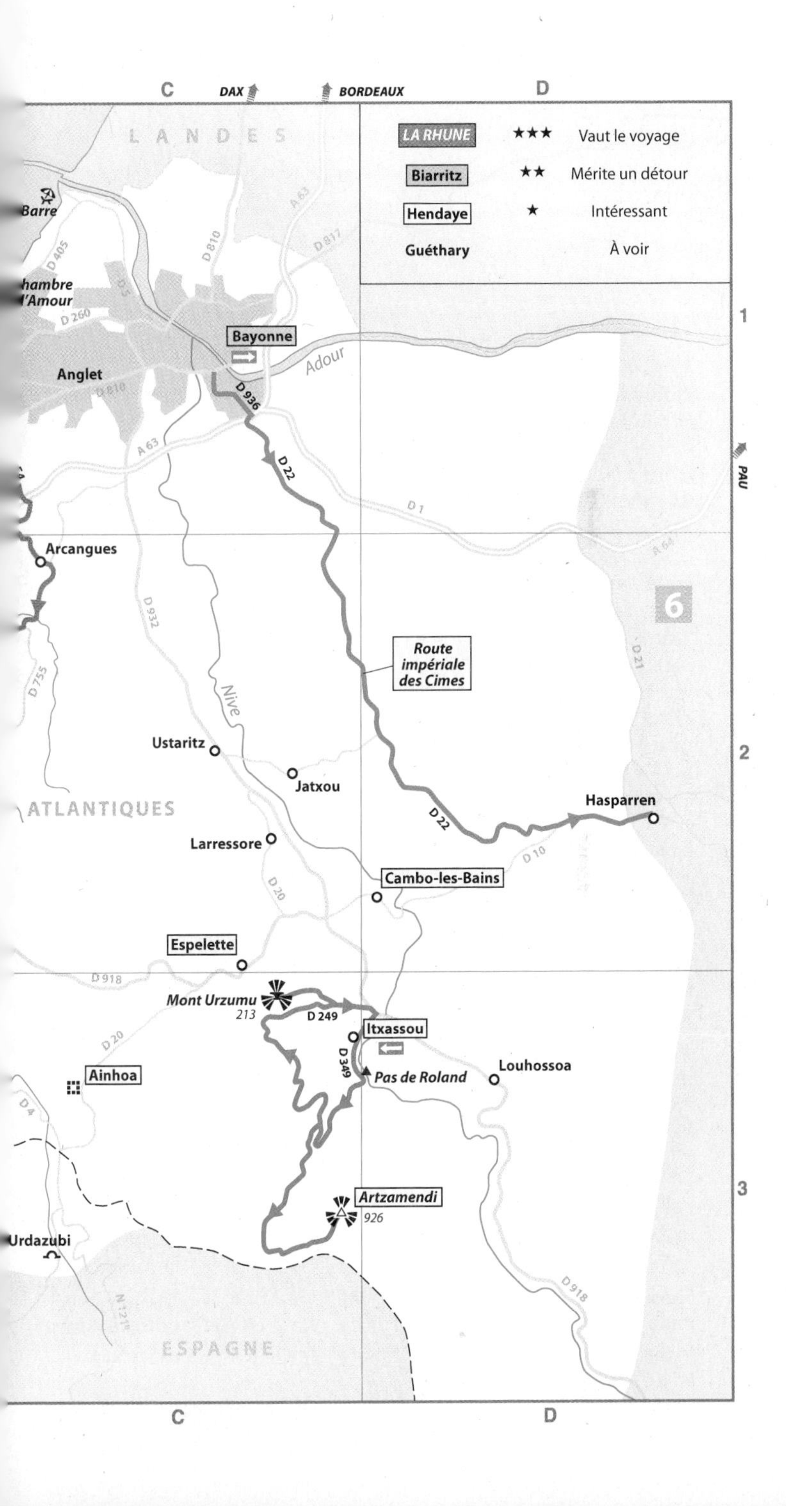

C
DAX
BORDEAUX
D
LA RHUNE ★★★ Vaut le voyage
Biarritz ★★ Mérite un détour
Hendaye ★ Intéressant
Guéthary À voir
LANDES
Barre
hambre
l'Amour
Bayonne
Adour
Anglet
D 936
D 22
A 63
D 1
PAU
Arcangues
6
Route impériale des Cimes
D 932
D 21
Nive
Ustaritz
Jatxou
ATLANTIQUES
Hasparren
Larressore
D 10
Cambo-les-Bains
D 20
Espelette
D 918
Mont Urzumu
213
D 249
Itxassou
D 349
Pas de Roland
Louhossoa
Ainhoa
Artzamendi
926
Urdazubi
ESPAGNE
D 918
1
2
3

Bayonne

★★

Baiona

44 506 Bayonnais - Pyrénées-Atlantiques (64)

NOS ADRESSES PAGE 313

S'INFORMER

Office du tourisme de Bayonne – *Pl. des Basques - 64108 Bayonne Cedex - ℘ 0 820 426 464 - www.bayonne-tourisme.com - juil.-août : lun.-sam. 9h-19h, dim. et j. fériés 10h-13h ; reste de l'année : lun.-vend. 9h-18h30, sam. 10h-18h, fermé dim. et j. fériés.*

Bayphone – Application pour téléphone portable : www.bayphone.fr

Visites guidées – Bayonne, qui porte le label « Ville d'art », organise de nombreuses visites-découvertes de la ville - *6 € (-12 ans gratuit) ; visites gourmandes - 10 € (-12 ans 4 €) ; visite guidée + visite du Musée basque - 10 € (-26 ans gratuit) - rens. à l'office de tourisme.*

Transports – La Navette de Bayonne dessert gratuitement les principaux sites des Grand et Petit Bayonne - *2 parcours, lun.-sam. 7h30-19h30 sf j. fériés - rens. ℘ 05 59 46 60 41.* Pass'Adour permet de traverser l'Adour gratuitement (circuit Mairie-Gare) - *6h30-21h30 tlj sf j. fériés.* Vélos gratuits - *rens. à l'office de tourisme - prêt pour une journée - plusieurs stations réparties dans la ville - caution de 150 € ou d'un papier d'identité par vélo.* Bus - un vaste réseau de bus dessert toute l'agglomération de Bayonne *-rens. : ℘ 05 59 52 59 52 - www.chronoplus.eu.*

SE REPÉRER

Carte de microrégion C1 (p. 302-303) – *carte Michelin n° 573 B 25.* Les trois quartiers de la vieille ville sont délimités par la confluence de ses deux cours d'eau : l'Adour et la Nive. Le Grand et le Petit Bayonne se trouvent au sud et le quartier St-Esprit au nord. Le Nouveau Bayonne, où se situent les arènes de Lachepaillet, jouxte quant à lui le Grand Bayonne.

SE GARER

Le centre-ville est piétonnier ou parcouru de ruelles qui rendent difficile le stationnement. Garez-vous plutôt dans l'un des nombreux parkings aménagés au bord des deux cours d'eau ou en périphérie des vieux quartiers : la Navette de Bayonne vous conduit au centre. Départ toutes les 6mn *(lun.-sam. 7h30-19h30 sf j. fériés, gratuit).*

À NE PAS MANQUER

Les impressionnantes collections du Musée basque vous permettront de découvrir et de comprendre toutes les spécificités de la culture basque.

ORGANISER SON TEMPS

Shopping dans le Grand Bayonne le matin, visite du Musée basque l'après-midi, et petit verre en soirée dans l'un des nombreux cafés bordant la Nive ou les ruelles du Petit Bayonne, très animés en fin de semaine.

AVEC LES ENFANTS

Le délicieux parcours de l'Atelier du chocolat, la plaine d'Ansot (Maison des barthes et Muséum d'histoire naturelle) et le Musée basque.

BAYONNE

Bayonne, « la bonne rivière », c'est d'abord une ambiance... Celle, estivale, des innombrables bars et bodegas du Petit Bayonne où, devant quelques « pintxos » arrosés de « sagardoa » (cidre), vous commencerez à apprécier la convivialité basque. Celle-ci culmine bien évidemment lors des célébrissimes fêtes de Bayonne qui se déroulent début août, lorsque « garçons et filles gambillent pendant six jours de la Nive à l'Adour », comme le clame la chanson basque. Rien de tel pour se mettre en condition avant de partir à la découverte d'une cité historique dont les hautes maisons aux colombages sang-de-bœuf raviront aussi bien les amateurs d'art que ceux d'histoire, sans oublier les gourmands qui y découvriront le berceau du chocolat en France.

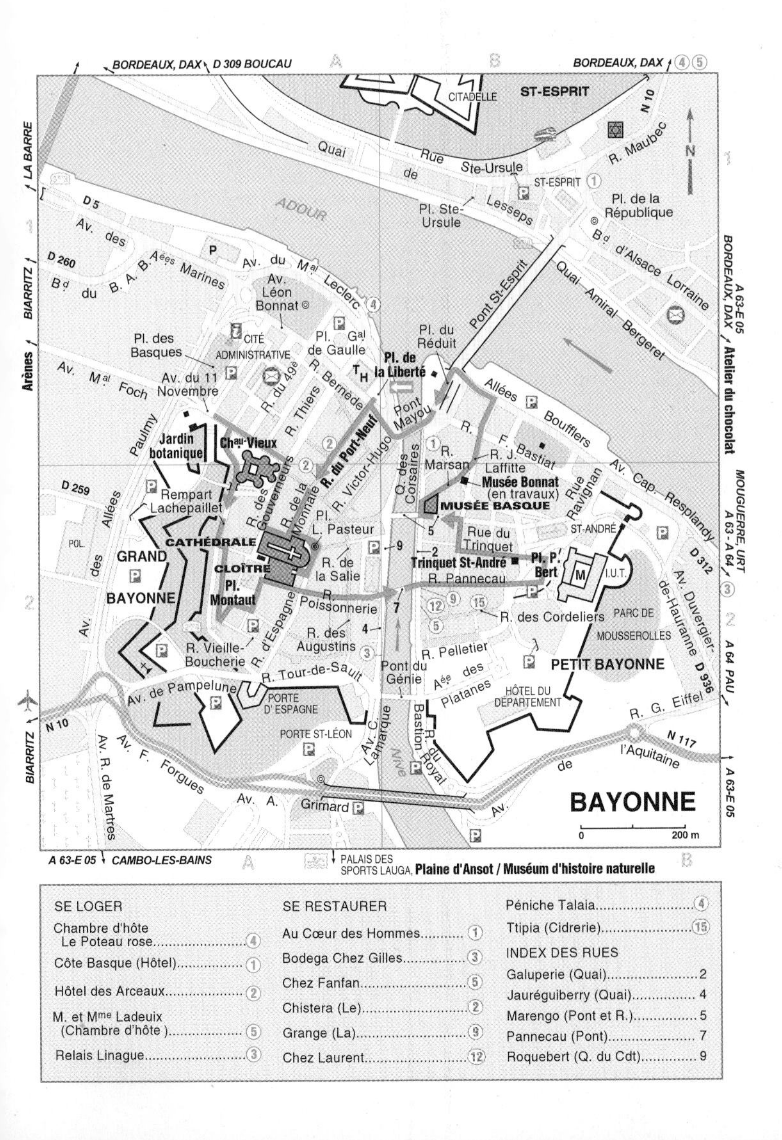

Se promener Plan de ville p. 305

Circuit tracé en vert sur le plan p. 305. Compter 2h30. Partir de la place de la Liberté, sur la rive gauche de la Nive, à hauteur de son confluent avec l'Adour.

Place de la Liberté AB1

Située au débouché du pont Mayou, qui traverse la Nive à l'entrée de la vieille ville, elle est bordée par l'hôtel de ville et le théâtre. Les armoiries et la devise de la ville sont dessinées sur le pavage de marbre : *nunquam polluta*, « jamais souillée ».
Depuis la place, s'engager dans la rue du Port-Neuf.

Rue du Port-Neuf A1-2

Le nom de cette charmante artère piétonne, bordée de maisons des 18e et 19e s., s'explique par le fait qu'elle occupe, comme beaucoup d'autres ruelles du quartier, l'emplacement d'un canal qui servait autrefois de port. Elle abrite sous ses arcades les meilleurs chocolatiers de la ville et mène à un lacis de petites rues commerçantes qui constituent le cœur du Grand Bayonne. Notez la belle maison à colombages, à l'angle de la rue de la Monnaie et de la rue Orbe.
La rue de la Monnaie, dans le prolongement, conduit à la cathédrale.

★ Cathédrale Ste-Marie A2

Lun.-sam. 10h-11h45, 15h-17h45, dim. et j. fériés 15h-17h45 - possibilité de visite guidée de la cathédrale et de la tour : se renseigner à l'office de tourisme. Elle a été bâtie du 13e au 16e s., dans le style un peu sévère des églises du Nord. Au 19e s., on ajouta la tour nord et les deux flèches.
À l'intérieur, remarquez les vitraux Renaissance, en particulier la *Prière de la Chananéenne* qui date de 1531 *(2e chapelle à droite en entrant par la porte de gauche)*. Dans la 6e chapelle, une plaque commémorative de 1926 rappelle le miracle de Bayonne *(voir ci-contre, siège de 1451)*. De l'axe central de la nef, on peut juger des belles proportions et de l'harmonie de l'édifice avec son élévation à trois niveaux. *Gagnez le déambulatoire.* Adoptant le parti architectural champenois, les voûtes en ogive rejoignent celles des cinq chapelles absidiales rayonnantes, décorées à la fin du 19e s.
Ne manquez pas, dans le bras gauche du transept, sur la porte, le heurtoir ciselé (13e s.), appelé « anneau d'asile » ; on raconte que le criminel pourchassé qui y posait les doigts était en sécurité.

★ Cloître A2

Accès par la place Louis-Pasteur. ✆ 05 59 46 11 43 - ♿ - de mi-mai à mi-sept. : 9h-12h30, 14h-18h ; reste de l'année : 9h-12h30, 14h-17h - fermé certains dim., 1er janv., 1er Mai, 1er nov., 25 déc. - gratuit. Il n'en subsiste que trois côtés formant un bel ensemble gothique (14e s.) avec ses baies jumelées. De la galerie sud, vue sur la cathédrale.
Revenir au portail de la cathédrale et, par la rue des Gouverneurs, gagner le Château-Vieux et les remparts.

Château-Vieux A1-2

L'office de tourisme organise parfois des visites guidées. Construit au 12e s., puis retouché par Vauban au 17e s., le Château-Vieux témoigne encore de l'architecture militaire médiévale. Il se visite rarement (domaine militaire oblige), mais si la porte est ouverte, vous pourrez au moins en apercevoir la cour intérieure.

LA BAÏONNETTE
Certains ferronniers et armuriers de la ville se sont rendus tristement célèbres en inventant la **baïonnette**, utilisée par l'infanterie française à partir de 1703.

Longtemps anglaise, presque espagnole

DOT DE PRINCESSE

Au 12e s., Bayonne fait partie du duché quasiment indépendant d'Aliénor d'Aquitaine, épouse quelque peu volage du triste roi de France, Louis VII. Lorsqu'elle se remarie avec Henri II Plantagenêt (1152), héritier du trône d'Angleterre, la ville devient donc anglaise et le restera trois siècles. Durant la guerre de Cent Ans, les flottes bayonnaise et anglaise courent bord à bord, le port regorge de marchandises et la ville est florissante.
Lorsque, le 20 août 1451, les troupes françaises cernent la ville, les habitants voient une croix blanche dans le ciel. Un tel signe divin en faveur de la reddition anglaise ne peut qu'être un bon présage. L'avenir ne sera malheureusement pas à la hauteur de leurs espérances. L'intégration de Bayonne au domaine royal français, après 1451, ne va pas sans grincements de dents : non seulement il faut payer une indemnité de guerre mais, en plus, les rois de France empiètent plus largement sur les libertés locales que ne le faisaient les lointains souverains britanniques. C'est ainsi que les actes et lois ne doivent plus être rédigés en gascon, mais en français. Les Bayonnais en garderont du ressentiment. Fort heureusement pour la prospérité de la ville, Charles IX décidera de rendre vie au port ensablé (l'embouchure de l'Adour s'étant déplacée 30 km au nord) : un chenal direct vers la mer est ouvert en 1578.

COURSES LOINTAINES

Au 18e s., l'activité de Bayonne atteint son apogée. Les échanges avec l'Espagne, la Hollande et les Antilles, la pêche à la morue sur les bancs de Terre-Neuve et les chantiers de construction entretiennent une grande activité dans le port. Bayonne est déclarée port franc en 1784, ce qui triple son trafic. Les prises de guerre sont fabuleuses et les bourgeois arment maints bateaux corsaires. Les ministres de Louis XIV fixent par ordonnance le mode de partage du butin : un dixième à l'amiral de France, les deux tiers aux armateurs, le reliquat à l'équipage. Une somme est retenue pour les veuves, les orphelins et le rachat des prisonniers aux Barbaresques.

DÉCLIN ET RENOUVEAU

Après la Révolution et les guerres napoléoniennes, Bayonne sombre dans une douce léthargie. Par chance, sous le Second Empire, l'attachement de l'impératrice Eugénie de Montijo à la Côte basque va faire bénéficier la ville de quelques travaux. L'impératrice fait notamment aménager une gare dans le quartier St-Esprit, dès lors rattaché officiellement à la ville : les premiers « touristes » font leur apparition. Il faut attendre 1899 pour que les remparts soient démantelés. Jusque-là, les Bayonnais n'avaient d'autres ressources que de surélever les maisons, mais avec l'aménagement de nouveaux quartiers, Bayonne peut respirer davantage. Dès lors, malgré quelques aléas économiques, la cité se développe, entretient son patrimoine et se tourne avec dynamisme vers des activités de service où le tourisme se taille la part du lion.

Jardin botanique A1

En surplomb des remparts, le jardin botanique prend des accents japonais dans l'allée des Tarides *(près du monument aux morts)*, regroupant quelque 1 000 espèces de plantes. *Allée des Tarides - ✆ 05 59 46 60 93 - de mi-avr. à mi-oct. : 9h30-12h, 14h-18h - fermé dim., j. fériés et lun. - gratuit.*

Revenir au rempart Lachepaillet et s'engager dans la rue des Faures depuis la rue des Prébendés, afin de rejoindre la place Montaut.

Place Montaut A2

Cette place jouxte un quartier un peu endormi et pourtant typique du Grand Bayonne, avec ses habitations anciennes (maison du 18e s. au no 51 de la rue des Faures, ou du 17e s. aux nos 14-16, 21 et 23 de la rue Douer). Les noms de ces rues (Faures, Douer pour « tonnelier », Vieille Boucherie) indiquent une activité artisanale ancienne, qui se maintient vaille que vaille.

Prendre la rue de Luc et la rue de la Poissonnerie pour rejoindre le pont Pannecau.

Autres temps, autres mœurs : les femmes infidèles ou de mauvaise vie étaient jetées du **pont Pannecau** dans une cage en fer *(copie au Musée basque)*. Aujourd'hui, vous le traverserez paisiblement pour rejoindre le Petit Bayonne, qui, face au Grand Bayonne de tradition marchande, conserve son atmosphère populaire et une ambiance festive le soir, avec l'ouverture de ses petits bars branchés *(du jeudi au samedi hors saison, tous les soirs en été)*. Admirez au passage l'harmonie des façades 18e et 19e s. des maisons quai Galuperie (à gauche) et quai Chaho (à droite).

Par la rue Pannecau, rallier la place Paul-Bert.

Place Paul-Bert B2

Deux édifices notables occupent cette place, dont le Château-Neuf. Élevé après la prise de Bayonne par les Français et remodelé au 19e s., il abrite aujourd'hui des administrations et une annexe du Musée basque *(prendre à gauche après l'entrée et passer sous le porche)*, toutefois son esplanade arrière est accessible et permet de découvrir un très beau point de vue sur l'Adour et la ville.

À deux pas de lui se dresse l'**église St-André**, édifiée de 1856 à 1862 dans un style néogothique. Tableaux de Léon Bonnat et Eugène Pascau à l'intérieur.

Se diriger vers la rue du Trinquet, face à l'église.

Trinquet St-André B2

Ce trinquet des 17e et 18e s. témoigne de l'évolution du jeu de paume. On y joue encore des parties de *pala*, et chaque jeudi à 16h, d'octobre à juin, des parties à main nue *(voir p. 57)* y sont aussi organisées. Admirez la vieille charpente.

Rejoindre le Musée basque par la rue Pontrique et la rue Marengo.

★★★ Musée basque et de l'Histoire de Bayonne B2

Maison Dagourette, 37 quai des Corsaires - ✆ 05 59 59 08 98 - www.musee-basque.com - ♿ - juil.-août : tlj 10h-18h30 (jeu. 20h30) ; reste de l'année : tlj sf lun. et j. fériés 10h-18h30 - visite guidée chaque 1er dim. du mois à 11h et 15h - 5,50 € (-26 ans gratuit), gratuit 1er dim. du mois.

Ce musée a investi en 1922 la belle **maison Dagourette**, construite à la fin du 16e s., qui illustre bien l'opulence des marchands bayonnais de l'époque. Elle abrita des religieuses de 1640 à 1680, puis devint hôpital civil jusqu'au Second Empire avant de redevenir un lieu de négoce. La « tour d'abandon », rue Marengo, témoigne de l'époque où la maison servait d'hôpital.

Les collections d'origine, rassemblées par William Boissel dans le souci de conserver la tradition basque, ont été enrichies et sont présentées de façon dynamique avec une scénographie très actuelle. À l'entrée, l'exposition de

Le quai Galuperie, à Bayonne
L. Maisant / hemis.fr

stèles discoïdales est placée sous un puits de lumière moderne, percé à l'intersection des trois bâtiments qui composent le musée. Dans l'espace suivant, des images animées sont projetées sur un mur dans une **ambiance sonore** (mots, chants, bruits) signée Beñat Achiary. Des salles aux couleurs claires et acidulées accueillent ensuite les 15 sections thématiques qui visent à faire comprendre la société basque d'aujourd'hui avec les objets et les rites d'hier.
Le rez-de-chaussée présente l'**agropastoralisme** : de grosses charrues sont encadrées par des vitrines renseignant sur les bergers ou l'alimentation (insolites fours à chocolat et touchantes poupées de maïs). Avant de monter au 1er étage, arrêtez-vous dans l'auditorium où sont projetés des films ethnographiques.
Au 1er étage, on pénètre dans une **maison basque**, avec son mobilier et sa vaisselle traditionnelle (repérer le *zuzulu* – banc à haut dossier qui protégeait des courants d'air, réservé aux maîtres de maison), puis on découvre l'artisanat (espadrilles de taille !) et le costume traditionnel. Les salles suivantes s'ouvrent sur l'activité maritime et fluviale (spectaculaire **plan-relief** de la ville en 1805) et le commerce.
Le 2e étage, consacré aux pratiques sociales et religieuses, débute par une présentation de la vie sociale, abordée à travers les jeux et sports (collection impressionnante de **pelotes**), la musique et les danses. La visite se poursuit avec la vie religieuse, ses processions et les rites qui entourent le deuil (découvrez le rôle qu'y jouent les abeilles), et s'achève par une partie dédiée à l'histoire et la redécouverte du Pays basque, s'intéressant notamment au **style néobasque**.
Les rues Marsan et Jacques-Laffitte mènent ensuite au musée Bonnat.

★★ Musée Bonnat B1

5 r. Jacques-Laffitte - ✆ 05 59 59 08 52 - www.museebonnat.bayonne.fr -
Le musée est fermé pour travaux jusqu'en 2014.
Richement décoré dans un style éclectique, ce bâtiment a été spécifiquement conçu en 1897 par l'architecte Charles Planckaert pour recevoir les collections

et les œuvres de l'artiste bayonnais **Léon Bonnat** (1833-1922) qui fit fortune en portraiturant la grande bourgeoisie de son temps. Grand esthète, il mit son argent au service de l'art. Ses collections (13e-19e s.), patiemment assemblées et enrichies depuis, font aujourd'hui les beaux jours du musée qui porte son nom. Les œuvres principales sont le grand tryptique *Bonnat et ses élèves basques et béarnais;* les dessins de **Paul Helleu**, un artiste de la Belle Époque qui sut charmer la haute société par l'élégance de ses portraits (il inspira à Proust le personnage d'Elstir, et découvrit, selon Mallarmé, « une couleur inconnue entre le délice et le bleu ») ; les esquisses de **Rubens** et les sculptures en terre cuite de la collection Cailleux, ainsi que les sujets religieux chrétiens, l'histoire du Christ, de la Vierge, des saints (*Christ bénissant* et *Sainte Vierge*, Toulouse vers 1330, ou encore une *Tête de Christ*, de l'école vénitienne, et une *Vierge et l'Enfant à la grenade* de l'école de Botticelli).

Parmi les **portraits** de Bonnat se trouvent aussi des tableaux d'Ingres, Degas, Delacroix, Flandrin, Géricault, Hoppner, Puvis de Chavannes, Rembrandt, Rubens, Tiepolo, etc. La collection de **peinture espagnole** comprend des œuvres de Murillo, comme *San Salvador de Horta et l'inquisiteur d'Aragon*, de Goya avec *Portrait de don Francisco de Borja,* ou du Greco, auxquelles s'ajoutent des tableaux de l'école aragonaise *(Saint Martin)* et des scènes bibliques ou inspirées par la mythologie antique (*Le Serment des Horaces*, de l'école de David).

Le musée possède enfin une collection d'archéologie antique, des céramiques et de l'orfèvrerie provenant de la collection Petithory, ainsi que des dessins originaux de grands maîtres français et étrangers.

Revenez place de la Liberté par les allées Boufflers (le long de l'Adour) et le pont Mayou.

Les plus courageux peuvent continuer la promenade en franchissant l'Adour par le pont St-Esprit qui conduit au quartier du même nom.

À voir aussi Plan de ville p. 305

La Nive B2

Promenade incontournable pour tout Bayonnais qui se respecte, le bord de la Nive se rallie au niveau du ponton du club d'aviron (pont du Génie, B2). Suivant le tracé d'une ancienne voie de halage, le chemin peut conduire les plus motivés jusqu'à **Ustaritz**, à environ 11 km de là.

Plaine d'Ansot

L'accès se fait par le pont Blanc (piétons et cyclistes uniquement). Laissez votre voiture au parking Floride au bout de l'av. Raoul-Follereau. Navette gratuite depuis le parking jusqu'au site les merc. et sam. de 14h30 à 16h30 (17h30 en été) - 05 59 42 22 61 - www.ansot.bayonne.fr - 15 oct.-14 avr. : 10h30-17h30 ; 15 avr.-14 oct. : 9h30-19h - fermé lun., 1er Mai, 3 sem. pour les fêtes de Bayonne, Noël et le Nouvel An - entrée libre.

2h30. Depuis le pont Blanc, un premier sentier (1 km), agrémenté de panneaux sur l'écologie, vous mène à la **Maison des barthes**, ancienne ferme du 18e s. devenue centre d'accueil du public *(15 oct.-14 avr. :*

LE ROI LÉON

C'est en 1949 que Léon Dacharry, figure locale, interprète de répertoire lyrique et commis-vendeur d'imperméables, fut proclamé « roi de Bayonne » par la *banda* des Batsarous, lassée de la reine des fêtes ! Maintes chansons s'appliquent à réveiller chaque jour des fêtes ce « roi Léon, roi de Bayonne et des couillons » !

Faire la fête à Bayonne

Les fêtes de Bayonne ont lieu du mercredi au dimanche, aux dates les plus proches du 1er août. Des animations précèdent l'ouverture officielle : braderies, concerts, Foulée du Festayre (course à pied de 12 km de Biarritz à Bayonne - *www.fouleedufestayre.com*), championnat du monde d'omelette aux piments, régates d'aviron, etc. : de quoi se mettre en jambe avant cinq jours de fête !

INFORMATIONS PRATIQUES

Code vestimentaire : tenue blanche, foulard et ceinture rouges !
Pour venir aux fêtes, privilégiez les transports en commun mis en place pour l'occasion : le train des fêtes depuis Dax ou Hendaye, les bus des fêtes jour et nuit depuis les communes avoisinantes. Le centre-ville étant fermé aux piétons, il sera très difficile, voire impossible, de circuler dans Bayonne. Un parking dans chaque quartier est néanmoins accessible 24h/24 mais coûteux. En matière d'hébergement, il faudra bien sûr avoir réservé très en avance, mais pour les *festayres* de dernière minute, un camping sans réservation accueille les tentes *(1 500 emplacements - 60 €/2 pers.)* à l'aire d'accueil de Mousserolles (Petit Bayonne).
Depuis quelques années, pour éviter les débordements, la fête se termine à 3h pour reprendre à 9h et les *festayres* récalcitrants pourront se faire sortir de la ville de manière musclée. Soyez vigilant pour passer des fêtes en toute sécurité : restez en groupe, évitez les ruelles isolées de l'animation ; le vendredi soir où les hommes et les femmes s'amusent chacun de leur côté peut amener quelques bagarres. *Procurez-vous dès votre arrivée la brochure « L'Indispensable des Fêtes » à l'office de tourisme ou au Point Infos en face de la mairie - ✆ 0820 42 64 64 (0,12 €/mn) - www.fetes.bayonne.fr*

DÉROULEMENT DES FESTIVITÉS

Les fêtes sont inaugurées le mercredi à 22h par le maire et des personnalités qui confient aux habitants les **trois clés de la ville**, une clé par quartier. C'est le début des fêtes ponctué par un feu d'artifice. Tous les matins se promène la cour des Géants et, à midi, on célèbre le lever du **roi Léon**, le roi des fêtes de Bayonne *(voir ci-contre)*, appelé à grand renfort de chansons. Les journées sont bien remplies par les fanfares, concerts, danses, concours de pétanque et surtout de **pelote**, car les fêtes de Bayonne sont l'occasion d'exaltantes compétitions. Le soir, les danseurs de bal s'approprient les places. Le jeudi est la journée des enfants.
Les **courses de vaches** constituent une attraction à ne pas manquer. Elles ont lieu place Paul-Bert tous les après-midi. Ici, contrairement à Pampelune, on peut toucher et taquiner les bestiaux ; on se me²sure aux vachettes en contrant leurs charges à plusieurs, on bâtit des pyramides humaines dont elles testent l'équilibre, on les fait passer sous de longs ponts de bras, et on les attire même dans les bars ! Vendredi et samedi soir à minuit, le **Toro de Fuego** reproduit en un spectacle pyrotechnique une corrida. Mais l'événement important du samedi est le **corso**, défilé sur les berges à 22h de chars illuminés préparés par les *peñas*. Enfin, le dimanche, plusieurs messes sont célébrées ; les fêtes se clôturent officiellement à minuit par un grand feu d'artifice et le départ du roi Léon.

mar.-vend. 13h30-17h, w.-end 11h-17h ; 15 avr.-14 oct. : 10h30-18h - fermé lun.). Trois autres sentiers thématiques (2,5 à 3 km) vous permettent de découvrir, par d'agréables promenades, la faune et la flore de ces barthes, zones humides où s'épanchent les crues de la Nive et qui protègent ainsi le Petit Bayonne des inondations. Le site est équipé d'un sémaphore d'observation des oiseaux.
Muséum d'histoire naturelle - *15 oct.-14 avr. : 13h30-17h, w.-end 11h-17h ; 15 avr.-14 oct. : 10h30-18h - fermé lun. et jeu. - entrée libre.* Au rdc sont présentés les spécificités des barthes de la Nive et leur fonctionnement. Une maquette en 3D du bassin versant de la Nive illustre simplement l'effet des pluies et des marées, tandis qu'un accès au site Vigicrues ancre ces informations dans l'actualité. Très bonne animation interactive du fonctionnement hydraulique de la zone humide. À l'étage et de l'autre côté de la passerelle, les mammifères, poissons et insectes naturalisés vous montrent le type de faune qui peuple la plaine et les Pyrénées, et la nécessité de protéger cette biodiversité. Les enfants pourront caresser la peau d'un renard avant de se retrouver nez à nez avec un impressionnant ours brun, un silure glane carnivore ou un imposant gypaète barbu.

Quartier St-Esprit AB1

Annexé à Bayonne en 1857 et déployé au pied de la citadelle *(ne se visite pas)*, il mêle toutes les époques architecturales, du 18e s. jusqu'à nos jours.
Sa **collégiale**, à l'origine romane du 11e s., concentre différents styles architecturaux. Le porche actuel date de 1891, les auvents côté gare ont été élevés en 1950, mais, à l'intérieur, le chœur est de style gothique flamboyant et l'on peut y admirer un bois sculpté polychrome du 15e s. représentant la Fuite en Égypte.
Autre monument incontournable de cette rive : la **synagogue** néoclassique *(35 rue Maubec)*, construite en 1837, qui conserve sa vocation cultuelle. Sa présence rappelle que la communauté juive fut une composante sociale locale importante après l'arrivée de marchands juifs chassés de la péninsule Ibérique en 1492. Interdits de séjour dans la ville, ils s'installèrent à St-Esprit où ils implantèrent bientôt les premières fabriques de chocolat.

★ L'Atelier du chocolat Hors plan

7 allée de Gibéléou. ZA Ste-Croix, dans le quartier St-Esprit. Fléchage depuis la place de la République. Suivez le bd d'Alsace-Lorraine, passez sous la voie ferrée et, au rond-point, prenez à gauche puis tout de suite à droite - ✆ 05 59 55 70 23 - www.atelierduchocolat.fr - ♿ - juil.-août : 9h30-18h30 ; reste de l'année : 9h30-12h30, 14h-18h - fermé dim. et j. fériés - 5,80 € (-12 ans 2,90 €) avec dégustation, gratuit Journées du chocolat de Bayonne.

L'ESPRIT DU CHOCOLAT

Découvert par les *conquistadores*, le « xocoatl » des Aztèques n'aurait sans doute jamais conquis autant de gourmands si les Espagnols n'avaient eu l'idée de lui adjoindre du sucre, de la vanille et de la cannelle pour l'adapter au goût européen. Depuis 1585, les Sévillans détenaient le monopole de sa fabrication. Ce fut, logiquement, une Espagnole, la reine Anne d'Autriche, qui le fit connaître et apprécier en France. Les premiers chocolatiers de Bayonne, des juifs espagnols et portugais, apparurent au début du 17e s. dans le quartier St-Esprit. Mais, sous la pression des corporations, peu soucieuses de la concurrence, on leur interdit bientôt cette activité qui ne faisait pas partie des métiers leur étant autorisés.
En 1854, on ne comptait pas moins de 31 fabricants de chocolat à Bayonne.

Le chocolatier Andrieu a élaboré un parcours didactique allant des origines géographique et historique du chocolat jusqu'au produit fini, en passant par toutes les étapes de sa fabrication : composition, enrobage, moulage, tablage, décoration et emballage. Agréablement éclairé et très olfactif, le circuit alterne astucieusement panneaux explicatifs, découverte des ateliers, exposition de machines anciennes et film pédagogique afin d'illustrer au mieux cette filière gourmande. Des écrans-quiz et une dégustation clôturent la visite.
Les artisans chocolatiers ne travaillant pas l'après-midi (des vidéos montrent alors l'activité de chaque atelier), prévoyez de préférence une visite en matinée.

Circuit conseillé Carte de microrégion p. 302

★ ROUTE IMPÉRIALE DES CIMES

Pour visualiser ce circuit de 30 km qui relie Bayonne à Hasparren, se reporter à la carte de microrégion p. 302-303. Comptez env. 1h30.
Sortez de Bayonne par la D 936 ; quittez cette route aux dernières propriétés de St-Pierre-d'Irube pour la D 22, à droite.
Napoléon Ier fit aménager cette route sinueuse comme tronçon d'une liaison stratégique de Bayonne à St-Jean-Pied-de-Port par les hauteurs. La **vue★** se dégage sur la Côte basque et les sommets des Pyrénées proches de l'Océan : la Rhune, les Trois Couronnes et le Jaizkibel qui, de cette distance, donne l'illusion d'une île escarpée. Aux approches d'Hasparren *(voir p. 402)*, les Pyrénées basques s'étendent au loin.

NOS ADRESSES À BAYONNE

HÉBERGEMENT

Attention, durant les fêtes de Bayonne, inutile de chercher un hébergement : tout est complet longtemps à l'avance.

PREMIER PRIX

Hôtel Côte Basque – *Pl. de la République, 2 r. Maubec - ✆ 05 59 55 10 21 - www.hotel-cotebasque.fr - 40 ch. 53/63 € - ☕ 7 €.* Juste à côté de la gare, cet élégant hôtel est très pratique pour qui veut visiter la ville. Il propose, sur quatre étages organisés autour d'un grand escalier de bois, des chambres entièrement refaites, spacieuses, calmes et confortables. Certaines sont climatisées. L'accueil est agréable. Ascenseur.

Relais Linague – *Chemin Linague - 64990 Urcuit - ✆ 05 59 42 97 97 - www.relaislinague.com - P - ⊄ - 4 ch. 56/64 € ☕.* Implantée au cœur d'un domaine de 12 ha où gambadent des chevaux, cette jolie ferme du 17e s. conserve pieusement ses vieilles pierres et poutres. Trois chambres allient tissus aux tons pastel et meubles anciens chinés ici ou là à une literie de qualité. Au rez-de-chaussée, Églantine, plus petite, est également agréable. Table d'hôte sur réservation, sauf en juillet-août. Mise à disposition d'un coin cuisine.

Chambre d'hôte M. et Mme Ladeuix – *26 av. Salvador-Allende - 40220 Tarnos - ✆ 05 59 64 13 95 - www.enaquitaine.com - P - ⊭ - 4 ch. 65/80 € ☕.* Voilà une adresse qui séduira les amoureux du silence. Un parc de chênes, châtaigniers, mimosas, bananiers, poiriers et érables, une vaste pelouse avec piscine, un enclos où paissent les brebis près des cages à lapins et des poules… Les chambres sont simples mais confortables. Produits de la ferme au petit-déjeuner. Également un gîte pour quatre personnes.

BUDGET MOYEN

Hôtel des Arceaux – *26 r. Port-Neuf - ✆ 05 59 59 15 53 - www.hotel-arceaux.com - 11 ch. 65/80 € - ☕ 7 €.* Ce petit hôtel, situé dans une rue piétonne du centre-ville, constitue un point de départ idéal pour visiter le Vieux Bayonne et les rives de l'Adour. Choisissez de préférence les chambres rénovées, peintes chacune dans une couleur différente. L'accueil vraiment sympathique vous assure un séjour attrayant. Wifi gratuit.

Chambres d'hôte et Ateliers d'artistes Le Poteau Rose – *51 av. Louis-de-Foix - ✆ 05 59 55 36 01 - www.lepoteaurose.com - 4 ch. 70/90 € ☕ (suppl. de 10 € pour une seule nuit).* Dans cette grande maison, construite autour d'un patio et agrémentée de belles terrasses sur jardin, vous séjournerez dans une autre dimension : celle de l'art ! Les grandes chambres, en duplex, lumineuses et colorées, sont décorées d'œuvres d'art et de meubles design. Celle de la Réserve se trouve dans le dépôt du Couvent des Méduses, espace d'exposition du lieu *(www.lecouventdesmeduses.com)*, et vous dormirez au milieu des œuvres bientôt ou déjà exposées ! Un lieu atypique, à l'ambiance cosy et surprenante. Si l'avenue semble bruyante, les chambres et la maison sont calmes.

RESTAURATION

PREMIER PRIX

Chez Laurent – *24 quai Augustin-Chaho - ✆ 05 59 59 31 35 - 14,50/26 € - fermé dim. et lun.* La devanture annonce toujours le Café du Midi, ouvrant sur une belle pièce de pierres apparentes, mais c'est désormais Laurent Costuas qui est aux fourneaux, proposant une cuisine du pays délicieuse et tout en finesse. Chipirons, serrano, merlu de ligne à l'espagnole, magret de canard… et desserts copieux : des plats pour tous les budgets, à déguster à table, au bar ou en terrasse.

Chez Fanfan – *14 quai Augustin-Chaho - ✆ 05 59 59 56 60 - formule 12/16 € - 15/33 € - fermé merc. et dim. soir.* Dans cette toute petite salle sur les bords de la Nive ou sur les deux ou trois tables en terrasse, on sert une cuisine classique, qui varie selon la saison. Des toiles d'artistes locaux sont exposées à l'intérieur.

Au Cœur des Hommes – *62 quai des Corsaires - ✆ 05 59 59 51 17 - 12,50/35 € - fermé dim. (et lun. en hiver).* Attention, vous entrez chez un artisan restaurateur ! Dans ce joli décor chocolat-café crème, Jean-Pierre et son équipe vous invitent à redécouvrir, dans une ambiance décontractée, de vrais plats de bistrot : pieds de porc, chipirons, morue pil-pil (spécialités locales) et, en dessert, crêpes au sucre, pain perdu, riz au lait. À midi en semaine, beau menu du marché. Jolie terrasse au bord de la Nive.

Le Chistera – *42 r. Port-Neuf - ✆ 05 59 59 25 93 - www.lechistera.com - fermé sf l'été lun. et mar.-merc. soir - 14,80 €.* Restaurant familial sans prétention dans une maison du 17e s. en plein cœur du Vieux Bayonne. La décoration, à l'honneur de la pelote, est un peu vieillie, mais cette adresse reste d'un bon rapport qualité-prix pour déguster des spécialités basques.

BUDGET MOYEN

La Grange – *28 quai Galuperie - ✆ 05 59 46 17 84 - fermé dim. sf fêtes - ♿ - 15/29 €.* Le « plus » de ce restaurant est sa grande terrasse bordant la Nive. La salle à manger offre une ambiance résolument campagnarde, avec une fresque représentant une grange et une collection d'outils agricoles. Cuisine simple et copieuse, riche de toutes les saveurs du terroir basque.

Bodega Chez Gilles – *23 quai de l'Amiral-Jauréguiberry - ✆ 05 59 25 40 13 - www.bodegachezgilles.com - 15/32 € - midi et soir.* Un endroit qui ne manque pas d'ambiance, un joli bar, une équipe sympa, des pierres apparentes et une belle terrasse confèrent à la bodega son caractère bayonnais. Dans l'assiette, de belles spécialités locales : anchois, *rabas*, jambon de Bayonne, *lomo*, *piquillos*, merlu, morue, côtes de bœuf et d'agneau.

POUR SE FAIRE PLAISIR

Cidrerie Ttipia – *27 r. des Cordeliers - ✆ 05 59 46 13 31 - http://ttipia.364.fr/ - 29 € (enf. 7 €) - été : soir seult ; reste de l'année : midi et soir sf dim. soir et lun. midi.* Voilà un voyage au cœur des cidreries espagnoles : grandes commensales, poutres et pierres apparentes, vieux objets et surtout tonneaux desquels coule à flots le *sagardoa* (cidre). C'est un lieu unique où l'on vient pour l'ambiance et la cuisine simple de qualité. Le menu traditionnel comprend : omelette à la morue, merlu à l'espagnole, côte de bœuf, fromage de brebis, noix et cidre à volonté dont on se sert soi-même au tonneau. Plaisirs garantis.

Péniche Talaia – *Quai Pedros, devant la mairie de Bayonne - ✆ 05 59 44 08 84 - www.peniche-bayonne.com - mar. midi-sam. soir - menu déj. 18 €, soir carte (plats : 16/20 €).* Vous pourrez déguster ici une cuisine traditionnelle du Sud-Ouest tout en profitant, le soir, de la superbe vue sur les monuments illuminés de la ville.

PETITE PAUSE

Salon de thé Lionel Raux – *7 r. Bernadou - ✆ 05 59 59 34 61 - www.patisserieraux.fr - lun.-vend. 9h-19h30, sam. 8h-19h30, dim. 8h-13h - fermé apr.-midi des j. fériés et du dim.* Pâtissier, chocolatier, traiteur et salon de thé sont réunis sous cette enseigne proche des halles. Vous aurez le choix entre sandwichs, tartes salées, viennoiseries, macarons, gâteaux basques et la spécialité maison, le daudet (ganache chocolat noir et crème brûlée à l'orange parfumée au Cointreau).

Salon de thé Chocolat Cazenave – *19 r. du Port-Neuf - ✆ 05 59 59 03 16 - www.chocolat-cazenave.fr - mar.-sam. 9h15-12h, 14h-19h - fermé dim. et le lun. hors vac. scol., 3 sem. en oct. et j. fériés.* Attenant à la boutique *(voir la* *rubrique Achats)*, l'ancien atelier de chocolaterie a été transformé au début du 20e s. en élégant salon de thé. On y déguste le fameux chocolat chaud moussé à la main dans de la porcelaine de Limoges.

EN SOIRÉE

Situé à l'angle formé par la Nive et l'Adour, **le Petit Bayonne** est le quartier jeune de la ville, le creuset de l'animation nocturne les fins de semaine. Aux premières chaleurs estivales, l'ambiance tourne irrésistiblement à la fête grâce aux bars et restaurants qui pullulent alentour. Entre la rue des Cordeliers, la rue Pannecau et celle des Tonneliers, on ne compte pas moins d'une trentaine d'établissements. Parmi eux, signalons la Txalupa *(au n° 26 de la rue des Cordeliers)* et le Killarney Pub *(au n° 35)*.

Bars

Chai Ramina – *11 r. de la Poissonnerie - 05 59 59 33 01 - mar.-jeu. 9h30-20h, vend.-sam. jusqu'à 2h.* Ramina, un ancien champion de rugby, s'est reconverti depuis vingt-cinq ans en pilier de comptoir de son propre pub, un bar de vieux copains où des Bayonnais de souche chahutent comme des enfants. Si l'on y boit surtout du whisky, la faute en revient à une carte qui n'en propose pas moins de 300 !

Spectacles

La Luna Negra – *7 r. des Augustins - 05 59 25 78 05 - www.lunanegra.fr - merc.-sam. – fermé août sf pendant les fêtes - 8/14 €.* L'art sous toutes ses facettes est à l'honneur dans ce café-théâtre dynamique qui propose chaque soir un divertissement : pièce de théâtre, spectacle de chansons, cabaret, one-man show, concert de jazz, blues, rock ou musique de chambre.

Théâtre de Bayonne - scène nationale – *Pl. de la Liberté - 05 59 59 07 27 - scenenationale@snbsa.fr - rens. et réserv. : mar.-vend. 10h-14h, 14h45-17h30, sam. 10h-13h - fermé 2 sem. en août et j. fériés - de 7 à 30 € selon les spectacles.* C'est la scène nationale Bayonne-Sud-Aquitain qui gère ce théâtre (580 places). On y donne toutes sortes de spectacles : théâtre, danse, musique, humour, jeune public, etc.

ACHATS

Marché – *05 59 59 21 81.* Autour des halles *(voir ci-dessous)* et sur le pont Marengo, un marché alimentaire a lieu le samedi *(7h-12h30)*. D'autres marchés se tiennent place de la République *(vend.)*, place des Gascons *(quartier des Hauts-de-Ste-Croix - merc. et sam.)*, rue Ste-Catherine *(dim.)*, place du Marquisar *(vend.)* et au Polo Beyris *(vend.)*. Au Carreau des Halles : marché à la brocante *(vend., 7h-13h)* et marché équitable *(2e sam. du mois)*.

Les Halles – *Quai du Cdt-Roquebert - lun.-vend. 7h-13h30, sam. 6h-13h30 (14h en été), dim. 8h-13h30 ; 7h-19h les veilles de fêtes de fin d'année - fermé 24 déc., 31 déc. et 1er Mai.* Ces halles de type Baltard bordent le cours de la Nive. Primeurs, boulangers, pâtissiers et poissonniers y côtoient les charcutiers-traiteurs venus proposer leurs produits à base de porc noir basque. Quelques petits producteurs des environs s'installent aussi à l'extérieur du bâtiment le samedi matin.

Maison Montauzer – *17 r. de la Salie - 05 59 59 07 68 - www.montauzer.fr - tlj sf dim. 7h-12h30,*

15h30-19h30, fermé lun. sf été 7h30-12h30 - fermé j. fériés. Parmi les spécialités de cette charcuterie, boudin, tripes et jambons proviennent de porcs élevés exclusivement au Pays basque et nourris aux céréales. Une spécialité : le jambon *ibaïona* qui, conformément à la tradition, est séché de 15 à 18 mois à l'air vivifiant du pays et des quatre saisons dans un séchoir.

Pierre-Ibaïalde – *41 r. des Cordeliers - ✆ 05 59 25 65 30 - pierre-ibaialde.com - été : tlj sf dim. 10h-13h30, 14h30-18h30 ; reste de l'année : tlj sf dim. 9h-12h30, 14h-18h - fermé j. fériés.* Après la visite de cette conserverie artisanale (30mn), vous saurez tout sur le jambon de Bayonne. Pierre Ibaïalde vous expliquera les étapes de la fabrication du jambon et vous fera déguster ses produits : jambon et foie gras.

Chocolat Cazenave – *19 r. du Port-Neuf - ✆ 05 59 59 03 16 - www.chocolat-cazenave.fr - 9h15-12h, 14h-19h ; ouvert mar.-sam., le lun. pdt les vac. scol. - fermé 3 sem. en oct. et j. fériés.* Au 17e s., Bayonne fut la première ville en France à fabriquer du chocolat. Les chocolatiers s'installèrent alors en grand nombre dans la rue du Port-Neuf. Il n'en reste aujourd'hui que deux : Cazenave (depuis 1854) et Daranatz (depuis 1930).

Loreztia Boutik'Expo – *52 quai des Corsaires - ✆ 05 59 59 55 37 - www.loreztia-miel.com - mar.-sam. 10h30-13h, 15h-18h - entrée libre, visite guidée sur rdv, visite guidée pour les enfants 2 €.* Décorée en 2007 du Trophée du développement durable et du Coq d'or pour ses produits, la maison Loreztia a acquis ses lettres de noblesse. Miel, gelée royale et autres produits de la ruche, confitures, dont les fameuses aux cerises noires, vous feront succomber. Expo historico-ethnographique sur l'homme et l'abeille en Pays basque. Dégustations gratuites.

M. Leoncini – *37 r. Vieille-Boucherie - ✆ 05 59 59 18 20 - lun.-vend. 16h-18h30, sam. 10h-12h.* C'est l'un des derniers artisans à perpétuer la tradition du makhila qui est une canne basque en bois de néflier (sculpté à vif) renfermant une lame effilée. On l'utilise pour la marche et pour la défense.

Elkar – Pl. de l'Arsenal - ✆ 05 59 59 35 14 - www.elkar.com - tlj sf dim. 9h30-19h. Cette grande librairie vous permettra de faire le stock de guides de randonnée pédestre et VTT, d'ouvrages sur la faune et la flore des Pyrénées, de recueils d'itinéraires de balades, cartes, etc. Vous trouverez aussi nombre de livres sur le Pays basque et des romans en langue basque ou traduits.

SPORTS ET LOISIRS

Trinquet moderne – *60 av. Dubrocq - ✆ 05 59 59 05 22 - www.trinquet-moderne.com - à partir de 9h - fermé le soir dim., lun. et mar. -8/24 €.* De nombreuses parties de main nue (l'une des 22 disciplines de la pelote basque) à laquelle les Français excellent lors des compétitions de niveau mondial, se déroulent entre les parois de verre de ce trinquet couvert.

Trinquet St-André – *1 r. du Jeu-de-Paume - ✆ 05 59 25 76 81 - www.brasserie-saint-andre.fr 9h-22h - fermé 3-9 août - 13/22 €.* Ce trinquet du 17e s. est l'un des plus vieux de France. Les Basques viennent y faire leur partie de *pala* avant de se retrouver au bar. Des compétitions de main nue ont lieu du premier jeudi d'octobre au dernier jeudi de juin *(16h30)*. Les palettes en bois sont louées à l'heure. Le trinquet fait restaurant et bar à vin. Appétissantes assiettes de produits régionaux.

Croisières Le Coursic – *Adour Loisirs, allée Boufflers - ✆ 05 59 25 68 89/06 32 64 11 42 - http://adour.loisirs.free.fr - 3 sorties de 2h : 10h, 15h, 17h20 ; tte l'année sur RV : croisières de 1h (11 €, enf. 8,80 €), 2h (16 €, enf. 12,80 €), 3h (20 €, enf. 16 €) ou à la journée (23/35 €, enf. 18,40/28 €).* Ce bateau-mouche de 72 places assises vous emmène à la découverte de l'Adour et de ses affluents. Les croisières, toujours commentées, empruntent différents parcours. Parmi les escales sur les rives de l'Adour : Urcuit, Urt et Peyrehorade.

Tennis - L'Aviron bayonnais – *Av. André-Grimard - ✆ 05 59 63 33 13 - www.tennisavironbayonnais.com - 10h-12h, 16h-19h, merc. et sam. 9h-19h - fermé j. fériés.* Le cadre dans lequel se situe ce club de tennis, les anciennes fortifications de Vauban, est suffisamment insolite pour ne pas manquer la visite, à défaut d'aller y jouer. Le club existe depuis 1922. Il est doté de 11 courts (9 en terre battue et 2 en *GreenSet*). Deux grands tournois y sont organisés : l'un à Pâques et l'autre durant la 2e quinz. de juillet.

Rugby – *Billetterie en ligne sur le site du club : www.abrugby.fr.* Depuis son premier titre de Champion de France remporté en 1913, l'Aviron bayonnais Rugby Pro (célèbre pour sa mascotte Pottoka) se distingue par son jeu élégant, qualifié par les spécialistes de « manière bayonnaise ». Inutile de dire qu'avec le Biarritz Olympique les derbys sont hauts en couleur !

Arènes – *✆ 0820 466 464 ; rens. visites au 05 59 25 48 19 - mi-sept.-juin : visites lun.-vend. 9h-12h, 14h-18h sf les jours de spectacles ou de corridas - programme et réserv. pour les corridas : www.corridas.bayonne.fr.* Construites en style hispano-mauresques, ces arènes d'une capacité de 10 000 places ont été inaugurées en 1893. Elles accueillent *corridas* et *novilladas* pour les fêtes de Bayonne *(déb. août)*, la féria de l'Assomption *(autour du 15 août)* et la féria de l'Atlantique *(1er w-end de sept.)* Des concerts et spectacles y sont aussi organisés *(Les Arènes en fête, juil.-août)*.

AGENDA

Fêtes de Bayonne – Pendant cinq jours, début août, le cœur des Bayonnais bat au rythme des musiques traditionnelles basques lors des fameuses fêtes. Après les courses de vaches landaises à St-André, les corridas et le *corso* lumineux, on danse sur les grandes places au son des *txirula* (flûtes) et des *ttun-ttun* (tambours). *Voir aussi p. 311.*

Foire au jambon de Bayonne – *4 jours mi-avril.* Aux alentours de Pâques, le rendez-vous annuel depuis 1426 des fermiers qui vendent leur production sur les quais de la Nive.

Journées du chocolat – *✆ 0820 426 464 - w-end de l'Ascension.* Durant deux jours, le chocolat est à l'honneur à Bayonne. Chaque année, un pays producteur, invité par l'Académie du chocolat et la Guilde des chocolatiers bayonnais, est à l'honneur. Au programme : visites guidées, expositions, démonstrations de « trempage de chocolat » dans la rue… et dégustation !

Anglet

Angelu

37 897 Angloys - Pyrénées-Atlantiques (64)

NOS ADRESSES PAGE 323

S'INFORMER

Office du tourisme d'Anglet (Cinq Cantons) – *1 av. de la Chambre-d'Amour - 64600 Anglet - ✆ 05 59 03 77 01 ou 05 59 03 55 91 - www.anglet-tourisme.com - juil.-août : lun.-sam. 9h-19h ; reste de l'année : lun.-vend. 9h-12h30, 14h-18h, sam. 9h-12h30.*

Office du tourisme d'Anglet (Chambre d'amour) *: Av. des Dauphins - ✆ 05 59 03 93 43 - juil.-août 10h-19h ; avr.-juin et sept.-oct. : tlj sf sam. mat. 10h-12h30, 14h30-18h ; nov.-mars : merc. et sam. 14h-17h (tlj vac. scol. Noël et fév.)*

SE REPÉRER

Carte de microrégion C1 (p. 302-303) – *carte Michelin n° 573 B 25.* Anglet assure la jonction entre Bayonne, à l'est, et Biarritz au sud-ouest. Selon votre point de départ, vous y accéderez par l'avenue de Bayonne et la N 10, ou l'avenue de Biarritz et la D 910. Pour rejoindre les plages, visez les quartiers de la Chambre d'Amour, de Chiberta ou de La Barre. En suivant les panneaux Montbrun ou Chiberta, vous trouverez la forêt du Pignada. Quant à celle du Lazaret et au port de plaisance, vous les dénicherez au Blancpignon.

À NE PAS MANQUER

Les vagues de la plage des Cavaliers, pour leur rondeur et leur taille, particulièrement impressionnantes en automne.

ORGANISER SON TEMPS

Une petite promenade dans le quartier de la Chambre d'Amour permet un premier contact animé avec Anglet. Vous pouvez ensuite vous diriger vers les plages pour prendre un bon bain de mer ou choisir de découvrir la forêt du Pignada et ses sentiers. Les activités sportives ne manquent pas à Anglet : natation, surf, golf, équitation, VTT ou marche.

AVEC LES ENFANTS

Le parcours-aventure dans la forêt du Pignada.

Qu'est-ce qui fait le charme d'Anglet ? Son littoral, unique au Pays basque, avec ses 4,5 km de plages de sable fin. Mais aussi sa belle pinède, pour le plus grand bonheur des marcheurs. Venir à Anglet, c'est prendre un grand bol d'air pur ! Avec ces deux principaux atouts, la petite station balnéaire fait figure de poumon vert pour la communauté d'agglomération de Biarritz-Anglet-Bayonne (BAB), d'où son surnom de « paradis vert ». Les sportifs, qu'ils soient golfeurs ou surfeurs, ne savent pas où donner de la tête, tandis que toutes sortes d'animations égaient ses rues ainsi que son bord de mer à la fin du printemps et en été. À vous les vagues, les balades sous les pins et les soirées festives !

Se promener Plan ci-dessus

Le site d'Anglet présente les mêmes caractéristiques que les stations de la Côte d'Argent landaise du nord de l'Adour *(voir « Le pays de l'Adour », p. 265)* : un terrain plat, une côte basse bordée de dunes et un arrière-pays planté de pins.

LES PLAGES

Onze plages de sable fin, pour certaines de renommée internationale, se succèdent le long des 4,5 km du littoral angloys. Une **promenade** les longe, permettant de profiter tout à la fois de la côte et de la ville. Elle relie le quartier de la Chambre d'Amour à celui de La Barre (au nord).

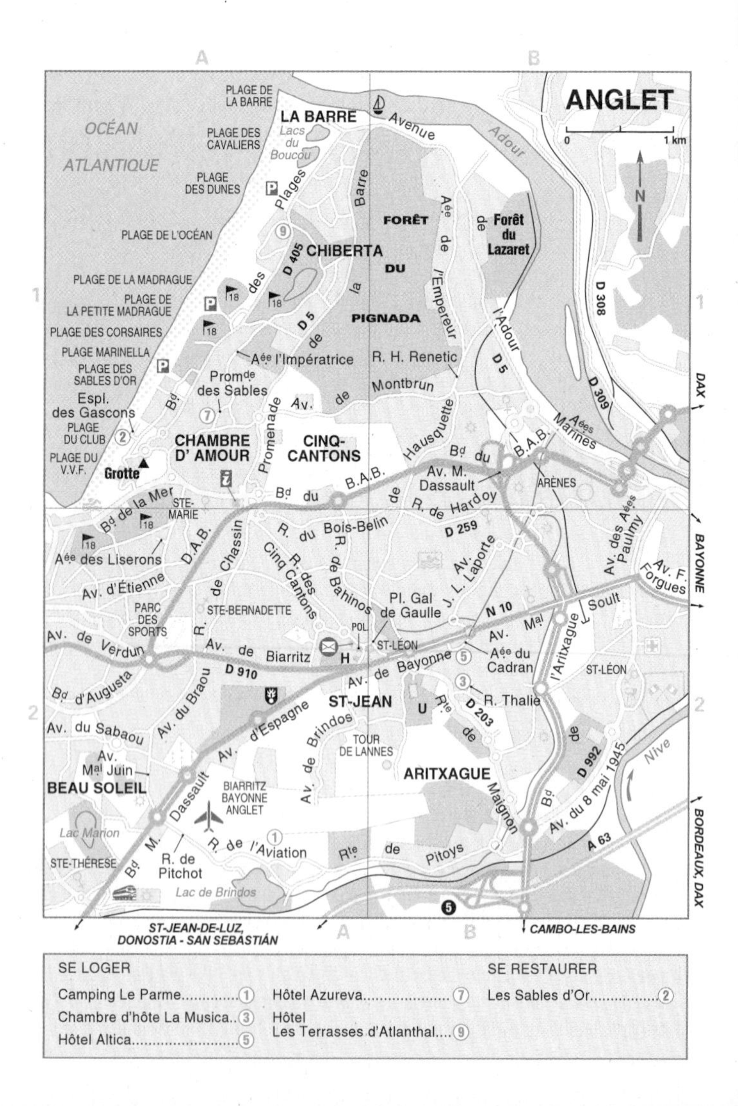

Le surfeur et la vague.
E. Larribère / MICHELIN

Plages du VVF et du Club A1

La première de ces plages doit son nom à la présence d'un village-vacances, construit en 1970 selon les plans des architectes Hébrard, Grésy et Percillier. La silhouette et les détails du bâtiment principal évoquent un paquebot. La seconde accueille le très réputé Anglet Surf Club. Ses locaux ont trouvé place dans l'ancien **établissement des bains**, bâtiment emblématique des années 1930, réhabilité en 2007 pour accueillir une salle des congrès. Entre les deux, la **grotte de la Chambre d'Amour** attire les romantiques de tous les horizons. La plage **Marinella** est fréquentée par les familles et un public cosmopolite.

Plages des Sables d'Or et des Corsaires A1

Ces deux plages sont le terrain de prédilection des familles angloyses. Sur celle des Sables d'Or, des terrains de beach-volley attirent les meilleurs joueurs. En août, elle accueille le Surf de Nuit (Quiksilver Air Show).

Plages de la Petite Madrague, de la Madrague, de l'Océan et des Dunes A1

Ces étendues de sable fin sont les plus tranquilles du littoral angloys en raison de l'environnement, plus sauvage, et de la proximité du golf de Chiberta, voulu par le duc de Windsor et conçu par Tom Simpson en 1927. Un blockhaus, vestige du mur de l'Atlantique érigé à partir de 1942, veille encore sur les flots. La plage de la Petite Madrague a la réputation d'être la plus branchée d'Anglet, tandis que celle des Dunes, moins accessible, est surtout fréquentée par les surfeurs *(plages non surveillées)*.

LA TRAGÉDIE DE LA CHAMBRE D'AMOUR

Selon la légende, Saubade et Laorens s'aimaient, mais leurs familles étaient rivales. Les deux jeunes gens avaient donc pris l'habitude de se retrouver en cachette dans la grotte. Mais suite à un orage, la marée monta plus vite que de coutume et les noya…

LA RÉVOLUTION DU 19e s.

La canalisation de l'Adour, décidée en 1578, ne bouleversa pas la vocation nourricière d'Anglet (sous domination anglaise, dès le 12e s., la ville fournissait Bayonne en produits de bouche) en dépit de la submersion de terres arables. Ce n'est qu'au 19e s. qu'Anglet se réorganisa en raison de l'intérêt porté à la côte par Napoléon III et l'impératrice Eugénie. Grâce à eux, la forêt du Pignada et de nouvelles infrastructures virent le jour : Après la construction d'un hippodrome sur le site de La Barre, un établissement de bains (1 884) et des villas se déployèrent sur le littoral pour former le quartier de la Chambre d'Amour. À ceci s'ajouta l'amélioration des moyens d'accès. La ville fut très tôt reliée par le chemin de fer (1877), puis par l'avion (dans les années 1930). Aujourd'hui, Anglet fait partie avec Bayonne, Biarritz, Bidart et Boucau de l'agglomération Côte basque-Adour qui compte 126 000 habitants.

Plage des Cavaliers A1

La plus réputée des onze plages d'Anglet accueille chaque année d'importantes compétitions internationales de surf. Attention, les vagues de *shore break* peuvent être très dangereuses.

Plage de La Barre A1

Située à l'embouchure de l'Adour, c'est la plage la plus septentrionale d'Anglet. Elle doit son nom à une vague mythique, cassée aujourd'hui par la digue construite dans les années 1970. Côté terre, deux lacs marquent l'emplacement de l'ancien hippodrome inauguré en 1870. Un skate-park y a été aménagé.

Le **parc écologique Izadia** (14 ha), doté d'une Maison de l'environnement et du développement durable, permet de découvrir le fragile écosystème des zones humides littorales. *297 av. de l'Adour - ✆ 05 59 57 17 48 - www.izadia.fr - juil.-sept. : 10h-12h30, 14h-18h (20h le jeu.), visite guidée familles à 10h30 (1h30), tt public à 15h (2h) ; avr.-juin et oct. : merc.-dim. 10h-12h30, 14h-18h, visites guidées le w.-end - fermé nov.-mars - accès libre, visite guidée 5 € (-16 ans 3 €), audioguide 4 €.*

LES FORÊTS

Autre atout d'Anglet : ses 250 ha de pinède plantés sous le Second Empire. Ils se répartissent entre les forêts du Pignada au nord, la plus grande, du Lazaret à l'est et de Chiberta le long de la côte.

★ Forêt du Pignada AB1

Son nom lui vient des pommes de pin, les « pignes ». Elle s'étale sur 220 ha et comprend des aires de pique-nique, des sentiers goudronnés et des sentes que l'on peut arpenter à pied, à cheval ou à VTT. Un parcours « vitalité » de 2,5 km a été aménagé en son centre et, à l'angle de la promenade de La Barre et de l'avenue de l'Adour, dans la forêt de Chiberta, un **parcours-aventure** propose, dans les arbres, des itinéraires adaptés à chacun. Adultes et enfants pourront choisir, selon leur niveau, entre les promenades acrobatiques Castors, Crockett ou Indiana. *Évolution 2 Territoires d'Aventures - ✆ 05 59 42 03 06 - www.evolution2-paysbasque.com - juil.-août : 10h-18h ; vac. de printemps : apr.midi ; mai-fin juin et de déb. sept. à vac. de Toussaint : w.-end et j. fériés apr.-midi - 10 à 25 € selon le parcours et l'âge.*

Forêt du Lazaret B1
L'allée de l'Empereur, l'avenue du Prince-Impérial… autant de dénominations qui rappellent que Napoléon III fut à l'origine de la pinède d'Anglet. Aujourd'hui, cette partie de la forêt est circonscrite à 20 ha, mais elle reste toujours aussi agréable à parcourir.

NOS ADRESSES À ANGLET

HÉBERGEMENT

PREMIER PRIX

Hôtel Altica – *10 allée du Cadran - 05 59 52 11 22 - www.altica.fr - - - 50 ch. 45/59 € - 5,50 €.* Cette construction récente qui borde la route nationale conviendra pour une étape. Prix attractifs et chambres fonctionnelles : l'hôtel affiche souvent complet grâce à ces deux principaux atouts, aussi pensez à réserver.

Camping Le Parme – *2 allée Etchecopar, quartier Brindos, près de l'aéroport - 05 59 23 03 00 - www.campingdeparme.com - de déb. avr. à déb. nov. - - réserv. conseillée - 185 empl. 17,50/31 € - 85 - 14 - 30 bungalows toilés : nuitée 85 à 168 € - sem. 240 à 1 015 €.* C'est le seul camping-hôtellerie de plein air d'Anglet où l'on puisse réserver pour une nuit ou une semaine. Nombreux services : épicerie, snack, restaurant, loisirs, piscine chauffée, club enfants et animations en soirée.

POUR SE FAIRE PLAISIR

Chambre d'hôte La Musica – *4 r. Thalie - 06 13 67 16 87 - www.maisonlamusica.fr - fermé janv.-fév. - - - 3 ch. 65/75 € - rest. sur réserv. 25 €.* La propriétaire de cette charmante villa basque vous accueille comme si vous étiez des amis. Elle propose trois chambres, pas très grandes mais totalement indépendantes. La plage, le golf et le centre-ville sont à deux pas. Partenariat avec la thalasso Atlanthal et le golf Makila (remise de 10 %).

Hôtel Azureva – *48 prom. des Sables - 05 59 58 04 70 - www.azureva-vacances.com - fermé 20 nov.-6 fév., 13-27 mars - -135 ch. 55,20/70,20 €* Ce centre de vacances propose des nuitées en plus de ses locations à la semaine. Vous apprécierez les prix ultra-compétitifs et pourrez également profiter des nombreuses animations du lieu.

UNE FOLIE

Hôtel Les Terrasses d'Atlanthal – *153 bd des Plages - 05 59 52 58 58 - www.biarritz-thalasso.com - - 48 ch. 99/264 € - rest. 19 €.* Un accueil souriant vous attend dans cet hôtel fonctionnel situé au bord de l'Océan. Bon à savoir : directement relié au centre Atlanthal (thalassothérapie et remise en forme), il fournit les peignoirs.

RESTAURATION

Bon à savoir – Situé face à l'Océan, le quartier d'Anglet joliment baptisé « **Chambre d'Amour** » est un lieu incontournable. Il concentre de nombreux points de restauration (brasseries, snacks, sandwicheries et un restaurant asiatique). L'endroit regroupe également les boutiques de surf.

PREMIER PRIX

Les Sables d'Or – *7 esplanade des Gascons - 05 59 03 68 53 - fermé de mi-nov. à mi-déc. et le lundi de fév. à mars - - formule déj. 10,50 € - 9,50/19 €.* Ce restaurant jouit déjà d'une solide réputation.

Les fidèles ont même poussé le patron à ouvrir 7j/7. Côté décor : joli panorama sur l'Océan. Côté cuisine : produits de qualité et formules intéressantes proposées à l'ardoise. Au n° 5, **L'Indigo** offre une ambiance plus feutrée.

ACHATS

Mandion – *3 av. de Bayonne - ✆ 05 59 63 86 16 - www.mandion.com - 8h-19h, vend. et sam. 8h-20h.* La belle vitrine de chez Mandion avec ses inscriptions « Glacier, pain bio au levain, pâtisserie » en gros caractères vaut le coup d'œil. Son décor fait de panières et coffrets en tout genre met en valeur les spécialités : gâteaux basques, tourons et chocolats.

Fabrique de chisteras Gonzalez – *6 allée des Liserons - ✆ 05 59 03 85 04 - visite (1h30) : 17h lun., merc. et vend. - fermé sam. apr.-midi, dim. et j. fériés - 4 €.* Depuis 1887, la fabrique Gonzalez confectionne manuellement des chisteras. Ici, vous apprendrez tout sur l'histoire et la fabrication de la pelote et du chistera.

Lames de Sames – *1 av. de l'Adour - ✆ 06 08 28 50 83 - www.couteau-basque.com - merc.-sam. 9h-12h, 14h-18h.* Christophe Laduique fabrique des couteaux basques pliants selon un système à deux clous. Ces couteaux traditionnels des Pyrénées sont en corne ou en bois, souvent gravés; le couteau Marraza est la pièce maîtresse de l'atelier.

SPORTS ET LOISIRS

Plages – Les plages surveillées de mi-juin à mi-sept. sont celles de La Barre, des Cavaliers, de l'Océan (juil.-août seulement), de la Madrague, des Corsaires, Marinella, des Sables d'Or et du VVF. Les plages du Club, de la Petite Madrague et des Dunes ne sont pas surveillées.

Atlanthal – *153 bd des Plages - ✆ 05 59 52 75 75 - www.biarritz-thalasso.com - 9h-21h.* Centre de thalassothérapie et espace de remise en forme (piscine, gym, musculation). Soins préventifs ou curatifs et séjours à thème.

Le Club de la Glisse (École française de surf) – *Av. des Goëlands - Plage Marinella - ✆ 06 12 81 55 95 - www.leclubdelaglisse.com.* Ce club labellisé par la Fédération française de surf est une des rares écoles ouvertes toute l'année. Pour débutants et confirmés.

Yacht-Club Adour Atlantique d'Anglet – *118 av. de l'Adour - pêche : ✆ 05 59 63 60 31/51 91 ; voile : ✆ 05 59 52 36 04 - www.ycaa-voile.fr - ouvert vend. 18h-20h - sorties en mer : consulter le planning des chefs de bord sur le site - 25 à 60 €.* Initiation ou perfectionnement à la pêche sportive à moins de 5 km des côtes. Initiation à la voile le w.-end, stages en juil.-août.

Golf de Chiberta – *102 bd des Plages - ✆ 05 59 52 51 10 - www.golfchiberta.com - fermé jeu. hors vac. scol.* Adossé aux dunes, ce golf bénéficie d'un bel environnement. La partie la plus intéressante borde le lac de Chiberta. Complexe hôtelier.

Patinoire – *299 av. de l'Adour - La Barre - ✆ 05 59 57 17 30 - ouv. sept.-fév.* Lorsqu'il fait trop froid pour surfer, vous pourrez y expérimenter d'autres sensations de glisse !

AGENDA

Quiksilver Air Show (Surf de Nuit) – *14 août.* Chaque année, démonstration de surf de nuit.

International Surf Film Festival – *Mi-juillet.* 4 jours de compétition entre des films de glisse internationaux.

Biarritz

★★

26 273 Biarrots - Pyrénées-Atlantiques (64)

NOS ADRESSES PAGE 336

S'INFORMER

Office du tourisme de Biarritz – *Square d'Ixelles - 64200 Biarritz - ✆ 05 59 22 37 10 - www.biarritz.fr - 15 juin-sept. : 9h-19h ; reste de l'année : 9h-18h, w.-end 10h-17h - fermé 1er janv. et 25 déc.*

Transports – *Deux circuits de navettes gratuites : Port-Vieux - Côte des Basques et centre-ville - renseignements ✆ 05 59 41 59 41.*

Petit train touristique – Depuis le casino, sur la Grande Plage, ou depuis le rocher de la Vierge, prenez le petit train pour un tour de Biarritz commenté (30mn) - *✆ 06 07 97 16 35 - www.petit-train-biarritz.fr - juil.-août : 9h30-23h ; juin et sept. : 10h-19h ; 14h30-18h - reste de l'année : 14h30-18h - départ ttes les 30mn env. - 6,50 € (-12 ans 4,50 €).*

SE REPÉRER

Carte de microrégion B1 (p. 302-303) – *carte Michelin n° 573 B 25.* Station balnéaire située à 8 km de Bayonne, par la D 810 et la D 910, Biarritz forme aujourd'hui avec Anglet, Bayonne, Bidart et Boucau une même et grande agglomération : l'agglomération Côte basque-Adour.

SE GARER

Circuler dans Biarritz demande beaucoup de patience, quelle que soit la saison. Malgré la présence de quelques parkings en centre-ville, mieux vaut donc laisser sa voiture aux abords immédiats (par exemple, près du phare) et marcher : c'est encore le meilleur moyen de découvrir la ville.

À NE PAS MANQUER

Le rocher de la Vierge, le musée de la Mer.

AVEC LES ENFANTS

Le musée de la Mer, avec en particulier le repas des phoques, est toujours apprécié des plus jeunes qui ne se feront pas prier pour faire un tour au musée du Chocolat, ainsi qu'à la toute nouvelle cité de l'Océan.

Plage des Fous et des Années folles, « reine des plages et plage des rois »... Biarritz est-elle plus que le décor extravagant né de l'imagination débridée de la haute société de la fin du 19e s. ? Lieu de villégiature du beau monde, on y découvre villas princières, salles de casino, bâtiments Art déco. Toute cette architecture paillettes témoigne de l'euphorie d'un passé glorieux et mondain, où artistes et têtes couronnées se mêlaient dans des fêtes somptueuses. Mais l'ancienne cité baleinière n'est pas restée figée dans la nostalgie d'une époque révolue : en témoignent notamment les aménagements urbains confiés à Jean-Michel Wilmotte et des bâtiments contemporains parfois audacieux (la médiathèque, le Centre de musiques actuelles ou la Cité de l'Océan), une vie culturelle intense où la danse se taille la part du lion, et une vie sportive, marquée par les surfeurs défiant les rouleaux et les exploits du Biarritz Olympique... La ville brigue désormais le titre de capitale de l'Océan, grâce à sa nouvelle Cité et à son extension du musée de la Mer.

Se promener Plans de ville p. 328 et 330

LES PLAGES

« Quand on se prend à hésiter entre deux plages, l'une d'elles est toujours Biarritz », disait Sacha Guitry. Fleurie d'hortensias, la station doit une partie de son charme à ses **jardins-promenades** aménagés à flanc de falaise, sur les rochers et le long des trois principales plages, rendez-vous internationaux des surfeurs et hauts lieux de l'animation biarrote, de jour comme de nuit. *Rens. sur l'état quotidien des plages de Biarritz : de mi-juin à mi-sept. ✆ 0 805 20 00 64. Les plages sont surveillées de mai ou juin à sept.*

Grande Plage D3

Dominée par le **casino municipal**, c'est la plus mondaine. Au 18e s., on y emmenait se baigner les aliénés (les bains de mer, c'est bien connu, peuvent tout guérir !). Elle en a gardé son nom de « Côte des Fous ».

Autre relique des années passées : les fameuses cabines en toile, que l'on peut louer même si beaucoup sont réservées d'une année sur l'autre. *✆ 06 03 75 62 96 - location de mi-juin à mi-sept., sur la Grande Plage.*

Elle est prolongée, au nord, par la **plage Miramar**. Cette plage est assez dangeureuse pour la baignade ; le surf y est interdit.

Plage du Port-Vieux C3

C'est ici que l'on amenait les baleines pour les dépecer. Abritée au fond d'une baie protégée par des rochers, cette petite plage garde un intérêt local et familial. Les enfants peuvent s'y initier au surf en toute sécurité. C'est aussi le repère des « Ours Blancs », un club devenu mythique de nageurs courageux et passionnés qui se baignent par tous les temps, toute l'année.

Plage de la Côte-des-Basques C4

La plus sportive et la plus exposée des plages de Biarritz, au pied d'une falaise périodiquement protégée contre les éboulements, doit son nom à un « pèlerinage à l'Océan » qui, le dimanche suivant le 15 août ou le 2e dimanche de septembre, rassemblait jadis pour un bain collectif les Basques de l'intérieur des terres. Aujourd'hui, on y voit surtout des surfeurs (ce fut le premier spot en Europe). À marée haute, baignade impossible !

Plus au sud, on rencontre les **plages de Marbella** (accès par un long escalier) et de la **Milady**, appréciée des bodyboarders (aire de jeux pour les enfants et promenade aménagée).

Cabines de plage sur la Grande Plage de Biarritz
Laplace / CDT64

ENTRE TERRE ET MER

Pour visualiser cette promenade, se reporter au plan I et II de la ville (p. 328 et 330) – comptez une demi-journée - départ de l'office de tourisme.

À Biarritz, tout est récifs écumants, tourelles, arcades, donjons, escaliers, tours et détours. Un éclectisme baroque, au charme délicieusement désuet, témoignant de l'euphorie architecturale de la grande époque des « bains de mer », où se balader est un plaisir enchanteur.

Château Javalquinto D3

Square d'Ixelles. Haut lieu mondain depuis le Second Empire, Biarritz s'est couvert de villas et de résidences somptueuses, dont celle-ci, de style néo-gothique, dessinée par son propriétaire, le duc d'Osuna. Elle abrite aujourd'hui l'office de tourisme.

Avant de rejoindre la rue Pellot, passez par celle des Cent-Gardes pour voir la **Tête de Régina**, du sculpteur espagnol Manolo Valdés.

LE CHÂTEAU DU BARON : ENTRE EXTRAVAGANCE ET FOLIE

À Ilbarritz se trouve un étonnant château perché face à la mer *(ne se visite pas)*. Aussi étonnant que le baron de l'Espée qui le fit construire en 1890. Misanthrope, obsédé par l'hygiène et immensément riche, cet organiste passionné conçut son château autour d'une pièce centrale qui accueillit le plus grand orgue jamais construit par la maison Cavaillé-Coll. La propriété, vaste de 60 ha, était à l'image de son extravagant propriétaire : des souterrains reliaient le château à un établissement de bains et à sept cuisines disséminées pour pouvoir se restaurer à tout endroit ; des viviers de poissons permettaient au baron d'être sûr de la fraîcheur de sa nourriture ; deux chenils accueillaient sa meute, l'un d'eux servant à isoler les animaux malades ; un petit château moyenâgeux, un pavillon chinois, une grotte servaient à sa fantaisie ; des galeries couvertes protégeaient les promeneurs des intempéries ; une usine hydro-électrique alimentait le château… La demeure ne fut pourtant pas destinée à recevoir quelque invité ; le baron y vécut de 1890 à 1898 avec sa maîtresse, Biana Duhamel, à qui il fit construire la villa des Sables. Il entretenait avec elle une relation exclusive et possessive, enfermant la belle comédienne dans sa prison dorée. Quand elle le quitta, il vendit orgue et château.

Chapelle impériale A1

Rue Pellot. Édifiée au 19e s. à la demande de l'impératrice Eugénie et vouée à la célèbre Vierge mexicaine de Guadalupe, elle mêle styles roman-byzantin et hispano-mauresque. *✆ 05 59 22 37 10 - juin-sept. : jeu. et sam. 14h-18h ; mars et nov.-déc. : sam. 14h-17h ; avr.-mai et oct. : sam. 14h30-18h - fermé janv.-fév. - 3 € (gratuit Journées du patrimoine).*

Avenue de l'Impératrice A1

Église orthodoxe russe – *8 av. de l'Impératrice.* Construite en 1892, année de l'alliance entre la France et la Russie, elle accueillit des personnalités parmi les nombreux Russes qui venaient en vacances à Biarritz. De style byzantin, elle vaut surtout pour son intérieur : icônes provenant de St-Pétersbourg. *✆ 05 59 24 16 74 - mar., jeu. et dim. 16h-19h, sam. 15h-18h.*

Villa La Roche Ronde – De 1884, elle se reconnaît à son pur style néogothique avec ses toits crénelés et son échauguette en proue.

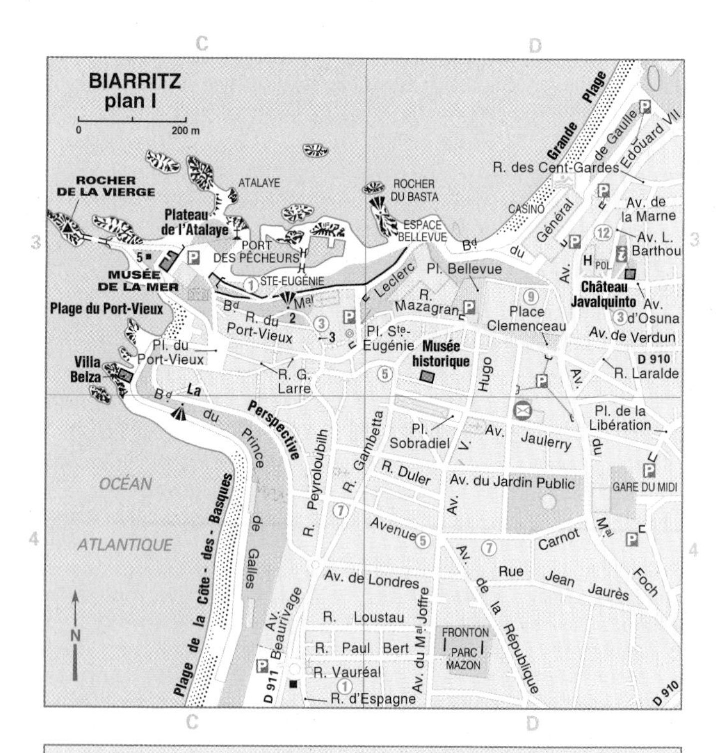

SE LOGER

- Chambre d'hôte Villa Vauréal .... ①
- Hôtel Atalaye .... ③
- Hôtel Gardenia .... ⑤
- Hôtel Maïtagaria .... ⑦
- Le Petit Hôtel .... ⑨

SE RESTAURER

- Azoka Café .... ⑤
- Cachaou .... ⑫
- Chez Albert .... ①
- Clos Basque .... ③
- Il Giardino .... ⑦

INDEX DES RUES

- Atalaye (Pl.) 2
- Goélands (Rue des) 3
- Rocher-de-la-Vierge (Espl. du) 5

« Reine des plages… »

Au début du 19e s., Biarritz n'est qu'un petit port baleinier perdu dans la lande. Lorsque les Bayonnais prennent l'habitude de venir s'y baigner, le trajet se fait à dos d'âne ou de mulet…

LA SOUDAINE FORTUNE D'UN PORT BALEINIER

Mais voilà que la fille d'un grand d'Espagne, contrainte à l'exil pour ses sympathies françaises, y séjourne durant son enfance : la chose serait anecdotique si cette Eugenia de Guzmán (1826-1920), alias Eugénie de Montijo, n'était devenue en 1853 impératrice des Français. **Eugénie** décide **Napoléon III** à l'accompagner en 1854 sur la Côte basque. L'empereur est séduit et fait construire la villa Eugénie (détruite par un incendie en 1903, elle est remplacée par l'Hôtel du Palais), qui devient la résidence estivale du couple impérial.
Biarritz est alors lancée. Charme, luxe, casino attirent maintes têtes couronnées : peu de stations balnéaires offrent un livre d'or aussi riche que Biarritz, qui entre même dans l'histoire de la diplomatie lorsque Bismarck vient y rencontrer l'empereur, en 1865. Attirés par le climat, des Anglais fortunés, puis des aristocrates russes y séjournent. Les palaces se multiplient tandis que les villas, rivalisant de luxe et d'originalité, surplombent la mer et témoignent de cet engouement de la « jet-set » pour la ville, qui ne se démentira ni à la Belle Époque ni durant les Années folles. On y joue au golf et au tennis – **Jean Borotra** (1898-1994), dit le « Basque bondissant », l'un des fameux « Mousquetaires » qui remportèrent six fois la coupe Davis entre 1927 et 1932, était biarrot – et on assiste aux courses hippiques. Biarritz attire aussi les artistes. Sarah Bernhardt et Lucien Guitry s'y produisent, Rostand, Ravel, Stravinski, Loti, Cocteau et Hemingway y séjournent, de même que Charlie Chaplin.

UNE VILLE CINÉGÉNIQUE

Depuis les années 1980, les cinéastes l'ont choisie comme lieu de tournage : André Téchiné pour son *Hôtel des Amériques* (1981), Éric Rohmer, en 1986, pour *Le Rayon vert*. La station sert de décor pour certaines scènes de films tels que *Mes nuits sont plus belles que vos jours* (1989) de Andrzej Zulawski, la comédie de Jean Dujardin, *Brice de Nice* (2005), *Les Derniers Jours du monde* des frères Larrieu (2009) ou encore le dernier Patrice Lecomte, *Voir la mer* (2011).

NOUVELLE VAGUE

En 1956, le scénariste américain Peter Viertel tourne dans la région *Le soleil se lève aussi*, sous la direction d'Henry King, d'après le roman d'Hemingway. Il se fait envoyer de Californie une curieuse planche qui nargue les rouleaux. La mode du surf déferle bientôt sur Biarritz comme une vague de fond…
Cinquante ans plus tard, ce sport est une option du baccalauréat en Aquitaine, et la station porte désormais le surnom de « capitale européenne du surf ». Un titre qui lui va bien car les compétitions de surf qui se déroulent sur ses vagues ne se comptent plus. Son établissement des bains Art déco, lieu de naissance du premier club de surf de France en 1959, le Waikiki Surf Club, a été reconstruit à l'identique et accueille (entre autres) plusieurs écoles de surf. Paradoxalement, du projet originel de Cité du surf et de l'Océan, la municipalité n'a finalement gardé que la partie Océan, soulignant sa volonté de donner à Biarritz un rayonnement qui s'étende au-delà des vagues de la côte.

Pointe St-Martin A1

Son **phare**, à 73 m au-dessus du niveau de la mer, offre une belle **vue★** sur la ville et les Pyrénées basques. Vous ne regretterez pas d'avoir monté les 248 marches ! *✆ 05 59 22 37 00 - juil.-août : 10h-13h30, 14h-19h ; mai-juin, sept. : 14h-18h ; vac. scol. : 14h-17h (18h après le passage à l'heure d'été) ; janv.-avr., oct.-déc. : w.-end 14h-17h (18h heure d'été), fermé 1er janv. et 25 déc. - 2,50 € (-12 ans gratuit).*

Juste à côté, la **villa Etchepherdia** adopte le modèle des fermes basques.

Revenez vers le centre-ville par la plage et l'allée Winston-Churchill.

Dans le jardin de la Grande Plage se dresse l'**Arbre-Main**, sculpture en bronze haute de 4,50 m réalisée par l'artiste polonaise Magdalena Abakanowicz. Au bout de la plage, après le casino, le boulevard du Général-de-Gaulle passe en contrebas de la place Bellevue, réaménagée par le designer **Jean-Michel**

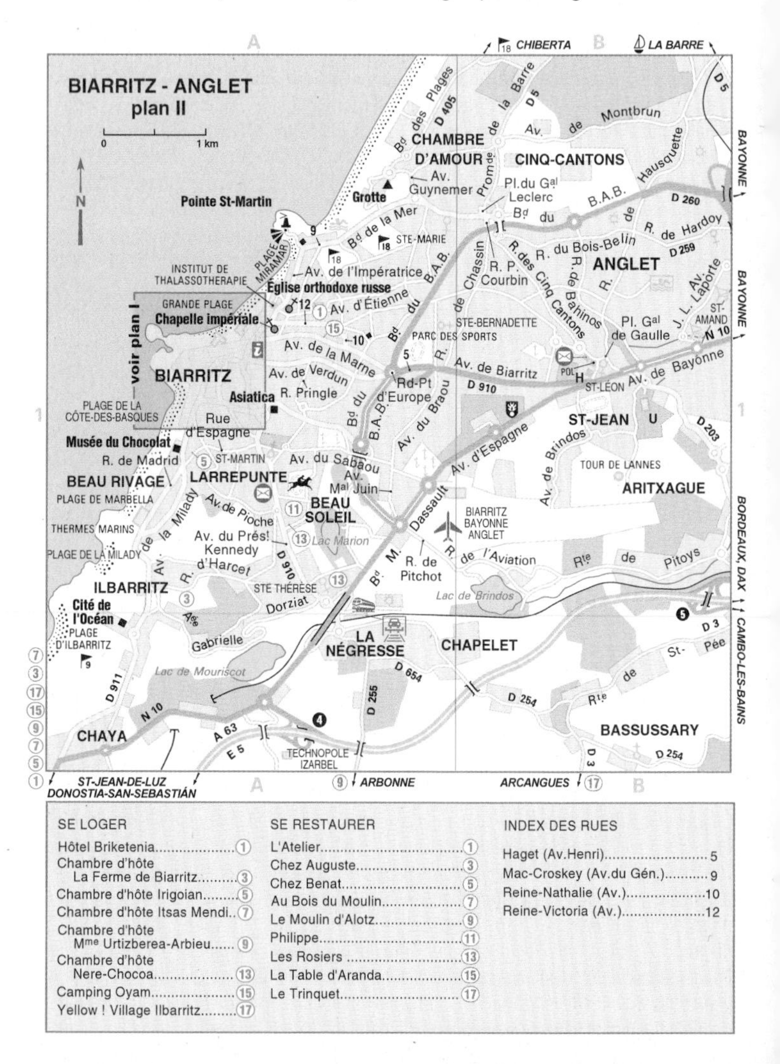

Le musée de la Mer.
G. Jioux / hemis.fr

Wilmotte. Elle est ornée d'une sculpture géométrique de **Jorge Oteiza** : la **Ferme basque**.
Continuer en direction du rocher de la Vierge. Vous passez devant l'église Sainte-Eugénie de style néogothique (fin 19e-déb. 20e s.).

Plateau de l'Atalaye C3

Atalaya signifie « promontoire » en espagnol. Ici s'élevait une tourelle d'où l'on guettait l'arrivée des baleines ; des feux y étaient allumés pour donner l'alerte aux pêcheurs. Vue sur le minuscule abri du **port des Pêcheurs**, coincé entre le rocher du Basta et le promontoire où se dressait une *atalaye*. En bas, le petit port est charmant avec ses maisons de pêcheurs aux couleurs vives.

★ Rocher de la Vierge C3

Napoléon III eut l'idée de faire creuser ce rocher, entouré d'écueils, et de le relier à la falaise par un pont de bois. Aujourd'hui, il est rattaché à la côte par une passerelle métallique sortie des ateliers d'Eiffel qui, par gros temps, est inaccessible, les paquets de mer embarquant par-dessus la chaussée. Surmonté par une statue immaculée de la Vierge, le rocher est devenu le symbole de Biarritz.

★ Musée de la Mer C3

Espl. du Rocher-de-la-Vierge - ✆ 05 59 22 75 40 - www.museedelamer.com - ♿ - juil.-août : 9h30-0h ; juin et sept. : 9h30-19h ; janv.-mai et oct.-déc. : 9h30-12h30, 14h-18h, vac. scol. 9h30-18h ou 19h - 13 € (4-16 ans 9,50 €).

Ce musée, né dans les années 1930, se devait alors de répondre non seulement à des critères de fonctionnalité mais aussi au raffinement esthétique recherché par la riche clientèle de la ville. D'où la subtile et fraîche décoration intérieure : mosaïques, fresques murales, fontaine, etc. Son propos : présenter une approche diversifiée du biotope marin, des activités humaines qui y sont rattachées et, d'une façon générale, des liens privilégiés qui unissent Biarritz et l'Océan depuis des siècles.

En sous-sol, une série d'**aquariums** présente la faune particulièrement riche du golfe de Gascogne. Au niveau 1, la salle de Folin évoque le pionnier de l'océanographie dans le golfe et l'historique du musée de la Mer, inauguré en 1935. La **galerie des Cétacés**, étayée par une présentation sur la pêche à la baleine, expose des moulages ou des squelettes d'animaux échoués ou capturés sur la Côte basque (rorquals, orques, dauphins). Maquettes d'embarcations et instruments de navigation complètent la section consacrée aux techniques de pêche. Au niveau 2, présentation subaquatique de phoques et de squales. Le ballet aquatique des phoques invite à monter jusqu'au dernier niveau, où l'on ne manquera pas le repas des phoques, sur la plage, en terrasse *(10h30 et 17h)*. Juste à côté, la **galerie d'ornithologie** fait connaître l'ensemble des oiseaux de la côte et des Pyrénées, sédentaires comme migrateurs : un système interactif, dans une rotonde, permet d'entendre les chants et les cris d'une quarantaine d'entre eux. La **terrasse** est également une belle occasion de profiter d'une splendide vue plongeante sur le rocher de la Vierge et d'un vaste panorama embrassant la côte depuis sa partie landaise jusqu'au cap Machichaco.

Villa Belza C3

Perchée sur un piton rocheux à la pointe de la côte des Basques, cette villa de style éclectique, à laquelle une tourelle circulaire (un ajout ultérieur) donne sa silhouette caractéristique, a été bâtie en 1880 par l'architecte Alphonse Bertrand. Son nom (*belza* signifie « noir » en basque) et son allure en firent le lieu de tous les fantasmes des amateurs d'ésotérisme et de sorcellerie, avant que, louée en 1923 par le beau-frère d'Igor Stravinski, elle ne devienne sous le nom de « Château basque » un cabaret russe, réputé dans les Années folles.

La Perspective C4

Promenade tracée au-dessus de la plage de la Côte-des-Basques où se trouve l'**établissement des bains**, un bâtiment Art déco récemment rénové (bar en terrasse à la belle saison). **Vue**★★ dégagée jusqu'aux trois sommets basques : la Rhune, les Trois Couronnes et le Jaizkibel. *Toute l'année, le littoral s'illumine de la tombée de la nuit à 1h du matin en hiver et à 3h en été.*

Retourner vers le centre par la rue Gambetta.

Musée historique D3

Église St Andrew's - r. Broquedis - ✆ 05 59 24 86 28 - http://musee-histo-biarritz.monsite.wanadoo.fr - juil.-août : 10h-13h, 14h30-18h30 ; reste de l'année : 10h-12h30, 14h-18h30 - fermé lun., dim. et j. fériés - 4 € (-10 ans gratuit).

Dans une ancienne église anglicane, ce musée regroupe différents objets évoquant le passé de Biarritz, en particulier la glorieuse période du Second Empire, lorsque Napoléon III et l'impératrice Eugénie établirent là leur résidence d'été. Quelques objets leur ayant appartenu sont ainsi exposés.

Reprendre la rue Gambetta jusqu'à la place Clemenceau, elle aussi réaménagée par Jean-Michel Wilmotte.

À voir aussi Plan de la ville I, p. 328

Musée du Chocolat - Planète Chocolat A1

14 av. Beaurivage - ✆ 05 59 23 27 72 - www.planetemuseeduchocolat.com - ♿ - vac. scol. : 10h-18h30 ; reste de l'année : tlj sf dim. 10h-12h30, 14h-18h30 - fermé janv. et 25 déc. - 6 € (-12 ans 4 €).

Voilà un musée pour les gourmands ! On y entre, alléché par l'odeur, et on se retrouve plongé dans le chocolat jusqu'au cou : outils anciens, affiches de réclame, moules, sculptures, etc. Dégustation en fin de visite.

Asiatica - Musée d'Art oriental A1

1 r. Guy-Petit - ✆ 05 59 22 78 78 - www.museeasiatica.com - ♿ - vac. scol. : lun.-vend. 10h30-18h30, w.-end 14h-19h, j. fériés 14h-18h ; reste de l'année : lun.-vend. 14h-18h30, w.-end 14h-19h, j. fériés 14h-18h - possibilité de visite guidée sur demande (2 sem. av.) - 7 € (-25 ans 5 €, -8 ans gratuit) - audioguide 5 €.
Cette collection d'art asiatique axée sur la vie de Bouddha vous propose un voyage insolite, documenté et coloré dans les provinces de l'Inde *(sous-sol)*, en Chine, au Népal et au Tibet *(rez-de-chaussée)*.

Cité de l'Océan

À Ilbarritz, au sud de Biarritz. Ouvert en juin 2011, ce bâtiment signé Steven Holl abrite une exposition spectaculaire sur l'Océan ; ludique, scientifique et interactive, elle est surtout destinée au jeune public.

À proximité Carte de microrégion p. 302

BIDART B1-2

Bidart se situe à 6 km au sud-ouest de Biarritz par la D 911.
R. Erretegia, résidence Gidalekua - 64210 Bidart - ✆ 05 59 54 93 85 - www.bidarttourisme.com - ♿ - juil.-sept. : 9h-19h, dim. et j. fériés 9h-12h30 ; reste de l'année : tlj sf sam. apr.-midi, dim. et j. fériés 9h-12h30, 14h-17h. Cette petite commune côtière aurait pu se faire dévorer par sa célèbre voisine Biarritz, mais rien de tel n'est arrivé : Bidart a préservé son identité et son authenticité. Il suffit de s'attabler à l'une des terrasses de sa place centrale, face à l'église et à la mairie, pour s'en convaincre.
Station la plus haut postée de la Côte basque, Bidart est nichée au bord de la falaise. De la chapelle Ste-Madeleine, située sur la corniche *(accès par la rue de la Madeleine, au centre du village)*, le **panorama★** englobe le Jaizkibel (promontoire fermant la rade de Fontarabie), les Trois Couronnes et la Rhune.
La **place centrale**, avec sa trilogie église-mairie-fronton, est quelque peu encombrée par les terrasses de café. Des compétitions et parties de pelote très suivies ont lieu au fronton principal.
L'**église** au clocher-porche est caractéristique du pays : beau plafond en bois et galeries superposées. Immense retable rutilant de dorures, du 17e s. ; fonts baptismaux en marqueterie et bel orgue.
La rue de la Grande-Plage et la promenade de la Mer, rampe en forte descente, mènent à la **plage du Centre**. Le sentier du littoral *(p. 361)*, qui permet de rejoindre Hendaye, démarre de la plage d'Erretegia *(accès en voiture)*.

GUÉTHARY B2

74 r. du Comte-de-Swiecinski - 64210 Guéthary - ✆ 05 59 26 56 60 - www.guethary-tourisme.com - été : lun.-sam. 9h-12h30, 14h-18h30 ; reste de l'année : lun.-vend. 9h-12h30, 14h-17h30, sam. 9h-12h30 - fermé dim. et j. fériés. - de mi-juin à mi-sept. : visite guidée gratuite le mar. à 15h. L'office de tourisme propose un plan comprenant 2 promenades qui permettent de découvrir le village.
La plus petite commune de la Côte basque ne s'en laisse pas conter et dispose d'atouts de poids pour contrebalancer l'attrait de ses voisines plus importantes : sa tranquillité et ses plages. Le « joyau de la Côte basque » préserve en effet son calme tout en accueillant l'année durant les surfeurs, attirés par ses spots réputés. La station se concentre entre la D 810 et la mer, descendant en pente plus ou moins douce vers les plages et son petit port.

Musée de Guéthary

Parc municipal André-Narbaïts - 117 av. du Gén.-de-Gaulle - ✆ 05 59 54 86 37 - www.musee-de-guethary.fr - ♿ - juil.-août : 15h-19h ; mai-juin et sept.-oct. : 14h30-18h30 - fermé dim. et mar. - 2 € (-26 ans gratuit). La villa Saraleguinea, belle maison de style néobasque (1900), édifiée pour un Basque ayant fait fortune en Amérique, accueille le musée. Celui-ci présente les œuvres du sculpteur d'origine polonaise **Georges Clément de Swiecinski** (1878-1958). Arrivé en France en 1902, ce chirurgien s'installe en 1919 à Guéthary pour s'adonner à sa véritable vocation : la sculpture. Les collections regroupent aussi des livres et des lettres du poète Paul-Jean Toulet, ainsi que l'épitaphe funéraire romaine attestant de l'origine ancienne du bourg. La visite se poursuit dans le parc qui est parsemé de Laminak *(voir p. 445)*, réalisés par le mosaïste local Michel Duboscq *(son atelier se visite)* et le sculpteur Claude Viseux.

Église St-Nicolas

Au-delà de la D 810, sur la hauteur d'Elizaldia, l'**église** renferme un Christ en croix et une Pietà du 17e s., ainsi que le monument de Mgr **Pierre Mugabure** (1850-1910), enfant du pays parti comme missionnaire au Japon, où il deviendra le premier archevêque de Tokyo.

DU PORT DE PÊCHE À LA STATION BALNÉAIRE

Les premières traces d'activités humaines à Guéthary remontent à l'époque romaine, avec la présence de saloirs attestée par une épitaphe du 1er s. Mais sa principale source de richesse a toujours été la mer. Jusqu'au 19e s., on y chassait notamment la baleine franche noire, qui évoluait dans le golfe de Gascogne. L'animal était ramené au port où on le dépeçait sur le plan très incliné, encore visible aujourd'hui. Les pêcheurs pistaient aussi les bancs de thons et de sardines, mais leur port ne bénéficiant pas de mouillage, l'activité disparut progressivement au 20e s. Aujourd'hui, les villas de style labourdin ont remplacé le quartier des pêcheurs et les surfeurs ont investi ses eaux. Guéthary a réussi sa reconversion !

Circuit conseillé Carte de microrégion p. 302

LES VILLAGES DE L'ARRIÈRE-PAYS BIARROT

Pour visualiser cet itinéraire de 21 km (28 km avec le détour), se reporter à la carte de microrégion (p. 302-303). Compter 1h30.
Depuis Biarritz, prendre la D 254 puis la direction d'Arcangues (8 km).

Arcangues

Ce village, avec son église, son fronton et son auberge, compose un décor pittoresque. L'église fut édifiée à la fin du 12e s. puis remaniée au début du 16e s. À l'intérieur, galeries sculptées (déb. 18e s.), grand lustre Empire et bas-relief illustrant la décollation de saint Jean-Baptiste, patron de la paroisse. Le cimetière paysager aux nombreuses stèles discoïdales offre un **panorama★** sur les Pyrénées basques. Voir, à l'extrême gauche de la première terrasse en descendant, la tombe (toujours abondamment fleurie) de Mariano Eusebio González Garcia, plus connu sous le nom de **Luis Mariano**, prince de l'opérette décédé le 14 juillet 1970.

Château d'Arcangues – *✆ 05 59 43 04 88 - www.chateaudarcangues.com - de mi-oct. à mi-déc. : tlj sf lun. et j. fériés 10h-12h, 14h-18h - 6 € (-12 ans gratuit).*

LES CAGOTS

Durant tout le Moyen Âge, on recense au Pays basque français une population marginale dont on sait peu de choses, les cagots. Ils font l'objet de discriminations terribles : accès séparés à l'église et au cimetière, mariage interdit avec les autres citoyens, impossibilité d'exercer certains métiers ou toute charge publique, obligation de porter une marque distinctive... Les historiens sont partagés sur les raisons de cet ostracisme, certains y voyant le signe d'un handicap ou de la lèpre, d'autres évoquant leurs origines arabes ou wisigothes.

Dans ce château construit en 1900, seules les salles du rez-de-chaussée se visitent. Elles révèlent d'intéressantes pièces de mobilier du 18e s., des tapisseries d'Aubusson et des Gobelins, une collection d'autographes (Paul Valéry, Malraux, Anna de Noailles, de Gaulle), dont le plus ancien est une lettre patente de Louis XIII reconnaissant la validité du titre de marquis d'Arcangues. La chambre de Wellington conserve la même disposition qu'à l'époque où le duc y dormit (1813).

Prendre la route secondaire à droite après Alotz.

Arbonne

Ce joli bourg était au Moyen Âge la résidence d'été des évêques de Bayonne. Aujourd'hui, son charme rural et sa proximité avec l'agglomération en font un lieu vivant et attractif.

La grande **église Saint-Laurent** a été construite au 12e s. Sa forme actuelle résulte des agrandissements effectués au fur et à mesure de la croissance de la population locale ; son clocher-pignon à arcades est doté d'un abat-son en bois, identique à celui du 12e s. À l'intérieur, remarquez les deux niveaux de galeries sculptées du 17e s., une Pietà en bois polychrome du 16e s. et un retable de 1790. Le bénitier extérieur au sud était réservé aux **cagots**. Le cimetière comprend une très belle collection de **stèles discoïdales** disséminées dans les allées, les plus anciennes datant du 16e s.

Benoîterie – *℘ 05 59 41 99 66 - lun.-sam. 15h-18h30, dim. 10h-12h, 15h-18h30 - fermé sept.* La petite maison de la benoîte, vraisemblablement du 17e s., complète l'ensemble. Elle est inscrite à l'inventaire supplémentaire des Monuments historiques. Elle comporte une exposition sur les benoîtes et les vieilles maisons d'Arbonne et accueille des expositions d'artistes locaux.

Si l'on n'est pas lassé par les églises, faire un détour par Ahetze. Prendre la D 255 vers le sud puis la D 655 à droite.

Encerclée par les maisons, l'**église Saint-Martin** d'**Ahetze** date du 16e s. Elle comprend une galerie sur trois niveaux, un retable doré baroque du 18e s. et une originale croix de procession du 15e s.

Revenir à Arbonne puis poursuivre par la D 255 jusqu'à Biarritz.

LA « BENOÎTE »

Le nom de « benoîte » ou *andere serora* désignait la femme qui s'occupait de l'église du village : elle y faisait le ménage, entretenait le linge et les objets liturgiques... mais sa fonction principale était de tirer la cloche (elle était la seule autorisée à le faire) et, surtout, d'écarter, par ses prières et ses sonneries, l'orage et la grêle..

NOS ADRESSES À BIARRITZ

HÉBERGEMENT

L'Hôtel du Palais a pris la place de la villa Eugénie, élégante villégiature offerte par Napoléon III à l'impératrice. Cet établissement, le plus luxueux de la ville, propose de superbes chambres et suites ainsi que deux restaurants. À défaut d'y séjourner, vous pourrez y prendre un verre *(voir rubrique « En soirée »)*.

Bon à savoir – Il est possible désormais de **réserver en ligne** votre hébergement à Biarritz sur www.biarritz-reservation.com

PREMIER PRIX

À Bidart

Camping Oyam – *Chemin Oyhamburua - 1 km à l'est par rte d'Arbonne puis rte à dr. - 05 59 54 91 61 - www.camping-oyam.com - de déb. avr. à mi-sept. - - - réserv. conseillée - 350 empl. 13/30 € -* 20 €/j - 80 - 18 - *14 appartements - 5 bungalows toilés - 10 tentes. Nuitée 39/67 €. Sem. 189/945 €.* Nombreuses possibilités d'hébergement et un tout nouveau concept : des tentes lodges, meublées, avec plancher au sol et même pour certaines un équipement sanitaire complet. Face au camping, dans une agréable résidence, des appartements avec terrasse au balcon. Et pour tous, snack-bar, club enfants, piscine et terrain multisports. Également terrain aménagé pour les camping-cars.

Yelloh ! Village Ilbarritz – *Avenue de Biarritz (2 km au nord) - 05 59 23 00 29 - www.camping-ilbarritz.com - de déb. avr. à fin sept.-* 400 empl. 42 € - 100 í - 58 ,. Nuitée 39/135 €. Sem. 273/945 €. Nouvellement inscrit dans le groupe des campings, il propose une multitude de services : bar, snack, piscine couverte ou découverte suivant la météo… Dès le début de la haute saison, possibilité d'hébergement en chalet ou en mobile-homes en plus des emplacements camping classiques.

À Guéthary

Chambre d'hôte Mme Urtizberea-Arbieu – *46 r. Assombrenea - 05 59 26 54 12 - fermé 15 nov.-déb. fév. -* P - *- 5 ch. 42/65 €* . Dans le bourg mais à l'écart de l'agitation balnéaire, cette grosse maison au milieu d'un jardin abrite trois chambres au 1er étage et deux au rdc. Toutes sont identiques, avec un confort modeste, mais compensé par une tenue irréprochable et un mobilier récent.

BUDGET MOYEN

À Biarritz

Hôtel Atalaye – *6 r. des Goélands - 05 59 24 06 76 - www.hotelatalaye.com - 24 ch. 47/92 € - 6,50 €.* Cette imposante villa 1900 a emprunté son nom au superbe plateau de l'Atalaye qui surplombe l'Océan. Chambres et salles de bains rénovées, que l'on choisira de préférence côté mer. Garage fermé (pour les deux-roues, matériel de surf, golf, etc.). Parking (gratuit hors saison) à proximité.

Hôtel Gardenia – *19 av. Carnot - 05 59 24 10 46 - www.hotel-gardenia.com - fermé mi-nov.-mars - 19 ch. 51/95 € - 7 €.* Cet établissement central à la façade rose a le charme d'une maison particulière. Ses chambres, coquettement décorées, sont calmes et régulièrement rafraîchies. Sa réception et son salon viennent tout juste d'être refaits. Prix doux vu la situation.

Chambre d'hôte La Ferme de Biarritz – *15 r. Harcet - ✆ 05 59 23 40 27 - www.fermedebiarritz.com - P - ⊄ - 5 ch. 55/90 € - ☕ 8,50 €.* Près de la plage, ferme basque du 17e s. bien restaurée. Coquettes chambres mansardées aux meubles anciens. Petit-déjeuner servi dans le jardin ou devant la cheminée. Une chambre est équipée d'une kitchenette (suppl. 15 €).

Le Petit Hôtel – *11 r. Gardères - ✆ 05 59 24 87 00 - www.petithotel-biarritz.com - 12 ch. 67/95 € - ☕ 6 €.* Coquet petit hôtel situé dans une rue tranquille non loin de la Grande Plage. Il abrite des chambres très bien insonorisées, décorées dans les tons bleus ou jaunes. Toutes disposent d'un accès Internet (câble non fourni). Tarifs spéciaux pour les jeunes *(-26 ans 62/72 €)* : avis aux surfeurs et golfeurs !

À Bidart

Chambre d'hôte Itsas Mendi – *1507 av. de Biarritz - ✆ 05 59 23 36 54 - http://itsas.mendi.free.fr - P - ⊄ - 5 ch. 45/85 € - ☕ 7 €.* Cette belle maison basque, un peu proche de la route, se trouve à 500 m du golf et des plages. Ses chambres, de petite taille, toutes installées au premier étage, font dans la sobriété. L'été, vous prendrez le petit-déjeuner sur la terrasse surplombant la piscine.

À Guéthary

Hôtel **Briketenia** – *R. de l'Église - ✆ 05 59 26 51 34 - www.briketenia.com - P - ♿ - 16 ch. 70/160 € - ☕ 10 € - rest. 33/87 €.* Voici deux belles maisons du 17e s. à l'architecture typique. Celle aux volets rouges abrite des chambres en partie dotées de mobilier ancien. Confortable restaurant à l'atmosphère bourgeoise et cossue dans la seconde maison, refaite à neuf. Salon convivial.

POUR SE FAIRE PLAISIR

À Biarritz

Hôtel Maïtagaria – *34 av. Carnot - ✆ 05 59 24 26 65 - www.hotel-maitagaria.com - fermé 23 nov.-15 déc. - 15 ch. 62/100 € - ☕ 9 €.* Accueil sympathique dans cette demeure de style régional qui a revu son aménagement. Le mobilier chiné des chambres est largement Art déco.

Chambre d'hôte Nere-Chocoa – *28 r. Larreguy - ✆ 06 08 33 84 35 - www.nerechocoa.com - ⊄ - 5 ch. 75/115 € - ☕ 9 €.* Cette maison au milieu des chênes a hébergé des hôtes illustres, dont l'impératrice Eugénie. Vastes chambres soignées, galerie d'art exposant sculptures et peintures, agréable salon pour soirées musicales.

Chambre d'hôte Villa Vauréal – *114 r. Vauréal - ✆ 06 10 11 64 21 - www.villavaureal.com - P - 5 ch. 110/195 € - ☕ 9,50 €.* Confortable villa dans un grand jardin aux arbres magnifiques, à deux pas de la plage de la Côte-des-Basques. Chambres personnalisées (nom et couleur d'un fruit). Confitures maison au petit-déjeuner. Parking payant.

UNE FOLIE

À Bidart

Chambre d'hôte Irigoian – *1215 av. de Biarritz - ✆ 05 59 43 83 00 - www.irigoian.com - P - ♿ - 5 ch. 95/125 € - ☕ 9 €.* Cette ancienne ferme du 17e s. se trouve à proximité de l'Océan, en lisière d'un golf. Chambres du meilleur goût et spacieuses salles de bains. Piscine intérieure chauffée, hammam, salle de gym et massage à la demande.

RESTAURATION

Bon à savoir – L'office du tourisme de Guéthary voisine avec plusieurs petites adresses proposant des casse-croûte, assiettes et salades tout à fait honorables, souvent servis en terrasse.

PREMIER PRIX

À Biarritz

Il Giardino – *5 r. du Centre – 05 59 22 16 41 - www.ilgiardino-biarritz.com - 10/20 € - fermé lun. et dim. midi ; ouv. midi mar.-sam. et soir mar.-dim.* Petit restaurant italien aux couleurs acidulées. Les plats, composés selon les saisons, sont authentiques, généreux et à prix doux. Un *spinaci ripieni* (petites bouchées d'épinard et sauce menthe), suivi de pâtes maison, d'un risotto ou d'un *spiedini sfiziosi* (brochettes de veau agrémentées de raisins et pignons), accompagnés d'un bon vin sicilien ; un tiramisu et un *ristretto* plus tard, on repart avec le sourire.

Azoka Caffé – *15 r. Gambetta - 05 59 22 50 88 - 7,70 € déj. - 13/33 €.* Ce vrai bar à tapas/*pintxos* proche des halles, ouvert par les anciens animateurs du bar Jean, est décoré des toiles d'Aski, fameux peintre biarrot. L'ambiance est populaire et très animée. La salle dispose d'un original toit ouvrant. Au menu, pizzas, spécialités basques et espagnoles… et tapas (succulentes), bien sûr.

À Bidart

Au Bois du Moulin – *ZA Bassilour - 64210 Bidart - 05 59 41 94 01 - www.auboisdumoulin.com - fermé nov.-fév. - 10/25 €.*
Scrutez le ciel pour savoir si ce petit restaurant pourra vous accueillir aujourd'hui : en effet, comme dans les guinguettes d'antan, les tables sont dressées à l'extérieur, à l'ombre de grands arbres, d'une pergola et de quelques parasols. Une salle à l'intérieur pourra néanmoins vous accueillir en cas de pluie. La carte est très simple : salades, charcuterie et plat du jour.

Chez Auguste – *R. de l'Ouhabia, D 810 - 64210 Bidart - 05 59 54 94 01 - fermé 15 nov.-15 déc. et lun. - - 10/18 €.* Cette petite adresse presque de bord de plage est une perle rare : bon choix de plats, assiettes généreuses et prix plus que raisonnables. Aussi, ne vous étonnez pas que la terrasse soit comble. Reste la salle à manger décorée simplement où vous passerez aussi un bon moment.

BUDGET MOYEN

À Biarritz

La Table d'Aranda – *87 av. de la Marne - 05 59 22 16 04 - www.tabledaranda.fr - fermé 3-18 janv., lundi sf le soir en juil.-août et dim. - formule déj. 15 € - 20 €.* Le bouche-à-oreille ne fait pas défaut à cette table au cadre rustique et basque, située dans les murs d'une ex-rôtisserie. Cuisine personnelle et inventive, maniant avec brio le sucré-salé.

Cachaou – *30 av. Édouard-VII - 05 59 22 59 55 - 16/38 € - lecachaou@gmail.com - fermé dim.* Une nouvelle adresse qui suscite l'enthousiasme. Le menu change tous les jours, proposant des plats gourmands avec des produits frais. L'accueil est très agréable. Le décor est contemporain avec des expositions de peintures sur deux étages. En juillet-août, le restaurant propose des « beachbox » à emporter pour pique-niquer sur la plage. Il ouvre aussi tôt le matin pour accueillir avec entrecôtes et huîtres les fêtards affamés en *after*.

Le Clos Basque – *12 r. Louis-Barthou - ✆ 05 59 24 24 96 - leclosbasque@gmail.com - fermé 23 juin-3 juil., 27 oct.-17 nov., 23 fév.-12 mars, dim. soir sf juil.-août et lun. - 24 €.* Pierres apparentes et *azulejos* donnent un air ibérique à la petite salle à manger où règne une ambiance conviviale. Terrasse d'été très courue. Spécialités régionales.

Chez Benat – *22 r. Harispe - ✆ 05 59 41 01 41 - formule déj. 18 €-29 €.* Dans un décor simple mais chaleureux, vous dégusterez des huîtres et une cuisine à base de poissons *a la plancha*, sans oublier les fameux jambons espagnols. En outre, l'accueil est des plus sympathiques, ce qui ne gâte rien !

POUR SE FAIRE PLAISIR

À Biarritz

Chez Albert – *Allée Port-des-Pêcheurs - ✆ 05 59 24 43 84 - www.chezalbert.fr - fermé 22 nov.-16 déc., 4 janv.-10 fév. et merc. - 40 €.* Les produits de la mer sont à l'honneur dans cette adresse animée et décontractée d'où l'on aperçoit le petit port de pêche. Terrasse très prisée en été.

À Arcangues

Le Trinquet – *✆ 05 59 43 09 64 - 29,50 €.* C'est une copieuse cuisine traditionnelle qui est servie dans la salle de ce restaurant ouverte sur la *cancha* où se disputent les parties de pelote – souvent des défis organisés par le patron des lieux. Chants basques en sus pour accentuer la couleur locale.

UNE FOLIE

À Biarritz

Philippe – *30 av. du Lac-Marion - ✆ 05 59 23 13 12 - www.restaurant-biarritz.com - tlj en août ; reste de l'année : merc.-dim. - fermé 2 sem. en mars, 2 sem. en nov., 1 sem. en juin - 35/100 €.* Cuisine ouverte où l'on prépare agneau et cochon de lait, plats inventifs, décor avant-gardiste, terrasse et jardin aromatique : ce restaurant surprend et séduit. Dépôt-vente d'art contemporain.

L'Atelier – *18 r. de la Bergerie - ✆ 05 59 22 09 37 - www.latelierbiarritz.com - fermé 2 sem. en janv. et en oct., 1 sem. en juin, sam. midi, dim. soir et lun. sf juil.-août - 48/70 €.* Cet atelier culinaire vous réserve la surprise de préparations actuelles relevées d'un trait de créativité et de bons vins. Côté décor, il mise sur l'élégance d'un espace feutré.

Les Rosiers – *32 av. Beausoleil - ✆ 05 59 23 13 68 - www.restaurant-lesrosiers.fr - sept.-juin ouv. merc.-dim., juil.-août ouv. tlj sf midi lun.-merc. - 36/72 €.* Accueillante maison tenue par un couple (dont la femme est la première « Meilleur Ouvrier de France » de l'histoire) qui réalise à 4 mains une cuisine « vérité » séduisante et raffinée. La carte change tous les deux mois. Décor sobre et élégant.

À Arcangues

Le Moulin d'Alotz – *Chemin Alotz-Errota - depuis la D 755 à Alotz, prendre la rte secondaire à droite - ✆ 05 59 43 04 54 - fermé mar. et merc., janv., 1 sem. fin juin - 56 €.* Dans un ancien moulin du 17e s. entouré de verdure, le jeune chef Benoît Sarthou propose une cuisine haut de gamme où foie gras, homard, poulpe et pigeonneau vous réservent de belles surprises. Le gâteau frangipane à la pistache et la crème glacée à la verveine sont fameux !

EN SOIRÉE

Bon à savoir – À Biarritz, pour prendre un verre près des bateaux de pêche, rendez-vous sur le port des Pêcheurs qui accueille

5

bars et brasseries. Située plus à l'intérieur de la ville, la place **Georges-Clemenceau** est bordée de brasseries et bodegas. Enfin, la **Grande Plage** est fréquentée aussi bien en journée qu'en soirée grâce à la proximité de la mer du **Café de la Grande Plage** (idéal pour prendre un verre après un bain de mer) et du casino.

Casino Barrière – *1 av. Édouard-VII - ✆ 05 59 22 77 77 - www.lucienbarriere.com.* Situé sur la Grande Plage, cet immense casino rénové de style Art déco vous ouvre ses portes tout au long de l'année. Vous y trouverez une salle de jeux de table, une autre salle de poker, des machines à sous, un restaurant, un élégant snack-bar et le Café de la Grande Plage.

Bar Impérial (Hôtel du Palais) – *1 av. de l'Impératrice - ✆ 05 59 41 64 00 - www.hotel-du-palais.com - P - 9h-0h.* La villa Eugénie fut témoin des amours de Napoléon III et de l'impératrice Eugénie. Depuis 1893, cet édifice (reconstruit en 1903) est devenu le majestueux Hôtel du Palais, doté d'un bar de standing, l'Impérial. Face à l'Océan, vous pourrez tremper vos lèvres dans une coupe de champagne *(16/35 €)* tout en rêvant aux fastes d'antan. Pour parfaire le charme du lieu, un pianiste joue chaque soir entre 20h et 23h.

Arena Café – *Espl. du Port-Vieux - ✆ 05 59 24 88 98 - fermé mar. soir et merc. hors sais.* Un café-restaurant « les pieds dans l'eau » (superbe terrasse dominant la mer) devenu un incontournable des soirées biarrotes. Ambiance *hype* au bar. En saison, le Kokoma Café, en terrasse, propose cocktails, sushis et tapas.

Le Caveau – *4 r. Gambetta - ✆ 05 59 24 16 17 - 22h30-5h.* Bar-discothèque le plus branché de la région, où vous croiserez les inévitables stars en vacances. Tout ce petit monde vient ici pour faire la fête autant que pour se montrer, bien évidemment.

Ibiza Discothèque – *Grande Plage - ✆ 06 62 44 09 24 - www.ibiza-biarritz.com - mar.-sam. 0h-5h.* Cette discothèque face à la mer attire les jeunes clubbers. Vous pouvez commencer votre soirée au **Cubana Café** voisin (22h-2h), où danses et ambiance *latino* sont à l'honneur.

Gare du Midi – *23 av. du Mar.-Foch - ✆ 05 59 22 44 66 - www.biarritz.fr - ouv. les soirs de spect. ; billetterie gérée par l'office de tourisme : tlj 10h-13h, 13h30-18h.* C'est la principale salle de spectacles de la ville avec 1 400 places. Toutes sortes de représentations y ont lieu : pièces de théâtre, concerts de variétés, ballets… La Gare du Midi abrite également les studios du Centre chorégraphique national Ballet Biarritz.

La Loggia – *11 r. Gardères - ✆ 05 59 24 14 85 - www.restaurant-laloggia-biarritz.fr.* La Loggia a accentué son côté restaurant, mais on peut encore y siroter des cocktails en soirée. Bon choix de vins, accompagnés de tapas.

À Bidart

Cargo Blue – *Av. Ilbaritz - 64210 Bidard - ✆ 05 59 23 54 87 - www.bluecargo.fr - P - avr.-sept. ouv. tlj. à partir de 12h.* De jour, une plage agréable pour déjeuner léger et siroter des cocktails. De nuit, un lieu très à la mode, qui plaira à ceux qui aiment faire la fête entre amis, jusqu'au petit matin.

ACHATS

À Biarritz

Maison Pariès – *1 pl. Bellevue - ✆ 05 59 22 07 52 - www.paries.fr - P - en saison : 8h30-19h30 ; hors* *saison : 9h-13h, 14h30-19h.* Fidèle à plus d'un siècle de tradition familiale, la maison Pariès élabore de nombreuses spécialités telles que le mouchou (sorte de macarons à base d'amandes fraîches), le kanouga (caramel tendre au chocolat), les célèbres gâteaux basques et les tourons. Le rayon chocolat n'est pas en reste avec une cinquantaine de variétés exquises.

Maison Arostéguy – *14 bis av. Victor-Hugo - ✆ 05 59 24 00 52 - www.arosteguy.com - tlj sf lun. mat. et dim. 9h30-13h, 15h15-19h30 (ouv. dim. mat. Pâques et juil.-août) - fermé 25 déc.* Fondée en 1875, cette célèbre épicerie de Biarritz (anciennement « Épicerie du Progrès ») a conservé ses murs, ses étagères et sa façade d'époque. On y déniche de nombreuses spécialités et produits difficiles à trouver ailleurs : millésimes rares du Bordelais, armagnacs prestigieux, thés parfumés, épices et produits basques.

Chocolaterie Henriet – *Pl. Georges-Clemenceau - ✆ 05 59 24 24 15 - http://chocolaterie.henriet.pagesperso-orange.fr - 9h-19h.* Fondée après la Seconde Guerre mondiale, la boutique Henriet est une référence en matière de chocolat et de spécialités gourmandes : calichous (caramels au beurre d'Échiré et à la crème fraîche), rochers de Biarritz (chocolat amer, écorces d'orange, amandes).

Galerie Cazaux Biarritz – *10 r. Broquedis - ✆ 05 59 22 36 03 - www.cazauxbiarritz.com - tlj sf dim. 10h-12h30, 15h-19h, j. fériés sur demande préalable.* La Maison Cazaux se voue à l'artisanat d'art (poterie et céramique) depuis 1750. Jean-Marie Cazaux et son fils Joël parlent volontiers de leur métier qu'ils qualifient d'« austère » et de « solitaire ». La maison se consacre également à la création personnalisée : les céramiques y sont réalisées à la demande, depuis l'extraction de la terre jusqu'à la vente du produit fini. Travail sur mesure, dessin fait à la main.

Maison Charles Larre – *1 r. des Halles - ✆ 05 59 24 92 02 - www.maisoncharleslarre.com - de juil. à mi-sept. : 9h30-13h, 14h30-19h ; reste de l'année : 10h-12h30, 14h30-19h - fermé 1er janv. et 25 déc.* Cette adresse incontournable crée de la toile basque depuis 1925. Elle a récemment fermé sa boutique de St-Jean-de-Luz, alors ne manquez pas celle de Biarritz ! Vous y trouverez le tissu traditionnel aux motifs rayés vendu au mètre, la toile épaisse d'origine baptisée « la mante à bœuf », du linge d'office, des nappes, des créations originales, ainsi que de la vaisselle.

À Bidart

Moulin de Bassilour – *Quartier de Bassilour - ✆ 05 59 41 94 49 - P - 8h-13h, 14h30-19h - fermé 2e et 3e sem. de janv. et d'oct.* Dans ce moulin en activité depuis 1741, on fabrique artisanalement des gâteaux basques fourrés à la crème ou à la cerise noire, mais également des sablés, des pains et des gâteaux de maïs à l'anis.

SPORTS & LOISIRS

À Biarritz

Biarritz Olympique – *Stade Aguilera - ✆ 05 59 01 64 64 - www.bo-pb.com - lun.-vend. 9h-12h30, 14h-18h - fermé 1er janv. 1er Mai et 25 déc.* Ce complexe regroupe le stade de rugby du Biarritz Olympique, cinq fois vainqueur du Bouclier de Brennus depuis le début du siècle, deux fois vice-champion d'Europe, et qui tient toujours les premiers rôles dans le Top 14 des courts de tennis, une piste d'athlétisme, des salles de musculation, de fitness, de danse…

Euskal Jaï Fernand Pujol – *R. Cino-del-Duca - Parc des sports Aguilera - ✆ 05 59 23 91 09 -* P Cette école de pelote basque organise des compétitions de *cesta punta* de juin à septembre, presque chaque mercredi et samedi ; gala de pelote basque les lundi et mercredi, hors saison le jeudi.

Plaza Berri (fronton mur à gauche) – *42 av. du Mar.-Foch - ✆ 05 59 22 15 72 - 8h-22h sf dim. - 20 € (4 pers. mini).* En juillet et août, des galas de pelote basque (main nue, *paleta* cuir et petit chistera) sont organisés chaque mardi soir à partir de 21h (billetterie dès 20h30). En dehors des périodes de compétitions, vous pourrez vous essayer à la *pala* (raquette en bois).

Sobilo – *24 r. Peyroloubilh - ✆ 05 59 24 94 47 - www.cycle-ocean.com - 9h30-18h - juil. août : 9h-19h.* Location de VTT, scooters, motos et voiturettes pour égayer vos balades dans le Pays basque.

Thalassa Sea & Spa Biarritz – *13 r. Louison-Bobet - ✆ 05 59 41 30 01 - www.thalassa.com - 8h30-12h30, 14h30-18h30 - fermé 1er janv. et 25 déc. - se renseigner auprès de la réservation centrale ✆ 05 59 41 30 01.* Emplacement idéal face à l'Océan pour ce centre de thalassothérapie composé de quatre pavillons. L'un des nombreux programmes de soins vous conviendra sûrement : harmonie, remise en forme, rééducation, « maman et bébé », minceur, détente et golf, sublim'éclat, anti-stress, etc. Espace beauté dernier cri.

Thalmar – *80 r. de Madrid - ✆ 05 59 23 01 22 - www.biarritz-thalasso.com - lun.-sam. 9h-12h30, 14h30-18h, dim. 9h-13h.* Centre de thalassothérapie doté d'une piscine de détente et d'un jacuzzi, où vous pourrez bénéficier de nombreux soins : douche à fusion, douche sous-marine, bain aéro-marin, massages, application d'algues… Espace fitness.

Lagoondy École de surf – *Établissement des bains - plage de la Côte-des-Basques à Biarritz ; 7 r. de l'Étape à Bidart - ✆ 05 59 24 62 86 - www.lagoondy.com - école de surf : 10h-19h, inscription au Rip Curl Surf Shop à Biarritz - fermé janv. et lun. hors saison - cours de surf 1h30 35 €, 3 cours 95 €, 5 cours 160 € - stages avec hébergement : 430 à 595 €.* École de surf labellisée par la Fédération française de surf. Location de planches à la plage du Pavillon Royal à Bidart.

Golf Le Phare – *2 av. Édith-Cavell - ✆ 05 59 03 71 80 - www.golfbiarritz.com - merc.-lun. : hte saison 7h30-20h ; moyenne saison 8h-19h30 ; basse saison 8h-19h - fermé mar. sf vac. de Pâques, en été et vac. de Noël - 72 € (- 18 ans 36 €).* L'ancien British Golf Club (inauguré en 1888) propose aujourd'hui un parcours de 18 trous et conserve l'avantage d'être situé en pleine ville

Piscine municipale – *Bd du Gén.-de-Gaulle - ✆ 05 59 22 52 52 - www.biarritz.fr - horaires variables selon calendrier scolaire - fermé 1re sem. de janv., fin mai et 3 sem. en sept.* Située au bord de l'Océan, cette piscine est équipée de bassins d'eau de mer chauffée, ainsi que d'un jacuzzi, d'un hammam et d'un sauna.

À Bidart

Bon à savoir – Bidart ne compte pas moins de six plages, cependant seules deux d'entre elles sont accessibles en voiture. Il s'agit des plages d'Ilbarritz

et de l'Uhabia. De nombreux restaurants et boutiques de loisirs longent cette dernière. On peut, entre autres, y louer un scooter des mers ou une planche à voile.
Les amateurs de golf ont l'embarras du choix.
Golf d'Ilbarritz – *Av. du Château - ✆ 05 59 43 81 30 - www.golfilbarritz.com - hte saison 8h-20h ; moyenne saison 8h-19h30 ; basse saison 8h-18h30 - fermé lun. hors saison - 36 € green fee 9 trous (-18 ans 18 €).* Ce golf 9 trous bénéficie d'une superbe vue sur la mer et d'un concept original permettant de recréer autour d'un espace circulaire toutes les situations qu'un joueur pourrait rencontrer sur un parcours traditionnel. Stages, leçons individuelles, conseils et location de matériel.
Golf d'Arcangues – *✆ 05 59 43 10 56 - www.golfdarcangues.com - P - fermé lun. de nov. à mars – hte saison 8h30-19h - 70 € ; moyenne saison 8h30-18h30 - 57 € ; basse saison 8h30-18h30 - 47 €.* Installé dans un superbe site, face à la chaîne des Pyrénées, ce golf (18 trous) a pour autre atout un agréable *clubhouse*, logé dans une ancienne ferme du 15e s.
École de surf Taïba – *Camping de la plage - av. d'Espagne - plage de l'Uhabia - ✆ 06 14 01 13 11 - www.surf-taiba.com - juil.-août et vac. scol. : 9h-18h30 et dim. hors sais. - 28 €.* École de surf labellisée par la Fédération française de surf.

À Guéthary

Bon à savoir – La grande plage de Parlementia, que se partagent Guéthary et Bidart, est sans aucun doute la plus agréable du coin. Surveillée en juillet et en août, sa côte est longée par un sympathique chemin piétonnier. Les plages de Cenitz et de Harotz Costa (sentier près du port) ne sont pas surveillées.
École de surf de Guéthary – *582 av. du Gén.-de-Gaulle - 64210 Guéthary - ✆ 06 08 68 88 54 - http://surf.guethary.free.fr - ouv. tte l'année - 44 € cours découverte 2h ; 160 € pour 1h30/j pdt 5 j. ; 180 € pour 2h/j pdt 5 j.* École de surf et de bodyboard depuis 1996. On y enseigne désormais aussi le *stand up paddle*. Cours et stages (dont le « Surf Camp » : stage avec hébergement) assurés par des moniteurs brevetés d'État. Également, location de matériel (surf, bodyboard, combinaison, palmes) et vente d'accessoires.

AGENDA

Festival **Cinémas et Cultures d'Amérique latine** – *Sept.-oct.*
Festival **Le Temps d'aimer la danse** – *1 sem. en sept.*
Parmi les nombreuses compétitions de surf de Biarritz :
Biarritz Surf Trophée – *oct.*
Biarritz Surf Festival – *juil.*
Biarritz Quiksilver Maïder Arosteguy – *w.-end de Pâques.*
Championnat de France de surf – *fin oct.-déb. nov.*

5

Saint-Jean-de-Luz

★★

Donibane Lohitzun

13 579 Luziens - Pyrénées-Atlantiques (64)

NOS ADRESSES PAGE 351

S'INFORMER

Office du tourisme de St-Jean-de-Luz – *20 bd Victor-Hugo - ✆ 05 59 26 03 16 - www.saint-jean-de-luz.com - avr.-sept. : lun.-sam. 9h-12h30, 14h-19h, dim. et j. fériés 10h-13h ; reste de l'année : lun.-sam. 9h-12h30, 14h-18h - fermé dim., 1er janv., 1er mai et 25 déc.*

Visite guidée – *Juil.-août : mar. et jeu. 10h ; reste de l'année : mar. 10h - s'adresser à l'office de tourisme.*

Train touristique – Visite commentée en petit train de la vieille ville - *✆ 05 59 41 96 94 / 06 85 70 72 85 - http://petit-train-saint-jean-de-luz.com - juil.-août : 10h30-19h30 ; avr.-juin, sept.-oct. : 10h30-12h30, 14h30-18h30 ; circuit de 30mn - départ du rond-point du port de pêche - 5,50 € (-12 ans 3 €).*

Navette maritime – Une navette permet de traverser la baie. Elle relie St-Jean-de-Luz (port et digue aux Chevaux), Ciboure et Socoa - *mai-sept. - se rens. pour les horaires - ✆ 06 11 69 56 93 - www.ciboure-paysbasque.com - 2,50 € (-5 ans 1,50 €).*

SE REPÉRER

Carte de microrégion B2 (p. 302-303) – *carte Michelin n° 573 B 24-25.* La vie de St-Jean-de-Luz se concentre entre la Nivelle au sud-ouest et les plages au nord, c'est-à-dire entre le port et la mer.

SE GARER

Choisissez la place du Mar.-Foch, à deux pas de la place Louis-XIV et du port, pour laisser votre voiture. En été, des navettes gratuites vous emmènent depuis les parkings-relais, à l'entrée de la ville, jusqu'au centre-ville.

À NE PAS MANQUER

La splendide église St-Jean-Baptiste et son retable.

ORGANISER SON TEMPS

Visite du centre-ville le matin, avec son église, ses maisons basques et ses musées ; farniente sur la plage l'apr.-midi ; sentier botanique depuis la pointe de Ste-Barbe en fin de journée ; petit verre en terrasse sur le port le soir : voilà le planning idéal d'une journée à St-Jean-de-Luz.

AVEC LES ENFANTS

Un tour de la ville en petit train ; une visite de l'écomusée de la Tradition basque ; toutes sortes d'activités nautiques *(voir p. 335).*

Cité d'armateurs fortunés, St-Jean-de-Luz fut aussi celle de corsaires émérites presque aussi célèbres que leurs voisins malouins ! Face à l'Océan, la ville, dotée d'une baie superbe, était prédestinée à être gagnée par le tourbillon mondain né à Biarritz dans les années 1850. Les villas balnéaires poussèrent aux côtés des maisons basques en bois peint, des grosses demeures d'armateurs et des palais du 17e s. Il se dégage

Le port de St-Jean-de-Luz.
VH/Oriental Touch/Age fotostock

aujourd'hui de cet heureux mélange de styles une exquise douceur de vivre que l'on savoure en *farniente* sur la Grande Plage ou en balades dans le petit port de pêche.

Se promener Plan de ville p. 347

★ Le port A2

Le temps des baleines est fini, mais le port reste important pour la sardine, le thon et l'anchois. C'est un vrai port de carte postale avec ses bateaux peints de couleurs très vives et ses pêcheurs œuvrant sur le quai auprès des filets amoncelés, avec, en plus, une odeur de saumure et un délicieux concert cristallin joué par le ponton sur pilotis, qui roule avec la marée.

De l'autre côté du port se dressent l'église St-Vincent et les maisons de **Ciboure** *(voir « À proximité » p. 348)*.

La majestueuse **maison de l'Infante**, dite **Joanoenia** (A2), semble veiller sur les bateaux. Cette riche demeure en brique et pierre avec des galeries à l'italienne accueillit l'infante et la reine mère. Dans la grande salle 17e s., cheminée monumentale sculptée et peinte ainsi que des poutres décorées de peintures de l'école de Fontainebleau. *1 quai de l'Infante - ✆ 05 59 26 36 82 - juin-oct. et vac. de la Toussaint : 11h-12h30, 14h30-18h30, dim. et lun. 14h30-18h30 ; 12 nov.-31 mai : sur réserv. uniquement - 2,50 € (-18 ans 2 €) commentaire audio (15mn).*

Rue Mazarin A2

Domaine des armateurs au 17e s., la langue de terre isolant la rade du port fut réduite des deux tiers par le raz-de-marée qui, en 1749, anéantit 200 maisons de la ville. Elle conserve quelques nobles demeures, comme la **maison St-Martin** (A2), au n° 13.

Sur la droite de la rue s'ouvre la place Louis-XIV.

★ Maison Louis XIV A2

✆ 05 59 26 01 56 ou 05 59 26 27 58 - juil.-août : 10h30-12h30, 14h30-18h30 ; fermé mar., 14 Juil. et 15 août et de nov. aux vac. de Pâques - de déb. juin à mi-oct. : visites guidées (35mn) à 11h, 15h, 16h (et 17h en juin et sept.) - 5,50 € (-12 ans gratuit).
Cette noble demeure fut construite pour l'armateur Lohobiague en 1643. À l'intérieur, le caractère « vieux basque » est donné surtout par l'**escalier** à volées droites, travail robuste de charpentier de marine : comme pour tous les planchers anciens des pièces d'habitation, les lattes sont fixées par de gros clous apparents, qui interdisent le rabotage et le ponçage.
Du palier du 2e étage, une passerelle intérieure conduit aux appartements, où la veuve de Lohobiague reçut Louis XIV en 1660. En passant dans la **galerie à arcades**, prenez le temps de savourer le panorama des Pyrénées basques.
Dans la salle à manger aux lambris verts, table de marbre Directoire et cadeau de l'hôte royal à la maîtresse de maison : un service de trois pièces en vermeil décoré d'émaux niellés.

Centre-ville

Avec ses rues piétonnes (rue de la République, rue Gambetta, *dans le prolongement de la rue Mazarin*), il a beaucoup de caractère. Au n° 17 de la rue de la République se trouve la plus vieille maison de la ville ; en pierre de taille, elle contraste avec les maisons basques voisines.

★★ Église St-Jean-Baptiste A2

✆ 05 59 26 08 81 - visite guidée gratuite en juil.-août (lun.-vend. à 17h).
Extérieurement, elle est d'une architecture très sobre, presque sévère avec ses hautes murailles percées de maigres ouvertures et sa tour massive sous laquelle se glisse un passage voûté. Un bel escalier à rampe en fer forgé donne accès aux galeries.
L'intérieur, somptueux, date pour l'essentiel de son agrandissement de 1649, effectué par l'architecte bayonnais Louis de Milhet. Trois étages de galeries

LE MARIAGE DU ROI-SOLEIL

Prévu par le **traité des Pyrénées** *(voir p. 361)*, le mariage de Louis XIV avec l'infante d'Espagne Marie-Thérèse a lieu à St-Jean-de-Luz. Accompagné de sa suite, le roi arrive le 8 mai 1660 et loge à la maison Lohobiague. Le 9 juin, entre les Suisses qui font la haie, le cortège royal s'ébranle en direction de l'église. Derrière deux compagnies de gentilshommes, le cardinal Mazarin, en costume somptueux, ouvre la marche, suivi par Louis XIV en habit noir orné de dentelles. À quelques pas derrière, Marie-Thérèse, en robe tissée d'argent et manteau de velours violet, la couronne d'or sur la tête, précède Monsieur, frère du roi, et l'imposante Anne d'Autriche. Toute la cour suit.
Le service, célébré par Mgr d'Olce, évêque de Bayonne, dure trois heures, dans une église en construction. La porte par laquelle sort le couple royal sera murée quelques années après la cérémonie, le portail principal ayant été ouvert. Le cortège regagne la maison de l'Infante. Puis les jeunes époux soupent à la maison Lohobiague en présence de la cour. Une étiquette rigoureuse les conduit jusqu'au lit nuptial dont la reine mère ferme les rideaux en donnant la bénédiction traditionnelle. Marie-Thérèse sera, pour Louis XIV, une épouse douce et digne. Quand elle mourra, le roi dira : « C'est le premier chagrin qu'elle me cause. »

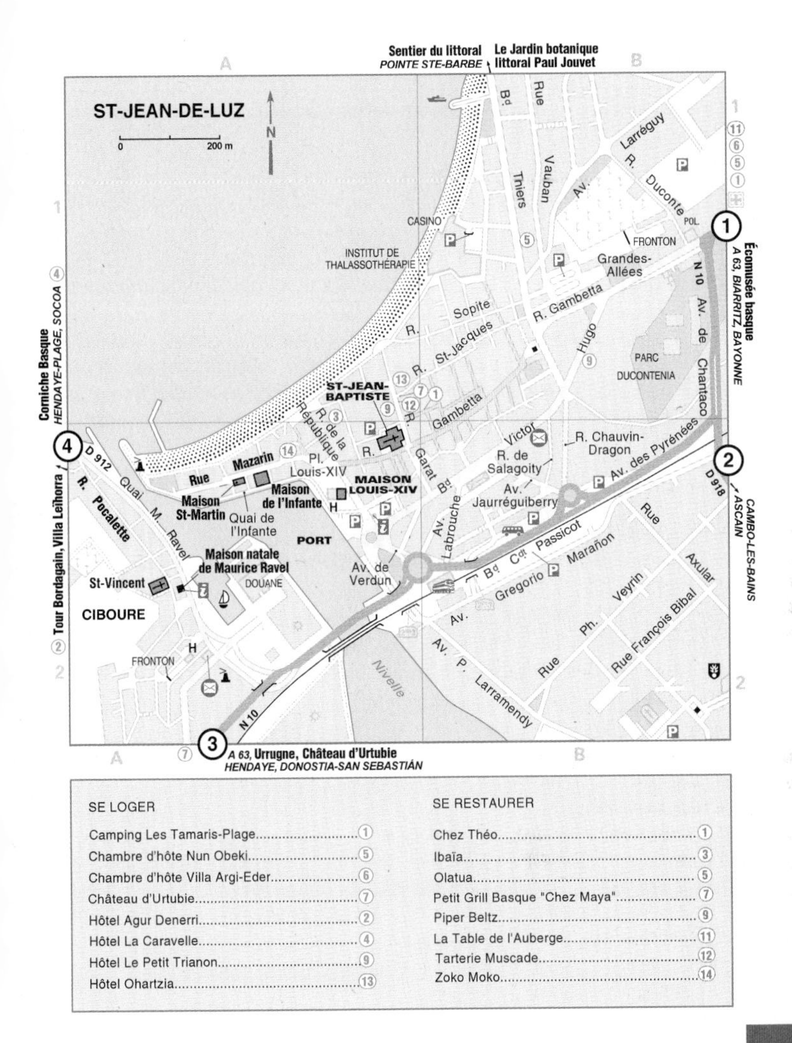

de chêne (cinq au mur du fond) encadrent la nef unique que couvre une remarquable voûte en carène lambrissée. Le chœur très surélevé, clos par une belle grille de fer forgé, porte un **retable★** (vers 1670, restauré en 1987) resplendissant d'or. Entre les colonnes et les entablements qui l'ordonnent en trois registres, des niches abritent une foule de statues : saints populaires locaux, apôtres, saint Laurent et son gril. Remarquez en outre la chaire (17e s.) supportée par des sphinges (sphinx femelles) menaçantes ; dans l'embrasure de la porte murée, statue parée de **N.-D.-des-Douleurs** et, à côté, petite Vierge de rosaire en tenue de cérémonie.

À voir aussi Plan de ville ci-dessus

Sentier du littoral Hors plan par B1

St-Jean-de-Luz donne accès à deux portions du sentier du littoral, totalement différentes : vers Hendaye, la promenade dévoile les montagnes et surtout la **Corniche basque★★** *(voir p. 349)*, mais elle longe la route, tandis que vers Bidart, elle traverse des espaces naturels, urbains ou semi-urbains. On part alors du jardin de la pointe de Ste-Barbe, au bout de la promenade des Rochers.

Jardin botanique littoral Paul Jovet Hors plan par B1

31 av. Gaëtan-Bernoville - ✆ 05 59 26 34 59 - www.jardinbotaniquelittoral-saintjeandeluz.org - ouv. de mi-mars à oct.-mars-avr. : merc. et w-end. 11h-17h ; mai-sept. : merc.-dim. 11h-18h ; oct. : merc. et dim. 14h-17h - 4 € (12-16 ans 2 € ; -12 ans gratuit) - visite avec audioguide 6 € - visite guidée thématique le dim. à 15h 6 € (12-16 ans 3 € ; -12 ans gratuit).

Sur la falaise d'Archilua, dans ce jardin de 2,5 ha, on découvre au gré d'une promenade les plantes des différents écosystèmes de la Côte basque : chênaie, lande littorale, dunes colonisées par la végétation, zones humides, mais aussi des spécimens du monde entier. Petit labyrinthe botanique et jardin des simples.

Écomusée de la Tradition basque B1

Au nord de St-Jean-de-Luz, par la D 810. ✆ 05 59 51 06 06 - www.ecomusee-basque.com - visite audioguidée de 1h, départ ttes les 15mn - juil.-août : 10h-18h30 ; avr.-juin et sept.-oct. : lun.-sam. : 10h-11h15, 14h30-17h15 - 6,50 € (-12 ans 2,90 €).

Un parcours scénographique, tourné vers le passé, évoque les différents savoir-faire et activités traditionnels : fabrication de l'*izarra* (avec une dégustation), histoire du linge basque, pelote, danses, artisanat (bérets, espadrilles, gourdes), etc. Une véritable ode à la culture basque et à l'amour des Basques pour leur pays !

À proximité Carte de microrégion p. 302

★ Ciboure/Ziburu A2

27 quai Maurice-Ravel - ✆ 05 59 47 64 56 - www.ciboure.fr - juil.-août : 9h-12h30, 15h-19h, sam. 10h-12h30, 15h-19h, dim. 10h-13h ; sept. : tlj sf dim. 10h-12h30, 15h-18h ; reste de l'année : tlj sf w.-end et j. fériés 10h-12h30, 15h-18h. En saison 4 visites guidées (6,50/8 € - enf. 4,50 €/5 €), dont une en voiture à cheval (12 € ; -12 ans 7 €).

Petite sœur de St-Jean-de-Luz, la charmante Ciboure gravit, entre ciel et mer, une colline sur la rive sud du port.

L'office de tourisme occupe la **maison natale de Ravel**, compositeur du fameux *Boléro*, au n° 27 du quai portant son nom.

Au bout du port, le phare de Ciboure fait face à son jumeau de St-Jean-de-Luz. Tous deux ont été conçus par Pavlovsky en 1936 dans un style néo-basque. Les marins se servent de leur alignement pour s'orienter vers le port. De l'autre côté de celui-ci se dresse la silhouette de l'ancien couvent des Récollets, construit en 1610, dont la chapelle a été rénovée *(des expositions et manifestations y sont occasionnellement organisées - rens. à l'office de tourisme).* Des habitations et les Affaires maritimes ont investi son cloître, qui conserve une fontaine, offerte par Mazarin en 1660.

La **rue Pocalette** mêle les maisons labourdines à pans de bois (maison de 1589 à encorbellement au coin de la rue Agorette) et de hautes demeures de pierre plus nobles, comme le n° 12, au chevet de l'église.

Église St-Vincent – On aperçoit de loin l'original clocher de charpente à deux étages. Cette église du 16e s. est accessible latéralement par un beau parvis dallé, porteur d'une croix en pierre de 1760. L'intérieur abrite un joli retable aux tons bleus, ainsi qu'une triple galerie qui avance sur la nef.

Villa Leïhorra – *1 imp. Muskoa - pour les visites, se rens. à l'office de tourisme.* Construite en 1926-1929 par l'architecte **Joseph Hiriart**, cette villa est de style **Art déco**, tant dans son architecture que dans sa décoration intérieure.
Tour Bordagain – *Prendre la route de Socoa et tourner à gauche au panneau indiquant la tour. Au rond-point, prendre à gauche et encore à gauche au carrefour suivant (en direction de l'hôtel) - se visite dans le cadre des visites commentées de l'office de tourisme - sur réserv. uniquement.* Sur la colline de Bordagain se dresse une tour octogonale adossée à une ancienne chapelle du 12e s. D'abord clocher, ensuite tour de guet, elle a probablement aussi servi d'*atalaye* pour prévenir les pêcheurs de la présence de baleines près des côtes. Lors des visites, on peut apprécier la **vue à 360°** du sommet de la tour.

Socoa A2

3 km à l'ouest, par la D 912. Laissez la voiture sur le port et poursuivez (45mn à pied AR) vers la jetée. L'entrée de la baie de St-Jean-de-Luz était défendue autrefois par le fort de Socoa, construit sous Henri IV et remanié par Vauban. La tombe de l'auteur de *L'Atlantide*, **Pierre Benoit**, se trouve dans le cimetière de l'Untxin à Socoa.
★★ **La Corniche basque** – *Depuis le parking du port de Socoa, prendre la voie de sortie puis tourner immédiatement à droite dans la rue du Phare, très pentue, puis à gauche dans la rue du Sémaphore. Garez-vous au sémaphore et poursuivez à pied.* **Vue★★** au sud-ouest sur la Côte basque, du cap du Figuier (cabo Higuer) en Espagne jusqu'à Biarritz. Au premier plan, les falaises plongent en oblique leurs roches feuilletées vigoureusement attaquées par les flots. Le site est particulièrement beau les jours de tempête.
Prendre la D 912 qui longe le littoral jusqu'à Hendaye. La route sinueuse, bordée d'ajoncs, se rapproche des falaises de Socoa. Au gré des échappées s'ouvrent de jolies **vues★★** sur l'Océan qui vient battre les rochers. Le point de vue face au camping Juantcho est le lieu idéal pour observer aux jumelles la vague **Belharra** quand elle se forme.

★ Château d'Urtubie A2

3 km au sud-ouest par D 810. ☏ 05 59 54 31 15 - www.chateaudurtubie.net - avr.-oct. (et vac. de la Toussaint) : 10h30-12h30, 14h-18h30, de mi-juil. à fin août : 10h30-18h30 - 6 € (-16 ans 3 €).
Du simple donjon construit par autorisation du roi Édouard III d'Angleterre en 1341, ce château est devenu au fil des âges une élégante demeure classique avec ses **toits à l'impériale** coiffant les deux tours qui, au 14e s., encadraient le pont-levis. Dans la tour centrale, remarquable **escalier à vis suspendu** datant du 16e s. Dans la chapelle édifiée au 17e s., au chœur redoré au 19e s., une salle de bains fut aménagée derrière la sacristie en 1830.
L'intérieur du château est décoré de grandes **tapisseries** de Bruxelles du 16e s. (grand salon), d'un ensemble de chaises et de fauteuils espagnols de l'époque Louis XIV (salle à manger) ainsi que de divers meubles et bibelots ayant appartenu depuis des générations aux châtelains d'Urtubie. Dans la **salle de chasse**, au rez-de-chaussée, plusieurs pièces (coffre, armoire) évoquent le mobilier basque traditionnel.
Le château (en partie reconverti en hôtel, *voir « Nos adresses », p. 176*) s'inscrit aujourd'hui au cœur d'un agréable parc à l'anglaise. L'**orangerie** accueille des expositions et un salon de thé accessible aux visiteurs *(goûter et visite : 10 €)*.

Urrugne/Urruña A2

5 km au sud-ouest par la D 810.
Maison Posta - Pl. René-Soubelet - 64122 Urrugne - ☏ 05 59 54 60 80 - www.urrugne.com - juil.-août : lun.-vend. 9h-19h, sam. 9h-12h30, 14h-19h, dim.

10h-13h ; juin et sept. : lun.-vend. 9h-12h30, 14h-18h, sam. 9h-12h30, dim. 10h-13h ; oct.-mai : lun.-jeu. 9h-12h30, 14h-18h (vend. 17h30).

La commune d'Urrugne est très vaste : elle relie Ciboure et Hendaye et s'étend de la côte à la frontière espagnole. Socoa en fait partie. Son petit centre-ville a pourtant une atmosphère de village.

L'**église St-Vincent**, de style Renaissance, garde à l'extérieur une allure militaire. Elle s'adosse à un clocher-porche du 16e s., qu'orne un cadran solaire affichant la devise *Vulnerant omnes, ultima necat* (« Toutes les heures blessent, la dernière tue »). Son vaisseau peu ajouré et joliment peint affiche une hauteur de 22 m, mise en valeur par des galeries en bois sculpté.

Notre-Dame-de-Socorri – *Sur la grand-place d'Urrugne, prendre le chemin en montée vers N.-D.-de-Socorri.* Joli **site★** de chapelle de pèlerinage, dans l'enclos d'un ancien cimetière. Vue sur un paysage mamelonné dominé par l'éperon de la Rhune et, à l'horizon, sur le Jaizkibel et les Trois Couronnes.

Écoparc – *Voir p. 362.*

LA DIVA DES VAGUES

Surfée pour la première fois en 2002, Belharra est la plus grosse vague de la Côte basque et… d'Europe ! Une vague qui sait se faire désirer puisqu'elle ne se forme que tous les 2-3 ans, au large de la **corniche d'Urrugne**. Elle peut atteindre plus de 10 m de haut. Autant dire que seuls les *big wave riders* chevronnés dévalent cette montagne au-devant d'un gigantesque déferlement de mousse !

Col d'Ibardin A3

12 km au sud d'Urrugne par la D 4 puis une route secondaire.

Le col d'Ibardin est un endroit insolite pour qui n'est pas habitué au mode de vie frontalier. La route qui y mène depuis Herboure est étroite et sinueuse, et surchargée le w.-end ! Elle offre une jolie **vue** sur le territoire d'Urrugne. Au col, une étrange araignée métallique semble posée sur le versant et vous invite à d'autres réjouissances que d'admirer le paysage : c'est un centre commercial, avec sa station essence, jouxtant d'autres boutiques où affluent les acheteurs, attirés par les différences de prix entre la France et l'Espagne. Le col est aussi un départ de randonnées et de parcours VTT.

NOS ADRESSES À SAINT-JEAN-DE-LUZ

HÉBERGEMENT

PREMIER PRIX

À St-Jean-de-Luz

Camping Les Tamaris-Plage – *Quartier Acotz - 720 rte des Plages (5 km au nord-est, à 80 m de la plage) - ☎ 05 59 26 55 90 - www.tamaris-plage.com - ouv. toute l'année - ♿ - 79 empl. 27 € - 🚐 14 € - 35 ı - 4 studios - 10 bungalows toilés. Nuitée 30/111 €. Sem. 210/777 €.* Idéalement situé à deux pas de la plage, ce camping à l'ambiance familiale propose, en plus des emplacements pour tentes ou caravanes, un grand choix de formules à la nuitée ou à la semaine. Mobile homes, bungalows toilés, mais aussi 4 studios et un appartement. Pour les loisirs : club enfants, sauna, hammam, jacuzzi, et même une petite piscine qui fera le bonheur des petits comme des grands !

BUDGET MOYEN

À St-Jean-de-Luz

Hôtel Le Petit Trianon – *56 bd Victor-Hugo - ☎ 05 59 26 11 90 - www.hotel-lepetittrianon.com - fermé janv. - P - 26 ch. 68/88 € - ☕ 8 €.* Une adresse sans prétention à l'accueil un peu froid, mais bien tenue. La plupart des chambres (1er et 2e étages) ont été rénovées ; celles du 3e bénéficient de la climatisation. Deux suites familiales. En saison, vous prendrez votre petit-déjeuner dans la cour intérieure décorée d'une fresque basque.

Hôtel Ohartzia – *28 r. Garat - ☎ 05 59 26 00 06 - www.hotel-ohartzia.com - 17 ch. 60/90 € - ☕ 7 €.* Bien que située en plein centre-ville, cette demeure aux volets bleus, longuement restaurée, dégage un réel charme bucolique. Une partie des chambres donnent sur le jardin orné de platanes, de bosquets et de fleurs. De l'autre côté de la rue, la brasserie avec sa belle terrasse propose des spécialités locales.

Chambre d'hôte Villa Argi-Eder – *58 av. Napoléon-III - 3 km par D 810 et rte secondaire - ☎ 05 59 54 81 65 - www.chambresdhotes-argi-eder.com - 💳̸ - 4 ch. 55 € - ☕ 5,50 €.* Une adresse conviviale, à deux pas de la plage, mais loin de la foule. Vastes et paisibles, les chambres de plain-pied ouvrent sur des terrasses privées très agréables pour le petit-déjeuner.

À Ciboure

Hôtel La Caravelle – *1 bd Pierre-Benoit - ☎ 05 59 47 18 05 - www.hotellacaravelle-stjeandeluz.com - 18 ch. 60/110 € - ☕ 8 €.* De l'extérieur, cette petite maison blanche aux volets bleus ne se remarque pas. Mais à l'intérieur vous serez charmé par l'élégance des pierres taillées et par le goût de la décoration des chambres. Vue sur la mer (depuis la loggia, le lit ou même la douche !), balcon sur le jardin, terrasse intérieure, jacuzzi. Les chambres sont toutes différentes, à vous de choisir la vôtre selon votre envie ! Accueil chaleureux. Wifi dans certaines chambres et au rez-de-chaussée.

Hôtel Agur Deneri – *M. et Mme Berton, 14 chemin de Muskoa - ☎ 05 59 47 02 83 - www.hotel-agur-deneri.com - P - 17 ch. : vue sur le port 67/81 €, vue sur l'Océan 110/117 € - ☕ 9 €.* À deux pas de la villa Leïhorra, cet hôtel qui surplombe Ciboure a un air de vacances. Transats sur les terrasses privées, décoration colorée et superbe vue. Les chambres sur l'Océan ou avec terrasse sont équipées d'une baignoire balnéo ou d'une douche hydro-massante. Certaines chambres ont un balcon. Buffet copieux au petit-déjeuner. Clientèle d'habitués ; séjour minimum de 3 nuits en été.

POUR SE FAIRE PLAISIR

À St-Jean-de-Luz

Chambre d'hôte Nun Obeki – *6 r. Élie-de-Sèze - ✆ 05 59 26 30 71 - www.nunobeki.com - P - ⊭ - 5 ch. 75 € - ☕ 7 €.* Cette grande maison basque peut s'adapter à maintes demandes d'hébergement. Chambres simples, petit appartement ou villa : les possibilités de séparer ou de regrouper les différentes pièces sont nombreuses. Autres atouts : le décor très « cosy », la proximité de la plage et du centre-ville, et surtout la quiétude du jardin.

À Urrugne

Château d'Urtubie – *64122 Urrugne - ✆ 05 59 54 31 15 - www.chateaudurtubie.net - avr.-oct. - P - 10 ch. 80/160 € - ☕ 11 €.* Sur la route de l'Espagne, château fort du 14e s. remanié au fil du temps. Aujourd'hui musée et hostellerie, il abrite des chambres de caractère garnies de meubles de style. La ferme Lizarraga, dépendance du château, fait demi-pension.

RESTAURATION

PREMIER PRIX

À St-Jean-de-Luz

Piper Beltz – *29 r. Garat - ✆ 05 59 26 14 81 - 10/25 € - midi et soir sf mar. et merc.* Les jeunes propriétaires concoctent une cuisine variée, copieuse et inventive, avec un seul mot d'ordre : vous faire plaisir. La jolie petite salle avec cuisine ouverte rend le lieu convivial. Régalez-vous de belles spécialités basques agrémentées d'épices et de plantes du monde entier telles que les *kokotxa* (joues) de merlu, un pesto basilic-noisette et *risotto* au soja ou des salades généreuses à midi. Une adresse qui a rapidement séduit les Luziens.À noter : terrasse pour lesbeaux jours.

Tarterie Muscade – *20 r. Garat - ✆ 05 59 26 96 73 - tlj sf lun. 12h-16h, 18h-22h ; service continu en juil.-août - 11/17 €.* Une très bonne adresse pour déguster toutes sortes de tartes salées et sucrées à petits prix. Vous pourrez savourer les parts copieuses, attablé au comptoir ou à de petites tables. Vente à emporter.

La Table de l'Auberge – *Écomusée Jean-Vier - RN 10 - ✆ 05 59 22 36 83 - fermé de nov. à janv. ou fév., dim. et lun. - ⊭ - formule 16 € (13 € avec l'entrée du musée) ; 23/25 €.* Dans les jardins de l'écomusée, ce sympathique restaurant propose une cuisine basque simple et efficace. On se sent bien dans cette ancienne étable ou au soleil sur la pelouse du jardin, une musique joyeuse couvrant les bruits de la route.

BUDGET MOYEN

À St-Jean-de-Luz

Chez Théo – *25 r. de l'Abbé-Onaindia - ✆ 05 59 26 81 30 - fermé de mi-nov. à mi-déc., janv., dim. soir et lun. hors vac. scol. - 18/32 €.* Une auberge dévolue au Pays basque espagnol : *azulejos*, affiches de *ferias*, murs de torchis, mobilier massif en bois, grand choix de tapas mais aussi de plats plus solides concoctés avec passion et servis dans une ambiance conviviale.

Petit Grill Basque « Chez Maya » – *2 r. St-Jacques - ✆ 05 59 26 80 76 - fermé 20 déc.-25 janv., jeu. midi, lun. midi et merc. - 21/30 €.* Incontournable, cette auberge authentiquement basque ! Fresques et assiettes de

Louis Floutier, cuivres et amusant système de ventilation manuelle. Cuisine régionale immuable.

Ibaïa – *39 r. Tourasse - ☏ 05 59 51 12 21 - fermé lun. - 19/29 €.* Copieux menus de spécialités basques et impressionnants plateaux de fruits de mer font la réputation de cet établissement. L'accueil est sympathique et la salle agréable, avec sa décoration ocre et verte et ses peintures colorées. Petite terrasse.

POUR SE FAIRE PLAISIR

À St-Jean-de-Luz

Zoko Moko – *6 r. Mazarin – ☏ 05 59 08 01 23 - www.zoko-moko.com - 19/50 € - midi et soir - fermé lun.* Si l'on vient dans le « Coin Tranquille » de Charles Olascuaga, en couple ou entre amis, c'est pour se délecter d'une cuisine basque gastronomique et raffinée, en s'accordant quelques heures de plaisir dans cette maison du 18e s. où les pierres apparentes et la cheminée contrastent avec le mobilier design mais confortable. L'équipe, dynamique et discrète, saura vous conseiller de jolis vins à prix doux pour accompagner tartare de thon de ligne et sa fine ratatouille glacée, carré d'agneau, filet de pigeon poêlé ou pêche rôtie au miel et glace verveine. Menus de saison.

Olatua – *30 bd Thiers - ☏ 05 59 51 05 22 - www.olatua.fr - formule déj. 14 € - 28/35 €.* Institution locale revisitant le répertoire culinaire basque dans un cadre frais et coloré. Intérieur aux tons jaunes et chocolat; terrasse d'été protégée en bois exotique et jardin couvert.

BOIRE UN VERRE

À St-Jean-de-Luz

Salon de thé L'Acanthe – *31 r. Garat - ☏ 05 59 26 85 59 - www.lacanthe.com - juil.-août : 9h-19h; hors sais. : tlj sf lun. 9h-19h - fermé 15-30 janv.* Voici une adresse toute simple et surtout très pratique, à 50 m de la plage. Vous pourrez y prendre une collation à toute heure (salades, quiches, plats du moment), un thé (grand choix de thés en feuilles), café, chocolat, un dessert, ou encore goûter au superbe jambon exposé dans la salle.

EN SOIRÉE

Bon à savoir – Autour de la **place Louis-XIV** s'étalent les terrasses de nombreux bars, brasseries et autres restaurants. Lieu de rendez-vous majeur des Luziens et Luziennes, cette place vit en été au rythme des manifestations et concerts qui y sont organisés.

Le Brouillarta – *48 prom. Jacques-Thibaud - ☏ 05 59 51 29 51 - été : 9h-2h; hors sais. : tlj sf jeu. 9h- 0h, dim. 9h-18h.* Grâce à sa vue imprenable sur l'Océan et la digue centenaire de l'Artha, ce bar-restaurant est idéalement situé pour voir s'approcher la masse noire et inquiétante du *brouillarta*, cette tempête qui survient subitement en mer. Décor marine récemment rénové à l'occasion du changement de propriétaire. Plats à choisir sur l'ardoise.

Le Duke – *Pl. Maurice-Ravel - ☏ 05 59 51 12 96 - été : jusqu'à 3h; hors sais. : 8h-2h.* Ce bar d'ambiance est tenu par Michel Chardié, un ancien champion de surf qui a baptisé l'endroit du nom de son idole, le Duke, une star hawaïenne du surf qui se jouait des vagues dans les années 1950. Musique branchée... et clientèle en accord!

Casino – *Pl. Maurice-Ravel - ☏ 05 59 51 58 58 - www.joa-casino.com - 10h-2h, w.-end 10h-3h.* Ce casino est doté d'une salle pour les jeux, d'un espace pour machines à sous et d'un restaurant. Animations musicales un samedi sur deux au restaurant.

ACHATS

À St-Jean-de-Luz

Place des Halles – *✆ 05 59 26 38 38 - www.halles-saintjeandeluz.com - halles ouv. ts les matins ; marché alimentaire autour des halles les mar. et vend. matin, le sam. matin en juil.-août.* Ces halles de type Baltard, fraîchement rénovées, réunissent des « indépendants » de la région venus vendre leur production. Pas de grands étals donc, mais une multitude de petits producteurs qui misent sur la proximité et la qualité : charcutiers, fromagers, épiciers, boulangers-pâtissiers et une dizaine de poissonniers.

Maison Adam – *6 r. de la République - ✆ 05 59 26 03 54 - www.maisonadam.fr - de mi-juin à fin sept. : 8h-20h (de mi-juil. à la 3e sem. d'août : 8h-23h sf lun. et mar.) ; reste de l'année : 8h-12h30, 14h-19h30, dim. 8h-13h, 14h-19h30 - fermé de déb. janv. à mi-fév. et 1 sem. en nov.* La famille Telleria-Adam tient cette pâtisserie depuis le 17e s., soit 12 générations. C'est dire si elle a vu défiler les gourmands ! Les macarons Adam auraient même été servis lors du mariage de Louis XIV avec l'infante Marie-Thérèse en 1660. Gâteaux basques, tourons et chocolats mettent également l'eau à la bouche. Au n° 4, boulangerie et **épicerie basque** : pains maison, produits de la mer, salaisons, fromages de brebis, confitures, cave à vin.

Maison Thurin – *32 r. Gambetta - ✆ 05 59 26 05 07 - lun. 10h-13h, 14h30-19h30, mar., jeu., vend. et sam. 8h30-13h, 14h30-19h30, merc. 9h-13h, 14h30-19h30, dim. 10h-13h, 15h30-19h30.* Cette boutique de poche renferme des produits du terroir dénichés de part et d'autre de la frontière franco-espagnole : excellent jambon de Bayonne, goûteux fromages de brebis, piments d'Espelette bien rouges, bon foie gras et magnifiques pièces de volaille sur commande. Minicave de vins basques.

Maison Pariès – *9 r. Gambetta - ✆ 05 59 26 01 46 - www.paries.fr - 8h30-13h30, 14h30-19h30 ; en saison : 8h30-20h, jusqu'à 23h30 en été.* Créé en 1910 par Robert Pariès, maître chocolatier, l'établissement figure parmi les « références gourmandes » de la ville. Le mouchou basque (macaron à base d'amandes) est très apprécié, mais « la » spécialité maison reste le caramel tendre kanouga. Près de 50 sortes de chocolats aux saveurs exotiques (piment, café, vanille, etc.) rappellent également que c'est par l'intermédiaire du Pays basque que le cacao est arrivé en Europe au 17e s. L'atelier de production situé à **Socoa** se visite - *rens. au 05 59 26 29 75.*

Bipia – *Rte d'Halsou - 64480 Larressore - ✆ 05 59 93 21 86 - www.bipia.com - tlj sf w.-end 9h-12h, 14h-18h - fermé apr.-midi 24, 31 déc. et j. fériés. - visite guidée du laboratoire en juil.-août -mar. et jeu. à 10h30 - gratuit.* Le piment d'Espelette, acheté aux petits producteurs locaux puis transformé artisanalement, est la spécialité de la maison : vous le trouverez présenté sous forme de poudre, en gelée, en purée, en sauce (basquaise, ketchupade, bayonnaise), en moutarde ou dans du vinaigre de cidre. Exposition sur son histoire et dégustation.

À Ciboure

Marché – *Pl. Camille-Jullian, face à la mairie - dim. matin.* Marché aux produits régionaux.

Vente à la table – *Aile des Récollets, en face de la criée.* Vente directe de poissons non préparés par les pêcheurs du port le matin.

Le Comptoir Cibourien – *19 quai Maurice-Ravel - ✆ 05 59 22 58 40 - lecomptoircibourien@orange.fr - ouv. tlj sf lun. matin et dim. apr.-midi (ouv. pendant les vac. scol. de la Toussaint et de Noël) 10h-12h30, 15h30-19h (19h30 l'été).* Cette boutique propose des productions locales. On y trouve, entre autres, du linge basque et des liqueurs, mais l'adresse vaut surtout pour le large choix de produits de la mer luziens (bocaux, conserves).

SPORTS ET LOISIRS

À St-Jean-de-Luz

Fun Bike 64 – *Gare SNCF - ✆ 05 59 26 75 76/06 27 26 83 01 - sur réserv. : 10h-19h.* Traduction de l'enseigne pour les non-anglophones : cette boutique loue VTT, vélos, scooters et motos pour découvrir la région en toute liberté.

Hélianthal – *Pl. Maurice-Ravel - ✆ 05 59 51 51 51 - www.helianthal.fr - 9h-13h, 14h15-19h45 - fermé de fin nov. à mi-déc. - 20 € - accès en fin de journée au spa bio-marin, sauna, hammam, espace forme.* W.-end découverte thalasso *(vend.-dim. ou sam.-lun.)* comprenant l'hébergement et 3 soins quotidiens durant 2 jours. Journées thalasso ou soins à la carte. Parcours bio-marin, plusieurs forfaits au choix : semaine bien-être et santé, dos, jambes légères, antistress, minceur tonique, anti-âge… Il y en a pour tous les maux !

Jaï-Alaï – *Av. André-Ithurralde - ✆ 05 59 51 65 36 - www.cestapunta.com - tlj sf w.-end 9h-12h30, 14h-19h - fermé oct.-mars - 12 € (-10 ans 6 €).* La *cesta punta* est le sport emblématique du Pays basque : elle se joue sur un fronton espagnol couvert *(jaï alaï)* à trois murs (devant, derrière et à gauche). De fin juin à fin août, des matchs professionnels de *cesta punta* ont lieu à cette adresse les mardi et jeudi.

Trinquet Maïtena – *42 r. du Midi - ✆ 05 59 26 05 13 - 9h-22h.* Même si les Basques pratiquent volontiers d'autres sports, ils en reviennent tous à la *pala*, qu'ils pratiquent dans un trinquet (petite salle couverte). Après une partie, c'est à cette adresse qu'ils se retrouvent pour se rafraîchir.

Luzaz Gazte – *1 av. André-Ithurralde - ✆ 05 59 26 13 93 - http://perso.wanadoo.fr/luzazgazte/ - juil.-sept. : lun., vend. 21h15-23h15 - 8 € pour les ateliers de pratique (-12 ans 5 €).* De juillet à septembre, vous pourrez assister à des parties de chistera le lundi et de grand chistera le vendredi (à 21h15), souvent accompagnées de chants et de danses. Ouvert à tous en dehors des compétitions, le fronton est souvent occupé par des ateliers de pratique encadrés pour enfants et adultes.

Le Billabong – *16 r. Gambetta - ✆ 05 59 26 07 93 - www.newschoolsurf.com - juil.-août : lun.-dim. 10h-23h ; reste de l'année : lun.-sam. 10h-12h30, 14h30-19h - 2h, 40 €.* Cette boutique de sport organise des cours de surf et de bodyboard. Deux autres boutiques situées dans la même rue proposent les mêmes services : il s'agit de Bakea (au n° 37) et du H2O (au n° 72).

Nivelle V – *Départs de l'embarcadère du port de pêche de St-Jean-de-Luz - ✆ 06 09 73 61 81 - d'avr. à mi-oct., réserv. obligatoire en juil.-août - croisière 45mn : départ 16h (et 17h en juil.-août), 9 € (-10 ans 7 €) ; croisière 1h45 : départ*

14h, 15 € (-10 ans 10 €). Le *Nivelle V* vous fera prendre la mer pour une croisière au large de la corniche d'Urrugne (45mn) ou plus loin, jusqu'à Hendaye et l'Espagne (1h45). Organisation de matinées de pêche en mer - *cannes et appâts fournis - 35 € (-10 ans 25 €).*

Parc ELAventure – *Rte d'Ascain - ✆ 06 70 80 55 73 - www.parcelaventure.com - ouv. tte l'année sur réserv.; juil.-août : 10h-18h - 20 € (-16 ans 18 €; -1,25 m 14 €) - parcours Sarbacane 7 €.* Deux parcours-aventure dans les arbres pour les adultes avec ponts de singe, saut de Tarzan, tyrolienne, etc. Un parcours pour les petits. Le parcours Sarbacane est une balade avec des pas de tir où il faut exceller à la sarbacane. On peut aussi faire de l'*escalarbre* sur un chêne de 13 m !

Golf de Chantaco – *Rte d'Ascain - ✆ 05 59 26 14 22 ou 26 19 22 - www.golfdechantaco.com - fermé le mar. de nov. à mars - sais. : 8h-19h; hors sais. : 9h-18h - de 58 à 77 €.* Parcours renommé de 18 trous dont les 9 premiers sont tracés en forêt.

À Ciboure et Socoa

École de voile internationale – *Parking de Socoa - 64500 Ciboure - ✆ 05 59 47 06 32 - www.ecoledevoileinternationale.fr - www.lemaria.net - 9h-19h - 160 € stage de voile (-10 ans 120/140 €).* Cette école propose des stages de voile, des tours de ski nautique, bouée tractée ou wake-board, la location de bateaux à voile et des stages et croisières sur monocoque habitable.

Sports Mer – *Secrétariat : 7 bd Thiers - Base nautique : digue aux Chevaux, face au 58 bd Thiers - ✆ 06 80 64 39 11 - www.sportsmer.fr - juil.-août : 10h-20h - fermé j. fériés sf été - à partir de 12 €.* Parachute ascensionnel en solo ou en tandem, bouée tractée, *flyfish* et scooter des mers : poussée d'adrénaline assurée ! On accueille ici enfants et adultes pour organiser des randonnées en pleine mer en jet-ski qui, si elles ne nécessitent pas de permis, sont tout de même encadrées par un moniteur diplômé…

Atlantic Pirogue – *Port de Socoa - ✆ 05 59 47 21 67 - www.atlantic-pirogue.com - ouv. tte l'année sur rdv; juil.-août : 4 départs par jour - 2h de pirogue ou kayak 27 € (-12 ans 22 €).* Balades de 2h en pirogue hawaïenne, kayak de mer ou tawati. Pour les fans de glisse, session vagues en pirogue, kayak-surf, wave-ski, kayak de mer. Initiation au *stand up*.

Yacht-Club Basque – *Parking dériveurs Socoa - 64500 Ciboure - ✆ 05 59 47 18 31 - www.ycbasque.org - juil.-août : 9h-19h30; hors sais. : 9h-17h - 120 à 230 €.* Ce club ouvert toute l'année organise des stages de voile durant les vacances scolaires à bord de Hobie Cat 16, d'Open 5.70 et en planche à voile. Les enfants pourront se former sur le traditionnel Optimist ou à bord d'un petit catamaran nommé Colibri. Sorties découverte en Open 5.70. Bon vent !

École de plongée Odyssée Bleue – *Hangar 4, chemin des Blocs - 64500 Socoa - ✆ 06 63 54 13 63 - www.odyssee-bleue.com - baptême 50 €; 3 séances 170 € (enf. 150 €) ; balade palmée 25 €.* La Côte basque regorge de surprises aquatiques avec ses grottes, ses failles et ses épaves. Le pack découverte de 3 séances de plongée bouteille vous donnera un aperçu de ces merveilles. L'école organise aussi des balades palmées commentées, dans la baie, avec tuba et masque (2h). **Tech-Océan** propose les mêmes services, incluant en plus la plongée de nuit pour les initiés - *45 r. du Commandant-Passicot - ✆ 05 59 47 96 75 - www.tech-ocean.fr*

Golf de la Nivelle – *Pl. William-Sharp - 64500 Ciboure - ✆ 05 59 47 18 99 - www.golfnivelle.com - été : 7h-20h30 ; hors sais. : tlj 9h-18h.* Ce sport a toujours compté parmi les plus populaires au Pays basque. Le lieu, avec son parcours de 18 trous, ne verse donc guère dans le snobisme.

AGENDA

Rens. à l'office du tourisme de Saint-Jean-de-Luz - ✆ 05 59 26 03 16 - www.saint-jean-de-luz.com

Fête de la St-Jean – *w.-end de la St-Jean.* Grand-messe, concerts, chistera, force basque, feux de la St-Jean, bal, *toro de fuego*, etc.

Fête du thon – *1er sam. de juil.* Défilé, animations et jeux, dégustation de thon-piperade, *bandas* et bals.

Internationaux professionnels de cesta punta – *Juin-août.*

Musique en Côte basque – *Fin août-déb. sept.*

Festiorgues – *Avr.-août - rens. dans les offices de tourisme ou au 05 59 26 92 71 - www.terreetcotebasques.com - www.orgues-urrugne.org/festiorgues - 12 € (-18 ans gratuit).* Concerts d'orgue sur les différents instruments de la région, particulièrement ceux de St-Jean-de-Luz, Urrugne et Hendaye.

Hendaye

★

Hendaia

14041 Hendayais - Pyrénées-Atlantiques (64)

NOS ADRESSES PAGE 363

S'INFORMER

Office du tourisme d'Hendaye – *67 bd de la Mer - 64700 Hendaye - ✆ 05 59 20 00 34 - www.hendaye-tourisme.fr - juil.-août : lun.-sam. 9h-19h, dim. et j. fériés 10h-12h30, 15h30-18h ; juin et sept. 9h30-12h30, 14h-18h30 (18h le sam.), dim. 10h-12h ; nov.-mars : tlj sf dim. 9h-12h30, 14h-18h (17h30 le sam.) ; avr.-mai et oct. : lun.-vend. 9h-12h30, 14h-18h30, sam. 9h-12h30, 14h-18h - fermé 1er janv., 1er mai et 25 déc.*

Visites guidées – L'office de tourisme propose deux visites guidées : l'une autour du bourg historique, et l'autre côté plage - *mar. et jeu. à 10h30 - sur inscription - 4 € (famille 10 €) - chasse au trésor 7 € (7 à 12 ans).*

Train – *✆ 0800 872 872 - www.ter-sncf.com/aquitaine.* Le forfait Passbask, utilisable tlj en juil.-août (reste de l'année : w.-end), permet de voyager librement entre Bayonne et San Sebastián : trajets illimités (arrêts possibles dans les gares intermédiaires), valable du jour du compostage au lendemain minuit en été, du samedi au dimanche minuit le reste de l'année. *En vente dans toutes les gares SNCF d'Aquitaine et celles d'Euskotren - 11 € (-12 ans 7 €).*

Navette ferroviaire – Le *topo*, petit métro aérien, relie Hendaye à San Sebastián en 35mn - *départs tlj du parking de la gare SNCF, ttes les 3 et 33mn de chaque heure : 7h03, 7h33… 22h33 - ✆ (+34) 902 543 210 - www.euskotren.es - env. 2,70 € AR.*

Navette maritime – Une navette maritime relie le port d'Hendaye à Fontarabie (Hondarribia) en 5mn - *dép. ttes les 30mn de 10h à 18h (1h en juil.-août) - 1,60 €.*

Aéroports – Voir Bayonne-Anglet-Biarritz (à 25mn) et St-Sébastien-Fontarabie (à 10mn).

SE REPÉRER

Carte de microrégion A2 (p. 302-303) – carte Michelin n° 573 B 24. Située sur la rive droite de la Bidassoa qui se jette dans l'Océan, Hendaye est formée de trois quartiers : Hendaye-Gare, Hendaye-Ville et Hendaye-Plage.

SE GARER

Les places de parking de la plage et des rues voisines sont pratiques mais payantes ; le stationnement est gratuit quand on s'éloigne de la plage.

À NE PAS MANQUER

Le château d'Antoine Abbadie.

AVEC LES ENFANTS

La longue plage en pente douce et le centre nautique restent des valeurs sûres pour les plus jeunes.

Le château de l'explorateur et astronome Antoine d'Abbadie, réalisé par Viollet-le-Duc.
N. Thibaud / Photononstop

Posée entre mer et montagne, Hendaye est connue pour son immense plage abondamment fleurie ponctuée par la silhouette emblématique des Deux-Jumeaux, idéale pour la baignade, la planche à voile et, bien sûr, le surf ! Mais les abords de son port de plaisance, son joli bord de baie faisant face à l'Espagne, son centre-ville discret sont autant de lieux agréables pour un moment de détente. La ville n'est séparée de l'Espagne que par la Bidassoa. Autant dire que les soirées estivales, partagées entre la station française et ses voisines Irún et Fontarabie, aux multiples bars à *pintxos*, sont animées !

Se promener Carte de microrégion p. 302

Hendaye-Plage

Si une chose ne manque pas à Hendaye-Plage, c'est bien le vert : dans les jardins ou sur les avenues, magnolias, palmiers, tamaris, eucalyptus, mimosas et lauriers foisonnent.

Dans l'ancien casino de style mauresque (1884), vous flânerez entre boutiques, cafés et restaurants. Il marque le point de départ du GR 10 qui traverse les Pyrénées d'ouest en est.

Au nord-est de la plage, se dressent les rochers des Deux-Jumeaux, au large de la pointe de Ste-Anne ; à l'opposé, le **cap du Figuier★** (Cabo Higuer), déjà en Espagne, marque l'embouchure de la Bidassoa.

N'hésitez pas à marcher jusqu'au bout de la digue, d'où vous aurez une belle vue sur le littoral hendayais.

Entre le boulevard du Gén.-Leclerc et la rue des Oliviers, en arrière de la plage, vous pourrez admirer les maisons de **style néobasque** (déb. 20e s.) qui caractérisent le patrimoine architectural d'Hendaye. Le quartier Sokoburu, entre la plage et le port de plaisance, regroupe salle des congrès, espace culturel, centre de thalasso, casino et restaurants avec terrasse ; il accueille également les marchés et foires, dont les Nuits du port, en été *(voir « Agenda » p. 366)*.

Baie de Chingoudy
L'estuaire de la Bidassoa forme à marée haute un lac tranquille : la baie de Chingoudy, où l'on peut pratiquer toutes sortes d'activités nautiques. Port de plaisance avec navettes pour le petit port de pêche espagnol de **Fontarabie★ (Hondarribia/Fuenterrabía)**. Jolie vue sur le port et la baie depuis le quai de la Floride.

Chemin de la Baie
Du port de plaisance à l'île de la Conférence, cette promenade de 15 km autour de la baie de Txingudi offre une belle vue sur les villes d'Irún et Fontarabie.

Port de Caneta
Depuis le bd du Gén.-de-Gaulle, tourner dans la rue de la Liberté; parking en contrebas. Joli petit port de pêcheurs surplombé par une fortification Vauban, détruite dès le premier assaut espagnol en 1793. À la fin de sa vie, Pierre Loti habitait dans la maison de style mauresque.

ILLUSTRES HENDAYAIS

L'écrivain **Pierre Loti** est mort à Hendaye le 10 juin 1923, dans une modeste maison basque *(r. des Pêcheurs)*. La station est aussi la ville natale de **Bixente Lizarazu**, un des joueurs de l'équipe de France de football qui a remporté la Coupe du monde en 1998.

En 2010, la jeune Hendayaise **Pauline Ado** est devenue championne d'Europe junior de surf.

Église St-Vincent
Grande église de type basque. La présentation actuelle – fragments de retable détachés de leur meuble, statues en bois polychrome – permet de détailler chaque œuvre. À droite, un baptistère a été installé dans une niche à fronton du 17e s.; un bénitier roman décoré de la croix basque sert de cuve. La première galerie des tribunes supporte un petit orgue dont le buffet doré est décoré d'une Annonciation. Remarquez, dans la chapelle du St-Sacrement, un grand **crucifix★**, œuvre sereine du 13e s.

UNE VILLE-FRONTIÈRE

De par sa situation stratégique en bord de fleuve, Hendaye a toujours fait office de frontière et en a subi les inconvénients. Jusqu'au 18e s., la cité se trouve en effet régulièrement en conflit avec ses voisines Irún et Fontarabie, notamment à propos des droits de pêche sur le fleuve et dans le golfe. Cela lui vaut même d'être détruite en 1793.

La prospérité ne revient qu'à partir de 1864, avec l'arrivée du chemin de fer. Hendaye voit alors se construire le château Abbadia (1864), le casino de style mauresque (1884), un golf et l'hôtel Eskualduna (1911), ainsi que de nombreuses villas d'inspiration basque témoignant de son attrait balnéaire. Mais son atout économique est avant tout lié au train, puisque la ville devient un nœud ferroviaire incontournable entre l'Espagne et la France (notamment en raison de la différence d'écartement des rails entre les deux pays, ce qui nécessitait des arrêts).

À voir aussi Carte de microrégion p. 302

Sentier du littoral
Voir St-Jean-de-Luz, p. 347.

Sur 25 km, parcourez le sentier en découvrant la faune et la flore *(location d'audioguide à l'office de tourisme - 3 €/j)*.

UN LIEU D'ÉCHANGES ET DE NÉGOCIATIONS

Le 7 novembre 1659, **Mazarin** et son homologue espagnol, **Luis de Haro**, signent à Hendaye le **traité des Pyrénées**, mettant officiellement fin à la guerre de Trente Ans. Symboliquement, la cérémonie se déroule sur l'île des Faisans posée au milieu de la Bidassoa, entre Hendaye et Fontarabie. Grâce au traité, le royaume de France s'empare du Roussillon, du Vallespir, du Conflent, du Capcir, de la Cerdagne, de l'Artois ainsi que de quelques places fortes de Flandres et de Lorraine. De plus, une frontière est délimitée entre les deux territoires. Clause annexe : le jeune roi de France, **Louis XIV**, épousera l'infante d'Espagne, Marie-Thérèse, l'année suivante à St-Jean-de-Luz… et s'engage à renoncer à ce que ses héritiers briguent le trône espagnol. La dot de Marie-Thérèse ne sera jamais versée, permettant à Louis XIV de revendiquer, plus tard, la couronne d'Espagne et ravivant, de ce fait, les guerres entre les deux peuples…
Depuis le traité des Pyrénées, l'île des Faisans (ou île de la Conférence) est toujours un condominium, soit une copropriété divisée, dont la gestion est assurée à intervalle de six mois par chacun des pays.

Domaine Abbadia A2

S'éloigner de la plage par la route de la Corniche et, au rond-point, tourner à gauche en suivant le fléchage « Domaine Abbadia ».
Ferme Larretxea - ✆ 05 59 20 37 20 - www.abbadia.fr - juil.-août : 9h30-12h30, 14h30-18h30 ; reste de l'année : tlj sf dim. et lun. 10h-12h, 14h30-18h30 (17h30 de mi-oct. à fin mars) - fermé vac. de Noël - plusieurs formules de visites commentées sont proposées de mi-juin à mi-septembre, voir sur le site. Chiens, VTT et cueillette sont interdits. Prévoir des jumelles pour observer les oiseaux. À la pointe Ste-Anne, le domaine Abbadia est un site naturel protégé aux caractéristiques de la Côte basque : prairies couvertes de landes à ajoncs et à bruyères s'arrêtant en falaises abruptes sur la mer. Vous pouvez voir les rochers des Deux-Jumeaux et, à l'aide de jumelles, observer les oiseaux migrateurs, tels le pluvier argenté, le busard cendré, l'outarde canepetière et le milan royal.

★★ Château-Observatoire Abaddia A2

Suivre la D 912 que l'on quitte à gauche pour entrer dans le parc du château.
✆ 05 59 20 04 51 - www.chateau-abbadia.fr - juil.-août : visites guidées 10h-12h, 14h-18h, visites libres 12h-14h et 18h-20h, vend. 10h30 visite guidée des façades ; mai-juin et sept. : visites guidées lun.-vend. 10h-12h, 14h-18h, visites libres et guidées w.-end 14h-18h ; fin janv.-avr. et oct.-déc. : visites guidées lun.-sam. 14h-18h, visites libres et guidées w-end 14h-18h - dernière visite 1h av. la fermeture - fermé 24 et 25 déc., 1er mai et 3 premières sem. de janv. - visite guidée 7,90 € (4 €), visite libre 6,30 € (3,20 €), visite guidée en extérieur 4 €.
Étonnant bâtiment néogothique, ce château fut la demeure de l'explorateur et astronome **Antoine d'Abbadie** (1810-1897). Ce savant, après dix années passées à cartographier l'Éthiopie, choisit la pointe Ste-Anne pour faire bâtir un château digne de ses rêves africains, mais servant son goût pour le Moyen Âge et pour la science. Pour ce faire, il fit appel à **Viollet-le-Duc** et à son élève Edmond Duthoit. Le mélange ne manque pas de piquant : tours crénelées à la médiévale et toits en poivrière dominent le parc planté d'essences et de plantes exotiques. Dans toutes les pièces – peintes, ornées de fresques, tendues de cuir de buffle… –, on peut lire des vers, des devises en anglais, en basque et en amharique (langue éthiopienne). Dans le grand **salon★**, peint en bleu foncé, brillent les monogrammes d'Antoine et de son épouse Virginie.

Une façon de s'élever au rang d'étoile... L'observatoire conserve une lunette méridienne, utilisée par des prêtres astronomes jusqu'en 1975 ; elle servait principalement à déterminer le positionnement des étoiles dans le ciel. Des événements autour de la science sont désormais organisés dans ce cadre idéal.

À proximité

Écoparc d'Urrugne A2

Depuis le carrefour au bout de la route de la Corniche, prendre à droite la rue de la Glacière. L'écoparc, assez mal indiqué, se trouve à côté du parcours aventure Oihana. ✆ 05 59 54 84 95 - www.ecoparc-urrugne.com - 1er avr.-1er nov. : 10h-19h - fermé le lun. sf juil.-août - 3 € (-12 ans gratuit).

Ce parc paysager propose une belle balade (2h) dans des sous-bois odorants, sur des terrasses aux allures méditerranéennes, dans des jardins de plantes aromatiques, autour de lacs où abondent les truites. Au milieu des chants d'oiseaux et des parfums des fleurs, c'est là une apaisante promenade à la découverte de plantes régionales ou exotiques.

Biriatou/Biriatu A2

5 km au sud-est. Quittez Hendaye par la route de Béhobie.

Une placette à fronton avec son auberge attenante, quelques marches et une église, voilà une image de carte postale. Du village, la vue s'étend sur les montagnes boisées, la rivière-frontière en contrebas et l'Espagne de l'autre côté. Jadis, l'activité de ce lieu était en grande partie consacrée à la contrebande et d'anciennes traditions se perpétuent encore. Le **jeu de l'oie** en est un exemple : des jeunes gens à cheval doivent trancher ou arracher le cou d'un de ces malheureux volatiles, rite initiatique nécessaire pour devenir un homme. Ce jeu se déroule durant les fêtes du village *(autour du 11 novembre).*

NOS ADRESSES À HENDAYE

HÉBERGEMENT

PREMIER PRIX

Camping Dorrondeguy – *Rte de la Glacière - 5 km au nord-est par D 912 et D 658 à dr. - ☏ 05 59 20 26 16 - www.camping-dorrondeguy.com - de déb. avr. à fin oct. - ♿ - P - réserv. conseillée - 120 empl. 25 € - 27 [caravane] - 9 [chalet] - 4 bungalows toilés - sem. 200/650 €.* Le propriétaire de ce camping très agréable a repris l'affaire fondée par sa grand-mère en 1950. Il propose des emplacements bien ombragés et séparés par des haies, des mobile homes tout neufs et un charmant petit village d'une dizaine de chalets. Parmi les activités : un fronton de pelote basque et une piscine chauffée.

Camping Ametza – *Chem. de l'Empereur - ☏ 05 59 20 07 05 - ametza@neuf.fr - de déb. mai à fin sept. - ♿ - réserv. conseillée - 280 empl. 26 € - 30 [caravane]. Nuitée 65/85 € - sem. 300/800 €.* Le camping Ametza reste une valeur classique et sûre. Parmi ses principaux atouts : l'accueil souriant, le cadre boisé et ombragé, le bon entretien des lieux, le bar-snack-épicerie et la piscine. Si vous ne voulez pas dormir sous la tente, optez pour les mobile homes. Le camping dispose aussi d'une aire pour camping-cars.

BUDGET MOYEN

Hôtel Valencia – *29 bd de la Mer - ☏ 05 59 20 01 62 - www.hotelvalencia.fr - fermé 20 déc.-31 janv. - ♿ - P - 21 ch. 55/85 € - ☕ 7 €.* Seule la route sépare cet hôtel de la Grande Plage d'Hendaye. La salle où est servie le petit-déjeuner, située au 1er étage, et quatre chambres bénéficient de la vue sur l'Océan et les côtes espagnoles. Décor et mobilier sobrement fonctionnels, confort modeste. Bar et salon de thé au rez-de-chaussée. Hébergement possible dans des studios et appartements très bien aménagés.

Les Jardins de Bakéa – *R. Herri-Alde - 64700 Biriatou - ☏ 05 59 20 02 01 - www.bakea.fr - fermé 10 nov.-6 déc. et 16 janv.-2 déc. - ♿ - P - 25 ch. 58/127 € - ☕ 10 € - rest. 23,80/68 €.* Cette maison régionale du début du 20e s. a fait en partie peau neuve et propose huit chambres « prestige », dont quatre mansardées, et dix-sept traditionnelles avec mobilier basque. Nouveau restaurant (poutres apparentes) et agréable terrasse d'été sous les platanes.

Hôtel Uhainak – *3 bd de la Mer - ☏ 05 59 20 33 63 - www.hotel-uhainak.com - fermé de fin nov. à janv. - ♿ - P - 14 ch. 58/84 € - ☕ 6,30 €.* Cet hôtel donne sur la Grande Plage d'Hendaye. Les chambres et les salles de bains possèdent de beaux volumes. Celles du premier étage ont un balcon (à choisir de préférence côté Océan) et sont meublées dans le style basque. Accueil simple et convivial.

POUR SE FAIRE PLAISIR

Villa Goxoa – *32 av. des Magnolias - ☏ 05 59 20 32 43 - www.villa-goxoa.com - ♿ - 7 ch. 80/120 € - ☕ 10/12,50 €.* Une villa traditionnelle abrite cet hôtel de charme. Parking couvert payant à proximité *(10 €/j)*. Wifi gratuit.

Hôtel Lafon – *99 bd de la Mer - ☏ 05 59 20 04 67 - www.hotel-lafon.com - ♿ - 14 ch. 75/100 € - ☕ 7 €.* Face à la mer, cet hôtel entièrement rénové propose de jolies chambres aux salles de bains spacieuses. Préférez celles face à la mer ou celles qui, côté rue, ont un balcon. L'accueil est amical et le petit-déjeuner est servi dans une agréable salle donnant sur la mer. Terrasse-bar en été.

UNE FOLIE

Hôtel **Serge Blanco Ibaia** – *127 bd de la Mer - ✆ 05 59 51 35 35 - www.hotelibaia.com - fermé en déc. - ♿ - P - 90 ch. 132/342 € - ☕ 14 €.* À la tête de cet hôtel et de son centre de thalassothérapie, bâtis entre plage et marina, le célèbre rugbyman. Chambres de style contemporain, spacieuses et entièrement rénovées. Trois formules de restauration au choix : diététique, gastronomique et grill en été.

RESTAURATION

PREMIER PRIX

La Cidrerie – *D 810 - 64700 Biriatou - ✆ 05 59 20 66 25 - fermé 2 sem. fin oct., 2 sem. fin déc.-déb. janv., 1 sem. en juin, dim. soir et mar. soir sf juil.-août et lun. - ♿ - P - 12/24,50 €.* À La Cidrerie, vous boirez bien sûr le cidre de la propriété, que vous accompagnerez d'une copieuse côte de bœuf ou d'une daurade grillés, spécialités de la maison. Le décor est simple – murs blancs, bois et petites fenêtres – et le service sans chichi.

BUDGET MOYEN

Marco Polo – *2 bd de la Mer - ✆ 05 59 20 64 82 - polom@wanadoo.fr - fermé 7 janv.-7 fév., le soir de nov. à mars sf w.-end et vac. d'hiver - ♿ - formule 15 € - 23/33 €.* On pourrait se croire en croisière sur un bateau dans ce restaurant avec ses boiseries claires, ses rampes et ses objets en cuivre. Et par ses larges baies vitrées, la baie d'Hendaye, l'estuaire de la Bidassoa, la mer et… l'Espagne. Dans l'assiette, les poissons tiennent la vedette.

La Cabane du Pêcheur – *Quai de la Floride, port de pêche - ✆ 05 59 20 38 09 - http://lacabanedupecheur64.free.fr/ - fermé dim. soir et lun., et le mar. en hiver - 22,50/37,50 €.* Au bord du port de pêche, cette maison blanche et bleue au décor marine accueille une adresse récente, tenue par deux jeunes Biarrots. De la terrasse couverte, vous n'aurez d'autre vue que les vagues de la baie, le passage des bateaux et de quelques avions, la vieille ville d'Hendaye et la côte espagnole. Dans les assiettes, une agréable cuisine de fruits de mer et de poisson, variant selon les saisons et accompagnée d'un choix de vins originaux. Plats adaptés à différents budgets (le plat copieux de moules marinières n'est qu'à 10 €) ; service élégant et rapide.

POUR SE FAIRE PLAISIR

Enbata – *76 av. des Mimosas - ✆ 05 59 48 88 88 - www.hotelibaia.com - fermé 4-26 déc. - ♿ - P - 61 ch. 80/184 € - formule déj. 28 € - 28/35 €.* L'hôtel Ibaia propose plusieurs formules de restauration, dont l'Enbata. Les tables sont dressées sur les terrasses de l'établissement – côté marina et côté piscine –, ainsi que dans des salles modulables. Le décor est contemporain et la cuisine, au goût du jour, emprunte son vocabulaire aux saveurs du terroir.

EN SOIRÉE

Bon à savoir – Les noctambules français prolongent souvent leurs sorties festives à **Irún**, de l'autre côté de la frontière. La vie nocturne s'y concentre autour de la place San Juan et la rue de Karrika Nagusia. Là, des dizaines de bars à tapas restent ouverts jusqu'à des heures indues.

Casino de Sokoburu – *121 bd de la Mer - ✆ 05 59 48 02 48 - www.casino-hendaye.com - 10h-4h.* Ce casino situé face à la plage et à proximité du centre de thalassothérapie vous permet de tenter fortune aux 52 machines à sous tous les jours dès 10h du matin… Black-jack et roulette fonctionnent en soirée. Animations le sam. soir en saison.

SPORTS ET LOISIRS

Complexe hôtelier et thalassothérapie – *125 bd de la Mer - ✆ 05 59 51 35 35 - hôtel : 24h/24 ; thalasso : 9h-18h - fermé 3 sem. en déc. - ♿ - 🅿.* W.-end initiation thalasso comprenant une nuit en pension complète, 3 soins d'hydrothérapie (sam.) et l'accès libre à l'espace de remise en forme (dim.).

L'Hendayais II – *Port de plaisance de Sokoburu - ✆ 05 59 47 87 68 - www.hendayais.com - fermé nov.-fév. - 6/11 € selon la croisière (enf. 3/6 €) - durée des sorties : 45mn/2h.* La découverte de la Côte basque à bord de *L'Hendayais II* montre tour à tour les falaises de schiste, la petite baie de Loya au pied du château Abbadia et les contreforts des Pyrénées. Si vous le souhaitez, vous pouvez aussi participer à une pêche en mer.

Bidassoa Surf Club – *1 rte de la Corniche - ✆ 05 59 48 32 80 - www.hendayebidassoasurfclub.com.* École de surf labellisée par la Fédération française de surf.

Centre nautique – *Bd de la Baie-de-Txingudi - ✆ 05 59 48 06 07 - www.centrenautique.hendaye.com - été : 10h-18h30 ; reste de l'année : tlj sf w.-end 9h-12h, 14h-18h .* Stages et cours particuliers de voile (Optimist, Topaz, Déclic, New Cat F2), d'aviron et de planche à voile. Location de kayaks, planches à voile et petits voiliers.

Memphis Jet – *Port de pêche, chai n° 19, r. des Orangers - ✆ 06 21 06 40 28 - www.memphis-jet.com - rando de 90 € (45mn) à 190 € (2h) par jet-ski - location de 90 € (1h) à 350 € (1 j.) - à partir de 15 € par pers. pour les engins tractés.* En compagnie d'un moniteur, vous longerez en jet-ski, sans permis, les côtes d'Hendaye, St-Jean-de-Luz, St-Sébastien et Biarritz. Sensations inoubliables en perspective. Sessions de *fly fish*, banane ou bouée tractée.

Onaka – *12 r. des Mimosas - ✆ 05 59 20 85 88 - www.onaka.fr - cours 1h30 35 €.* École de surf proposant des cours collectifs ou particuliers. Location de surfs et combinaisons à l'heure, à la journée ou à la semaine.

Yakanoë – *Plage de Sokoburu pour le wave-ski, plage des Deux-Jumeaux pour le kayak de mer - ✆ 06 74 97 49 36 - www.yakanoe.com.* Découverte du littoral et de la baie de Txingudi en pirogue hawaïenne ou en kayak de mer ; wave-ski pour profiter des vagues de Sokoburu. Initiation ou stages plus sportifs. Aux même lieux, **Kalapo Kayak** propose des prestations similaires - *✆ 06 11 66 50 02 - www.kalapo-kayak.fr.*

Planet Océan – *Locaux de Tribord, port de pêche de la Floride - ✆ 06 62 63 66 27 - www.planetocean.fr - baptême de plongée 60 € (-13 ans 50 €) - randonnée palmée 20 € - baptême et rando 65 €.* École de plongée proposant des baptêmes, des stages, des sorties exploration et des randonnées palmées à la découverte de la côte et de ses merveilles aquatiques : criques, grottes, ancienne voie de pèlerinage engloutie, failles, canyons, épaves et vestiges des activités humaines, etc. Tout un monde aquatique à découvrir !

Oihana – *Rte de la Glacière - 64122 Urrugne - ✆ 06 03 40 52 31 - www.oihana-64.com - juil.-août : tlj 9h-20h ; avr.-juin et sept.-oct. : hors vac. scol. merc. 13h-18h, w.-end et j. fériés 10h-18h -*

22 € (enf. 15 €) - réserv. obligatoire - parcours en nocturne en juil.-août 28 €, sur réserv. 7 parcours pour plus de 2h30 d'aventures dans les arbres ! Tyroliennes géantes, saut de Tarzan, surf des cimes et base jump, un saut de plus de 15 m ! Activité de paintball également proposée.

AGENDA

Fêtes de la Bixintxo – *Autour du 22 janv.* Fêtes patronales de la ville avec tambourades et animations.

Festival international du film de la mer Filmar – *Salle Antoine-Abbadie - déb. avr. - ✆ 05 59 20 00 34 - http://filmar.hendaye.com - gratuit.*

Les Nuits du port – *Pl. Sokoburu - juil.-août : lun. soir 19h30-23h30.* Marché nocturne d'art et d'artisanat.

Fête du chipiron – *Grande-plage - 13 juil.*

Fête basque – *2e w.-end d'août.*

Semaine des enfants – *✆ 05 59 20 00 34 - vac. de Pâques et de la Toussaint - gratuit sur inscription.* Animations et ateliers pour les enfants de 7 à 12 ans.

Fêtes de la Saint-Martin – *Biriatou - autour du 11 Nov.* Fêtes du village durant une dizaine de jours.

Le petit train de la Rhune
J. Baker / International Photobank / Age fotostock

La Rhune

Larrun

Pyrénées-Atlantiques (64)

NOS ADRESSES PAGE 371

S'INFORMER

Office du tourisme d'Ascain – *Rte de Saint-Ignace - 64310 Ascain - 05 59 54 00 84 - www.ascain-tourisme.fr - juil.-août : lun.-vend. 9h-12h30, 14h-18h30, sam. 9h30-12h30, 14h-18h30, dim. et j. fériés 10h-13h ; reste de l'année : lun.-vend. 9h-12h30, 14h-17h30, sam. 9h30-12h30.*

Office du tourisme de St-Pée-sur-Nivelle – *Pl. du Fronton - 64310 St-Pée-sur-Nivelle - t 05 59 54 11 69 - juil.-août : lun.-sam. 9h30-12h30, 14h-19h, dim. et j. fériés 9h30-12h30 ; reste de l'année : lun.-vend. 9h30-12h30, 14h-18h, sam. 9h30-12h30.*

SE REPÉRER

Carte de microrégion B2 (p. 302-303) – *carte Michelin n° 573 B 24-25.*

Pour accéder au sommet, rejoignez le col de St-Ignace sur la D 4 entre Ascain et Sare.

SE GARER

Parkings gratuits au col de St-Ignace, près de la gare.

Navettes gratuites – Des bus font la liaison en juil.-août entre la gare routière de St-Jean-de-Luz ou la place de Sare et le col de St-Ignace ; arrêts à Chantaco et Ascain - *juil.-août : ttes les 30mn - départs de St-Jean-de-Luz ou Sare de 10h à 17h, retours depuis le col de 10h30 à 20h - gratuit, possibilité d'acheter son billet de train pour la Rhune à bord de la navette.*

ORGANISER SON TEMPS
Il vaut mieux faire l'ascension de la Rhune tôt le matin quand il y a moins de monde. Enchaînez avec la maison Ortillopitz et le circuit de la Nivelle.

AVEC LES ENFANTS
L'ascension de la Rhune en petit train, en évitant si possible les périodes trop chargées ; la base de loisirs du lac de St-Pée-sur-Nivelle.

La Rhune, montagne emblématique du Pays basque, identifiable entre toutes à la pointe qui occupe son sommet, domine le paysage. On l'admire au rythme du petit train à crémaillère qui y mène, ou on la mérite en gravissant son versant à pied. Elle offrira une vue embrassant toute la région et un aperçu de la beauté des villages qu'elle surplombe, à la fois liés à l'Océan et à la montagne. La promesse d'une riche découverte !

Se promener Carte de microrégion p. 302

★★★ La Rhune B3

Renseignez-vous au préalable sur la visibilité au sommet (s'il y a des nuages, vous ne verrez rien !) et prévoyez un vêtement chaud.
Pour vous rendre au sommet de la Rhune, vous avez le choix entre 2 options :
Le petit train à crémaillère de la Rhune – *Col de St-Ignace - 64310 Sare - 05 59 54 20 26 ou 0892 39 14 25 (0,34 €/mn) - www.rhune.com - juil.-août : 8h30-18h30 - de mi-fév. à mi-nov. : 9h30-11h30, 14h-16h30 - dép. toutes les 35mn - 17 € AR (4-12 ans 10 € AR).*
Le sentier balisé en vert – *2h30 pour la montée, 2h pour la descente. Munissez-vous de bonnes chaussures.*
La Rhune (en basque, *larrun* : « bon pâturage ») est la montagne-emblème du Pays basque français. De son sommet-frontière où trône un émetteur de télévision, le **panorama**aaa porte jusqu'à l'Océan, la forêt des Landes, les Pyrénées basques et, au sud, la vallée de la Bidassoa. Un obélisque rappelle que l'impératrice Eugénie en fit l'ascension à dos de mulet en 1859.
En haute saison, la route qui y mène est littéralement prise d'assaut. Si vous partez assez tôt, peut-être pourrez-vous profiter tranquillement du trajet qui s'élève au-dessus d'un gracieux vallon jusqu'au col de St-Ignace (alt. 169 m). Là, le petit chemin de fer à crémaillère de 1924 mène en 35mn au sommet. Son allure (8 km/h) laisse tout le loisir d'admirer les vautours fauves, les **pottoks** et les **manechs** (brebis locales à tête noire) qui paissent tranquillement.
Pendant les vacances scolaires et les week-ends de mai-juin, des animations sont organisées au sommet : promenades commentées, jeux de force basques, contes et légendes, démonstration de *txalaparta* (instrument de musique), etc. - *se rens. sur le programme.* Quelques *ventas* occupent aussi le sommet.
Depuis le col, une petite route mène à la maison Ortillopitz (1 km).

Visiter Carte de microrégion p. 302

★ Maison Ortillopitz B2

05 59 85 91 92 - www.ortillopitz.com - visite guidée uniquement (1h) - de mi-juil. à mi-août : tlj sf sam. et dim. matin 10h45, 12h, 14h15, 15h30, 16h45, 18h ; avr.-déb. juil., mi-août-fin oct. : tlj sf sam. 14h15, 15h30, 16h45 - fermé sam., fin oct. à fin mars - 8 € (-14 ans 4 €).

C'est une belle et grande ferme (600 m² sur trois étages) labourdine du 17e s. que fit construire un armateur, d'où le confort des lieux. Sa visite permet d'entrer dans la vie quotidienne d'une famille basque. À noter : l'escalier droit en bois sur le modèle d'un bateau, la cuisine avec son four à pain, la belle charpente du grenier (qui nécessita 600 arbres !) ; à l'extérieur : le pressoir avec son impressionnante poutre maîtresse et le lavoir.
Ortillopitz possédait 18 ha de terres alentour qui assuraient une vie en autarcie. Vous découvrirez à votre gré le potager, le verger, les vignes, les parcelles de maïs, de chanvre et de piment. Vente des légumes du potager en été.

Circuit conseillé Carte de microrégion p. 302

★ LA VALLÉE DE LA NIVELLE

Pour visualiser cet itinéraire de 23,5 km, se reporter à la carte de microrégion p. 302-303. Compter 3h.
Depuis le col de St-Ignace, Ascain est à 3,5 km sur la D 4.

★ Ascain/Azkaine B2

Construit au bord de la Nivelle, le bourg est dominé par trois sommets : la Rhune, l'Esnaur et le Bizkarzun.
Le sommet de la Rhune à un jet de pierre, une place de village on ne peut plus basque, des maisons labourdines où le bleu, le vert ou le rouge tranchent sur les crépis blancs, et l'inévitable fronton de pelote où jouent les enfants : voilà Ascain en toutes saisons, un lieu propice à la flânerie !
N.-D.-de-l'Assomption – Un massif clocher-porche dresse sa silhouette au bord de la place. Il marque l'entrée de l'église, inaugurée par Louis XIII en 1626. Admirez les trois étages de galeries, la voûte peinte, les pierres funéraires en granit de la Rhune et le retable du 18e s. Dans le cimetière, ne manquez pas la stèle discoïdale de 1657 (à droite, entourée de végétation) - *visite audioguidée (15 mn) : tlj sf dim. 10h, 11h, 15h, 16h, 17h, 18h - gratuit.*
Derrière l'église, les parkings marquent le départ de plusieurs chemins de randonnée : celui des Bergeries, celui de St-Ignace et celui des Sommets.
Pour rejoindre les autres sites, prendre la voiture. Derrière l'église, emprunter le chemin des Carrières et le suivre jusqu'au parking du sentier de la Rhune, où on

ASCAIN, ENTRE TERRE ET MER

Proche de l'Océan, Ascain a fourni de nombreux marins aux flottilles régionales. Le village disposait d'un port sur la Nivelle et constituait un important centre de construction navale qui faisait venir le chanvre du Nord et le bois des Landes ou des Pyrénées. Mais son économie était également pastorale du fait de son implantation au pied des sommets pyrénéens. Les Azkaindars ont longtemps vécu de cette double richesse.
Une tradition d'accueil – La frontière espagnole étant toute proche, Ascain s'est trouvé lié aux Basques de Guipúzcoa aussi bien par le commerce que par l'histoire. Pour preuve, l'accueil prodigué aux exilés ibériques lors des guerres carlistes du 19e s. et pendant la guerre civile de 1936-1939. À l'inverse, les sentiers de contrebande servirent de points de passage pour ceux qui fuyaient la France entre 1940 et 1945. Actuellement, c'est aux visiteurs curieux de découvrir une authentique communauté labourdine qu'Ascain offre l'hospitalité.

laissera la voiture. Prendre la route qui monte avant le parking ; plus loin, vue sur le manoir. Attention aux chiens sur le chemin.

Manoir Azkubea – *Propriété privée.* Cette demeure du 16e s., située à 500 m du village sur la route des Carrières, se reconnaît à son portique à boules et à son donjon.

Redescendre le chemin des Carrières et continuer tout droit.

Pont romain – Cet ouvrage de 40 m a été édifié au 17e s. mais en suivant la méthode romaine, reconnaissable aux arches inégales et à la chaussée à deux pentes. Une pierre sculptée en tête de personnage, surnommée « César » (visible à marée basse), sert d'indicateur pour le niveau de l'eau.

Sur la rive opposée, vous ne pourrez manquer une étrange villa rose, semblant importée directement de Santa Fe. Vue d'avion, cette « maison du fou » a une forme de revolver. Elle est en fait la réplique d'une villa de Malibu et appartenait à l'original Ferdinand Pinney Earle, célèbre décorateur du cinéma hollywoodien, qui vécut là de 1930 à 1940.

Revenir vers le centre-ville et prendre la 1re à droite, puis la rue Ernest-Fourneau à droite, puis tout droit au rond-point.

Portua – Ancien port local ancré sur la Nivelle, au nord du bourg. Les canoës ont remplacé les gabares, autrefois chargées de pierres ou de produits manufacturés et agricoles.

Reprendre la D 4 puis emprunter la D 918 en direction de St-Pée.

St-Pée-sur-Nivelle/Senpere B2

Il suffit de se promener dans les rues de St-Pée bordées de maisons traditionnelles aux volets peints pour se rappeler que l'on est bien en terre basque ! Les plus vieilles demeures entourent l'église, dressée en bordure de Nivelle.

Église des Sts Pierre et Paul – Admirez la voûte en cul-de-four dont la forme rappelle, au choix, un soleil levant ou une coquille. Elle domine un très beau **retable** aux tons dorés et bleu pâle du 17e s., réalisé en l'honneur de saint Pierre, patron de la paroisse. Le panneau de gauche montre la scène du reniement au chant du coq et celui de droite, sa libération d'une prison par un ange. Les portes du tabernacle mettent en scène saint Antoine de Padoue. Notez la nef plate et peinte en bleu, ainsi que la beauté des galeries.

Moulin – *Près de l'église.* Moulin à eau du 15e s. ; il fonctionne avec deux roues horizontales en fonte actionnant deux paires de meule - *visite guidée sur rdv - Louise Daguerre - Plazako Errota - ✆ 05 59 54 19 49.*

PIERRE DE LANCRE, L'INQUISITEUR

Pierre de Rosteguy, seigneur de Lancre (1553-1631), fut l'instigateur d'une terrible chasse aux sorcières dans le Labourd. Formé en droit et théologie et conseiller au parlement de Bordeaux, il fut chargé par Henri IV en 1609 de lutter contre les pratiques de sorcellerie et les mauvaises mœurs dans la région (les femmes de marins, seules une partie de l'année, semblaient bien trop libres !). Depuis le château de St-Pée, il organisa de nombreux procès, avec interrogatoires et torture, et 60 à 80 pers., dont des prêtres, furent brûlées sur le bûcher ! Mais quand les hommes rentrèrent de Terre-Neuve en septembre et découvrirent les exécutions, de violentes émeutes éclatèrent. La mission de Pierre de Lancre prit fin le 1er novembre. En 1612, il publia un ouvrage s'appuyant sur son expérience : *Tableau de l'inconstance des mauvais anges et démons.*

Écomusée de la Pelote et du Xistera – *Pl. du Fronton - ✆ 05 59 54 11 69 - www.saint-pee-sur-nivelle.com - visite audioguidée (45 mn) - juil.-août : lun.-sam. 9h30-12h30, 14h-18h30, dim. et j. fériés 9h30-12h ; sept.-juin : lun.-vend. 9h-12h30, 15h-17h30, sam. 9h30-12h - 5 € (enf. 2,50 €, -12 ans accompagnés gratuit).*
La visite de ce petit musée s'avère dense en informations et incontournable pour comprendre et apprécier l'art de la pelote. On y fait connaissance avec Guantxiki, ce Senpertar qui, à 13 ans, inventa le chistera en utilisant un panier d'osier pour recevoir la pelote. Les méthodes de fabrication du chistera ou des pelotes, les différents trinquets et murs, les divers jeux (*pala, xare, pasaka*, chistera, grand chistera), leurs règles, le nom des champions et les défis relevés par les premières équipes féminines n'auront plus de secret pour vous ! *Ne manquez pas en juillet-août les parties de grand chistera à 17h au fronton, ou le vendredi soir la présentation des cinq spécialités au fronton couvert à 21h.*
Château – *En direction de Cambo, ne se visite pas.* Appartenant jadis aux seigneurs de St-Pée, l'une des plus puissantes familles de la région, il fut le théâtre de procès en sorcellerie menés par Pierre de Lancre *(voir encadré ci-contre).* Incendié en 1793, il n'en reste qu'une massive tour carrée des 15e et 17e s., ainsi que des bâtiments du 18e s.
La D 918 ramène à St-Jean-de-Luz en longeant la Nivelle.

NOS ADRESSES LE LONG DE LA NIVELLE

HÉBERGEMENT

PREMIER PRIX

À St-Pée-sur-Nivelle

Camping Goyetchea – *Quartier Ibarron - 3,8 km à l'ouest de St-Pée-sur-Nivelle par D 918 et D 855, rte d'Ahetze à Ibarron - ✆ 05 59 54 19 59 - www.camping-goyetchea.com - déb.juin à mi-sept. - réserv. conseillée - 140 empl. 25 € - 30* . Nuitée 46/83 €. Sem. 250/580 €. Terrain très apprécié des amateurs de silence. Vraiment isolé au milieu des champs, il offre des emplacements ombragés et quelques mobile homes de bon confort à louer à la nuitée ou à la semaine. Salle TV, snack, jeux pour enfants et piscine sont là pour agrémenter le séjour.

BUDGET MOYEN

À Ascain

Hôtel Axafla-Baïta – *Rte d'Olhette - ✆ 05 59 54 00 30 - www.hotel-achafla-baita.com - fermé du 12 nov. à déb. déc. - ♿ - P - 11 ch. 57/62 € - rest. 17 €.* La famille Inda tient cet établissement depuis trois générations. Onze chambres sobrement et confortablement aménagées ; certaines ont vue sur la montagne. À table, recettes basques servies, selon la saison, sur la belle terrasse ou devant la cheminée.

Chambre d'hôte Arrayoa – *64310 Ascain - ✆ 05 59 54 06 18 - www.arrayoa.com - - 4 ch. 45/60 €* . Ferme d'élevage de brebis et de canards située à l'écart du village. Calme, accueil charmant, grande salle commune dotée d'un coin cuisine et d'une bibliothèque, chambres au mobilier campagnard, fronton privé et prix raisonnables en font une adresse très courue. Vous pourrez repartir avec quelques conserves maison (confits ou foie gras).

Chambre d'hôte Haranederrea – *Accès par le chemin des Carrières - ✆ 05 59 54 00 23 - fermé déc.-janv. - 4 ch. 58 € ☕.* Paysage champêtre, canards et poules qui se promènent, brebis qui paissent dans les champs… Dans ce cadre enchanteur, vous séjournerez à la ferme, imposante maison aux multiples pièces, aux meubles anciens et au plancher patiné par les pas de générations de paysans. Chambres spacieuses et très calmes. Au petit-déjeuner, délicieuses confitures maison.

À St-Pée-sur-Nivelle

Hôtel Bonnet – *Quartier Ibarron - ✆ 05 59 54 10 26 - www.hotel-bonnet-paysbasque.com - 70 ch. 51/70 € - ☕ 7 € - rest. midi 12 €, soir 15/30 €.* Un hôtel sans prétention aux chambres simples et confortables. Une vingtaine de chambres ont été rénovées ; les autres, propres, ont un air plus vieillot. L'hôtel dispose d'une piscine, d'un court de tennis et d'une salle de sport. On déjeune dans la salle du devant aux nappes colorées, on dîne dans une salle plus traditionnelle aux poutres apparentes et lustre en fer forgé. Cuisine simple, portions généreuses, pour un prix léger !

RESTAURATION

PREMIER PRIX

À Ascain

Etorri – *Bidehandia - r. Ernest-Fourneau - ✆ 05 59 54 02 78 - oct.-mars : ouv. tlj à midi sf merc., ouv. le soir le w.-end ; avr.-sept. : tlj sf mar. soir et merc. - 13,40/16,40 € - menu labellisé Assiette de pays 17,40 €.* Un petit resto qui ne paye pas de mine mais qui propose de bons plats régionaux, copieux et à prix sympas. La salle, très simple, se trouve à l'arrière. Service agréable.

Cidrerie artisanale Txopinondo – *D 918, rte de St-Jean-de-Luz - ZA Lan Zelai - ✆ 05 59 54 62 34 - www.txopinondo.com - ♿ - fermé 5-21 janv. - vac. scol. des 3 zones : tlj midi et soir ; reste de l'année : à midi jeu.-dim. et lun. soir, ouv. le dim. soir si lun. férié - visites (voir Achats) - forfait 9 tapas, boisson à volonté et dégustation commentée 11 €, rest. 27/29 €.* Au milieu des chais, de longues tables vous accueillent pour un festin basque. « *Txotx !* » C'est le signal : le *sagardoa* jaillit d'une barrique. *Pintxos*, cassolette de thon ou *txuleta* (côte de bœuf) grillée au charbon de bois dans la salle, à dévorer debout ou attablé. « *Txotx !* » *Sagardoa* à volonté !

POUR SE FAIRE PLAISIR

À St-Pée-sur-Nivelle

Le Fronton – *Quartier Ibarron - rte de St-Jean-de-Luz - ✆ 05 59 54 10 12 - jeanbaptiste.daguerre@wanadoo.fr - fermé de mi-fév. à mi-mars - vend.-sam. et dim. midi - 37/43 €.* Ici, cuisine rime avec tradition : produits du marché et nombreux poissons frais vous mettront en appétit. Décor confortable, façon jardin d'hiver ; terrasse, porte en fer forgé.

ACHATS

À Ascain

Cidrerie artisanale Txopinondo – *D 918, rte de St-Jean-de-Luz - ZA Lan Zelai - ✆ 05 59 54 62 34 - www.txopinondo.com - fermé 5-21 janv. - avr.-oct. : mar.-sam. 10h-12h, 15h-19h ; nov.-mars : jeu.-sam. 15h-19h.* Monsieur Lagadec, seul artisan cidrier du Pays basque côté français, fabrique de goûteuses spécialités : *sagardoa* (boisson fermentée à base de pomme), *muztioa* (jus), *dultzea* (pâte de fruits accompagnant le fromage de brebis) et *patxaka* (liqueur anisée aux pommes sauvages). Visitez aussi son petit musée-atelier du goût : documentaire sur la fabrication du *sagardoa* et dégustations.

L'Art Dit Vin – *R. Ernest-Fourneau, sous les arcades - 64310 Ascain - ✆ 05 59 54 84 52 - lartditvin@hotmail.fr - 10h-13h, 16h-19h30 - fermé dim. apr.-midi et lun.* Sympathique caviste proposant vins de pays et de région. Le bar à vin voisin, avec ses jolis tonneaux colorés, accueille des dégustations le vendredi soir et des cours d'œnologie le jeudi.

À St-Pée-sur-Nivelle

La ferme Machalenea – *64310 St-Pée-sur-Nivelle - ✆ 05 59 54 16 37 - 9h-21h.* Dans cette ferme familiale typique, les hommes cultivent la terre et élèvent les bêtes pendant que les femmes assurent la fabrication du fromage de brebis, de Noël à fin mai, et de vache (lait cru et pâte cuite) toute l'année. Vente sur place.

Maison Pereuil – *Chemin Karrika, en face du fronton - 64310 St-Pée-sur-Nivelle - ✆ 05 59 54 10 05 - 8h-13h, 15h-19h - fermé merc. sf juil.-août.* Une toute petite boutique spécialisée dans le gâteau basque et les sablés, avec quelques pains. Seulement deux parfums de gâteau basque dans cette maison créée en 1876 : cerise noire ou crème. La recette est transmise de mère en fille, sa réputation sans doute aussi !

SPORTS ET LOISIRS

À St-Pée-sur-Nivelle

Le Lac – *Base de loisirs - 64310 St-Pée-sur-Nivelle - ✆ 05 59 54 18 48 - base de loisirs ouv. uniquement en juil.-août.* Ce lac de 12 ha, que l'on nomme ici « la petite mer intérieure », est alimenté par quatre sources. Il regroupe maints services et activités : plage surveillée, pédalos, canoës, toboggan aquatique, jeux pour les enfants, tennis, minigolf, pêche, parcours de santé (tour du lac, 3 km), promenades en poney, aires de pique-nique et divers points de restauration.

Cocktail Aventure – *Résidence Laminak - 64310 St-Pée-sur-Nivelle - ✆ 05 59 54 18 69 - www.cocktail-aventure.com - juil.-août : tlj sf dim. 10h-13h, 15h-19h (bureau) ; base eaux vives : 9h15-18h - fermé oct.-nov.* Cet organisme, spécialisé dans les loisirs de plein air, dispose de plusieurs antennes dans le Pays basque. Le bureau d'accueil de St-Pée en est un. Parmi les activités proposées : kayak, hydrospeed, randonnée, canyoning, descentes en rafting… À savoir : la plupart des parcours partent de Bidarray.

La Nivelle Verte – *Départs d'Ascain ou de St-Jean-de-Luz - ✆ 06 01 71 92 75 - www.lanivelleverte.com - 12 places - sur réserv. - 15 €.* Balade de 1h45 en Zodiac sur la Nivelle.

Aquabalade – *D 918 au km 5 - ✆ 06 62 58 09 97 - www.aqua-balade.com - juil.-août : 10h-18h ; reste de l'année sur rdv - 15 à 30 € pour 1h30 selon le canoë.* Location de canoës insubmersibles de 1 à 4 places. Dépaysement, silence, découverte de la faune et de la flore font le charme d'une balade sur la Nivelle.

Base Aventures & Sensations – *Pont d'Amotz - 2,9 km sur la D 3 vers Sare - ✆ 06 11 15 02 40 - 24 € (-12 ans 18 €) pou 1h30 à 2h.* Balades accompagnées en canoë ou en kayak. Descente de la Nivelle.

Sare

★

Sara

2 271 Sarois - pyrénées-atlantiques (64)

NOS ADRESSES PAGE 377

S'INFORMER

Office du tourisme de Sare – *Herriko etxea - 64310 Sare - ☎ 05 59 54 20 14 - www.sare.fr - juil.-août : lun.-vend. 9h30-12h30,14h-18h30, sam. 9h30-12h30, dim. 10h-12h30 ; avr.-oct. : lun.-vend. 9h30-12h30,14h-18h, sam. 9h30-12h30 (sf oct.) ; nov.-mars : lun.-vend. 9h30-12h30, 13h30-17h30 - ferm. j. fériés sf 14 Juil.*

SE REPÉRER

Carte de microrégion B3 (p. 302-303) – *carte Michelin n° 573 C 25.* À 3 km de la frontière espagnole et à 14 km au sud-est de St-Jean-de-Luz via Ascain, par la D 918 puis la D 4.

SE GARER

Parking devant la mairie ou à l'entrée de la ville.

AVEC LES ENFANTS

La grotte Leza ; le musée du Gâteau basque ; le parc animalier Etxola pour ceux qui aiment les animaux, même en cage.

Posé au pied de la Rhune, Sare, haut lieu de la préhistoire, a soigneusement préservé toute son authenticité basque avec son grand fronton, ses rues ombragées et sa belle église aux galeries de bois. Connue pour ses festivités, l'attachement de ses habitants à leurs traditions et pour sa gastronomie, Sare est aussi l'une des cités les plus vivantes du Pays basque.

Se promener

Église St-Martin

Elle abrite trois étages de galeries et de riches retables. La chaire peinte surplombant l'assemblée est du 18e s. Remarquez à gauche de la nef la plaque en l'honneur de **Pedro Axular**, auteur de *Guero*, un classique de la littérature basque paru en 1643.

À l'extérieur, notez les fenêtres découpées dans l'épaisseur du mur, ainsi que l'escalier donnant accès aux galeries.

Quartier Ihalar

Depuis la place du fronton, remonter la rue qui passe devant l'hôtel Arraya. Depuis le haut de la côte, vous avez une belle vue sur la campagne environnante. *Au rond-point, poursuivre tout*

RAMUNTCHO

Écrit en 1897, ce roman de **Pierre Loti**, qui (il faut bien le reconnaître) date quelque peu, est censé se dérouler à Sare, décrite sous le nom d'Etchézar. Il présente un Pays basque de pacotille où, si l'on n'est contrebandier, c'est que l'on joue à la pelote…

droit (D 4) et prendre tout de suite à gauche. Cet ensemble de maisons à flanc de colline forme le plus vieux quartier de Sare ; ses fermes labourdines avec leurs toits à deux versants et leurs arrangements de pierre et de bois datent des 16e et 17e s.

Visiter

Musée du Gâteau basque

Sur la D 406 - Maison Haranea, quartier Lehenbiscay - 05 59 54 22 09 - www.legateaubasque.com - ♿ - vac. de printemps et juil-août : visites lun.-vend. à 11h, 15h15, 16h30 (et 17h30 en été) ; mai-juin et sept. : lun.-vend. 11h, 15h15 - vac. de printemps et été : ateliers mar., merc. et jeu. à 15h ; sept. : jeu. à 15h - visite (45mn) 7 € (enf. 5, 50 €) ; atelier (1h30) 14 €.

La *sukalde* (cuisine), garnie de meubles et d'objets d'époque, vaut déjà le détour, et la suite vous réserve bien des surprises… Vous aurez le choix entre deux visites : dans la « visite classique », le chef pâtissier vous donnera quelques conseils avisés en réalisant devant vous ce gâteau traditionnel *(45mn - 7 €)*. L'atelier-visite *(1h30 - 14 €)* vous permet de préparer vous-même le fameux dessert et de l'emporter à la fin du cours. Pour les randonneurs *(sur réserv.)* et les gourmands, un goûter est proposé par le musée.

★ Maison Ortillopitz

Voir p. 369.

Le chemin indiqué en contrebas de Sare pour aller à cette maison vous amène du côté du col de St-Ignace.

À proximité Carte de microrégion p. 302

Parc animalier Etxola B3

3 km au sud-ouest par la D 306. Peu après l'intersection menant aux grottes de Sare, sur la gauche. Rte des grottes de Sare et col de Lizarrieta - www.parc-animalier-etxola.com - 06 15 06 89 51 - juil.-août : 10h-19h ; avr.-juin : 10h-18h ; sept.-oct : 10h-17h ; reste de l'année : se renseigner - 5 € (-12 ans 4 €).

Les clapiers à lapins côtoient les enclos à poules, les cages des calopsytes (perruches) jouxtent celles des dindons et des poules huppées, et les pigeons frisés de Hongrie avoisinent les sabelpoots (poules naines). Quant au cochon vietnamien, il dort non loin du parc à chèvres tandis que le mouton de Valachie partage son pré avec celui de Jacob. Yack et highland paissent sous le regard dédaigneux des lamas et dromadaires. Bref, c'est une véritable arche de Noé que vous découvrirez, sans doute presque aussi rustique que l'originale. Possibilité d'acheter du pain à l'entrée pour les animaux *(0,50 €)*.

5

L'ENFER DES PALOMBES

C'est ainsi que les connaisseurs appellent Sare. Mais leur enfer s'étend en fait à tout le Sud-Ouest, où la chasse au pigeon ramier prend des allures de sport national. Elle a lieu en automne, quand les palombes venues des pays nordiques descendent vers des horizons plus cléments. Les volatiles font halte dans les forêts landaises ou pyrénéennes. Depuis les palombières (tours-cabanes placées sur les lieux de passage des oiseaux), on les rabat en effet à grand renfort d'appelants (pigeons ou palombes dressées) et de raquettes (imitant le vol des prédateurs) vers les filets tendus ou, usage de plus en plus fréquent, vers les canons des fusils.

LE PATRIARCHE DE LA CULTURE BASQUE

Entré au séminaire de Vitoria en 1906, le jeune **José Miguel de Barandiarán** se passionne pour la culture mégalithique après avoir découvert des dolmens près de sa ville natale. Voyageant en Allemagne en 1913, il suit à Leipzig un enseignement sur la psychologie des peuples, ce qui l'incite à entreprendre à la Sorbonne des études d'ethnologie, d'anthropologie et de paléontologie. Ordonné prêtre à son retour en Espagne, il enseigne à Vitoria et Salamanque, multiplie les recherches et les publications scientifiques et crée la Société d'études basques. Mais survient la guerre civile : contraint de s'expatrier, il se fixe à **Sare** où il poursuit ses travaux avant d'être assigné à résidence en Normandie. De retour en Espagne en 1953, il poursuit son activité inlassablement… au point de mettre la dernière main à un atlas ethnographique alors qu'il a atteint l'âge canonique de cent ans ! Le musée des **Grottes de Sare** lui est aujourd'hui dédié.

Lezea (Grottes de Sare) B3

05 59 54 21 88 - http://lezea.sare.fr - visites guidées de 1h - juil.-août : 10h-19h ; avr.-juin et sept. : 10h-18h (oct. 17h) ; fév.-mars 14h-17h ; nov.-déc. : 14h-17h - fermé janv. - 7 € (-13 ans 4 €).

Faisant partie d'un vaste réseau de galeries creusées dans du calcaire dur, une des cinq grottes préhistoriques de Sare, **Lezea** (« grotte » en basque) est ouverte à la visite : le travail de corrosion et d'abrasion a fait apparaître toutes sortes de cavités karstiques, dont une monumentale spirale creusée par l'eau dans la roche. Les outils de silex (grattoirs, haches, pointes de sagaie, etc.) et débris d'os découverts témoignent d'une occupation humaine, dont la phase la plus dense a été située au Périgordien supérieur (20000 av. J.-C.). Passé le vaste porche, on suit un parcours de 900 m mis en valeur par des éclairages et un montage audiovisuel sur fond de *txalaparta* (instrument à percussion qui évoque le son d'un galop) : cette ambiance sonore contribue au projet d'ensemble qui est de retracer (assez grossièrement) l'histoire du peuplement basque. La visite s'achève sur la découverte d'un **musée** évoquant notamment les travaux de l'ethnologue basque José Miguel de Barandiarán (1889-1991) et d'un **parc mégalithique** attenant à la grotte qui présente des reconstitutions de sites funéraires, dolmens et cromlechs.

2h AR. Le sentier des Contrebandiers mène aux grottes de Zugarramurdi en Navarre. *Ainhoa, p. 378.*

Col de Lizarrieta B3

9 km au sud-ouest par la D 406, sur la frontière espagnole, vers Etxalar.

Alt. 441 m. La route qui y mène est étroite ; au col, pas de centre commercial *(voir p. 174)* mais une seule *venta* et une vue apaisante sur les collines en contrebas. Le col est très animé à l'époque de la chasse à la palombe : les postes de guet et de tir sont nombreux le long du chemin de crête. *Encadré, p. 375.*

★★★ La Rhune B3

3 km au nord-est sur la route d'Ascain (D 4) jusqu'au col de St-Ignace.

Voir p. 367.

NOS ADRESSES À SARE

HÉBERGEMENT

BUDGET MOYEN

Hôtel-Restaurant Baratxartea – *Quartier Ihalar - ✆ 05 59 54 20 48 - www.hotel-baratxartea.com - P - fermé 15 nov.-15 mars - 22 ch. 50/68 € - rest. 15/25 €.* Dans ce havre de paix qu'est le quartier Ihalar, entouré de prairies et de collines, le mot « apaisant » vient immédiatement aux lèvres. Vous serez accueilli ici avec chaleur et bienveillance. Les chambres, bien qu'un peu anciennes, sont agréables et calmes ; certaines ont un balcon. Le restaurant, avec ses nappes rouges et ses serviettes à carreaux, propose de bonnes spécialités locales dans des menus équilibrés et variés. Excellent rapport qualité-prix.

Chambre d'hôte Ttakoinenborda – *Sur la D 306 av. l'embranchement vers les grottes de Sare - ✆ 05 59 47 51 42 - www.chambredhotebasque.fr - 4 ch. 57 €.* La partie la plus ancienne (1680) de cette jolie ferme en bord de ruisseau a été aménagée en chambres d'hôte. Colorées, élégantes et spacieuses, elles disposent d'une entrée indépendante. Le petit-déjeuner, composé de pain et de confitures maison, vous sera servi à l'extérieur si le temps le permet. Une maisonnette accueille le salon-TV. Panier pique-nique à 5 €. Cet endroit bucolique est très demandé, pensez à réserver tôt !

POUR SE FAIRE PLAISIR

Hôtel Lastiry – *Pl. du Village - ✆ 05 59 54 20 07 - www.hotel-lastiry.com - ♿ - fermé nov.-fév. - 11 ch. 80/140 € - 11 €.* Cette demeure historique du 18e s., avec poutres et pierres apparentes, abrite des chambres de charme, spacieuses, calmes, disposant d'une belle vue sur les montagnes environnantes. Vous pourrez aussi goûter à une cuisine gastronomique élaborée à partir de produits régionaux.

RESTAURATION

POUR SE FAIRE PLAISIR

Maison Olhabidea – *✆ 05 59 54 21 85 - www.olhabidea.com - fermé déc.-janv. - ♿ - P - 5 ch. - 80 € - 5 € - rest. 39 €.* Au bord de la rivière, dans cette ferme posée au milieu de la montagne, vous dégusterez le menu surprise de Guillaume, concocté avec les produits de saison du potager, comme le risotto aux cèpes et foie gras à l'automne ou la meringue au mascarpone et fraises gariguettes en été. Service en terrasse aux beaux jours.

ACHATS

Boutique du musée du Gâteau basque, à Sare *(voir p. 375) – ✆ 05 59 54 22 09 - 9h-18h en période d'ouv. du musée.* Après la visite du musée, les réalisations culinaires de la journée sont proposées à la vente, ainsi que des produits maison.

SPORTS ET LOISIRS

Centre équestre Olhaldea – *Zalditokia - ✆ 05 59 54 28 94 - www.olhaldea.com - ouv. w.-end et vac. scol.* Centre spécialisé dans le tourisme équestre à travers le Pays basque, il organise des promenades de 1h à une journée et, pour les passionnés de grands espaces, des randonnées itinérantes de 2 à 7 jours avec guide.

AGENDA

Fêtes de Sare – *2e dim. de sept. pendant 4 j.*

5

Ainhoa

★

648 Ainhoars - Pyrénées-Atlantiques (64)

NOS ADRESSES PAGE 380

S'INFORMER

Maison du patrimoine – *Face à l'église, derrière la mairie - 64250 Ainhoa - ✆ 05 59 29 93 99 - www.ainhoa.fr - juil.-août : lun.-sam. 10h30-12h30, 14h-18h ; avr.-juin et sept.-oct. : horaires variables - fermé dim. et j. fériés.* Projection d'un film de 25mn sur l'histoire d'Ainhoa et du pays de Xareta.

SE REPÉRER

Carte de microrégion C3 (p. 302-303) – *carte Michelin n° 573 C 25.* À 8 km au sud-ouest de Cambo-les-Bains, dans le Labourd. La petite D 20 mène au centre de ce village-rue.

À NE PAS MANQUER

Le site de la grotte des Sorcières, à Zugarramurdi.

ORGANISER SON TEMPS

Le village constituant un point départ de randonnées ou d'excursions vers la vallée du Baztan, on pourra le visiter avant de partir en promenade ou en fin d'apr.-midi, lorsque la lumière le rase et l'enflamme.

AVEC LES ENFANTS

Découvrez les nombreuses grottes des environs *(voir p. 379).*

Il suffit de parcourir les rues d'Ainhoa pour reconnaître qu'il s'agit d'une ancienne bastide, comme en témoigne son plan rationnel. Mais c'est aussi et surtout LE village basque par excellence. Tout y est : maisons rouges et blanches, fronton de pelote qui fait presque corps avec l'église, cimetière hérissé de stèles discoïdales. Au coucher du soleil, la montagne elle-même prend une teinte « rouge basque ». Charme assuré !

Se promener

★ Rue principale

Cette ancienne bastide est un lieu vraiment plaisant ! Une haie de maisons des 17e et 18e s. aux toits débordants, aux façades de guingois sous une chaux datant de la dernière St-Jean, aux volets et aux colombages colorés, aux poutres ornées de frises et d'inscriptions : on ne sait où poser son regard ! Les vastes *lorios* (porches) des maisons conservent des anneaux d'attache pour les mules, souvenirs du temps où Ainhoa était, outre une halte pour les pèlerins, un relais pour les marchands transitant par la frontière espagnole.
Église – Précédée d'un clocher-porche, elle est dédiée à N.-D.-de-l'Assomption. Son agencement et sa décoration sont typiquement basques : boiseries dorées du chœur (17e s.), nef à double galerie et plafond à caissons.

N.-D.-d'Aranzazu (N.-D.-de-l'Aubépine)

Prendre la rue à gauche de la mairie et suivre le balisage du GR 10. Compter 2h AR. Pèlerinage lun. de Pentecôte avec messe en basque à 10h30 - ✆ 05 59 29 92 60.

LE PAYS DE XARETA

En 2004, Sare, Ainhoa, Zugarramurdi et Urdazubi-Urdax se sont regroupés dans l'association Xareta, « vallée boisée », selon le nom donné à la région par José-Miguel de Barandiarán *(voir p. 376)*. Ces quatre villages, entre lesquels a été tracée la frontière franco-espagnole, sont liés par leur histoire, leur culture et leurs rapports familiaux. Le réseau des routes faisait d'ailleurs fi des postes-frontières et l'activité de contrebande était prospère. Depuis les années 1990, ils développent ensemble leurs activités touristiques.

Sur le tracé du GR 10, ce chemin vous mène à la chapelle, construite sur les lieux où la Vierge serait apparue dans un buisson d'aubépine. Ce lieu de pèlerinage est l'occasion d'une belle promenade. En haut, vue sur Ainhoa et panorama sur la rade de St-Jean-de-Luz et Socoa. Plus loin apparaissent les premiers villages espagnols au pied des hautes montagnes navarraises.

À proximité Carte de microrégion p. 302

Zugarramurdi B3

7 km au sud-ouest par la D 20, puis la NA 4401 après la frontière.

Difficile d'imaginer, en parcourant ce charmant village, que son nom est associé depuis des siècles à la sorcellerie. Pourtant, en 1610, plus de 300 pers. y furent arrêtées par l'Inquisition de Logroño et une quarantaine condamnées pour avoir organisé des messes noires dans la grotte. Un petit **musée des Sorcières** (Museo de las Brujas) retrace ces événements – *948 599 004 - de mi-juil. à mi-sept. : mar. 16h-19h30, merc.-dim. 11h-19h30 ; de déb. avr. à mi-juil. : merc.-vend. 11h-18h30, w.-end et j. fériés 11h-19h ; reste de l'année : merc.-vend. 11h-18h - 4,50 €.*

★ **Grotte des Sorcières** (Akelarrenlezea/Cueva de la Brujas) B3 – *Panneau directionnel sur la place de l'église. t 948 599 305 - 10h30-20h - 3,50 €.*

Un parcours balisé mène au canyon creusé par le ruisseau de l'Enfer, lieu de réunion des sorcières. Tout autour, plusieurs sentiers empruntent d'anciens chemins de contrebande. Une très belle vue sur le village et ses alentours attend les plus motivés depuis le mirador aménagé en haut de la colline.

Urdazubi/Urdax C3

5,5 km au sud-ouest par la D 20 puis, en Espagne, par la N 121B et la NA 4402.

De petits canaux et une rivière sillonnent ce village dont le nom signifie « eau et pont ». Il conserve quelques maisons anciennes, signalées par la massive silhouette de l'église San Salvador, dernier vestige d'un monastère prémontré, autrefois hôpital pour les pèlerins en route vers Compostelle.

Grottes d'Urdazubi (Cueva de Urdazubi / Gruta de Ikaburu) C3 – *Tourner à droite avant d'arriver au village. Prendre à nouveau à droite à l'embranchement sur 500 m. 948 599 241 - visite guidée mars-déc. 11h-18h, se renseigner pour les horaires des visites - fermé lun. (sf mars-oct.), 1er janv. et 25 déc. - 4,50 € (enf. 2,50 €).*

Patiemment sculptée par l'Urtxurme (« ruisseau humble ») dans lequel évoluent toujours truites et anguilles, cette grotte déploie de fascinants tableaux de silex, de marbre, de colonnes de calcite (dont la crèche) et de racines d'arbres prises dans des gangues de calcaire.

5

NOS ADRESSES À AINHOA

HÉBERGEMENT

POUR SE FAIRE PLAISIR

La Maison Oppoca – *Au bourg - ✆ 05 59 29 90 72 - www.oppoca.com - fermé de mi janv à déb. fév. et de fin nov. à mi-déc. - ♿ - P - 10 ch. 85/150 € - ☕ 9 € - rest. 28/65 € - mars-fin oct. : bistrot ouv. à midi 15/25 €.* Les murs de cette demeure basque datent de 1663. Ils accueillent des chambres confortables où règne une ambiance d'autrefois. Dès l'arrivée des beaux jours, le jardin offre un cadre parfait pour le petit-déjeuner. Au restaurant, cuisine gastronomique. L'établissement dispose aussi d'un salon de thé et d'un espace sauna et jacuzzi pour une détente parfaite.

RESTAURATION

BUDGET MOYEN

Hôtel-Restaurant Etchartenea – *Dancharia - ✆ 05 59 29 90 26 - fermé merc. - P - 6 ch. 50 € - rest. 18 €.* Une halte originale que ce restaurant situé à même la frontière. La terrasse, sous les arbres et au bord de l'eau, est fort sympathique. Attention, si vous empruntez le petit pont enjambant le ruisseau, vous vous retrouverez en Espagne ! Cuisine familiale.

ACHATS

Pierre Oteiza – *R. Principale - ✆ 05 59 29 30 43 - www.pierreoteiza.com - 10h-12h30, 14h-19h - fermé janv., 25 déc. et lun.-mar. sf juil.-août.* Fabrication artisanale de succulents jambons de porc pie noir de la vallée des Aldudes et de plats cuisinés basques.

Pains d'épice d'Ainhoa – *Grande-Rue - ✆ 05 59 29 34 17 - www.pain-epice.net - 9h-19h (18h30 le merc.), dim. 9h-13h ; juil.-août : tlj 9h-20h - fermé vend. sf en juil.-août, janv. et nov.* Seul un chevalet portant la mention « Pains d'épice d'Ainhoa » indique l'existence de ce fabricant. À peine entré, on est enivré par l'odeur du miel à laquelle se mêlent, selon la saison, sept autres parfums : pain d'épice nature, orange, thé bergamote, pruneaux-noix-armagnac, gingembre confit toute l'année, chocolat et orange à Noël, et figue en été.

EN SOIRÉE

Bon à savoir – Dancharia/Dantxarinea est le lieu de la fête les soirs de fin de semaine. Les habitants de la région s'y retrouvent dans les restaurants, bodegas, bars, salles de jeux, bowlings et dans la grande discothèque La Nuba.

AGENDA

Fête des sorcières – *21 juin.*

Zikiro-jate – *Zugarramurdi - 18 août.* Repas populaire autour d'un agneau rôti à la broche, en commémoration des anciens sabbats.

Espelette

★

Ezpeleta

1 936 Espelettars - Pyrénées-Atlantiques (64)

NOS ADRESSES PAGE 382

S'INFORMER

Office du tourisme d'Espelette – *Au château des barons d'Ezpeleta, 145 rte Karrika-Nagusia - 64250 Espelette - ℘ 05 59 93 95 02 - www.espelette.fr - juil.-août : lun.-sam. 9h-12h30, 14h-18h30, sam. 9h30-12h30 ; reste de l'année : lun.-vend. 9h-12h30, 14h-18h (juin et sept. : sam. 9h30-12h30) - fermé dim. et j. fériés.*

Randonnées au clair de lune – *Mar.-merc. 19h-23h. Inscription à l'office de tourisme - 26 € (enf. 18 €).* Promenades en soirée en montagne pour découvrir le pastoralisme, la contrebande, la Côte basque de nuit…

SE REPÉRER

Carte de microrégion C2 (p. 302-303) – *carte Michelin n° 573 B 25.*
À 6,5 km à l'ouest de Cambo-les-Bains.

SE GARER

Laissez votre voiture en haut du village pour le parcourir à pied.

ORGANISER SON TEMPS

Espelette est un village où il fait bon flâner, notamment pendant les jours de marché *(voir la rubrique « Achats », p. 383).*

Espelette fait partie de ces lieux dont le nom fait frétiller les papilles des gourmets : c'est bien entendu le piment qui lui vaut cette réputation quasi universelle, et les images des guirlandes rouge foncé des piments mis à sécher en automne sur les façades ont fait le tour du monde. Cela mis à part, vous ne regretterez pas une flânerie dans les rues tortueuses et pentues de ce charmant village plein de vie…

Se promener

Village du piment, Espelette est aussi celui du pottok (prononcez *pottiok*). Ce petit cheval docile, trapu et pansu, habitué à une vie semi-sauvage sur les versants inhabités des montagnes, était jadis utilisé comme auxiliaire dans les

ARMAND DAVID, LE « LIVINGSTONE FRANÇAIS »

Espelette a donné le jour à deux ecclésiastiques à la personnalité sortant de l'ordinaire. Le premier **Armand David** (1826-1900) fut surnommé le « Livingstone français » pour avoir réalisé des explorations en Chine entre 1866 et 1874. Naturaliste tout autant que missionnaire, collaborateur du Muséum d'histoire naturelle de Paris, il est le premier Occidental à rencontrer en 1869 un panda géant… charmant animal qui fut longtemps appelé « l'ours du père David ».

LE PIMENT

Introduit au Pays basque en provenance d'Amérique via l'Espagne au 17e s., le piment devint très vite le condiment favori de ses habitants : séché au soleil avant d'être réduit en poudre, on le mit d'abord dans le chocolat puis il remplaça le poivre dans la cuisine locale : poulet basquaise, boudins de veau *(tripotxa)*, émincé de veau *(axoa)*...Outre le terroir, tout est dans les semis : certains se fient à la Lune ; pour d'autres, c'est le jour de la St-Joseph qu'il faut pratiquer cette délicate opération...
Le piment d'Espelette a gagné ses lettres de noblesse en décrochant l'AOC en 2000 et l'AOP en 2002 (ces appellations concernent dix villages). Cette reconnaissance a relancé son exploitation, le nombre de producteurs passant d'une trentaine en 1997 à 128 en 2010 ! Cette épice est devenue la plante à tout faire des Espelettars : en bain de pieds, ce fruit soigne même les grippes et les bronchites ! *www.pimentdespelette.com.*

mines. Il s'est aujourd'hui reconverti dans le tourisme puisqu'il accompagne les randonneurs dans leurs excursions en qualité de porteur de bagages (Attention : on ne monte jamais un pottok !).
La balade dans le village vaut à elle seule le détour, mais l'église du 17e s. et à l'ancien château mérite une attention particulière.

Église

En bas d'Espelette. Fortifiée et dotée d'un massif clocher-porche depuis 1627, elle présente les galeries traditionnelles des églises basques. Dans la chapelle des Ezpeleta, beau retable du 16e s. À voir également, les stèles discoïdales des 17e et 18e s. dans le cimetière attenant.

Château des barons d'Ezpeleta

Mairie et office de tourisme sont installés dans ce château, élevé au 11e s., mais plusieurs fois détruit et reconstruit. **Exposition** permanente sur le « piment dans le monde ». *05 59 93 95 02 - 14 Juil.-15 août : 8h30-12h30 ; reste de l'année : 8h30-12h30, 14h-18h, dim. 9h30-12h30 - fermé dim. apr. midi et j. fériés - gratuit.*

NOS ADRESSES À ESPELETTE

HÉBERGEMENT

BUDGET MOYEN

Hôtel Euzkadi – *285 Karrika-Nagusia - 05 59 93 91 88 - www.hotel-restaurant-euzkadi.com - fermé mar. hors sais. et lun. - - P - 27 ch. 67/78 € - 8 € - rest. 18/34 €.* On ne peut rater cette adresse typiquement basque tant le rouge de sa façade se voit de loin. Chambres entièrement rénovées dans le bâtiment principal, climatisées, d'un réel confort. Piscine et tennis. Vous dégusterez une cuisine régionale dans un cadre rustique agrémenté de guirlandes de piments d'Espelette.

RESTAURATION

PREMIER PRIX

Pottoka – *Pl. du Jeu-de-Paume - 05 59 93 90 92 - francoiseaguerre953@orange.fr - fermé lun. hors sais. - 15/30 €.* De magnifiques piments d'Espelette décorent ce restaurant typiquement basque. La cuisine accorde une large place aux produits du terroir. Goûtez donc l'*axoa* (épaule de veau hachée, assaisonnée du piment local), le gâteau basque ou le gratin de fraises. C'est un régal. L'été, profitez de la terrasse couverte.

ACHATS

Marché – Mercredi matin (et samedi matin en juill.-août).

Maison Bipertegia – *Pl. du Jeu-de-Paume - ✆ 05 59 93 83 76 - tlj sf dim. mat. 10h-13h, 14h-19h.* Cette maison organise des dégustations de piment d'Espelette. Sitôt en bouche, qu'il soit séché, en poudre, en purée ou en gelée, son goût se diffuse en même temps qu'une douce chaleur. À découvrir aussi : le *gotoxi*, une sauce pour grillades, l'huile d'olive pimentée, la confiture de piment doux et la piperade maison.

Ttipia – *Pl. du Marché - ✆ 05 59 93 97 82 - www.ttipia.fr - 10h-18h30 ; été : 10h-19h - fermé en janv.* Cette boutique propose évidemment la spécialité locale, mais aussi une belle sélection d'autres savoureux produits régionaux : foie gras, conserves de canard, vin d'Irouléguy, confiture de cerise noire, fromages, jambons, etc. Vous y trouverez également du linge basque.

Ferme Kukulu – *Rte d'Itxassou - ✆ 05 59 93 92 20 - www.fromagekukulu.com.* Le fromage de brebis fabriqué par les bergers de la ferme Kukulu a déjà obtenu maintes récompenses. La grande qualité du lait et de l'affinage (de 4 à 16 mois selon les goûts) y est bien sûr pour beaucoup. La maison vend également des spécialités basques et le *mamia* (caillé de brebis).

L'Atelier du piment – *Elizaldeko Bidea - ✆ 05 59 93 90 21 - www.atelierdupiment.com - en saison : 9h-19h ; hors saison : 10h-18h - visite gratuite.* Cette exploitation de piments vous ouvre ses portes : vous pourrez vous promener dans les champs, pénétrer dans l'atelier de transformation et déguster toutes sortes de produits à base de piment. Vente de ces produits, bien sûr, et de spécialités régionales.

AGENDA

Foire au pottok – *✆ 05 59 93 95 02 - derniers mar. et merc. de janv. sur le fronton.* Ambiance de foire agricole très authentique.

Fête du piment d'Espelette – *✆ 05 59 93 95 02 - dernier dim. d'oct.* Au programme : bénédiction du piment, défilé des confréries et nomination des Chevaliers du piment d'Espelette.

Cambo-les-Bains

★

Kanbo

5 671 Camboars (Kanboars) - Pyrénées-Atlantiques (64)

NOS ADRESSES PAGE 388

S'INFORMER

Office du tourisme de Cambo-les-Bains – *Av. de la Mairie - 64250 Cambo-les-Bains - ✆ 05 59 29 70 25 - www.cambolesbains.com - juil.-août. : lun.-sam. 9h-18h30, dim. et j. fériés sf 1er et 8 mai 9h-12h30 ; sept. : lun.-sam. 9h-12h30, 14h-18h30, dim. 9h-12h30 ; mars-juin et oct. : lun.-sam. 9h-12h30, 14h-18h ; nov.-fév. : lun.-sam. 9h-12h30, 14h-17h30.*

Visites guidées de Cambo – Au départ de l'office de tourisme, 1h30 de visite commentée de la ville - *ts les mar. de fin juin à déb. oct. - réserv. obligatoire - 3 €.*

Randonnées – L'office de tourisme organise en saison 3 randonnées d'une demi-journée par semaine : le merc., randonnée nature pour les familles - *13h45-17h30 - 16 € (-16 ans 11 €)* ; le vend., randonnée du berger dans la montagne - *13h45-17h - 16 € (-16 ans 13 €)* ; le mar., randonnée au clair de lune sur les crêtes - *18h30-23h - 26 € (-16 ans 19 €) - réserv. obligatoire.*

SE REPÉRER

Carte de microrégion D 2 (p. 302-303) – *carte Michelin n° 573 B 25.* À 30 km à l'est de St-Jean-de-Luz par la D 918. Le Haut-Cambo, quartier administratif, commerçant et résidentiel, groupe ses propriétés et ses hôtels sur le rebord d'un plateau qui domine la Nive ; le Bas-Cambo, vieux village basque, est situé près de la rivière. En amont se trouve le quartier thermal (direction Hasparren).

À NE PAS MANQUER

La villa Arnaga.

ORGANISER SON TEMPS

Une fois la maison d'Edmond Rostand et l'église visitées, Cambo peut servir de point de départ pour rayonner, à la demi-journée ou à la journée, dans le Pays basque.

AVEC LES ENFANTS

Le musée de la Chocolaterie ; la Maison labourdine à Ustaritz ; la forêt des Lapins à Itxassou.

Dans un superbe cadre naturel, Cambo-les-Bains, connue pour ses eaux curatives et la douceur de son climat, dévoile le charme un peu nostalgique des stations thermales du début du 20e s. Si de prestigieuses ombres du passé (Sarah Bernhardt, Anna de Noailles, Isaac Albéniz, etc.) la peuplent encore, c'est bien sûr à Edmond Rostand que l'on pense tout d'abord, tant l'auteur de Cyrano est lié à la cité où il avait choisi de s'installer.

La villa Arnaga où vécut Edmond Rostand
R. Cintract / hemis.fr

Se promener

Thermes

Dans un parc planté de palmiers *(ouvert au public)*, l'établissement thermal est un petit bijou de style néoclassique (1927) paré de mosaïques Art déco et de ferronneries. Les deux sources thermales sourdent aux abords du parc.

Église St-Laurent

Une magnifique galerie sculptée et un retable baroque en bois doré du 17e s., niché dans un chœur chaudement coloré, caractérisent cette église dominant la Nive.

Colline de la Bergerie

Depuis l'avenue d'Espagne, prendre la rue de la Bergerie jusqu'au parking. *20mn AR.* Depuis le sommet, vous pourrez admirer un beau panorama à 360° sur la ville et les sommets alentour.

5

Visiter

★★ Villa Arnaga

Av. du Dr Alexandre-Camino - 05 59 29 83 92 ou 05 59 29 94 97 - www.arnaga.com - juil.-août : 10h-19h ; avr.-juin, sept. et 1re quinz. d'oct. : 10h-12h30, 14h30-19h ; 2e quinz. d'oct. 14h30-18h ; mars : w.-end 14h30-18h - fermé nov.-fév. - 6,50 € (12-18 ans 3,30 €) - mi juil.-fin août : balade théâtralisée le vend. à 11h, visite commentée des jardins par le jardinier lun. 16h30 et jeu. 11h.

« Toi qui viens partager notre lumière blonde… n'entre qu'avec ton cœur, n'apporte rien du monde », écrit Edmond Rostand sur le seuil de sa villa Arnaga. « Je ne mesure que les beaux jours », lui répond un cadran solaire, de l'autre côté de la maison. Lumineuse, elle l'est en effet, cette belle demeure. Clarté et chaleur des lambris boisés, fraîcheur des peintures décoratives et des frises de carreaux, raffinement des faux marbres et des trompe-l'œil, éclat des vitraux de couleur… On y verra aussi de nombreux documents sur la famille Rostand et la carrière du dramaturge : dessins originaux des costumes de *Chantecler*, épées d'académicien d'Edmond et de Jean Rostand, lettres de Léon Blum, Jules Renard, Cocteau… et même le César obtenu par Gérard Depardieu pour *Cyrano de Bergerac*. Conçue par Rostand lui-même grâce aux droits de son *Cyrano*, l'immense villa de style basque-labourdin s'élève sur un promontoire aménagé en jardins à la française. La perspective vers les montagnes d'Itxassou s'achève sur un pavillon à pergola évoquant la gloriette du château de Schönbrunn à Vienne.

Musée de la Chocolaterie Puyodebat

Av. de Navarre (direction Itxassou) - ✆ 05 59 59 48 42 - www.chocolats-puyodebat.com - tlj sf dim. 9h30-12h, 14h-18h - 5 € (enf. 2,50 €).

À l'aide d'un film et de multiples objets (machines anciennes, affiches publicitaires, moules, chocolatières, etc.), ce petit musée retrace l'histoire de la production du chocolat au Pays basque et décrit les étapes de la fabrication des chocolats. Dégustation des spécialités de la maison en fin de visite, dans la boutique.

À proximité Carte de microrégion p. 302

Larressore/Larresoro C2

3,5 km au nord-ouest par la D 932 en direction de Bayonne, puis, au rond-point, la D 650 à gauche. À côté du fronton, l'atelier **Ainciart-Bergara★**, fondé avant la Révolution, est animé par des artisans de cette même famille qui, selon des méthodes d'antan, fabriquent des **makhilas**. Il s'agit de cannes en bois de néflier, finement ouvragées, symboles de liberté pour le peuple basque. Le makhila est à la fois un bâton de marche et une arme de défense (une pointe d'acier acérée est dissimulée dans le manche). Que son pommeau soit d'or, d'argent ou de maillechort, le « makhila cuir » est gainé dans sa partie supérieure de cuir tressé ; le « makhila d'honneur », quant à lui, a un manche de métal. Tressage du cuir, coloration naturelle du bois et montage des pièces restent des secrets de famille bien gardés. En face de l'**atelier**, ne manquez pas l'espace d'exposition, la **Maison du makhila**, avec un documentaire sur les étapes de sa fabrication (30mn). *✆ 05 59 93 03 05 - www.makhila.com - ♿ - tlj sf dim. et j. fériés 9h-12h, 14h-18h (17h le sam.) ; Maison ouv. juil.-sept., reste de l'année sur rdv - fermé fin août (se renseigner) - atelier : gratuit, Maison du makhila : 3 €*

Jatxou/Jatsu C2

6 km au nord-ouest par la D 932 dir. Bayonne, puis, au rond-point, la D 650 à droite.

Église St-Sébastien – Construite au 13e s., cette église a été agrandie en 1782. Son porche comprend une salle capitulaire où se réunissait l'assemblée paroissiale. À l'intérieur, admirez le beau plafond de bois peint, au centre duquel se détachent la mitre papale et les évangélistes. Le retable du 18e s. est dédié à saint Sébastien.

Ustaritz/Ustaritze C2

6,5 km au nord-ouest par la D 932 en direction de Bayonne.

Après que Richard Cœur de Lion décida de séparer Bayonne du Labourd à la fin du 12e s., le village resta capitale de la province jusqu'en 1790. À partir de 1451, il accueillit le **biltzar**, une assemblée locale qui avait pour charge d'administrer les biens collectifs, de répartir les impôts et de gérer les rapports entre communautés.

UN DRAMATURGE ET UN « PELOTARI »

Venu à Cambo soigner une pleurésie à l'automne 1900, **Edmond Rostand** tombe sous son charme et décide de s'y installer à demeure. Son œuvre théâtrale *Chantecler*, née de ses promenades à travers la campagne basque, et la villa Arnaga suffiront, jusqu'en 1910, à matérialiser ses rêves. Peut-être a-t-il eu l'occasion de vibrer aux exploits de **Joseph Apesteguy** (1881-1950) ? Surnommé « Chiquito de Cambo », ce célèbre *pelotari* mit à l'honneur le jeu de pelote basque dit « au grand chistera ». Il était très en vogue, à l'époque, de venir y assister… d'autant que l'on risquait d'y croiser Édouard VII, roi d'Angleterre.

Quelques belles maisons traditionnelles à colombages avec leurs volets rouges ou verts subsistent dans le centre du bourg. Si vous flânez dans les alentours immédiats, vous verrez également certaines des villas construites à la fin du 19e s. par les « Américains », ces Basques revenus des Amériques après y avoir fait fortune.

La Maison labourdine (Elizalderena) – *Quartier Arrauntz - www.lamaisonlabourdine.com - ✆ 05 59 70 35 41 ou 06 62 07 35 41 - juil.-sept. : 11h-13h, 14h-18h ; avr.-juin et oct. : tlj sf lun. 14h-18h - possibilité de visite guidée sur demande préalable - 5 € (-18 ans 3 €).*

Cette ancienne auberge (17e s.) restaurée rassemble objets et documents évoquant la campagne labourdine d'autrefois. Un coin école, une épicerie (début 19e s.) et une bergerie ont été reconstitués. Dégustation et vente de produits régionaux à la boutique.

★ Itxassou/Itsasu D3

À 4 km au sud de Cambo-les-Bains par la D 918 et la D 932, ou à 6 km au sud-est d'Espelette par la D 249.

Itxassou baigne dans une lumière douce où ciel et pentes verdoyantes se mêlent pour donner un paysage immuable et mystérieux. Admirez…

Les hameaux du village sont dispersés parmi des centaines de cerisiers *(Fête des cerises, voir « Agenda » p. 391)*. Le quartier de la Place, qui comprend le fronton et la mairie, est en surplomb, tandis que celui de l'Église s'est développé près de la Nive, dans un bassin verdoyant entouré d'une couronne de monts.

★ **Église St-Fructueux** – Très bel édifice du 17e s., doté de trois étages de galeries, d'une chaire aux beaux réchampis (ornements ressortant du fond) dorés et d'un **retable★★** en bois doré sculpté à la mode espagnole du 18e s. Tous ces éléments, ainsi que les confessionnaux et les bancs du fond, sont classés. Notez la statue de la Vierge, polychrome et dorée (17e s.), à gauche dans la nef, et les stèles discoïdales et tabulaires le long de l'église, à l'extérieur.

La forêt des Lapins – *Fléchage en forme de lapin au niveau de l'entreprise de carrosserie (à droite sur la D 918 dir. Louhossoa, avant le pont routier). ✆ 05 59 93 30 09 - www.laforetdeslapins.com - fermé 1er janv. et 25 déc.-juin-sept. : 10h15-18h30 avec visite guidée à 15h ; oct.-juin : 14h-17h30 - 6,10 € (5-10 ans 3,90 €).*

Point de sophistication ici, mais beaucoup de soins apportés aux 60 variétés de lapins et 30 races de cochons d'Inde qui peuplent les clapiers et les cages accrochés à flanc de colline. Ravissement assuré pour les enfants, les portées ayant lieu toute l'année. Les plus grands profiteront de l'agréable panorama sur les collines environnantes.

Louhossoa/Luhuso D3

4 km au sud-est d'Itxassou par la D 918.

Fondé en 1684, ce village labourdin conserve un remarquable **retable** polychrome dans l'église de **N.-D.-de-l'Assomption** (17e s.). Admirez ses couleurs

5

et, dans sa partie supérieure, la belle statue en bois polychrome représentant la Vierge portée par les anges. Des scènes de la Passion encadrent le tabernacle et des panneaux sculptés représentent les quatre évangélistes dans le chœur. Ce dernier déploie une jolie décoration de lierre et de tiercerons.

Circuit conseillé Carte de microrégion p. 302

LA ROUTE DES MONTS

Pour visualiser ce circuit au départ d'Itxassou, se reporter à la carte p. 302-303. Compter env. 2h.

Depuis l'église d'Itxassou, descendre vers la Nive en passant à côté de l'hôtel du Chêne. Parvenu sur la route principale, prendre à droite et suivre le panneau « Pas de Roland ». La D 349 mène au site.

Pas de Roland D3

Faites un arrêt sur l'élargissement peu après une petite croix sur le parapet, pour regarder en contrebas. Juste en dessous de la route, le rocher percé fut, selon la légende, ouvert par Roland, poursuivi par les Vascons : un coup de sa fameuse épée, Durandal, suffit à ouvrir la brèche dans la pierre. Évitez les marches, assez dangereuses, et faites le petit détour par le sentier.

Poursuivre jusqu'à Laxia. Là, ne pas franchir la rivière et tourner à droite pour monter jusqu'à Artzamendi. La route, très étroite, à fortes rampes et virages serrés *(compter 40mn de montée)*, traverse une forêt aux arbres et aux pierres couverts de mousse et de fougères. Prenez votre mal en patience si vous vous trouvez derrière un troupeau montant à l'estive. Le paysage récompensera largement votre attente !

★ Artzamendi C3

La route qui mène au sommet est en très mauvais état et il vous faudra laisser votre voiture en bas pour monter à pied. Compter 1h AR. Des abords de la station de télécommunications, le **panorama★** s'étend au nord sur la basse vallée de la Nive, le bassin de la Nivelle et ses hauts pâturages, et, au-delà de la frontière, sur les hauteurs de la vallée de la Bidassoa. Rapaces et vautours survolent souvent le sommet, occupé par les pottoks.

Redescendre vers Laxia et, à l'intersection qui précède le lieu-dit Fagola, tourner à gauche en direction d'Itxassou.

Mont Urzumu C3

De la table d'orientation, près d'une statue de la Vierge, panorama sur les Pyrénées basques et sur la côte, de la pointe Ste-Barbe à Bayonne.

Revenir à Itxassou par la même route.

NOS ADRESSES À CAMBO-LES-BAINS

HÉBERGEMENT

PREMIER PRIX

À Cambo-les-Bains

Le Trinquet – *R. du Trinquet - ✆ 05 59 29 73 38 - fermé 2 nov.-8 déc. et mar. sf 1er juil.-14 sept. - 13 ch. 31/55 € - ☕ 7 €.* Cette grande maison a pris le nom d'une variante de la pelote basque. Les chambres, simples et bien tenues, sont pour quatre d'entre elles, aménagées au-dessus d'un café. Ambiance familiale. Wifi gratuit.

Auberge Chez Tante Ursule – *Quartier Bas-Cambo, 2 km au nord de Cambo - ✆ 05 59 29 78 23 - contact@auberge-tante-ursule.com - fermé mar. - 7 ch. 31/55 € - ☕ 7 € - rest. 16/35 €.* Cet établissement est idéalement situé en bordure du fronton de Bas-Cambo, où vous aurez peut-être l'occasion d'assister à une partie de pelote. Chambres rustiques soignées (mobilier ancien), wifi gratuit. Cuisine régionale servie dans une pimpante salle à manger à l'âme basque, agrémentée d'un joli vaisselier.

À Itxassou

Camping Hiriberria –*1 km au nord-ouest par D 918, rte de Cambo-les-Bains et chemin à dr. - ✆ 05 59 29 98 09 - www.hiriberria.com - ♿ - P - réserv. conseillée - 228 empl. 22 € avec électricité - 13 ί - 17 ‚- Nuitée 100 €. Sem. 625 €.* Arbres, haies parfaitement taillées et fleurs délimitent agréablement les emplacements de ce camping. Côté location : mobile homes et jolis chalets aux couleurs basques, blanc et rouge. Enfin, pour agrémenter votre séjour, un petit snack et une piscine chauffée, couverte ou découverte en fonction de la météo.

À Ustaritz

Chambre d'hôte Maison Bereterraenea – *469 Elizako Bidea - quartier Arrauntz - 64480 Ustaritz - ✆ 05 59 93 05 13 - www.chambres-cote-basque.com - fermé nov.-avr. - P - 🚭 - 4 ch. 60/75 € ☕.* Tournée vers un verger de pommiers à cidre (vente à emporter), cette maison basque du 17e s. domine la vallée de la Nive. Simple et bien rénovée avec ses murs blancs et ses pierres de montagne, elle a retrouvé sa noblesse d'antan. Chambres sobres avec poutres et portes anciennes.

BUDGET MOYEN

À Cambo-les-Bains

Hôtel Ursula – *Quartier Bas-Cambo, 2 km au nord - ✆ 05 59 29 88 88 - www.hotel-ursula.fr - fermé 20 déc.-10 janv. - ♿ - P - 15 ch. 56/62 € - ☕ 9 €.* Ce petit hôtel familial et convivial, situé dans le pittoresque quartier du Bas-Cambo, met à votre disposition de grandes chambres personnalisées et bien tenues. Wifi gratuit.

À Itxassou

Chambre d'hôte Soubeleta – *64250 Itxassou - ✆ 05 59 29 22 34 - www.gite64.com/chambre-soubeleta - P - 🚭 - 5 ch. 58/63 € ☕.* Sur les hauteurs, imposante demeure du 17e s. dont la tourelle et la façade agrémentée d'un bel encadrement en granit sculpté sont restées intactes. Les chambres spacieuses sont nanties de meubles de famille. Deux d'entre elles possèdent une cheminée en marbre. Aux beaux jours, le petit-déjeuner est servi sur la terrasse.

POUR SE FAIRE PLAISIR

À Cambo-les-Bains

Chambre d'hôte Domaine Xixtaberri – *✆ 05 59 29 22 66 ou 06 85 54 26 27 - www.xixtaberri.com - P - 5 ch. 76/106 € - ☕ 8,50 € - table d'hôte bio 24,50 €.* La route est escarpée jusqu'à cette maison, mais vous serez récompensé par la vue sur les Pyrénées et la Côte basque. Spécialités régionales à déguster sous la tonnelle ou dans la coquette salle à manger. Cueillette de myrtilles et vente de produits du domaine. Chambres de charme personnalisées.

À Louhossoa

Chambre d'hôte Domaine de Silencenia – *64250 Louhossoa - ✆ 05 59 93 35 60 ou 06 72 63 81 66 - www.domaine-silencenia.com -*

P - ⊭ - 5 ch. 90 € ☕ - rest. 30 € bc. Une douce quiétude règne en cette maison de maître du 18e s. où tout est synonyme d'un véritable art de vivre. Chaque chambre raconte une des passions du propriétaire : rugby, pêche au gros, vin et bonne chère… La cuisine exalte les produits du terroir et s'accompagne de bons crus sélectionnés par le maître de maison.

À Itxassou

Chambre d'hôte Legordia Borda – *Rte de l'Artzamendi - ✆ 05 59 29 87 83 - www.legordia.fr - ⊭ - 3 ch. 120/145 € - ☕ 8 € - rest. 20 €.* Hors du commun, ces trois cabanes perchées dans les arbres à côté de l'ancienne bergerie ! Elles abritent les chambres d'hôte, un peu exiguës mais confortables, idéal pour un retour au calme, en pleine forêt. Petit-déjeuner et repas bio sont livrés dans un panier tissé à l'aide d'une corde. Une expérience !

RESTAURATION

PREMIER PRIX

À Itxassou

Restaurant du Pas de Roland – *64250 Itxassou - ✆ 05 59 29 75 23 - fermé le merc., en hiver ouv. sur réserv. - 12,50/23 €.* Dans ce restaurant juste à côté des gorges du Pas-de-Roland, vous pourrez déguster des truites bien fraîches, car certaines viennent juste du torrent voisin !

BUDGET MOYEN

À Cambo-les-Bains

Le Pavillon Bleu – *Thermes de Cambo - ✆ 05 59 29 38 38 - fermé de mi-déc. à mi-fév. et dim. - ♿ - P - 27/38 €.* Belle architecture, décor intérieur en boiseries claires, terrasse donnant sur un jardin planté de palmiers, accueil agréable, service efficace, cuisine associant recettes d'aujourd'hui et produits du terroir : ce restaurant a tout pour séduire.

À Itxassou

Venta Burkaitz – *Sur la route d'Artzamendi - 64250 Itxassou - ✆ 05 59 29 82 55 - ♿ - P - ⊭ - 20/22 €.* Sur le versant espagnol, *venta* composée de deux salles : la plus authentique conserve son traditionnel comptoir où l'on peut prendre l'apéritif ou acheter alcools et conserves ; la seconde, en véranda, offre une jolie vue sur la vallée. Copieuse cuisine locale.

POUR SE FAIRE PLAISIR

À Cambo-les-Bains

Le Bellevue – *29 r. des Terrasses (restaurant), 30 allée Rostand (hôtel) - ✆ 05 59 93 75 75 - www.hotel-bellevue64.fr - fermé 8 janv.-12 fév. - P - formule déj. 12,50 € - 20/40 € - 6 appart. et 1 studio 70/110 € - ☕ 7 €.* Tableaux modernes sur murs immaculés et mobilier actuel créent le décor soigné de ce restaurant qui sert une cuisine dans l'air du temps. Deux terrasses sont ouvertes aux beaux jours : la première donne sur le jardin, la seconde offre une jolie vue sur la campagne environnante. L'autre charme de cette maison du 19e s., bien rénovée : ses suites familiales d'esprit contemporain, sans oublier la piscine chauffée.

ACHATS

À Cambo-les-Bains

Maison du miel et de l'abeille – *Ferme Harizkazuia, dans le Bas-Cambo par la rte des Sept-Chênes - ✆ 06 63 79 43 54 - www.harizkazuia.fr - avr.-nov. : visites guidées (1h) mar. à 9h30 et vend. à 14h30 - fermé déc.-mars.* La production de miel n'aura plus de secret pour vous après la visite de cette exploitation apicole biologique qui se termine par une dégustation. Vente de miel (acacia, châtaignier, bruyère) et de produits dérivés.

Domaine Xixtaberri – *Rte d'Hasparren - ✆ 06 85 54 26 27 - www.xixtaberri.com - ouv. tte l'année ; cueillette des myrtilles de juin à déb. août.* En saison, vous pourrez profiter d'une belle vue depuis les côteaux de ce verger biologique planté en myrtilles et cerises, tout en cueillant vos baies. L'exploitation produit confitures de cerises et myrtilles, coulis, jus et vinaigres.

À Itxassou

Bon à savoir – À Itxassou, on cueille trois variétés de cerises : la *peloa*, cerise noire sucrée qui mûrit fin mai ; la *xapata* acidulée de couleur rose qui mûrit déb. juin ; la *beltxa* très foncée qu'on cueille à la mi-juin.

Jenofa – *✆ 05 59 29 33 20 - tlj sf dim. et merc. mat. 9h-12h30, 13h30-18h30 (hiver : 18h).* La renommée de cette belle maison blanche décorée d'une corde de piments dépasse largement les frontières d'Itxassou. Jenofa, la propriétaire, fabrique ici une inégalable confiture de cerises noires, qu'elle vend dans sa petite boutique ou sur les marchés locaux. Autre spécialité : le piment d'Espelette AOC vendu en poudre, en purée, en gelée ou en corde.

À Lohossoa

La Biscuiterie Basque – *64250 Louhossoa - ✆ 05 59 70 50 63 - www.labiscuiteriebasque.com - 10h-12h, 14h-18h.* C'est un festival de couleurs qui vous attend dans cette biscuiterie : les « diablotins » à tous les parfums portent bien leur nom tant ils suscitent la gourmandise ! Sablés de maïs, croustillants aux amandes, macarons à la noisette, gâteau à la broche et gâteau basque, côté biscuits ; pralines et berlingots côté confiseries. Un paradis pour les gourmands !

SPORTS ET LOISIRS

Établissement thermal – *5 av. des Thermes - ✆ 0 820 003 535 - www.chainethermale.fr - 8h-17h (sf sam. 8h-12h) - fermé 12 déc.-2 mars et dim. - 55 € forfait Aqua Découverte : une demi-journée de 4 soins.* Cet établissement thermal, construit dans les années 1930, a bénéficié d'une cure de jouvence qui n'a pas dénaturé son joli cadre d'esprit Art déco. Il est spécialisé en rhumatologie, dans les affections des voies respiratoires et l'aide au sevrage tabagique. Forfaits à la demi-journée ou séjours thématiques plus longs : mal de dos, gestion du stress, souffle, etc. Institut de beauté sur place.

Évasion – *Maison Errola - quartier Errobi - 64250 Itxassou - ✆ 05 59 29 31 69 - www.evasion64.fr - ouv. tte l'année - sports d'eaux vives 28/47 € (enf. 20/38 €) ; sports de montagne 25/35 €.* Cette base de loisirs organise des sessions de rafting, airyak, hydrospeed, canoraft, canyoning et aqua rando le long de la Nive. On peut aussi y pratiquer l'escalade.

Base de loisirs du Baigura – *voir p. 407.*

AGENDA

Fête des cerises d'Itxassou – *1er dim. de juin.* Kermesse, messe, parties de pelote, repas, vente de cerises, etc. La cerise noire d'Itxassou sert à préparer la fameuse confiture dont on fourre souvent les gâteaux basques, ou que l'on mange avec le fromage de brebis.

+ d'adresses

La Basse-Navarre et la Soule 6

Carte Michelin Région no 524 - Département no 342 – pyrénées-Atlantiques (64)

La vallée verdoyante de Larceveau

Club photo Begi Rada/Office de tourisme de Basse-Navarre

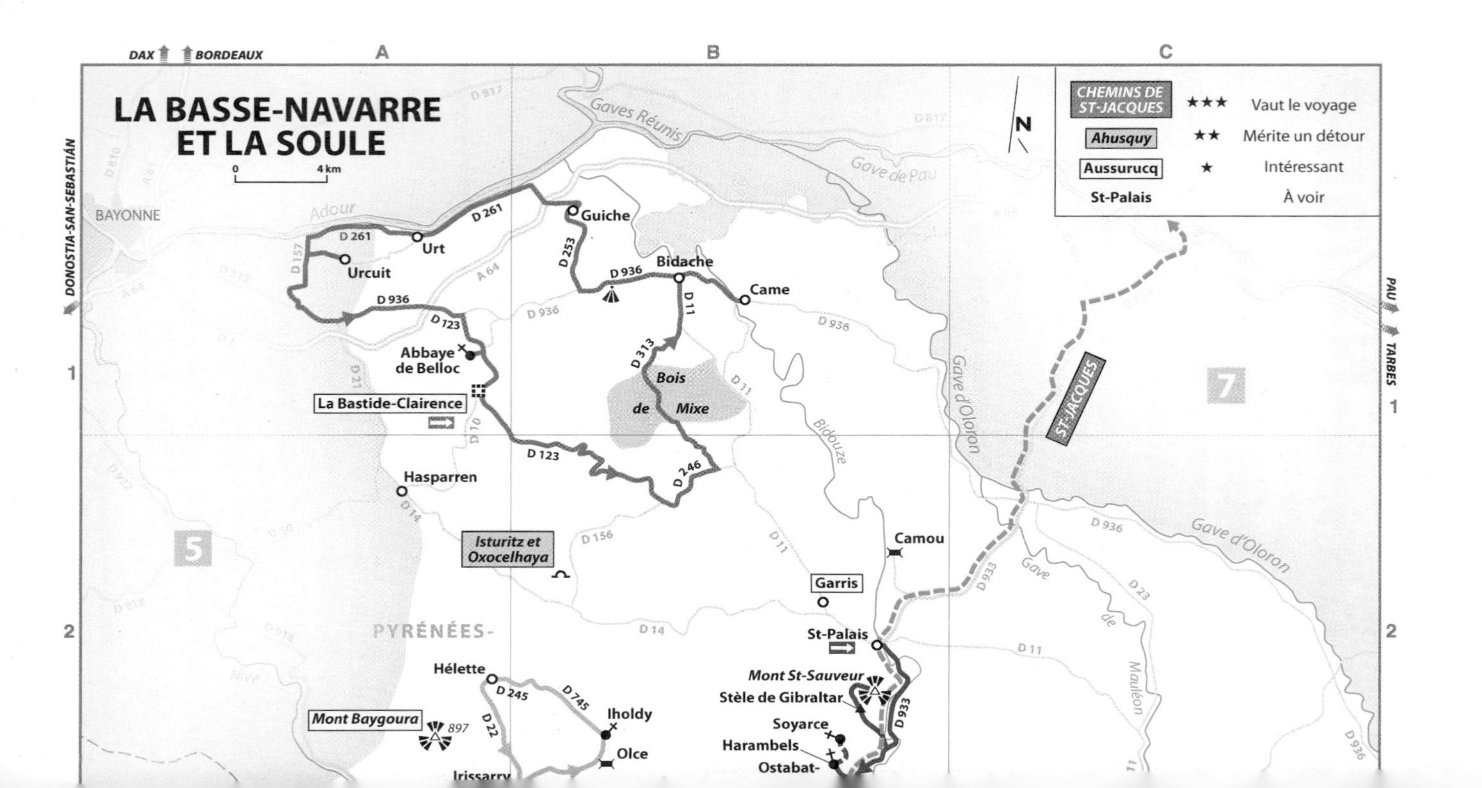
LA BASSE-NAVARRE
ET LA SOULE
CHEMINS DE ST-JACQUES
Ahusquy
Aussurucq
St-Palais
★★★ Vaut le voyage
★★ Mérite un détour
★ Intéressant
À voir
DAX
BORDEAUX
PAU
TARBES
DONOSTIA-SAN-SEBASTIÁN
BAYONNE
ST-JACQUES
Gave d'Oloron
Gaves Réunis
Gave de Pau
Adour
Bidouze
Gave de Mauléon
Urcuit
Urt
Guiche
Bidache
Came
Bois de Mixe
Abbaye de Belloc
La Bastide-Clairence
Hasparren
Isturitz et Oxocelhaya
Garris
Camou
St-Palais
Mont St-Sauveur
Stèle de Gibraltar
Soyarce
Harambels
Ostabat-
Iholdy
Olce
Hélette
Irissarry
Mont Baygoura
897
PYRÉNÉES-
D 261
D 157
D 936
D 123
D 253
D 11
D 313
D 246
D 10
D 14
D 156
D 745
D 245
D 22
D 933
D 21
D 23
A 64
0
4 km
N
1
2
A
B
C
5
7

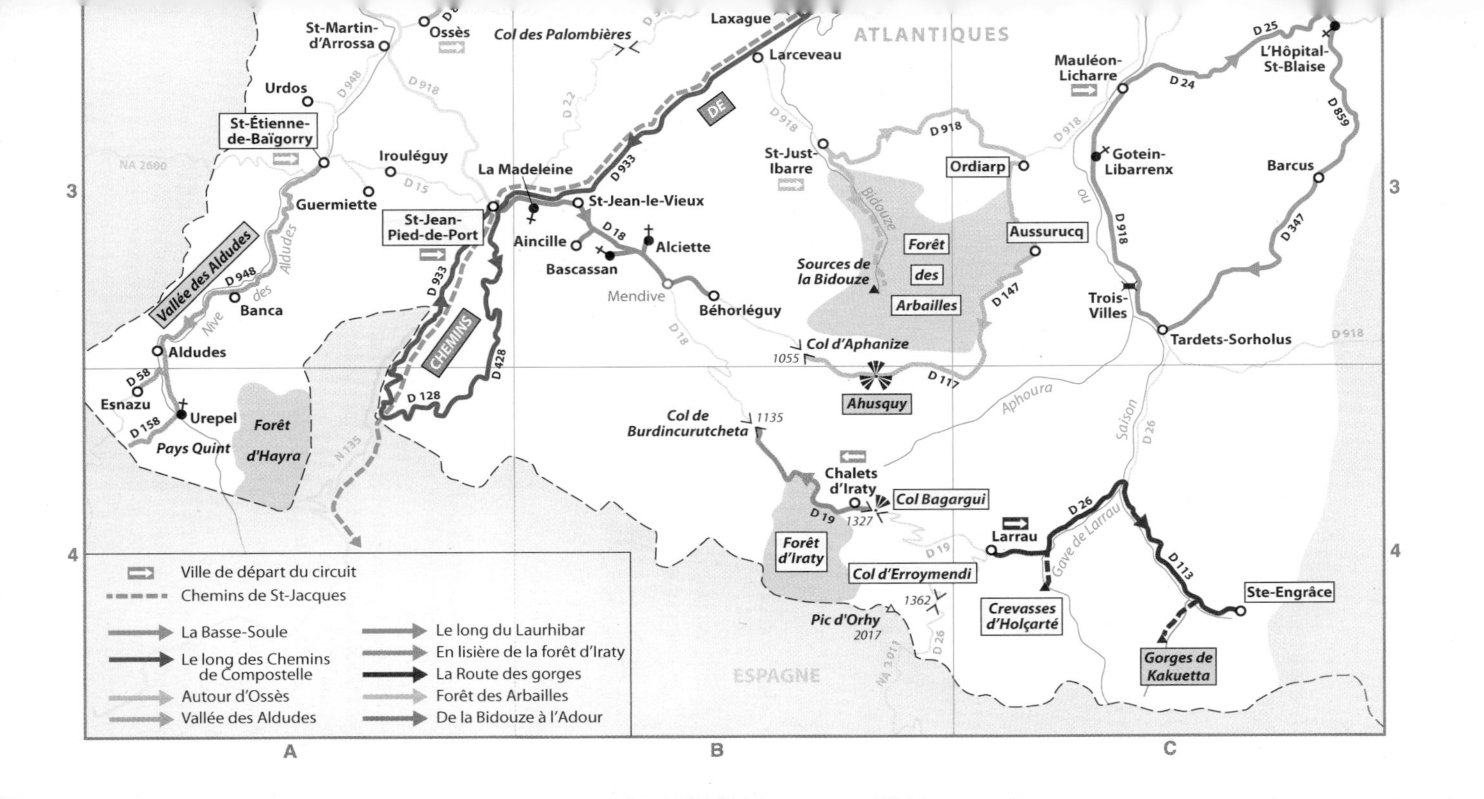

ATLANTIQUES
ESPAGNE
Laxague
Larceveau
St-Martin-d'Arrossa
Ossès
Col des Palombières
Urdos
St-Étienne-de-Baïgorry
Irouléguy
Guermiette
La Madeleine
St-Jean-le-Vieux
St-Jean-Pied-de-Port
Aincille
Bascassan
Alciette
Mendive
Béhorléguy
Vallée des Aldudes
Banca
Aldudes
Esnazu
Urepel
Pays Quint
Forêt d'Hayra
CHEMINS
DE
St-Just-Ibarre
Sources de la Bidouze
Bidouze
Forêt des Arbailles
Ordiarp
Aussurucq
Col d'Aphanize
1055
Ahusquy
Col de Burdincurutcheta
1135
Aphoura
Chalets d'Iraty
Col Bagargui
1327
Forêt d'Iraty
Col d'Erroymendi
1362
Pic d'Orhy
2017
Larrau
Crevasses d'Holçarté
Gave de Larrau
Ste-Engrâce
Gorges de Kakuetta
Mauléon-Licharre
Gotein-Libarrenx
L'Hôpital-St-Blaise
Barcus
Trois-Villes
Tardets-Sorholus
Saison
D 948
D 918
D 22
D 15
D 933
D 18
D 428
D 128
D 58
D 158
N 135
NA 2600
D 147
D 117
D 19
D 26
NA 2011
D 113
D 24
D 25
D 859
D 347
Ville de départ du circuit
Chemins de St-Jacques
La Basse-Soule
Le long des Chemins de Compostelle
Autour d'Ossès
Vallée des Aldudes
Le long du Laurhibar
En lisière de la forêt d'Iraty
La Route des gorges
Forêt des Arbailles
De la Bidouze à l'Adour
A
B
C
3
4

La Bastide-Clairence

★

Bastida (basque)/La Bastida Clarenza (gascon)

990 Bastidots - Pyrénées-Atlantiques (64)

NOS ADRESSES PAGE 399

S'INFORMER

Office du tourisme de La Bastide-Clairence – *Maison Darrieux, pl. des Arceaux - 64240 La Bastide-Clairence - ✆ 05 50 29 65 05 - www.labastide clairence.com - juil.-août : tlj 10h-13h, 15h-19h ; reste de l'année : lun.-mar. et jeu.-vend. 9h30-12h30, 14h-18h, merc. 10h-12h, fermé 1er janv., dim. et lun. de Pâques, 1er et 11 Nov. et 25 déc.*

Office du tourisme du Pays de Bidache – *2 pl. du Foirail - 64520 Bidache - ✆ 05 59 56 03 49 - www.tourisme-pays-de-bidache.com - 9h-12h30, 15h-18h30 - fermé dim. et lun. hors juil.-août.*

Audioguides – Voir les offices de tourisme : possibilité d'emprunter des lecteurs MP3 ou de télécharger directement les fichiers sur leurs sites Internet.

SE REPÉRER

Carte de microrégion A1 (p. 394-395) – *carte Michelin n° 573 B 26.* Le village occupe une colline à une quinzaine de kilomètres à l'est de Bayonne par l'A 64.

À NE PAS MANQUER

Les stèles sous abri de l'église.

ORGANISER SON TEMPS

Un après-midi suffira pour flâner dans la bastide, avant de partir de village en village à la découverte du Labourd et des berges de l'Adour.

AVEC LES ENFANTS

Le bois de Mixe et sa cabane à pique-nique ; le domaine du lac de Sames.

Nous voici aux portes de la Gascogne ! Avec ses adorables maisons blanchies à la chaux, ses linteaux colorés et sculptés, sa petite église, son lavoir et sa place à couverts, cette bastide paraît comme figée dans l'ancien temps. L'impression est renforcée par la présence de plusieurs ateliers d'artisans installés çà et là dans la cité. Répertoriée parmi les « plus beaux villages de France », La Bastide-Clairence constitue un point de chute idéal pour sillonner la région.

Se promener

Une longue rue principale, coupée à angle droit de ruelles transversales, et débouchant sur une place consacrée au marché : c'est le plan typique d'une bastide. Avec ses maisons blanches barrées de rouge, cette rue a un air de village du Labourd. Amusez-vous à distinguer les maisons labourdines des maisons navarraises… Une quinzaine d'artisans d'art (potier, tisserand, ébéniste, photographe, etc.) y ont installé leurs ateliers, ouverts à la visite.

Église N.-D.-de-l'Assomption

Typiquement basque avec ses étages de galeries, elle est flanquée de deux allées couvertes et pavées de dalles funéraires des plus vieilles familles de La Bastide. On parle ici du « cimetière préau ».

Circuit conseillé Carte de microrégion p. 394

DE LA BIDOUZE À L'ADOUR : UNE ENCLAVE GASCONNE EN TERRE BASQUE

Pour visualiser ce circuit au départ de La Bastide-Clairence, se reporter à la carte p. 394-395. Compter environ 1h30.
Quitter La Bastide-Clairence par la D 123 en direction de Saint-Palais. À La Haranne, prendre à gauche la D 246 vers Orègue, puis la première à gauche (D 313) en direction de Bidache et rouler tout droit pendant environ 10mn. Parking aménagé en bordure de route, à gauche.

Bois de Mixe B1

Cette petite forêt de 800 ha permet de découvrir, en plus des essences endémiques (noisetiers, chênes, hêtres), des arbres importés tels que le chêne rouge d'Amérique ou le tulipier de Virginie. Un **sentier★** jalonné de panneaux permet de les repérer et de traverser la Patarena sur des plots ou des ponts suspendus *(1h - départ à droite de la cabane à pique-nique).*
Poursuivre la D 313 et prendre la D 11, à gauche, en direction de Bidache.

Bidache/Bidàishen/Bidaxun B1

L'unique rue aux maisons claires et percées de portes cintrées donne au bourg un aspect navarrais.
Les seigneurs de Gramont établis là depuis le 14e s. tirèrent parti de la situation féodale de leurs terres à la limite de la Navarre, du Béarn et du royaume de France pour s'ériger en princes souverains de Bidache, indépendance qui dura jusqu'à la Révolution. À l'époque de la paix des Pyrénées (1659), Antoine III, seigneur de Gramont et maréchal de France (le fameux De Guiche brocardé par Cyrano chez Rostand), y reçut Mazarin et se rendit en Espagne afin de demander la main de l'infante Marie-Thérèse pour Louis XIV. De cette époque restent les belles ruines du **château-forteresse** des ducs de Gramont *(pour les visites, se rens. au 05 59 56 03 49)* détruit dans un terrible incendie en 1796. Le donjon du 13e s. est un vestige du château médiéval.
Le tombeau des ducs se trouve dans l'**église**, construite au 19e s. Remarquez à l'intérieur le Chemin de croix réalisé par **René-Marie Castaing** (1896-1943), Grand Prix de Rome en 1924.
Quitter Bidache par la D 936 vers Came, à 3 km.

TERRE D'ACCUEIL

Cette bastide fut fondée en 1312 dans la vallée de la Joyeuse par Louis Ier, roi de Navarre (qui devint ensuite roi de France sous le nom de **Louis X le Hutin**). Il désirait assurer à la région un débouché sur la mer. Attirée par les privilèges de ce nouveau village, une population composite s'y implanta : Basques, Gascons, mais aussi pèlerins de Saint-Jacques-de-Compostelle, que l'on appelait les « francos ». Chacun reçut un bout de terrain *(plaza)* sur lequel il implanta sa maison et son jardin, le *cazalot*. Le 17e s. vit l'arrivée d'une colonie juive, fuyant l'Espagne et le Portugal. Aujourd'hui encore, à La Bastide-Clairence, on parle aussi bien français que basque ou gascon. Cela tient au brassage des populations. Il semblerait toutefois que l'on emploie, *intra-muros*, plus souvent le gascon que le basque.

Came/Càmer/Akamarre B1
Traversé par la Bidouze dont les berges sont aménagées en promenades, Came se consacre, depuis le 19ᵉ s., à la confection artisanale de **chaises**, utilisant des bois comme le hêtre, le merisier, le chêne, le noyer et, pour le paillage, le jonc des marais de l'Adour. Plusieurs ateliers sont encore installés dans le village. Un petit **musée**, tenu par un artisan, retrace l'histoire des chaisiers de Came et présente l'outillage traditionnel - *La Chaumière, RD 936 - ✆ 05 59 56 05 12 - www.museedelachaise.fr - sur rdv.*
Reprendre la D 936 en direction de Bayonne.
Après Bidache, la route monte parmi les premières collines basques. En vue de Bardos, faites halte sur un terre-plein. À gauche, **vue★★** sur les Pyrénées jusqu'au pic d'Anie, premier sommet (alt. 2 504 m) de la haute chaîne.
Dans Bardos, prendre la direction de Guiche par la D 253.

Guiche/Guíshen/Gixune B1
Le parvis de l'**église St-Jean-Baptiste** offre un joli panorama sur les méandres de la Bidouze et le paysage moutonnant, caractéristique de ce coin du Labourd. Au-dessus de l'entrée du cimetière, se trouve une amusante construction sur piles, dite « **maison du Fauconnier** » (ancienne mairie). À l'intérieur de l'église, des vitraux modernes aux couleurs vives égayent la nef menant au retable des 17ᵉ et 18ᵉ s.
Plus bas, à Guiche-Bourgade, se dressent les ruines du **château de Gramont** avec son donjon carré. L'édifice appartient à l'illustre famille depuis 1534, après avoir fait partie du système défensif anglais pendant la guerre de Cent Ans. Il domine le minuscule port de Guiche, à la confluence de l'Adour.
Suivre la Bidouze pour longer ensuite l'Adour sur la D 261.
La route passe à côté de vergers de kiwis, cultivés en treilles.

Urt/Ahurti A1
Office de tourisme - pl. du Marché - 64240 Urt - ✆ 05 59 56 24 65 - hors saison : merc. 8h-12h ; de mi-juin à mi-sept. : 9h-12h30, 15h-18h30 - fermé lun. matin, jeu. apr.-midi et dim. Village typiquement basque avec son église blanche, au sobre intérieur rehaussé de galeries et d'orgues. On peut marcher le long de l'Adour en suivant la petite route asphaltée qui part de son port.
Rejoindre Urcuit par la D 261, puis la D 257.

Urcuit/Urketa A1
Comme sa voisine **Urt**, cette petite ville s'est mise à l'ambiance basque, avec sa charmante **église** à galerie extérieure. Stèles discoïdales dans le cimetière attenant.
Rallier Briscous, puis prendre la D 936 et la D 123 en direction de La Bastide-Clairence.

Abbaye de Belloc A1
0,5 km au nord-ouest par la D 111. En activité, ne se visite pas - www.belloc-urt.org. Ce monastère a été fondé en 1875 dans une ancienne métairie du nom de Bel-Locq par trois missionnaires diocésains d'Hasparren, dont Jean-Léon Bastres (1832-1904). Florissante à la fin du 19ᵉ s., sa communauté fut obligée de quitter les lieux une première fois en 1880, puis au moment de la séparation de l'Église et de l'État en 1905. Elle trouva alors refuge dans le Guipúzcoa, à Lazkao *(voir p. 306)*, avant de revenir définitivement en 1926. Son église, inspirée de l'Art brut, a été élevée après Vatican II.
Rejoindre La Bastide-Clairence par la D 123.

NOS ADRESSES À LA BASTIDE-CLAIRENCE

HÉBERGEMENT ET RESTAURATION

PREMIER PRIX

Résidences de tourisme Les Collines Iduki – *Au bourg - 64240 La Bastide-Clairence - ☎ 05 59 70 20 81 - www.iduki.net - ♿ - Location : 36 appart. Nuitée 76/143 €. Sem. 280/990 €.* À la sortie du village, les Collines Iduki séduisent par leurs couleurs et leur architecture typiquement basque. Les intérieurs, souvent spacieux, sont décorés avec goût. À l'entrée, excellent restaurant avec terrasse et piscine.

Hôtel Odile – *Au bourg - 64520 Bardos - ☎ 05 59 56 82 65 - fermé 1 sem. fin août, 1 sem. vac. de Toussaint et vac. de Noël - ♿ - 7 ch. 40/51 € - ☕ 5,50 € - rest. formule déj. 12 € (avec buffet entrées et desserts à volonté) - 18/25 €.* Nombreux sont les habitués à se régaler des petits plats basques mitonnés par Odile. Sa cuisine simple est servie sans chichi et surtout à des prix très intéressants. Préférez la petite salle à manger du fond, plus calme, ou la terrasse en été. Quelques chambres soigneusement tenues.

BUDGET MOYEN

Chambre d'hôte La Croisade – *Rte de St-Palais - 64240 La Bastide-Clairence - ☎ 05 59 29 68 22 - www.la-croisade.com - P - ⊭ - 4 ch. 57/65 € ☕ - rest. 23 €.* Les pèlerins de St-Jacques faisaient jadis halte dans cette imposante maison basque. Les chambres, d'un goût exquis, et le salon (murs cirés, tapis et grande cheminée) donnent envie de rester. Table d'hôte 2 ou 3 fois/sem. Possibilité d'utiliser une cuisine bien équipée.

POUR SE FAIRE PLAISIR

Chambre d'hôte Maison Maxana – *R. Notre-Dame - 64240 La Bastide-Clairence - ☎ 05 59 70 10 10 - www.maison-maxana.com - 5 ch. 100/120 € ☕ - rest. 35 €.* Rêveries, Romances, Voyages… Les noms des chambres donnent le ton : mariage réussi de meubles anciens et d'art contemporain. La maison abrite d'ailleurs une galerie d'art *(visite sur rdv)*. Plats régionaux et recettes exotiques sont servis à la table d'hôte sur réservation.

ACHATS

La Ferme Bethanoun – *GAEC du Lucq - 64240 La Bastide-Clairence - ☎ 06 12 40 72 00 - www.lafermebethanoun.com - tlj sf dim. 10h-12h, 14h-19h - Visite de la ferme sur rdv.* Vente des produits de l'élevage de brebis et de blondes d'Aquitaine. Tomme d'Ossau-Iraty et, spécialité de la ferme, le « bethia » (fromage de brebis persillé) ainsi que différents produits à base de viande.

SPORTS ET LOISIRS

Domaine du lac de Sames – *Base de loisirs - 64520 Sames - ☎ 05 59 56 46 43 - http://domainedulac.tectobois.com - juil.-août : 11h-19h ; juin et sept. : w.-end - entrée 3 € (-12 ans 2 €).* Bel endroit que cette base de loisirs aménagée autour d'un lac de 18 ha. Plage de sable agrémentée de palmiers, cascades et bassins (baignade surveillée). Les activités ne manquent pas : toboggans, pédalos, minigolf, tennis et ping-pong, bar, glacier et restaurant.

AGENDA

Fête du bourg – *Fin juil.* Pendant 4 jours et 4 nuits, La Bastide-Clairence se pare de rouge et de blanc. *Bandas, encierros*, courses de vaches et méchoui, tous les ingrédients sont réunis pour de grandes fêtes à la basquaise !

Grottes d'Isturitz et d'Oxocelhaya

★★

Pyrénées-Atlantiques (64)

NOS ADRESSES PAGE 403

S'INFORMER

Office du tourisme d'Hasparren – *2 pl. St-Jean - 64240 Hasparren - 05 59 29 62 02 - www.hasparren-tourisme.fr - lun.-vend. 9h-12h, 14h-18h, sam. 9h-12h.*

SE REPÉRER

Carte de microrégion B2 (p. 394-395) – *carte Michelin nº 573 B 26.* Les grottes se trouvent à 14 km à l'est d'Hasparren et à 21 km à l'ouest de St-Palais. Accès par le village de St-Martin-d'Arberoue.

SE GARER

Parking aménagé à l'orée du site (aire de pique-nique).

ORGANISER SON TEMPS

Entre la visite des grottes et celle d'Hasparren, comptez une demi-journée.

AVEC LES ENFANTS

Les grottes, bien sûr ; la ferme Agerria.

Littéralement « le champ du loup » et « le lieu de la fontaine », ces grottes constituent l'un des plus riches sites préhistoriques d'Europe. De véritables cathédrales de calcaire aux colonnes monumentales et aux draperies majestueuses. Qui est à l'origine de ces merveilles ? Des artisans que l'on nomme l'eau, le calcaire… et le temps. Ces grottes plurent tout d'abord à l'homme de Neandertal venu s'y installer, puis à celui de Cro-Magnon, laissant tour à tour derrière eux de vrais trésors. C'est donc un étonnant voyage au centre de la Terre, au cœur de la colline de Gaztelu, qui vous attend.

Grottes d'Isturitz
Grottes Isturitz et Oxocelhaya

PASSIONNANTES DÉCOUVERTES

En 1895, les ouvriers qui travaillent dans l'exploitation de phosphate de la **grotte d'Isturitz** trouvent des pierres taillées. En les examinant, le pionnier de la préhistoire, Édouard Piette, pressent l'importance de cette mise au jour. Une première campagne de fouilles (1912-1922) révèle une série de couches stratigraphiques. Elle est suivie d'une seconde qui atteste de 80000 ans de présence humaine.

En 1929, la **grotte d'Oxocelhaya** est découverte par hasard. Devant la magnificence des lieux, le propriétaire des grottes, André Darricau, décide de l'ouvrir au public, faisant percer en 1953 un tunnel entre les deux grottes. Les représentations pariétales seront ensuite découvertes au fil des ans.

Une troisième grotte, **Erberua**, est découverte en 1973, mais elle reste encore aujourd'hui fermée au public.

Les collections exceptionnelles d'objets sont exposées au musée de St-Germain-en-Laye *(voir* Le Guide Vert Île-de-France*)* et une série aurignacienne a rejoint le musée national des Eyzies *(voir* Le Guide Vert Périgord-Quercy*)*.

Depuis les premières découvertes, la volonté du propriétaire (prolongée par ses descendants qui ont pris la relève) est de faire partager ces richesses qui renseignent sur l'histoire de l'homme. Le **musée** didactique en est la preuve, tandis que, depuis 2007, un **espace culturel** permet à des artistes (musiciens, conteurs, plasticiens ou danseurs) de réaliser des performances *in situ (www.grottes-isturitz-espaceculturel.com)*. Ces réalisations s'accompagnent d'un engagement fort de la famille Darricau en faveur d'un tourisme responsable, respectueux tant de l'environnement que des cultures humaines présentes ou passées.

Alors que s'achève la campagne de fouilles qui visait à mieux cerner l'évolution culturelle des premiers *Homo sapiens*, une nouvelle recherche débute (2011-2016) avec, pour objectif, l'analyse approfondie de l'art pariétal.

LES GROTTES, LIEUX MAGIQUES

Les légendes basques présentent les gouffres et les grottes comme les lieux de rencontre entre les êtres mythiques et les humains, ces derniers cherchant à dérober les immenses richesses cachées dans les cavités.

Á **St-Martin-d'Arberoue**, on racontait de génération en génération que la colline de Gaztelu abritait le trésor des Laminak *(voir p. 445)*. C'est précisément sous ce sommet que l'on a découvert les fameuses grottes d'Isturitz et d'Oxocelhaya !

Dans une falaise de **Bidarray** *(voir p. 405)*, une petite grotte abrite une stalagmite ressemblant à un tronc humain. La tradition veut que ce soit là le corps d'une jeune bergère pétrifiée, mais elle est devenue la grotte du saint qui « sue », dont les eaux sont réputées guérir les maladies de peau.

Visiter les grottes Carte de microrégion p. 394

Depuis le parking, les grottes sont à 10mn à pied. La visite englobe les deux grottes. t 05 59 29 64 72 - www.grottes-isturitz.com - visites guidées (45mn) juil.-août : 10h-13h, 14h-18h ; juin et sept. : 11h, 12h et 14h-17h ; mars-mai et oct.-nov. : 14h-17h, dim., j. fériés et vac. scol. 11h et 14h-17h -fermé de mi-nov. à mi-mars - 9 € (-14 ans 3,80 €). Visites limitées à 900 pers./j. en juil.-août - température constante à 14 °C à l'intérieur des grottes (prévoir un pull) - Visites thématiques : 05 59 29 41 83 - Art & Préhistoire dim. 11h-13h (adultes uniquement - 13 €) ; 05 59 42 65 96 - www.pierres-pays-basque.364.fr - visite-conférence géologique merc. 17h-19h - sur rdv. En saison (juil.-août), possibilité de se restaurer à la Bodega (petite restauration et terrasse ouvrant sur les vallons).

Les grottes, superposées, correspondent à deux niveaux, abandonnés, du cours souterrain de l'Arberoue (qui coule à présent au troisième niveau).

Grotte d'Isturitz B2

Vous pénétrerez dans la montagne par cette grotte, dont l'intérêt est avant tout scientifique. Sur un **pilier** ont été gravés trois rennes superposés épousant le relief de la pierre, ainsi qu'un cheval. Les fouilles, achevées en 2010, ont mis au jour des objets quotidiens mais aussi 22 fragments de flûtes taillées dans des os de rapaces, de gypaètes et de vautours, ainsi que des objets d'art, notamment des baguettes demi-rondes sculptées et des gravures, dont vous pourrez admirer les copies dans l'espace-musée des grottes.

Grotte d'Oxocelhaya/Otsozelaia B2

Quinze mètres plus bas se trouvent des salles décorées de **concrétions** dont les formes étranges et variées sollicitent l'imagination : stalactites, stalagmites, colonnes, draperies translucides, cascade pétrifiée scintillante.

En outre, deux reproductions illustrent la trentaine de **dessins** (contours au charbon de bois, raclage ou tracé au doigt sur argile) découverts sur les parois, qui ne sont pas montrés au public par mesure de préservation.

À proximité Carte de microrégion p. 394

Isturitz/Isturits B2

1 km des grottes par la D 251.

Musée ethnographique Xanxotea – *Le Bourg - 64640 Isturitz - 05 59 29 14 43 - www.xanxotea.com - été : 10h-20h ; hors sais. sur rdv - tarif à l'appréciation du visiteur.* Intéressant complément de la visite des grottes, cette maison-musée privée regroupe 5 000 objets datant de l'époque de Neandertal au 20e s. Ces outils, objets du quotidien, pièces de mobilier ou éléments archéologiques illustrent l'héritage culturel et l'histoire du peuple basque ; ils sont organisés par activité, travail de la matière et usage.

Hasparren/Hazparne A2

10 km au nord-ouest par la D 251, puis la D 10.

La « cité des chênes » est un village labourdin autrefois dédié à la tannerie. **Francis Jammes** (1868-1938) s'y installa en 1921 et vécut jusqu'à sa mort dans la maison Eyhartzea. Poète célèbre admiré de Gide, Claudel, Rilke ou Kafka, mais néanmoins père de neuf enfants et sans le sou, il parcourut le Béarn et le Pays basque à la recherche d'un toit qu'il finit par trouver à Hasparren, avec l'aide d'un père bénédictin *(fermé pour travaux - ✆ 05 59 29 60 22)*.

Chapelle du Sacré-Cœur – Édifice de 1933 construit pour la Maison des frères missionnaires. À l'intérieur, grande fresque murale dans la nef et Christ Pantocrator néobyzantin en mosaïque dans le chœur.

NOS ADRESSES PRÈS DES GROTTES

HÉBERGEMENT ET RESTAURATION

PREMIER PRIX

Gîte d'étape Ferme d'Urkodéa – *Quartier Zelaï - 64240 Hasparren - ✆ 05 59 29 15 76 - www.urkodea.ffe.com - ♿ - P - ⊭ - 6 ch. 32 € - ☕ 8 €.* Cette ferme labourdine, réhabilitée en gîte, est un centre de randonnées équestres qui organise des sorties à travers la lande d'Hasparren et la vallée de la Joyeuse. Elle propose aussi des chambres à plusieurs lits, remarquables par leur propreté et leur calme.

BUDGET MOYEN

Hôtel Les Tilleuls – *64240 Hasparren - ✆ 05 59 29 62 20 - hotel.lestilleuls@wanadoo.fr - fermé 1re sem. de nov., 2 sem. aux vac. scol. de fév., dim. soir et sam. de fin sept. à déb. juil. sf j. fériés - 25 ch. 58/63 € - ☕ 7,50 € - rest. 15/30 €.* La maison qu'habita l'écrivain Francis Jammes est à deux pas de cette construction de style basque disposant de chambres bien rénovées (wifi gratuit). Sympathique salle de restaurant rustique où l'on vous proposera de goûter aux recettes régionales.

ACHATS

Ferme Agerria – *Quartier Corlorotz (D 4) - 64640 St-Martin-d'Arberoue - ✆ 05 59 29 45 39 - www.agerria.fr - visites tlj sf dim. 10h-11h30, 15h-18h30 - gratuit - ferme pédagogique : de déc. à juin sur réserv., 7 €/enf.* Cette ferme d'élevage vous fera rencontrer les brebis manech à tête rousse (agnelage de nov. à mars, traite de déc. à juil.) dont le lait est l'élément de base du fromage ossau-iraty. Des porcs basques se promènent dans les prairies. À la fin de la visite, vous pourrez déguster les produits de la ferme : fromage de brebis, charcuterie, confits, jambons… Si les vacances à la ferme vous tentent, des emplacements pour camping-cars et un gîte pour 5 pers. (location à la semaine) sont disponibles sur le site.

Ossès

Ortzaize

845 Ossessois– Pyrénées-Atlantiques (64)

NOS ADRESSES PAGE 407

S'INFORMER

Office du tourisme communautaire de St-Jean-Pied-de-Port-Baïgorri – *Elizondonea, pl. de l'Église - 64430 St-Étienne-de-Baïgorry - 05 59 37 47 28 - www.pyrenees-basques.com - juil.-août. : lun.-sam. 9h-12h, 14h-18h, dim. 10h-13h ; reste de l'année : lun.-sam. 9h-12h, 14h-18h - fermé dim. et j. fériés.*

Office du tourisme d'Hasparren – *2 pl. St-Jean - 64240 Hasparren - 05 59 29 62 02 - www.hasparren-tourisme.fr - lun.-vend. 9h-12h, 14h-18h, sam. 9h-12h.*

SE REPÉRER

Carte de microrégion A3 (p. 394-395) – *carte Michelin n° 573 C 25*. Ce village est posté au rebord du bassin dessiné par le confluent de la Nive des Aldudes et de la Grande Nive. On y accède par la D 918 depuis Cambo-les-Bains (22 km) ou St-Jean-Pied-de-Port (13 km). St-Étienne-de-Baïgorry n'est qu'à 10 km (D 948).

À NE PAS MANQUER

La randonnée des crêtes d'Iparla.

AVEC LES ENFANTS

Le parcours-aventure de St-Martin-d'Arrossa ; la base de loisirs de Baigura ; les sports d'eaux vives.

À quelques tours de roue des sommets pyrénéens, ce village éclaté en différents quartiers sert de porte d'entrée aux collines verdoyantes de Basse-Navarre. Vous y découvrirez des maisons nobles à l'architecture typique et des paysages de prairies baignés d'une lumière éthérée.

Se promener

Ossès se partage en sept quartiers différents *(voir les principaux ci-après)*. La plupart des maisons anciennes témoignent d'une double influence : labourdine par la présence de pans de bois et basse-navarraise par les murs latéraux en avancée, les auvents et les parements de pierre. Vous pourrez admirer de très belles demeures nobles telles que l'imposante et opulente **maison Harizmendi**, reconnaissable à ses pans de bois et ses fenêtres à meneaux.

Église St-Julien

Le clocher de cet édifice du 16e s., orné d'une superposition de pierres blanches et rosées, comporte sept côtés (sans doute en référence au nombre de quartiers de la vallée). L'église abrite un retable baroque du 17e s. et un bel escalier à vis. Notez son portail, baroque lui aussi, construit en 1668 à la demande de l'évêque d'Olce, qui présida la cérémonie de mariage de Louis XIV.

Sur la **place** bordée de vieilles maisons à l'architecture navarro-labourdine, un puits jouxte un petit bâtiment longé par une espèce de balustrade : cette dernière signale la présence d'une ancienne balance à peser les animaux ou les chargements.

Vers Irissarry

Prendre la route à gauche de l'église. Il faut dépasser les maisons anciennes qui entourent l'église (1673, 1783) et se diriger vers la sortie du village pour voir la **maison Sastriarena**, autrefois résidence secondaire des évêques de Bayonne. Admirez sa façade en encorbellement et ses colombages ouvragés (1628 indique la date de réfection de la maison). Mgr d'Olce, évêque de Bayonne qui bénit le mariage de Louis XIV et de l'infante d'Espagne, Marie-Thérèse, le 9 juin 1660 *(voir « St-Jean-de-Luz », p. 170)*, y aurait fini ses jours.

Quartier de Gahardou

En direction de St-Martin-d'Arrossa. Vous verrez en bord de route quelques belles demeures traditionnelles dont les linteaux affichent souvent les noms et les dates de construction, qui remontent pour la plupart aux 17e et 18e s. Ne manquez pas la **maison Apalatzia** (1635) avec ses encadrements de grès rouge, au croisement des deux départementales *(D 8 et D 948).*

Quartier d'Eyharce

Au carrefour des D 948 et D 918. Voyez la **maison Arrosagaray** du 16e s., repérable à ses fenêtres à meneaux, et la **maison Arrossa** (linteau de 1613).

Village d'artisans

Sur la D 918, en direction de St-Jean-Pied-de-Port. Un potier, un ferronnier, un sandalier, des ébénistes, des producteurs de pays proposent directement le fruit de leur travail : fromages, miel, foie gras… Ce regroupement d'artisans a pris possession de la D 918, afin d'offrir l'éventail le plus large possible du savoir-faire basque. Certains ont aménagé leur espace de façon à laisser voir leur atelier : n'hésitez pas à pousser les portes.

À proximité Carte de microrégion p. 394

St-Martin-d'Arrossa/Arrosa A3

Sur la D 608 depuis le quartier d'Eyharce. Cet ancien quartier d'Ossès conserve quelques belles fermes anciennes et une église dont l'autel est en bois doré.

Deux randonnées possibles à partir du village : l'une part en direction du mont Jarra (812 m) depuis la voie de chemin de fer qui franchit la Nive, à l'entrée du village ; l'autre part de l'église (à droite) et, après 1,5 km, fait le tour du mont Larla (700 m).

Bidarray/Bidarrai A2

À 8 km d'Ossès par la D 918 en direction de Cambo ou par la D 608 dans le prolongement de St-Martin d'Arossa. En contrebas des crêtes d'Iparla, accroché au bord du plateau, le petit village de Bidarray, quartier d'Ossès jusqu'en 1791, surplombe la confluence de trois rivières, le Baztan et le Begieder se jetant dans la Nive. Depuis l'église et la place du fronton, vous aurez de belles vues★ sur les vallées. La silhouette imposante de l'**église romane** du 12e s. domine le paysage, avec ses hauts murs de grès rose et son clocher-mur du 17e s. Cette chapelle appartenait à un prieuré sur la route de St-Jacques-de-Compostelle et jouxtait un hôpital dépendant de Roncevaux. Observez les figures des chapiteaux supportant le porche. Le cimetière abrite de belles stèles discoïdales.

La route qui descend de l'église mène au **pont Noblia** (14e s.). L'arche principale forme avec son reflet dans l'eau un cercle parfait; à n'en pas douter, c'est là l'œuvre des Laminak *(voir p. 445)* !

Le village était aussi réputé pour sa **source miraculeuse** du « Saint qui Sue », dont on dit qu'elle guérit les maladies de peau *(voir p. 402; on l'atteint par le GR 10).*

4h AR (7h jusqu'à St-Étienne-de-Baïgorry). Le GR 10 vous emmène depuis Bidarray vers le pic d'Iparla. Vous marcherez sur la ligne de crête pour une superbe randonnée au plus près du ciel. Le site est propice à l'observation des rapaces et des vautours, parfois très proches.

Circuit conseillé Carte de microrégion p. 394

AUTOUR D'OSSÈS

Pour visualiser ce circuit au départ d'Ossès, se reporter à la carte p. 394-395. Compter 1h. Quittez Ossès par la D 8.

Irissary/Irisarri AB2

Le village a conservé la **commanderie** des chevaliers de St-Jean-de-Jérusalem édifiée au 12e s. et reconstruite pour l'ordre de Malte au 17e s. Cet ordre assurait la sécurité et l'hébergement des pèlerins en route pour Compostelle, mais le bâtiment lui-même ne constitua jamais une étape du pèlerinage. Il représentait plutôt le siège de la puissance seigneuriale et fut saisi à ce titre sous la Révolution. Restauré, il accueille aujourd'hui **Ospitalea**, un centre d'exposition et d'éducation au patrimoine *(05 59 37 97 20 - www.ospitalea.cg64.fr - lun.-sam. 10h-12h30, 13h30-17h - fermé dim. et j. fériés - gratuit).* Remarquez les bretèches qui s'accrochent aux angles du bâtiment. Il s'agit d'éléments défensifs.

Église – Le plafond en berceau avec effet de caissons modernes abrite un orgue classique et un retable baroque représentant le baptême du Christ.

Poursuivre en direction d'Iholdy.

La D 8 se déploie dans un paysage de douces collines dont le vert est parfois ponctué de bosquets, plus sombres.

Château d'Olce B2

Dans le bourg d'Iholdy, un panneau indique le château à droite; au carrefour suivant, continuez tout droit. 05 59 37 51 07 - visite guidée (45mn) de déb. avr. à fin sept. : 14h-18h sf jeu. - fermé le merc., 1er et 8 mai - 6 € (-16 ans 3 €).

Cette demeure mérite une visite autant pour Mgr d'Olce qui la fit rebâtir en 1664 sur un château de famille (14e s.) que pour ses actuels propriétaires qui ont sauvé de la ruine un bâtiment longtemps laissé à l'abandon. Vous pourrez apprécier le beau travail de restauration des plafonds à la française et surtout de récupération des stucs en relief (en vogue sous Louis XIV). À commencer par la chapelle avec son retable cannelé et le blason d'Olce qui orne le plafond, puis l'escalier monumental, à vide central (15 m de haut), avec sa coupole baroque. Chaque pièce s'orne d'une cheminée au décor plus ou moins chargé. L'ensemble est meublé 17e-18e s.

Iholdy/Iholdi B2

500 m plus loin. L'église, avec sa grande galerie extérieure en bois, et le fronton accolé forment un bel ensemble.

Quitter Iholdy par la D 745, en direction d'Hélette (à 7,5 km).

Hélette/Heleta A2

Agour - Musée basque du Pastoralisme et du Fromage – *Sur la D 119, en direction de Louhossoa. ✆ 05 59 37 63 86 - www.agour.com - juil.-août : lun.-vend. 9h-11h, 14h-17h ; reste de l'année : visites à 10h et 15h - 5 €.* Quel meilleur moyen de mettre en valeur ses produits que d'organiser un musée pour en expliquer la fabrication ? C'est ce qu'a fait cette fromagerie sur son site de production. On peut donc y écouter la voix du berger Joanes expliquer la tradition basque du pastoralisme et y observer la reconstitution d'une *etxe* et d'une bergerie. La visite s'achève par un film sur les procédés actuels de fabrication et une dégustation, accompagnée au choix d'un verre d'Irouléguy ou de cidre. On peut voir les salles d'affinage à travers les vitres.

Prendre la direction d'Herauritz puis la D 119 jusqu'à la base de loisirs du Baigura.

Mont Baygoura/Baigura A2

Petit train – *Au départ de la base de loisirs - rens. et réserv. ✆ 05 59 37 69 05 - juin-sept. : 10h, 11h30 et ttes les heures de 14h à 18h ; hors sais. : 13h30-17h30 - 7 € (enf. 4 €), 4,50 € jusqu'à mi-pente.* Pour monter au Baygoura, rien de plus simple que ce petit train ! VTT et parapentes sont embarqués à l'arrière. L'arrêt à mi-pente se fait à l'entrée d'un **sentier de découverte** jalonné de panneaux d'interprétation, bon compromis pour ceux qui veulent découvrir la nature sans marcher depuis la base de loisirs. Du sommet, vous profiterez par beau temps d'une **superbe vue** ★ sur les villages de Basse-Navarre, la Côte basque et les montagnes pyrénéennes *(table d'orientation).*

Revenir à Herauritz. La D 22 ramène à Irissary, d'où l'on peut rejoindre Ossès par la D 8.

NOS ADRESSES À OSSÈS

HÉBERGEMENT

Bon à savoir – À Hélette, la place du fronton regroupe plusieurs restaurants dont l'auberge Aguerria.

BUDGET MOYEN

Hôtel-Restaurant Mendi-Alde – *Pl. de l'Église - 64780 Ossès - ✆ 05 59 37 71 78 - www.hotel-mendi-alde.fr - fermé 7 déc.-15 janv. - ♿ - P - 15/33 € - 15 ch. 52/69 € - ☕ 7 €.* Ce bel hôtel typique – le seul du village – vous réserve un accueil sympathique. Les chambres offrent un calme olympien et la cuisine regorge de saveurs. Goûtez donc la piperade et le gâteau basque… Ce n'est pas pour rien que tout le monde connaît l'adresse dans la région !

SPORTS ET LOISIRS

Parcours-aventure – *Mendi Gaiak - 64780 St-Martin-d'Arrossa - ✆ 05 59 49 17 64 - www.mendi-gaiak.fr - adultes 19 € (-25 ans 16 €, -9 ans 11 €) - réserv. conseillée - capacité d'accueil jusqu'à 50 pers. - les accompagnateurs fournissent l'équipement et les casques. Comptez 2h15 depuis l'initiation au sol jusqu'à la fin du parcours dans les arbres.* Une trentaine d'ateliers, depuis la tyrolienne jusqu'au pont de singe, ponctuent ce parcours aménagé dans les arbres bordant la Nive des Aldudes.

Ur Bizia Rafting – *Erramondeguya - 64780 Bidarray - ✆ 05 59 37 72 37 - www.ur-bizia.com - 9h-18h30 - 27 € 1h30 de descente en eaux vives sur la Nive - au choix : rafting, canoraft,* *hydrospeed, kayak (-12 ans 14 € : descente en rafting pour les enfants accompagné d'un adulte).* Sports d'eaux vives et d'aventure, toute l'année.

Cocktail Aventure – *64780 Bidarray - ✆ 05 59 37 76 24 - www.cocktail-aventure.com - juil.-août : départs pour les activités d'1h30 (sur réserv.) à 9h30, 13h30 et 16h30 - 25/27 € ; canyoning à la 1/2 j. à 8h30 et 14h - 36 €.* 7 km de descente sur la Nive d'Ossès à Bidarray propices à la pratique des sports d'eaux vives : rafting, miniraft, hot-dog, hydrospeed et canyoning.

Ferme équestre Les Collines – *Chemin derrière l'église - 64780 Ossès - ✆ 05 59 37 75 08 - www.fermelescollines.com - sur réserv.* Si vous avez plus de 10 ans, la ferme équestre Les Collines vous propose de belles randonnées à cheval à travers le Pays basque. Les promenades durent deux heures, une demi-journée ou une journée, les randonnées de 3 à 7 jours.

Base de loisirs du Baigura – *D 117 - 64240 Mendionde - ✆ 05 59 37 69 05 - www.baigura.fr - ouv. de fév. à oct. - initiation au vol en parapente biplace avec moniteur : env. 15mn - 65 € - réserv. 3 j. avt ; VTT : circuit en boucle 26 €, descente 30 € ; « Arapaho » : descente initiation 45mn 25 €, descente sportive 1h30 30 €.* La base de loisirs propose plusieurs activités de plein air, profitant de sa situation idéale au pied du Baygoura. Un petit train *(voir p. 233)* emmène au sommet les stagiaires de l'école de parapente ainsi que les descendeurs en VTT et « Arapaho », trottinette tout terrain qui vous procurera de nouvelles sensations ! Sur la base, aérotrampoline *(5 € pour env. 10mn).* 45 km de sentiers sont balisés aux alentours, dont un sentier éducatif aménagé sur le massif.

AGENDA

Fête-Dieu – *Juin - 64640 Iholdy ou Hélette.* Messe et processions costumées.

Saint-Palais

Donapaleu

1 874 Saint-Palaisins – Pyrénées-Atlantiques (64)

NOS ADRESSES PAGE 411

S'INFORMER

Office du tourisme de St-Palais – *14 pl. Charles-de-Gaulle - 64120 St-Palais - t 05 59 65 71 78 - www.saintpalais-tourisme.com - déb. juil.-fin août : lun.-sam. 9h30-12h30, 14h-18h30, dim. et j. fériés 10h-12h30 ; reste de l'année : tlj sf dim., lun. et j. fériés 9h30-12h30, 14h-18h - fermé j. fériés sf 1er et 8 mai, 14 Juil. et 15 août.*

SE REPÉRER

Carte de microrégion B2 (p. 394-395) – *carte Michelin n° 573 C 26.* En lisière de Soule, cette cité de Basse-Navarre se rallie par la D 933 depuis St-Jean-Pied-de-Port (31 km au sud-ouest) ou par la D 11 depuis Bidache (23 km au nord-ouest).

ORGANISER SON TEMPS

Prévoyez une demi-journée pour découvrir Saint-Palais et ses environs.

AVEC LES ENFANTS

La visite du château de Camou.

Vous voici dans un haut lieu du pèlerinage de Compostelle, l'ancienne capitale du royaume de Basse-Navarre. Sur une terre paisiblement vallonnée, cette bastide du 13e s. vibre toute l'année au rythme de ses traditions : galas de pelote, festival de force basque, courses en sac... sans oublier sa vocation commerciale qui fait d'elle un gros centre agricole de la région. Il s'y tient, tous les vendredis matin sur la place du Foirail, un important marché qu'il serait dommage de rater.

Se promener

Départ devant la mairie, rue Gambetta. Partir à gauche vers l'église et prendre la première venelle qui s'ouvre à gauche.

Rue de la Monnaie

Adorable ruelle bordée de murs où serpentent les glycines. Face aux volets blancs et à la façade d'ardoise de la maison du fond, le temps s'arrête.
Tourner à droite dans la rue du Palais-de-Justice.

Palais de justice

Après avoir servi de siège aux États de Navarre aux 16e et 17e s. ainsi que d'église réformée sous Jeanne d'Albret et Henri IV, l'ancienne église St-Paul est devenue édifice civil sous la Révolution.

Maison des Têtes

Face au tribunal. Ancienne maison noble Derdoy-Oyhenart (16e s.), elle se reconnaît aux cinq médaillons sculptés qui ornent sa façade. Ils caricaturent entre autres les rois de Navarre : Henri II, sa fille Jeanne d'Albret et le fils de

UNE ANCIENNE CAPITALE
Le nom de Saint-Palais viendrait du culte d'un jeune Navarrais, Pelayo (Pélage), martyrisé à Cordoue en 925. Fondée au 13e s. comme ville neuve, la cité a été, à partir de 1512 (et jusqu'en 1620 lorsque Louis XIII intégra le royaume de Navarre à la France), capitale de la Basse-Navarre après que la partie espagnole du royaume eut été rattachée à la Castille. Elle a battu monnaie de 1351 à 1672. Vers elle convergeaient les pèlerins de St-Jacques en provenance du Puy, de Paris, de Tours et de Vézelay. C'est pourquoi la ville s'est développée autour de sa rue principale d'alors, autrefois bordée de remparts et fermée par les péages : l'actuelle rue du Palais-de-Justice.

celle-ci, le futur Henri IV de France. Ceux du diable et de la femme au bandeau ont été rajoutés au 17e s.
Plus loin dans la rue, remarquez la maison en renfoncement, à gauche, dont le linteau affiche la date de 1660. Il s'agit de l'ancienne prison. Elle abrita la sénéchaussée de Navarre entre 1639 et 1790.
Revenir sur ses pas et se diriger vers l'église.

Église
Édifice néogothique du 19e s. au tympan Art nouveau. À l'intérieur, bel orgue de Cavaillé-Coll.
La rue Gambetta ramène à la mairie.

À proximité Carte de microrégion p. 394

★ Garris B2
3 km au nord-ouest par la D 11. Fondée sur la voie romaine de Bordeaux à Astorga, cette très ancienne petite cité est antérieure à Saint-Palais. Elle a forgé sa réputation au Moyen Âge grâce à ses foires, mais a toujours été moins importante que sa voisine, sauf pendant les cinq années durant lesquelles elle a organisé les états généraux de Basse-Navarre (18e s.). Demeurent aujourd'hui de sa prospérité la tradition de ses foires aux bestiaux et surtout un village au charme indéniable.
Arpenter la rue principale de cet adorable village admirablement entretenu revient à faire une promenade dans le temps. Ce n'est qu'une succession de maisons traditionnelles des 17e et 18e s. ! Certaines sont à pans de bois, d'autres en briques ou à encorbellement, la plupart donnant sur des bas-côtés pavés de galets. Les plus anciennes se trouvent à l'opposé de l'église. Remarquez les chevrons en têtes sculptées qui décorent la façade de la maison Sehabla (1641).

Château de Camou B2
5 km au nord par la D 29. ✆ 05 59 65 84 03 - juil.-août : 14h30-18h - 3 € (-12 ans gratuit).
Sur une motte médiévale du 11e s., cette maison forte datée du 16e s. présente, par le biais de petites mises en scène réalisées avec des outils, les travaux et les jeux agricoles d'autrefois. À l'étage, le guide explique, démonstration à l'appui, le mécanisme des inventions de Léonard de Vinci et de Francesco di Giorgio.

NOS ADRESSES À SAINT-PALAIS

HÉBERGEMENT

BUDGET MOYEN

Hôtel de la Paix – *33 r. du Jeu-de-Paume - ✆ 05 59 65 73 15 - fermé 1er-11 juil., 16 déc.-25 janv., dim. soir et sam. sf du 11 juil. au 31 août - 27 ch. 56/61 € - ☕ 7 € - rest. 13/32 €.* Cette jolie façade ornée de briques rouges et de loggias en bois est située sur la place du marché. Les chambres, certaines dotées d'un balcon, ont toutes bénéficié d'une cure de jouvence réussie. Salle à manger rustique prolongée d'une terrasse ombragée. Cuisine traditionnelle.

Chambre d'hôte La Maison d'Arthezenea – *42 r. du Palais-de-Justice - ✆ 05 59 65 85 96 - www.gites64.com/maison-darthezenea - avr.-déc. - P - 4 ch. 70/75 € ☕ - rest. 25 € bc.* Dans un joli jardin, une demeure en pierre où l'on se sent comme chez soi. Les chambres, aux meubles anciens ou de style, se distinguent par leur couleur et leur nom. À la table d'hôte, belles spécialités (foie gras maison, ris d'agneau et palombe flambée en saison).

RESTAURATION

PREMIER PRIX

Hôtel-Restaurant du Midi – *Pl. du Foirail - ✆ 05 59 65 70 64 - www.hotel-restaurant-dumidi.fr - fermé vend. soir et sam., vac. de Toussaint - 12/30 € - 12 ch. 50/54 € - ☕ 7 €.* Une adresse toute simple, fréquentée par les gens du coin et les pèlerins. Selon la saison vous attendent palombes flambées au capucin *(de mi-oct. à mi-nov.)*, ris d'agneau aux cèpes, anguilles persillade ou assiettes du terroir. Aux beaux jours, vous apprécierez la jolie terrasse couverte. Marché sur la place le vend. matin.

BUDGET MOYEN

Le Trinquet – *31 r. du Jeu-de-Paume - ✆ 05 59 65 73 13 - www.le-trinquet-saint-palais.com - fermé 13 avr.-4 mai et 18 sept.-6 oct., dim. soir d'oct. à avr. et lun. - formule déj. 12,50 € - 21/42 € - 9 ch. 58/77 € - ☕ 7 €.* Sur la place centrale, cette maison, qui sort d'une cure de jouvence, est dotée d'un authentique trinquet (salle de pelote basque) de 1891. Carte régionale servie dans un décor actuel. Chambres refaites au goût du jour.

ACHATS

Ona Tiss – *23 r. de la Bidouze - ✆ 05 59 65 71 84 - onatiss@wanadoo.fr - lun.-jeu. 9h-12h, 14h-17h, vend.-sam. en sais.* Attention, vous pénétrez ici dans le dernier atelier de tissage traditionnel et artisanal du Pays basque. Créé en 1948, il fabriquait à l'origine la toile des espadrilles. La visite, gratuite, raconte l'histoire du linge basque. On y apprend que chaque rayure représente une des sept provinces de l'Euskadi.

SPORTS ET LOISIRS

Sentier des contrebandiers – *www.rando64.fr.* Ce parcours équestre et VTT relie St-Palais à Hendaye par St-Jean-Pied-de-Port, Sare et les crêtes. Itinéraire sportif que les cavaliers mettront 10 jours à parcourir ; les vététistes le couvriront en 6 jours.

AGENDA

Fêtes de la Madeleine – *Juil.* Code de couleurs : bleu et blanc !

Festival de force basque – *3e dim. d'août - ✆ 05 59 65 95 77.*

Foire de Garris – *31 juil.-1er août - 64120 Garris.* Foire agricole.

Les chemins de Saint-Jacques

★★★

Pyrénées-Atlantiques (64)

NOS ADRESSES PAGE 417

S'INFORMER

Office du tourisme de St-Jean-Pied-de-Port – *14 pl. Charles-de-Gaulle - 64220 St-Jean-Pied-de-Port - t 05 59 37 03 57 - www.pyrenees-basques.com - juil.-août : lun.-sam. 9h-19h, dim. 10h-13h, 14h-17h ; reste de l'année : lun.-sam. 9h-12h, 14h-18h - fermé j. fériés.*

Accueil St-Jacques – *39 r. de la Citadelle - 64220 St-Jean-Pied-de-Port - t 05 59 37 05 09 - www.aucoeurduchemin.org - mars-nov. : 7h30-22h30.*

SE REPÉRER

Carte de microrégion A3 (p. 394-395) – *carte Michelin n° 573 C 25.* L'itinéraire relie St-Palais à St-Jean-Pied-de-Port par la D 933 (chemin de Vézelay). Une boucle qui emprunte cette même départementale est effectuée sur les hauteurs de St-Jean.

À NE PAS MANQUER

La chapelle d'Harambels et la route des Ports de Cize.

Avancer sur les traces de ces milliers de pèlerins qui, depuis le 12e s., poussés par la foi ou le désir d'aventure, gravissent les Pyrénées pour rejoindre Saint-Jacques-de-Compostelle est un voyage qui ne peut laisser indifférent. Chapelles perdues au milieu des champs, villages fortifiés et paysages à couper le souffle vous attendent le long des chemins. Que vous soyez croyant ou non, laissez-vous porter par la dimension mystique qui, de villages en montagnes, enveloppe chacune des étapes.

Circuit conseillé Carte de microrégion p. 394

★★★ LE LONG DES CHEMINS DE COMPOSTELLE

Pour visualiser ce circuit de 65 km au départ de Saint-Palais, se reporter à la carte p. 394-395. Compter une journée.

Saint-Palais B2

Voir p. 409.

Quitter St-Palais par la D 933 en direction de St-Jean-Pied-de-Port.

Stèle de Gibraltar B2

À l'entrée d'Uhart-Mixe, prendre à droite la D 302 qui marque un angle aigu. Laissez la voiture à un carrefour de chemins pour prendre le premier à droite.

À flanc du mont St-Sauveur, ce monument (1964), surmonté d'une stèle discoïdale, marque le point de convergence de trois des principaux chemins de Compostelle.

La stèle se trouve sur une petite boucle de randonnée dont le départ se prend à Uhart-Mixe, après le « château » qui longe la rivière, au-delà du petit pont de l'église, à gauche *(10 km - 3h30).*

Route du col de Bentarte, sur le chemin de Saint-Jacques.
M. Dozier / hemis.fr

Poursuivre en voiture le chemin qui monte depuis la stèle et tourner à droite vers le mont St-Sauveur. Laisser la voiture à la statue de la Vierge et poursuivre à pied sur le chemin. Vous avez alors une belle vue sur les monts blancs des Pyrénées au sud (massif du Pic-d'Anie et pic du Midi d'Ossau) et la campagne de la vallée de la Bidouze au nord.

Revenir à Uhart-Mixe et suivre la D 933, puis à droite une petite voie.

Harambels/Haranbeltz B2

Quartier Harambels - ✆ 05 59 37 85 29 ou 06 89 84 93 14 - www.lesamisdharanbeltz.fr - de Pâques à mi-oct. : 14h-18h ; fermé w.-end - 2 €. À partir de la fin du 10e s., le pèlerinage de St-Jacques-de-Compostelle attire de plus en plus de voyageurs. Ils demandent asile dans les villages traversés. Les hôpitaux, financés par les seigneurs locaux, se multiplient le long du chemin. À Harambels, les paysans s'organisent en une communauté de donats qui se consacre à l'accueil des pèlerins et des pauvres. La réputation du village va grandissante. La voie empruntée par les pèlerins passe alors sous le porche de la **chapelle St-Nicolas★** (fin 12e s.-déb. 13e s.). Sous celui-ci (pavage et arche du 17e s.), la porte à droite, très ancienne avec ses serrures et clous forgés, menait à l'hôpital aujourd'hui disparu. Arrêtez-vous un instant à l'entrée de la chapelle. Le tympan porte un **chrisme** de l'époque de construction de l'église ; vous y verrez les lettres grecques du nom du Christ, ainsi que l'alpha et l'oméga, symboles d'éternité. Il fait partie des chrismes très anciens les mieux conservés ; saluons le travail des artisans qui ont dû le recomposer car, fragilisé par le poids du clocher, il est tombé en 17 morceaux au moment des travaux de rénovation de la chapelle ! Au-dessus est sculptée une croix de Malte. Notez le visage taillé dans la pierre du montant latéral gauche : il s'agit sans doute d'un bloc provenant d'un temple païen réutilisé pour la chapelle.

L'intérieur de l'édifice est fascinant par ses **peintures en trompe l'œil** (briques de la voûte, faux marbre) et par son **retable★★** aux colonnes torsadées (1736). Saint Nicolas y est représenté sur le bas-relief principal, dans son habit d'évêque, devant le saloir d'où s'échappent les trois enfants sauvés. Il est surmonté d'une colombe et d'un Christ en croix. La Trinité est complétée par Dieu le Père peint au plafond, encadré par la Lune et le Soleil. Parmi les saints représentés sur les **fresques sur bois**, remarquez saint Roch, pèlerin du 13e s. Le bas-relief de la Vierge date du début du 18e s. mais a été réalisé à la manière du 12e s.

Au-dessus du hameau, le sentier (GR 65) mène à la **chapelle de Soyarce** (19e s.) *(3 km AR - 45mn)*. Table d'orientation et jolie vue sur les Pyrénées.

Retourner sur la D 933 et prendre la direction d'Ostabat.

Ostabat-Asme/Oztibarre B2

Ostabat était autrefois une importante étape sur la route de St-Jacques : porte d'entrée de la Navarre, trois voies y convergeaient, venant de Tours, de Vézelay et du Puy-en-Velay. Au 12e s., on érigea là une bastide ; la partie basse accueillait les pèlerins pauvres et les malades, la partie haute, du fait de son droit d'entrée, était réservée aux marchands et pèlerins aisés. Prospère, la ville obtint en 1381 le droit d'organiser un marché ; des notaires s'installèrent et les hôtels se multiplièrent dans la ville haute. Mais son déclin commença lorsque les itinéraires des pèlerins se décalèrent vers la côte. Aujourd'hui, le village ne conserve de ses auberges et de ses deux hôpitaux que le souvenir. Quelques vestiges des remparts détruits en 1228 sont visibles près de la maison Portalia.

Un sentier de randonnée (GR 65) part de l'église, descend la rue principale (escalier à droite de la maison) et tourne ensuite à gauche, hors du village. Il mène à la chapelle d'Harambels à travers la forêt communale *(6 km - 1h AR - le chemin peut se révéler boueux après la pluie).*

Longer le versant par la D 508 qui monte vers le col d'Iparlatze (325 m).

À votre gauche, en contrebas, vous pouvez admirer le **château Laxague**, château fort avec ses hautes murailles et son imposante tour d'entrée à la porte en arc brisé. L'ancienne demeure de Pees de Latsaga, chambellan du roi de Navarre, mort en 1394, est aujourd'hui une ferme en activité *(ne se visite pas).*

Depuis le haut du village, un sentier balisé en jaune vous permet de faire une agréable promenade pour découvrir de près le château *(circuit d'1h).*

L'arrivée au col d'Iparlatze dévoile une belle vue sur les collines et la vallée de la Joyeuse. *Faites demi-tour au col pour revenir sur la D 933.*

Si l'on souhaite s'éloigner des chemins de St-Jacques, la route qui continue depuis le col pour aller à St-Jean-Pied-de-Port par le col des Palombières (D 518) et Jaxu (D 22) est un itinéraire agréable avec de beaux paysages.

Larceveau/Larzabale B3

Centre d'interprétation des stèles discoïdales et de l'art funéraire basque – *05 59 37 81 92 - 9h-19h - gratuit - demander la carte magnétique permettant l'accès aux commerces et restaurants voisins.* L'association Lauburu, qui travaille depuis 1972 à sauver le patrimoine lapidaire basque, expose ici, dans une ambiance de jardin zen, une belle collection de stèles, la plupart du 17e s. L'exposition et les 12 vidéos très pédagogiques proposées visent à expliquer la symbolique des stèles, l'organisation des rites funéraires et la place de la mort dans la société basque ; un pan de la culture basque à la fois intime et très présent dans le paysage, dont on peut ainsi mieux comprendre la dimension spirituelle.

Reprendre la D 933 vers St-Jean-Pied-de-Port.

À la croix de Galtzetaburu (18e s.), à 4 km, on croise le chemin des pèlerins. *Poursuivre sur 9 km, un panneau à gauche vous indique La Madeleine.*

Le renouveau des chemins de Saint-Jacques

UN NOUVEL ENGOUEMENT

Au 21e s., les nouveaux pèlerins de Compostelle prennent la route pour toutes sortes de raisons : démarche mystique, besoin de faire le point, simple désir de randonnée. Leurs motivations pour ce voyage sont diverses, mais toutes constituent une expérience personnelle forte. Ce n'est pas un hasard si depuis 1998 les tronçons français figurent au Patrimoine mondial de l'humanité et que le Comité régional du tourisme d'Aquitaine estime le nombre de personnes ayant marché sur ces chemins en 2003 entre 32 000 et 37 000. Autre signe qui ne trompe pas : de nouveaux gîtes ouvrent chaque année le long du chemin français, rendant vie à des villages navarrais autrefois désertés.

PÈLERINAGE PRATIQUE

Préparez-vous physiquement et pensez à voyager léger. Limitez votre bagage au strict nécessaire : affaires de toilette, pharmacie, habillement adapté à la saison, poncho imperméable, chaussettes, chaussures de marche, gamelle et gobelet, duvet, carte internationale de téléphone. Soyez prévoyant et renseignez-vous auprès de votre assurance. Demandez aussi la carte européenne d'assurance maladie pour d'éventuels frais médicaux en Espagne. Outre sa carte d'identité (s'il est ressortissant de l'espace Schengen), le vrai pèlerin doit aussi se munir d'un carnet appelé « créanciale » lorsqu'il est délivré par l'évêché (le sien ou celui du lieu de départ), ou « credencial » lorsqu'il est émis par une association laïque. Ce carnet fait office de passeport (sauf pour la frontière !), chaque étape du chemin étant tamponnée par une instance civile ou religieuse. Il permet parfois d'avoir des réductions sur l'entrée de certains musées ou monuments, mais il est surtout indispensable, côté espagnol, pour accéder aux gîtes. Enfin, c'est sur sa présentation que sera délivrée la **compostela** à St-Jacques.

ITINÉRAIRES CÔTÉ FRANÇAIS

Autrefois, un réseau très complet d'**hospices** gérés par des **donats** facilitait le voyage et assurait l'hébergement et le bien-être spirituel des pèlerins. Plutôt laïcs (même s'ils avaient prononcé des vœux) et dirigés par un prieur, les donats assuraient la logistique du pèlerinage auprès des marcheurs en faisant fonctionner les « hôpitaux », sortes de chambres d'hôte qui assuraient aux marcheurs le gîte et le couvert.

Actuellement, il s'agit de gîtes d'étape. Moins nombreux, ils jalonnent les itinéraires qui convergent en Basse-Navarre, à Ostabat, avant d'atteindre St-Jean-Pied-de-Port. Aujourd'hui encore, les pèlerins gagnent Roncevaux par la route des hauteurs. Auparavant, chacun portait une croix de feuillage pour la planter près de la « Croix de Charles », au col d'Ibañeta. Certains le font toujours. Mais la cloche de l'ermitage voisin ne sonne plus par temps de brouillard ni la nuit afin de rallier les égarés…

▶ « Organiser son voyage », p. 17.
▶ Les pélerins de St-Jacques, p. 77

La Madeleine B3

L'église Ste-Madeleine-de-Beigbeder (Betbeder), joli bâtiment à vaisseau unique en pierre rose, fut construite au début du 13e s. Elle relevait de l'abbaye de Lahonce. Croix navarraise près du parking. De l'autre côté du ruisseau Laurhibar, le moulin Peko Eihera, du 13e s. lui aussi (1249), a été entièrement rénové - *visite sur rdv - M. Lacroix - ✆ 05 59 37 06 72.*

Par la D 933, on arrive à St-Jean-Pied-de-Port, étape importante avant l'ascension des Pyrénées.

St-Jean-Pied-de-Port A3

Voir p. 418.

★★Route des Ports de Cize A4

Itinéraire à n'emprunter que par beau temps : mieux vaut renoncer à faire l'ascension s'il y a du brouillard. Comme les pèlerins, quitter St-Jean-Pied-de-Port par la porte d'Espagne et emprunter la route de Napoléon (D 428). La route doit son nom aux vestiges de redoutes qu'elle longe. Elle monte raide dans sa première partie et découvre rapidement les superbes **paysages** de la vallée de la Nive de Béhérobie. Après le deuxième virage en épingle à cheveux, là où le sentier rejoint de nouveau la route, une table d'orientation sur la gauche permet de se repérer. *Attention ! Abasourdis par le vent et concentrés sur leur marche, les pèlerins n'entendent pas les voitures arriver ; roulez prudemment et respectez leur effort.*

La route passe à droite du pic d'Orisson (1 064 m) et de l'Itchachéguy (1 161 m). On atteint alors la **Vierge de Biakorri** (dite d'Orisson), surplombant le versant.

Revenir sur ses pas et prendre la route qui se détache vers l'ouest. À gauche, sur le mont, la redoute de **Château-Pignon** n'est plus que ruines. Construite en 1512 par Ferdinand d'Aragon, elle servit à de nombreuses batailles (1521, 1793, 1813).

Peu après, laisser les pèlerins traverser la frontière au col (port) dit « passage de Cize » et prendre à droite (D 128).

Au col d'Héganzo, si l'on prend à droite puis à gauche, on peut redescendre par une route d'estive jusqu'à Arnéguy, avec une belle vue sur la vallée. Tout droit, la D 128 permet de suivre au plus près le défilé du Valcarlos ; elle est plus longue et comporte de nombreux virages, mais elle passe à travers de beaux paysages.

Défilé du Valcarlos A4

Continuer sur la D 128. À Ondarolle, vous avez rejoint l'itinéraire de pèlerinage du Valcarlos, obligatoire par mauvais temps. Le chemin suit la D 128 jusqu'à Arnéguy. *De là, la D 933 ramène à St-Jean-Pied-de-Port en longeant la Nive d'Arnéguy.*

NOS ADRESSES SUR LES CHEMINS

Voir aussi nos adresses à St-Jean-Pied-de-Port, p. 422.

HÉBERGEMENT

PREMIER PRIX

Les adresses que nous indiquons ici sont destinés à l'accueil des pélerins sur les chemins de St-Jacques : on y gagne bien souvent en convivialité ce qu'on perd en confort !

L'Esprit du chemin – *40 rue de la Citadelle - 64220 St-Jean-Pied-de-Port - 05 59 37 24 68 - www.espritduchemin.org - ouv. 1er avril-fin sept. - 18 lits 8 € - 3 €.* Ce gîte « de, par et pour » les pélerins, entièrement tenu par des bénévoles offre une immersion totale dans l'univers de Compostelle. Hospitalité généreuse, esprit de service et melting pot international sont au rendez-vous. Les randonneurs qui suivent d'autres parcours (comme le GR10) sont aussi les bienvenus. Dans l'esprit du pélerinage, un repas simple (9 €) est servi à ceux qui s'arrêtent pour la nuit.

Refuge Orisson – *64220 Uhart-Cize - t 05 59 49 13 03 - www.refuge-orisson.com - ouv. mars-oct. - 18 lits - 31 € en demi-pension.* Cet ancien *kaiolar* (bergerie) a plus d'un atout : trois chambres meublées de 6 lits superposées, une vue panoramique et une table bien achalandée : rustique mais satisfaisant au terme d'une journée de marche ! Réservation conseillée.

POUR SE FAIRE PLAISIR

Chambre d'hôte Oyhanartia – *64120 Larceveau - 05 59 37 88 16 - 6 ch. 69/74 € - table d'hôte 28 €.* Elle était professeur de français, il était exploitant de jeux de bistrot. Ils ont changé de vie, pour s'installer à Larceveau, au cœur des paysages verdoyants du Pays basque intérieur et restaurer une vieille ferme navarraise. Celle-ci s'est transformée en agréable maison d'hôte, halte idéale sur le chemin de St-Jacque ou point d'ancrage pour découvrir la région. Atmosphère détendue et repos garanti, dans le salon-bibliothèque, abondamment pourvu ou sur la terrasse, à l'ombre des platanes… Sur l'immense table en noyer de la salle à manger, Chantal sert une cuisine savoureuse, à base de produits du pays : un régal !

Saint-Jean-Pied-de-Port

★

Donibane-Garazi

1 513 Saint-Jeannais - Pyrénées Atlantiques (64)

NOS ADRESSES PAGE 422

S'INFORMER

Office du tourisme communautaire de St-Jean-Pied-de-Port-Baïgorri – *14 pl. Charles-de-Gaulle - 64220 St-Jean-Pied-de-Port - 05 59 37 03 57 - www.pyrenees-basques.com - juil.-août : lun.-sam. 9h-19h, dim. 10h-13h, 14h-17h ; reste de l'année : lun.-sam. 9h-12h, 14h-18h - fermé j. fériés.*

Visites guidées – S'adresser à l'office de tourisme : découverte de la citadelle, des monuments et des rues de la vieille ville *- juil.-août - 4,50 € (-12 ans 1,50 €) ; visite nocturne le merc. - 7 € (enf. 2,50 €).*

Train touristique – *05 59 37 00 92 - fermé du 1er nov. à Pâques - 5 € (-12 ans 2,50 €, -7 ans gratuit) - départ toutes les heures face à l'hôtel de ville.* Le petit train touristique de St-Jean-Pied-de-Port est un bon moyen de découvrir la maison dite « Mansart », la Nive, les murailles, le pont romain, les rues anciennes et la citadelle.

SE REPÉRER

Carte de microrégion A3 (p. 394-395) – *carte Michelin n° 524 C 26.* St-Jean-Pied-de-Port se trouve à 34 km au sud-est de Cambo-les-Bains, soit à 53 km de Bayonne et 61 km de St-Jean-de-Luz. La ville se situe également à 31 km au sud-ouest de St-Palais et à 8 km de la frontière espagnole.

SE GARER

Laissez la voiture près de la porte de France ; suivez les remparts et prenez l'escalier pour gagner la porte St-Jacques par laquelle les pèlerins pénétraient dans la ville.

À NE PAS MANQUER

La vieille ville, les chapelles d'Alciette et Bascassan, une promenade à la nuit tombée dans la rue de la Citadelle, quand tout est calme.

ORGANISER SON TEMPS

La découverte de la ville en elle-même ne prend qu'une demi-journée, mais les possibilités d'excursions aux alentours sont quasiment illimitées.

Dans un superbe cadre de montagnes, posée comme son nom l'indique au pied du port de Roncevaux, voici la dernière étape française des pèlerins de Compostelle. Modelée par une histoire militaire agitée dont témoignent ses remparts et sa citadelle, l'ancienne capitale de Basse-Navarre est aujourd'hui une cité aussi agréable que tranquille. Les maisons de grès rose se dorent paresseusement au soleil et seules viennent les envahir, aux beaux jours, des armées pacifiques de touristes... et, toujours, de pèlerins.

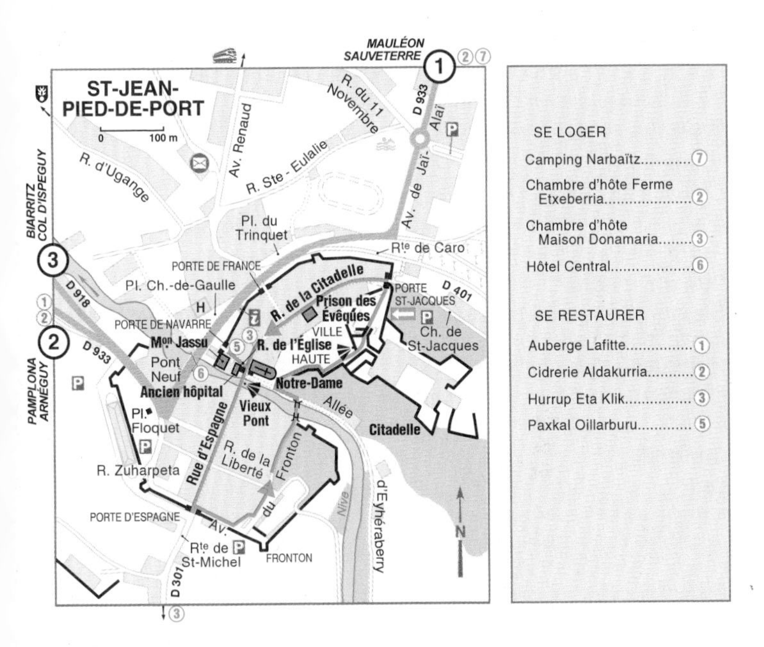

Se promener Plan ci-dessus

★ SUR LES PAS DES JACQUETS

Accès par la porte St-Jacques.

Porte St-Jacques

Inscrite au Patrimoine de l'Unesco, cette porte du rempart médiéval était celle par laquelle les pèlerins entraient dans la ville. Elle était alors dotée d'un péage…
Récemment aménagé, le chemin de ronde relie la porte St-Jacques et la porte de Navarre pour une agréable balade sur les remparts.

★ Rue de la Citadelle

Dans le prolongement. En descente vers la Nive, elle est très fréquentée tant par les touristes que par les pèlerins. Elle est bordée de maisons des 16e (remarquez au n° 32 la maison Arcanzola de 1510) et 17e s. avec de beaux portails arrondis et linteaux droits sculptés. Au n° 41, la **prison des Évêques** (sans doute un ancien entrepôt, utilisé comme prison du 18e au 19e s., où jamais nul évêque ne fut enfermé) abrite une exposition évoquant les chemins de St-Jacques au Moyen Âge. *41 r. de la Citadelle - t 05 59 37 00 92 - juil.-août : tlj 11h-13h, 14h30-19h30 ; 1er avril-30 juin et sept.-oct. : tlj sf mar. 11h-12h30, 14h30-18h30 - 3 € (-10 ans gratuit).*

Rue de l'Église

Elle mène à la porte de Navarre. Vous y verrez l'**ancien hôpital** transformé en librairie et la **maison Jassu**, qui fut celle des ancêtres paternels de saint François Xavier (1506-1552).

Église N.-D.-du-Bout-du-Pont

Gothique, elle présente de beaux piliers de grès rouge (18e s.). Sa fondation remonterait à Sanche le Fort, victorieux des Maures à Las Navas de Tolosa (1212). Sous le clocher s'ouvre la **porte Notre-Dame**.

Passer sous cette porte et franchir la Nive.

Vieux Pont

Belle vue sur l'église et les vieilles maisons au bord de l'eau.

Le chemin qui remonte la Nive, sur la rive droite, mène au pont d'Eyheraberry *(10mn AR)*.

Rue d'Espagne

Elle monte vers la porte d'Espagne, par où les pèlerins quittaient la ville en direction de Roncevaux. La rue est restée commerçante, fidèle au temps où les **jacquets** l'empruntaient.

Prendre à gauche l'avenue du Fronton. Retraverser la Nive et prendre les escaliers derrière l'église pour monter à la citadelle.

Citadelle

Cette citadelle, bâtie en 1627, fut ensuite consolidée par Vauban. Du bastion formant un belvédère face à l'entrée du fort, vous pouvez voir tout le bassin de St-Jean et ses agréables villages *(table d'orientation)*.

Circuit conseillé Carte de microrégion p. 394

LE LONG DU LAURHIBAR

Pour visualiser ce circuit au départ de St-Jean-Pied-de-Port, se reporter à la carte p. 394-395. Compter 1h30.

Quitter St-Jean-Pied-de-Port par la D 933 en direction de St-Palais puis obliquer à droite sur la D 18.

St-Jean-le-Vieux/Donazaharre

Jusqu'à la fondation de St-Jean-Pied-de-Port, qui entraîna son déclin, c'était le principal centre urbain de la région et une halte importante pour les pèlerins, qui y trouvaient six églises ou chapelles. Aux alentours du village ont été retrouvées des traces de l'occupation romaine, le site d'un oppidum près de la rivière, dont les résultats des fouilles sont exposés au petit **Musée archéologique**.

Après 50 m dans le village en venant de St-Jean, tourner à droite. ✆ 05 59 37 91 08 (visite sans animation) ou 05 59 37 39 98 (visite avec animation) - www.placesfortes.64.fr - ♿ - déb. juillet-fin août, visite commentée sans animation (1h30), lun.-vend. 16h - 2 € (-7 ans gratuit) ; de mi-juillet à mi-août, visite commentée avec animation (2h), mar. et jeu. 10h et 16h - 3,50 € (-16 ans 2,50 €).

Quitter le village par la D 18 en direction de Mendive. Après 1,5 km, tourner à droite et prendre la D 118.

Aincille/Ahintzila

L'église, d'extérieur sobre, conserve un chœur de style baroque (18e s.) ainsi qu'une jolie Vierge ancienne du 14e s.

Revenir sur la D 18 et, après environ 2 km, prendre à droite vers Bascassan.

Bascassan/Bazkazane

La petite **église St-André**, romane, en haut du hameau, présente des fresques naïves qui ont été récemment restaurées. Plafond étoilé, retable du 16e ou 17e s. et baptistère peint : ses thèmes se retrouvent dans sa chapelle jumelle à Alciette.

SUR LE CHEMIN DE ST-JACQUES

Au Moyen Âge, St-Jean-Pied-de-Port, dernière étape avant l'Espagne, est un grand centre de regroupement de jacquets venus de tous les coins d'Europe. Dès qu'un cortège est signalé, la ville est en émoi : les cloches sonnent, les prêtres récitent des prières ; les enfants escortent les pèlerins vêtus du manteau gris, le bourdon à la main ; les habitants, sur le pas de leur porte, tendent des provisions. Le cortège s'éloigne en chantant des répons. Ceux qui sont trop las font halte rue de la Citadelle, où le monastère de Roncevaux leur a ménagé un abri.

UNE CITÉ DISPUTÉE

Ville neuve créée au 12e s. au confluent des trois Nive (la Nive d'Arnéguy, de Béhorléguy et le Laurhibar), St-Jean entre dans l'histoire en 1512 lorsque Ferdinand le Catholique, roi de Castille et d'Aragon, chasse le roi de Navarre, Jean d'Albret, au-delà des Pyrénées. Poursuivant leur avantage, les troupes espagnoles s'emparent de la ville en août 1512. Dès lors, la place forte sera l'objet de sièges perpétuels, Navarrais et Espagnols s'y succédant jusqu'en 1530. À cette date, Charles Quint, devenu roi de Castille et de León, l'estimant trop difficile à défendre, l'abandonne aux Albret et reconnaît du même coup l'indépendance de la Basse-Navarre.

Revenir sur la D 18 et rouler en direction de Mendive. Dépasser l'intersection menant à gauche sur Ahaxe, et prendre la suivante sur la gauche (ne manquez pas le panneau !).

Alciette/Alzieta

Église St-Sauveur – Cette chapelle de campagne recèle de surprenantes **fresques**a touchantes de naïveté et peintes à même le bois, qui demanderaient à leur tour une restauration. Notez le baptistère caché derrière des panneaux de bois dont les vantaux du haut représentent le baptême du Christ. *Demander la clé de la chapelle à la ferme Bidart, dans le hameau en contrebas. Pour y accéder : au carrefour central du hameau, prendre la voie de droite qui fait une courbe.*
Retourner sur la D 18 et rouler vers Mendive. Dans le village, prendre à gauche de l'église pour suivre la D 117.

Béhorléguy/Behorlegi

Pittoresque petit village accroché à flanc de colline, gardé par son église qu'entoure le cimetière (alignement de croix basques).
On peut poursuivre au-delà de Mendive : en continuant le long de la D 18, gagner la forêt d'Iraty (voir p. 432). En empruntant la D 417 à gauche, on peut partir à la découverte de la forêt des Arbailles (voir p. 444).

NOS ADRESSES À ST-JEAN-PIED-DE-PORT

HÉBERGEMENT

PREMIER PRIX

Camping Narbaïtz – *Quartier l'Ascarat - 64220 Ascarat - 2,5 km au nord-ouest par D 918 et chemin à gauche, à 50 m de la Nive et au bord d'un ruisseau - ✆ 05 59 37 10 13 - www.camping-narbaïtz.com - de déb. mai à mi-sept. - ♿ - 🅿 - réserv. conseillée - 133 empl. 30 € - 12 ▭ - 3 - sem. 290/1 050 €.* Face au vignoble d'Irouléguy, ce camping se tourne résolument vers la nature avec, en location, des gîtes de construction écologique ouverts toute l'année, décorés soigneusement et offrant un réel confort. À cela s'ajoutent tentes ou caravanes ainsi que des mobile homes pour une nuit ou une semaine. Enfin, pour les plus jeunes, un club enfants et, pour la détente, une agréable piscine.

BUDGET MOYEN

Chambre d'hôte Ferme Etxeberria – *Domaine Mourguy - 64220 Ispoure - ✆ 05 59 37 06 23 - www.domainemourguy.com - fermé déc.-janv. - 🅿 - ⊭ - 4 ch. 53/55 € ☕.* Dormez dans l'ancienne grange de cette ferme face à la campagne, à deux pas de St-Jean-Pied-de-Port. Chambres sobres, pas très grandes mais avec une mezzanine, idéale pour les enfants. Belle véranda pour un petit-déjeuner face aux vignobles d'Irouléguy. Balades en famille inoubliables à dos d'âne et prêt de vélos. Visite du chai, dégustation et vente du vin de la propriété.

Hôtel Central – *Pl. Ch.-de-Gaulle - ✆ 05 59 37 00 22 - fermé déc.-fév. et mar. de mars à juin - 12 ch. 62/73 € - ☕ 9 € - rest. 21/46 €.* Vraiment central, cet hôtel situé à deux pas de la citadelle. Escalier bicentenaire en bois ciré desservant de grandes chambres ancrées dans la tradition. Préférez celles donnant sur la rivière, très agréables. Plats régionaux servis dans la salle à manger-véranda ou sur la toute petite terrasse au bord de la Nive.

Chambre d'hôte Maison Donamaria – *1 chemin d'Olhonce - ✆ 05 59 37 02 32 - http://www.donamaria.fr/ - ⊭ - 5 ch. 65 € ☕.* Le temps semble s'être arrêté dans cette grande demeure du 18e s. Ses chambres, véritablement coquettes, ouvrent leurs fenêtres sur la Nive, la petite cascade, le pont romain et le parc boisé. Le petit-déjeuner se prend sur la terrasse en surplomb de la rivière ou dans le salon près de la cheminée. Un pur bonheur !

RESTAURATION

PREMIER PRIX

Paxkal Oillarburu – *8 r. de l'Église - ✆ 05 59 37 06 44 - fermé 1 sem. en janv. et mar. sf juil.-août - réserv. conseillée - 14/23 €.* Posé contre les remparts, ce restaurant joue le répertoire régional : garbure, ris d'agneau au chorizo et poivrons, truitelles d'Iraty au beurre aillé, anguilles en persillade et bien d'autres spécialités du terroir tout au long de l'année.

Hurrup Eta Klik – *3 bis r. de la Citadelle - ✆ 05 59 37 09 18 - fermé merc. sf juin-oct. - 13/26 €.* Cidrerie moderne sans tonneaux, ce restaurant propose une cuisine locale simple mais bien menée. Vous pourrez choisir entre la salle aux murs de pierre et décoration en bois foncé et la petite terrasse dans la cour, surplombée par le chemin de ronde des remparts.

BUDGET MOYEN

Auberge Lafitte – *Au bourg - 64430 Urepel - ✆ 05 59 37 58 58 - fermé 20 nov.-15 mars et le lun. - ouv. uniquement à midi - ♿ -*

🅿 - *18 € - réserv. conseillée.* Cette auberge sans prétention, dotée d'une terrasse bordant la source Itarri-Aundi, conjugue avec brio simplicité, convivialité et goûteuse cuisine « de grand-mère ». Dans l'assiette, produits frais locaux accommodés sans façon (truitelles meunières, cuisse de canard confite).

Cidrerie Aldakurria – *64220 Lasse - ✆ 05 59 37 13 13 - www.cidrerie-aldakurria.com - fermé 15 déc.-20 janv., dim. soir et lun. sf juil.-août - ♿ - 🅿 - 20/30 € - 5 ch. 45/50 € - ☕ 6 €.* À la mode espagnole, cette cidrerie propose omelette de morue, côte de bœuf ou gigot d'agneau *a la plancha*, avec cidre à volonté. Le cadre est soigné dans cette maison au milieu des champs : poutres et murs crépis, grandes tables et bancs de bois. Chambres d'hôte confortables (avec terrasse).

ACHATS

Marché – *Pl. Ch.-De-Gaulle - le lundi (ou mar. si lundi est férié).*

Étienne Brana – *Distillerie : 3 bis av. du Jaï-Alaï ; cave : 6 r. de l'Église - ✆ 05 59 37 00 44 - www.brana.fr - tlj sf w.-end 8h30-12h, 14h-18h - fermé 2e quinz. de janv. - visite de la distillerie : juil.-août : lun. et vend. à 14h30 et 16h - visite du vignoble et des chais à Ispoure : de juil. à mi-sept. : 10h-12h, 14h30-18h30 - 9 €.* Au fil de la visite des chais, l'étendue de la gamme d'eaux-de-vie produites par ce domaine au charme indéniable se dévoile : connus et réputés sur tout le territoire français, le marc d'Irouléguy, l'eau-de-vie de poire williams et le *txapa* à base de vin blanc, cerises et épices n'ont plus besoin de faire leurs preuves.

Poterie navarraise – *36 r. d'Espagne - ✆ 05 59 37 34 46 - tlj hors sais. 9h-19h - fermé 1 sem. en fév. et 5 déc.-2 janv.* Sitôt franchi le seuil, des rayonnages remplis d'objets, plats et autres ustensiles en terre cuite s'offrent à votre regard. L'atelier de poterie se trouve dans l'arrière-boutique. Olivier Carriquiry y façonne devant le public et cuit à 1 300 °C ses pièces selon les gestes transmis par son père ; les objets sont émaillés à la cendre de bois.

Charcuterie et séchoirs Mayté – *Le Bourg - 64220 St-Jean-le-Vieux - ✆ 05 59 37 10 02 - www.charcuterie-mayte.fr - visite des séchoirs à jambon : juil.-août : tlj sf dim. 10h-11h30, 14h15-17h45 (17h le sam.) ; avr.-juin et sept.-oct. : lun.-vend. 10h-11h30, 14h-17h ; boutique : lun.-vend. 8h-12h30, 14h-19h15, sam. 8h-12h30, 14h10-19h - fermé le dim.* Depuis 1884, la famille Mayté excelle dans l'art de la salaison et des cochonnailles. Vous pourrez visiter les séchoirs et remplir votre panier de bonnes charcuteries (jambons, saucissons, pâtés, terrines, etc.).

SPORTS ET LOISIRS

Syndicat Mendi Gaiak - bureau des accompagnateurs du Pays basque – *Errobi Baztera - 64780 St-Martin-d'Arrossa - ✆ 05 59 49 17 64 - www.mendi-gaiak.fr - juil.-août : 10h-18h ; tte l'année pour les groupes (min. 12 pers.) sur rdv - tarif à définir selon l'activité choisie : 11 à 55 €.* Organisation et accompagnement, par des guides diplômés, de randonnées pédestres, escalade, canyoning, activités sportives de montagne, VTT, etc.

Cycles de Navarre – *Pl. des Remparts - ✆ 05 47 86 90 13 - fermé sam. apr.-midi et dim. - 7 € la demi-journée et 15 € la journée.* Location de vélos.

Saint-Étienne-de-Baïgorry

★

Baigorri

1 602 Baigorriars – Pyrénées Atlantiques (64)

NOS ADRESSES PAGE 426

S'INFORMER

Office du tourisme communautaire de St-Jean-Pied-de-Port-Baïgorri – *Elizondonea, pl. de l'Église - 64430 St-Étienne-de-Baïgorry - 05 59 37 47 28 - www.pyrenees.basques.com - juil.-août : lun.-sam. 9h-19h, dim. 10h-13h, 14h-17h ; reste de l'année : lun.-sam. 9h-12h, 14h-18h - fermé j. fériés.*

SE REPÉRER

Carte de microrégion A3 (p. 394-395) – *carte Michelin n° 573 C 25.*
À 11 km à l'ouest de St-Jean-Pied-de-Port par la D 15.

À NE PAS MANQUER

La belle église St-Jean-Baptiste et son retable.

AVEC LES ENFANTS

Les balades à dos d'âne ; la chocolaterie Laia.

C'est un lieu où il fait bon vivre, ne serait-ce que pour ses célèbres vins d'Irouléguy (dont il partage la vedette avec Ispoure) ! Des maisons typiquement basques, une belle place ombragée de platanes, un vieux pont romain : tous les ingrédients du pittoresque sont réunis dans ce village paisible. Avec, en plus, l'originalité de ses quartiers répartis de part et d'autre de la Nive des Aldudes. Autrefois secoués par des rivalités, ils perpétuent ensemble aujourd'hui traditions et particularismes d'une terre montagnarde, posée entre France et Espagne.

Se promener

★ Église

Reconstruite au 18e s. sur une base romane, elle est intéressante pour ses galeries, son chœur surélevé, dont les trois autels sont ornés de retables de bois doré, son orgue (contemporain) de style baroque et son arc triomphal peint. Notez, à droite de l'entrée principale, la porte des cagots avec le bénitier qui leur était réservé.

Passez sur l'autre rive. Sur la rive gauche se dresse l'ancien **château d'Etchauz/Etxauz** *(hébergement, voir « Nos adresses », p. 252)* au corps de logis rectangulaire flanqué d'échauguettes et de tours (11e et 14e s.). Après la Révolution, il passa à la famille Harispe, puis fut racheté par la famille d'Abbadie d'Arrast. La salle d'armes et l'escalier médiéval sont remarquables, ainsi que la charpente du 16e s. - *05 59 37 48 58 - juin-sept. : visite guidée (1h) mar. et jeu. à 14h30 - 7 € (enf. 3 €).*

Pont romain

Il date en fait de 1661 mais porte ce nom en raison de son arche unique, inspirée de l'architecture romaine. Notez l'empreinte des charrois dans les galets qui recouvrent son tablier. Très beau point de vue sur le château.

UN PEU D'HISTOIRE

Le bourg et son territoire étaient rattachés à Pampelune et à la Navarre jusqu'au couronnement d'Henri IV, après lequel ils tombèrent dans l'escarcelle du royaume de France. Cela n'empêcha la famille d'Etxauz de régner en maître sur le village et la vallée des Aldudes pendant des siècles. Certains de ses membres se distinguèrent par de prestigieuses carrières, comme Bertrand d'Etxauz qui fut nommé évêque de Bayonne en 1599 et conseiller de Louis XIII.

À proximité Carte de microrégion p. 394

Guermiette/Germieta A3

En direction de St-Jean-Pied-de-Port. Après le restaurant L'Étape Gourmande, prendre à la fourche la direction de Germieta. Fermes à l'abandon et maisons habitées se partagent ce hameau plein de charme où subsistent quelques demeures du 17e s. Elles se repèrent à leur linteau, souvent daté et parfois sculpté. Celui de la **chapelle** affiche 1668. Vous la dénicherez en prenant à droite du vieux lavoir.

Irouléguy A3

5 km à l'est par la D 15. Petit village typiquement basque avec des fermes et des maisons crépies de blanc aux volets rouges. Connu pour ses vins, classés AOC depuis 1970 *(voir p. 64)*, il n'est cependant pas noyé dans les **vignes** (environ 200 ha) qui s'étagent plutôt à flanc de colline.

SITUATION

La commune de St-Étienne-de-Baïgorry compte 17 quartiers dispersés le long de la vallée. Les plus notables sont celui de Mitchelene, en amont du pont romain sur la rive gauche, autrefois quartier des cagots *(voir p. 334)*; le quartier Urdos-Bastide, vers Bayonne; et enfin Guermiette, vers St-Jean-Pied-de-Port.

Un panneau devant l'église indique des itinéraires de randonnée *(entre 1h et 5h30 de marche)*.

Urdos A3

En direction de Bayonne. Après Eyrehalde, prendre la première à gauche après avoir dépassé de quelques centaines de mètres un hameau doté d'un restaurant. Le hameau situé au pied d'Iparla comprend une petite chapelle du 17e s. dotée d'une voûte en trois plans, d'une double galerie et d'un retable de style classique. À deux pas se dresse la massive demeure des Ahaxe, autrefois propriété des seigneurs d'Urdos.

NOS ADRESSES À ST-ÉTIENNE-DE-BAÏGORRY

HÉBERGEMENT

PREMIER PRIX

Chambre d'hôte La Maison Inda – *Quartier Occos - ✆ 05 59 37 43 16 - fermé Noël - P - ⊭ - 2 ch. 46/48 € ☕ - rest. 15 €.* Voici une vraie chambre d'hôte, comme on les aime. La ferme est toujours en activité. On peut y visiter le potager, l'étable où voisinent vaches et volailles, et bien sûr dormir dans l'une des chambres meublées d'ancien. À table, les repas 100 % maison utilisent les succulents produits du terroir.

BUDGET MOYEN

À St-Étienne-de-Baïgorry

Chambre d'hôte Jauregia – *Hameau d'Urdos - ✆ 05 59 37 49 72 - www.vacances-au-pays-basque.com - P - ⊭ - 3 ch. 55 € ☕.* Cette imposante demeure du 16e s., jadis halte sur le chemin de Compostelle et ancienne propriété de Jeanne d'Albret, est aussi une ferme laitière. Ses vastes chambres, où se mêlent meubles anciens et modernes, sont desservies par un magistral escalier en chêne. Le patron, guide, organise des randonnées.

Hôtel Juantorena – *Rte de Banca - ✆ 05 59 37 40 78 - www.hotelrestaurantjuantorena.fr - P - fermé de mi-janv. à fin fév. - 16 ch. 55/65 - ☕ 7 € - rest. 12/20 €.* Joli hôtel non loin de l'église. Les chambres sont calmes avec une agréable vue sur les montagnes environnantes. Le restaurant propose des plats régionaux à prix raisonnable dans un cadre frais. Vous apprécierez particulièrement la terrasse ombragée aux beaux jours.

UNE FOLIE

Château d'Etchauz – *✆ 05 59 37 48 58 - plazainn@aol.com - P - ouv. juin-sept. - 169/250 €.* Ce petit château, magnifiquement restauré, vaut le coup d'œil. La salle d'armes et l'extraordinaire charpente du 16e s. de la salle de réception se visitent. Les chambres, immenses et nanties de meubles d'époque, possèdent parfois un salon. Une petite folie !

RESTAURATION

Bon à savoir – La place de la mairie accueille quelques commerces, une boulangerie-pâtisserie et le bar du Fronton. Ce dernier est l'endroit idéal pour une pause revigorante autour de ses belles salades et omelettes, à base de produits frais. Si le temps le permet, vous vous régalerez sur la terrasse ombragée d'énormes platanes.

BUDGET MOYEN

Le Manechenea – *Quartier Urdos - ✆ 05 59 37 41 68 - fermé déc.-janv. - P - 17/31 €.* Ce petit restaurant, protégé par les crêtes d'Iparla, et sa terrasse, ombragée de platanes et surplombant un ruisseau, offrent un cadre bucolique à souhait. Sa cuisine du terroir, à prix tout doux, ravira les papilles les plus difficiles.

ACHATS

Laurent Petricorena – *Rte de St-Jean-Pied-de-Port - ✆ 05 59 37 41 36 - www.petricorena.com - tlj sf dim. 8h30-12h30, 13h30-18h30 - fermé janv.* Ce magasin fabrique maintes spécialités gastronomiques locales. On trouve d'un côté les produits traditionnels à base de canard ou de brebis, de l'autre les créations maison : sauce *sakari* (huile, vinaigre, piment et aromates) et confiture de piments doux.

Chocolaterie Laia – *R. de l'Église - ✆ 05 59 37 51 43 - www.laia.fr - Pâques-fin sept. : 9h-19h ; reste de l'année : tlj sf dim. et lun. 9h-19h - visites à 11h et 14h30 ou sur rdv.* Cette chocolaterie à côté de l'église fait salon de thé. Sur sa petite terrasse, c'est dans une ambiance de bistrot que vous dégusterez les chocolats chauds à l'ancienne et les ballotins de chocolats fins ! Vous êtes convié aussi à découvrir les différentes étapes de la fabrication du bonbon au chocolat : torréfaction, broyage et conchage.

GAEC Tambourin - Maison Enautenea – *Enautenea - ✆ 05 59 37 40 64 - tambourin3@wanadoo.fr - 9h-13h, 14h-20h.* M. et Mme Tambourin, avec leur fils Michel, entretiennent l'exploitation familiale fondée en 1718. Dans leur laboratoire, et grâce à leur élevage de brebis manex à tête rousse, ils fabriquent leur propre fromage fermier, onctueux et affiné comme il se doit : l'AOC Ossau-Iraty. Le sésame de la maison ? Dites « ardi gasna », autrement dit « fromage de brebis », et les portes s'ouvriront…

Domaine Ameztia – *À Germieta - ✆ 05 59 37 93 68 - ameztia@orange.fr - tlj sf dim. 10h30-12h30, 16h-19h.* Héritier de la vigne parentale plantée dans les années 1960, Jean-Louis Costera a commercialisé sa première cuvée en 2001. Ses 7 ha donnent des vins rouges, blancs et rosés puissants. Le Domaine Ameztia 2002 plaira à ceux qui aiment les vins toniques. Le rosé de la Réserve du Domaine égaiera vos repas d'été.

Cave d'Irouléguy – *Rte de St-Jean-Pied-de-Port - ✆ 05 59 37 41 33 - www.cave-irouleguy.com - mai-sept. : 9h-12h, 14h-18h30 - nov.-fév. : 9h-12h, 14h-18h - fermé dim. et j. fériés de déb. oct. à déb. avril - visites libres et gratuites.* La réputation de cette cave qui, depuis une cinquantaine d'années, vinifie et commercialise l'essentiel des vins d'AOC Irouléguy blancs, rouges et rosés n'est plus à faire. Elle propose de nombreuses cuvées de qualité.

SPORTS ET LOISIRS

Escap'Ânes – *Au bourg - 64220 Irouléguy - ✆ 06 86 81 87 23 - http://escapanes.skyblog.com - 8h-18h30, sur réserv. - 27 € forfait randonnée en demi-journée : 9h-12h30, 13h30-17h30 ; 40 € la journée : 9h-17h30 ; 45 € la soirée de mai à sept. : 18h30-22h.* Depuis 18 ans, Charlotte et la Compagnie aux longues Z'Oreilles emmènent petits et grands à la découverte de l'environnement rural et montagnard du Pays basque. Vous partirez à pied, à dos d'âne, seul, en groupe, en famille, libre, accompagné d'un guide, pour deux heures, une journée, un stage… À vous de voir.

Vallée des Aldudes

★★

Aldude

1 602 habitants – Pyrénées-Atlantiques (64)

NOS ADRESSES PAGE 431

S'INFORMER

Office du tourisme communautaire de St-Jean-Pied-de-Port-Baïgorri – *Elizondonea, pl. de l'Église - 64430 St-Étienne-de-Baïgorry - ✆ 05 59 37 47 28 - www.pyrenees.basques.com - juil.-août. : mat. et apr.-midi ; reste de l'année : tlj sf sam. mat. et apr.-midi - fermé dim. et j. fériés.*

SE REPÉRER

Carte de microrégion A3 (p. 394-395) – *carte Michelin n° 573 C 25*. La vallée des Aldudes est contournée par la frontière. La D 948 suit la vallée de la Nive des Aldudes depuis St-Étienne-de-Baïgorry jusqu'à l'Espagne.

À NE PAS MANQUER

Une dégustation de jambon kintoa.

AVEC LES ENFANTS

La ferme aquacole de Banca et le parcours-découverte du porc basque à Aldudes.

Occupée depuis l'Antiquité, comme en témoignent les cromlechs du site d'Argibel, la vallée des Aldudes est une terre riche. D'abord indivis puis coupé par une frontière, le Pays Quint, dont elle faisait partie, fut le lieu de conflits d'intérêts locaux et internationaux. Aujourd'hui, elle est le berceau du renouveau de la race porcine basque, porté par la forte volonté des habitants des Aldudes. Quand la lumière rasante illumine les verts pâturages, vous apprécierez les randonnées en compagnie des brebis, des blondes d'Aquitaine et de ces cochons aux grandes oreilles noires.

Circuit conseillé Carte de microrégion p. 394

★★ VALLÉE DES ALDUDES

Pour visualiser ce circuit au départ de St-Étienne-de-Baïgorry, se reporter à la carte p. 394-395. Compter 1h30.
Sortir de St-Étienne-de-Baïgorry par la D 948 en direction de Banca.

Banca/Banka A3

Le village qui s'étage à flanc de montagne s'est développé au 18e s. grâce à la fonderie située sur la rive gauche de la rivière, à l'entrée du village (aujourd'hui en ruine).

La **ferme aquacole** de Banca occupe le site d'un ancien moulin du 19e s.

Après le village de Banca, prendre la deuxième à gauche ; la route s'enfonce dans la forêt d'Hayra jusqu'au mont Lindus. La forêt de hêtres d'Hayra est un des joyaux de la vallée ; en arrivant au Lindus, vous serez surpris d'y trouver un paysage vallonné, propice à de belles randonnées.

Vallée des Aldudes
I. Caperochipi / Age fotostock

Aldudes/Aldude A3
Ce grand centre de la chasse à la palombe *(voir p. 375)*. s'organise autour d'une placette, où se dresse une église à la belle voûte de bois en berceau et aux galeries originales. Une grille fixée au sol précède l'auvent pour empêcher les animaux d'accéder à l'édifice. À voir, dans le cimetière, les stèles basques du 19e s., entreposées contre le mur.
★ **Randonnée du col de Lepeder** *4 km - 2h - balisage jaune - départ avant la station-service (dir. Urepel), prendre l'escalier en retrait sur la gauche.*

LA RENAISSANCE DU PORC BASQUE
L'élevage du porc de race basque (Euskal Xerria) est intimement lié à l'histoire de la vallée. Au début du 19e s., cet élevage décline pourtant au profit des troupeaux de brebis, dont les pâturages remplacent les hêtraies, chênaies et châtaigneraies parcourues par les porcs. Des races porcines plus productives sont préférées pour un élevage intensif dans les plaines. En 1981, la race pie noir du Pays basque est finalement déclarée en voie de disparition ; elle ne compte plus que 25 femelles.
En 1988, Pierre Oteiza, éleveur et boucher des Aldudes, découvre la race au Salon de l'agriculture de Paris et décide de la ramener dans la vallée. Une dizaine d'éleveurs s'associent au projet et fondent en 1990 une association qui a pris, depuis, le nom de Filière Porc Basque. En 2000, le séchoir collectif de la vallée des Aldudes est créé. Aujourd'hui, 70 éleveurs participent au développement de l'activité et près de 350 truies vivent dans le périmètre fixé par le cahier des charges visant l'obtention de l'appellation d'origine contrôlée. Les porcs sont élevés en plein air, nourris de glands, châtaignes, herbes, racines et céréales, et abattus à un âge avancé, ce qui donne à la viande sa couleur foncée et son goût particulier. Preuve du succès de la réhabilitation, les jambons kintoa s'exportent en Europe, au Canada, et même à Hong-Kong et au Japon.

Une sente pierreuse et pentue marque le début de cette promenade qui dévoile de beaux **panoramas** sur la vallée verdoyante et la frontière espagnole, plus découpée. La fin du circuit passe devant des élevages de cochons pie noir.

Vous ne pourrez manquer dans les champs ces étranges huttes de bois qui servent d'abri aux cochons.

L'entreprise Pierre Oteiza propose un **parcours-découverte du porc basque** qui forme une boucle sur le versant - *2,5 km, 1h*. Accompagné d'un âne, vous passerez près des parcs d'élevage, de la « maternité » aux parcs en montagne. Le sentier vous offrira aussi un joli point de vue sur Roncevaux et le quartier pastoral d'Eznazu. Au lieu dit Balcon de la vallée, **belle vue** sur la vallée avec table d'orientation et espace pique-nique.

En prenant la première à droite en sortant du village, vous arriverez à **Esnazu**, dont la petite église renferme un retable en bois doré du 17e s. provenant de l'ancienne église de Larressore *(demander la clé à la famille Arambel, sur la place)*.

Possibilité de faire le tour du bourg et de ses fermes en suivant le balisage jaune qui commence à gauche de l'église. Après environ 20mn de marche, au bout du chemin de terre, tournez à droite, quoi qu'en dise le marquage. Jolies vues sur les hauteurs des Aldudes. *2 km - 40mn*.

Revenir sur ses pas et reprendre la D 948 à droite.

Urepel/Urepele A4

À l'entrée du village, une stèle commémore un enfant du pays, Fernando Aire Etxart, dit **Xalbador** (1920-1976), berger et agriculteur, qui fut un *bertsolari* réputé *(voir p. 68)*. Église intéressante avec sa voûte de bois et sa coupole.

LE PAYS QUINT, HISTOIRE D'UNE FRONTIÈRE

Le Pays Quint, composé des vallées des Aldudes, du Baztan et de l'Erro, doit son nom à l'impôt ordonné en 1237 par la couronne de Navarre. Cette région de pâturages indivis accueillait les troupeaux de porcs en transhumance ; un porc sur cinq était alors prélevé au titre de l'**impôt du « Quint »**, « Kinto Real » en espagnol, « Kintoa » en basque.

À la fin du 16e s., la pression démographique poussa les cadets de St-Étienne-de-Baïgorry vers les hauteurs du Kintoa, créant les bourgs de Banca, des Aldudes et d'Urepel. La tension entre la France et l'Espagne sur l'occupation de la vallée augmenta alors, jusqu'à un accord en 1615, qui fixa l'utilisation des pâturages au profit de l'élevage bovin et porcin, et supprima l'impôt féodal du Quint. Consensus bientôt remis en question avec la croissance du marché de la laine.

Un nouvel accord franco-espagnol en 1785 traça une frontière au milieu du Pays Quint, coupant les zones d'estive et suscitant la grogne. Mais la Révolution et la guerre d'Espagne le laissèrent sans effet. C'est le **traité de Bayonne** du 2 décembre 1856, signé entre Napoléon III et Isabelle II, qui scella l'avenir de la région. Il confirma la frontière de 1785 et la fin de l'indivision des pâturages. La France conserva la vallée des Aldudes et les habitants obtinrent un droit de jouissance des pâturages du Pays Quint côté espagnol, moyennant une redevance annuelle et un fermage pour la partie sud, encore versés aujourd'hui par la France à l'Espagne.

★ **Randonnée Elizamendi** Depuis l'église, partez en direction de Bordaluzea. La route longe la rivière canalisée. Au premier hameau, un sentier, très raide, part sur la gauche. Prenez-le : votre effort sera récompensé par une belle vue sur la vallée suivante, moutonnante et verdoyante. Le **panorama★★** se dévoile pleinement depuis la petite éminence qui se dresse à gauche. Le sentier descend ensuite dans un vallon boisé, traversé par un torrent, avant de remonter vers une route goudronnée qui ramène à l'église d'Urepel. *2 km - 1h30 - balisage jaune.*

Prendre la D 158 (6 km AR) qui s'amorce à hauteur de l'église d'Urepel.

Pays Quint/Quinto Real/Kintoa A4

Autrefois indivis entre les vallées française et espagnole, ce territoire *(voir encadré ci-contre)* présente, depuis le traité de Bayonne de 1856, la particularité d'être reconnu à l'Espagne mais donné en bail perpétuel aux habitants de la vallée des Aldudes, les Quintoars (au nombre de sept familles), qui jouissent des pâturages en territoire espagnol et ont le statut de ressortissants français à l'étranger.

DANS LA VALLÉE DES ALDUDES

HÉBERGEMENT

PREMIER PRIX

Hôtel-Restaurant St-Sylvestre – *Esnazu - 64430 Les Aldudes - ✆ 05 59 37 58 13 - stsylvestre.hotel@neuf.fr - P - 10 ch. 42 € - ☕ 6 € - rest. 15 €.* En bord de route vers l'Espagne (D 58), cette grande maison est un pied-à-terre pratique pour randonner dans la vallée. Les chambres sont modestes mais confortables. En demi-pension, vous goûterez aux spécialités régionales.

ACHATS

Pierre Oteiza – *Rte d'Urepel - 64430 Les Aldudes - ✆ 05 59 37 56 11 - www.pierreoteiza.com - 9h30-19h - fermé 1er janv., 25 déc. et dim. en janv.* C'est ici que sont élevés en liberté les porcs pie noir du Pays basque avec lesquels sont fabriquées les fameuses charcuteries. Le sentier de découverte permet de découvrir librement les élevages de la vallée des Aldudes (possibilité de faire la promenade en compagnie d'un âne). Une dégustation clôt la visite.

La Ferme aquacole de Banca – *Rte des Aldudes - 64430 Banca - ✆ 05 59 37 45 97 - tlj sf dim. 10h-12h, 15h-18h - fermé j. fériés - visite libre ou guidée (45mn) sur rdv : 2 € (enf. 1,50 €).* La truite de Banca, issue d'une pisciculture pyrénéenne réputée, est élevée au plus proche de la nature. Évoluant dans une eau de qualité exceptionnelle, elle bénéficie d'une nourriture saine et ne reçoit aucun antibiotique. Vous pourrez longer les bassins par un petit sentier. La boutique vend des produits transformés (terrines, caviar), mais, à cause de l'importance de la demande extérieure, plus de truites fraîches !

SPORTS ET LOISIRS

Jean-Luc Durgueil – *Le bourg - 64430 Banca - ✆ 05 59 37 49 00 ou 06 - jean-luc.durgueil@wanadoo.fr - 26 € (-16 ans 18 €).* Cet accompagnateur en montagne organise des balades pédestres nocturnes dans les Aldudes.

Forêt d'Iraty

★

Bosque del Irati

Pyrénées-Atlantiques (64) et Navarre

NOS ADRESSES PAGE 434

S'INFORMER

Office de tourisme et centre d'interprétation de la nature (Centro de Interpretación de la Naturaleza) **à Ochagavía** – *Ctra Izalzu s/n - 31680 Ochagavía - ✆ 948 890 641 - www.ochagavia.com - www.irati.org - de mi-juin à mi-sept. : lun.-sam. 10h-14h, 16h-20h, dim. 10h-14h ; reste de l'année : vend.-sam. 10h-14h, 16h-19h, dim.-jeu. 10h-14h.*

SE REPÉRER

Carte de microrégion B4 (p. 394-395) – *carte Michelin n° 573 C-D 26.* On atteint le nord de la forêt d'Iraty par la D 18 en provenance de St-Jean-Pied-de-Port (32 km à l'ouest). Côté espagnol, le massif forestier se rejoint par la NA 140 qui relie les trois vallées à l'est de Roncevaux. On parvient alors à la forêt depuis Orbaiceta ou, plus à l'est, depuis Ochagavía.

SE GARER

Versant français, laissez votre voiture aux Chalets d'Iraty ou un peu plus haut que le chalet de Cize, à proximité de l'embranchement avec la D 301 sur le parking herbeux à gauche de la route. Pour le massif sud, garez-vous à la Fábrica de Orbaiceta pour rejoindre le GR 11. Depuis Ochagavía, montez jusqu'à Nuestra Señora de las Nieves pour retrouver le GR 11. Mais vous pouvez déjà partir à pied de la ville.

ORGANISER SON TEMPS

Les randonnées dans le massif s'échelonnent de une à plusieurs heures, avec des degrés de difficulté différents. Le choix est donc très large.

À cheval sur la frontière, la hêtraie d'Iraty constitue l'un des plus vastes massifs de feuillus d'Europe. Dès le 18e s., elle fournissait des mâts de navire aux marines de France et d'Espagne. Tendez l'oreille, vous entendrez peut-être le souffle des grandes batailles navales... La forêt est traversée par deux sentiers pédestres, les GR 10 et 11, qui enchanteront les amoureux de nature.

Se promener Carte de microrégion p. 394

EN LISIÈRE DE LA FORÊT D'IRATY

Pour visualiser ce circuit au départ des Chalets d'Iraty, se reporter à la carte p. 394-395. Compter 1h (sans les randonnées).

Chalets d'Iraty B4

Le petit village de loisirs des Chalets d'Iraty a été construit dans les années 1960 au cœur de la forêt d'Iraty. Entre 1 200 et 1 500 m d'altitude, les 45 km de pistes de ski de fond et les nombreux sentiers pédestres offrent une vue unique sur la montagne.

Plusieurs sentiers de randonnée partent du village, mais deux pénètrent plus avant dans la forêt : celui de la **crête d'Orgambideska**, qui mène à une altitude de 1 420 m *(1h, facile)*, et, dans son prolongement, celui du **pic d'Orhy** *(5h AR, relativement difficile, à n'entreprendre que bien équipé et par beau temps)* qui rejoint le sommet *(départ sur le chemin asphalté face à la réception)*. Les randonnées les plus faciles commencent quant à elles derrière le chalet d'accueil, en descendant vers le centre hippique.

★ Col Bagargui B4

Sur la D 19 entre les chalets d'Iraty et Larrau. **Vue★** à l'est sur les montagnes de la Haute-Soule et les hautes Pyrénées d'Aspe et d'Ossau. Proche sur la droite, la masse du pic d'Orhy où convergent les transhumances ; plus loin, les sommets calcaires du massif du Pic-d'Anie derrière lesquels se profile le pic du Midi d'Ossau. Sous les couverts de la forêt s'échelonne le village touristique des Chalets d'Iraty.

Col de Burdincurutcheta B4

À 9 km à l'ouest des Chalets d'Iraty, sur la route de St-Jean-Pied-de-Port, par la D 19 puis la D 18. Faire halte 1 km en contrebas au nord du col, à l'endroit où la route se rapproche d'une crête rocailleuse.
Vue sur les contreforts lacérés du massif-frontière, séparés par des vallons ; au loin s'épanouit le bassin de St-Jean-Pied-de-Port, centre du pays de Cize. Non loin de là, le **plateau d'Iraty** sert d'estive aux chevaux et autres têtes de bétail.

UN POUMON VERT TRANSFRONTALIER

La plus grande hêtraie d'Europe couvre 17 195 ha de plateaux, de montagnes et de vallées, comme celles d'Aezkoa et de Salazar, en Navarre. Ses sommets pointent en moyenne à 1 300-1 400 m, mais le plus haut, le **pic d'Orhy**, qui est aussi le plus oriental, culmine sur la frontière à 2 021 m.
La forêt et le massif d'Iraty tirent leur nom d'une rivière qui naît de la convergence des torrents Urtxuria et Urbeltza, au niveau de N. S. de las Nieves. De là, elle file se jeter dans le lac d'Irabia pour ensuite couler vers Orbaiceta/Orbaitzeta, puis vers le sud. À la même latitude que Pampelune, elle bifurque vers le sud-est en direction de Sangüesa, pour rencontrer l'Aragón.
Deux zones sont particulièrement préservées : la **Reserva Integral de Lizardoia**, au nord du lac d'Irabia, et la **Reserva Natural de Mendilatz**, au nord-ouest du même lac, vaste hêtraie-sapinière occupant un plateau karstique.
Ces zones sont plantées de hêtres, de sapins, de houx ou de sorbiers, et constituent un habitat naturel idéal pour une foule d'animaux sauvages : oiseaux (roitelet triple-bandeau, rouge-gorge, pic noir et pic à dos blanc), petits mammifères (musaraigne, rat musqué, loir), petits carnassiers (chat sauvage, putois, belette, marte, renard, blaireau) ou seigneurs des forêts (cerf, sanglier, chevreuil).
Au cours des siècles, les hommes ont trouvé matière à exploiter le massif forestier. Charbonniers, forestiers, forgerons, mineurs et bergers ont occupé ses pentes jusqu'au 20e s. Aujourd'hui, Iraty est surtout parcouru par les troupeaux et les randonneurs.

NOS ADRESSES DANS LA FORÊT D'IRATY

HÉBERGEMENT

BUDGET MOYEN

Village-Vacances Les Chalets d'Iraty – *64560 Larrau - 14 km à l'ouest par D 19, rte de St-Jean-Pied-de-Port - ☎ 05 59 28 51 29 - www.chalets-pays-basque.com - 40 chalets (2-12 pers.) - sem. 275/325 €.* Les amateurs d'espace, de grand air et de calme trouveront leur bonheur en louant un de ces chalets disséminés dans la forêt d'Iraty. Certains se trouvent tout près de l'accueil, du restaurant et de l'épicerie. D'autres sont totalement isolés. Les jours de neige, une chenillette est même nécessaire pour les rejoindre.

RESTAURATION

PREMIER PRIX

Restaurant d'Iraty – *Au col Bagargui sur D 19 - 64560 Larrau - ☎ 05 59 28 55 86 - www.restaurantdiraty.com - ♿ - fermé 3 sem. en nov. - formule déj. 11,50 € - 13/19 €.* Ce restaurant jouit d'une situation exceptionnelle à 1 327 m d'altitude et en pleine forêt. L'hiver, les tables sont dressées autour de la cheminée centrale. L'été, la terrasse vous accueille pour profiter pleinement de la magnifique vue sur les Pyrénées. Dans l'assiette (fort bien garnie), goûteux plats régionaux.

BUDGET MOYEN

Le Chalet Pedro – *Dans la forêt d'Iraty - 64220 Mendive - ☎ 05 59 28 55 98 - www.chaletpedro.com - ouv. 10 avr.-13 nov., vac. scol. et dim. en hiver - fermé merc. en avr.-juin et déb. sept. à déb. oct. - ♿ - P - 💳 - 23,50/30 €.* À deux pas de la frontière espagnole, ce charmant chalet est niché dans un petit vallon au milieu de la forêt. Décor simple style bistrot familial avec ses tables en chêne. Au menu : truites de la rivière (en saison), anguilles, côte de bœuf aux *piquillos*, etc. Location d'appartements dans la maison d'en face.

SPORTS ET LOISIRS

Ski de fond - Iraty – *Au col Bagargui - 64560 Larrau - ☎ 05 59 28 51 29 - www.chalets-pays-basque.com - 8h-12h, 13h30-19h - 6,50 € (-16 ans 4 €).* La station de ski de fond de Larrau offre l'hiver quelque 40 kilomètres de pistes damées. Matériel de ski et raquettes peuvent être loués à la demi-journée, à la journée ou à la semaine, ainsi que les forfaits (à la journée ou à la semaine).

Larrau

Larraine

209 habitants - Pyrénées-Atlantiques (64)

NOS ADRESSES PAGE 438

S'INFORMER

Mairie de Larrau – *64560 Larrau - 05 59 28 62 80 - lun.-vend. 9h-12h, 14h-18h.*

Mairie de Ste-Engrâce – *64560 Ste-Engrâce - 05 59 28 60 83 - www.sainte-engrace.com - lun.-vend. 9h-12h, 14h-18h.*

SE REPÉRER

Carte de microrégion C4 (p. 394-395) – *carte Michelin n° 573 C 27.* On rallie Larrau via St-Jean-Pied-de-Port (43 km à l'ouest, par la D 18 puis la D 19) ou par Mauléon-Licharre (31 km au nord en suivant la D 918 puis la D 26).

SE GARER

Près du fronton couvert.

À NE PAS MANQUER

Les crevasses d'Holçarté, les gorges de Kakuetta et la salle de La Verna, proche de Ste-Engrâce.

AVEC LES ENFANTS

Les gorges de Kakuetta.

Ancienne étape sur la route de Compostelle, Larrau a tout du village typique de la Haute-Soule : des toits pentus en ardoise, des maisons regroupées autour d'une église et un paysage grandiose. Niché au pied du pic d'Orhy, et face aux falaises noires du massif de Mendibelza, Larrau est un excellent point de départ pour de belles randonnées, notamment pour découvrir les crevasses d'Holçarté.

Se promener

Église

Minuterie derrière l'harmonium. Retouchée en 1655, elle conserve une abside romane où est exposée une belle **Vierge à l'Enfant** en bois polychrome. La tribune occupe presque toute la nef. Du temps des pèlerins de Compostelle, l'église a fait office de prieuré puis d'hôpital.

Demander le dépliant des randonnées à la mairie.

On peut marcher sur les traces des pèlerins en suivant le chemin qui monte à l'ermitage St-Joseph, à 1 300 m *(départ derrière le fronton. Compter env. 2h).*

6

À proximité Carte de microrégion p. 394

★ Col d'Erroymendi B4

(Alt. 1 362 m). Vaste **panoramaa** de montagne, illustrant la vocation pastorale et forestière du haut pays de Soule. Quelques pas vers l'est vous feront découvrir les vallées du haut Saison, affluent du gave d'Oloron, et, à l'horizon, le massif rocheux du Pic-d'Anie.

Circuit conseillé Carte de microrégion p. 394

LA ROUTE DES GORGES

Pour visualiser ce circuit de 37 km au départ de Larrau, se reporter à la carte p. 394. Compter 2h.
Quitter Larrau en direction de Tardets-Sorholus et Mauléon-Licharre par la D 26. Aussitôt après le café et le pont de Laugibar s'amorce le GR 10 en direction des crevasses d'Holcarté.

★ Crevasses d'Holçarté/Holzarte C4

1h30 à pied AR par le GR 10. Le site a été exploré en 1908 par le spéléologue **Édouard-Alfred Martel**. Après une montée rude, vous apercevrez l'entrée des « crevasses », gorges taillées dans le calcaire sur près de 200 m de hauteur. Le sentier passe au-dessus de la gorge affluente d'Olhadubi, qu'il franchit sur une passerelle lancée, en 1920, à 171 m de hauteur !
Reprendre la direction de Mauléon.
La route suit le **gave** de Larrau, encaissé et verdoyant.
À l'intersection avec la D 113, tourner à droite en direction de Ste-Engrâce. Ce village est dispersé en divers hameaux. Continuer vers Ste-Engrâce-Bourg.
La D 113 monte en surplomb les gorges de Kakuetta, alimentées en eau par un barrage.

★★ Gorges de Kakuetta C4

Parking le long de la D 113, route de Ste-Engrâce. Passerelles aménagées sur les 2 km du parcours (à reprendre au retour, compter 2h). ✆ 05 59 28 73 44 (bar La Cascade qui délivre les billets) ou 05 59 28 60 83 (mairie) - www.sainte-engrace.com - de mi-mars à mi-nov. : de 8h à la tombée de la nuit - 4,50 € (enf. 3,50 €, -6 ans gratuit).
Taillées à pic dans le calcaire, ces gorges sont très belles. L'entrée du « Grand Étroit » est le passage le plus grandiose : ce splendide canyon verdoyant, large de 3 à 10 m et profond de plus de 200 m, mène à une cascade haute de 20 m formée par une résurgence. On franchit le torrent sur des passerelles. Ce superbe parcours s'achève par une grotte ornée de stalactites et de stalagmites géantes.
Reprendre votre voiture et revenir en direction de Ste-Engrâce.
Des niches, sur le bas-côté de la route, permettent d'admirer les gorges.

★ Ste-Engrâce/Santa Grazi C4

Ce village de bergers est entouré de montagnes boisées. Son église romane, une ancienne abbatiale du 11e s., dresse son toit asymétrique dans le **site★** pastoral de la combe supérieure de l'Uhaïtxa ; elle jalonnait autrefois un itinéraire vers St-Jacques. Le chœur montre des **chapiteaux★** richement ornés. À gauche : scènes de bateleurs ; au centre : scènes de chasse et une Résurrection ; à droite : Salomon et la reine de Saba.
Devant l'église, un panneau marque le point de départ d'une randonnée pour les gorges Ujarre. Larges et grandioses avec leur profil en auge, elles ne sont pas aménagées pour la visite.

La salle de La Verna C4

Espace d'accueil Arrakotchepia à Ste-Engrâce - ✆ 09 75 17 75 66/06 37 88 29 05 - www.laverna.fr - accueil de mi-avr. à mi-nov. 9h-12h30, 13h30-17h.
Deux modes d'accès à La Verna : par le GR 10 depuis Ste-Engrâce et le ravin d'Arphidia - 8 km, 2h30 ; ou par la navette 4x4 depuis l'espace d'accueil - 30mn - billets

Pont au-dessus des crevasses d'Holçarté.
J. Fco. Sobrino / Age fotostock

AR uniquement : 6 € (enf. 4,50 €). Visite guidée de la salle (1h) de mi-avr. à mi-nov., sur réserv. uniquement - ♿ - 9h-18h - possibilité d'acheter ses billets en ligne - 8,50 € (enf. 5,50 €). Prévoir des chaussures fermées et des vêtements chauds car la température ambiante dans la salle est de 6 °C - visite déconseillée aux enfants de moins de 5 ans. Des formules de visites plus longues sont possibles en fonction du niveau physique du visiteur et de sa familiarité avec la spéléologie, se rens. Visites aussi en hiver à partir de la station de La Pierre-St-Martin.

C'est en 1953 qu'une expédition de spéléologues pénétra dans La Verna, gigantesque grotte de 194 m de haut et 245 m de diamètre. À travers la découverte de cette salle extraordinaire, dans laquelle disparaît une rivière souterraine, vous apprendrez l'histoire de ces pionniers qui dès 1950 commencèrent l'exploration du karst de La Pierre-St-Martin, parfois en y laissant leur vie, comme Marcel Loubens en 1952. Aujourd'hui, 380 km de réseaux souterrains et 2 000 gouffres, creusés par 13 grandes rivières, ont été explorés. Ouverte au public en juillet 2010, La Verna vous invite à une exploration formidable du monde souterrain ; vous n'y serez d'ailleurs pas seul puisqu'on y compte une vingtaine d'espèces animales.

NOS ADRESSES À LARRAU

Voir aussi nos adresses dans la forêt d'Iraty, p. 434.

HÉBERGEMENT

BUDGET MOYEN

Village-Vacances Les Chalets de Soule – *Quartier Cazenave - 64470 Montory - 15 km au sud-est par la D 26, rte de Tardets et la D 918, rte d'Oloron-Ste-Marie - 05 59 28 53 28 - www.leschalets desoule.com. - 11 - nuitée 48/68 € - sem. 295/480 €.* Niché dans un domaine particulièrement verdoyant, ce parc résidentiel comprend 11 mobile homes ultra-confortables et bien isolés grâce à des haies d'arbustes. Chaque logement possède sa terrasse, son salon de jardin et son barbecue. L'intérieur est également bien équipé : micro-ondes, télévision et clé Internet sur demande.

Hôtel-Restaurant des Touristes – *Au bourg - 64560 Licq-Athérey - 05 59 28 61 01 - www.hotel-des-touristes.fr - fermé de déb. nov. à déb. mars - P - 12 ch. 45/60 € - 8 € - formule déj. 10 € - 15/35 €.* Le plus ancien hôtel de la Soule, tenu par la même famille depuis cinq générations, propose des chambres meublées à l'ancienne. Celles côté jardin disposent d'une terrasse privative. À table, copieuse cuisine régionale. Pour le shopping, boutique de produits du terroir attenante à l'hôtel.

ACHATS

Ferme Elixabe – *Rte d'Iraty - 05 59 28 58 23 - m.bengochea@ wanadoo.fr - fermé dim. apr.-midi du 1er oct. au 15 mars.* Cette ferme isolée mérite le détour. Plantée sur un piton, elle offre une vue impressionnante sur les Pyrénées. Elle produit par ailleurs un excellent fromage de brebis d'AOC Ossau-Iraty. Ce dernier est mis à la vente à partir du 15 mars jusqu'à rupture du stock (en général fin septembre).

SPORTS ET LOISIRS

Canyoning Eau Sud – *Lot Croix-du-Berger - 64570 Arette - 06 03 42 98 71 - www.eau-sud.com - à la demi-journée, la journée ou au w.-end, se rens. pour les tarifs. Point d'accueil des activités : Bar le Goïz Eder - rte de Tardets 64470 Sauguis.* Rien de tel pour découvrir les environs des gorges d'Holçarté et Kakuetta que de parcourir les torrents avec un guide. Eau Sud propose aussi de vous accompagner pour des randonnées dans le massif de La Pierre-Saint-Martin et de la spéléologie en Haute-Soule.

Ski et randonnée – *La Pierre-Saint-Martin, 1 650/2 200 m d'alt. - rens. à l'office de tourisme - Maison de La-Pierre-St-Martin - 64570 Arette - 05 59 66 20 09 - www.lapierrestmartin.com.* Station de ski familiale pour la pratique du ski alpin et, surtout, du ski de fond. En été, site idéal pour les randonnées à pied ou en VTT.

Mauléon-Licharre

Maule-Letxarre

3 255 Mauléonnais – Pyrénées-Atlantiques (64)

NOS ADRESSES PAGE 443

S'INFORMER

Office du tourisme de Soule – *10 r. J.-B.-Heugas - 64130 Mauléon-Licharre - 05 59 28 02 37 - www.valleedesoule.com - juil.-août : lun.-sam. 9h-13h, 14h-19h, dim. 10h-12h30 ; reste de l'année : lun.-sam. 9h-12h30, 14h-18h.*

Visites guidées – Des visites guidées de la ville et du château sont proposées par l'office de tourisme le mardi à 10h en juil.-août - *5 €.*

SE REPÉRER

Carte de microrégion C3 (p. 394-395) – *carte Michelin n° 573 C 27.* À 24 km au sud-est de St-Palais par la D 11. Le quartier de Licharre, siège des États de Soule, s'étend sur la rive gauche, autour de la place des Allées, bordée par quelques édifices dont le château d'Andurain. La ville neuve se blottit vers l'aval tandis que le château fort domine toujours la rive droite.

SE GARER

Sur la place de la mairie.

À NE PAS MANQUER

L'adorable église de L'Hôpital-St-Blaise.

Au pied d'une colline où s'élèvent les ruines d'un château fort coule le Saison. Joli nom pour un gave. Sur ses rives, Mauléon-Licharre est la capitale de la plus petite des sept provinces basques : le rude pays de Soule. C'est dans cette bastide du 13e s. que vous trouverez chaussure à votre pied, l'ancienne place forte étant aussi la patrie de l'espadrille. Vous savez alors ce que vous pourrez remporter dans vos bagages…

Se promener

Château d'Andurain

05 59 28 04 18 - visite guidée (50mn) de déb. juil. à mi-sept. : tlj sf jeu. 11h, 15h, 16h15 et 17h, dim. 15h, 16h15 et 17h - 5 € (enf. 2,50 €).

Cet édifice à décor Renaissance fut construit vers 1600 par un membre d'une illustre famille souletine, Arnaud Ier de Maytie, évêque d'Oloron. Belles cheminées sculptées, mobilier des 17e-18e s. et exposition d'in-folio restaurés des 16e et 17e s. Les combles sont couverts de bardeaux de châtaignier, avec une belle charpente de chêne.

Château fort de Mauléon

Montée un peu raide à pied. Possibilité d'accès pour les voitures uniquement. t 05 59 28 02 37 - www.valleedesoule.com - de mi-juin à fin sept. et vac. de printemps : 11h-13h30, 15h-19h ; de déb. mai à mi-juin : w.-end et j. fériés 11h-13h30, 15h-19h - 2,50 € (-7 ans gratuit).

Élevé au 12e s. sur une colline surplombant la vallée du Saison, il aurait dû être démoli au 17e s. sur ordre royal. Dans la cour restent le puits et les bases

Une histoire tumultueuse

Mauléon, c'est le « mauvais lion ». Une façon affectueuse de rappeler la fonction défensive de la cité, ses résistances et ses coups de sang ? À l'origine, Mauléon est une bastide fondée en 1280 et dominée par son château fort, et c'est autour des murs de ce dernier que la capitale de la Soule vécut ses heures les plus mouvementées. La place forte résista en effet pendant cinquante ans avant de se rendre aux Anglais en 1307. Ces derniers y installèrent une capitainerie jusqu'à ce qu'ils la cèdent à la maison de Foix en 1449. C'est après que se focalisa sur Mauléon le mécontentement des croquants. En 1662, écrasés par les charges fiscales qu'impliquaient entre autres la démolition et la reconstruction de l'édifice, ces derniers suivirent Bernard de Goyhenetche, dit **Matalas**, curé de Moncayolles, et refusèrent de payer leur dû. Ils furent écrasés par les troupes royales et seigneuriales, et leur meneur décapité à Licharre. Licharre était à l'époque une commune indépendante. Elle ne devint que récemment un quartier industriel de Mauléon, celui où sont concentrées les fabriques d'espadrilles. La mairie y est installée, dans l'ancien **hôtel de Montréal** (17e s.) qui servait de résidence au gouverneur de la Soule.

LA CAPITALE DE L'ESPADRILLE

Espartina en basque, cette chaussure de toile à la semelle de chanvre, a été utilisée dès le 18e s. Elle fait vivre Mauléon depuis cent cinquante ans. D'abord fabriquée à domicile par les paysans en appoint de leurs travaux agricoles, elle est produite à l'échelle industrielle à la fin du 19e s., lorsque les premières usines ouvrent leurs portes vers 1880. On appelait *hirondelles* les jeunes Espagnoles qui venaient travailler dans ces usines pour la saison, de mai à septembre. Aujourd'hui, 70 % de la production française sort des manufactures mauléonnaises, qui souffrent de la concurrence internationale. Elles privilégient désormais des motifs originaux et des formes renouvelées pour transformer l'espadrille en un objet de mode, et la demande augmente !

CÉLÉBRITÉS LOCALES

Pierre Bordaçarré (1908-1979), natif quant à lui de Trois-Villes, adopta le nom de plume d'**Etxahun Iruri**. Poète et musicien autodidacte, il a laissé une centaine de chansons. Un monument à son effigie se dresse devant le fronton de sa ville natale.

Enfin, qui l'eût cru ? Les **Mousquetaires** d'Alexandre Dumas ne sont pas qu'une invention. Certains d'entre eux étaient originaires de la Soule, cette terre située à la frontière entre le Pays basque et le Béarn, d'autres y ont passé une partie de leur vie. Ainsi, **M. de Tréville**, capitaine des mousquetaires dans le roman de Dumas, se nommait-il en réalité Arnaud-Jean du Peyrer, comte de Trois-Villes. Il fut nommé par le roi Louis XIII capitaine-lieutenant des mousquetaires en 1625. Isaac de Porthau, né à Pau en 1617 et devenu mousquetaire en 1643 après avoir été garde du roi, inspira le personnage de **Porthos**. Il avait une résidence à Lanne (sur la D 918 à l'est de Tardets). Quant à **Aramis**, c'est Henri d'Aramits, écuyer et abbé laïque d'Aramits (à 2 km de Lanne), entré chez les mousquetaires la même année que son acolyte.

Les espadrilles de Mauléon.
CDT64

de murs de bâtiments, mais on peut également voir le cachot et une salle de réserve. Sur le chemin de ronde, trois canons datant de 1685.
Le document de la visite décrit la bastide, que vous pourrez aller voir ensuite (escalier sur la droite en descendant du château).

Circuit conseillé Carte de microrégion p. 394

LA BASSE-SOULE

Pour visualiser ce circuit de 50 km, se reporter à la carte p. 394. Compter 1h30. Quitter Mauléon-Licharre par la D 24, puis la D 25.

L'Hôpital-St-Blaise/Ospitalepea C3
Ce minuscule village du pays de Soule se distingue par son **église★★** du 12e s., classée Monument historique depuis 1888 et aujourd'hui inscrite au Patrimoine mondial de l'Unesco. t *05 59 66 11 12 ou 05 59 66 19 20 - visite audioguidée - 10h-19h - tarif à l'appréciation des visiteurs. De juin à sept., mar. et vend. à 18h30 : spectacle son et lumière (15mn, minimum 10 pers.) - 5 € (enf. 2,50 €).*
Construite par les chanoines augustins de l'abbaye Ste-Christine-du-Somport, l'église est l'ultime vestige de l'ensemble édifié à l'époque pour accueillir les pèlerins en route pour Compostelle.
De construction romane très ramassée, c'est un précieux témoin de l'art hispano-mauresque au nord des Pyrénées. Les quatre corps de son plan en croix grecque contrebutent la tour centrale. La croisée est couverte d'une **coupole** à huit pans bandés de nervures en étoile. Admirez les bagues sculptées de façon naïve. Les grilles de pierre aux fenêtres sont d'inspiration espagnole.
Prenez le temps, en sortant de l'église, de flâner dans les rues du village. Vous verrez quelques belles demeures des 17e et 18e s.
Sortir du village en direction d'Oloron-Ste-Marie et prendre à droite la D 859.

Barcus/Barkoxe C3
L'intérieur de son **église** surprend par la richesse de sa décoration baroque et de son agencement : galeries de bois, murs peints et retable baroque doré figurant l'Ascension.
La D 347 qui vous mène à Tardets-Sorholus passe à travers les collines couvertes d'un patchwork de bocages dont les vaches n'ont cure, préférant paître en bord de route.

Tardets-Sorholus/Atharratz C3
Office du tourisme de Tardets – *Pl. Centrale - 64470 Tardets - ✆ 05 59 28 51 28 - www.valleedesoule.com - juil.-août : lun.-sam. et j. fériés 9h-13h, 14h-19h, dim. 10h-12h30 ; reste de l'année : lun.-sam. 9h-12h30, 14h-18h - fermé dim. et j. fériés (sf juil.-août).*
Ancienne bastide pourvue d'une place centrale entourée de maisons à arcades du 17e s. Le village sert de point de départ pour différentes randonnées ou excursions *(se renseigner à l'office de tourisme).*
Reprendre la route en direction de Mauléon.

Trois-Villes/Iruri C3
Le nom, plus que le château construit par Mansart entre 1660 et 1663, rappelle la carrière militaire et le personnage littéraire de M. de Tréville *(voir p. 440).* La demeure affiche deux avant-corps et des fenêtres à meneaux. Elle profite également de jardins à la française.
Continuer vers Mauléon-Licharre.

Gotein-Libarrenx/Gotaine Irabarne C3
Arrêtez-vous pour admirer le **clocher-mur** à trois pointes de cette église du 16e s. Il est typique de ce que l'on appelait auparavant les clochers trinitaires, formés d'un solide mur de pierre percé d'alvéoles pour les cloches et surmonté de trois frontons triangulaires, comme les clochers-calvaires. À l'intérieur, remarquez le beau retable en bois doré du 18e s., une jolie Vierge et un bénitier Louis XIII.
Le circuit s'achève à Mauléon-Licharre.

NOS ADRESSES À MAULÉON-LICHARRE

HÉBERGEMENT

BUDGET MOYEN

À Mauléon-Licharre
Hostellerie du Château – *R. de la Navarre - ✆ 05 59 28 19 06 - fermé 3 sem. en fév. - P - 47/49 € - ☕ 6,50 € - rest. 12 €.* Cette immense bâtisse est un vrai labyrinthe. Reprise en 2002, elle a été progressivement restaurée et les chambres ont été rénovées. Situées côté jardin, elles respirent le calme. À table, goûteuse cuisine régionale et un menu très attractif à midi.

RESTAURATION

PREMIER PRIX

À L'Hôpital-St-Blaise
Le petit village de L'Hôpital-St-Blaise abrite deux restaurants situés face à l'église romane : l'auberge du Lausset et le restaurant St-Blaise. Les prix y sont similaires *(12/31 €).*

ACHATS

Espadrille – *Pl. Centrale - ✆ 05 59 28 28 48 - www.espadrilles-mauleon.fr - été : tlj sf j. fériés*

9h30-12h15, 14h15-19h15, dim. 10h-12h30, hors sais. : tlj sf dim. et j. fériés 9h30-12h, 14h30-19h. Visite sur vidéo *(30mn)* de l'atelier situé dans la zone artisanale de Mauléon (prendre la rue de Navarre, puis à gauche au rond-point).

SPORTS ET LOISIRS

Cycles Poppe – *Zone industrielle de la gare - ✆ 05 59 28 13 62 - www.velo-oxygen.fr - tlj sf dim. et lun. - fermé 2 sem. en août.* Si vous souhaitez découvrir Mauléon à bicyclette, adressez-vous à ce magasin de cycles. Il loue des vélos et VTT à l'heure, à la demi-journée ou à la journée.

Rafting Eaux Vives – *Le Pont - 64190 Navarrenx - ✆ 05 59 66 04 05 - http://rafting-eaux-vives.com - 9h-18h, uniquement sur réserv. - 32 € formule découverte 13 km (-15 ans 25 €) - pique-nique 10 € (-15 ans 8 €).* Descente du gave d'Oloron, entre Navarrenx et Sauveterre-de-Béarn (20 km), dans un raft pneumatique ou, pour des sensations plus fortes, à bord d'un miniraft de 2 ou 3 personnes. Si vous optez pour la sortie d'une journée complète, vous profiterez d'une pause-repas (grillades) sur une plage sauvage.

AGENDA

Fête de l'espadrille – *15 août.*
La Mascarade – *Itinérant dans les villages - mi-janv. à fin avr.* Défilés costumés codifiés opposant les rouges, nobles et élégants, et les noirs, sales et vulgaires ; barricades, danses et mort et résurrection du « pitxu ». On mange, on boit et on colporte les nouvelles !

Forêt des Arbailles

★

Arballa

Pyrénées-Atlantiques (64)

NOS ADRESSES PAGE 447

S'INFORMER

Office du tourisme de Tardets – *Pl. Centrale - 64470 Tardets - ✆ 05 59 28 51 28 - www.valleedesoule.com - juil.-août : lun.-sam. et j. fériés 9h-13h, 14h-19h, dim. 10h-12h30 ; reste de l'année : lun.-sam. 9h-12h30, 14h-18h.*

Randonnées – Pour préserver la forêt des Arbailles, les randonnées balisées restent limitées aux territoires de bordure (souces de la Bidouze ou d'Ahusquy). Si vous souhaitez vous enfoncer davantage, mieux vaut vous adresser à un guide. La liste des guides est disponible à l'office de tourisme *(voir ci-dessus).*

SE REPÉRER

Carte de microrégion B3 C3 (p. 394-395) – *carte Michelin n° 573 C 26-27.* Au sud de la route reliant St-Jean-Pied-de-Port à Mauléon-Licharre, la forêt s'étend sur les hautes surfaces (1 265 m au pic de Béhorléguy) d'un bastion calcaire bien détaché entre les sillons du Saison, du Laurhibar et de la Bidouze, à l'est de St-Jean-Pied-de-Port. À cette hêtraie, criblée de gouffres, succède, au sud, une zone pastorale s'achevant à pic face à la frontière.

À NE PAS MANQUER

Le panorama depuis Ahusquy.

ORGANISER SON TEMPS

On peut, au choix, faire le tour du massif forestier en moins d'une journée, ou bien entreprendre une randonnée d'une ou plusieurs heures.

Aucune route ne pénètre au cœur de ce massif que l'on découvre uniquement par les pistes pastorales. Mais qui s'en plaindrait ? C'est le meilleur moyen de capter la lumière mystérieuse de ses hêtraies, les effluves de mousse et de champignons et le son du vent malmenant les branches ou caressant l'herbe des clairières. C'est aussi la seule façon de rencontrer les Laminak, du moins s'ils le veulent bien...

Circuit conseillé Carte de microrégion p. 394

★ FORÊT DES ARBAILLES

Pour visualiser ce circuit de 36 km au départ de St-Just-Ibarre, se reporter à la carte p. 394. Compter env. 2h.

St-Just-Ibarre/Donaitxi-Ibarre B3

Ce village bas-navarrais posté en lisière de Soule compte sept quartiers, symbolisés par les sept bassins de la fontaine moderne dressée à côté de la mairie.

Un haut lieu de la mythologie basque

DES PAYSAGES VARIÉS

Les 4535 ha des Arbailles s'étendent sur un grand massif calcaire parsemé d'énormes dolines (dépressions circulaires tapissées d'argile), de crevasses inattendues et de gouffres où l'eau circule, discrète. Cette diversité de reliefs explique la grande variété des paysages : hêtraies, pâturages, reliefs doux et crêtes ravinées.
Le secteur compte aussi de nombreuses grottes et autres abris rocheux qui servaient déjà de protection aux hommes préhistoriques, avant d'être utilisés comme bergeries ou caches de contrebande. Depuis bien longtemps, l'homme a su tirer parti de ce milieu naturel qui offre eau, bois de hêtre, gibier et champignons (cèpes et girolles).

LE ROYAUME DES LAMINAK

Sans doute impressionné par le brouillard fréquent qui confère aux lieux une atmosphère d'étrangeté, l'homme a également fait du massif le lieu de toutes les légendes. Selon la tradition, on y croiserait des **Laminak**, ces petits êtres malicieux au talent de bâtisseurs reconnu, qui habitent les grottes et les sources. Mais si les dames Laminak sont inoffensives et se contentent de peigner leurs longs cheveux à proximité des sources, il n'en va pas de même de leurs époux qui ont la regrettable habitude de s'attaquer à la vertu des innocentes bergères et sont capables de se transformer en araignée ou en serpent…

LES SEIGNEURS DE LA FORÊT

On dit aussi qu'on y croise parfois un **Basajaun** (ou **Baxajaun**, le terme signifiant « seigneur des forêts »), sorte de *yeti* local. Ce géant qui atteindrait une taille de 3 m et porterait une chevelure rouge lui descendant jusqu'aux genoux a de quoi impressionner ! Ce n'est pourtant pas un mauvais bougre puisqu'il protège les troupeaux en criant lorsque les loups s'en approchent. Il a aussi transmis aux hommes l'agriculture. Si d'aventure vous en rencontrez un, posez-lui une devinette : il a la réputation d'avoir l'esprit si lent que vous aurez tout le temps de vous enfuir pendant qu'il réfléchit à la solution ! Peut-être mettrez-vous la main sur ses richesses qu'il dissimule dans une des cavités de la forêt…

FATALE GOINFRERIE

Non loin de la source d'Ahusquy vivait un redoutable serpent à sept têtes du nom d'**Herensuge**. Il habitait la grotte d'Azalegi et se nourrissait des bergers et des troupeaux qui passaient à proximité de son antre. Lassé de voir régner la terreur sur les estives, le fils du comte Zaro imagina une ruse pour se débarrasser du monstre. Il emplit la peau d'une vache de poudre et d'allumettes, et l'incorpora à un troupeau destiné au festin de l'immonde bête. Celle-ci, comme à son habitude, aspira le tout et prit feu tout en s'envolant vers Itxasgorrieta, la mer rouge du couchant. Cet être maléfique aurait occupé d'autres lieux mythiques, comme le gouffre d'Aralar en Navarre.

Maison de saint Michel Garicoïts – *Depuis l'église, descendre vers la rivière en passant derrière la mairie. Franchir le pont. À la fourche, prendre à droite, puis à gauche sur la départementale. Au hameau, suivre à droite la direction « Ibarre ». À l'entrée du village, un panneau à droite indique la maison. Entrée gratuite. Pas de parking.*
Les herbes folles envahissent le chemin menant à la maison natale de **saint Michel Garicoïts** (1797-1875), parfois appelé le « dernier saint du Pays basque » et fondateur des pères de Bétharram. La confiance est ici totale puisque la clé se trouve sur la porte ! Un autel est aménagé au centre de la pièce principale, sur laquelle donnent différentes portes de bois *(pour les ouvrir, passez le doigt dans l'orifice et soulevez le loquet)* : celle du débarras, celle de la chapelle et celle de la cuisine, avec son âtre, sa pierre à évier, sa table et son vaisselier. La visite donne une très bonne idée de l'architecture intérieure d'une humble ferme d'époque.

Sources de la Bidouze B3
À la sortie de St-Just en direction du col d'Osquich et de Mauléon, prendre le premier embranchement qui descend vers la vallée et la rivière. Suivre les panneaux. Le départ, bien fléché, se fait à la hauteur du parking. 9 km - 3h AR - 350 m de dénivelé.
Après avoir longé quelques prairies, le sentier s'enfonce dans les sous-bois et grimpe alors jusqu'à la grotte, d'où jaillit la rivière dans un paysage bucolique. Prenez garde de bien suivre le balisage, car l'endroit peut se révéler escarpé. *Balisage jaune.*
Revenir à St-Just jusqu'à la D 918 et prendre, à droite, la direction de Mauléon. Après 9 km, prendre à droite la D 348 en direction d'Ordiarp et d'Aussurucq.

★ **Ordiarp**/Urdiñarbe C3
Charmant village traversé par une rafraîchissante rivière où caquettent les canards. Le cours d'eau est bordé d'un seul côté par les traditionnelles maisons souletines aux toits d'ardoise. Un pont romain l'enjambe.
★ **Église** – 12e s. Cette jolie église romane en surplomb de l'Arangorena arbore un original **clocher-mur** au clocheton carré. Elle est le seul vestige du relais hospitalier et de la commanderie des Augustins de Roncevaux, qui étaient installés dans ce village-étape du pèlerinage de Compostelle.
Centre d'évocation du patrimoine souletin – *☏ 05 59 28 07 63 - juil.-août : lun.-vend. 9h-12h, 14h-17h - fermé merc. apr.-midi, w.-end et jours fériés - sur demande un mois avant la visite - 4 € (-18 ans 2 €).* Culture basque, mythologie, art roman et témoignages de pèlerins de Compostelle se mêlent dans cet espace d'exposition. Des visites guidées *(1h30)* du village par un « raconteur de pays » sont organisées par l'office du tourisme de Soule *(14 juil.-15 août : merc. à 20h - sur inscription auprès de l'office de tourisme).*

★ **Aussurucq**/Altzürükü C3
Pittoresque village composé de fermes anciennes, du château de Ruthie (tours du 15e s.) et d'une église entourée de son cimetière. Notez le clocher-calvaire, typique de la Soule.
Suivre la D 147 vers Ahusquy.

★★ **Ahusquy** B4
De ce lieu de rassemblement de bergers, établi dans un site panoramique, subsiste une auberge (rénovée). En montant par la piste, sur 1 km, vous pouvez aller vous rafraîchir à l'excellente source d'Ahusquy (derrière un abreuvoir

nettement visible sur la pente) qui, jusqu'à la Deuxième Guerre mondiale, justifiait des cures très courues (affections des reins et de la vessie).

Une randonnée d'une demi-journée permet de rejoindre le plateau d'Elzarreko depuis la fontaine - *10 km - env. 5h30 AR - 420 m de dénivelé - balisage jaune.*

Continuer sur la D 117.

Col d'Aphanize B3

Dans les pacages autour du col évoluent librement des chevaux. Les pâturages servent de lieux d'estive pour de nombreux troupeaux. À un kilomètre à l'est du col, la **vue**★★ devient immense, embrassant le pic des Escaliers, immédiatement au sud, le pic de Ger, à l'horizon au sud-est, en passant par le pic d'Orhy, le pic d'Anie et le massif de Sesques (entre Aspe et Ossau).

DANS LA FORÊT DES ARBAILLES

HÉBERGEMENT

BUDGET MOYEN

Chambre d'hôte Maison Elixondoa – *64120 Pagolle - ✆ 05 59 65 65 34 - www.elixondoa.com - fermé 15 nov.-15 fév. - P - ⊭ - 4 ch. 64 € ☕ - rest. 23 € lun., merc. et vend. seult.* Dans un petit village basque, cette ferme du 17e s. bien restaurée sera parfaite pour méditer au calme en pleine nature. Campagne et collines pour décor extérieur, vieilles poutres, pierres apparentes et couleurs gaies à l'intérieur : un charme pastoral rare. Petite cuisine à disposition des hôtes près de la piscine.

Chambre d'hôte Biscayburu – *64470 Sauguis-St-Étienne - ✆ 05 59 28 73 19 - www.chambres-hotes-pays-basque.com - fermé vac. de Noël - P - ⊭ - 4 ch. 55 € ☕.* Cette ancienne ferme restaurée dont le nom signifie « la maison en haut de la colline » offre un magnifique panorama sur la vallée et les Pyrénées. Ses chambres, décorées avec goût, bénéficient d'une grande tranquillité. Le matin, l'odeur du petit-déjeuner, préparé par le patron, ex-boulanger, aide au réveil.

RESTAURATION

PREMIER PRIX

Hôtel-Restaurant Eppherre *– 64130 Aussurucq - ✆ 05 59 28 00 02 - fermé fév. et lun. hors sais. - P - 12,50/28 € - 8 ch. 40 € - ☕ 6 €.* Cette petite auberge au centre du village propose une cuisine traditionnelle très copieuse, toujours élaborée avec des produits du terroir. La terrasse ombragée est bienvenue en été. Chambres simples et calmes.

BUDGET MOYEN

L'Auberge d'Ahusquy – *Col de Burdin sur D 117 - 64130 Ahusquy - ✆ 05 59 28 57 27- 15 juin-11 Nov. : ouv. tlj midi et soir - mai-juin : ouv. dim. et j. fériés - ⊭ - 20/32 €.* Seul le son des cloches suspendues au cou des vaches pourra éventuellement perturber votre repas. C'est dire si cette auberge isolée, nichée à plus de 1 000 m d'altitude, au col de Burdin, est tranquille. Vous y dégusterez une cuisine familiale, tout en profitant d'une vue imprenable sur les Pyrénées.

+ d'adresses

Le Béarn 7

Carte Michelin Départements 342 - Pyrénées-Atlantiques (64)

Le Pic du Midi d'Ossau.

J. Sobrino / Age fotostock

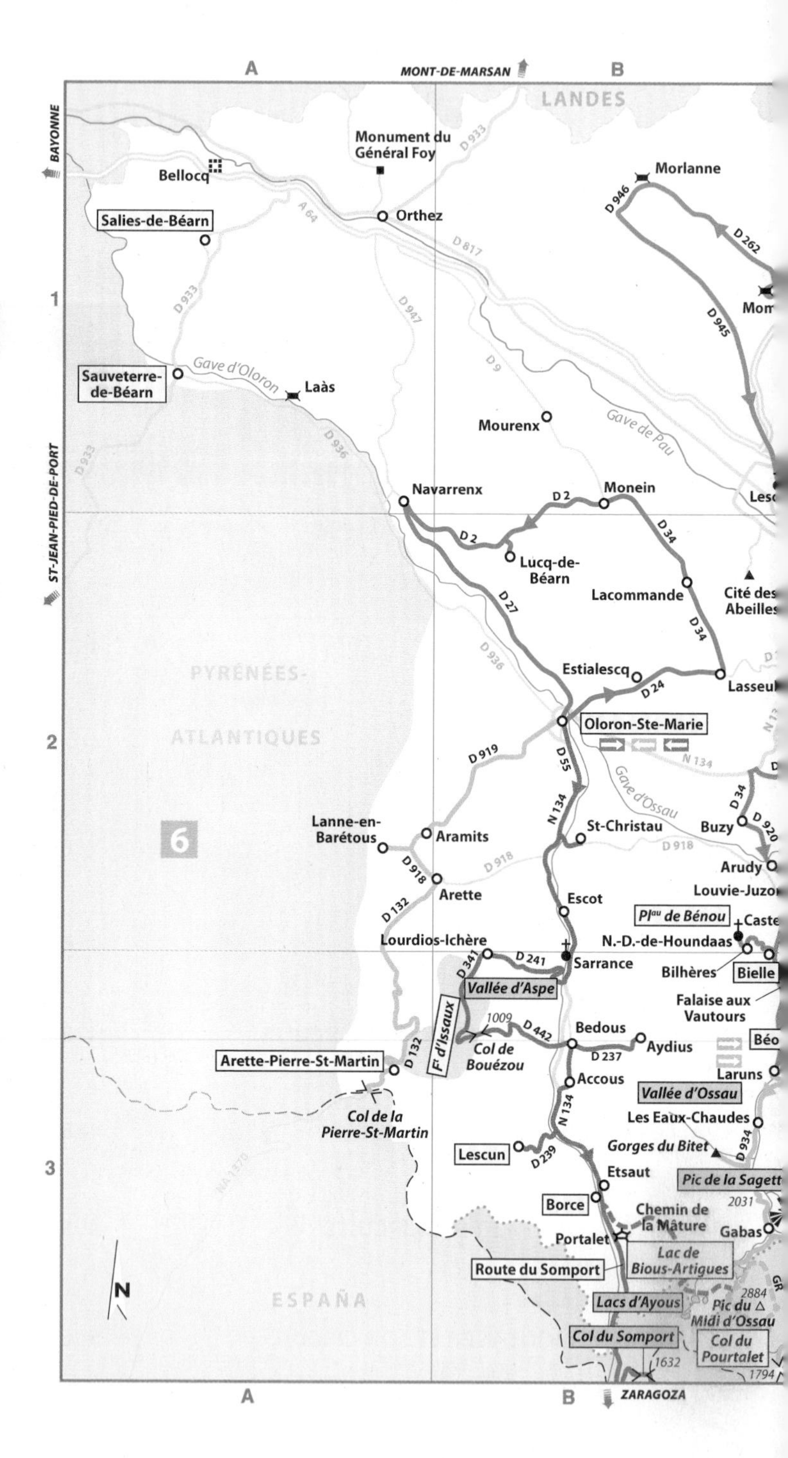
A
MONT-DE-MARSAN
B
LANDES
BAYONNE
Bellocq
Monument du Général Foy
Morlanne
Salies-de-Béarn
Orthez
D 946
D 262
1
Mom
D 945
Sauveterre-de-Béarn
Gave d'Oloron
Laàs
Mourenx
Gave de Pau
ST-JEAN-PIED-DE-PORT
Navarrenx
Monein
Lesc
D 2
D 34
Lucq-de-Béarn
Lacommande
Cité des Abeilles
D 27
PYRÉNÉES-
ATLANTIQUES
Estialescq
Lasseube
D 24
2
Oloron-Ste-Marie
D 919
D 55
N 134
Lanne-en-Barétous
Aramits
St-Christau
Buzy
D 920
6
D 918
Arudy
Arette
Louvie-Juzon
D 132
Escot
Plau de Bénou
Caste
Lourdios-Ichère
N.-D.-de-Houndaas
D 341
D 241
Sarrance
Bilhères
Bielle
Vallée d'Aspe
Falaise aux Vautours
Ft d'Issaux
1009
D 442
Bedous
Aydius
Béo
Col de Bouézou
D 237
Arette-Pierre-St-Martin
Laruns
Accous
Vallée d'Ossau
Col de la Pierre-St-Martin
Les Eaux-Chaudes
D 934
Lescun
D 239
Gorges du Bitet
3
Etsaut
Pic de la Sagett
2031
Borce
Chemin de la Mâture
Gabas
Portalet
Route du Somport
Lac de Bious-Artigues
N
ESPAÑA
2884
Pic du Midi d'Ossau
Lacs d'Ayous
Col du Somport
Col du Pourtalet
1632
1794
A
B
ZARAGOZA

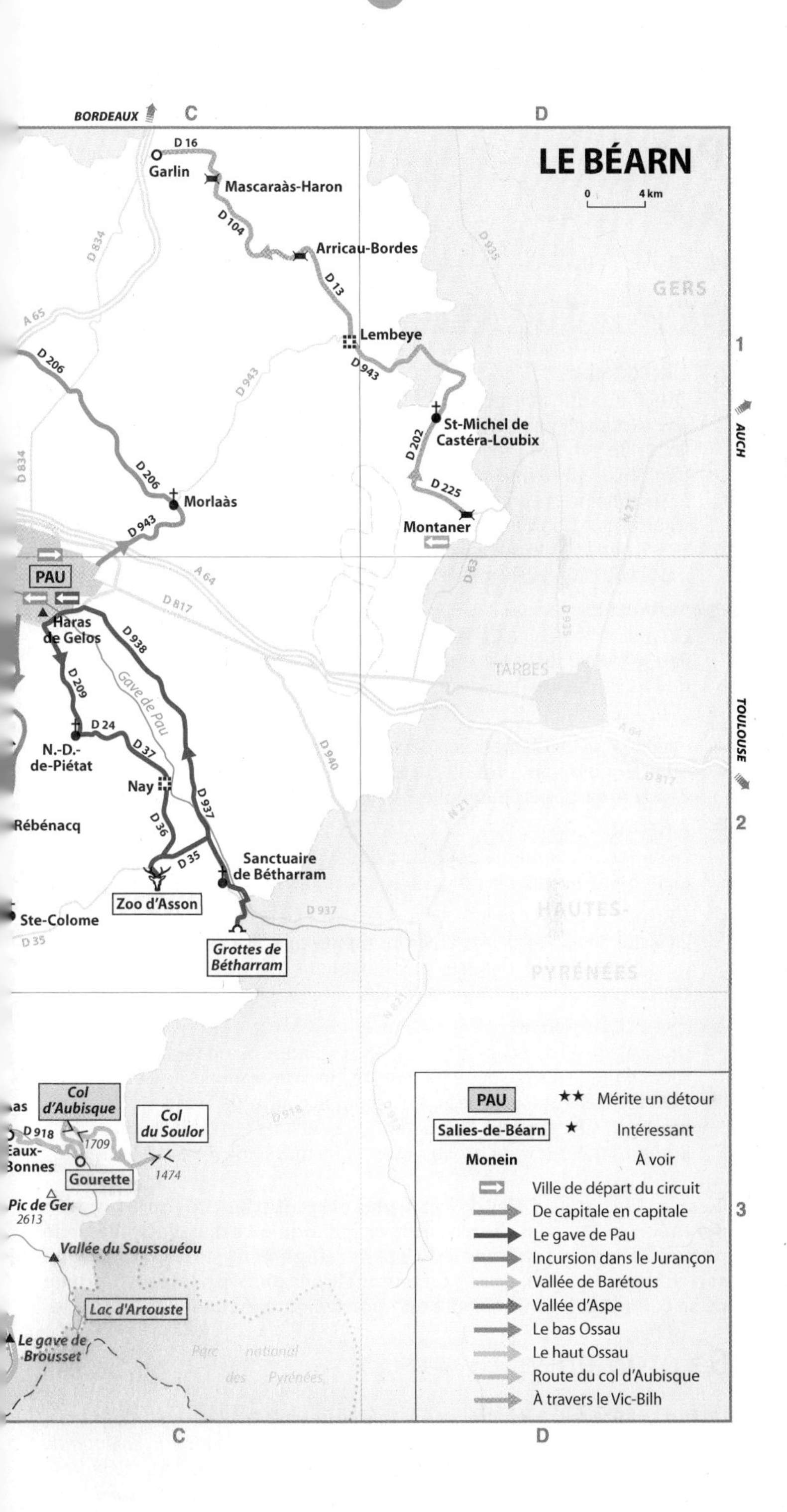

LE BÉARN
0 4 km
BORDEAUX
C
D
1
2
3
AUCH
TOULOUSE
GERS
HAUTES-PYRÉNÉES
TARBES
Garlin
D 16
Mascaraàs-Haron
D 104
Arricau-Bordes
D 13
Lembeye
D 943
St-Michel de Castéra-Loubix
D 202
D 225
Montaner
D 206
Morlaàs
D 943
PAU
A 64
D 817
Haras de Gelos
D 938
D 209
Gave de Pau
D 24
N.-D.-de-Piétat
D 37
Nay
D 937
D 36
D 35
Rébénacq
Zoo d'Asson
Sanctuaire de Bétharram
Grottes de Bétharram
Ste-Colome
D 35
D 937
D 940
D 834
A 65
D 935
D 63
N 21
Col d'Aubisque
1709
Col du Soulor
1474
D 918
Eaux-Bonnes
Gourette
Pic de Ger
2613
Vallée du Soussouéou
Lac d'Artouste
Le gave de Brousset
Parc national des Pyrénées
PAU ★★ Mérite un détour
Salies-de-Béarn ★ Intéressant
Monein À voir
Ville de départ du circuit
De capitale en capitale
Le gave de Pau
Incursion dans le Jurançon
Vallée de Barétous
Vallée d'Aspe
Le bas Ossau
Le haut Ossau
Route du col d'Aubisque
À travers le Vic-Bilh

Pau

★★

83 903 Palois - Pyrénées-Atlantiques (64)

NOS ADRESSES PAGE 463

S'INFORMER

Office du tourisme de Pau – Pl. Royale - 64000 Pau - t 05 59 27 27 08 - www.tourismepau.com - juil.-août : lun.-vend. 9h-18h30 (sam. 18h), dim. 9h30-13h, 14h-18h, j. fériés 10h-12h30, 15h-18h ; sept.-juin : lun.-sam. 9h-18h, dim. 9h30-13h - fermé j. fériés (sf juil.-août). Deux guides (gratuits) : Histoire et patrimoine et Parcs et jardins pour découvrir la ville ; application pour smartphone Géotourism (gratuit) ; rallye pédestre (GPS et carnet de route - 10 €/4 pers.) ; visite guidée en calèche ; Pass Pau : passeport valable pour le musée du château, le musée des beaux-arts et le musée Bernadotte (9 €).

SE REPÉRER

Carte de microrégion C1-2 (p. 450-451) – *carte Michelin Départements 342 J3.* Pau se trouve sur l'A 64, qui relie Biarritz à Toulouse, ainsi que sur la ligne de TGV Bordeaux-Tarbes.

SE GARER

Parkings : place Clemenceau dans le centre-ville, place Récaborde dans le quartier du Hédas (près du château), cours Bosquet (près du musée des Beaux-Arts), palais Beaumont. Parking gratuit place de Verdun.

À NE PAS MANQUER

Le panorama depuis le boulevard des Pyrénées ; le château ; Lescar et sa cathédrale ; les circuits du gave de Pau et de la vallée d'Ossau.

ORGANISER SON TEMPS

La visite de Pau et de ses environs mérite que l'on y consacre au moins deux jours. En été, diverses manifestations culturelles gratuites et des concerts en plein air animent la ville.

AVEC LES ENFANTS

Une balade en calèche dans les parcs et jardins ou un tour en petit train touristique, le musée des Parachutistes, le haras national de Gelos ; la Cité des Abeilles à St-Faust ; le zoo d'Asson ; la confiserie Francis Miot et son musée des Arts sucrés *(voir la rubrique « Achats » p. 466)* ; les grottes de Bétharram ; le lac des Carolins à Lescar ; le musée du Béret à Nay.

C'est la ville natale d'Henri IV et la plus élégante des cités de la bordure pyrénéenne. Même si elle n'a pas la grandiloquence d'un Versailles, elle porte son royal passé avec sobriété et raffinement, ce dont témoigne son château. Pau n'en a pas pour autant le nez dans le passé et, héritage de sa colonie britannique, elle est sportive, intellectuelle et culturelle.

Se promener Plan de ville p. 454

Un **funiculaire** *relie la haute ville à la ville basse (voir la rubrique « Transports », p. 463). Autrement, possibilité de prendre l'ascenseur de la tour de la Monnaie (pour rejoindre le château) et celui de l'hôtel du département (pour rejoindre le boulevard des Pyrénées).*

Le château de Pau.
Pearson Douglas/SIME-4Corners Images/Sime/Photononstop

★★ Boulevard des Pyrénées E2

C'est Napoléon Ier qui fit ouvrir la **place Royale**. Ensuite, sous l'impulsion des Anglais en villégiature, elle fut prolongée en véritable terrasse au-dessus de la vallée. Le boulevard des Pyrénées (long de 1 800 m) fut construit à la fin du 19e s. Il offre une magnifique vue sur la chaîne des Pyrénées. Au-delà des coteaux de Gelos et de Jurançon, le **panorama★★★** s'étend du pic du Midi de Bigorre au pic d'Anie *(les plaques apposées sur la balustrade désignent les sommets en vis-à-vis avec leurs altitudes respectives)*. Le pic du Midi d'Ossau se détache parfaitement. Par temps clair, surtout le matin et le soir et en période hivernale, le spectacle est d'une grande beauté.

Le boulevard domine des jardins en terrasses qui relient haute et basse villes par les sentiers du Roy. À son extrémité se trouve le **parc Beaumont** (F2), avec de nombreuses essences d'arbres, une belle roseraie, un lac et le **palais Beaumont**, ancien Palais d'hiver datant de 1900, abrite le casino et le centre de congrès historique (celui-ci doit ce nom à son appartenance au cercle restreint des *Historical Conference Centres of Europe*), qui accueille une **exposition** sur l'histoire de l'aviation à Pau, « Terre d'aviation » *(voir p. 74)* : maquettes, films d'archives… *✆ 05 59 11 20 00 - 9h-19h - gratuit.*

Quartiers anciens D2

Une campagne de valorisation des façades, qui furent jadis recouvertes par du mortier de ciment, redonne à Pau toutes ses couleurs.

S'éloigner de l'office de tourisme par la rue Henri-IV.

À l'est du château s'étend un lacis de rues pittoresques, bordées de magasins d'antiquités et de restaurants, où il fait bon flâner. Au bout de la rue Henri-IV se trouve le bâtiment de l'**ancien parlement de Navarre**, rénové au 18e s. La tour accolée est une reconstruction de l'ancien clocher de l'église St-Martin, érigée au 15e s. ; on peut d'ailleurs voir au sol la trace de ses fondations. Face au château, remarquez la **maison dite de Sully** du 17e s. *(N, sur le plan)*, avec sa cour intérieure en galets roulés du gave et son escalier droit.

★★ Château D2

✆ 05 59 82 38 00 - www.musee-chateau-pau.fr - visite guidée exclusivement (1h15) - juil.-août : 9h30-12h30, 13h30-17h45 - de mi-juin à mi-sept. : lun.-vend. 9h30-12h30, 13h30-17h45, w.-end 9h30-11h45, 14h-17h - fermé 1er janv., 1er Mai et 25 déc. - 6 € (-25 ans gratuit), 1er dim. du mois gratuit.

Dominant le gave, le château, élevé par Gaston Phébus au 14e s., a perdu tout caractère militaire, malgré son donjon de brique, typique des constructions de Sicard de Lordat. Au cours des siècles, chacun y est allé de son aménagement, ce qui a donné au château une silhouette éclectique. Transformé en palais Renaissance par Marguerite d'Angoulême, il fut entièrement restauré au 19e s. sous Louis-Philippe et Napoléon III.

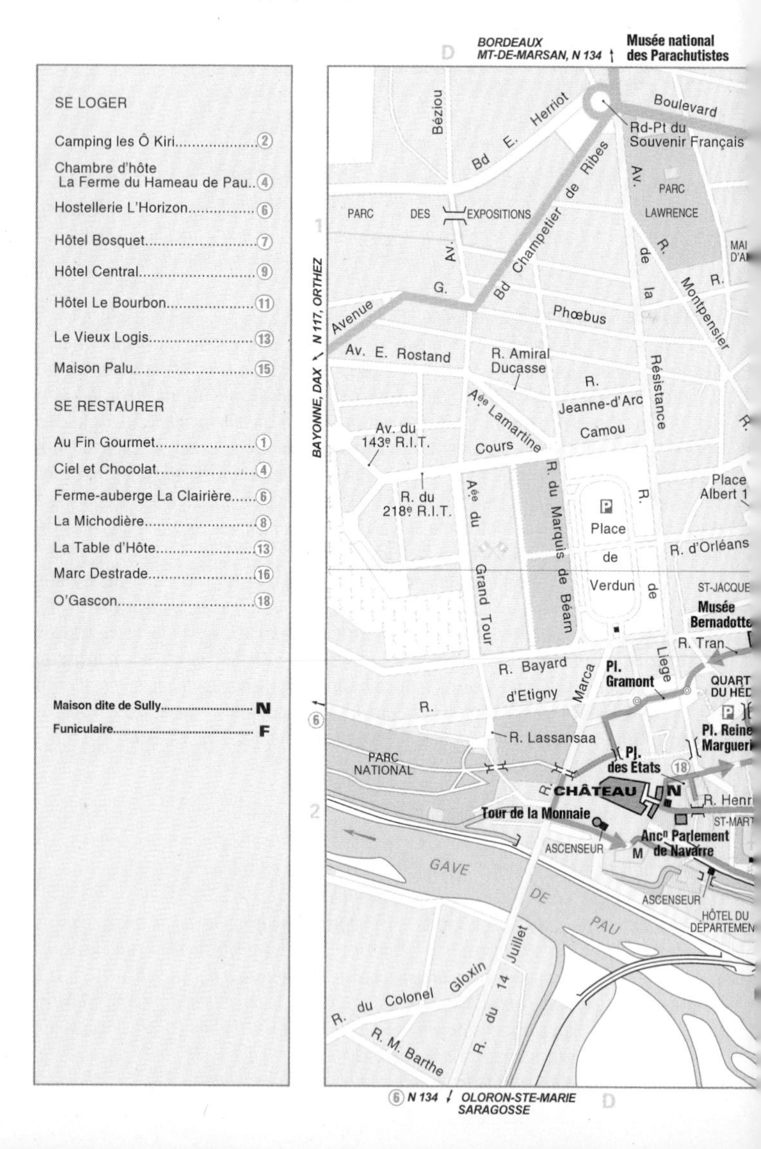

Pour vous repérer, penchez-vous sur la maquette (19ᵉ s.) du château, exposée dans la cuisine du 16ᵉ s., qui ouvre la visite. Les **appartements** forment une suite de salles richement décorées au 19ᵉ s. qui abritent, en particulier, une admirable collection de **tapisseries★★★** constituée sous Louis-Philippe (nombreuses tapisseries des Gobelins). L'imposante **salle aux Cent Couverts** révèle un plafond à solives apparentes. Les murs sont tendus de somptueuses tapisseries représentant *Les Chasses de Maximilien* (Gobelins du début du 18ᵉ s.) et une partie des Mois Lucas, du nom de leur créateur (17ᵉ s.). Au premier étage, le fastueux **grand salon** de réception renferme la suite des Mois Lucas, des chaises recouvertes de cuir gaufré, deux vases de Sèvres, des lustres néogothiques et des vases de style extrême-oriental (18ᵉ s.). Le **cabinet de l'Empereur**

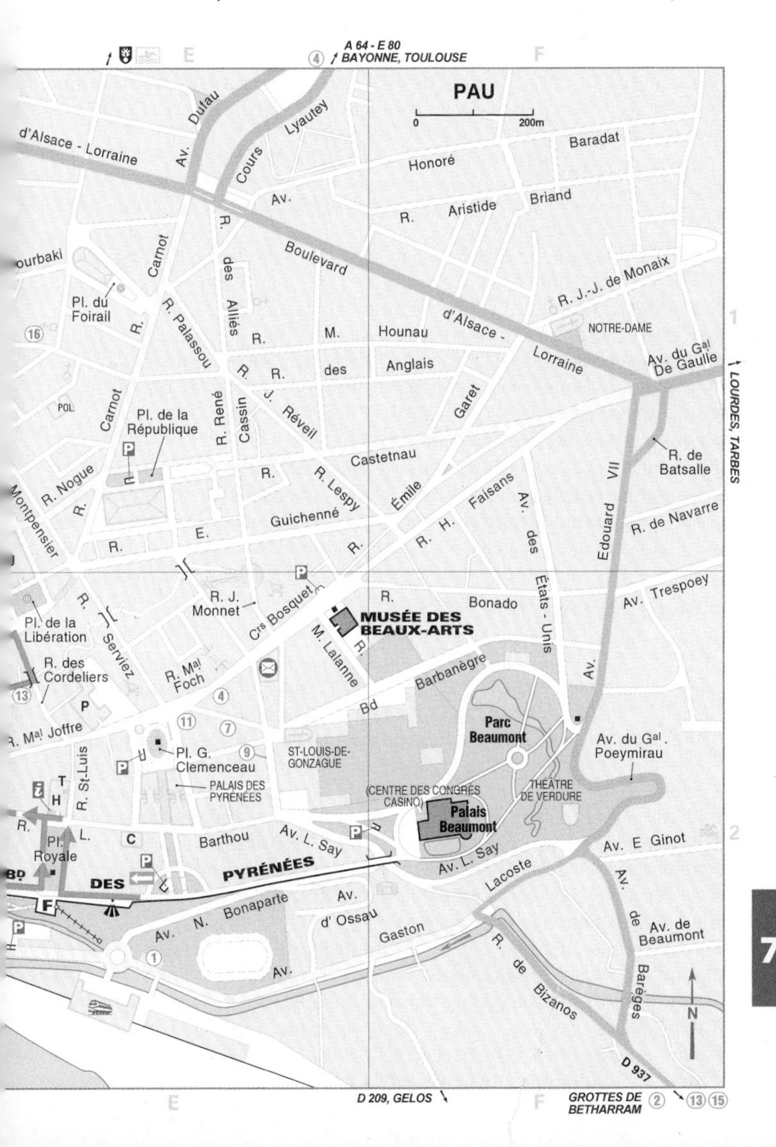

conserve son curieux lit monumental de style Louis XIII. L'**appartement de l'impératrice Eugénie** a été restitué dans son état du Second Empire : la toilette garnie se trouve dans le boudoir.
Un escalier à vis mène à la **salle des Atours** où sont exposés des portraits d'Henri IV (16e-17e s.) sous toutes les coutures (peintures et statues). Enfin, dans la **chambre du Roi** se trouve l'étonnant berceau d'Henri IV : une écaille de tortue des Galapagos, présentée sous un panache blanc et entourée d'un faisceau de lances porte-drapeaux.
La rue du Château mène à la **place des États**, carrefour des transhumances jusqu'à la Renaissance, où débouche la rue du Moulin : jetez-y un œil, c'est l'une des plus anciennes de la ville. Dans le prolongement de la rue du Château, la rue du Maréchal-Joffre conduit à la **place Reine-Marguerite** (D2), bordée d'arcades. Autrefois place du Marché, on y dressait aussi le gibet et la roue pour les exécutions capitales. La rue René-Fournets, sur la gauche, traverse le **quartier du Hédas**, jadis celui des artisans. Le passage Parentoy *(à la fontaine, prendre à droite puis à gauche)* rejoint la rue commerçante des Cordeliers.
Prendre à gauche pour rejoindre la rue Tran.

Musée Bernadotte D2

8 r. Tran - ✆ 05 59 27 48 42 - mar.-dim. 10h-12h, 14h-18h - fermé 1er janv., 1er mai et 25 déc. - 3 € (-26 ans gratuit).
La famille de Bernadotte était locataire au 2e étage de cette bâtisse traditionnelle, en pisé de galets. C'est ici donc que naquit Jean-Baptiste, à la destinée extraordinaire. À force de batailles, le simple soldat devint maréchal de France puis, en 1818, roi de Suède. Vous verrez la vieille cuisine béarnaise et les salons du 1er étage consacrés à la carrière militaire de ce grand homme et aux fastes dynastiques, puisque la famille régnante de Suède entretient le souvenir de son ancêtre français.
Poursuivre jusqu'à la place Gramont.
En descendant la place par la gauche, vous rejoindrez la porte de Corisande en empruntant la rue d'Espalungue, puis la rue Lassansaa. Cette porte en brique et le pont qui la suit mènent aux remparts puis débouchent sur la **tour de la Monnaie** bordée d'un canal (15e s.) qui alimentait la minoterie du château.

À voir aussi Plan de ville p. 454

★ Musée des Beaux-Arts E2

R. Mathieu-Lalanne - ✆ 05 59 27 33 02 - lun., merc.-vend. 10h-12h, 14h-18h, w.-end 10h-12h30, 14h-18h - fermé 1er janv., 1er mai et 25 déc. - 4 € (-26 ans gratuit).
Un musée conçu avec esprit, au cœur du quartier étudiant, où de grands noms de la peinture et de la sculpture côtoient des artistes locaux, plus méconnus. Ce savoureux mélange d'œuvres anciennes et contemporaines est rehaussé de clins d'œil esthétiques et thématiques. Ainsi, dans la première salle à gauche de l'entrée, le *Saint François en extase* du Greco (1590) voisine avec une œuvre abstraite de 1993 *(Considération sur la métaphysique)*. Entre *Saint François* et *Les Pénitents* de Roda repose une sculpture de jeune fille nue alanguie sur son lit de repos (A. Boucher, 1892).
Dans les salles consacrées à la peinture italienne, flamande, hollandaise, espagnole, française, anglaise, du 15e au 20e s., admirez particulièrement les œuvres de Jordaens, Bruegel de Velours, Rubens, José de Ribera, Zurbarán, Nattier, Van Loo…
L'achat par les Beaux-Arts de Pau, en 1878, du *Bureau du coton à La Nouvelle-Orléans*, de Degas, marque l'entrée des **impressionnistes** au musée. La

Les grandes heures de Pau

LES GRANDES FIGURES QUI ONT FAÇONNÉ LA VILLE

Gaston Phébus – Il dote Pau d'une enceinte et jette les bases du château actuel. Il y séjourne souvent. En 1450, Pau devient capitale du Béarn, après Lescar, Morlaàs et Orthez. Modeste capitale à vrai dire : les jours où se tiennent les États, une partie des députés ne peut trouver de logis et doit coucher à la belle étoile!

La « Marguerite des Marguerites » – En 1527, Henri II d'Albret, roi de Navarre, seigneur souverain du Béarn, comte de Foix et de Bigorre, prend pour épouse la savante Marguerite d'Angoulême, sœur du roi François Ier. Elle transforme le château dans le goût de la Renaissance et crée de somptueux jardins où sont jouées des pastorales de sa composition.

Une « dame de fer » – Jeanne d'Albret (fille de Marguerite) mariée à Antoine de Bourbon, bien que portant le futur Henri IV, accompagne son mari qui se bat en Picardie contre Charles Quint. Quand le terme approche, elle revient à Pau pour que l'enfant y naisse. Dix-neuf jours de carrosse, et sur quels chemins! Comme le lui a recommandé son père Henri, Jeanne d'Albret chante en béarnais pendant les douleurs d'enfantement afin que l'enfant ne soit « ni pleureux ni rechigné »...

L'enfance d'Henri de Navarre – Il passe sa « jeunesse paysanne » au château de Coarraze, près de Pau, puis est envoyé étudier à Paris. C'est sa mère, Jeanne d'Albret, convertie au protestantisme, qui, pendant ce temps, maintient les Palois sous une férule austère. Fini l'aimable fantaisie du règne précédent. Plus de fêtes brillantes, plus d'arbres de mai, plus de danses ni de jeux. Les églises sont transformées en temples, les sculptures brisées, les prêtres emprisonnés ou pendus, les catholiques traqués. Après la mort de Jeanne d'Albret, c'est la sœur d'Henri, Catherine, qui devient régente du Béarn pendant que son frère fait campagne. Elle poursuit l'aménagement du château et en embellit les jardins.

LA CROISSANCE DE LA VILLE

Pau mania

À partir de la monarchie de Juillet, Pau compte des résidents anglais, dont certains anciens officiers attachés au pays pour y avoir combattu en 1814. Ce n'est toutefois qu'en 1842 qu'un médecin écossais, le docteur **Alexander Taylor** (1802-1879), préconise la cure hivernale à Pau, par un ouvrage rapidement traduit dans la plupart des langues européennes. Le succès en est éclatant auprès des curistes. La colonie anglaise donne une impulsion décisive au sport : *steeple-chase* (1841) – le parcours de Pont-Long est l'un des plus redoutables d'Europe avec Liverpool –, golf (1856, premier terrain du continent), chasse au renard (1842), encore pratiquée aujourd'hui. La ville climatique devient ainsi la première station touristique.

La ville anglaise

Les Anglais se font construire à Pau de somptueuses villas sur le pourtour du centre-ville. Chacune, de style plutôt éclectique, possède parc et dépendances : serres et écuries sont deux éléments essentiels à la vie britannique. Aujourd'hui, on peut apercevoir ces villas, pour la plupart privées, en parcourant le quartier Trespoey, à l'est.

période moderne est également servie par des tableaux de Berthe Morisot, Armand Guillaumin ou André Lhote.

Présentation conséquente, aussi, des diverses tendances de l'**art contemporain**. La sculpture mérite une mention particulière, avec des créations de J. Arp, Gilioli, J. et B. Lasserre, etc.

La **note régionale** est donnée par l'œuvre romantique d'Eugène Devéria (1805-Pau 1865) – scènes et paysages pyrénéens, *Naissance d'Henri IV* – et des toiles de son élève, Victor Galos (Pau, 1828-1879), peintre par excellence du Béarn, de ses gaves tumultueux et de ses horizons barrés par la « sublime enceinte ».

Parcs et jardins de Pau

La moitié de la ville est recouverte d'espaces verts (750 ha, soit 75 m² par habitant, un record d'Europe)! Du parc du château qui rejoint le golf de Billère *(à l'ouest)* au parc de Beaumont *(à l'est)*, en passant par les jardins Renaissance du château, les jardins contemporains au pied de l'hôtel du département, les jardins Johanto sur les contreforts du boulevard des Pyrénées (pour ne citer que les plus importants), vous verrez des essences rares et exotiques qui ajoutent au charme de Pau.

Consultez le guide *Parcs et jardins* proposé par l'office de tourisme.

Musée national des Parachutistes D1

Sortie nord de Pau par la D 834 dir. Bordeaux (à l'entrée de l'École des troupes aéroportées) - 05 59 49 49 18 - www.museedesparas.com - - visite libre ou guidée (1h à 1h30) lun.-vend. 10h-12h, 14h-17h, w.-end et j. fériés 14h-17h (mat. sur réserv.) - 5 € (-18 ans gratuit).

Jeu de piste pour les enfants *(dossier remis à l'accueil)*.

Ce musée de l'armée de l'air, implanté sur la lande du Pont-Long qui a accueilli la première école d'aviation *(voir p. 76)*, retrace l'histoire des troupes aéroportées françaises à travers cinq périodes clés : précurseurs, Deuxième Guerre mondiale, guerres d'Indochine et d'Algérie, monde contemporain (films d'archives et vidéos, insignes, maquettes, mises en scène à l'aide de mannequins en uniforme, véhicules, armes…). Des expositions temporaires sont également organisées.

À proximité Carte de microrégion p. 450

Haras national de Gelos C2

À Gelos, au sud de Pau. 1 r. du Mar.-Leclerc - 05 59 06 98 30 - visite guidée (1h30) - juil.-août : lun.-vend. 10h, 14h et 16h ; mai-juin et sept.-oct. : lun.-vend. 14h et 16h - fermé lun., dim. et j. fériés, 24 déc.-8 janv. - 5 € (enf. 3 €).

Installé dans un ancien château du 18e s., le haras de Gelos fut créé par Napoléon Ier en 1807. Vous verrez dans ce centre de reproduction et d'élevage des pur-sang arabes et anglo-arabes, des pottoks, des poneys landais et des chevaux de trait. Dans les écuries est présentée une collection de voitures hippomobiles du 19e s. Vous visiterez également la forge et la sellerie d'honneur.

Cité des Abeilles B2

À St-Faust. 11 km à l'ouest par la route de Mourenx, puis à Laroin prendre la D 502, en lacet, vers St-Faust-de-Bas et poursuivre sur 2 km. 05 59 83 10 31 - www.citedesabeilles.com - juil.-août : 14h-19h ; avr.- juin, de déb. sept. à mi-oct., vac. de la Toussaint et de fév. : tlj sf lun. 14h-19h - fermé 23 déc.-1er fév. - 6 € (-18 ans 4 €).

Pour découvrir l'abeille et son environnement, cet écomusée didactique propose un parcours pédestre tracé à flanc de pente, au milieu de plantes mellifères (qui produisent du miel). Au programme, monde apicole d'hier et d'aujourd'hui : ruches anciennes typiques de plusieurs régions de France, rucher couvert provenant d'un monastère de Corrèze, ruche vivante. À travers les parois vitrées de la ruche d'observation, vous assisterez au travail des ouvrières sur leurs rayons.

Circuits conseillés Carte de microrégion p. 450

DE CAPITALE EN CAPITALE BC1

Pour visualiser ce circuit de 85 km au départ de Pau, se reporter à la carte de microrégion p. 450-451. Compter une demi-journée.
Quitter Pau au nord-est par la D 943. Dépasser le panneau Morlaàs-Berlanne, traverser une zone boisée. Morlaàs est indiqué sur la gauche.

Morlaàs C1

Pl. Ste-Foy - 64160 Morlaàs - 05 59 33 62 25 - www.paysdemorlaas-tourisme.fr - de mi-juin à mi-sept. : lun.-sam. 9h-12h30, 13h30-18h ; reste de l'année : lun., mar. et jeu. 9h-12h30, 13h30-17h30, vend. 9h-12h30, 13h30-16h.
Morlaàs devint la capitale du Béarn après la destruction de Lescar, au 9e s., et jusqu'à ce qu'Orthez prenne le relais, au 12e s. Aujourd'hui, seule son **église romane** témoigne de son importance passée. Le **portail★** est la partie la plus intéressante de l'église Ste-Foy (11e s.). Les portes sont séparées par un trumeau dont la base repose sur deux hommes enchaînés. Les tympans représentent, à gauche, le Massacre des Innocents ; à droite, la Fuite en Égypte ; au-dessus, le Christ en majesté, entre un homme ailé et un aigle, attributs des évangélistes saint Matthieu et saint Jean. Les voussures sont ornées de damiers, de losanges, de rosaces et autres motifs décoratifs dans l'intervalle desquels est représentée une théorie de canards montant vers le ciel (qui peut symboliser la marche des pèlerins vers Compostelle), les 24 vieillards de la Vision de l'Apocalypse tenant dans leurs mains des harpes ou des vases de parfum et les juges de l'Ancien Testament. Les voussures retombent sur des colonnettes aux chapiteaux sculptés de figurines, de monstres et d'entrelacs : entre les colonnettes, à gauche et à droite du portail, se dressent les statues nimbées des douze apôtres.
Prendre la jolie D 206 et poursuivre sur la D 262.

Château de Momas B1

05 59 77 14 71 - avr.-nov. : w.-end apr.-midi ou sur RV - 5 € (-12 ans gratuit).
De cette « maison noble de la Seigneurie de Momas, fief mouvant de la vicomté de Béarn », vous visiterez le rez-de-chaussée et, surtout, le **jardin-conservatoire** : nombreuses espèces de plantes à fleurs, médicinales, légumes rares... La propriétaire, Mme Teillard, vous fera partager son savoir encyclopédique. Remarquez aussi l'église (11e s., remaniée au 19e s.) qui jouxte le château.
Un peu plus loin *(à 3 km au sud-ouest par la D 201)*, le **lac de l'Ayguelongue** pourra constituer une agréable halte. Un sentier en fait le tour (postes pour observer les oiseaux, pêche, aires de pique-nique).
Continuer sur la D 262 et tourner à gauche dans la D 946.

Château de Morlanne B1

05 59 81 60 27 - avr.-oct. : tlj sf mar. 14h-18h.
Le petit **château** de brique faisait partie du groupe de forteresses élevées à la fin du 14e s. par Gaston Phébus. Ensembles mobiliers au 1er étage : chambre Consulat et Empire avec ses deux lits d'acajou ; chambre Louis XVI, tendue

d'une soierie bouton-d'or à bouquets ; bureau-bibliothèque. Au 2e étage, chambre Louis XVI et galerie de tableaux, parmi lesquels on admirera une *Vue de Venise* de Canaletto et une *Tête de vieillard* de Fragonard.
Reprendre la D 946 vers l'ouest et tourner à gauche dans la D 945.

Lescar B1

Pl. Royale - 64230 Lescar - 05 59 81 15 98 - www.lescar-tourisme.fr - juil.-sept. : 9h-12h, 14h-19h, dim. 15h-18h ; fév.-juin et oct. : lun.-sam. 9h-12h, 14h-18h ; nov.-janv. : lun.-sam. 9h-12h, 14h-17h - fermé 1er mai.

Après la destruction par les Normands (vers 850) de *Beneharnum*, ville romaine importante qui avait donné son nom au Béarn et en était devenue la capitale, une nouvelle ville fut élevée sur la colline. Les rois de Navarre de la lignée d'Albret choisirent sa cathédrale pour abriter leurs sépultures.
Prendre au fond de la vallée une rampe en forte montée pénétrant dans la vieille ville par une porte fortifiée.

Bon à savoir – Une signalétique vous renseigne sur l'histoire de la ville *(dépliant disponible à l'office de tourisme)*. Pour en profiter pleinement, suivez l'une des 2 visites proposées par l'office de tourisme : la « randonnée médiévale » *(1h30 - 5 €)*, incluant une partie de la cathédrale, ou la « randonnée gallo-romaine » *(de mi-juin à mi-sept. - 3h - 5,5 km - 6 €)* qui fait le tour des cités médiévale et gallo-romaine.

Cathédrale Notre-Dame★ – *Visite guidée (1h) sur demande à l'office de tourisme - lun.-vend. 15h30 - 4 € (enf. 3 €).* Commencée par le chœur en 1120, la cathédrale fut saccagée par les protestants sous le règne de Jeanne d'Albret. D'importantes restaurations aux 17e s. et 19e s. la sauvèrent de la ruine. Le chevet a conservé la pureté de son architecture romane. Placez-vous dans le cimetière pour admirer les absides (fleurons à marguerites de la corniche, modillons décorés).

Entrez dans l'église par le portail sud, à droite duquel deux inscriptions ont été dégagées. Le vaisseau donne une impression d'ampleur. La décoration romane du chœur et du transept est remarquable : admirez les **chapiteaux★** historiés des piliers est de la croisée et ceux des retombées des arcades ouvrant sur les absidioles (scènes du cycle de Daniel, de la naissance du Christ, sacrifice d'Abraham). Le chœur est pavé d'une mosaïque du 12e s. représentant des scènes de chasse, avec un pittoresque personnage de petit archer estropié, à jambe de bois.

Derrière la cathédrale, empruntez la porte dans la tour face au cimetière et descendez les terrasses fleuries des **remparts** sud, qui offrent un beau panorama sur la montagne.

Musée Art et Culture – *05 59 81 36 65 - de mi-avr. à déb. nov. : 10h30-12h, 15h-19h - gratuit.* Il est installé dans le cellier d'un ancien palais épiscopal, dont deux tours seulement subsistent sur la place de l'Évêché *(derrière le musée)*. Il accueille des vestiges archéologiques découverts sur le site de *Beneharnum* et d'une villa gallo-romaine (mosaïque du 4e s.), et des expositions d'art contemporain.

Alimenté par l'Ousse des Bois, le petit **lac des Carolins** *(fléché depuis le centre)*, refuge de la cistude d'Europe (tortue), est un sympathique lieu de détente : sentier avec panneaux d'interprétation nature, pêche, aires de jeu… Animations en été.

★ LE GAVE DE PAU

Pour visualiser ce circuit de 79 km au départ de Pau, se reporter aux cartes p. 450-451 ou p. 499. Compter une demi-journée.
Sortir de Pau au sud par la D 209.

N.-D.-de-Piétat C2

Chapelle de pèlerinage du 17e s. De l'autre côté de l'esplanade, derrière le calvaire, la table d'orientation vous instruit sur le **panorama★** dominant la vallée du gave de Pau, le pic du Midi de Bigorre, le Vignemale, le Gabizos, le Capéran de Sesques : essayez de vous y retrouver!

Prendre la D 24, puis à droite la D 37. La route regagne la vallée du gave de Pau.

Nay C2

Document comprenant 2 circuits (1 et 3 km) disponible à la maison Carrée.

Avant toute chose… prononcez Naï. Cette bastide fondée en 1302, sur la rive gauche du gave, connut bien des vicissitudes (voir la frise chronologique sous les arcades de la maison Carrée). Elle conserve cependant son plan d'origine avec sa place à couverts (qui a certes perdu l'un de ses côtés), très animée les mardis et samedis, jours de marché.

Maison Carrée – *05 59 13 99 65 - visite guidée (1h) juil.-août : 10h-12h, 15h-19h ; mai-oct. et vac. scol. : mar.-sam. 10h-12h, 14h-18h - 3,50 €.* C'est un riche drapier qui fit construire cet hôtel particulier au 16e s. Sa cour intérieure, florentine, affiche les trois ordres d'architecture (dorique, ionique et corinthien), exemple unique de ce style en Aquitaine. Elle abrite des collections du Musée béarnais : mobilier 17e-19e s. et objets de la vie quotidienne dans la cuisine. Elle accueille également des expositions temporaires.

Musée du Béret – *05 59 61 91 70 - www.museeduberet.com - - août : tlf sf dim. mat. 10h-12h, 15h-19h ; avr.-juil. : mar.-sam. 10h-12h, 14h-18h ; nov.-mars : lun.-sam. 14h-18h - fermé j. fériés - 4 € (-10 ans gratuit).* Pour rendre à César ce qui est à César, sachez que le béret n'a de basque que le nom, sa véritable origine étant béarnaise. Un film de témoignages (15mn) d'habitants du Béarn, mais aussi du Pays basque et des Landes, sur le port et la place de cet objet sacré vous mettra dans l'ambiance! Ensuite, à travers l'exposition de métiers animés et de machines anciennes, vous comprendrez les diverses étapes de fabrication industrielle du célèbre couvre-chef.

Quitter Nay par la D 36, au sud. À 3 km au-delà d'Asson (suivre la direction Bruges) se détache le chemin d'accès.

★ Zoo d'Asson C2

05 59 71 03 34 - www.zoo-asson.org - avr.-sept. : 9h-19h ; reste de l'année : 9h-18h - 10 € (3-11 ans 6 €).

Sur un site de 5 ha, planté d'une centaine de palmiers et comptant une belle serre de style Napoléon III, évoluent plus de 500 mammifères (dont vingt-deux espèces de primates) et oiseaux (perroquets, perruches, loris, flamants roses de Cuba…) des cinq continents. Le **parc aux kangourous**, rassemblant cinq espèces qui bondissent en toute liberté, se classe parmi les plus importants d'Europe. L'arrivée en 2002 de **panthères des neiges** participe d'une volonté de contribuer à la préservation des espèces menacées (le parc assure la reproduction d'espèces rares).

Revenir à Asson et prendre à droite la D 35 puis, encore à droite, la D 937.

Sites de Bétharram C2

Sanctuaire – Tous les **14 septembre**, il se transforme en lieu de pèlerinage, et ce depuis le 15e s. On raconte en effet que des bergers y virent un jour une statue miraculeuse de la Vierge apparaître dans un buisson. D'autres affirment qu'à cet endroit une jeune femme qui se noyait dans le gave fut sauvée par un rameau divin envoyé par Marie.

Le cadre d'accueil est classique pour ce type de sanctuaire : de vastes bâtiments conventuels qui logent aujourd'hui la congrégation des prêtres du

STALACTITES, STALAGMITES, EXCENTRIQUES…
L'eau de pluie s'infiltre dans les fissures des massifs calcaires et, au cours de sa circulation souterraine, abandonne le calcaire dont elle s'est chargée, ciselant ainsi des concrétions aux formes fantastiques : pendeloques, pyramides, draperies, etc. Les stalactites se forment à la voûte de la grotte. Les fistuleuses sont des stalactites offrant l'aspect de longs macaronis effilés pendant aux voûtes. Les stalagmites s'élèvent du sol vers le plafond. Une colonne est la réunion d'une stalactite et d'une stalagmite. La formation de ces concrétions est extrêmement lente ; elle est, actuellement, de l'ordre de 1 cm par siècle sous nos climats. Les excentriques, très fines protubérances dépassant rarement 20 cm de longueur, se développent en tous sens sous forme de minces rayons ou d'éventails translucides. Des phénomènes complexes de cristallisation les libèrent des lois de la pesanteur.

Sacré-Cœur de Jésus et son collège. En surplomb de la chapelle, un **chemin de croix** du 19e s. jalonne la colline. Remarquez en particulier les huit bas-reliefs d'Alexandre Renoir (1845). Du calvaire, panorama sur les collines environnantes et la plaine du gave de Pau.

Chapelle Notre-Dame – Côté pont routier, elle affiche une façade classique (1661) en marbre gris. À l'intérieur, parmi la profusion baroque, on distinguera : en entrant à gauche, derrière une grille, une *Vierge allaitant* (bois polychrome du 14e s.), vénérée jadis au maître-autel ; à droite, un *Christ à la colonne* du 18e s. ; au maître-autel, statue de N.-D.-de-Bétharram, en plâtre (1845). Adossée au chevet *(accès par une porte à gauche du chœur)*, la **chapelle-rotonde de St-Michel-Garicoïts** (1926) abrite un sépulcre de marbre et de bronze doré, propre à faire honneur au saint homme qui restaura le sanctuaire et le calvaire, et qui fonda la congrégation. *✆ 05 59 71 92 30 - ♿ - 1,50 €.*

Au-delà de la chapelle, vers les bâtiments conventuels, **vieux pont** en dos d'âne daté de 1687.

Grottes★ – *✆ 05 62 41 80 04 - ♿ - visite guidée 25 mars-25 oct. : 9h-12h, 13h30-17h30 ; 11 fév.-24 mars : 14h30-16h sf w.-end - fermé 26 oct.-10 fév. et j. fériés - 12 € (enf. 7 €).* En 1819, un ancien grognard de Napoléon, le sergent Caoules, découvre les grottes, mais leur exploration méthodique attendra 1888 avec la visite du Club alpin français. Elle durera dix ans et révélera 5 200 m de galeries souterraines au décor fantasmagorique. C'est **Léon Ross**, un artiste peintre, qui aménagera la grotte en vue de la faire visiter. Elle ouvrira au public en 1903. En tout, cinq étages de galeries, où scintillent de véritables trésors d'Ali Baba taillés dans l'eau et la roche : lustres, colonnes, cloches, cloître roman… On lit dans les concrétions comme dans les nuages ! L'étage inférieur correspond au niveau actuel de la rivière née de l'écoulement des eaux. On la suit en **barque** sur quelques mètres. Un **petit train** épargne le parcours du tunnel ramenant au jour.

★★ VALLÉE D'OSSAU

Pour visualiser les circuits du Bas Osseau (70 km entre Pau et Laruns) et du Haut Osseau (40 km entre Laruns et le col du Pourtalet), se reporter aux cartes p. 450 et p. 497. Compter une demi-journée. *Description p. 495-500.*

NOS ADRESSES À PAU

TRANSPORT

Funiculaire – *Ttes les 3mn : 6h45-12h10, 12h35-19h10, 19h35-21h40, dim. et j. fériés 13h30-19h10, 19h35-20h50 - fermé 1er janv., 1er mai, 25 déc. et lors du Grand Prix automobile de Pau - gratuit.* Depuis 1908, il emmène les voyageurs de la place Royale au pied de la gare.

HÉBERGEMENT

Bon à savoir – Attention, la ville étant une grande organisatrice de congrès et autres manifestations, se loger à Pau présente parfois des difficultés. Il est donc recommandé de réserver longtemps à l'avance, particulièrement au printemps, lors du Grand Prix automobile, et à l'automne, pendant le Concours international d'équitation.

À Pau

PREMIER PRIX

Chambre d'hôte La Ferme du Hameau de Pau – *73 av. Copernic - ☎ 05 59 84 36 85 - www.gites-du-hameau-de-pau.com - P - ⊭ - 4 gîtes et 3 ch. 45/67 €* ☕.Voici une adresse idéale pour un séjour entre ville et campagne. Chambres simples et coquettes, décorées de tissus fabriqués par la propriétaire et repas, élaborés avec les produits maison, servis sur la terrasse, face aux Pyrénées, lorsque le temps le permet.

BUDGET MOYEN

Hôtel Central – *15 r. L.-Daran - ☎ 05 59 27 72 75 - www.hotelcentralpau.com - fermé 29 déc.-5 janv. - 26 ch. 58/82 € - ☕ 8 €.* Central, cet hôtel l'est en effet ! Ampleur et décor varient suivant les chambres, bien insonorisées. Tenue sans faille.

POUR SE FAIRE PLAISIR

Hôtel Le Bourbon – *12 pl. Clemenceau - ☎ 05 59 27 53 12 - www.hotel-lebourbon.com - 33 ch. 69 € - ☕ 6,50 €.* Hôtel situé dans un quartier agréablement animé par de nombreux cafés. Les chambres, toutes rénovées, et la salle du petit-déjeuner donnent sur la place.

Hôtel Bosquet – *11 r. V.-Meunier - ☎ 05 59 11 50 11 - www.hotel-bosquet.com - 30 ch. 67 € - ☕ 7,50 €.* Proche du centre-ville, cet établissement a fait peau neuve et arbore dorénavant un décor tendance (tons orangés, mobilier en bois clair). Chambres de bon confort.

À proximité

PREMIER PRIX

Camping Les Ô Kiri – *Av. du Lac - à la base de loisirs - 64800 Baudreix - ☎ 05 59 92 97 73 - www.lesokiri.com - de mi-avr. à fin sept. - ♿ - P - réserv. conseillée - 60 empl. 23,40 € ; 10 mobile homes 68/75 € ; 14 chalets 71/90 €.* Ce camping, intégré à la base de loisirs, borde le lac et bénéficie d'un assez bon ombrage sur un terrain bien entretenu. Les chalets, avec chambres indépendantes, se louent à la nuitée. La terrasse du bar-restaurant ménage une jolie vue sur le plan d'eau et les paysages pyrénéens.

Chambre d'hôte Maison Palu – *19 chemin Arriuthouet - 64800 Asson - ☎ 05 59 71 05 05 - www.gites64-com/maison-palu - P - ⊭ - 5 ch. 45 €* ☕. Un chemin à travers champs conduit à cette imposante ferme ordonnée autour d'une cour. Les chambres, aménagées dans une dépendance, sont simples, tout comme les salles d'eau. Les enfants seront ravis d'approcher moutons, chèvres, chevaux… Cuisinette à disposition des hôtes.

BUDGET MOYEN

Hôtel Le Vieux Logis – *2 km rte des grottes de Bétharram - 64800 Lestelle-Bétharram - ✆ 05 59 71 94 87 - www.hotel-levieuxlogis.com - fermé 31 oct.-6 nov., 22 déc.-4 janv., 16 fév.-1er mars, dim. soir et lundi hors saison - ♿ - 🅿 - 28 ch. 62/83 € - ☕ 12 € - formule déj. 18 € - 25/40 €.* À proximité des grottes de Bétharram, cet hôtel familial installé dans une ancienne ferme propose des chambres fonctionnelles et sert une savoureuse cuisine régionale. Dans le parc, 5 chalets complètent l'offre. Piscine. Accueil « aux petits soins ».

Hostellerie L'Horizon – *Chemin Mesplet - 64290 Gan - ✆ 05 59 21 58 93 - www.hostellerie-horizon.com - fermé 2 janv.-13 fév. - 🅿 - 10 ch. 65/85 € - ☕ 8 € - formule déj. 16 €*. Salle à manger-véranda et terrasse regardent un plaisant jardin. Par beau temps, les Pyrénées dominent l'horizon. Demandez les chambres récentes, plus confortables.

RESTAURATION

À Pau

PREMIER PRIX

Ciel et Chocolat – *11 av. du Mar.-Foch - ✆ 05 59 27 44 15 - fermé dim., lun. soir et mar. soir - ♿ - déj. 10,50 €; buffet fruits de mer à volonté tous les soirs 27 €.* Pour un déjeuner ou une pause gourmande, optez pour ce restaurant niché dans une impasse du centre-ville. Cuisine traditionnelle à déguster en toute tranquillité dans la salle moderne ou en terrasse. Le soir, vente de fruits de mer à emporter.

BUDGET MOYEN

O'Gascon – *13 r. du Château - ✆ 05 59 27 64 74 - restaurant-ogascon-pau.com - fermé mar., tous les midis sf dim. - 22/51 €.* Murs de pierre et de brique, vieux meubles en bois et poutres au plafond : il règne une chaleureuse ambiance dans ce restaurant très orienté cuisine du terroir. On peut y déguster la vraie garbure, servie dans une soupière en terre cuite. Accueil simple et très agréable.

La Table d'Hôte – *1 r. du Hédas - ✆ 05 59 27 56 06 - la-table-dhote@wanadoo.fr - fermé vac. de Noël, dim. et lun. (sauf lun. soir en juil.-août). - formule déj. 19 € - 24/31 €.* Briques, poutres et galets donnent un petit air campagnard à cette ancienne tannerie du 17e s., nichée dans une ruelle médiévale. Ambiance sympathique et cuisine du terroir.

La Michodière – *34 r. Pasteur - ✆ 05 59 27 53 85 - www.lamichodiere.fr - fermé 24 juil.-25 août, dim. et j. fériés - 15/27 €.* La façade en galets abrite deux salles à manger dont une, lambrissée, est animée par le spectacle des cuisiniers s'activant aux fourneaux. Cadre actuel et plats du marché.

POUR SE FAIRE PLAISIR

Au Fin Gourmet – *24 av. G.-Lacoste - ✆ 05 59 27 47 71 - www.restaurant-aufingourmet.com - fermé 25 juil.-10 août, vac. de fév., dim. soir, merc. midi et lundi - 27/75 €.* Un lieu très agréable au pied du funiculaire : pavillon sous verrière évoquant un jardin d'hiver et salle plus ancienne revue dans le même esprit. Cuisine au goût du jour.

Marc Destrade – *30 r. Pasteur - ✆ 05 59 27 62 60 - fermé août, merc. soir, dim. soir et lundi - 26/38 €.* Cette avenante maison ancienne donne envie de pousser la porte. Les tables près de la cheminée sont très demandées en hiver. Accueil aimable, cuisine traditionnelle.

À proximité

BUDGET MOYEN

Ferme-auberge La Clairière – *Chemin de la Juscle - 64110 St-Faust - ✆ 05 59 83 06 59 - fermé dim. soir - ♿ - P - 💳̸ - 18/31 €.* Vous aurez bien du mal à choisir entre le civet de canard, la poule au pot ou la pintade royale. Ces spécialités « maison » sont préparées avec les produits de la ferme et accompagnées de légumes du jardin. La salle à manger, aménagée dans un chai de 1725, vaut le détour.

EN SOIRÉE

Casino municipal de Pau, palais Beaumont – *Allée Alfred-de-Musset - parc Beaumont - ✆ 05 59 27 06 92 - www.groupetranchant.com - dim.-jeu. 10h-3h, vend., sam. et veilles de fêtes jusqu'à 4h.* Ce casino est équipé de 120 machines à sous, d'une salle de jeux traditionnels, d'un restaurant et d'un bar. Animation musicale le vendredi.

ACHATS

Henri Burgué – *Chemin des Bois - 64110 Saint-Faust - ✆ 05 59 83 05 91/ 06 85 20 53 23 - www.jurancon-domaine-burgue.com - 9h-20h.* Ce petit producteur réalise des jurançons moelleux et secs vieillis en fût de chêne, fruits de trois années d'attention et de patience. Petit détail amusant : les barriques sont fermées à l'aide de galets. Dégustation effectuée directement au tonneau.

Cave de Gan Jurançon – *53 av. Henri-IV - 64290 Gan - ✆ 05 59 21 57 03 - www.cavedejurancon.com - 8h-12h, 13h30-19h - fermé dim. sf juin-août et j. fériés.* Grain Sauvage au goût intense de raisin, Château de Navailles obtenu par vendanges manuelles et tris successifs, Peyre d'Or, superbe jurançon sec, Château Les Astous ou Croix du Prince, parfait pour l'apéritif... Toutes ces merveilles sont à découvrir à un très bon rapport qualité-prix dans cette vitrine du jurançon.

Josuat – *2 r. du Mar.-Joffre - ✆ 05 59 27 65 67 - 9h30-12h, 14h30-19h15 - fermé dim.-lun. et j. fériés sf Pâques et 25 déc. Atelier des sens 4,60 €, 3 € 3-12 ans (juil.-août 3 € et 2 €).* Établi depuis 1880, ce chocolatier réalise de nombreuses pâtisseries, chocolats et bonbons maison, dont la fameuse Poule au pot d'Henri IV.

Francis Miot – *Rond-point d'Uzos - D 37 - ✆ 05 59 35 05 56 - www.francis-miot.com - tlj sf dim. 10h-12h, 14h-18h - fermé j. fériés.* Francis Miot collectionne les titres prestigieux : champion du monde des maîtres confituriers en 1988, 1990 et 1991, il est aussi le créateur des Coucougnettes du Vert Galant, élu meilleur bonbon de France en 2000. Il vous ouvre les portes de ses ateliers de fabrication et de son musée des Arts sucrés. Démonstrations *(sur RV)*, dégustations et, pour les enfants, « école du goût ».

Fromagerie Bachelet – *3 av. M.-Dassault - 64140 Lons - ✆ 05 59 32 49 07 - www.fromagesdespyrenees.fr - juil.-août : tlj sf dim. et lun. 9h-19h ; reste de l'année : mar.-sam. 9h-19h, lun.14h-19h - fermé j. fériés.* Ce fromager connu et reconnu choisit avec soin ses fournisseurs et affine lui-même ses fromages. Dans sa grande boutique de la périphérie paloise figurent en bonne place les vache, brebis, chèvre et autres « mixtes » du terroir, complétés de fromages venus d'ailleurs.

Au Parapluie des Pyrénées – *12 r. ontpensier - ✆ 05 59 27 53 66 -*

www.auparapluiedespyrenees.com - tlj sf dim. 8h-12h, 14h-19h, sam. 9h-12h, 14h-18h. Depuis 1890, on fabrique ici les immenses parapluies des Pyrénées qui sont les seuls capables de résister aux pires averses du Sud-Ouest. C'est aujourd'hui la dernière entreprise du genre en France.

Les Sonnailles Daban – *ZA Samadet - 64800 Bourdettes - ✆ 05 59 61 00 41 - www.daban.fr - sam. apr.-midi et lun. apr.-midi sur RV - fermé du 25 déc. à déb. janv.* L'un des derniers ateliers de sonnailles en activité en France. La visite de l'atelier *(uniquement sur RV)* fait découvrir les secrets de fabrication des traditionnelles clochettes de troupeaux. Vidéo et démonstration.

ACTIVITÉS

Randonnée – Plusieurs topo-guides sont en vente dans les librairies paloises : *Entre gave et coteaux, Aux marches du Béarn, Tour de pays du Jurançon…*

Le **chemin Henri IV** relie Pau au lac de Lourdes par des chemins de crête, souvent à travers bois. Au total, 40 km, avec possibilité de balades sur ses différentes portions *(documentation gratuite à l'office de tourisme)*.

Romano Sport – *6 r. Jean-Réveil - ✆ 05 59 98 48 56 - été : tlj sf lun. 9h-12h, 15h-19h ; hiver : tlj sf dim. 9h-12h, 15h-19h - fermé j. fériés.* Magasin spécialisé dans les articles de sport. Le touriste de passage appréciera l'espace location : cycles, VTT, rollers, combinaisons de canyoning, tentes, chaussures de randonnée, skis, raquettes et autres équipements de montagne.

Le Plantier de Pau – *5 allée du Grand-Tour - ✆ 05 59 62 37 96 - horaires variables*. Pratiqué dans les Landes, les Pyrénées-Atlantiques et les Hautes-Pyrénées où l'on dénombre 650 licenciés, le jeu de quilles de neuf est l'ancêtre du bowling. Il se pratique avec une boule de 6,2 kg et neuf quilles de 96 cm. Les joueurs, des retraités pour la plupart, se réunissent ici chaque apr.-midi.

Pau Golf Club 1856 – *1 r. du Golf - 64140 Billère - ✆ 05 59 13 18 56 - www.paugolfclub.com - 8h30-18h30 (18h en hiver)* - fermé *1er janv. et 25 déc.* Créé en 1856 par des Écossais, ce beau parcours (18 trous) est l'un des plus anciens golfs du monde. Club-house de style victorien abritant un restaurant et un bar à l'ambiance toute britannique.

Stade d'eaux vives Pau-Pyrénées – *Av. Léon-Heïd - 64320 Bizanos - ✆ 05 59 40 85 44 - www.paupyrenees-stadeeauxvives.com* - Ouvert en 2009 aux portes de la ville, ce stade est installé près du gave de Pau où se sont entraînés de grands champions de sports en eaux vives. Ses eaux alimentent d'ailleurs les 2 000 m² de bassins d'eaux calmes ou tumultueuses. Un parcours sportif, un espace d'initiation et un autre de détente sont aussi à disposition. Les cours d'eau ont été aménagés pour être accessibles à tous les niveaux, du tout-débutant au plus expérimenté.

Orthez

10 329 Orthéziens - Pyrénées-Atlantiques (64)

NOS ADRESSES PAGE 470

S'INFORMER

Office du tourisme d'Orthez – *Maison Jeanne-d'Albret - 05 59 38 32 84 - de mi-juin à mi-sept. : lun.-sam. 9h30-12h30, 14h-18h30 (dim. 9h30-12h30 juil.-août) ; nov.-mars : lun. 14h-18h, mar.-sam. 10h-12h, 14h30-17h.* Le livret *Béarn des gaves* avec plan et itinéraire permet de découvrir Orthez, Salies-de-Béarn, Sauveterre-de-Béarn et Navarrenx. Visites guidées. Topoguides.

SE REPÉRER

Carte de microrégion A1 (p. 450) – *carte Michelin Départements 342 H2.*
En venant de Pau (48 km) par la D 817 qui longe le gave de Pau, on rencontre plusieurs usines et complexes industriels liés au développement des gisements de gaz naturel regroupés autour de Lacq.

SE GARER

À Orthez, garez-vous devant l'hôtel de ville ou près de l'église *(payant).*

À NE PAS MANQUER

Le Pont Vieux ; le superbe panorama du haut de la tour Moncade ; le musée Jeanne-d'Albret sur l'histoire du protestantisme béarnais.

ORGANISER SON TEMPS

Comptez environ 3h pour faire le tour de la ville en visitant ses plus beaux édifices. Si vous êtes de passage fin juillet, participez à la féria d'Orthez.

AVEC LES ENFANTS

La chasse aux trésors *(3 € - livret avec divers jeux pour découvrir la ville)* organisée par l'office de tourisme ; le château Moncade ; les canoës du Pont Vieux.

À quoi font penser les toits d'Orthez ? À des jupes empesées sous lesquelles dépassent des jupons de dentelle. Coquetterie que peut bien se permettre une ancienne capitale : celle du Béarn, avant Pau. Elle eut ses galants en son temps : Gaston VII Moncade, vicomte de Béarn, qui la choisit au 13e s., puis Gaston Phébus qui y tint une brillante cour, après l'union du comté de Foix et du Béarn. Aujourd'hui, la cité continue d'être un carrefour, entouré d'une nature tout aussi accueillante. Elle reste un lieu de brassage, donc de richesses à découvrir.

Se promener

Au 14e s., lorsque Gaston Phébus, comte de Foix, régnait sur le Béarn, la ville ne s'ordonnait pas parallèlement au gave comme aujourd'hui, mais suivant la perpendiculaire Pont Vieux-château de Moncade. Aussi l'empreinte du passé subsiste-t-elle dans les rues du Bourg-Vieux, de l'Horloge et de Moncade, bordées de demeures à portail parfois sculpté.

Musée Jeanne-d'Albret

Angle rue Roarie et rue du Bourg-Vieux - 05 59 69 14 03 - www.museejeannedalbret.com - avr.-sept. : lun.-sam. 10h-12h, 14h-18h ; oct-mars : mar.-sam. 10h-12h, 14h-18h - fermé j. fériés et 3 dernières sem. de janv. - 4,50 € (enf. 2 €).

Quelle chance pour l'office de tourisme de loger dans cette demeure du 16e s. ! Une tourelle octogonale met en valeur l'entrée principale donnant sur une cour pavée. Observez la toiture dont la forte pente est typique de la région. Au premier étage, un musée retrace l'**histoire du protestantisme béarnais** (il ne s'agit pas d'un musée religieux) de la Réforme au début du 20e s., à l'appui de documents manuscrits, objets, médailles et maquettes. Une exposition claire sur un sujet complexe qui mérite que l'on s'y arrête.

Église St-Pierre

Jadis reliée aux remparts de la ville, cette église du 13e s. servit de poste de défense, comme le prouvent les fenêtres-meurtrières dans le mur nord. Plusieurs fois restaurée à la suite des guerres de Religion, elle fut agrandie au 19e s. Quatre belles **clés de voûte** sculptées ornent la nef.

★ Pont Vieux

Voir l'ABC d'architecture p. 89. Ce pont défendu autrefois par une tour percée d'une porte couvrait l'entrée de la ville. La tour remplit encore son office en 1814, lors de la lutte contre Wellington. Vous apprécierez la très jolie **vue** sur le gave. Une autre façon d'avoir un bel aperçu du pont : la **balade en canoë** *(5 km)* qui vous permet de passer dessous ! *Voir la rubrique « Activités », p.473.*

Château Moncade

05 59 69 36 24 - juil.-août : 10h-12h30, 14h30-18h30 ; mai : w.-end et j. fériés 10h-12h30, 14h30-18h30 ; sept. : 10h-12h30, 14h30-18h30 ; oct. : w.-end 10h-12h30, 14h30-18h30 - visite guidée sur RV - fermé nov.-avr. - 3 € (8-18 ans 2 €).

De la grandiose forteresse des 13e et 14e s., construite par Gaston VII (panneaux explicatifs à l'extérieur), il ne subsiste que la **tour** : à l'intérieur, une maquette permet de visualiser le château tel qu'il se présentait autrefois et une animation son et lumière fait revivre son histoire. Exposition sur la vie de Gaston Phébus et sur son *Livre de chasse* (reproductions). De la terrasse (à 33 m de hauteur), **vue** sur les toits d'Orthez.

Maison Chrestia - Francis Jammes

05 59 69 11 24 - www.francis-jammes.com - lun.-vend. 10h-12h, 15h-17h - fermé w.-end, 2e quinz. de déc. et 1re sem. de janv. - gratuit.

C'est dans cette maison typiquement béarnaise du 18e s. que résida, de 1897 à 1907, le poète **Francis Jammes** (dont Brassens a emprunté *La Prière* pour la mettre en musique), avant de s'installer dans une autre habitation (en face de l'école communale) après son mariage. Depuis 1982 y siège l'Association Francis Jammes, qui a rassemblé quelques documents, souvenirs et ouvrages.

LE SAVIEZ-VOUS ?

L'étymologie du nom d'Orthez n'est pas encore élucidée avec certitude. Selon Michel Grosclaude, il pourrait dériver d'un patronyme d'origine aquitanienne. À moins qu'il ne vienne de la prononciation locale de l'adjectif latin *fortis* (« fort »).

Aujourd'hui, Orthez est en tout cas bien pourvu de vignes : lors du 600e anniversaire de la mort de Phébus, en 1991, des ceps ont été plantés autour de la ville. Ils produisent désormais chaque année des **vins rouges** et **blancs** commercialisés sous le nom de « Domaine de Moncade » (appellation béarn-bellocq).

Le Pont Vieux enjambe le gave de Pau à Orthez.
E. Chaix / Photononstop

À proximité Carte de microrégion p. 450

Monument du Général Foy A1

3,5 km au nord par la D 947.

Il a été érigé à la mémoire de la bataille d'Orthez (1814), une des batailles de la guerre d'indépendance espagnole opposant la France à l'Angleterre et au Portugal. Le site est joli : belles fermes béarnaises aux grands toits à plusieurs pentes et vues lointaines vers les Pyrénées.

Mourenx B1

20 km au sud-est d'Orthez par la D 9.

En décembre 1951, lors d'une campagne de forages menée par la Société nationale des pétroles d'Aquitaine, la sonde « Lacq 3 » atteignit, à 3 550 m de profondeur, l'un des plus importants **gisements de gaz naturel** connus alors dans le monde. La cité fut construite au début des années 1960 pour loger les salariés du complexe de Lacq. Ces immeubles-tours côtoyant les coteaux béarnais paraissent quelque peu insolites. Pour en savoir plus sur l'histoire

LA BATAILLE D'ORTHEZ

Un épisode des guerres napoléoniennes eut pour cadre le Béarn. Début 1814, alors que Napoléon Ier se battait dans l'Est de la France contre les Prussiens, les Russes et les Autrichiens, l'une des dernières aventures de l'Empire se jouait dans le Midi. À la tête d'une coalition anglo-hispano-portugaise, le marquis de Wellington avait chassé de la péninsule Ibérique le maréchal Soult et son « armée d'Espagne », retirés de Bayonne à Orthez. Le 27 février 1814 à Orthez, les Alliés triomphent d'une armée française diminuée, qui doit refluer vers Aire-sur-l'Adour, puis Tarbes et finalement Toulouse, où une dernière bataille sera livrée – alors même que la guerre est terminée et que l'Empereur a abdiqué.

de cette ville nouvelle, sillonnez-la à l'aide des audioguides, en suivant les panneaux explicatifs du sentier d'interprétation urbain. *S'adresser à la bibliothèque de Mourenx (pl. Jules-Verne - ✆ 05 59 60 25 99) ou à* l'office du tourisme de Monein (58 r. du Commerce - *✆ 05 59 12 30 40)* - gratuit.
Au sud de la ville (*sur la D 281, direction Navarrenx*), un **belvédère** est aménagé sur la colline. Du parc de stationnement, côté plaine du gave de Pau, vue sur la zone industrielle. Côté montagne, vous découvrirez au premier plan les coteaux béarnais, puis les Pyrénées centrales, du pic d'Anie au pic du Midi de Bigorre, et, plein sud, la vallée d'Aspe.

NOS ADRESSES À ORTHEZ

HÉBERGEMENT

À proximité

PREMIER PRIX

Chambre d'hôte Costedoat – *64370 Hagetaubin - 15 km au nord-est d'Orthez par D 933 rte d'Hagetmau et à droite D 945 - ✆ 05 59 67 51 18 - ⌿ - 4 ch. 30 €.* La vie à la ferme en toute simplicité vous tente ? Cette adresse est pour vous. Le propriétaire vous propose même de l'aider dans ses tâches quotidiennes, à moins que vous ne préfériez le billard ou la piscine. Chambres vastes et petit-déjeuner avec confitures maison.

BUDGET MOYEN

Chambre d'hôte Larroque – *114 r. Principale - 64150 Lagor - au nord-ouest de Mourenx par la D 9 - ✆ 05 59 71 57 02 - 2 ch. 50 €.* Cette maison aux volets bleus, entièrement restaurée, vous séduira pour une étape béarnaise typique. Le propriétaire ne manquera pas de vous conseiller des promenades ni de vous faire déguster ses produits de fabrication maison.

RESTAURATION

À Orthez

BUDGET MOYEN

Auberge Saint-Loup – *20 r. du Pont-Vieux - ✆ 05 59 69 15 40 - fermé dim. soir et lun. - déj. 14 € - 21/45 €.* Cet ancien relais du 15e s. aiguise l'appétit des gastronomes du pays tant les plats du terroir, arrosés de gouleyants vins locaux, garnissent généreusement ses assiettes. Bel ensemble de pierres apparentes, briques et bois dans la salle à manger.

Au Temps de la Reine Jeanne – *44 r. Bourg-Vieux - ✆ 05 59 67 00 76 - www.reine-jeanne.fr -fermé dim. soir de mi-oct. à mi-mars – menu du jour 13 € - 25/35 € - 30 ch. 68/110 € - ☕ 9 €.* Cet hôtel se compose de plusieurs demeures des 18e et 19e s. Le restaurant, très plaisant, sert une cuisine traditionnelle, mêlant aux recettes béarnaises des accents basques et espagnols ; « dîners jazz » en saison. Chambres confortables.

À proximité

PREMIER PRIX

Crazy Canard – *17 pl. Louis-Anton - 64150 Mourenx - ✆ 05 59 71 58 47 - déj. 12 € - 12/25 €.* Cuisine internationale, fruit de la grande expérience du chef (sourire irlandais assuré !). Salle climatisée et terrasse.

BUDGET MOYEN

Auberge Baron-Maisonnave – *40700 Castaignos-Souslens - 15 km au nord d'Orthez, sur D 933 rte d'Hagetmau - ✆ 05 58 89 08 10 ou 06 82 92 73 23 - www.fermeauberge.maisonnave.fr -*

P - *fermé lun. sf juil.-août et j. fériés - déj. 12 € - 14,50/23 €.* Roulez lentement sur le chemin qui mène à cette auberge, des volailles pourraient s'y promener ! Les anciennes granges et étable abritent désormais une salle à manger (terrasse fermée). Dans l'assiette, recettes à base de canard, de poulet et de veau.

ACHATS

Marché au gras – *05 59 69 00 83 (mairie) - nov.-mars : mar. 7h30-10h.* Ce marché saisonnier (oie, canard gras, foie gras) est très réglementé : vous n'y trouverez que des palmipèdes élevés traditionnellement et gavés au maïs.

ACTIVITÉS

Les Canoës du Pont Vieux – *37 r. du Bourg-Vieux - 64300 Orthez - 05 59 69 36 24 ou 06 80 38 80 33 - de mi-juil. à fin août : tlj sf lun. 14h30-19h.* Location de canoës pour une balade familiale sur le gave de Pau. Les départs se font au Pont Vieux.

Salies-de-Béarn

★

4 793 Salisiens - Pyrénées-Atlantiques (64)

NOS ADRESSES PAGE 473

S'INFORMER

Office du tourisme du Béarn des Gaves – *R. des Bains - 05 59 38 00 33 - www.tourisme-bearn-gaves.com - de mi-juin à mi-sept. : lun.-sam. 9h30-12h30, 14h30-19h (dim. 9h30-12h30 juil.-août) ; reste de l'année : lun.-sam. 9h-12h, 14h-18h - fermé 1er janv., 1er et 8 Mai, jeu. de l'Ascension, lun. de Pentecôte, 1er et 11 Nov., 25 et 31 déc.* Le livret *Béarn des gaves* comprend un plan et la description d'un itinéraire pour découvrir Salies, mais aussi Orthez, Sauveterre-de-Béarn et Navarrenx. Visites guidées de la ville.

SE REPÉRER

Carte de microrégion A1 (p. 450-451) – *carte Michelin Départements 342 G2.* À 18 km à l'ouest d'Orthez par la D 817 puis la D 933 (en poursuivant sur cette même route, vous arrivez à Sauveterre-de-Béarn, 9,5 km plus loin). La vieille ville, concentrée autour de la place du Bayaà, est séparée de la cité thermale par le ruisseau. Vous pouvez donc découvrir toute la ville à pied.

À NE PAS MANQUER

Le musée du Sel et l'espace « Traditions béarnaises » ; le quartier thermal.

ORGANISER SON TEMPS

Attention, le musée est fermé le dimanches, le lundi et les jours fériés.

AVEC LES ENFANTS

L'office de tourisme propose une chasse aux trésors du patrimoine - 3 €.

Comme confit dans le sel de la précieuse source, le quartier ancien de Salies a conservé ses ravissantes maisons d'antan. Le Saleys s'y attarde paresseusement, reflétant dans ses miroirs d'eau, de part et d'autre du pont de la Lune, un chapelet de toits bruns retroussés à la béarnaise. Impossible donc de visiter la région sans s'arrêter dans cette charmante petite station thermale, façonnée au fil du temps par le sel de ses eaux souterraines.

Se promener

Bon à savoir – Les principaux édifices sont signalés par un panneau explicatif.

La vieille ville

Le cœur de la vieille ville est l'irrégulière **place du Bayaà**, avec le bassin (recouvert en 1868) où l'on puisait l'eau de la source. En face de la mairie, voir la **fontaine du Sanglier** (1827), érigée avec des éléments d'architecture gothique.

Alentour, des ruelles aux noms évocateurs et aux jolies maisons 17e et 18e s. : au bout de la rue de la Fontaine-Salée, bas-relief qui relate la visite de Jeanne d'Albret ; au no 8 rue du Pont-Mayou, dernier *coulédé* de Salies (bac de pierre devant la maison, où l'on déversait l'eau salée).

Musée du Sel

R. des Puits-Salants - ✆ 05 59 09 31 99 - avr.-oct. : mar.-merc. et vend. 14h30-18h30, jeu. et sam. 10h-12h, 14h30-18h30 - fermé j. fériés - 4 € (5-12 ans 1 €).

Le musée du Sel abrite désormais le musée des Arts et Traditions. Ils sont aménagés dans une maison traditionnelle salisienne. Il faut y faire un tour pour tout savoir sur la présence géologique du sel dans les eaux de Salies, sur les premières civilisations locales, sur la Corporation des Parts-Prenants, sur le puisage du sel et son exploitation au fil des âges… La ville prendra du relief et n'en sera que plus agréable à découvrir. La projection d'une vidéo *(20mn)* prélude à la visite des salles : histoire du sel, géologie, ébénisterie salisienne,

HISTOIRE SALÉE

Saleys, Salies… N'y aurait-il pas un arrière-goût salé derrière tout ça ? On raconte qu'au Moyen Âge c'est grâce à un **sanglier**, trouvé mort tout couvert de cristaux de sel dans un marécage asséché, que l'on se rendit compte des propriétés des eaux du site, sur lequel on construisit alors une ville. La devise du sanglier : *« Sé you nou y éri mourt, arrès n'y biberé »* (Si je n'y étais mort, personne n'y vivrait.)

Véritable manne pour les habitants, le sel servait notamment à conserver les aliments (dont le jambon dit de Bayonne), évitant ainsi les famines. Pour réglementer la répartition du sel entre les Salisiens naquit en 1587 la Corporation des Parts-Prenants de la Fontaine salée. Une charte définissait les conditions nécessaires pour obtenir le droit de puisage à la fontaine : résider à Salies depuis six mois, tenir famille, etc. Des abus suivirent bien sûr l'instauration de cette charte. Ainsi, certains jeunes hommes, ne trouvant pas femme parmi les jeunes filles et ne voulant pas pour autant perdre la jouissance de leur droit au sel, épousèrent des femmes âgées, espérant fort qu'ils seraient bientôt libres. Les violations de droits, les injustices, les conflits nés autour de la fontaine salée valurent à celle-ci d'être nommée la *praube müde* (la « pauvre muette »).

thermalisme. Le 2e étage accueille un **espace « Traditions béarnaises »**. Il traite de la vie quotidienne au 19e s. et au début du 20e s. à travers objets, mobilier, habillement, et présente les différents métiers et leurs outils : ferronnerie, menuiserie, saboterie…
En direction du quartier thermal, arrêtez-vous à l'**église St-Vincent** dont le clocher participait du système défensif de Salies.

La ville thermale

L'office de tourisme se tient proche du centre de congrès. Devant le jardin public se dresse l'**hôtel du Parc** (1893), au somptueux hall à galeries et escalier à double révolution, qui abrite le casino. Il a servi de cadre à plusieurs films ainsi que de studio d'enregistrement au groupe de musique Les Négresses vertes. Il côtoie les **thermes néomauresques** *(voir la rubrique « Activités » dans « Nos adresses » ci-contre).*

Le Pain de Sucre

1h. Ainsi se nomme la colline en surplomb de Salies. Elle vous réserve un beau **point de vue** sur la ville et une agréable promenade sous bois qui vous mènera au parc à daims.

À proximité Carte de microrégion p. 450

Bellocq A1

7 km au nord par la D 330, qui part du rond-point du casino.
La route offre de jolies vues sur les vallons et coteaux de vignes. Les amateurs de vins ne manqueront pas de s'approvisionner à la **cave coopérative**.
Se garer derrière l'église. Cette **bastide** *(en cours de rénovation)*, la plus ancienne du Béarn, fut fortifiée au 13e s. par Gaston VII de Moncade. Elle en a conservé le plan caractéristique.
Sur la porte ouest de l'**église**, vous remarquerez une des plus anciennes représentations du béret (fin 15e s.-début 16e s.).
Le **château**, bâti au bord de la rivière, présente, si l'on fait exception de sa tour carrée servant de porte d'entrée, un ensemble de quatre tours rondes ainsi construites pour mieux résister aux projectiles. Réaménagé au 14e s. à l'époque de Gaston Fébus, le château fut démantelé sous Louis XIII de peur qu'il ne serve de refuge aux protestants. D'importants travaux ont permis la remise en état de la tour d'entrée et son embellissement. *Se renseigner au ☎ 05 59 65 12 97.*

NOS ADRESSES À SALIES-DE-BÉARN

HÉBERGEMENT

À Salies-de-Béarn

BUDGET MOYEN

Chambre d'hôte Léchémia – *Quartier du Bois - ☎ 05 59 38 08 55 - - P - réserv. obligatoire - 3 ch. 55/65 € - repas 25 €.* La propriétaire de cette ancienne ferme située en pleine nature vous contera avec passion quelques anecdotes liées à la maison de son enfance. Grange, étable et écurie ont été rénovées avec goût. Le décor des chambres panache le moderne et l'ancien. Table d'hôte soignée.

POUR SE FAIRE PLAISIR

Chambre d'hôte La Demeure de la Presqu'île – *22 av. des Docteurs-Foix - ☎ 05 59 38 06 22 - www.demeurepresquile.com -*

- 5 ch. 70 € - repas 28 €. Cette demeure du 18e s. proche du centre-ville abrite des chambres spacieuses et garnies de meubles de style, une salle à manger d'époque et un charmant petit salon-bibliothèque. À table, cuisine d'inspiration régionale et délicieuses pâtisseries maison. Vaste parc planté d'un remarquable magnolia.

À proximité

BUDGET MOYEN

Chambre d'hôte La Closerie du Guilhat – *Le Guilhat - 4 km au nord de Salies-de-Béarn dir. Puyoô (anc. rte face à l'hôtel du Parc) - 05 59 38 08 80 - www.holidayshomes.com/guilhat ou www.closerieduguilhat.com- - réserv. conseillée - 4 ch. 57/63 € - repas 21 €.* Un remarquable parc paysager, de jolies chambres aux noms de fleurs, une exquise terrasse ouverte sur la vallée et au loin la chaîne des Pyrénées. Accueil charmant, cuisine aux accents du terroir, le tout dans un calme absolu.

RESTAURATION

À Salies-de-Béarn

PREMIER PRIX

Restaurant du Casino Le Parc – *Hôtel du Parc - 05 59 38 31 27 - www.hotelcasinoduparc.fr - P - 12/23 € - 51 ch. 89/139 € - 10 €.* Ce restaurant aménagé au sein du casino, qui fut autrefois un hôtel, a conservé sa superbe salle à manger d'époque : lustres, cheminée, parquet et vue sur le parc. Derrière les fourneaux, le chef prépare une cuisine traditionnelle tout à fait réussie. Accueil jeune et sympathique.

La Terrasse – *2 r. de Loumé - 05 59 38 09 83 - fermé lun. et jeu. soir hors sais. - 12/27 €.* Vous l'aurez deviné, ce restaurant bien connu des Salisiens pour sa copieuse cuisine traditionnelle doit son nom à son immense terrasse surplombant le Saleys. Intérieur ultra-moderne. Le restraurant possède également la crêperie située juste en face.

À proximité

PREMIER PRIX

La Belle Auberge – *64270 Castagnède - 8 km au sud-ouest de Salies-de-Béarn par D 17, D 27 puis D 384 - 05 59 38 15 28 - fermé dim. soir et lun. soir, 1er-14 juin et 14 déc.-31 janv. - 13/25 € - 14 ch. 43/47 € - 8 €.* Voici une sympathique auberge familiale : cuisine du terroir copieuse, soignée et à prix sages, plaisante terrasse ombragée, salle à manger campagnarde, chambres calmes et sobrement aménagées, belle piscine et agréable jardin.

ACTIVITÉS

Les Thermes de Salies – *Pl. du Jardin-Public - 05 59 38 10 11 - www.thermes-de-salies.com - espace cure : 7h-12h45, espace remise en forme : lun.-sam. 8h30-12h, 14h-17h, dim. 9h-12h - fermé 1er janv. et 25 déc. - forfaits remise en forme 59/460 €, à la carte 10/62 €.* Outre les cures (rhumatologie, gynécologie et pédiatrie), l'établissement organise des programmes de remise en forme : dos vitalité, spa évasion, silhouette et bien-être, aquagym, yoga, etc.

Voie verte – *Se rens. à l'office de tourisme - 05 59 38 00 33.* Balades familiales, à pied ou à vélo, sur l'ancienne voie ferrée, soit 6 km, reliant Salies au pont d'Escos.

Sauveterre-de-Béarn

★

1 352 Sauveterriens - Pyrénées-Atlantiques (64)

NOS ADRESSES PAGE 477

S'INFORMER

Office du tourisme du Béarn des Gaves – *Pl. Royale - 64390 Sauveterre-de-Béarn - ✆ 05 59 38 32 86 - www.tourisme-bearn-gaves.com - de mi-juin à mi-sept. : lun. 14h-18h30, mar.-sam. 9h30-12h30, 14h-18h30, dim. 9h30-12h30 (juil.-août) - reste de l'année : se renseigner - fermé dim. et j. fériés, dernière sem. de déc. Visites guidées sur réserv.* Le plan *Visite des 4 cités* comprend un plan et la description d'un itinéraire pour découvrir Sauveterre-de-Béarn et Navarrenx, mais aussi Salies-de-Béarn et Orthez.

SE REPÉRER

Carte de microrégion A1 (p. 450) – *carte Michelin Départements 342 G2.*
Sauveterre se trouve à 9,5 km au sud de Salies-de-Béarn par la D 933. Au carrefour de la Soule (Mauléon-Licharre est à 24 km au sud-est), de la Basse-Navarre (St-Palais à 12 km au sud-ouest) et de la Gascogne (département des Landes à 20 km au nord), cette position stratégique lui valut bien des convoitises et une prospérité économique jusqu'au 16e s.

À NE PAS MANQUER

Les belles vues sur le gave d'Oloron et sur la ville depuis le Vieux Pont; l'église St-André du 12e s.; le château de Laàs.

ORGANISER SON TEMPS

Comptez une journée pour la visite de la ville et de ses environs. Attention, comme la chapelle de Sunarthe, le château de Laàs n'est ouvert qu'à partir d'avril.

AVEC LES ENFANTS

La présentation multimédia de la maquette de la ville à la chapelle de Sunarthe.

Au pied de Sauveterre, la belle médiévale, le gave d'Oloron chahute au milieu des bouquets d'arbres. Le vieux pont de la légende, dominé par la tour Monréal, s'avance timidement vers l'île de la Glère. Un mariage heureux s'est, au fil du temps, noué à Sauveterre : celui des vieilles pierres et de la verdure.

Se promener

Bon à savoir – Vous trouverez deux panneaux d'itinéraires de promenade dans Sauveterre : avant l'église et à côté de la barbacane. En outre, un point information près de la mairie indique trois itinéraires de balade dans les environs.

LE SAVIEZ-VOUS ?

Sauveterre vient de *salva terra*, « sauveté », un nom qui désigne les bourgades fondées à l'initiative de monastères pour servir de refuge aux fugitifs et aux errants.

Terrasse de l'église

De là, vue plongeante sur le gave d'Oloron, le Vieux Pont, l'île de la Glère. Au loin se profilent les Pyrénées *(table d'orientation)*.

Église St-André

Le tympan du portail représente un Christ en majesté entouré des quatre évangélistes. Les voûtes ogivales s'harmonisent parfaitement avec l'intérieur de style roman. Le chevet flanqué de deux absidioles est surmonté d'un clocher quadrangulaire percé de fenêtres géminées. Au pilier situé à gauche du chœur, remarquez un **chapiteau historié** représentant la Médisance et la Gourmandise.

Descendre les escaliers au niveau de la tour Monréal, longer le gave et remonter à la barbacane. En face, vous apercevez la porte fortifiée du Datter (12e-13e s.).

Vieux Pont

Il subsiste du pont, en calcaire de Bidache, une arche avec une porte fortifiée du 12e s. À l'origine, le tablier se prolongeait jusqu'à l'île de la Glère. De là, la **vue★★** embrasse le gave d'Oloron, les fortifications, l'église romane et la superbe **tour Monréal** (12e s.).

LE JUGEMENT DE DIEU

On raconte que la ville fut le théâtre d'une étonnante histoire : en 1170, Sancie, veuve de Gaston V de Béarn, accusée d'avoir tué son fils nouveau-né, après avoir appris la mort de son époux, est soumise au jugement de Dieu. Sur l'ordre du roi de Navarre, son frère, elle est jetée dans le gave, pieds et poings liés, du haut du pont fortifié. Le courant l'ayant rejetée saine et sauve sur la rive, elle est reconnue innocente.

À proximité Carte de microrégion p. 450

Chapelle de Sunarthe A1

1,5 km à l'est, fléché. ✆ 05 59 38 57 56 - juil.-août : mar.-sam. 15h-18h ; de mi-avr. à fin juin et sept. : sam. 15h-18h - 5 € (enf. 2,50 €).

Présentation multimédia de la maquette (réalisée par un « meilleur ouvrier de France ») de la cité médiévale de Sauveterre-de-Béarn.

Château de Laàs A1

9 km au sud-est par la D 27. ✆ 05 59 38 91 53 - juil.-août : 10h-19h ; mai-juin et sept. : tlj sf mar. 10h-12h, 14h-19h ; avr. et oct. : tlj sf mar. 14h-19h - 5 € (10-17 ans 3 €).

En rassemblant le **mobilier★**, les objets d'art et les tableaux de famille provenant de trois résidences familiales, M. et Mme Serbat, les derniers propriétaires de cette gentilhommière du 17e s., ont constitué un musée d'arts décoratifs évoquant l'art de vivre dans le Hainaut au 18e s. Les chambres et salons sont ornés de boiseries Louis XVI, de tapisseries, de toiles peintes (salon de musique) mettant en valeur des tableaux de l'école du Nord (Watteau de Lille). L'histoire anecdotique n'est pas oubliée avec la chambre du 1er étage évoquant les lendemains de Waterloo : lit de Napoléon à Maubert-Fontaine (19 juin 1815). Dans la bibliothèque, curieuse collection d'éventails du 17e s. qui n'ont pas été montés.

Dans le **parc** de 12 ha, aux arbres centenaires, étaient déjà aménagés un jardin à la française, un jardin à l'anglaise et un verger conservatoire. Récemment, trois nouveaux jardins ont été implantés sur le versant boisé et les bords

du gave. Les sentiers romantiques suivent les pentes ponctuées de petites « alvéoles » dédiées au repos et à la méditation. Dans le jardin exotique, sur les berges du gave, la végétation tropicale déjà installée dans ce secteur a été renforcée et agrémentée de deux « cases » en bambou et d'un sentier sur pilotis. Le jardin italien, qui se présente comme un belvédère sur le méandre, est constitué d'une succession de trois terrasses en briques et d'une fontaine. Avant de partir, faites un tour dans le charmant **village**, connu pour ses tailleurs de pierre qui œuvraient aux 18e et 19e s., comme en témoignent les belles maisons de maître. Quelques artisans ont élu domicile ici.
10mn AR. Après l'église, suivre le fléchage *(à droite)* qui mène à une chapelle romane.

NOS ADRESSES À SAUVETERRE-DE-BÉARN

HÉBERGEMENT

PREMIER PRIX

Camping du Gave – *Sortie sud par D 933, rte de St-Palais puis chemin à gauche avant le pont - 05 59 38 53 30 - www.campingdugave.fr - dede@camping-du-gave.fr - de mi-avr. à mi-oct. - - réserv. conseillée - 55 empl. à partir de 8,90 € forfait journalier.* Ce camping propose des emplacements installés sur une pelouse propre et nette, à l'ombre de vieux platanes. Une adresse idéale pour les pêcheurs et les amateurs de sport en eaux vives car les départs en canoë se font juste à l'entrée du site.

RESTAURATION

PREMIER PRIX

Auberge du Saumon – *Av. de la Gare - 05 59 38 53 20 - fermé 15 janv.-15 fév., mar. midi et sam. sf juil.-août - 15 € déj. - 17/28,50 € - 4 ch. 45 € - 6 €.* Cette auberge typiquement montagnarde propose une appétissante cuisine préparée comme à la maison. Outre les confits et les pâtés, le saumon sauvage devient, en saison, la spécialité maison. Petite salle à manger et plaisante terrasse d'été ombragée.

ACHATS

La Ferme Moulinaoü – *Rte d'Orriule, à Andrein - 6 km à l'est de Sauveterre-de-Béarn par D 27, rte d'Orriule - 05 59 38 50 24/95 18 - 9h-17h (téléphoner avant visite).* Cela fait plus de 20 ans que la famille Baradat se consacre aux canards gras. Élevés en liberté et nourris au maïs, ils sont transformés dans le laboratoire de la ferme. Les produits (confits de canard gras à l'ancienne, foie gras, etc.) sont vendus sur place et sur certains marchés locaux.

ACTIVITÉS

Randonnées – Le topoguide *60 balades en Béarn des gaves* est en vente *(8 €)* dans les offices de tourisme du Béarn des gaves (Orthez, Navarrenx, Salies-de-Béarn et Sauveterre-de-Béarn).

Oloron-Sainte-Marie

★

111 200 Oloronais - Pyrénées-Atlantiques (64)

NOS ADRESSES PAGE 485

S'INFORMER

Office du tourisme du Piémont oloranais – *Allées du Comte-de-Tréville - 64400 Oloron-Ste-Marie - 05 59 39 98 00 - www.tourisme-oloron.com - - juil.-août : lun.-sam. 9h-19h, dim. 10h-13h (de mi-juil. à mi-août) ; reste de l'année : lun.-sam. 9h-12h30, 14h-18h.* **Ville d'art et d'histoire,** Oloron propose des visites-découvertes (2h) animées par des guides conférenciers agréés par le ministère de la Culture (www.vpah.culture.fr).

Un **circuit du patrimoine** permet de visiter la ville à votre rythme. Il suffit de présenter le bracelet-montre devant les bornes réparties dans Oloron pour activer un commentaire. *Se rens. à l'office de tourisme : bracelet 2,50 € ; pass (4 sites + bracelet) 10 € (-13 ans 1 €).*

SE REPÉRER

Carte de microrégion B2 (p. 450) – *carte Michelin Départements 342 I3.*

À 32 km au sud-ouest de Pau par la N 134, Oloron est la porte d'entrée des trois vallées béarnaises : Aspe, Ossau et Barétous. La ville comprend trois quartiers : Ste-Croix, Ste-Marie et Notre-Dame, réunis par un parcours piétonnier.

À NE PAS MANQUER

Le portail roman de la cathédrale Ste-Marie ; la vue panoramique sur la ville depuis le haut de la tour de la Grède ; le vieux wagon de la Compagnie du haut Béarn à l'office de tourisme.

ORGANISER SON TEMPS

Prévoyez de passer une journée si vous voulez visiter les trois quartiers. Ajoutez une journée pour les circuits conseillés. Bref, l'idéal est de s'arrêter deux jours, voire trois, si vous souhaitez parcourir la vallée d'Aspe.

AVEC LES ENFANTS

Le « circuit du patrimoine » dans la ville et le « voyage immobile » à la villa Bourdeu ; l'arboretum de Payssas à Lasseube.

Au centre, les gaves d'Aspe et d'Ossau se rejoignent, alentour la campagne et le vignoble du Jurançon s'étendent, à l'horizon la chaîne des Pyrénées se détache... Un cadre magnifique, donc, qui invite à faire étape. La ville semble murmurer des secrets de famille en béarnais entre les murs de ses hautes maisons coiffées d'ardoises, mais elle sait aussi parler aux visiteurs, voire les surprendre.

Se promener

À moins que vous ayez déjà en tête une idée de ce que vous voulez voir, rendez-vous en premier lieu à l'office de tourisme, installé dans la villa Bourdeu. Profitez aussi d'une balade nocturne pour admirer les berges des gaves et les monuments, illuminés en été.

Villa Bourdeu

Office de tourisme - allées du Comte-de-Tréville - ✆ 05 59 39 98 00 - mêmes horaires que ceux de l'office de tourisme - gratuit.

Cette demeure de la fin du 19e s. mérite plus qu'un arrêt ; elle constitue, par son aménagement, un excellent point de départ pour découvrir les environs. Sur le sol de la salle d'accueil, une **carte géante** délimite le territoire : Oloron, les gaves, les trois vallées et le Parc national des Pyrénées. Puis, dans un large tunnel est présenté un kaléidoscope de photographies de la région (avec pour chaque site la mention du temps de parcours depuis Oloron).

Un wagon de la Compagnie du haut Béarn stationné dans une gare 1900 vous attend. Prenez place dans l'un des trois compartiments pour effectuer un « **voyage immobile** » dans cet espace muséographique. Projection de films de courte durée mis en scène comme des paysages défilant sous les yeux (cinq thèmes au choix : Oloron-Ste-Marie, pays d'Oloron et gaves, vallées d'Aspe, d'Ossau ou du Barétous).

LE SAVIEZ-VOUS ?

Avec Nay *(voir Pau)*, Oloron est la capitale du **béret**. Eh oui ! ce symbole de la France est originaire du Béarn (avant d'être basque). En effet, les bergers des montagnes le portaient pour se protéger du froid.

QUARTIER STE-CROIX

L'ancien quartier du château vicomtal (détruit en 1644) occupe une situation avancée entre les deux gaves.

Partez de l'office de tourisme, longez l'esplanade sur les berges du gave d'Aspe (des terrasses sur l'eau - parfois recouvertes par les flots - sont aménagées en contrebas). Empruntez la passerelle puis les escaliers (à hauteur de la Caisse d'épargne).

Promenade Bellevue

Tracée sur les remparts romains, comme en témoigne le remploi de briquettes, elle offre une vue en enfilade sur la cathédrale Ste-Marie, la vallée d'Aspe et ses montagnes.

Église Ste-Croix

L'originalité de cet édifice roman réside dans sa **coupole** d'influence mozarabe à la croisée du transept montée sur huit nervures. Les chapiteaux historiés aux couleurs vives retiennent l'attention (grande diversité de scènes).

Maisons anciennes

En face de l'église, remarquez deux **maisons Renaissance** sur « couverts ». C'est sur cette petite place que se tenait le marché à l'origine.

En contrebas, au n° 52 de la rue Dalmais, la **Maison du patrimoine**, installée dans une demeure du 17e s., rassemble sur deux étages des collections d'archéologie, d'ethnographie et de minéralogie relatives à la ville et au haut Béarn, ainsi que des peintures et des souvenirs du camp d'internement de Gurs. Enfin, vous irez flâner dans le petit jardin médiéval. *✆ 05 59 39 99 99 - juil.-sept. : tlj sf mar. 10h-12h, 15h30-18h30 - 3 € (-18 ans gratuit).*

À côté s'élève la **tour de la Grède** avec ses baies géminées (14e s.). Depuis la terrasse, **vue★** panoramique. *✆ 05 59 39 99 99 - juil. août : se renseigner - 3 € (-18 ans gratuit).*

Au bas de la rue Dalmais, la place Mendiondou précède la pointe à la confluence des gaves. *Ce quartier piéton, où il fait bon flâner, permet de profiter du parvis de la médiathèque et des vues sur deux impressionnantes passerelles surplombant les torrents pyrénéens*. Si vous êtes pressé par le temps, prenez le pont à gauche, sans oublier de jeter un œil aux maisons aux flancs d'ardoises surplombant le gave d'Aspe, pour rejoindre le quartier Ste-Marie (en repassant devant l'office de tourisme). Autrement…

QUARTIER NOTRE-DAME

… prenez à droite la rue de la Justice en appréciant, au passage, la vue agréable sur le gave d'Ossau, pour arriver à la **place de la Résistance**, encadrée de quelques belles maisons du 17e s. C'est ici qu'avaient élu domicile les riches marchands, le quartier de Ste-Croix étant devenu trop petit pour accueillir un commerce croissant. D'ailleurs, le quartier Notre-Dame porte aussi le nom de « Marcadet », et le marché se tient toujours sur la place Clemenceau le vendredi matin.

Église Notre-Dame

De style romano-byzantin, elle fut édifiée au 19e s. À l'intérieur, les peintures murales de Paul Delance (élève de Gérôme) méritent que l'on s'y arrête.
La **crypte** renferme une exposition d'objets religieux des 19e et 20e s. *☏ 05 59 39 98 00 - juil.-août : tlj sf vend. 10h-12h, 15h-18h - 3 € (enf. 1 €).*
Envie de verdure ? Amateurs d'essences rares ? Poursuivez votre chemin sur les hauteurs, où le **parc Pommé** s'allonge sur 3 ha. Cette ancienne propriété privée aux arbres centenaires offre une belle perspective de promenade.
Revenez ensuite vers l'office de tourisme.

QUARTIER STE-MARIE

On savait ce quartier occupé du temps d'*Iluro*, mais des fouilles ont mis au jour des vestiges prouvant une présence humaine antérieure à la période gallo-romaine.

Cathédrale Ste-Marie

Sa construction fut entreprise au 12e s. Le clocher-porche abrite un magnifique **portail★★** dû à deux sculpteurs (tympan et voussures sont traités différemment) qui, miraculeusement, est resté presque intact. Cela tient autant à la chance qu'à la dureté du marbre pyrénéen qui, avec les siècles, a pris le poli de l'ivoire. Arrêtez-vous un moment et prêtez attention aux différents « tableaux », qui sont une vraie collection d'histoires : atlantes enchaînés à la base du trumeau ; sur le tympan : Descente de Croix aux motifs symétriques,

OLORON ET STE-MARIE

Oloron aurait été un poste défensif ibère (la butte offre une vue imprenable), tirant son nom d'*Iluro*, à la fois nom de lieu ibérique et nom de dieu pyrénéen. Au 11e s., une cité vicomtale voit le jour sur les ruines de ce site stratégique. Centule V le Jeune fait édifier l'église Ste-Croix et assure, par sa protection, l'activité commerciale. À ses pieds, sur la rive gauche du gave d'Aspe, un faubourg rural se développe autour de la cathédrale **Ste-Marie**. Il devient propriété des évêques au 13e s. La rivalité s'installe entre les deux lieux, qui constituent une étape importante avant le passage du Somport pour les pèlerins se rendant à St-Jacques-de-Compostelle. Oloron prospère sous l'œil jaloux de Ste-Marie et s'étend peu à peu dans la partie basse, sur la rive droite du gave d'Ossau. Oloron et Ste-Marie seront finalement réunis en 1858 par décret impérial.

Détail du portail de la cathédrale Ste-Marie : vieillards de l'Apocalypse jouant de la viole.
J.-P. Azam / hemis.fr

Daniel dans la fosse aux lions et Ascension d'Alexandre. À la voussure consacrée au Ciel, les 24 vieillards de l'Apocalypse jouent de la viole et adorent l'Agneau divin portant la Croix ; le Mal est représenté par la tête d'un dragon. À la voussure consacrée à la Terre et à la vie paysanne : chasse au sanglier, pêche et découpage du saumon, confection d'un tonneau, fabrication du fromage, préparation du jambon, plumage d'une oie, etc. À la retombée des voussures : statue équestre de Constantin piétinant le Paganisme *(à droite)* et monstre dévorant un homme *(à gauche)*.

Dans la première colonne, à gauche en entrant, est incrusté un curieux bénitier des lépreux (appelés « cagots »), du 12e s. Parmi le mobilier, la chaire du 16e s. et le buffet d'orgues de 1650 valent aussi le coup d'œil.

Le **trésor★** est rassemblé dans deux chapelles : orfèvrerie (16e-19e s.), lutrin en bois peint (17e s.), etc. dans la première. Crèche à santons de bois du début du 18e s. et vêtements sacerdotaux (16e-19e s.) dans la seconde. *✆ 05 59 39 99 99 - visite libre 8h-20h - visite guidée du trésor en juil.-août : se renseigner.*

Contournez la cathédrale pour voir au chevet les vestiges de **thermes romains**. En revenant vers le parvis de la cathédrale, prenez à droite le **passage Monseigneur Saurine**, à l'intérieur duquel la cité d'*Iluro* est évoquée à travers des moulages et des vestiges. Plus loin, des photos présentent différentes vues d'Oloron-Ste-Marie. Au bout du passage, un petit jardin mène au parking Daguzan. Au centre, le **tumulus de Soeix** a été reconstitué.

Circuits conseillés Carte de microrégion p. 450

INCURSION DANS LE JURANÇON

Pour visualiser ce circuit de 75 km au départ d'Oloron-Ste-Marie, se reporter à la carte p. 450. Compter environ 3h.

Sortir d'Oloron par la D 24, au nord-est.

Estialescq B2
2h. Départ sur la D 24, 1 km avant le bourg. À éviter par temps humide. Le **sentier des Marlères**, un circuit d'interprétation à travers bois, vous mènera sur les traces de la fabrication de la chaux.
Poursuivre sur la D 24.

Lasseube B2
L'**arboretum de Payssas** est l'œuvre d'un passionné d'arbres exotiques qui, dans les années 1930, commença à planter des spécimens sur sa propriété agricole. Panneau explicatif pour chacune des 26 essences présentes. Rejoignez Lasseube pour faire un tour dans le village, qui possède des maisons anciennes et une église de style gothique.
Quitter Lasseube vers le nord par la D 34.

Lacommande B2
Ancienne halte sur le chemin de St-Jacques-de-Compostelle. Arrêtez-vous pour visiter l'église romane de St-Blaise, remaniée. La Route des vins du Jurançon (*voir p. 56*) justifiera autrement votre venue en découvrant la **Maison des vins et du terroir du Jurançon**. *05 59 82 70 30 - de mi-juin à mi-sept. : lun.-sam. 10h-12h, 15h-19h, dim. et j. fériés : 15h-19h.*
Poursuivre sur la D 34 qui pénètre au cœur du vignoble.

Monein B1
58 r. du Commerce - *05 59 12 30 40 - de mi-juin à mi-sept. : lun.-sam. 9h30-13h, 14h30-19h, dim. et j. fériés 15h-19h ; de déb. avr. à mi-juin et de mi-sept. à fin oct. : mar.-sam. 9h30-12h30, 14h30-18h30 ; de déb. nov. à fin mars : mar.-sam. 9h30-12h30, 14h30-17h30.*
Monein peut s'enorgueillir de compter parmi les meilleurs vignobles du Jurançon. Vous pourrez en juger par vous-même si vous avez suivi la Route des vins du Jurançon réunissant 60 producteurs indépendants.
À chaque bourg son église, mais l'église St-Girons est imposante, avec un décor gothique flamboyant et un clocher de 40 m ! L'immense charpente de chêne, en forme de carène renversée, date du 15e s. *05 59 12 30 40 - www.coeurdebearn.com - visite incluant son et lumière : de mi-juin à mi-sept. : lun.-sam. 11h, 15h, 17h, dim. et j. fériés 17h ; de déb. avr. à mi-juin et de mi-sept. à fin oct. : mar., jeu., vend. 16h, merc. et sam. 16h et 18h ; nov.-mars : merc. 16h et 18h, sam. 15h et 17h - 5 € (12-16 ans 2 €).*
Sortir de Monein à l'ouest par la D 2. Après 9 km, prendre à gauche la D 110.

Lucq-de-Béarn B2
Dans ce petit village paisible qui conserve de belles maisons (17e-18e s.), l'église surprend par son aspect composite alliant roman et gothique. À l'intérieur, remarquez l'imposant sarcophage paléochrétien finement sculpté.
Revenir au nord vers la D 2 et prendre à gauche.

Navarrenx A1
Ancienne position stratégique au carrefour d'une des voies de Compostelle et de l'ancienne grand-route de la rive droite du gave d'Oloron, Navarrenx est une **bastide** (fondée en 1316) ceinte de fortifications postérieures au Moyen Âge.
Partir de la place des Casernes où se trouve l'office de tourisme (à l'intérieur, maquette de la cité fortifiée et commentaires sur l'histoire de Navarrenx).
La **porte St-Antoine**, défendant la tête du pont du gave d'Oloron au nord-ouest, reste l'élément le mieux conservé de ce système fortifié. De son couronnement, vue agréable sur le gave, le pont et les Pyrénées à l'horizon.

La « Junte de Roncal » au Col de la Pierre St-Martin.
N. Thibaut / Photononstop

Dirigez-vous ensuite vers le demi-bastion de la Clochette surmonté d'une copie de canon. Descendez à la **poudrière** et continuez dans la rue en face pour rejoindre la rue St-Antoine. Prenez à droite jusqu'à l'**église** (16e s.) et, de là, poursuivez vers les bastions des Contremines et des Échos.

Continuer vers la fontaine militaire, puis remonter la vieille ville pour terminer à l'Arsenal.

Bon à savoir – À Navarrenx, on pêche la **truite** et le **saumon** de mars à juillet. Lors des championnats de pêche au saumon, les curieux se pressent le long du pool (groupement de producteurs qui uniformisent les conditions d'exploitation sur une durée limitée) du gave d'Oloron, en aval de la digue (remarquez l'échelle à saumons).

Navarrenx réjouira aussi les amateurs de cigares *(voir la rubrique « Achats », p. 487)*

Revenir à Oloron-Ste-Marie par la D 27 qui longe le gave.

★★ VALLÉE D'ASPE

Pour visualiser ce circuit de 120 km entre Oloron-Ste-Marie et le col du Somport, se reporter à la carte p. 489. Compter une journée.

Description p. 488.

VALLÉE DE BARÉTOUS

Pour visualiser ce circuit de 48 km entre Oloron-Ste-Marie et le col de la Pierre-St-Martin, se reporter aux cartes p. 450 et p. 491.

La plus petite des trois vallées du Béarn *(voir les vallées d'Aspe et d'Ossau)* compte six villages. Ce pays de transition, entre le Pays basque et le Béarn, semble un damier de champs de maïs et de magnifiques prairies, entrecoupé de bouquets de chênes, avec en arrière-plan des sommets calcaires.

Quitter Oloron au sud-ouest par la D 919.

Aramits A2

L'ancienne capitale du Barétous abritait jadis une abbaye, propriété des abbés laïques de la famille d'Aramits. Seul reste aujourd'hui le **portail** à bossage. C'est de ce village qu'est originaire Henri d'Aramits, écuyer et abbé laïque de ladite commune, et qui, devenu mousquetaire en 1643, inspira Alexandre Dumas pour la création du personnage d'Aramis *(voir Mauléon-Licharre p. 412).*

Continuer sur la D 919 puis tourner à droite dans la D 918.

Lanne-en-Barétous A2

Le village conserve une jolie église à double porche. L'ancienne chapelle du château fut la résidence d'Isaac de Porthau, qui inspira à Dumas le personnage de Porthos *(voir Mauléon-Licharre p. 412).*

Revenir au croisement avec la D 919 et prendre à droite la D 918 vers Arette.

Arette B2

Pl. de la Mairie - 64570 Arette - ✆ 05 59 88 95 38 - www.lapierrestmartin.com ou www.valleedebaretous.com - juil.-août : 9h-12h30, 14h30-18h30 ; sept.-juin : lun.-sam. 9h-12h, 14h-18h.

Ce bourg fut reconstruit après le tremblement de terre du 13 août 1967.

L'office de tourisme abrite les nouvelles salles de la Maison **du Barétous**. Celle-ci expose le patrimoine de la vallée, centrée sur l'exploitation du bois et de la pierre (matériaux de base). On y découvrira aussi l'activité traditionnelle qu'est le pastoralisme. Une salle est réservée à la spéléologie et à la sismologie.

Suivre la pittoresque D 132 vers Arette-Pierre-St-Martin.

★ Arette-Pierre-Saint-Martin A3

Une navette relie Oloron-Ste-Marie à la station pendant les vac. scol. et le w.-end durant la saison de ski (départ de la gare 8h45).

Perchée à la frontière espagnole, cette petite station de sports d'hiver dégage une ambiance latine bien sympathique. Idéal pour godiller en famille loin des autoroutes à skieurs ! Et lorsque la neige fond, c'est pour dévoiler le fantastique relief des « arres », champs de lapiaz truffés de crevasses qui défendent les approches du pic d'Anie.

Col de la Pierre-Saint-Martin A3

Alt. 1 760 m. C'est ici qu'a lieu la **junte de Roncal**, à la borne-frontière 262 : chaque 13 juillet, en vertu d'un traité de 1375 relatif au droit de pacage dans la vallée navarraise de Roncal, une délégation de maires du Barétous vient remettre aux syndics de Roncal un tribut symbolique de trois génisses (les Navarrais reçoivent en réalité une compensation en argent). Cette cérémonie, vieille de six siècles, donne lieu à un rituel précis : les mains superposées au-dessus de la borne, les maires scandent *« Paz Abant ! »* (« Paix d'abord ! ») avant de procéder à l'échange.

En contrebas, en territoire espagnol *(accès, du parking du col, par une piste recoupant le virage de la route)*, s'ouvrait l'orifice du **gouffre** de la Pierre-St-Martin, ou gouffre Lépineux, maintenant obturé par une dalle. Une plaque y a été posée à la mémoire des spéléologues Loubens et Ruiz de Arcaute. C'est le plus grand réseau spéléologique d'Europe.

NOS ADRESSES À OLORON-SAINTE-MARIE

HÉBERGEMENT

À Oloron-Ste-Marie

PREMIER PRIX

Chambre d'hôte L'Amphitryon – *23 pl. St-Pierre - ✆ 05 59 39 78 50 - www.amphitryon-oloron.com - ⍁ - 4 ch. et 1 suite 45/57 € ☕ - repas 19 €.* Située dans le quartier médiéval, cette maison du 18e s. a été rénovée. Meubles anciens et magnifique escalier en bois, confort moderne des salles d'eau. Aux beaux jours, les repas se prennent sur la terrasse qui surplombe le jardin. Potager bio.

Hôtel l'Astrolabe – *14 pl. Léon-Mendiondou - ✆ 05 59 34 17 35 - www.hotel-astrolabe.com - fermé 2 sem. en fév. et 1 sem. à la Toussaint - 8 ch. 49/79 € - ☕ 7 €.* Cette grosse bâtisse entièrement rénovée propose maintenant des chambres à la couleur des cinq continents. Une décoration réussie, un mobilier choisi, un confort moderne, tout est réuni pour un agréable séjour ! Petit salon de thé au rez-de-chaussée.

À proximité

PREMIER PRIX

Camping Barétous-Pyrénées – *64570 Aramits - sortie ouest par D 918, rte de Mauléon-Licharre, bord du Vert de Barlanes - ✆ 05 59 34 12 21 - de déb. fév.à mi-oct. - réserv. conseillée - 50 empl. 23,50 € - restauration.*
La situation de ce camping offre un bon compromis pour un séjour entre montagne et campagne. Trois bungalows meublés complètent les équipements traditionnels de ce terrain impeccablement entretenu. « Borne VTT » face à l'accueil pour démarrer une randonnée dans les environs. Un espace bien-être est prévu (spa et sauna).

BUDGET MOYEN

Chambre d'hôte La Maison Rachou – *64570 Lanne-en-Barétous - ✆ 05 59 34 10 30 - www.gites64.com/maison-rachou - ⍁ - 5 ch. 48 € - ☕ 2 € - repas 18 €.*
Les propriétaires de cette ancienne ferme ont beaucoup œuvré pour vous recevoir dans ce lieu méticuleusement tenu. Chambres avec plafond lambrissé, parquet, murs blancs et salle d'eau fonctionnelle. Le maître de maison prépare lui-même le dîner.

Hôtel et Bistrot de l'Ours – *8 pl. de l'Église - 64570 Arette - ✆ 05 59 88 90 78 - http://hoteldelours.valleedebaretous.com - fermé fin oct.-déb. déc. - P - 15 ch. 52/58 € - ☕ 6,50 € - rest. 13 €.* Dans cet hôtel, les chambres, dont quelques-unes familiales, sont sobrement décorées et bien tenues. Un jardin et une agréable terrasse côté cour en font une adresse pratique.

Chambre d'hôte La Ferme Dagué – *Chemin de la Croix de Dagué - 64290 Lasseube - ✆ 05 59 04 27 11 - www.ferme-dague .com - fermé de mi-nov. à mi-mai - ⍁ - 5 ch. 53/62 € ☕.* Dans cette ferme du 18e s. située face à la chaîne des Pyrénées, les chambres, aménagées dans l'ancienne grange, marient ancien et moderne. Terrasse et fauteuils près du feu invitent à la détente.

Ferme de Candeloup – Quartier Candeloup - chemin Augas - 64360 Monein - 20 km au nord d'Oloron par D 9 - ✆ 05 59 21 26 68 - www.fermedecandeloup.fr - 6 ch. 60 € - ☕ 5 € – repas 15 €. Cette ancienne grange béarnaise, restaurée dans le respect de l'environnement, propose des chambres avec vue sur la campagne du Jurançon. Séances de yoga… Un vrai lieu de détente.

POUR SE FAIRE PLAISIR

Chambre d'hôte Maison Rancesamy – *64290 Lasseube - 15 km à l'est d'Oloron-Ste-Marie par D 24 dir. Lasseube puis rte secondaire - ✆ 05 59 04 26 37 - www.missbrowne.com - - 5 ch. 75/90 € - repas 32 €.* Dans cette ferme béarnaise du 18e s., vous ouvrirez vos fenêtres sur la campagne vallonnée. Chambres spacieuses, sobrement et joliment décorées. Salle du petit-déjeuner au cadre exotique, délicieux jardin fleuri et piscine avec vue sur la nature… Une adresse appréciée des artistes.

RESTAURATION

À Oloron-Ste-Marie

PREMIER PRIX

La Cancha – *4 allée du Fronton - complexe sportif Guynemer - ✆ 05 59 39 57 41 - 12/28 €.* Restaurant situé dans le complexe de pelote. Large choix de spécialités basco-béarnaises. Formule musette avec panier comprenant le menu du jour, à déguster comme un pique-nique.

À proximité

PREMIER PRIX

Le Fœhn – *Rte de la Pierre-St-Martin - 64570 Arette-Pierre-St-Martin - ✆ 05 59 88 91 18 ou 06 85 36 83 45 - www.vallee-baretous.com - 10h-2h - 7/20 €.* Cette ancienne bergerie abrite aujourd'hui une grande salle à manger rustique où l'on sert d'appétissants casse-croûte. Crudités, charcuteries et fromages du pays figurent au menu ; grillades sur commande. La spécialité : côte de bœuf à la braise. La terrasse donne sur un bassin de pisciculture. Pêche à la truite ; vente de produits régionaux.

Chez Gouaillardeu – *Au bourg - 64570 Arette - ✆ 05 59 88 90 94 - fermé 1 sem. en oct. et lun. soir hors sais. - 11/18 €.* La façade un brin austère de cette petite adresse dissimule une salle à manger rénovée et joliment colorée. La cuisine est copieuse et sans fioritures : garbure, assiette de charcuterie, truite et tarte aux pommes donnent le ton !

BUDGET MOYEN

Chez Germaine – *Au bourg - 64400 Geüs-d'Oloron - ✆ 05 59 88 00 65 - www.oloron-ste-marie.com/restau/germaine/ - fermé lun. - réserv. obligatoire - déj. 12 € - 13/32 € - 18 ch. 48/55 € - 6 €.* Ici, tout est authentique : l'accueil, le sourire, la décoration des salles à manger, la cheminée, et surtout la cuisine ! Garbure, gras-double flambé à l'armagnac, cou de canard farci…

L'Estaminet – *17 pl. Henri-la-Cabanne - 64360 Monein - www.lestaminet.com - ✆ 05 59 21 30 18 - fermé dim. soir - déj. 12,50 € - 20/30 €.* Cette table réputée propose une carte combinant produits du terroir, garbure béarnaise ou magret maison, et vins du Jurançon et de Madiran.

Chez Château – *64400 Esquiule - 10 km à l'ouest d'Oloron-Ste-Marie par D 24 - ✆ 05 59 39 23 03 - fermé dim. soir -mar. et de mi-fév. à mi-mars - 20/60 €.* Dans cette maison du 19e s., la première salle a conservé sa cheminée où jadis mijotait la garbure. Les deux autres sont décorées dans le style régional. Mini-terrasse sous les canisses.

BOIRE UN VERRE

Maison Artigarrède – *1 pl. de la Cathédrale - Oloron - ✆ 05 59 39 01 38 - merc.-dim., et mar. en juil.-août, 8h-12h30, 14h-19h30, dim. 7h30-13h, 14h30-19h30 - fermé 10 j. en fév. et les 3 premières sem. de juil.* Le « Russe » est la spécialité de la maison : un gâteau à base d'amandes et de crème pralinée. Le salon de thé à l'étage permet de déguster ce gâteau dont la recette reste un secret de famille, tout en admirant la cathédrale en face.

ACHATS

Marché – Marché traditionnel vend. matin.

Tissages Lartigue – *2 av. Georges-Messier - 4 km au sud d'Oloron-Ste-Marie, rte de Sarragosse - 64400 Bidos - ✆ 05 59 39 50 11 - 9h-12h, 14h-18h - fermé dim. sf juil.-août.* À l'origine spécialisée dans la fabrication des fameux bérets et espadrilles, cette maison s'est tournée vers les arts de la table et de décoration : nappes, torchons, sacs, etc. En été, visite possible de l'atelier.

Cigares Le Navarre – *Pl. des Casernes - 64190 Navarrenx - ✆ 05 59 66 51 96 - visite lun.-vend. 9h30-12h, 13h30-16h.* La production des cigares Le Navarre demande un savoir-faire presque unique. Ce produit de luxe est le fruit d'opérations successives : culture du tabac, séchage et conservation jusqu'à l'élaboration par les mains expertes des torcedoras, des rouleuses venues spécialement de Cuba. Visite libre de la manufacture, de la graine de tabac au produit fini, élaboré devant vos yeux.

Maison des Maîtres Chocolatiers – *Av. du Mar.-de-Lattre-de-Tassigny - ✆ 05 59 88 88 88 - fermé dim. et j. fériés.* Dans un petit espace scénographique sont évoqués l'histoire et le processus de fabrication du chocolat. Ce magasin d'usine est aussi idéal pour faire le plein de produits Lindt & Sprüngli.

Fromagerie du Pays d'Aramits – *D 19 - 64570 Aramits - ✆ 05 59 34 63 03 - juil.-août 8h-18h ; reste de l'année : tlj sf dim. 8h-13h, sam. 9h-12h - fermé j. fériés.* Dans cette fromagerie artisanale, les affineurs grattent encore la croûte à l'eau salée... La boutique propose de nombreux fromages AOC, parmi lesquels l'ossau-iraty, fleuron de la production régionale, ainsi que divers produits locaux.

ACTIVITÉS

Randonnées – Un plan local comprenant 32 itinéraires de balades pour découvrir la vallée du Barétous est en vente à l'office du tourisme d'Arette (5 €). Itinéraires en piémont oloronais, tous niveaux. À faire à pied, à vélo ou à cheval. Topofiches vendues à l'unité (0,50 €).

Escalade – Dans le marché couvert, vous pourrez vous entraîner sur le plus haut mur du grand Sud-Ouest, avant d'aller affronter les falaises !

Pêche – Parcours de pêche *No kill* sur les berges du gave d'Aspe, au cœur de la ville d'Oloron-Ste-Marie.

Vallée d'Aspe

★★

Pyrénées-Atlantiques (64)

NOS ADRESSES PAGE 493

S'INFORMER

Office du tourisme de la vallée d'Aspe – *Pl. Saraille - 64490 Bedous - 05 59 34 57 57 - www.tourisme.aspe.com - 15 juin-15 sept. : 9h-12h30, 14h-18h30 (et, du 10 juil. au 28 août : dim. 9h-12h30) ; reste de l'année : lun.-sam. 9h-12h30, 14h-17h30.* Un topoguide *45 randonnées en vallée d'Aspe* est en vente sur place ; Chasse au trésor *(carnet de route et GPS - 5 €/demi-journée).*

SE REPÉRER

Carte de microrégion B2-3 (p. 450-451) – *carte Michelin Départements 342 I 3-6.* La vallée d'Aspe se répartit de part et d'autre de la N 134, entre Escot et le col du Somport.

SE GARER

Dans les petits villages, les rues sont étroites ; évitez donc de les traverser en voiture et garez-vous à l'extérieur sur les aires de stationnement.

À NE PAS MANQUER

L'écomusée de la vallée d'Aspe réparti sur quatre sites : Sarrance, Lourdios-Ichère, Accous et Borce, qui propose de mieux comprendre la vie singulière de la vallée.

ORGANISER SON TEMPS

Vous survolerez la vallée d'Aspe en une journée... Cependant, si vous envisagez quelques courses en montagne, il faudra y rester plus longtemps.

AVEC LES ENFANTS

L'éco-zoo Parc Ours de Borce, le moulin d'Orcun, balades et randonnées à dos d'âne depuis Etsau *(voir la rubrique « Activités », p. 508).*

Les améliorations apportées à la route et l'ouverture, en 1928, d'une voie ferrée transpyrénéenne (désormais fermée) à grand renfort d'ouvrages d'art, n'ont pas entamé l'identité de cette vallée étranglée. Elle a gardé sa rudesse montagnarde et c'est ce qui en fait le charme. Il se dégage une certaine harmonie de cette nature préservée, aux forêts encore habitées de quelques ours protégés par le Parc national des Pyrénées, et de ces villages sans coquetterie qui ont conservé leur architecture typique. Sans oublier la tradition pastorale toujours vivace. Vous viendrez ici pour la grande bouffée d'air frais. Un véritable dépaysement !

Circuit conseillé Carte de la microrégion p. 450

★★ VALLÉE D'ASPE

Pour visualiser ce circuit de 60 km entre Oloron et le col du Somport, se reporter à la carte ci-contre. Compter une journée.

Sortir d'Oloron par le quartier Ste-Croix et la rue d'Aspe. Prendre la D 55, la N 134 et, à gauche, la D 918.

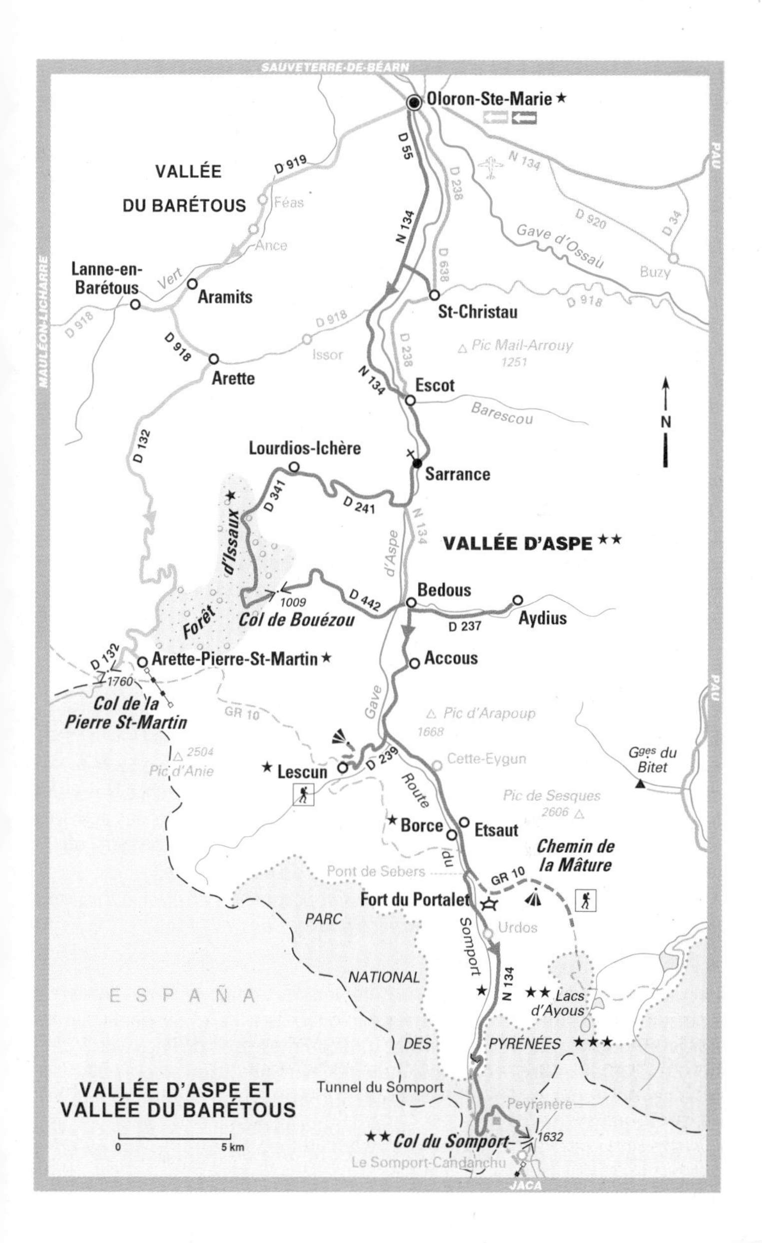

Saint-Christau B2

Cette petite station thermale est aménagée dans un parc de 60 ha. Les eaux de ses sources ferro-cuivreuses agissent sur les affections des muqueuses. La route de la rive droite du gave d'Aspe remonte la vallée toute campagnarde avec ses champs de maïs coupés de rideaux de peupliers. Le **pic Mail-Arrouy** (alt. 1 251 m) semble fermer le passage au sud.

Reprendre la N 134, à gauche.

Escot B2

C'est le premier village aspois, au débouché de la vallée du Barescou. Avant d'y pénétrer, le vicomte du Béarn devait, suivant le « for » (droit), échanger les otages avec les représentants de la vallée. Un peu plus tard, Louis XI se rendant en pèlerinage à N.-D. de Sarrance signifia ici qu'il sortait de son royaume en ordonnant à son porte-épée de baisser sa garde.

Sarrance B3

Centre de pèlerinage béarnais *(1er w.-end de septembre)*, Sarrance reçut autrefois la visite de Louis XI (1461) et celle de Marguerite de Navarre *(voir p. 78)*, sœur de François Ier, qui y écrivit une partie de son *Heptaméron*.

Entrez dans l'**église** pour découvrir les panneaux de bois naïvement sculptés, du 18e s. Le **cloître** de l'ancien couvent (17e s.) s'abrite sous quatorze petits combles transversaux, couverts d'ardoises. Une porte dérobée ouvre sur un chemin qui monte au **calvaire**.

★ **Écomusée de la vallée d'Aspe – N.-D.-de-la-Pierre** – *✆ 05 59 34 55 51 - www.ecomusee.vallee-aspe.com - juil.-sept. : 10h30-12h30, 14h-19h ; reste de l'année : w.-end et vac. scol. 14h-18h - fermé janv. et 25 déc. - 4 € (-16 ans 2,50 €).* Il retrace l'histoire du pèlerinage à Sarrance grâce à des costumes d'époque et des objets de culte de la vallée d'Aspe. Il raconte aussi, à travers un récit dit par le chanteur béarnais Marcel Amont, les rapports entre l'homme, la pierre et l'eau.

Après Sarrance, tourner à droite dans la D 241.

La route quitte la vallée à droite pour grimper en serpentant au milieu des prairies et des vallons montagnards.

Lourdios-Ichère B3

★ **Écomusée de la vallée d'Aspe, « Un village se raconte »** – *✆ 05 59 34 44 84 - mêmes conditions de visite que l'écomusée N.-D.-de-la-Pierre à Sarrance.* Une visite indispensable ! En effet, ici sont évoqués le rythme des saisons, les activités et les traditions pastorales de la vallée (diaporama, chants de bergers, etc.).

Dans le village, vous pourrez suivre le **sentier de découverte**.

Après le village, prendre à gauche la D 341 (route déconseillée en hiver) qui traverse les pittoresques gorges d'Issaux. Tourner à gauche dans la D 441.

★ Forêt d'Issaux B3

La route, praticable en été, serpente à travers les futaies de hêtres mêlés de bouleaux et de sapins. Cette forêt fut exploitée de 1772 à 1778 par la Marine nationale pour la construction navale, tout comme le bois du Pacq *(voir le chemin de la Mâture p. 466)*. Les billots étaient acheminés jusqu'au port d'Athas.

Arrivé au col de Bouézou, prendre la D 442 qui passe par le col de Hourarate.

Au **col de Bouézou**, le paysage change à nouveau de ton : la route s'accroche aux pentes du pic de Layens (1 625 m), dont on a un beau point de vue à gauche.

Rejoindre la N 134.

Vous découvrez alors le bassin médian de la vallée, où se groupent sept villages. À l'arrière-plan se découpent les crêtes d'Arapoup et, à l'extrême droite, les premiers sommets du cirque de Lescun (pic de Burcq).

Bedous B3

Moulin d'Orcun – *Route d'Aydius (accès fléché à la sortie du village) - ✆ 05 59 34 74 91 ou 06 08 54 45 27 - juil.-août : visite guidée (45mn) à 11h, 15h, 16h, 17h et 18h ; reste de l'année sur RV - 4 € (6-14 ans 3 €).* Ce moulin à eau, une ancienne forge devenue moulin à grain après la Révolution, est resté dans

la même famille depuis des générations. La meule a cessé de tourner depuis longtemps, mais l'installation, intacte, reprendra du service sous vos yeux pour une démonstration commentée, jusqu'à la fabrication du pain *(ateliers sur RV)*.
La **chapelle d'Orcun**, remaniée aux 17e et 18e s., à l'intérieur richement décoré, est toujours une étape sur la route de St-Jacques-de-Compostelle. *Ouv. l'apr.-midi, si la chapelle est fermée, demandez les clés à Mme Virassamy : ✆ 05 59 34 70 67.*
Suivre la D 237 vers Aydius.

Aydius B3

Au bord de la route, après 2 km, vous verrez une cascade formée par les pétrifications spongieuses d'un ruisseau affluent du gave d'Aydius. Il fait bon se promener dans ce charmant village, à l'habitat traditionnel, fermé par un beau cirque.
Revenir à Bedous et prendre la N 134.
La route s'engage à nouveau dans une gorge avant de traverser Accous. Vous pouvez faire un détour par **Jouers** pour voir la chapelle romane.

Accous B3

★ **Écomusée de la vallée d'Aspe – Les fermiers basco-béarnais** – *✆ 05 59 34 76 06 - juil.-août : tlj 10h-12h, 14h30-18h (lun. 17h) ; reste de l'année : lun.-sam. 9h-12h, 14h-18h30 - 1er janv. et 25 déc.* Il serait vraiment dommage de ne pas vous arrêter dans cette fromagerie. Un montage audiovisuel vous apprendra tout sur les troupeaux, les bergers, la fabrication du fromage… Vos papilles sont en éveil ? Eh bien, vous allez pouvoir déguster !
3 km après Accous, prendre à droite la D 239 vers Lescun.

★ Lescun B3

Parking à l'entrée du village. Aimé pour son cirque calcaire aux sommets acérés, dont les **aiguilles d'Ansabère** (alt. 2 377 m), c'est le repaire des montagnards.
30mn AR. Possibilité de suivre la boucle de 3h. Pour admirer le **panorama★★**, suivez la rue en montée à hauteur de l'église : remarquez au passage le lavoir. Continuez un peu sur le sentier… Retournez-vous : vous voyez le **pic d'Anie** à droite, le Billare et le Dec de Lhurs, à gauche.
« Chemins de la Liberté » – *5h AR env. (sentier balisé). Départ du plateau de Lhers - parking à l'entrée du Parc national des Pyrénées - rens. à la Maison du Parc.* Pendant la Deuxième Guerre mondiale, c'est l'un des itinéraires qu'empruntèrent, avec leurs passeurs, les juifs fuyant vers l'Espagne, à travers les cols de Saoubathou et de la Cuarde.
La N 134, **route du Somport★**, remonte la vallée presque continuellement étranglée. Les villages, toujours deux par deux, semblent se surveiller l'un l'autre (Eygun et Cette, Etsaut et Borce).

Etsaut B3

À l'entrée du village, arrêtez-vous à la **Maison du Parc national des Pyrénées**, qui présente notamment une exposition sur l'ours des Pyrénées. *✆ 05 59 34 88 30 - juil.-août : 10h-12h30, 14h-18h30 ; de mi-mai à mi-sept. : 10h-12h30, 14h-18h30 ; fermé reste de l'année.*

★ Borce B3

Suivez le parcours de découverte fléché dans cette petite cité médiévale. Maisons fortes, lavoir, four à pain, abreuvoir : Borce conserve tous les éléments architecturaux typiques des villages de la vallée.
Écomusée de la vallée d'Aspe★ – « Une halte sur le chemin de St-Jacques » – *✆ 05 59 34 88 99 - juin-sept. : 10h-19h ; reste de l'année : vac. scol., w.-end et j. fériés 10h-19h - gratuit.* Dernière étape pour découvrir l'écomusée. Muni de votre

bourdon, vêtu d'une cape et la coquille autour du cou, entrez dans l'ancien hôpital pour compléter vos connaissances sur le fameux pèlerinage.
Parc Ours – *✆ 05 59 34 89 33 - www.eco-zoo.fr - de mi-juin à mi-sept. : 10h-19h ; de mi-avr. à mi-mai et de mi-oct. à mi-nov. : 10h-18h ; de mi-mai à mi-juin et de mi-sept. à mi-oct. : 13h-18h - 8 € (4-12 ans 5 €).* Au-dessus du village, ce parc zoologique de 10 ha propose de découvrir par une approche écologique la faune des montagnes du monde. Faune sauvage et domestique des Pyrénées (ours, isards, chèvres…) et d'ailleurs, parfois menacée (pumas des Rocheuses, chouettes de l'Oural), se côtoient dans un espace soucieux de leur protection et de la préservation de leur environnement. L'observation des animaux en semi-liberté et celle des soins apportés aux ours invitent au respect de certaines règles. Une belle démarche éducative pour vos enfants !

Chemin de la Mâture B3

Se garer au pont de Sebers en saison et marcher 15mn. Autrement, stationner au point de départ de la randonnée.
3h AR par le GR 10. Faire demi-tour en atteignant les prairies de la combe supérieure. Attention : parcours vertigineux sans protections (glissant les jours de pluie), très exposé au soleil (penser à la crème solaire et à l'eau).
Au 18e s., pour exploiter le bois du Pacq, les ingénieurs de la **Marine royale** taillèrent ce passage dans les dalles mêmes de la paroi au-dessus de la gorge du Sescoué. Débardés par ce chemin, les troncs étaient assemblés en train de bois, en période de hautes eaux du gave, pour être dirigés sur les chantiers navals de Bayonne. Vues en cours de route sur les superstructures du fort du Portalet.

Fort du Portalet B3

Juil.-août : visite guidée sur RD - ✆ 05 59 34 57 57 - info@tourisme-aspe.com.
Verrouillant depuis le début du 19e s. l'un des passages les plus encaissés de la vallée, le fort est entré dans l'Histoire comme lieu de détention de personnalités, entre 1941 et 1945.
À la sortie de la gorge apparaît la chaîne frontière, avec l'encoche du pas d'Aspe et le pic de la Garganta (alt. 2 636 m), habituellement taché de neige. Au-delà d'**Urdos** (dernier village), le **viaduc d'Arnousse** rappelle l'ancienne voie ferrée.

Domaine skiable du Somport-Candanchu B3

✆ 05 59 36 00 21 - www.lesomport.com ou www.aspecanfranc.com
Alt. 1 600-1 700 m. Au cœur du Parc national des Pyrénées, il comprend 34 km de pistes de ski de fond de tous niveaux et un itinéraire de balades en raquettes pour les amateurs. Le domaine est relié à Candanchu et permet ainsi une tranquille traversée de la frontière espagnole. Chaque année, une course entre la France et l'Espagne, la « Trace sans frontière », réunit de nombreux skieurs.

★★ Col du Somport B3

Alt. 1 632 m. Ce col, le seul des Pyrénées centrales accessible en toute saison, est chargé de souvenirs historiques depuis le passage des légions romaines. Les pèlerins de St-Jacques-de-Compostelle l'empruntèrent jusqu'au 12e s. Le grand gîte d'étape était alors l'hospice de Ste-Christine, disparu, sur le versant sud. Vues imposantes sur les Pyrénées aragonaises, aux sommets très découpés. Les roches rouges contrastent avec le vert des forêts et le bleuté des lointains.

LE « VA-NU-PIEDS »

Les Béarnais l'appellent *pe descaous*, le « va-nu-pieds ». L'**ours brun** européen ne subsiste plus en France qu'en très petit nombre, dans la partie ouest des Pyrénées centrales. Il a élu domicile à 1 500 m d'altitude, sur les versants rocheux et dans les forêts de hêtres et de sapins qui surplombent les vallées d'Aspe et d'Ossau.

Ce plantigrade, autrefois carnivore, est devenu omnivore et, selon les saisons, se nourrit de tubercules, de baies, d'insectes, de glands mais aussi de petits mammifères et exceptionnellement de brebis (au grand dam des habitants du cru...). L'aménagement du réseau routier, l'exploitation forestière et l'engouement touristique, joints à un cycle de reproduction très lent (la femelle met bas un ourson tous les deux ans), ont entraîné la régression de l'espèce.

NOS ADRESSES DANS LA VALLÉE D'ASPE

HÉBERGEMENT

PREMIER PRIX

Chambre d'hôte Chez Michel – *R. Gambetta - 64490 Bedous - ✆ 05 59 34 52 47 - http://restaurant-chez-michel.fr - fermé janv., sam. midi et dim. soir - 4 ch. 45 € ☕ - rest. 10,50/25 €.* Ne vous fiez pas à l'aspect un peu anodin de la façade. L'intérieur de cet établissement a été rénové, les chambres climatisées joliment décorées de faïence. Après une journée de randonnée, profitez du sauna avant de goûter aux recettes régionales : garbure, truite, tarte aux myrtilles...

Chambre d'hôte L'Arrayade – *Au bourg - 64490 Accous - ✆ 05 59 34 53 65 - www.chambresdhotes-larrayade.com - 💳̸ - 5 ch. 45 €.* Cette imposante maison située dans le bourg propose un hébergement simple et impeccable. Agréable jardin à l'arrière. Bon rapport qualité-prix.

BUDGET MOYEN

Chambre d'hôte La Ferme aux Sangliers – *Micalet - 64570 Issor - 10 km à l'ouest de St-Christau par D 918 jusqu'à Asasp puis N 134 et D 918 dir. Arette - ✆ 05 59 34 43 96 - 💳̸ - réserv. obligatoire - 5 ch. 49 € - ☕ 6 € - repas 14 €.* Cette maison isolée, restaurée dans le respect du bâti ancien, est remarquablement située, face aux Pyrénées. Jolies chambres où se mêlent pierres et poutres apparentes. À la table d'hôte sont servis les produits de la ferme (porcs noirs et veau, notamment).

Chambre d'hôte Maïnade – *6 pl. Cazenave - 64260 Buzy - 4 km au nord d'Arudy par D 920 - ✆ 05 59 21 01 01 - rolandeaugareils@free.fr - fermé hiver - 💳̸ - 5 ch. 55/60 € - repas 18/20 €.* Voilà une bien jolie maison derrière son portail en fer forgé avec sa cour et ses fenêtres fleuries. Chambres simples, dotées de quelques meubles de famille. Vous serez convié à partager, avec vos hôtes sympathiques, une vraie cuisine béarnaise. Hors saison, des séjours à thème variés sont organisés pour les pers. seules.

Hôtel Au Bon Coin – *Rte des Thermes - 64660 Lurbe-St-Christau - ✆ 05 59 34 40 12 - www.thierry-lassala.com - fermé dim. soir, lun. et mar. midi du 10 oct. au 30 mars - P - 18 ch. 58/88 € - ☕ 10 € - rest. 30/52 €.* Une maison tout en longueur tournée vers la campagne. Les chambres, actuelles et confortables, sont plus calmes sur l'arrière.

Appétissante cuisine régionale personnalisée et belle carte des vins servies dans une salle à manger champêtre ou sous la véranda. Piscine.

RESTAURATION

PREMIER PRIX

Auberge des 3 Baudets – *Maison Escoubès - 64570 Issor - 5,5 km à l'est d'Arette par D 918 - ✆ 05 59 34 41 98 - www.3baudets-pyrenees.com - fermé janv. - ⊭ - réserv. obligatoire hors sais. - 13/28 € - 5 ch. 60/70 €* ☕. Cette ferme restaurée avec goût est une adresse idéale pour ceux qui recherchent le calme. On y sert, uniquement pour les résidents, une cuisine traditionnelle sans chichi dans une salle joliment décorée. Accueil extrêmement chaleureux. Piscine et vue imprenable sur le village.

Au Château d'Arance – *Au Bourg - 64490 Cette-Eygun - ✆ 05 59 34 75 50 - www.auchateaudarance.com - fermé jeu. d'oct. à mars sf vac. scol., lun. soir et mar.- 13/30 € - 8 ch. 60/66 €.* Mariage réussi entre l'ancien et le contemporain dans ce château du 13ᵉ s. dominant la vallée d'Aspe. La terrasse vous fera profiter d'un superbe panorama. Dans la salle à manger, moderne, cuisine de tradition. Chambres au décor épuré (parquet, murs blancs, mobilier design). Le château dispose aussi d'une annexe de 5 chambres d'hôte avec une piscine chauffée.

Hôtel-Restaurant des voyageurs-Somport – *Rte de Somport - 64490 Urdos - ✆ 05 59 34 88 05 - www.hotel-voyageurs-aspe.com - fermé 18 oct.-1er déc., dim. soir et lun. sf vac. scol. - 14/30 €.* Cet ancien relais de diligence sur le chemin de St-Jacques est tenu par la même famille depuis plusieurs générations. On appréciera l'accueil chaleureux, les chambres rustiques (plus calmes sur l'arrière) et la salle à manger campagnarde où l'on déguste des recettes régionales comme la garbure ou la truite aux cèpes.

BUDGET MOYEN

La Pimparela – *Plateau d'Ipère - 64490 Osse-en-Aspe - ✆ 05 59 34 91 16 - pimarela.vallee-aspe.com - ⊭ - réserv. obligatoire hors sais. - 17/28 €.* Dominant la vallée, c'est une ferme de montagne authentique au milieu des pâturages tapissés de *pimparelas* (pâquerettes) qui vous attend. Un régal de produits fermiers (fromages, terrines maison, grillades) à savourer en terrasse ou dans la charmante salle à manger. Sur rendez-vous, on peut aussi visiter la ferme grâce à un parcours découverte.

Auberge Cavalière – *L'Estanguet - 64490 Accous - 3,5 km au sud d'Accous par N 134 - ✆ 05 59 34 72 30 - www.auberge-cavaliere.com - fermé 1 sem. à Noël, vend. soir sf vac. scol. - 19,95 € - 6 ch. 46 € - ☕ 6,95 €.* Pierres et poutres apparentes, grande cheminée, mobilier rustique… Cette auberge typiquement montagnarde propose une appétissante cuisine régionale : garbure, confits, grillades, etc. Possibilité de randonnées équestres à travers les montagnes françaises et espagnoles.

ACTIVITÉS

Le Parc aux Ânes – *Au Bourg - 64490 Etsaut - ✆ 05 59 34 88 98 - www.anepyrenees.com - de mi-juin à mi-sept. - 1/2 j. (23 €) et 1 j. (38 €) - réservation la veille.* Envie de sortir des sentiers battus ? Adressez-vous ici pour découvrir les Pyrénées en compagnie… d'un âne. Plusieurs formules au choix.

Vallée d'Ossau

★★

Pyrénées-Atlantiques (64)

NOS ADRESSES PAGE 503

SE REPÉRER

Carte de microrégion B-C 2-3 (p. 450-451) – *carte Michelin Départements 342 J 3-6.* Dans le sud du Béarn, se distinguent deux sommets aux formes hardies : le pic du Midi d'Ossau (alt. 2 884 m) et le pic d'Anie (alt. 2 504 m). Le célèbre col d'Aubisque (alt. 1 709 m) fait passer du Béarn en Bigorre. Vous pourrez rejoindre la vallée d'Aspe au départ de Louvie-Juzon. Après Laruns, vous quitterez le bas Ossau pour entrer dans le haut Ossau. Il vous restera 29 km à parcourir pour atteindre le col du Pourtalet au sud ou 18 km pour arriver au col de l'Aubisque à l'est.

SE GARER

Il est préférable de vous garer à l'extérieur du village, sur les aires de stationnement.

À NE PAS MANQUER

Bielle et Béost dans le bas Ossau, le lac d'Artouste dans le haut Ossau et la route du col de l'Aubisque.

ORGANISER SON TEMPS

Si vous n'avez qu'une journée à consacrer à la vallée d'Ossau, il faudra choisir entre le col de l'Aubisque et le col du Pourtalet ! Autrement, prévoyez de prolonger votre escapade d'un ou deux jours pour profiter de cet écrin verdoyant et vous accorder le temps d'une randonnée.

AVEC LES ENFANTS

La falaise aux Vautours à Béon ; le petit train d'Artouste ; le lac de Castet *(voir la rubrique « Activités », p. 505).*

Amoureux de la nature, vous allez être servis : paysages revigorants de fraîcheur et de pureté, pics se reflétant dans le miroir des lacs, cascades et torrents de montagne... Pour parfaire le tableau, vous pourrez regarder tournoyer les grands rapaces dans le ciel, apercevoir une timide marmotte au seuil de son terrier, ou même un isard aux sabots légers sauter de rocher en rocher. Bref, ne vous en privez sous aucun prétexte, et tous les moyens seront bons : en voiture, en petit train ou à pied.

Circuits conseillés Carte de microrégion p. 511

LE BAS OSSAU

Pour visualiser ce circuit de 70 km entre Pau et Laruns, se reporter à la carte p. 497. Compter une demi-journée avec la visite de la falaise aux vautours. Quitter Pau au sud par la N 134, puis la D 934.

Rébénacq C2
C'est la porte d'entrée de la vallée d'Ossau. Pour découvrir ce village, suivez les sentiers de découverte : l'un au cœur de la **bastide**, l'autre offrant une vue d'ensemble.
Quitter Rébénacq par l'ouest (D 936). Après 5 km, prendre à gauche la D 34.

Buzy B2
Ce petit village agricole est le point de départ de randonnées dans la vallée de l'Escou. En sortant du village, remarquez le **dolmen** sur la gauche.
Poursuivre sur la D 920.

Arudy B2
Pl. de la Mairie - 64260 Arudy - 05 59 05 77 11 - de fin juin à déb. sept. : 9h-12h, 16h-19h ; vac. scol. : lun.-sam. 9h-12h ; reste de l'année : mar. 9h-12h, 16h-19h, sam. 9h-12h - fermé dim. et j. fériés.
Ce bourg, le plus développé du bas Ossau grâce à l'activité de ses carrières de marbre et de ses usines métallurgiques, compte quelques maisons des 16e et 17e s. Il conserve également, le long du canal, ses lavoirs du 19e s.
Maison d'Ossau – *05 59 05 61 71 - juil.-août : 10h-12h, 15h-18h ; janv.-juin et sept. : mar.-vend. 14h-17h, dim. 15h-18h - fermé oct.-déc. - 2,70 € (-15 ans 1,50 €).*
Installé au chevet de l'église dans une demeure du 17e s., ce musée vous permettra de mieux découvrir la région. Au sous-sol, plongez dans la préhistoire des Pyrénées avec, en particulier, une exposition relatant l'évolution de l'outillage. Les anciennes pièces d'habitation du rez-de-chaussée sont réservées au Parc national des Pyrénées : géologie, faune et flore de la vallée d'Ossau. Dans les combles, exposition sur le berger ossalois et l'histoire de la vallée.
Rejoindre la D 934 et prendre en face.

Sainte-Colome C2
Sur le chemin de St-Jacques-de-Compostelle, il faut s'y arrêter pour l'**église** du 16e s. et la **maison forte** qui serait la plus ancienne de la vallée. Derrière l'église, un chemin donne accès à une butte surmontée de trois croix : de là, jolie vue panoramique (on distingue les ruines du château du 12e s.).
Revenir sur la D 934 et prendre à gauche.

Louvie-Juzon B2
L'**église** (16e s.) présente un clocher de pierre en forme de calice renversé. À l'intérieur, vous vous attarderez sur les chapiteaux et les clefs de voûte sculptées. Au-delà du pont apparaît le pic du Midi d'Ossau.
Poursuivre sur la D 240.

Castet B2
Depuis l'abreuvoir, montez à l'église romane remaniée pour le point de vue sur le **donjon** *(propriété privée)*, seul vestige du château du 13e s., sur le lac, et Bielle, sur le versant d'en face.
Revenir sur la D 934 ; au rond-point de Bielle, suivre le fléchage.

LE SAVIEZ-VOUS ?
La vallée d'Ossau était autrefois l'*Ursialensis vallis*, la « vallée aux Ours ». Il y en a d'ailleurs toujours quelques-uns qui parcourent cette région des Pyrénées. Mais rassurez-vous, les hommes ne les intéressent pas du tout !
Encadré « Le va-nu-pieds », p. 493.

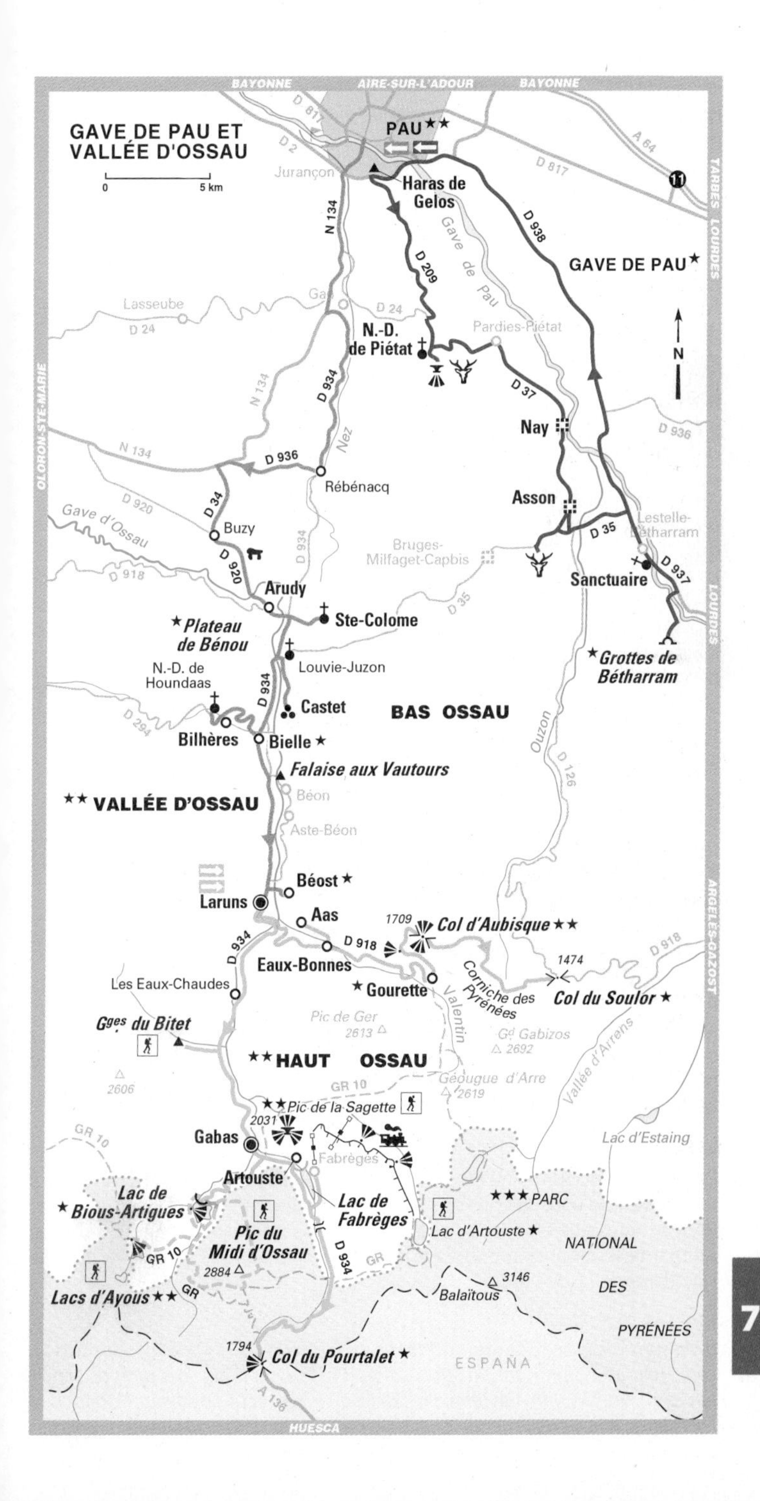
GAVE DE PAU ET VALLÉE D'OSSAU
0
5 km
BAYONNE
AIRE-SUR-L'ADOUR
BAYONNE
PAU ★★
Jurançon
Haras de Gelos
D 938
GAVE DE PAU ★
Lasseube
N.-D. de Piétat
Pardies-Piétat
Nay
Asson
Rébénacq
Buzy
Lestelle-Bétharram
Bruges-Milfaget-Capbis
Sanctuaire
Arudy
Ste-Colome
★ Plateau de Bénou
★ Grottes de Bétharram
N.-D. de Houndaas
Louvie-Juzon
Castet
BAS OSSAU
Bilhères
Bielle ★
Falaise aux Vautours
★★ VALLÉE D'OSSAU
Béon
Aste-Béon
Béost ★
Laruns
Aas
1709
Col d'Aubisque ★★
Eaux-Bonnes
1474
Les Eaux-Chaudes
★ Gourette
Corniche des Pyrénées
Col du Soulor ★
Gges du Bitet
Pic de Ger 2613
Gd Gabizos 2692
★★ HAUT OSSAU
Géougue d'Arre 2619
2606
★★ Pic de la Sagette
2031
Gabas
Lac d'Estaing
Fabrèges
Artouste
Lac de ★ Bious-Artigues
Lac de Fabrèges
★★★ PARC NATIONAL DES PYRÉNÉES
Pic du Midi d'Ossau
Lac d'Artouste ★
2884
3146
Balaïtous
Lacs d'Ayous ★★
1794
Col du Pourtalet ★
ESPAÑA
HUESCA
OLORON-STE-MARIE
TARBES LOURDES
LOURDES
ARGELÈS-GAZOST

En toute saison, vous apprécierez les sentiers de découverte de l'**Espace naturel du Castet**. De juin à septembre, diverses activités et animations sont proposées.

★ Bielle B3

L'ancien chef-lieu de la vallée, partagé en deux quartiers par un torrent affluent du gave d'Ossau, a conservé une certaine dignité de petite capitale assoupie. De belles **maisons** des 15e-16e s. aux décors sculptés subsistent dans le quartier rive droite, entre la route nationale et l'**église**, dont vous admirerez les colonnes en marbre. Côté rive gauche se trouve le château bâti par le marquis de Laborde (1724-1794), banquier attitré de Louis XV.
Prendre à l'ouest la D 294 vers Bilhères.

Bilhères B3

Promenez-vous dans le centre du village : certaines maisons montrent des raffinements hérités des 16e et 17e s. (clés décoratives au cintre des portes).

★ Plateau de Bénou B3

Au-dessus de Bilhères, la vue s'étend, au sud, jusqu'aux roches grises du pic de Ger.
La **chapelle N.-D.-de-Houndaas** *(lieu de halte aménagé)* apparaît, à l'abri de deux tilleuls, dans un **site★** rafraîchi par les eaux nées d'importantes sources. La route débouche dans la combe pastorale du Bénou où la **transhumance** a lieu à la fin du printemps. De nombreux troupeaux montent alors sur ces hauteurs pour y passer l'été. De là partent des randonnées et un parcours d'orientation.
Revenir à Bielle et remonter le gave (et la D 934) en direction de Laruns.

Falaise aux Vautours, à Béon B3

✆ 05 59 82 65 49 - www.falaise-aux-vautours.com - juil.-août. : 10h30-12h30, 14h-18h30 ; mai-juin : 14h-18h (sept. 17h30) ; avr. et vac. scol. (Toussaint, Noël et fév.) : 14h-17h - 7 € (5-15 ans 5 €).
À l'entrée du village de Béon, un espace muséographique consacré à une colonie de vautours a été aménagé au pied d'une falaise calcaire.
Point d'aigle royal ici : c'est le petit cousin pauvre, le **vautour fauve**, qui est le roi de la fête. La falaise aux Vautours le met en scène dans tous ses états. Un **écran panoramique** retransmet en direct les évolutions des vautours fauves qui nichent en haut de la falaise : parade nuptiale, construction des nids, couvaison de l'œuf unique, becquée et envol des petits.
Vous pourrez également parfaire ici votre culture sur le pastoralisme, la faune et la flore locales ou découvrir des contes et légendes de la vallée d'Ossau.
Revenir sur la D 934. Avant Laruns, prendre à gauche.

★ Béost B3

Rendez-vous ici pour une chasse aux trésors… Les trésors, ce sont les **lintaux de porte** que vous déchiffrerez tout au long du parcours d'interprétation. Rendez-vous également à l'église qui possède un beau portail. Le **château** attenant est une ancienne abbaye laïque. *✆ 05 59 05 30 99 - possibilité de visite sur demande 1 j. av. - gratuit.*

Laruns B3

Maison de la vallée d'Ossau - 64440 Laruns - ✆ 05 59 05 31 41 - www.valledossau.com - juil.-août : lun.-sam. 9h-19h30, dim. 10h-18h ; sept.-juin (excepté vac. scol.) : lun.-sam. 9h-12h, 14h-18h (dim. 9h-12h jusqu'à déb. oct.). En saison, le Point Info Montagne vous renseigne sur les activités et effectue les réservations auprès des professionnels de la vallée d'Ossau (✆ 05 59 05 48 94).

Les lacs d'Ayous et le pic du Midi d'Ossau.
N. Thibaut / Photononstop

Village de services (tous commerces), vous pourrez y faire étape pour vous informer à la Maison de la vallée d'Ossau et à la Maison du Parc national des Pyrénées *(voir p. 501)*.

★★ LE HAUT OSSAU

Pour visualiser ce circuit de 40 km entre Laruns et le col du Pourtalet, se reporter à la carte p. 513. Compter une journée avec les randonnées.
Quitter Laruns au sud par la D 934.
La route suit le **gave d'Ossau** et traverse la petite station thermale d'**Eaux-Chaudes**.
Juste après le pont sur le Bitet, un large chemin forestier part sur la droite.

Gorges du Bitet B3

1h à pied AR par le chemin forestier. En remontant ces gorges très ombragées, vous pourrez admirer de très jolies cascades.
Reprendre la D 934.
3 km après le pont du Bitet, au lieu dit « Chêne de l'Ours », **vue** sur le pic du Midi d'Ossau.

Gabas B3

Ce village de montagne, blotti au pied des torrents descendus du pic du Midi d'Ossau, est connu pour ses fromages de brebis. Sa **chapelle** du 12ᵉ s. a fait l'objet d'une décoration moderne.
Prendre à droite la D 231.
La route *(ouverte de mai à octobre selon les conditions)*, en forte montée, aboutit au barrage qui a noyé l'*artigue* (« terrain défriché ») de Bious.

★ Lac de Bious-Artigues B3

À proximité du barrage *(rive gauche)*, les **vues★** se dégagent sur les pics d'Ayous et du Midi d'Ossau dont les parois passent au coucher du soleil par toutes les nuances de rouge et de violacé.
1h. Vous pouvez faire le tour du lac.

Pic du Midi d'Ossau B3

Alt. 2 884 m. Sa cime en forme de croc, identifiable dès l'arrivée à Pau, tranche avec le style des crêtes pyrénéennes généralement découpées avec plus de finesse que de vigueur. Les contreforts sont le domaine d'un millier d'isards.
Tour du pic au départ de Bious-Artigues.

★★ Lacs d'Ayous B3

Montée 2h30, descente 1h30 (dénivellation : 560 m). Suivre les pancartes du Parc national des Pyrénées et le balisage rouge-blanc du GR 10. Du refuge d'Ayous, **vue★★★** grandiose sur le pic du Midi d'Ossau se reflétant dans le lac.
Revenir vers Gabas et prendre à droite la D 934.
La route longe les centrales de Fabrèges et d'Artouste, puis s'élève pour arriver au niveau de la retenue de Fabrèges. En avant se dégagent les flancs du **pic de Soques**, très tourmentés.
Prendre la D 431 à gauche pour longer la rive droite du lac jusqu'à Fabrèges.

Montée en télécabine à la Sagette B3

05 59 05 36 99 - juil.-août : 8h30-20h ; mai-juin et sept. : 8h30-18h - 7 €.
De la station supérieure (alt. 1 950 m), la **vue★★**, plongeant sur l'ancienne vallée glaciaire du gave de Brousset (noyée en partie par la retenue de Fabrèges), ne se détache guère de la silhouette du pic du Midi d'Ossau.
1h AR. Montez jusqu'à la table d'orientation du **pic de la Sagette★★** (2301 m).

De la Sagette au lac d'Artouste B-C 3

05 59 05 36 99 - www.altiservice.com - juil.-août : 8h30-17h (train ttes les 1/2h) ; juin et sept. : 8h30-14h30 (train ttes les heures) - 21,50 € télécabine et train AR (4-15 ans 17 €).
Le **petit train** serpente à flanc de montagne, sur un parcours de 10 km, à 2 000 m d'altitude. Il offre des **vues★** plongeantes sur la **vallée du Soussouéou**, 500 m en contrebas.
30mn AR. Du terminus *(arrêt limité à 1h30)*, un sentier mène au **lac d'Artouste★**. Un barrage a rehaussé le plan d'eau du lac qui baigne les pentes granitiques du cirque d'Anéou dont les sommets approchent les 3 000 m.
De retour à Fabrèges, revenir à la D 934 et prendre la direction du col du Pourtalet.
La route suit le **gave de Brousset**, puis escalade un verrou et débouche dans le **cirque d'Anéou**.

★ Col du Pourtalet B3

Le col du Pourtalet reste généralement obstrué par la neige de novembre à juin.
Alt. 1 794 m. **Vue★** sur l'immense cirque pastoral d'Anéou, tout pointillé de moutons en été, et sur le pic du Midi d'Ossau.

★ ROUTE DU COL D'AUBISQUE

Pour visualiser ce circuit de 28 km entre Laruns et le col du Soulor, se reporter à la carte p. 497. Compter environ 4h.
Quitter Laruns au sud-est par la D 918.

Eaux-Bonnes C3

Jardin Darralde - 64440 Eaux-Bonnes - 05 59 05 33 08 - www.gourette.com - juil.-août : lun.-sam. 9h-12h30, 13h30-18h ; mai-juin et sept. : lun.-vend. 9h-12h30, 13h30-17h30, sam. 9h-12h ; reste de l'année : lun.-vend. 9h-12h30, 13h30-17h30 - fermé 1er et 8 Mai, Pentecôte, Ascension.

Le Parc national des Pyrénées

CARTE D'IDENTITÉ

Le **haut Ossau** appartient en grande partie au **Parc national des Pyrénées**. Créé en 1967 pour la protection de la nature, il dessine le long de la chaîne frontière, sur plus de 100 km, entre la vallée d'Aspe à l'ouest et la vallée d'Aure à l'est, une bande large de 1 à 15 km, entre 1 000 m et 3 298 m d'altitude (sommet du Vignemale). Le Parc national est composé d'un cœur soumis à une réglementation (43 700 ha) et d'une aire d'adhésion de 206 000 ha partagée entre 86 communes des départements des Hautes-Pyrénées et des Pyrénées-Atlantiques.
Le Parc national vise à valoriser l'économie pastorale, les patrimoines architectural et culturel et à protéger la faune et la flore pyrénéennes, tout en accueillant l'ensemble des publics (notamment les pers. handicapées). Dans ce Parc national, le plus visité de France, les missions de préservation et de sensibilisation à l'environnement se doivent d'être complémentaires.

LIEUX D'ACCUEIL

Parc national des Pyrénées

Villa Fould - 2 r. du 4-Septembre - 65000 Tarbes - ✆ 05 62 54 16 40 - www.parc-pyrenees.com.
La Maison du Parc national des Pyrénées, située au milieu du grand domaine de la villa Fould, accueille un espace muséographique.
Vous y trouverez des informations sur la faune et la flore du Parc, les randonnées en montagne ainsi que diverses expositions permanentes ou temporaires, et des films ou documents multimédias.

Maison du Parc (vallée d'Ossau) à Laruns

64440 Laruns - ✆ 05 59 05 41 59 - www.parc-pyrenees.com
C'est un lieu incontournable : d'une part pour connaître le « mode d'emploi » du site afin de respecter sa réglementation, d'autre part pour se documenter sur les richesses naturelles du Parc (des fiches y sont notamment proposées pour découvrir les mammifères ou les oiseaux).

OBSERVER LA NATURE

Dans les vallées du parc national, on dénombre quelque 5 600 isards. Il n'est pas exceptionnel d'apercevoir en vol des vautours fauves, des aigles royaux ou des gypaètes barbus dans ces régions des Pyrénées fréquentées encore par le coq de bruyère, le lagopède (perdrix des neiges) ou le desman dit des Pyrénées (petit mammifère aquatique).
La chasse, la cueillette des fleurs, les feux et les chiens y sont interdits ; en revanche, la pêche dans les gaves et dans les quelque 230 lacs (salmonidés) relève de la réglementation générale.

Cette station thermale, au fond de la **vallée** boisée **du Valentin**, procure les bienfaits de cures que le grand médecin béarnais **Théophile de Bordeu** orienta vers les affections des voies respiratoires *(voir p. 23)*. On peut de nos jours venir s'y détendre après une journée de ski *(voir la rubrique « Activités » p. 505)*.
Les « promenades », tracées au 19e s. sur les dernières pentes boisées, témoignent du sens raffiné de la nature et du confort régnant à l'époque. L'esplanade du **jardin Darralde**, autour duquel des hôtels affichent un décor caractéristique du Second Empire thermal, est un bon moyen de s'imprégner de l'ambiance locale.
Prendre à gauche vers Aas.

Aas C3

Voici un village typiquement ossalois avec ses rues étroites en pente raide. Quelques-uns de ses habitants pratiquent encore le langage sifflé *(voir p. 50)*, qui permettait jadis aux bergers de communiquer entre eux dans la vallée jusqu'à une distance de 2,5 km. Ce type de langage est également utilisé dans l'île de la Gomera aux Canaries, dans les villages de la vallée de Göreme en Turquie et au Mexique chez les Indiens mazatèques et zapotèques. Mieux que le morse !
Au **pont d'Iscoo** (cascade), la route franchit le Valentin et attaque la montée à flanc de montagne. Si vous passez aux premières heures de la matinée ou en fin d'apr.-midi, vous assisterez à de superbes jeux de couleurs sur le massif du **pic de Ger**.
Reprendre la D 918 à gauche.

Gourette C3

Pl. du Sarrière - 64440 Gourette - ✆ 05 59 05 12 17 - www.gourette.com - juil.-août : lun.-sam. 9h-12h30, 13h30-17h30 ; de mi-nov. à déb. avr. : 9h-17h30 (sam. vac. scol. Noël et fév. 9h-19h).
Important centre de sports d'hiver *(voir la rubrique « Activités », p. 505)*, Gourette doit son existence au Palois **Henri Sallenave** qui, dès 1903, y effectua les premières descentes à ski des Pyrénées. Bien que des championnats internationaux s'y déroulèrent chaque année dès 1908, la station ne vit le jour qu'en 1930. Le **site★** lui-même vaut le détour : les immeubles se nichent en pleines Pyrénées calcaires, dans un **cirque** marqué par les strates du pic de Ger.

★★ Col d'Aubisque C3

Généralement obstrué par la neige de novembre à juin. Croisements difficiles sur la partie de la route en corniche, après le col d'Aubisque (route très étroite). Entre le col et le département des Hautes-Pyrénées, la circulation est alternée toutes les 2h.

LA PETITE REINE DANS LE « CERCLE DE LA MORT »

Le **col d'Aubisque**, peuplé d'ours, est au début du siècle sagement évité par les gens du cru. Le Tour de France n'en est alors qu'à ses balbutiements ; il se fait les dents hors des zones montagneuses, et les Pyrénées ne sont intégrées au Tour qu'en 1910. Depuis, beaucoup d'aventures cyclistes ont eu lieu au col d'Aubisque. La route de la corniche est un beau morceau de bravoure : chaleur étouffante, à-pics vertigineux valent à chacun claquages musculaires mais également acclamations de la foule venue en masse de la France entière et d'Espagne encourager les coureurs. En 1951 et 1952, deux coureurs passent par-dessus le parapet : 30 m de chute… et rien à déplorer hormis quelques bleus, quelques bosses. Le « cercle de la mort » protégerait-il les amoureux de la petite reine ?

15mn jusqu'à l'émetteur, depuis le parking. Alt. 1 709 m. Rendu illustre par le passage du Tour de France cycliste, il offre, du mamelon sud, un **panorama★★** saisissant sur le cirque de Gourette.

Après le col, la D 918, taillée en corniche, procure de belles vues sur la **vallée de Ferrières** et, au-delà, sur la plaine béarnaise. La route domine ensuite de plusieurs centaines de mètres le **cirque du Litor** : c'est la **corniche des Pyrénées**, un des passages les plus saisissants du parcours et l'une des réalisations routières les plus hardies du 19e s.

★ Col du Soulor C3

Alt. 1 474 m. Au loin, au-delà de la vallée d'Azun, s'élèvent le **pic du Midi de Bigorre** et, plus à gauche, le **pic de Montaigu**. Des arêtes gazonnées hérissées de fines pointes composent les premiers plans d'un vaste paysage montagnard.

NOS ADRESSES DANS LA VALLÉE D'OSSAU

HÉBERGEMENT

Refuges du parc

Parmi les refuges du Parc national, il faut distinguer les refuges gardés, qui ne sont ouverts que de mi-juin à mi-septembre, et les refuges non gardés (10 places en général). Tous sont destinés aux randonneurs de passage. Dans les refuges gardés, on mange ses provisions ou le repas préparé par le gardien. En été, les refuges gardés, dont la capacité d'accueil est limitée (30 à 40 places), sont pris d'assaut. Il est donc préférable de réserver longtemps à l'avance.

Refuges gérés par le Parc national des Pyrénées – *✆ 05 62 54 16 40 - www.parc-pyrenees.com.*

Refuges gérés par le Club alpin – *3 r. Servient - 69003 Lyon - ✆ 04 78 42 09 17.* Les refuges n'appartenant pas au Parc national des Pyrénées sont en général gérés par la Fédération des clubs alpins français.

Camping

Le camping est interdit dans le Parc national des Pyrénées, mais le bivouac est toléré, uniquement pour la nuit ou en cas d'intempéries. On peut alors monter une petite tente, à condition d'être à plus d'une heure de marche de tout accès motorisé (tolérance 19h-9h). Les offices de tourisme et les syndicats d'initiative mettent à la disposition des touristes la liste des campings à proximité du Parc national.

PREMIER PRIX

Camping Les Gaves – *64440 Laruns - 1,5 km au sud-est par rte du col d'Aubisque et chemin à gauche - ✆ 05 59 05 32 37 - campingdesgaves@wanadoo.fr - 101 empl. 21 €.* Ce camping fort bien tenu bénéficie d'un bel emplacement entre lacs et cascades. Location de chalets en bois, très agréables, aménagés dans un espace ombragé et sans véhicules.

BUDGET MOYEN

Chambre d'hôte La Casa Paulou – *6 r. du Bourg-Neuf - 64440 Laruns - ✆ 05 59 05 35 98 - www.amivac.com/site3799 - - 5 ch. 46 €.* Cette ferme du bourg abrite des chambres fonctionnelles ; certaines, avec mezzanine conviennent aux séjours familiaux. L'ex-bergerie convertie en salle du petit-déjeuner a conservé ses murs en pierre et ses mangeoires d'origine. L'accueil est à l'image de cette maison : simple et chaleureux.

Chambre d'hôte du Manoir d'Ossau – *4 av. Georges-Messier - 64260 Izeste - ✆ 05 59 05 71 51 - http://gite.ossau.free.fr - fermé 2 sem. en oct. - ⌿ - 3 ch. et 1 gîte 48 € ☕.* Un délicieux jardin fleuri et arboré entoure cette belle maison en pierres du pays. La propriétaire y a aménagé un gîte et trois chambres en rez-de-chaussée avec entrée indépendante. Les chambres sont toutes différentes, meublées simplement mais avec un véritable confort.

RESTAURATION

BUDGET MOYEN

L'Arregalet – *37 r. du Bourguet - 64440 Laruns - ✆ 05 59 05 35 47 - fermé dim. soir, jeu. soir et lun. - 11,80 € déj. - 14,80/30 €.* Amateurs de cochonnaille, ne manquez pas cette adresse ! Vous y dégusterez dans une ambiance conviviale de savoureuses spécialités locales, le tout servi copieusement et « à la bonne franquette ».

Hôtel de France – *1 pl. de l'Hôtel-de-Ville - 64260 Arudy - ✆ 05 59 05 60 16 - fermé mai et 24-31 déc., sam. sf sais. et vac. scol. - formule déj. 14,70 € - 15/26 €.* Cet hôtel accueille d'une année sur l'autre sa fidèle clientèle de gourmands dans une belle salle à manger rustique agrémentée d'une imposante cheminée. En cuisine, le chef a remis cent fois l'ouvrage sur le métier pour mijoter ses petits plats traditionnels. Chambres simples mais bien tenues.

L'Amoulat – *64440 Gourette - ✆ 05 59 05 12 06 - fermé 1er avr.-15 juin, 11 sept.-19 déc., midi (sf juil.-août) - 20/26 € - 12 ch. 62/66 € - ☕ 8 €.* Mobilier robuste et belle collection d'assiettes anciennes président au décor rustique de ce sympathique chalet idéalement situé sur la route du col de l'Aubisque. La cuisine du chef, qui panache saveurs régionales et touches actuelles, flatte joliment les papilles. Chambres d'esprit montagnard.

ACHATS

Miellerie de la Montagne Verte – *À Aàs - 64440 Eaux-Bonnes - ✆ 05 59 05 34 94 - 10h-12h, 14h-19h (15h-18h30 hors sais.) - fermé 2e quinz. de nov.*
Cette miellerie est implantée dans un site panoramique exceptionnel. Les apiculteurs vous feront découvrir la vie des abeilles à travers la visite du petit musée, avant de vous emmener déguster les spécialités issues de la ruche dans la boutique attenante.

Fromagerie Pardou – *Rte de Laruns - 64260 Gère-Bélesten - ✆ 05 59 82 60 77 - www.fromagerie-pardou.com - tlj sf merc. apr.-midi et dim. 9h-12h, 14h-19h - fermé 1 sem. en avr.* Cette fromagerie occupe un ancien tunnel de la SNCF racheté par Christian Pardou en 1990, qui affine ici les produits que lui confient de nombreux bergers de la région. Dégustation des fromages à la boutique.

ACTIVITÉS

Dans le Parc national

Plus de 350 km de sentiers tracés et balisés (topoguide en vente à la Maison du Parc). Le sentier de grande randonnée (GR 10) traverse le Parc national par endroits.

Gardes-moniteurs du Parc national des Pyrénées – *Rens. au siège du Parc national et dans les Maisons du Parc - www.parc-pyrenees.com.* Sorties à thème à la journée ou demi-journée en juil.-août. « Points-rencontres » sur les sentiers.

Où faire du ski ?

Domaine skiable de Gourette – Alt. 1 350-2 450 m. 13 remontées mécaniques et 28 pistes. La glisse version Gourette, ce sont 30 km de pistes dont certaines prennent naissance à 2 400 m. Situé au cœur d'un environnement privilégié, le domaine de Gourette vous invite à quitter un temps les pistes damées pour vous rendre hors des sentiers battus, à pied ou en raquettes, pour une randonnée sportive ou une balade en famille. Station dynamique, Gourette accueille régulièrement des compétitions internationales de ski comme de surf. En mars se déroule le « Pyrenea Triathlon » (course à pied, à vélo et à ski de randonnée entre Pau et Gourette).

Domaine skiable d'Artouste – Alt. 1 400-2 100 m. 10 remontées mécaniques et 17 pistes. Cette petite station familiale offre 25 km de pistes et est équipée pour les amateurs de nouvelles glisses.

Activités de montagne

Randonnées – Le topoguide de la vallée d'Ossau, qui comprend 30 itinéraires, est en vente dans les offices de tourisme *(7 €)*.

Bureau des guides et accompagnateurs de la vallée d'Ossau – *2 r. Barthèque - 64440 Laruns - ☎ 05 59 05 33 04 - www.guides-pyrenees.fr.* Contactez ce bureau pour toutes vos sorties en montagne : escalade, ascension de sommet, descente de canyon, randonnée, raid à ski, cascade de glace, etc.

Via Ferrata de Siala – *64440 Gourette - ☎ 05 59 05 33 04.* Plusieurs itinéraires (facile à très difficile) pour découvrir l'univers vertigineux de la paroi de montagne.

Autres activités

Lac de Castet – *D 934 - 64260 Bielle - ☎ 05 59 82 64 54 - juil.-août : 9h-19h ; juin et sept. : 11h-19h ; mai et oct. : w.-end.* Nombreuses activités proposées, pour la plupart familiales : raft, canyoning, bouées, promenades en barque ou en canoë, etc. Espace muséographique à la Maison du Lac, aire de jeux pour les enfants et tables de pique-nique.

Thermes – *R. du Dr-Greignou - 64440 Eaux-Bonnes - ☎ 05 59 05 34 02 - 8h-12h, 14h-17h, merc. et sam. 8h-12h - fermé nov.-avr.* Après le ski, rien de mieux qu'une petite séance de remise en forme (douche au jet, sauna, bain) aux thermes d'Eaux-Bonnes.

Château de Montaner

Pyrénées-Atlantiques (64)

S'INFORMER

Point touristique du château de Montaner – *64460 Montaner - ☏ 05 59 81 98 29 - juil.-août : 10h-19h ; avr.-juin et sept.-oct. : tlj sf mar. 14h-18h - fermé le reste de l'année.*

SE REPÉRER

Carte de microrégion D1 (p. 450-451) – *carte Michelin Départements 342 L2.* À 40 km à l'est de Pau, par les D 943, D 7 et D 225. Au nord du Béarn, le Vic-Bilh est à la limite du département des Landes.

À NE PAS MANQUER

Le splendide panorama depuis le donjon du château ; les fresques du 15ᵉ s. de l'église romane St-Michel à Castéra-Loubix, que vous pourrez comparer à celles de l'église St-Michel de Montaner.

ORGANISER SON TEMPS

En saison, prévoyez plutôt de vous rendre à Montaner l'apr.-midi, car l'église St-Michel ne se visite que l'apr.-midi. Le circuit conseillé vous prendra une demi-journée si vous visitez les deux châteaux.

Une route sinueuse à travers la campagne, un hameau perdu entre champs et bois, des vaches qui traversent paisiblement la route, rentrant à l'étable : c'est Montaner. Au loin, un donjon isolé se dresse sur une butte, vigile, en son temps, du puissant Gaston Fébus. Un rien évocateur de la tranquillité du terroir…

Se promener

Château

☏ 05 59 81 98 29 - www.pau-pyrenees.com - juil.-août : 10h-19h ; avr.-juin et sept.-oct. : tlj sf mar. 14h-19h - 3 € (10-18 ans 1,50 €).

Élevée entre 1375 et 1380 sur une éminence, la forteresse de brique rouge servait à surveiller les confins du Béarn, de la Bigorre et de l'Armagnac. Le **donjon carré** s'élève à 40 m. Gaston Fébus fit apposer une pierre sculptée avec l'écu symbole du Béarn et de Foix surmonté de cette phrase : *Febus me fe* (« Fébus m'a fait »), matérialisant ainsi son rêve de gloire. De la plate-forme, le **panorama★** vers le sud s'ouvre sur la chaîne des Pyrénées.

Les fouilles effectuées à l'intérieur de l'enceinte ont permis de retrouver le plan et l'affectation des constructions, aujourd'hui disparues, de la **basse cour**.

Église St-Michel

☏ 05 59 81 92 21 ou 05 59 81 93 55 - visite guidée juil.-août : tlj sf mar. 14h-18h ; sept.-juin : sur demande à la mairie - 1,50 €.

Elle a été élevée au 15ᵉ s. en contrebas de la butte castrale. Des **peintures murales** du début du 16ᵉ s. relatent, dans le chœur, la Création et la Nativité. Dans la nef figurent les Apôtres et, sur le mur ouest, le Jugement dernier.

Circuit conseillé Carte de microrégion p. 450

À TRAVERS LE VIC-BILH

Pour visualiser ce circuit de 37 km, se reporter à la carte p. 450-451. Compter environ 2h. Quitter Montaner par le nord-ouest. Après Pontiacq, prendre la D 202.

Église St-Michel de Castéra-Loubix D1

05 59 81 97 88 - visite sur demande préalable auprès de la mairie.

Dans le chœur de l'église romane (11e s. mais remaniée aux 15e s. et 18e s.), bel ensemble de **peintures murales** représentant la Passion du Christ et le Jugement dernier.

Poursuivre sur la D 202. À Monségur, prendre à gauche la D 4. À Vidouze, prendre à gauche la D 943.

Lembeye C1

Cette ancienne **bastide**, dont il reste une porte fortifiée, est la capitale du Vic-Bilh, qui signifie « Vieux Pays ». C'est là que vous trouverez toutes les informations (office de tourisme), sur ce petit territoire très disputé, aujourd'hui plus connu pour son vin blanc (sec ou moelleux).

Sortir au nord en suivant la D 13. Après Bordes, prendre à gauche.

Château d'Arricau-Bordes C1

Il ne se visite pas, mais l'extérieur vaut le coup d'œil. Bâti sur un tertre au 13e s. et remanié au 16e s., il en impose dans son écrin boisé.

3 km. Un petit circuit balisé autour du château permet, au printemps, d'admirer de nombreuses **orchidées**. Attention, ça grimpe!

Continuer à descendre, en bas. Tourner à gauche puis, à l'intersection, prendre à droite. Traverser Vialer, puis prendre à droite la D 104.

Château de Mascaraàs-Haron C1

05 59 04 92 60 - - visite guidée de mi-mai à mi-sept. : tlj sf mar. 10h-12h, 15h-18h ; reste de l'année : w.-end et j. fériés 10h-12h, 15h-18h - 6 € (enf. 3 €).

Cette ancienne demeure seigneuriale, entourée d'un parc de 20 ha, couronne une butte autrefois fortifiée et surplombant le Vic-Bilh. Ancien relais de chasse construit au 16e s. pour Jeanne d'Albret selon la tradition, le château fut largement transformé aux 17e et 18e s. Il a conservé un ensemble d'**intérieurs★** d'époque, meublés en style flamand et brabançon. Le grand salon est orné d'une belle fontaine en marbre d'Arudy de la fin du 17e s., et le petit salon renferme des boiseries peintes de scènes mythologiques en camaïeu de bleu. La bibliothèque possède de nombreuses éditions rares et des gravures anciennes. Plus intime, la « volière de la marquise », une chambre de favorite, est décorée de 65 oiseaux peints d'après Buffon. Pour les amateurs, spacieuse cuisine rustique…

Enfin, le chai du château, qui a conservé ses outils du 19e s., instruit sur les vignobles de **Madiran** et du **Pacherenc du Vic-Bilh**.

7 km - 2h30. Départ en contrebas du château. Un parcours balisé offre de belles vues sur les crêtes.

Poursuivre sur la D 104 puis, à gauche sur la D 16, jusqu'à **Garlin** (C1).

7 km - 2h30. Départ du parking du Marcadieu. Itinéraire balisé, mais topo-guide (en vente à la mairie et dans les offices de tourisme) indispensable pour repérer son chemin dans le bourg.

+ d'adresses

Le Lot-et-Garonne

8

Carte Michelin Départements 336 – Gers (32) et Lot-et-Garonne (47)

Paysage de l'Agenais.

Dennis Jones / age fotostock

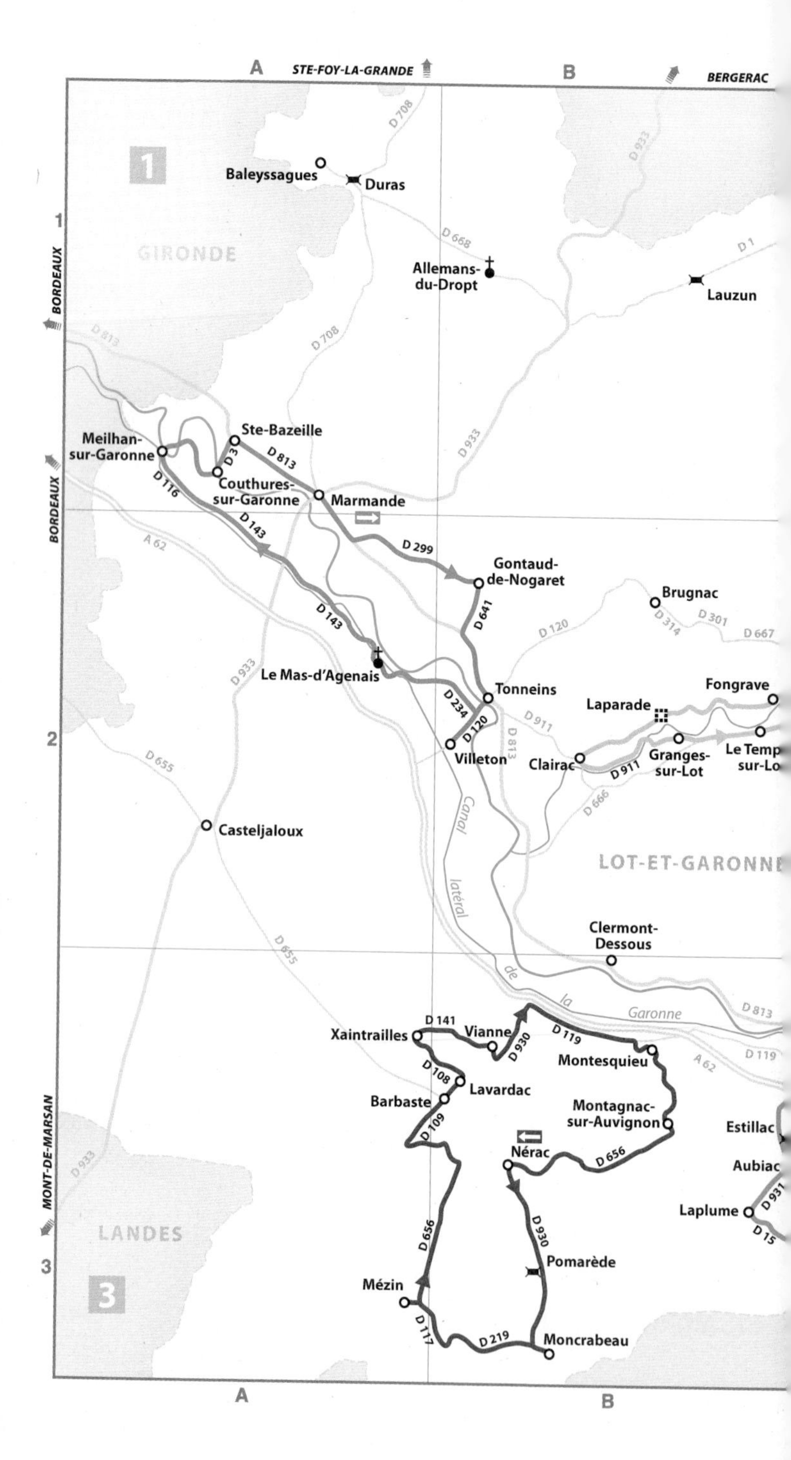
A
STE-FOY-LA-GRANDE
B
BERGERAC
1
BORDEAUX
Baleyssagues
Duras
GIRONDE
Allemans-du-Dropt
Lauzun
Meilhan-sur-Garonne
Ste-Bazeille
Couthures-sur-Garonne
Marmande
Gontaud-de-Nogaret
Brugnac
Le Mas-d'Agenais
Tonneins
Fongrave
Laparade
Villeton
Clairac
Granges-sur-Lot
Le Temp
sur-Lo
Casteljaloux
LOT-ET-GARONNE
Canal latéral de la Garonne
Clermont-Dessous
Xaintrailles
Vianne
Montesquieu
Lavardac
Barbaste
Montagnac-sur-Auvignon
Estillac
Nérac
Aubiac
Laplume
MONT-DE-MARSAN
LANDES
3
Pomarède
Mézin
Moncrabeau
D 708
D 933
D 668
D 1
D 813
D 3
D 116
D 143
D 299
D 641
D 120
D 314
D 301
D 667
D 234
D 911
D 666
A 62
D 655
D 141
D 930
D 119
D 108
D 109
D 656
D 931
D 15
D 117
D 219
2
3

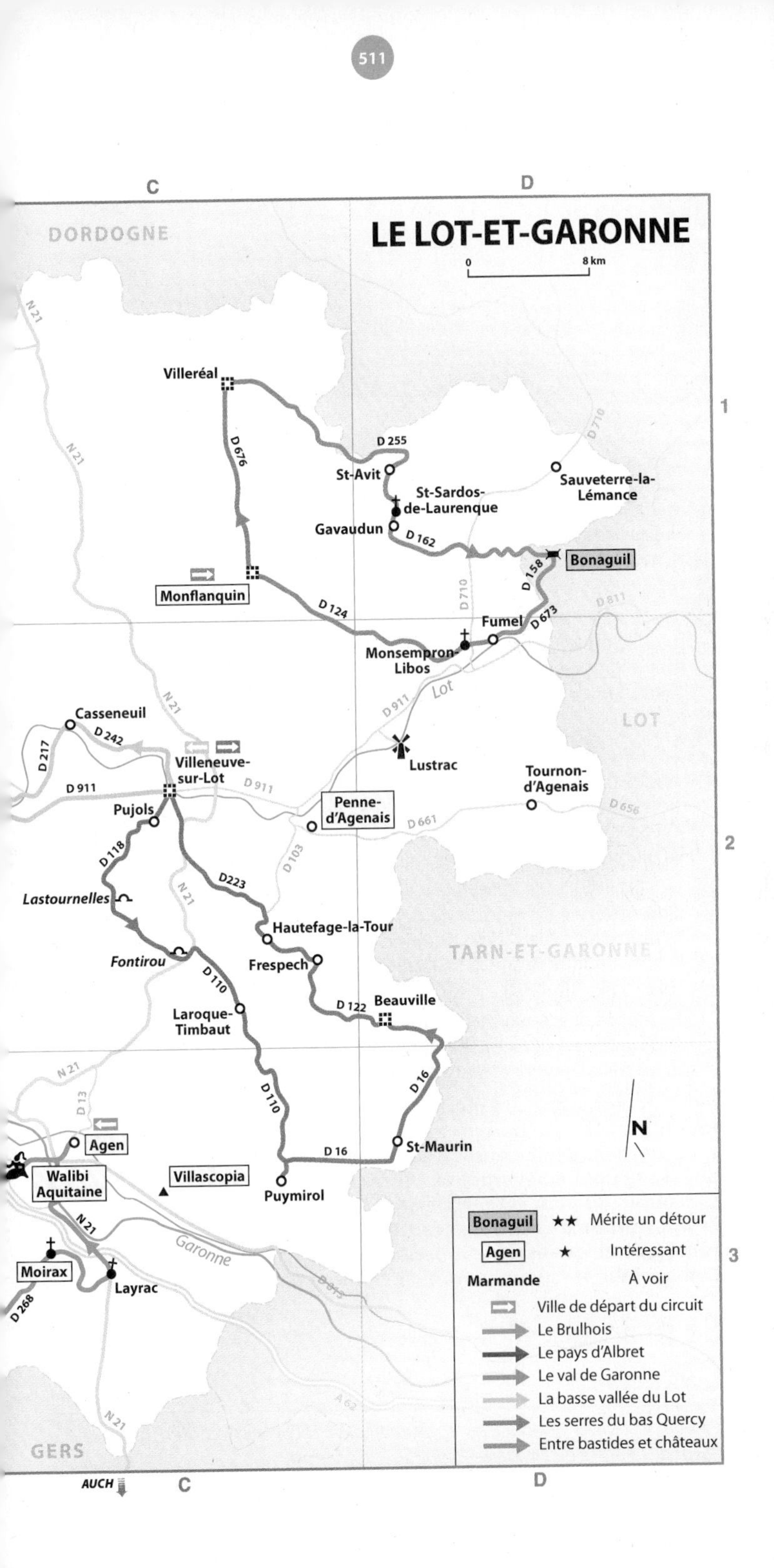
LE LOT-ET-GARONNE
0
8 km
C
D
1
2
3
DORDOGNE
LOT
TARN-ET-GARONNE
GERS
Villeréal
D 676
D 255
St-Avit
St-Sardos-de-Laurenque
Gavaudun
D 162
Sauveterre-la-Lémance
Bonaguil
D 158
Monflanquin
D 124
D 710
Fumel
D 673
D 811
Monsempron-Libos
Lot
D 911
Lustrac
Casseneuil
D 242
D 217
Villeneuve-sur-Lot
D 911
Pujols
Penne-d'Agenais
D 661
Tournon-d'Agenais
D 656
D 103
D 118
Lastournelles
D223
Hautefage-la-Tour
Fontirou
Frespech
D 110
Laroque-Timbaut
D 122
Beauville
D 16
St-Maurin
D 16
D 110
Puymirol
Agen
Walibi Aquitaine
Villascopia
N 21
D 13
Garonne
Moirax
Layrac
D 268
D 813
A 62
N
AUCH
Bonaguil ★★ Mérite un détour
Agen ★ Intéressant
Marmande À voir
Ville de départ du circuit
Le Brulhois
Le pays d'Albret
Le val de Garonne
La basse vallée du Lot
Les serres du bas Quercy
Entre bastides et châteaux

Agen

★

33 728 Agenais – Lot-et-Garonne (47)

NOS ADRESSES PAGE 518

S'INFORMER
Office du tourisme d'Agen – *38 r. Garonne - 47000 Agen - 05 53 47 36 09 - www.ot-agen.org - juil.-août : 9h-19h, dim. 9h30-12h30 ; sept.-juin : tlj sf dim. et j. fériés 9h-12h30, 14h-18h30.* Suivez Vincent le Jacquet, qui vous guidera à travers la ville pour une visite nocturne *(juil.-août : jeu. 21h - gratuit).* Demandez le document *Agen en 28 escales (gratuit).*

SE REPÉRER
Carte de microrégion C3 (p. 510) – *carte Michelin Départements 336 F4.* La ville est longée au nord par le canal, à l'ouest par la Garonne. Le centre névralgique se trouve au carrefour des boulevards de la République et Carnot et dans les petites rues avoisinantes.

SE GARER
Nombreux parkings à la périphérie du centre-ville *(voir plan ci-contre).*

À NE PAS MANQUER
Le musée des Beaux-Arts ; la rue Beauville ; la confiserie Boisson pour tout savoir sur la fabrication du fameux pruneau, avec dégustation à la clé *(voir la rubrique « Achats », p. 520).*

ORGANISER SON TEMPS
Comptez une demi-journée pour faire le tour de la vieille ville et visiter le musée des Beaux-Arts (attention : il est fermé le mardi). Agen fête son emblématique pruneau le dernier w.-end d'août.

AVEC LES ENFANTS
Le musée des Beaux-Arts, pour se cultiver en s'amusant ; la visite sur les pas de Vincent le Jacquet, en été *(voir ci-dessus)* ; le scénovision Villascopia à Castelculier ; le parc d'attractions Walibi Aquitaine.

Ave' l'accent, cette cité méridionale à l'insouciante bonhomie prend tout son relief. Il fait bon vivre à Agen… et flâner dans ses ruelles médiévales bordées de demeures à pans de bois et de placettes ombragées, ou le long des boulevards aux allures de rues piétonnes. Mais Agen ne s'assoupit pas pour autant ! De grands travaux continuent de préparer la valorisation du centre, encadré par les berges de la Garonne et du canal latéral, des espaces arpentés par les cyclotouristes, pèlerins de Compostelle et randonneurs qui n'hésitent pas à s'arrêter à Agen.

Se promener Plan de ville ci-contre

LA VIEILLE VILLE

Pour visualiser ce circuit, se reporter au plan ci-contre. Compter 4h. Partir de la place du Dr-Pierre-Esquirol.

Bon à savoir – Une signalétique patrimoniale jalonne les rues d'Agen. Elle est complétée par un document intitulé *Agen en 28 escales* (*disponible gratuitement à l'office de tourisme*).

AGEN

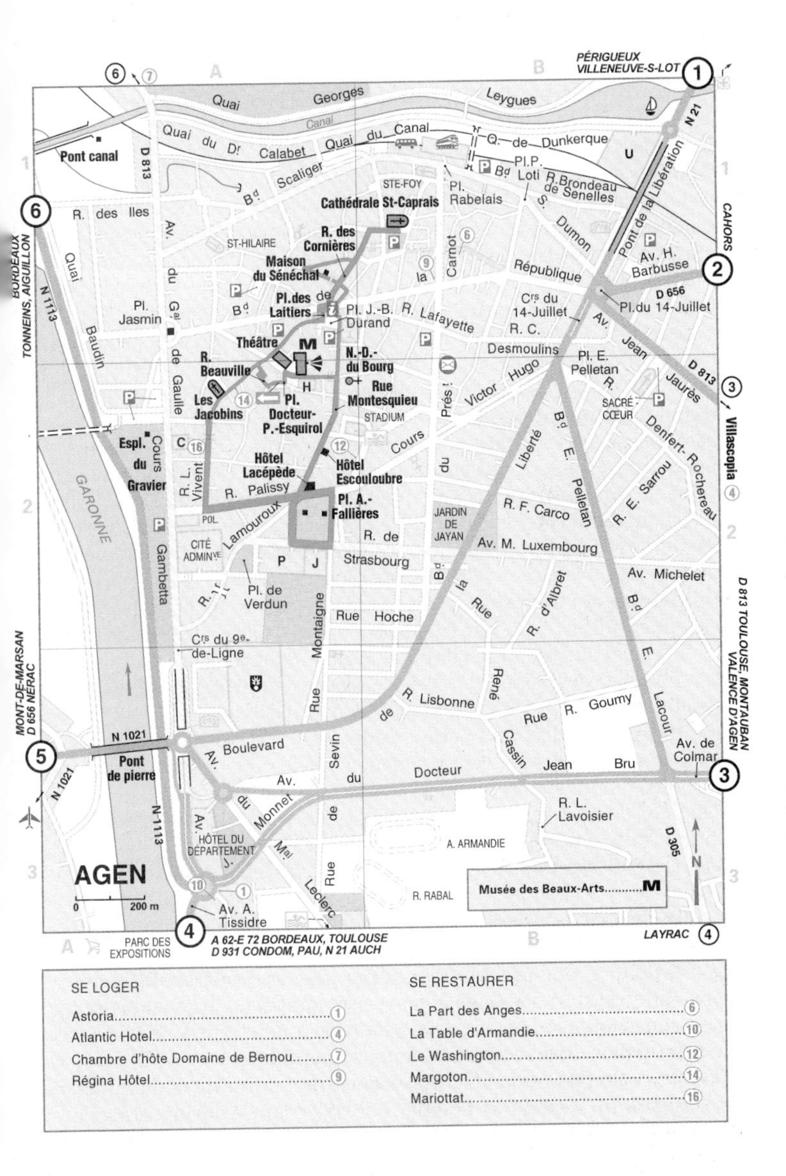

Place du Dr-Pierre-Esquirol A2

Sur la place, du nom d'un ancien maire de la ville, se dressent l'hôtel de ville, ancien tribunal du 17e s., le musée des Beaux-Arts et le **théâtre** « à l'italienne » Ducourneau dont la première pierre fut posée en 1906 sous l'œil d'Armand Fallières, président de la République originaire de la région.

★★ Musée des Beaux-Arts A 1-2 (M)

Pl. du Dr-Pierre-Esquirol - ✆ 05 53 69 47 23 - www.agen.fr/musee - mai-sept. : 10h-18h ; oct.-avr. : 10h-17h - fermé mar., 1er janv., 1er mai, 1er nov. et 25 déc. - 4,10 € (-18 ans gratuit) - gratuit 1er dim. du mois.

Demander le document pour le jeu de piste.
Les quatre hôtels particuliers d'Estrades, de Vaurs, Vergès et Monluc, des 16e et 17e s., forment un bien joli écrin pour ce musée. Ils ont, en grande partie, gardé leurs façades d'origine alors que certains murs intérieurs ont été abattus pour permettre l'agrandissement du musée.
Archéologie médiévale – Dans la salle, les murs sont garnis de chapiteaux romans et gothiques ornés de feuillages et d'animaux fantastiques. C'est ici que reposent les **gisants** d'Étienne de Durfort et de son épouse. Remarquez la tapisserie des Gobelins (17e s.), intitulée *Le Printemps*.
Archéologie de l'Antiquité – Mosaïques, amphores, céramiques et petits bronzes (tête de cheval celte d'une grande finesse). La très belle Vénus, sans doute d'origine grecque, est en marbre (1er s. av. J.-C.). Découverte au 19e s. près du Mas-d'Agenais, elle est le plus bel ornement de cette collection.
Archéologie orientale – Léguée en 2000 par Camille Aboussouan, diplomate libanais, cette donation présente des objets de l'âge du bronze jusqu'à l'époque des Croisades, provenant du Liban et de Syrie. Elle enrichit considérablement le musée d'Agen, qui possède désormais l'une des plus importantes collections d'antiquités orientales après le Louvre, la première en Aquitaine et dans le grand Sud-Ouest. Arrêtez-vous, en particulier, sur les tablettes cunéiformes et les animaux en terre cuite de l'âge du bronze.
Préhistoire et minéraux – Dans les caves voûtées de l'hôtel de Vaurs, anciennes prisons de la ville (chaînes et bracelets fixés au mur, soupiraux, gémissement du vent… chair de poule assurée !), ont pris place les collections de préhistoire, des plus anciens galets taillés aux formes les plus évoluées du néolithique agenais, ainsi qu'une collection de minéraux.
Peintures et arts décoratifs – Un superbe escalier à vis mène aux spacieuses et lumineuses pièces des étages supérieurs. Belles œuvres (natures mortes, portraits, grands sujets) d'écoles françaises et étrangères des 16e et 17e s. (*Tentation de saint Antoine* par David Teniers le Jeune, *Portrait d'homme* de Philippe de Champaigne), faïences européennes (14e-19e s.) dont des plats de **Bernard Palissy**, étonnante série de sulfures (camées incrustés dans du cristal) de l'Agenais Boudon de St-Amans (1774-1856) et exemplaires uniques de faïence fine avec laquelle il tenta de concurrencer l'Angleterre. À noter aussi : deux vases étonnants de Rodin.
La salle du 18e s., outre des portraits de Greuze et un beau Tiepolo *(Page expirant)*, abrite cinq toiles de **Goya**, léguées au musée par un ancien ambassadeur d'Espagne. Notez l'œil acerbe de ce peintre de cour, impitoyable et se jouant des conventions, dans l'*Autoportrait* très expressif.
La peinture du 19e s. est très bien représentée par une œuvre de Corot, *L'Étang de Ville-d'Avray*, une toile de Courbet, une collection de préimpressionnistes (Boudin) et d'impressionnistes (Caillebotte, Sisley, Guillaumin, Lebasque). Agen possède la collection la plus importante en France d'œuvres du peintre impressionniste roumain **Griguresc**u : remarquez les différentes versions de sa *Tête de paysanne roumaine*. Le tableau *Bord du Loing*, de Picabia, un peu insolite par son côté impressionniste, annonce le 20e s.
Salle du Dr-Esquirol – Tableaux, meubles et figurines asiatiques. Deux beaux portraits par Clouet, deux études de Van Dyck, ainsi qu'une charmante *Tête d'enfant* de Greuze.
Salle Lalanne et salle Bissière – Ne repartez pas sans avoir visité ces deux salles situées au 2e étage, dans deux ailes différentes. La première est consacrée au travail de François-Xavier Lalanne, mort en 2008, et de son épouse, Claude. Les pièces montrent qu'il est possible de marier l'esthétique, la maîtrise technique

LE SAVIEZ-VOUS ?

La Renaissance brille à Agen d'un bel éclat : banni de Milan, l'aventureux Matteo **Bandello**, connu pour ses contes et nouvelles, trouva un asile doré sur les rives de la Garonne ; **Jules César Scaliger**, né à Padoue, apporta à Agen, sa ville adoptive, la célébrité par son érudition et son influence sur les hommes de lettres ; son fils, **Joseph Juste Scaliger**, fut un éminent philologue.

Bien plus tard, **Jacques Jasmin**, perruquier-poète de son état, retint l'attention. Il composait des chansons et des poèmes qu'il déclamait à ses clients, tant et si bien qu'il fut un jour reçu à la cour de Napoléon III, et fêté dans tous les salons parisiens pour son œuvre en occitan.

et l'humour, à l'image du Choupatte (1979), ce légume reposant sur ses jambes ! À côté de cette salle, découvrez les pièces du céramiste et peintre Pierre Lèbe (1929-2008). La salle Bissière contient les œuvres du peintre Roger Bissière (1886-1964), qui se définissait comme « non-figuratif ».

Rue Beauville A2

Atmosphère d'antan garantie avec ses maisons médiévales restaurées. Au n° 1, très belle maison à pans de bois et à encorbellement.

Tourner à droite dans la rue Richard-Cœur-de-Lion. Au carrefour avec la rue Moncorny, la façade à pans de bois du débit de tabac vaut le coup d'œil. La rue Garonne mène à la place des Laitiers.

Place des Laitiers A1

Vous êtes au cœur du vieil Agen, quartier marchand depuis le Moyen Âge. De nos jours, de nombreux commerces continuent d'investir les arcades. Sur la place, remarquez la sculpture contemporaine d'un pèlerin de Compostelle, reconnaissable à sa coquille.

Traverser le boulevard de la République pour rejoindre la rue des Cornières.

Rue des Cornières A1

Jolie rue commerçante avec ses pans de bois et de pierre sur arcades (cornières).

Prendre à gauche la rue Puits-du-Saumon.

Maison du Sénéchal A1

Demeure du 14e s. percée de fenêtres gothiques. À travers une porte vitrée, on aperçoit divers objets appartenant au musée des Beaux-Arts.

Tourner à droite dans la rue Floirac pour reprendre la rue des Cornières jusqu'à la place de la Cathédrale.

Cathédrale St-Caprais B1

Fondée au 11e s., mais cathédrale seulement depuis 1802. L'intérieur, restauré au 19e s., est décoré de fresques représentant les saints tutélaires de l'Agenais. De la place Raspail, vue sur le chevet du 12e s. aux modillons sculptés.

Non loin, la petite **église Ste-Foy** arbore la devise nationale : « Liberté, Égalité, Fraternité », gravée dans la pierre. Cette étonnante inscription pour un monument religieux est le signe d'une tradition républicaine agenaise s'affichant jusque sur les plaques de rue qui rendent hommage aux notables radicaux locaux et à la République.

Revenir dans la rue des Cornières, puis prendre à gauche la rue Banabéra. À l'angle de la rue Jacquard, belle maison à pans de bois. Traverser le boulevard de la République en direction du marché couvert qu'on laisse à gauche avant d'arriver rue Montesquieu.

Rue Montesquieu A 1-2
Pittoresque église **N.-D.-du-Bourg** des 13e-14e s. (A1) en brique et pierre avec un clocher-mur et, au n° 12, l'**hôtel Escouloubre** du 18e s. (A2).

Place Armand-Fallières A2
Au milieu des magnolias et des cèdres voisinent l'imposant palais de justice du 19e s. et la préfecture, ancien palais épiscopal du 18e s. Au nord de la place, l'**hôtel Lacépède** du 18e s. abrite la bibliothèque municipale.
Prendre à gauche la rue Palissy, puis à droite la rue Louis-Vivent. Prendre alors en face la rue Richard-Cœur-de-Lion.

Église des Jacobins A2
Vaste édifice gothique en brique présentant deux nefs identiques qui, contrairement aux Jacobins de Toulouse, aboutissent à des chevets plats. Expositions temporaires.
Revenir à la place du Dr-Esquirol par la rue Beauville, à droite.

AU FIL DE L'EAU

Si vous aimez les balades à pied ou à vélo, profitez des berges de la Garonne et du canal, et notamment de la **voie verte** qui longe ce dernier sur 87 km à travers le Lot-et-Garonne. Le **pont-canal**, qui surplombe le fleuve de 10 m, offre une jolie vue sur la ville.

Esplanade du Gravier A2
La plus courue des balades agenaises. Le Gravier, espace vert aménagé au 19e s. au bord de la Garonne, offre des pelouses fleuries ponctuées de statues, d'un bassin, d'un kiosque à musique et d'allées de gravier. Jolie vue de la passerelle qui enjambe le fleuve. À droite, les vingt-trois arches du **pont-canal** (A1), long de 580 m, permettent au canal latéral de franchir la Garonne. À gauche, le **pont de pierre** (A3) n'a plus de pierre que le nom. Il a remplacé l'ouvrage original, commandé par Napoléon lors de son passage à Agen.

À proximité Carte de microrégion p. 510

★ **Villascopia, à Castelculier** C3
7,5 km par la D 813 direction Toulouse - 05 53 68 08 68 - juil.-août : 11h-20h ; juin et sept. : tlj sf lun. 10h-18h ; fév.-mai : tlj sf lun. 14h-17h ; oct.-déc. : merc., sam., dim. 14h-17h - 6 € (5-12 ans 3 €). En été, spectacle « Les nuits de Villascopia » (merc. 20h).
Face au site gallo-romain de Lamarque, ce nouveau « **scénovision** » *(spectacle en 3D, 30mn)* reconstitue l'organisation de la vie dans cette villa antique à la fin du 4e s., à travers le récit de deux personnages historiques : le poète latin Ausone, originaire d'Aquitaine, et son petit-fils Paulin de Pella. Un **espace muséographique** expose divers objets mis au jour lors des fouilles. La visite, libre ou guidée, du **jardin archéologique** aménagé sur les vestiges de la villa (2e-4e s.), la plus importante découverte en Aquitaine, complète le parcours.

★ **Walibi Aquitaine** C3
4 km à l'ouest par D 656. 05 53 96 58 32 - www.walibi-aquitaine.fr - juil.-août : 10h-18h ; avr.-juin et sept. : w.-end et j. fériés 10h-17h (merc. en juin) ; oct. : w.-end et j. fériés 11h-17h - fermé nov.-mars - 21 € (4-11 ans 19,50 €).
Voilà un parc de loisirs où passer une divertissante journée en famille. Virer, rouler, glisser, il y en a pour tous les goûts et tous les âges. Après avoir tourné dans les tasses à café géantes ou descendu la Radja River en furie,

assistez au spectacle des fontaines musicales (650 jets d'eau animés) et aux acrobaties des otaries savantes. Attention aux éclaboussures dans le Splash Battle, la toute dernière attraction, unique en France ! Pour la pause-déjeuner, aire de pique-nique ou restaurant. Prenez le temps d'observer les cèdres bicentenaires et les rapaces rares qui volent parfois aux alentours du château.

Clermont-Dessous B3

19 km à l'ouest par la D 813 qui longe de très près la Garonne.

Le village, ranimé par le tourisme grâce à sa situation au-dessus de la plaine de la Garonne, est signalé par son église romane trapue qui émerge des ruines du château. Au départ du parc de stationnement, le circuit balisé *(compter 30mn)* vous permet d'admirer la vallée et ses vergers. Vous reconnaîtrez au loin Port-Ste-Marie, ancienne ville de mariniers étirée entre l'abrupt du coteau et le fleuve.

Circuit conseillé Carte de microrégion p. 510

LE BRULHOIS

Pour visualiser ce circuit de 41 km au départ d'Agen, se reporter à la carte p. 510. Compter 3h.

Quitter Agen à l'ouest par la D 1021 et prendre à gauche la D 656.

La campagne à perte de vue… Un paysage de pentes douces et d'abrupts calcaires. Un patchwork de collines cultivées de vignes, de maïs et de vergers. De-ci de-là apparaît une demeure perchée sur une butte ou égarée au milieu des champs.

Château d'Estillac B3

Le **château de Monluc**, ouvrage militaire (13e-16e s.) masqué par les arbres, surveille la plaine de la Garonne agenaise du haut du dernier ressaut des collines du Brulhois. Blaise de Monluc, fameux homme de guerre qui gagna ses galons lors des guerres d'Italie, s'installa au château d'Estillac aux environs de 1550. Il est l'inventeur du pousse-rapière, liqueur à base d'armagnac et de macération de fruits.

Prendre la D 292.

Aubiac B3

L'**église romane** fait corps avec le village qu'elle semble défendre. À l'intérieur, chœur tréflé éclairé par une tour-lanterne où courent des frises de billettes et de palmettes.

Prendre la D 931.

Laplume B3

Ancienne capitale du Brulhois, ce bourg se tient sur une crête dans un site très dégagé. Autrefois, de nombreux moulins à vent tournaient sur ces hauteurs.

À Laplume, prendre la D 15 à gauche sur 3 km, puis à gauche la D 268 vers Moirax.

★ Église de Moirax C3

Voir l'ABC d'architecture p. 85.

Datant pour sa plus grande partie du 12e s., l'église est un très bel exemple d'architecture romane. Elle appartenait à un prieuré clunisien fondé au 11e s. Sa silhouette très allongée est rehaussée d'un clocheton conique et d'un campanile de façade. Les éléments décoratifs les plus intéressants sont ceux qui parent le chevet et les absidioles. À l'intérieur, l'avant-chœur est sans doute la partie la plus originale : carré à la base, il devient octogonal avant de se terminer en coupole tronconique. Les **chapiteaux** du chœur sont décorés de feuillages et de personnages. À la croisée du transept, on reconnaît Daniel dans la fosse aux lions *(à gauche)* et le Péché originel *(à droite)*. La statue de la Vierge dans le chœur, les stalles et les panneaux sculptés en noyer dans les bas-côtés sont l'œuvre du sculpteur Jean Tournier (fin du 17e s.).

Prendre la D 268, puis à droite la N 21.

Layrac C3

8 pl. du 11-Nov.-1918 - 47390 Layrac - ✆ 05 53 66 51 53 - www.brulhois.com - lun.-mar. et jeu.-vend. 9h-12h, 13h30-17h30, merc. 9h-12h - fermé w.-end et j. fériés.

La terrasse de la place du Royal est encadrée au sud par l'**église Notre-Dame** (12e s.). La dernière restauration de l'édifice, en ramenant le chœur à son ancien niveau, a dégagé un fragment de mosaïque romane : Samson luttant contre le lion. Au nord se trouve l'église St-Martin, dont il ne subsiste que le clocher. La vue sur la vallée du Gers débouchant dans la plaine de la Garonne vaut le coup d'œil.

Retourner à Agen par la D 1021.

NOS ADRESSES À AGEN

HÉBERGEMENT

À Agen

Bon à savoir – Tous les ans, à la mi-mars, se tient le SIFEL (Salon international des fruits et légumes) qui rassemble les professionnels venus du monde entier. Difficile alors de trouver une chambre à Agen et dans les environs à cette époque de l'année !

BUDGET MOYEN

Régina Hôtel – *139 bd Carnot - ✆ 05 53 47 07 97 - www.hotelreginagen.com - fermé fin déc. -* P *6,50 € - 21 ch. 53/72 € -* ☕ *7,50 €.* Une rénovation réussie de la plupart des chambres a doté cet hôtel central de tout le confort moderne, dont des TV à écran plat. Personnalisées par de jolis coloris, elles sont souvent grandes et toutes équipées d'un double vitrage efficace. Jetez un coup d'œil à la jolie fresque bretonne ornant le hall.

BUDGET MOYEN

Atlantic Hôtel – *133 av. J.-Jaurès - ✆ 05 53 96 16 56 - www.agen-atlantic-hotel.fr - fermé 23 déc.-3 janv. -* P *- 44 ch. 49/58 € -* ☕ *7,50 €.* Cet hôtel construit dans les années 1970 est à l'écart du centre-ville, derrière une station-service. Ne vous fiez pas à l'environnement et prenez votre petit-déjeuner au bord de la piscine. Les chambres sont agréables et les plus récentes sont spacieuses et modernes.

Astoria – *1350 av. du Midi - ✆ 05 53 69 65 10 - www.residenceastoria.com - P - 67 € - ☕ 8,50 €.* Cette résidence moderne située aux portes d'Agen abrite 77 appartements T2 (dont une dizaine de studios) complets et fonctionnels, décorés dans une élégante gamme de couleurs – turquoise, *terracotta* et blanc. Surface habitable agréable avec accès direct à la piscine pour un prix très intéressant.

À proximité

POUR SE FAIRE PLAISIR

Chambre d'hôte Domaine de Bernou – *Domaine de Bernou - 47340 La Croix-Blanche - ✆ 05 53 68 88 37 ou 06 17 36 50 32 - www.domainedebernou.com - P - ⌿ - 4 ch. dont 1 suite familiale 65/78 € ☕ - rest. 25 € - réserv. conseillée.* Édifiée en 1780, au milieu d'un domaine de 30 ha, cette demeure abrite aujourd'hui une maison d'hôte. Les chambres, aux volumes impressionnants, sont très calmes et meublées simplement. Dans une annexe (ancienne prison au 14e s.?), on a aussi aménagé quatre « cellules » dans le style des cellules monacales (louées à la saison en été). Vue sur les Pyrénées par temps clair.

RESTAURATION

À Agen

Bon à savoir – La rue Voltaire, située en centre-ville, est « la » rue des restaurants à Agen. Il y en a pour tous les goûts et pour toutes les bourses : grillades, pâtes, cuisine asiatique, etc. Parmi les adresses à retenir : *L'Épicerie* pour sa cuisine traditionnelle dans un cadre convivial.

BUDGET MOYEN

La Part des Anges – *14 r. Émile-Sentini - ✆ 05 53 68 31 00 - www.lapartdesanges.eu - fermé 15-31 août, vacances de fév., dim. et lun. - formule déj. 15 € - 20/40 €.* Une rue piétonne, une petite adresse décorée très simplement, mais une vraie cuisine traditionnelle à base de produits frais et de recettes régionales. Céline et Xavier, jeune couple sérieux, assurent à eux deux la bonne marche de la maison. Deux salles à manger et une terrasse.

Le Washington – *7 cours Washington - ✆ 05 53 48 25 50 - www.le-washington.com - fermé 31 juil.-23 août, sam. et dim. - formule déj. 15 € - 21/38 €.* Dans une maison édifiée par l'architecte Charles Garnier, restaurant contemporain où l'on sert une carte traditionnelle et des plats du marché soutenus par un beau choix de vins.

La Table d'Armandie – *1350 av. du Midi - ✆ 05 53 96 15 15 - www.latabledarmandie.fr - fermé 9-17 août, dim. et lun. - ♿ - P - formule déj. 16 € - 20/45 €.* Décor contemporain épuré avec grande table d'hôte, cuisine ouverte et écran géant (retransmissions sportives). Suggestions du marché et carte des vins essentiellement régionale.

Le Margoton – *52 r. Richard-Cœur-de-Lion - ✆ 05 53 48 11 55 - www.lemargoton.com - fermé 2e quinz. de juil, fin déc.-déb. janv., sam. midi, dim. et lun. - formule déj. 16,50 € - 24/35 €.* Sympathique adresse de la vieille ville : accueil familial, décor à base de matériaux traditionnels, couleurs cosy et notes actuelles. Appétissante cuisine dans l'air du temps.

POUR SE FAIRE PLAISIR

Mariottat – *25 r. Louis-Vivent - ✆ 05 53 77 99 77 - www.restaurant-mariottat.com - fermé 1 sem. en avril, déb. nov., autour de Noël., merc. midi de nov. à avril, sam. midi, dim. soir et lun. - P - 25/80 €.* Intérieur bourgeois cossu, agréable terrasse d'été, cuisine de saison fine et personnalisée, carte des vins étoffée : cet hôtel particulier du 19e s. séduit les gourmets agenais.

EN SOIRÉE

Bon à savoir – Bruissante de conversations, de tintements de verres et de couverts, la **place Jasmin** est occupée par de nombreux bars et brasseries dont les terrasses, à la belle saison, attirent beaucoup d'Agenais.

ACHATS

Bon à savoir – C'est dans les vallées du Lot et de la Garonne que l'Agenais concentre l'essentiel de son économie. Leur climat particulièrement doux donne les cultures maraîchères et fruitières qui font leur renommée. C'est le moment de faire votre récolte de chasselas, prunes et pêches achetés sur les marchés ou chez les producteurs.

Marché traditionnel – *✆ 05 53 69 47 47 - tlj sf lun. jusqu'à 13h.* Marché couvert.

Marché bio – *✆ 05 53 69 47 47 - sam. mat. pl. des Laitiers.*

Marchés fermiers – *✆ 05 53 69 47 47 - sam. mat. pl. Jasmin ; dim. mat. et merc. mat. autour de la pl. du 14-Juillet.*

Marché au gras – *✆ 05 53 69 47 47 - www.agen.fr - nov.-mars : merc. et dim. mat. Halle du Pin ; sam. mat. pl. Jasmin.*

Confiserie Boisson – *20 r. de la Grande-Horloge - ✆ 05 53 66 20 61 - www.confiserieboisson.com - tlj sf dim. 9h-12h, 14h-19h ; j. fériés : sur demande préalable.* Depuis 1835, la famille Boisson excelle dans la fabrication de confiseries à base de pruneaux. Son premier succès remonte à 1876, quand un mitron eut l'idée de fourrer les pruneaux. Un diaporama gratuit relate l'histoire de ce lignage. Dégustation.

Nérac

6 885 Néracais – Lot-et-Garonne (47)

NOS ADRESSES PAGE 526

S'INFORMER

Office du tourisme du Val d'Albret – *7 av. Mondenard - 47600 Nérac - 05 53 65 27 75 - www.albret-tourisme.com - juil.-août : lun.-sam. 9h-19h, dim. et j. fériés 10h-12h30, 15h-17h30 ; mai-juin et sept. : mar.-sam. 9h-12h, 14h-18h, dim. et j. fériés 10h-12h30, 15h-17h ; oct.-avr. : mar.-vend. 9h-12h, 14h-18h, sam. 10h-12h, 14h-17h.*

SE REPÉRER

Carte de microrégion B3 (p. 510) – *carte Michelin Départements 336 E5.*

À 30 km à l'ouest d'Agen par la D 656. La ville ancienne comprend le quartier du château et, sur la rive droite, le Petit Nérac. La ville moderne, bâtie au 19e s., s'est collée parallèlement aux allées d'Albret.

SE GARER

Le long du fleuve près de la capitainerie (du côté opposé au château).

À NE PAS MANQUER

Les élégantes arcades de la galerie du château d'Henri IV ; une croisière sur la Baïse *(voir la rubrique « Activités », p. 527)* ; la cité médiévale et le musée du Liège et du Bouchon à Mézin.

ORGANISER SON TEMPS

En juillet et en août, de nombreuses animations et ateliers se déroulent au château, et les enfants ne sont pas oubliés. Tous les mardis soir d'été, un marché de producteurs s'installe sur le quai de la Baïse. Pour profiter du circuit, prévoyez d'y consacrer une petite journée.

AVEC LES ENFANTS

Le train touristique de l'Albret, de Nérac à Mézin *(voir la rubrique « Activités », p. 527)*, et en saison le conservatoire végétal régional, à Montesquieu.

Fine fleur du pays d'Albret, Nérac a le charme robuste que l'on connaît au maître des lieux, Noste Henric. Sans hésiter, suivez les traces de son panache blanc pour découvrir la ville où Clément Marot trouva « un asile plus doux que la liberté ».

Se promener

★ LA VIEILLE VILLE

Petit Nérac

La **rue Séderie**, parallèle à la Baïse et bordée de maisons à colombages, mène au pont Vieux. Rue Sully, remarquez sur la gauche la **maison de Sully** (bien sûr), riche demeure datant de la Renaissance (seconde moitié du 16e s.).

Pont Vieux

De ce pont en dos-d'âne, vue sur les bâtisses du quartier des tanneries en amont, et sur le barrage et l'écluse en aval.

Traverser le pont. Place des Tanneries, tourner à gauche pour longer la Baïse.

DES TÊTES BIEN FAITES
Sous l'influence successive de trois femmes lettrées – Marguerite d'Angoulême, sœur de François Ier et reine de Navarre ; Jeanne d'Albret, mère du futur Henri IV ; Marguerite de Valois (Margot), femme du même Henri IV, la cour de Nérac accueillit maints penseurs pendant la Renaissance. S'y côtoyèrent et s'y succédèrent des poètes, humanistes, théologiens (Clément Marot, Lefèvre d'Étaples, Jean Calvin, Théodore de Bèze, Agrippa d'Aubigné, Michel de Montaigne…). Le « Béarnais », quant à lui, fera de Nérac une citadelle huguenote et la principale base des expéditions guerrières dirigées contre les places catholiques.

Jolies vues sur les maisons à loggia du Petit Nérac. Sur votre droite, une rampe conduit à l'église St-Nicolas et au château.
Au moindre rayon de soleil, les joueurs de pétanque se retrouvent près de St-Nicolas pour taquiner le cochonnet.

Château

05 53 65 21 11 - avr.-sept. : 10h-18h ; oct.-mars : tlj sf lun. et vend. 14h-18h - fermé 25 déc. et 1er janv. - 4 € (-12 ans gratuit).
De cet édifice Renaissance terminé sous Jeanne d'Albret, il ne reste qu'une aile sur les quatre qui délimitaient la cour, et une tourelle d'escalier. L'aile rescapée présente au sud une galerie aux arcades en anse de panier et aux graciles colonnes torsadées. Le **musée** expose des collections archéologiques retraçant l'histoire du pays d'Albret, de la préhistoire à la conquête romaine, dans les belles salles voûtées du rez-de-chaussée. À l'étage, souvenirs des Albret et de la cour de Navarre.
Rejoindre le pont Neuf.

Pont Neuf

Là encore, de jolies vues : sur les quais du port (qui fut actif au 19e s. lorsqu'intervint la canalisation de la rivière), sur le pont Vieux et sur d'antiques demeures. En amont verdoient les frondaisons de la promenade de la Garenne.
Tourner à droite après la traversée du pont, en face de la capitainerie.

Promenade de la Garenne

Antoine de Bourbon, père d'Henri IV, choisit l'emplacement d'une ancienne villa romaine *(vestiges de mosaïque romaine dans une niche, à gauche du chemin)* pour faire dessiner cette longue promenade *(2 km)* le long de la Baïse. Sous les chênes et les ormes centenaires, un collier de fontaines : celle de Fleurette, une pauvre jeune fille dont la légende dit que, le cœur brisé par le Vert Galant, elle se jeta dans la Baïse, celle des Marguerites et celle du Dauphin (1602). On y trouve aussi un théâtre de verdure. Sur l'autre rive, on aperçoit le pavillon des Bains du Roi. On peut le rejoindre par une passerelle située dans le parc qui permet de suivre une partie du chemin de halage, rive gauche.

Circuit conseillé Carte de microrégion p. 510

LE PAYS D'ALBRET

Pour visualiser ce circuit de 84 km au départ de Nérac, se reporter à la carte p. 510. Compter une journée.
Entre forêt landaise et Gascogne s'ouvre le doux pays d'Albret. Un paysage légèrement vallonné qui a échappé à l'industrialisation rurale. Là, un pigeonnier, ici un manoir, plus loin un château, et des champs à perte de vue. Dans

Le Pont Vieux et ses bateaux.
Danilo Donadoni / Marka / age Fotostock

ce pays, la table est pantagruélique : foie gras et confits, chasselas, prunes, tomates et melons, le tout arrosé d'un buzet AOC… Certains appelleront ça le bonheur.
Quitter Nérac au sud par la route de Condom (D 930). À 7 km, sur la droite, dissimulé par les frondaisons, s'élève le château de Pomarède (petit panneau indicateur).

Château de Pomarède B3

✆ 05 53 65 43 01 - visite guidée de mi-juil. à mi-sept. : 9h-12h, 15h-18h ; reste de l'année : sur RV - 5 € (-18 ans gratuit).
À partir d'un simple château gascon, s'est développée, au cours des 17e et 18e s, une élégante maison de maître, entourée d'un pigeonnier, de chais, d'écuries, d'une sellerie et d'un étonnant chenil, dont le dessin rappelle celui d'un cloître. Vendue aux enchères sous la Révolution, la propriété fut rachetée au milieu du 19e s. par un descendant des propriétaires d'origine. La visite des parties extérieures du château et son escalier central, monumental, permet de découvrir, à travers l'histoire de la famille qui y habite (presque) sans interruption depuis 300 ans, une facette de l'histoire du pays d'Albret.
Poursuivre sur la D 930.

Moncrabeau B3

Ce village sur les bords de la Baïse est connu comme la **capitale des menteurs**. Créée au 12e s. sous l'impulsion d'un moine de Condom, l'Académie des menteurs rassemble « tous les hâbleurs, menteurs et nouvellistes qui s'exercent dans le bel art de mentir finement, sans porter préjudice à autre chose qu'à la vérité, dont ils font profession d'être des ennemis jurés ». Elle compte aujourd'hui 40 membres.
Un circuit fléché *(panneaux explicatifs)* vous conduira rue Cocu Saute, aux Blaireaux des Sables, au Fauteuil des Menteurs, et vous instruira sur cette drôle de tradition dont l'origine remonte au 18e s. Chaque année, à l'issue du concours international, le gagnant est sacré « roi des menteurs » suivant le rite consacré *(1er dim. d'août)*.
Retraverser la Baïse et suivre la D 219, puis, après Lannes, la D 117 à droite.

Mézin A3
La localité, qui travaille la vigne et le liège, occupe un site en hauteur surplombant le confluent de la Gélise et de l'Auzoue, aux confins du Pays d'Albret. Les maisons de pierre à arcades qui bordent la place témoignent de son opulence passée. L'ancienne église du prieuré clunisien fondé au 11e s., l'**église St-Jean-Baptiste**, arbore un style composite.
Au **musée du Liège et du Bouchon**, souvenirs de l'époque où Mézin était une des capitales du bouchon en France. Quatre salles présentent successivement une forêt de la région, la fabrication manuelle, mécanique *(démonstrations)* et actuelle du bouchon *(projection). ✆ 05 53 65 68 16 - ♿ - de déb. juil. à mi-sept. : mar.-vend. 10h-13h, 14h-18h30 ; avr.-juin : mar.-dim. 14h-18h - fermé lun., janv.-mars et j. fériés - 4 € (14-18 ans 2 €).*
Sortir par la D 656 (direction Nérac), prendre à gauche la D 408, puis la première à gauche (direction Cauderoue) pour rejoindre la D 109.

Barbaste B3
Du centre du village, suivez le balisage « moulin des Tours ». Sur la rive droite de la Gélise, le **moulin des Tours** (13e s.) dresse ses quatre tours carrées de hauteur inégale depuis la guerre de Cent Ans. On le nomma « moulin » car le Vert Galant, qui y entretenait une garnison, aimait à s'en intituler le « meunier ». *✆ 05 53 65 09 37 (association des Amis du Moulin des Tours) - visite guidée : vend.-mar. 10h30, 15h et 17h - tarif libre.*
Le vieux **pont roman** à dix arches que défendait l'ouvrage est toujours là, et complète ce tableau de charme.
Prendre la D 930.

Lavardac B3
La petite ville, une ancienne bastide établie sur la terrasse dominant la Baïse (grossie de la Gélise quelques centaines de mètres en amont), fut, avant l'éphémère canalisation de la rivière, le port d'embarquement des barriques d'armagnac apportées par chars du Condomois.
Descendre vers la Baïse et, après le pont, prendre à gauche la D 108.

Xaintrailles A3
En grimpant en haut de ce village situé sur une colline, vous aurez de très belles **vues** sur la vallée de la Garonne et Port-Ste-Marie, d'un côté, la forêt des Landes de l'autre. Le château du 12e s. a été reconstruit au 15e s. par Jean Poton de Xaintrailles, compagnon d'armes de Jeanne d'Arc.
Les amateurs de vin pourront poursuivre sur la D 108, qui marque la limite entre forêt de pins et vignoble de Buzet, pour rejoindre **Buzet-sur-Baïse**, où se trouve la cave coopérative des vignerons du Buzet *(voir la rubrique « Achats », p. 527)*.
Repartir vers Vianne par la D 141, qui traverse le vignoble de Buzet.

Vianne B3
Cette ancienne bastide d'origine anglaise fondée en 1284 a conservé presque intacts son enceinte fortifiée rectangulaire et son plan en damier. Près de la porte nord : l'église, défendue par un clocher avec chambre forte, et l'ancien cimetière. L'activité ancestrale (depuis le 19e s. tout au moins) de la petite cité était la verrerie : un musée du verre soufflé retrace aujourd'hui cette technique.
Traverser l'étroit pont sur la Baïse et prendre à gauche la D 930. À Feugarolles, suivre la D 119 en direction d'Agen. Après 8 km, prendre à droite vers Montesquieu. Le Conservatoire est indiqué sur la gauche.

Montesquieu B3

Conservatoire végétal régional d'Aquitaine – *05 53 47 29 14 - www.conservatoirevegetal.com - avr.-oct. : lun.-jeu. 9h-12h, 13h30-17h30 (vend. 16h30) - 4,50 € (-12 ans gratuit).* Il rassemble 2 000 espèces fruitières régionales anciennes. Un verger-musée d'1,5 ha permet d'apprécier cette diversité, à travers 550 variétés fruitières et cépages locaux. Visite guidée *(1h)* ou libre à l'aide du livret du visiteur. Projection d'un film *(20mn)* et hall d'exposition. Selon la saison, vous ramasserez vos fruits à l'aide de paniers fournis sur place (prix au poids).

Vous pourrez aussi acheter des fruits et pruneaux à la ferme Roques *(voir la rubrique « Achats », p. 527).*

Du haut de son éperon rocheux, le **vieux bourg** jadis fortifié surplombe la vallée de la Garonne. On peut y voir des vestiges des anciennes portes.

En redescendant du vieux bourg, prendre à gauche et grimper à travers bois.

Montagnac-sur-Auvignon B3

Encore un ancien village fortifié, et surtout un très beau panorama sur les coteaux de l'Albret. L'église date des 13e et 17e s.

La D 7, puis la D 656, ramènent à Nérac.

NOS ADRESSES À NÉRAC

HÉBERGEMENT

BUDGET MOYEN

Chambre d'hôte La Tour de Brazalem – *3 r. de l'École - ✆ 05 53 97 20 09 ou 06 82 39 80 62 - http://la-tour-de-brazalem.pagesperso-orange.fr - fermé nov.-fév. - P - ⊭ - 5 ch. 50/55 €* ☕. Ce castel, en plein cœur du vieux Nérac, est plein de charme. Les chambres, un brin exiguës, possèdent quelques beaux meubles des années 1930. Petit-déjeuner servi dans la cour en été.

Chambre d'hôte Le Domaine du Cauze – *Le Domaine du Cauze - ✆ 05 53 65 54 44 - www.domaineducauze.com - P - 5 ch. 53/70 € ☕ - rest. 24 €.* Une ancienne ferme, accueillante, perchée sur une colline verdoyante. Les chambres sont diversement aménagées : pièces chinées chez les brocanteurs, meubles de famille ou éléments modernes et fonctionnels. Aux beaux jours, vous pourrez dîner sous la tonnelle.

POUR SE FAIRE PLAISIR

Le Hameau des Coquelicots – *Lieu-dit Goutte d'Or - ✆ 05 53 84 06 13 - www.lehameaudescoquelicots.com - toute l'année - P - 500/1250 € la semaine.* Pascale propose ses trois maisons en pleine campagne. Au calme et à la beauté du lieu s'ajoutent un accueil charmant et un décor épuré fait de matériaux naturels et d'œuvres d'art. Potager et piscine dite « naturelle ».

RESTAURATION

BUDGET MOYEN

Restaurant du Château – *✆ 05 53 65 09 05 - 7 av. Mondenard - fermé vend. soir, sam. midi et dim. soir d'oct. à mai - formule déj. 11,50 € - 19/40 € - 12 ch. 48 € - ☕ 6,50 €.* Demeure ancienne en pierres blanches. Restaurant à la mise en place soignée où l'on mitonne des petits plats fleurant bon le Sud-Ouest. Quelques chambres.

POUR SE FAIRE PLAISIR

Les Terrasses du Petit Nérac – *7 r. Séderie - ✆ 05 53 97 02 91 - www.terrasses-nerac.fr - formule déj. 11,50 € - 27 € - 4 ch. 56 € - ☕ 6 €.* Charmante adresse au bord de la rivière. Dans l'une des salles à manger ou sur la terrasse au ras de l'eau, vous goûterez de bons plats traditionnels accompagnés d'une belle carte des vins locale. Chambres simples et coquettes.

EN SOIRÉE

L'Escadron Volant – *7 r. Henri-IV - ✆ 05 53 97 19 04 - juin-sept. : 9h-0h ; oct.-avr. : 9h-15h, vend.-sam. jusqu'à 23h - fermé dim. de nov. à mars.* Ce pub de standing offre de sa terrasse une superbe vue sur le château de Nérac. Comptoir en ormeau et étagères en sapin contribuent à la chaleur du décor. Vous y dégusterez une cuisine plutôt traditionnelle. Terrasse ombragée.

ACHATS

Château du Frandat – *Rte d'Agen, D 7 - ✆ 05 53 65 23 83 - www.chateaudufrandat.fr - tlj sf dim. 9h-12h, 13h30-18h - fermé nov.-mars sf sur RV et j. fériés.* Le Château du Frandat élabore trois produits d'appellation d'origine contrôlée : buzet (vins rouges et rosés), floc de Gascogne (rosé et blanc) et armagnac. Visite du chai et dégustations gratuites. Le domaine propose également des pruneaux d'Agen.

Chocolaterie artisanale La Cigale – *2 r. Calvin - ✆ 05 53 65 15 73 - tlj sf dim. et lun. 9h-12h, 14h-18h30 - fermé les 3 premières sem. de juil. et j. fériés.* Vous trouverez dans cette chocolaterie artisanale une trentaine de variétés de petits chocolats et de bouchées, ainsi que de nombreuses sortes de pruneaux enrobés de chocolat. La maison crée aussi des chocolats, bonbons et biscuits sans sucre. Sa spécialité : le prunonoix, une coquille de nougatine fourrée de crème de pruneau à l'armagnac et recouverte d'une noix du Périgord.

Cave coopérative des vignerons de Buzet – *Av. des Côtes-de-Buzet - 47160 Buzet-sur-Baïse - ✆ 05 53 84 74 30 et 05 53 84 17 16 - www.vignerons-buzet.fr - visites thématiques l'été, juil.-août : lun.-sam. 10h30 et 16h - reste de l'année 15h et sur RV - boutique : se renseigner.* Au cœur de l'AOC Buzet, la visite des chais se termine par un petit jeu de senteurs qui s'accompagne d'un film et d'une dégustation.

Ferme Roques – *D 119 - Quartier « Le Vacqué » - 47130 Montesquieu - ✆ 05 53 68 60 39 - www.fermeroques.com - lun.-sam. 8h30-12h, 14h-19h - fermé dim. et j. fériés.* Cette exploitation agricole est spécialisée dans l'arboriculture fruitière. Outre des prunes, elle produit aussi pommes, poires, kiwis, pêches et brugnons. Le fleuron de la maison, c'est bien sûr le pruneau d'Agen préparé à l'ancienne. On y propose aussi jus de fruits, liqueurs et apéritifs.

ACTIVITÉS

Cyclotourisme en Albret – *Brochure en vente à l'office de tourisme.* 6 circuits fléchés entre 74 et 100 km.

Les Croisières du Prince Henry – *Quai de la Baïse - capitainerie du Port - ✆ 05 53 65 66 66 - croisières : juil.-août : 11h, 15h, 16h30, 17h30 ; avr. et oct. : dim. 15h et 16h30 ; mai-juin et sept. : tlj 15h et 16h30 - fermé nov.-mars - 8 € (enf. 5,50 €).* C'est l'une des plus belles croisières du Sud de la France : vous découvrirez la promenade de la Garenne, les tanneries, les Bains du Roi et le château des Templiers. Location de gabares (2 à 12 pers.).

Train Touristique de l'Albret – *12 ter av. du 19-mars-1962 - gare de Nérac - ✆ 06 85 62 77 47 - www.lafrancevuedurail.fr/ttalbret - 10h30, 14h30 et 16h45 selon période - fermé nov.-mars ; lun., mar., jeu., vend. en avr.-mai et en sept.-oct. - 8,50 € AR 1h30 (-12 ans 5,50 €).* Ce train touristique circule sur une voie ferrée de 1890, entre Nérac et Mézin. Au cours de la balade commentée, vous découvrirez l'architecture locale, la faune et la flore, la forêt des Landes, etc.

Marmande

17 317 Marmandais – Lot-et-Garonne (47)

NOS ADRESSES PAGE 531

S'INFORMER

Office du tourisme du Val de Garonne – *Bd Gambetta - 47200 Marmande - 05 53 64 44 44 - www.valdegaronne.com - juil.-août : mar.-sam. 9h30-12h30, 14h30-18h30, dim. 10h -12h ; mai-juin et sept. : 9h-12h, 14h-18h (17h30 sam.) ; oct-avr. : 9h-12h, 13h30-17h30 - fermé 1er janv., lun. de Pâques, 1er et 8 Mai, 15 août, 1er et 11 Nov.*

Le site **www.valdegaronne.com** regroupe l'information des différents offices de tourisme du **Val de Garonne**.

SE REPÉRER

Carte de microrégion A1 (p. 510) – *carte Michelin Départements 336 C2.*
À 70 km au sud-est de Bordeaux et à 65 km au nord-ouest d'Agen, dans les deux cas par l'A 62 puis la D 933. Marmande est le gros bourg du coin !

À NE PAS MANQUER

La *Crucifixion* de Rembrandt dans l'église du Mas-d'Agenais ; le scénovision « Gens de Garonne » à Couthures ; le Musée archéologique de Ste-Bazeille.

ORGANISER SON TEMPS

Une journée vous permettra de découvrir Marmande et sa région. Attention, certains sites du circuit sont accessibles uniquement sur réservation, d'autres l'apr.-midi seulement, selon la saison. L'office du tourisme loue des audioguides pour la visite de Marmande.

AVEC LES ENFANTS

La réserve naturelle de l'étang de la Mazière ; la scénovision « Gens de Garonne » à Couthures-sur-Garonne.

Prunes, pêches, melons, tabac, et surtout tomates, ces « pommes d'amour » qui font la renommée de Marmande. Voilà une ville qui a bien su profiter de la fertilité de la plaine garonnaise environnante. Une cité pas précisément belle, mais de cœur et de mémoire.

Se promener

Suivre l'itinéraire conseillé du vieux Marmande.

Église Notre-Dame

Voir l'ABC d'architecture p. 84. Sa construction s'est étalée du 13e au 16e s. et le chœur a été restauré au 17e s. Remarquez, à gauche en entrant, une Mise au tombeau, ensemble sculpté du 17e s. Dans la première chapelle à droite du chœur, retable du 17e s. représentant saint Benoît en prière et persécuté par le diable. Du côté sud de l'église s'ouvre un **cloître** Renaissance aux beaux jardins à la française. Une galerie d'art sacré, qui expose des objets liturgiques, donne sur le cloître (ouv. du 3e w.-end de juin au 3e w.-end de sept, mercr. 15h-19h, jeu.-dim. 10h-12h et 15h-19h).

Le cloître de l'église Notre-Dame, à Marmande.
M. Dozier / hemis.fr

À proximité Carte de microrégion p. 510

Casteljaloux A2

23 km au sud par la D 933.

Maison du Roy - 47700 Casteljaloux - 05 53 93 00 00 - www.casteljaloux.com - juil.-août : lun.-sam. 9h-12h, 14h-19h, dim. 10h-12h ; sept.-juin : lun.-sam. 9h-12h, 14h-18h - fermé j. fériés (sf juil.-août 9h-12h).

Le tracé de ce village, traversé par l'Avance, remonte au Moyen Âge. Devenu place forte protestante, démantelé en 1621, il conserve de son passé, dominé du 11e s. au 16e s. par la présence de la famille d'Albret, quelques belles demeures (dont la maison du Roy qui abrite l'office de tourisme).

Côté activités, le **lac de Clarens** offre d'agréables aménagements pour la baignade, la promenade et toutes sortes d'activités sportives. Et pourquoi pas une petite remise en forme aux thermes ?

Circuit conseillé Carte de microrégion p. 510

LE VAL DE GARONNE

Pour visualiser ce circuit de 68 km au départ de Marmande, se reporter à la carte p. 510. Compter 4h.

Quitter Marmande au sud-est par la D 299, entre champs et serres.

La plaine aux fleurs, à Gontaud-de-Nogaret B2

À droite avant le bourg - 06 77 84 35 44 ou 06 77 04 91 92 - sam. apr.-midi ou sur RV - 5 € (enf. gratuit).

Dans cette petite exploitation qui produit fleurs fraîches et séchées, vous pourrez admirer les cultures en plein champ et sous serre (70 variétés), et suivre le procédé de séchage et de confection des compositions florales, jusqu'à la salle d'exposition-vente.

Dans le bourg de Gontaud, prendre la direction de Tonneins (D 641), puis, à la sortie, à gauche, suivre l'indication « Moulin de Gibra ».
Au bord de cette route bucolique, le **moulin**, fièrement dressé sur une colline, se détache sur le ciel.
Poursuivre en direction de Tonneins (C 504, D 101 à gauche, puis D 120).
À **Tonneins** (B2), à gauche avant le pont, vous pourrez emprunter l'agréable **promenade des Quais**, en bord de Garonne (aire de pique-nique).
À la sortie de Tonneins par la D 120, suivre à droite « Réserve de l'étang de la Mazière ».

Réserve naturelle de l'étang de la Mazière, à Villeton B2

Maison de la réserve « Les Mazières » - 05 53 88 02 57 - visite libre interdite par arrêté préfectoral - visite accompagnée uniquement (2h env.) tlj sur réserv. (sf en cas de pluie) - 20 € (1 à 4 pers., 4 €/pers. suppl.). Dans cette zone humide, les bottes seront bienvenues (surtout en hiver).
L'étang de la Mazière est un vestige du cours ancien de la Garonne. La réserve (100 ha) abrite une faune et une flore très riches (222 espèces d'oiseaux répertoriées sur 20 ans, postes d'observation). La visite est particulièrement intéressante pendant la migration *(de mi-août à fin oct.)* : c'est ici l'une des plus importantes stations de baguage en France *(tous les matins pendant cette période)*. La Maison de la réserve accueille une exposition permanente sur le milieu naturel.
Repartir en direction de Tonneins et prendre à gauche la D 234.
La route traverse une vaste forêt de peupliers.

Le Mas-d'Agenais A2

D'origine romaine, le site a été le lieu d'importantes fouilles qui ont notamment mis au jour la **Vénus du Mas**. L'**église** romane St-Vincent recèle une **Crucifixion★**, œuvre de Rembrandt (1631), qui met en scène un Christ à l'expression à la fois douloureuse et extatique. Dans le chœur, la stalle centrale, celle du prieur, montre le Christ tenant le globe surmonté d'une croix. Intéressants chapiteaux dans la nef et les bas-côtés (mythes païens, scènes de l'Ancien Testament et de l'Évangile). Le sarcophage en marbre blanc portant le monogramme du Christ, au centre, date du 5e s. *9h-12h, 14h-19h - audiguide à disposition de mi-juin à mi-sept. à l'office de tourisme, en face de l'église (05 53 89 50 58) et à la mairie le reste de l'année (pl. des Marronniers - 05 53 89 50 37) - 2 €.*
Prendre la petite route en descente derrière la halle en bois, puis emprunter à gauche la D 143 qui longe le canal latéral à la Garonne, dont les berges sont aménagées en voie verte (voir p. 14), et le traverse plusieurs fois. Puis suivre la D 116 jusqu'à Meilhan-sur-Garonne.

Meilhan-sur-Garonne A1

Ce village prend place sur un site d'exception : son tertre (table d'orientation), sur un promontoire rocheux de 40 m, surplombe la Garonne et son canal latéral qui se frôlent à ses pieds, offrant une vaste **vue★** sur la vallée. De l'ancienne citadelle, détruite sur ordre de Richelieu en 1622, ne subsiste qu'une tour dans la rue du Château. En empruntant la « brèche des Anglais » (par où ces derniers reprirent la citadelle aux Albret en 1345), on descend au bord du canal, bordé par la **voie verte**, qui accueille une halte fluviale.
Repartir par la D 116 en direction de Marmande, puis tourner à gauche sur la VC1 jusqu'à Couthures-sur-Garonne.

« Gens de Garonne », à Couthures-sur-Garonne A1

05 53 20 67 76 - www.gensdegaronne.com - séance (45mn) ttes les heures - juil.-août : 11h-18h (séances ttes les h) ; mai-juin et sept. : mar.-dim. 11h-17h ; reste de l'année (sf vac. scol. zone C) : merc. et w.-end 14h-17h ; vac. scol. zone C : 14h-17h - fermé 1er janv. et 25 déc. et de déb. janv. à mi-fév. - 6 € (-18 ans 4 €).

Garonne, comme l'appellent familièrement les gens du coin, est la « star » de ce **scénovision**. Imaginez un quai de Garonne, des jeux de lumière puis les bruits d'une eau qui monte : la crue de 1984. L'histoire mêle vécu et fiction. Les habitants de Couthures-sur-Garonne ont ouvert une partie de leur vie pour l'écriture de ce scénario. Découvrir aussi le mécanisme de la montée des eaux autour d'une maquette animée du village, ainsi que le documentaire en 3D montrant comment l'écosystème de la Garonne est aujourd'hui menacé.
2h30. Départ du lavoir sur la D 3 entre Couthures et Ste-Bazeille. Un itinéraire ponctué de panneaux (histoire, environnement...) vous mènera en bordure de Garonne.
Reprendre la D3 en direction de Ste-Bazeilles.

Ste-Bazeille A1

Dans ce bourg, les anciens bains-douches abritent... un **musée archéologique** ! Le lieu est insolite et les collections surprenantes, issues du sous-sol de Ste-Bazeille et du Marmandais qui recèle des vestiges antiques et médiévaux. La présentation chronologique (2 000 ans d'histoire) et thématique de plus de 700 pièces illustrant la vie quotidienne intéressera les néophytes comme les passionnés, chacun pouvant s'attarder devant les riches vitrines selon ses goûts (objets de l'âge du fer, reconstitution d'un four de potier du 1er s. av. J.-C., monnaies antiques, céramiques sigillées, bijoux, habitat gallo-romain, mobilier mérovingien, etc.). *05 53 94 48 92 - - juil.-août : tlj sf mar. 14h30-18h ; reste de l'année : dim. 14h30-18h - fermé 1er janv., 15 août et 25 déc. - 2 € (-14 ans gratuit).*

NOS ADRESSES À MARMANDE

HÉBERGEMENT

À proximité

PREMIER PRIX

Club de Clarens – *Lac de Clarens - 47700 Casteljaloux - 05 53 93 07 45 - 25 chalets 275/480 €/sem. 2/6 pers. - www.castel-chalets.com - aire pour camping-cars et caravanes fermée de nov. à avr. ; 25 chalets ouverts tte l'année - P -* . Pour les loisirs et la détente : lac de 17 ha avec plage de sable fin, pêche, tennis, planche à voile, piscine, etc. Location à la nuit, hors été.

BUDGET MOYEN

Résidence Les Bains de Casteljaloux – *La Bartère - 47700 Casteljaloux - 05 53 20 59 00 - www.bains-casteljaloux.com - fermé 23-26 mai - - P -30 studios et 10 appart. 55/75 € - 8 €.* Cette résidence en pleine nature abrite studios et appartements équipés (cuisinette, lave-vaisselle) et dotés d'un balcon. De votre logement, vous pourrez rejoindre les thermes (accès illimité pour les résidents), les bains et l'institut esthétique. Formules w.-end, semaine, etc.

POUR SE FAIRE PLAISIR

Chambre d'hôte Château Cantet – *47250 Samazan - 05 53 20 60 60 - fermé de nov. au 15 mai - P - - 2 ch. 60/80 € et 1 suite pour 4 pers. 110 €.* Une noble demeure du 18e s., entourée d'un parc. Les chambres, le salon et la salle à manger sont aménagés de manière plaisante. Petit- déjeuner au bord de la piscine aux beaux jours.

RESTAURATION

BUDGET MOYEN

L'Escale – *Pont des Sables - 47200 Fourques-sur-Garonne - ✆ 05 53 93 60 11 - fermé lun., sam. midi, dim. soir -* 🅿 *- 19/63 €.* Cette fermette de 1683 est appréciée des gens du cru qui viennent y savourer de bons plats, mais aussi y admirer les expositions de peinture. L'été, deux terrasses au choix : face au canal ou côté jardin.

Auberge du Moulin d'Ané – *Rte de Gontaud - 47200 Virazeil - ✆ 05 53 20 18 25 - fermé dim. soir, lun. et mar. - réserv. conseillée -* ♿ *-* 🅿 *- 19,50/39 €.* Ce vieux moulin du 17e s. perdu dans la campagne accueille ses hôtes dans sa véranda avec vue sur une cascade ou dans sa salle à manger. Au menu, spécialités régionales renouvelées au gré des saisons. Terrasse autour de la piscine.

POUR SE FAIRE PLAISIR

La Vieille Auberge – *11 r. Posterne - 47700 Casteljaloux - ✆ 05 53 93 01 36 - www.restaurant-la-vieille-auberge.fr - fermé merc. et dim. -* 🅿 *- formule déj. 20 € - 27/65 €.* Charmante maison de pierre bordant une ruelle de l'ancienne ville fortifiée. La salle à manger bourgeoise, redécorée et colorée, est bien fleurie. Cuisine gourmande et originale.

ACHATS

Palmagri – *9 r. Léopold-Faye - ✆ 05 53 64 40 65 - tlj sf dim. et lun. 9h-12h15, 14h30-19h - fermé 10 j. en juin et sept. et j. fériés.* Cette boutique créée par une association d'agriculteurs locaux propose un grand nombre de produits dérivés du canard (foie gras, terrines, pâtés, etc.) ainsi que des plats cuisinés : pot-au-feu, canard aux petits légumes, foie gras au sauternes… Spécialités à base de pruneaux.

ACTIVITÉS

Randonnée – 13 itinéraires balisés permettent de sillonner le **val de Garonne** à la découverte de ses paysages, de son patrimoine, de ses villes et villages. Fiches disponibles dans les offices de tourisme du val de Garonne ou téléchargeables sur leur site Internet.

Gabare « Val de Garonne » – *Maison du tourisme du Val de Garonne - pont des Sables - 47200 Fourques-sur-Garonne - ✆ 05 53 89 25 59.* Croisières sur le canal de Garonne à bord de la gabare *val-de-Garonne (mars-oct.).*

Les Bains de Casteljaloux – *La Bartère - 47700 Casteljaloux - ✆ 05 53 20 59 00 - www.eurothermes.com - 10h-20h (vend., sam. 21h) - fermeture, se renseigner - 14 € (enf. 12 €).* Grande souplesse dans le choix des activités : espace santé aux thermes; formules détente, loisir ou revitalisation aux bains; soins à l'institut avec forfaits ciblés (silhouette, anti-âge…). Bain japonais, jacuzzis géants, hammam, bain turc, etc.

Duras

1 182 Duraquois – Lot-et-Garonne (47)

NOS ADRESSES PAGE 535

S'INFORMER

Office du tourisme de Duras – *14 bd Jean-Brisseau - 47120 Duras - 05 53 93 71 18 - www.paysdeduras.com - juil.-août : lun.-sam. 9h30-12h30, 14h-18h, dim. 10h-13h ; sept.-juin : lun.-vend. 9h-12h30, 14h-17h30 - fermé j. fériés.*

SE REPÉRER

Carte de microrégion A1 (p. 510) – *carte Michelin Départements 336 D1.*

À la limite du département de la Gironde, à 24 km au nord-est de La Réole par la D 668 et à 23 km au nord de Marmande par la D 708.

À NE PAS MANQUER

Un passage par la Maison des vins pour se ravitailler en côtes-de-duras, les fresques de l'église d'Allemans-du-Dropt.

ORGANISER SON TEMPS

La visite du château dure environ 1h30. En saison, de nombreuses manifestations y sont organisées. Pour sillonner la région de Duras, prévoyez une demi-journée. Elle est superbe au printemps lorsque les arbres sont en fleur.

AVEC LES ENFANTS

L'exposition et le jardin de la Maison des vignerons de Duras.

Un peu médiéval, un peu classique, le château reste en tout cas le plus bel ornement de l'ancienne bastide qui veillait sur les terres des ducs de Duras et la vallée du Dropt. La vigne, quant à elle, a su trouver ici un terroir d'élection : la région, au sol siliceux peu calcaire, produit les côtes-de-duras, des vins rouges ancestraux, corsés et robustes. Autour de Duras s'étire une belle campagne vallonnée aux faux airs de Toscane.

Se promener

Château

05 53 83 77 32 - www.chateau-de-duras.com - juil.-août : 10h-19h ; juin et sept. : 10h-12h30, 14h-19h ; reste de l'année : se renseigner - audioguides et possibilité de visite guidée nocturne à la chandelle (merc. en été) - fermé 3 dernières sem. de janv., 1er janv., 1er nov. et 25 déc. - 6 €.

En 1308, la mode est à la forteresse : le château d'origine possède alors huit tours reliées par des courtines. En 1680, le château est réaménagé en demeure de plaisance. Le vent de la Révolution, évidemment, soufflera jusqu'ici, découronnant une tour par-ci, endommageant une salle par-là.

MARGUERITE ET DURAS

Ce sont les ducs de Duras qui ont soufflé son nom de plume à **Marguerite** (son père avait une exploitation aux environs). Pour tout savoir sur sa vie, lire *Les Impudents* : la ville y apparaît sous le nom d'Ubzac.

Vous visiterez la salle des gardes, les chambrées d'hommes d'armes, la cuisine et la boulangerie, le puits, les cachots et, bien entendu, la salle aux Secrets, où l'on peut tout se dire sans que personne n'entende rien. Aussi, n'ayez crainte, vos conversations avec les fantômes que les Duraquois soupçonnent de hanter le château ne laisseront aucun écho…
Pour compléter la visite, **quatre musées** vous donneront maintes informations sur la paléontologie, la vigne et le vin, le grain et, enfin, les arts et traditions populaires.

Maison des vignerons de Duras

En contrebas du bourg (D 708 dir. Marmande) - ✆ 05 53 94 13 48 - de mi-juin à mi-sept. : lun.-sam. 10h-13h, 14h-18h30 ; reste de l'année : lun.-sam. 9h-12h30, 14h-17h30 (tlj pour le jardin) - dégustation gratuite.

Au-dessus de l'espace boutique de l'Union interprofessionnelle des vins de Duras, une petite exposition ludique et didactique donne « les clés du vignoble » de Duras (histoire, géologie, arômes…), expliquant aussi comment fonctionnent le goût et l'odorat. Vous retrouverez les cépages du vignoble à l'extérieur, dans le « jardin des vignes », parcouru par un sentier viticole et jalonné de panneaux d'interprétation.

À proximité Carte de microrégion p. 510

Jardin de Boissonna à Baleyssagues A1

4 km à l'ouest. Suivre la direction Dieulivol, puis prendre à gauche après le petit pont (panneau « Boissonna ») - ✆ 05 53 83 81 43/06 87 59 84 32 - avr.-oct. : tte la journée - 5 €.

Voici un agréable jardin, organisé en 5 petits parcours, où contempler notamment une collection de 450 variétés de roses. On peut en profiter pour y prendre un thé… à la rose, accompagné de douceurs *(7 € - sur réserv.)*.

Allemans-du-Dropt B1

10 km au sud-est par la D 708 et la D 668.

Ce village (sont-ce les Alamans venus au début du 6e s. qui lui donnèrent son nom ?) est surtout connu pour les **fresques** de son église (15e s.). Sur le mur nord de la nef, la Cène et, quelque peu mutilées par l'ouverture de larges arcades, l'Arrestation de Jésus et la Flagellation ; dans le chœur, la Crucifixion et la Descente de croix ; derrière l'autel, saint Martin et le blason des seigneurs d'Allemans ; sur le mur sud de la nef, la Résurrection, le Jugement, saint Michel et l'Enfer *(juin-sept. : 8h30-19h ; reste de l'année : 8h30-18h)*.
À la sortie ouest du village, beau **pigeonnier** sur piliers de pierre (17e s.).

Château de Lauzun B1

26 km au sud-est. Prendre la même direction que ci-dessus. À Miramont-de-Guyenne, prendre au nord-est la D 1. ✆ 05 53 94 18 89 - visite guidée juil.-août : mat. et apr.-midi - 3,50 € (-12 ans 2,50 €).

Le **maréchal de Lauzun** (1633-1723), cadet de Gascogne, homme plein d'esprit et adoré du beau sexe, bien que fort laid, était un des plus brillants courtisans à la cour de Louis XIV, dont il devint très vite le favori. Il défraya par ses frasques la chronique mondaine de l'époque.
Le château offre une belle façade sur cour, visible en pénétrant dans le parc. Le logis du 15e s., à tourelle octogonale, est relié à une partie Renaissance par un pavillon coiffé d'un dôme entrepris au 17e s. par Lauzun, et achevé au 19e s.

ÉLISÉE RECLUS
Né à Ste-Foy-la-Grande (1830-1905), ce scientifique et géographe visionnaire milita pour l'établissement de conditions de vie plus justes, respectueuses des ressources et des milieux naturels. Rédacteur d'une monumentale *Géographie universelle* (19 volumes), il est encore de nos jours unanimement reconnu pour ses travaux scientifiques.

Ste-Foy-la-Grande A1

22 km au nord par la D 708.

102 r. de la République - 05 57 46 03 00 - http://tourisme.paysfoyen.com - juil.-août : lun.-sam. 9h30-18h30, dim. 10h-13h ; juin et sept. : lun.-sam. 9h30 -12h30, 14h30-18h ; reste de l'année : lun.-sam. 9h30-12h30, 14h30-17h30 - fermé j. fériés.

Cette ancienne bastide (fondée par Alphonse de Poitiers en 1255) est un centre vinicole où règne l'animation des villes commerçantes. Plan en damier, place à couverts et nombreuses maisons médiévales, Renaissance et 17e s. aux alentours. Les quais de la Dordogne, au pied des vestiges de remparts, sont parfaits pour flâner à deux.

NOS ADRESSES À DURAS

HÉBERGEMENT

À proximité

BUDGET MOYEN

Hôtel L'Escapade – *La Grâce - 33220 Port-Ste-Foy-et-Ponchapt - 05 53 24 22 79 - www.escapade-dordogne.com - ouv. 2 fév.-14 oct. - fermé vend. et dim. soir en fév.-mars - - P - 11 ch. 52 € - 7 € - rest. 21,50/36,50 €.* Sur la route de Compostelle, cette ancienne ferme à tabac (17e s.) voisine avec un centre équestre. Chambres rustiques, sauna, piscine d'été, et silence de la campagne. Spécialités régionales servies dans une salle champêtre ou en terrassse.

Chambre d'hôte Mounica – *Domaine du Pech - 47120 Baleyssagues - 05 53 83 33 52 - www.domaine-du-pech.com - P - - 2 ch. 60/80 € .* Un joli parc bien entretenu avec piscine entoure cette maison de maître située aux portes de la Dordogne. Les chambres, sobrement élégantes et garnies de meubles chinés, et le salon (cheminée et tomettes anciennes) invitent au calme et à la détente. Accueil discret et attentionné.

RESTAURATION

À Duras

PREMIER PRIX

Le Don Camillo – *Pl. Marguerite-Duras - 05 53 83 76 00 - fermé 2 sem. en avr. et 2 sem. en nov. - - formule déj. 12 € (de sept. à juin) - juil.-août, carte seulement : 5 €/17,90 €.* Cette adresse toute simple du centre-ville est réputée dans le pays pour sa cuisine familiale, délicieuse et plus que copieuse, à des prix particulièrement sages à l'heure du déjeuner. Autre atout : le sourire et l'efficacité du personnel sont compris dans l'addition.

BUDGET MOYEN

Hostellerie des Ducs – *Bd J.-Brisseau - ✆ 05 53 83 74 58 - www.hostellerieducs-duras.com - P fermé lun. sf le soir de juil. à sept., dim. soir d'oct. à juin et sam. midi - ♿ - 15/47 € - 18 ch. 70/152 € - ☕ 10 €.* Cet ex-presbytère voisin du château propose une cuisine traditionnelle. Salle meublée en style Louis XIII et véranda. Les chambres les plus récentes occupent une bâtisse du 13e s.

À proximité

PREMIER PRIX

Au Fil de l'Eau – *3 r. de la Rouquette - 33220 Port-Ste-Foy-et-Ponchapt ✆ 05 53 24 72 60 - www.restaurantaufildeleau.com - fermé déb. mars, 3 sem. en nov., merc. soir d'oct. à mars, dim. soir et lun. - 14/53 €.* La maison est d'allure un peu banale, certes, mais il fait bon s'attabler dans son intérieur refait, doté d'une véranda au bord de la Dordogne. Cuisine régionale actualisée.

ACHATS

Domaine de Baignac – *Lieu-dit Baignac - 47120 Baleyssagues - ✆ 05 53 83 77 59 - tlj sf dim. 9h-12h, 14h-19h - fermé j. fériés.* Les propriétaires de cette ferme traditionnelle vous feront découvrir comment la prune d'ente devient pruneau : visite des installations, dégustation gratuite, puis passage par la boutique qui regorge de spécialités (pruneaux fourrés, enrobés de chocolat, à l'armagnac, etc.).

ACTIVITÉS

Bateau – *Se rens. à l'office de tourisme.* Promenades commentées sur la Dordogne, avec arrêt possible au musée de la Batellerie de Ste-Foy-la-Grande.

Cyclotourisme au Pays du Dropt – *Fiches téléchargeables sur www.lot-et-garonne.fr - rens. dans les offices de tourisme.* Cinq circuits entre 53 et 102 km, et un itinéraire (60 km) reliant le Pays du Dropt à la voie verte du canal de Garonne.

Villeneuve-sur-Lot

23 466 Villeneuvois – Lot-et-Garonne (47)

NOS ADRESSES PAGE 544

S'INFORMER

Office du tourisme du Grand Villeneuvois – *3 pl. de la Libération - 47300 Villeneuve-sur-Lot - 05 53 36 17 30 - www.tourisme-villeneuvois.fr - juil.-août : 9h30-12h30, 14h30-18h30, dim. 10h-13h ; mai-juin et sept. : tlj sf lun. et dim. 9h-12h, 14h-18h.* Brochure *(gratuite)* et plan commenté des principales curiosités. Documentation sur la vallée du Lot. Visites guidées en été.

SE REPÉRER

Carte de microrégion C2 (p. 510) – *carte Michelin Départements 336 G3.*
À 33 km au nord-est d'Agen, par la N 21.

SE GARER

Inutile de vous aventurer en voiture dans les rues de la rive droite du centre-ville. Des parkings ont été aménagés aux abords *(voir plan de ville)*. Une navette gratuite relie le parking du parc des expositions au centre-ville.

À NE PAS MANQUER

À Villeneuve, la porte de Pujols, le pont Vieux et la chapelle N.-D.-du-Bout-du-Pont ; les villages de Laparade et de Pujols d'où se dégage une vue splendide ; pour les gastronomes curieux : le musée du Pruneau à Granges-sur-Lot et celui du Foie gras à Frespech ; pour les amateurs d'archéologie : l'Espace archéologique d'Eysses.

ORGANISER SON TEMPS

Comptez 1h30 pour la visite de Villeneuve, après un tour au marché, le matin, si vous êtes de passage un mardi ou un samedi. Le circuit autour de la basse vallée du Lot et celui des serres du bas Quercy occupent chacun une journée.

AVEC LES ENFANTS

Le haras national et l'atelier ludique à l'Espace archéologique d'Eysses, à Villeneuve ; les grottes de Lastournelles et de Fontirou ; la ferme du Chaudron magique à Brugnac ; pour la détente : Dédal'Prune et Mam'zelle Prune au musée du Pruneau de Granges-sur-Lot.

Cette bastide, qui a conservé son quadrillage de ruelles, s'étale sur les rives du Lot. Alentour, ce ne sont que moutonnements de verts coteaux fertilisés par la rivière, vignes et vergers à perte de vue. Nul doute, les cultures du pays des serres portent leurs fruits… Il n'est qu'à goûter, pour s'en rendre compte, l'atmosphère de ses pantagruéliques marchés hebdomadaires.

Se promener Plan de ville p. 539

Portes de ville

Seuls vestiges des anciens remparts, les portes de Pujols et de Paris dressent leurs hautes silhouettes au sud-ouest et au nord-est de la ville ancienne.

Toutes deux bâties en pierre et en brique, elles sont couronnées de créneaux et de mâchicoulis et couvertes d'un toit de tuiles brunes. La **tour**

de Pujols (A2) comporte trois étages, avec fenêtres à meneaux. La **tour de Paris** (B1) permit une farouche résistance aux troupes de Mazarin, lors du siège de 1653.

Église Ste-Catherine B1

Cette église en brique de style roman-byzantin, à la fois imposante et quelque peu austère, fut consacrée en 1937. À l'intérieur, remarquez la suite de **vitraux** des 14e et 15e s. *(restaurés)* attribués à l'école d'Arnaud de Moles, maître émailleur de la cathédrale d'Auch. De belles **statues en bois doré** des 17e et 18e s. garnissent les quatre piliers de la nef (N.-D.-du-Rosaire, saint Joseph, sainte Madeleine et saint Jérôme), au-dessus de la porte du baptistère Ste-Catherine d'Alexandrie. Les fonts baptismaux en marbre, sous des rayons de lumière bleutée, se détachent nettement. Les peintures de la nef, dues à **Maurice Réalier-Dumas** *(voir musée de Gajac, ci-dessous)*, montrent une procession se dirigeant vers le chœur.

Pont des Cieutat (ou pont Vieux) B1

Ce pont aux arches inégales, construit au 13e s. par les Anglais, offre une vue pittoresque sur les bords du Lot et sur la **chapelle N.-D.-du-Bout-du-Pont** (B1), du 16e s., dont le chevet s'avance au-dessus de l'eau (à l'endroit, dit la légende, où un marin découvrit une statuette de la Vierge en plongeant pour dégager son embarcation mystérieusement arrêtée).

Musée de Gajac B2

2 r. des Jardins. ✆ 05 53 40 48 00 - ♿ - mat. et apr.-midi (mar. nocturne), w.-end apr.-midi - fermé 1er janv., 1er et 8 Mai, 14 Juil., 15 août, 25 déc. - 1 €.

Installé dans un ancien moulin surplombant le Lot, il présente des collections de peintures du 18e s. (école de Lebrun), du 19e s. (Maurice Réalier-Dumas, Hippolyte Flandrin, Eva Gonzalès et André Crochepierre) et du 20e s. (Henri Martin, Brayer). Il accueille aussi des expositions temporaires.

Haras national A1-2

Pl. des Droits-de-l'Homme - ♿- ✆ 05 53 70 57 46 - www.haras-nationaux.fr.

Créé en 1804 au cœur de la ville, ce haras national avait alors pour vocation la remonte des armées. Aujourd'hui, l'élevage est orienté vers le cheval de sport. On y trouve des races de sang (anglo-arabe, selle français, arabe…) et des races de trait (trait breton, percheron et comtois).

Espace archéologique d'Eysses B1

Place Saint-Sernin-d'Eysses. ✆ 05 53 70 65 19 ou 05 53 36 17 30 - visite guidée tous les jours en juil.-août, 14h-17h30 ; sur RV de sept. à juin - 2 € (11-18 ans 1,50 €). Atelier enfants.

Pour les amateurs et les passionnés d'archéologique, cet espace expose les découvertes mises au jour sur le site et ses environs, dont l'importance est grandissante (céramiques, monnaies, amphores…). Vous découvrirez

UNE BASTIDE

Villeneuve fut fondée en 1264 par **Alphonse de Poitiers**, frère de Saint Louis, aux confins du Périgord et de la Guyenne. Servant de point d'appui aux places fortes échelonnées dans le haut Agenais, elle comptait parmi les plus vastes et les plus puissantes bastides du Sud-Ouest. La ville a conservé des maisons du Moyen Âge, notamment autour de la **place Lafayette**, place typique à cornières.

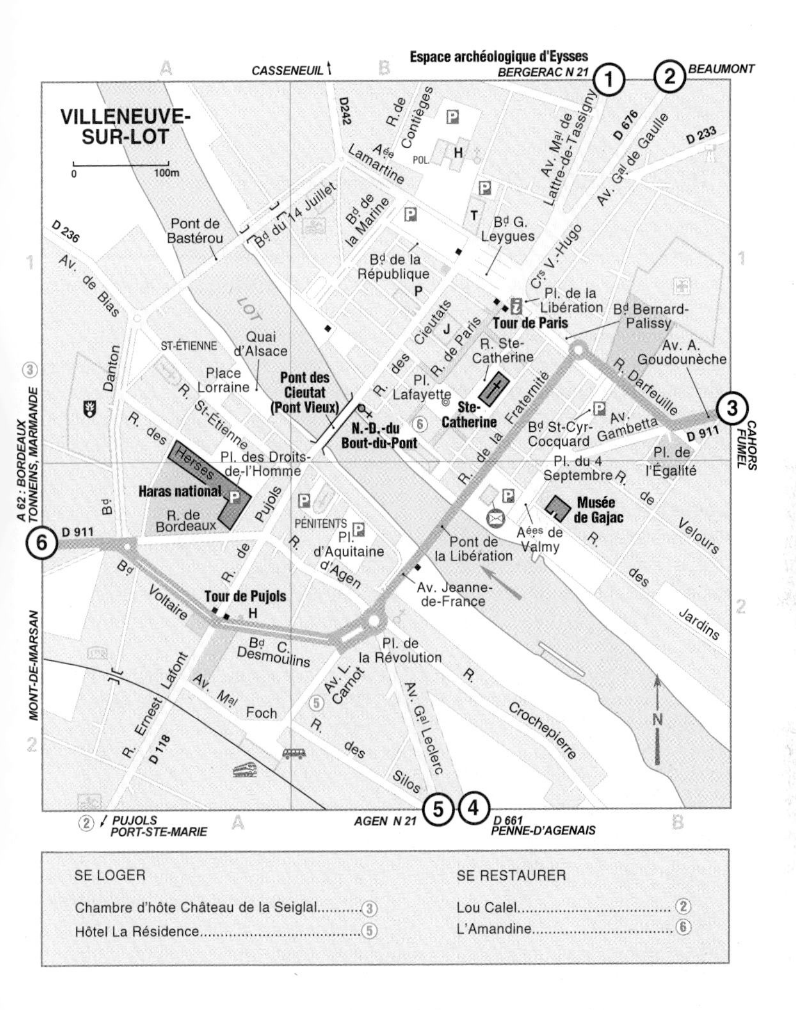

aussi comment est née la bastide, l'abbaye qui s'implanta sur l'ancienne ville gallo-romaine, la vie quotidienne au Moyen Âge, Pour les enfants, la visite du site est couplée à un **atelier ludique qui** permet de découvrir le métier d'archéologue, à travers l'étude d'un texte gravé ou d'une reconstitution de poterie.

À proximité Carte de microrégion p. 510

Ferme du Chaudron magique, à Brugnac B2

26 km au nord-ouest de Villeneuve. 05 53 88 80 77 - www.chaudron-magique.fr - juil.-août : 10h-19h ; reste de l'année : 15h-18h - fermé 25 déc. et 1er janv. - différents tarifs selon les activités (5,25 € à 12,50 €).

Cette vaste ferme agro-écologique, très pédagogique propose différentes visites et activités (« l'éleveur », « le fromager », « le boulanger », « le paysan ») qui raviront les tout-petits comme les plus grands : film, découverte des animaux d'élevage (une trentaine de races), traite des chèvres et soins aux chevreaux, fabrication du pain et du fromage, plantes tinctoriales pour l'atelier mohair…

Circuits conseillés Carte de microrégion p. 510

LA BASSE VALLÉE DU LOT

Pour visualiser ce circuit de 65 km au départ de Villeneuve-sur-Lot, se reporter à la carte p. 510. Compter une journée.
Quitter Villeneuve au nord-ouest par la D 242 en direction de Casseneuil.
« Entre Agen et Marmande, c'est un pays aussi beau que l'Italie. Le charme des coteaux, la couleur de la terre, le costume, jusqu'au langage évoquent les rives de Florence et de Sienne. Le Lot-et-Garonne est la Toscane de la France », dixit Stendhal qui s'y connaissait en Italie. À part pour le costume, la définition vaut toujours. Une région à découvrir, donc, absolument.

Casseneuil C2
Visite guidée : vieux bourg, bord de la Lède, église en juil.-août, mar. et vend. mat. - rens. à l'office de tourisme au ✆ 05 53 41 13 33 - gratuit.
Bâtie dans un méandre au confluent de la Lède et du Lot, Casseneuil offre un charmant lacis de ruelles médiévales autour de son **église** qui renferme de belles fresques (13e-15e s.).
En contournant le bourg (en direction de St-Pastour puis Hauterive), belles perspectives sur les **maisons à loggia** (15e-16e s.) penchées vers la Lède ainsi que sur les jardins en terrasses. Vous profiterez des belles journées d'été pour pique-niquer au bord de l'eau ou vous adonner au canoë *(base nautique).*
Descendre au sud-ouest par la D 217 jusqu'à Ste-Livrade, puis bifurquer à droite dans la D 667. À 1 km, tourner à gauche vers Fongrave.

Fongrave B2
Le prieuré de Fongrave fut fondé en 1130 et placé sous la règle de Fontevraud, n'admettant que des religieuses de noble extraction. Dans son **église**, arrêtez-vous devant le monumental **retable★** en chêne sculpté (17e s.) : des sarments de vigne s'enroulent autour des colonnes torses où rampent des serpents.
Rejoindre Castelmoron-sur-Lot à l'ouest. Prendre la D 249, puis la D 263 vers Laparade.

Laparade B2
Des remparts de cette bastide française commandant la vallée du Lot se dégage une **vue★** très étendue allant de Villeneuve-sur-Lot, à gauche, au confluent du Lot et de la Garonne, à droite *(table d'orientation).* La rivière décrit des courbes au milieu des cultures et des vergers.
De Laparade, prendre la D 202 à l'ouest puis la D 911.

Clairac B2
Les pittoresques maisons à colombages sont les témoins du riche passé de Clairac. Siège d'une abbaye bénédictine, elle passa sous l'influence des cathares au 13e s, avant d'être repris par les croisés en 1224. Devenue un fief protestant en 1560, elle fut l'enjeu de nouveaux combats.
Prendre la D 911 à l'est et suivre les panneaux annonçant « Musée du Pruneau », peu avant Granges-sur-Lot.

Le Pont-Vieux, à Villeneuve-sur-Lot.
R. Cintract / hemis.fr

Musée du Pruneau, à Granges-sur-Lot B2

Ferme Berino-Martinet - ✆ 05 53 84 00 69 - ♿ - visite guidée sur demande - de mi-mars à mi-oct. : lun.-sam. 9h-12h, 14h-19h, dim. et j. fériés 15h-19h ; de mi-oct. à mi-mars : lun.-sam. 9h-12h, 14h-18h30, dim. et j. fériés 15h-18h30 - fermé 15-30 janv., 1er janv. et 25 déc. - 3,70 € (-12 ans gratuit).

Le **musée**, entouré de pruniers d'ente, présente le matériel qui, il y a encore quelques années, servait au ramassage des prunes d'ente et à la préparation des pruneaux. Un film explique le déroulement de cette production ancestrale.

En fin de parcours, vous pourrez déguster les spécialités de la maison. À base de pruneaux, bien entendu !

En face, petits et grands se perdront avec joie dans le labyrinthe géant de maïs (15 000 m^2) **Dédal'Prune** *(juil-août : 9h-19h ; sept. : 9h-12h, 14h-19h - fermé de fin oct. à juin - de 3,90 à 4,40 €)*, pour 2h d'aventure, de jeu et de plaisir « à la recherche du pruneau perdu ». Et si cela ne suffit pas, le parcours de **Mam'zelle Prune**, qui mêle jeu et pédagogie dans le verger de pruniers, devrait leur plaire. *Pensez à vous équiper de bonnes chaussures et de vêtements chauds en cas de mauvais temps (mêmes horaires que ceux du musée).*

Rejoindre la D 911 en direction de Villeneuve-sur-Lot.

Le Temple-sur-Lot B2

La commanderie du Temple de Breuil, qui donnera son nom à l'agglomération, fut fondée à la fin du 12e s., et reconstruite en briques toulousaines après la guerre de Cent Ans. Elle abrite aujourd'hui, entre autres, un café-restaurant.

LES SERRES DU BAS QUERCY

Pour visualiser ce circuit de 95 km au départ de Villeneuve-sur-Lot, se reporter à la carte p. 510. Compter une journée.

Quitter Villeneuve au sud-ouest par la D 118.

Les serres, qui ont donné leur nom à ce pays, sont des collines calcaires séparées par de larges vallées. Elles forment de doux reliefs où s'égrènent le vert des cultures (maïs, vignes, sages rangées de pruniers...) et les bruns d'une terre rocailleuse qu'imitent les tuiles rondes des toits. En surplomb du monde, les villages se gardent du temps. Vues d'en haut, les vallées qui strient le paysage font penser à des serres d'oiseau.

Pujols C2

Ce très joli bourg ancien, perché sur un *pech* (colline) dominant Villeneuve-sur-Lot, offre une belle **vue★** sur la large vallée du Lot, couverte de cultures maraîchères et d'arbres fruitiers. Une porte, aménagée sous une tour servant de clocher à l'église St-Nicolas, donne accès au vieux village encore enserré dans les restes de ses remparts du 14e s. Place forte, le village médiéval fut détruit puis en effet reconstruit au 14e s.
La nef de l'église Ste-Foy-la-Jeune sert de salle d'expositions. Elle abrite des peintures murales du 15e s.
Prendre à gauche la D 118 puis la D 220.

Grottes de Lastournelles C2

05 53 40 08 09 - visite guidée (45mn) - juil.-août : 10h-18h ; fév.-juin : 14h-18h ; oct.-janv. : sur RV - 5,50 € (-14 ans 3,50 €).
Des ossements découverts sur les lieux sont exposés à l'entrée dans des vitrines. Les galeries ont été creusées par le ruissellement souterrain. De petites stalactites en voie de formation tombent des voûtes ; parmi les sept salles, celle des Colonnes est ornée de robustes piliers.
Atteindre la D 212 où l'on tourne à gauche, puis tourner encore à gauche en direction de St-Antoine-de-Ficalba.

Grottes de Fontirou C2

05 53 41 73 97 ou 05 56 40 15 29 - www.grottes-fontirou.com - visite guidée juil.-août : 10h-12h30, 14h-18h ; de Pâques à juin : 14h-17h30 ; reste de l'année : dim. sur RV et en fonction de la météo - 6 € (enf. 4,50 €).
Les galeries et les salles creusées dans le calcaire gris de l'Agenais sont ornées de concrétions colorées en ocre-rouge par l'argile, parmi lesquelles se détachent des stalagmites blanches. Des ossements d'animaux de l'époque tertiaire, retrouvés sur place, sont rassemblés dans l'une des salles.
Rejoindre la N 21, tourner à droite, puis prendre à gauche la D 110.
On passe par **Laroque-Timbaut**, petite localité qui a conservé de vieilles demeures (dans sa partie sud) et ses anciennes halles.
Continuer sur la D 110.

Puymirol C3

Perché sur une colline qui domine la vallée de la Séoune, Puymirol se caractérise par ses maisons de pierre blanche, coiffées de tuiles brun-roux. Des remparts, jolie vue sur les plantureuses plaines de l'Agenais.
La D 16 mène à St-Maurin.

St-Maurin D 3

Le village étage ses maisons coiffées de tuiles rondes au pied de tours carrées. L'une à mâchicoulis, flanquée d'une tourelle *(actuelle mairie)*, l'autre à deux étages d'arcatures aveugles sont les vestiges d'une importante abbaye clunisienne. L'église de style gothique, remaniée au 17e s., conserve de beaux chapiteaux historiés.
Continuer sur la D 16, puis prendre la D 122.

LA ROBE DE SERGENT

C'est le nom que l'on donnait au 18ᵉ s. à la **prune violette d'ente** (du verbe enter, « greffer ») qui, mise à sécher, donne le pruneau. Elle serait venue de Syrie dans les bagages des croisés et aurait été acclimatée à la région par les moines de Clairac.

Le véritable pays de la prune d'ente se trouve aux alentours de **Villeneuve-sur-Lot**. Mais c'est Agen, plus grand port fluvial du Lot-et-Garonne oblige, qui donna son nom au petit fruit sec, exporté par bateau loin de son Clairac natal. Le « pruneau d'Agen » vit ainsi le jour.

Beauville D2

Pl. de la Mairie - 47470 Beauville - 05 53 47 63 06 - www.ot-beauville.com - de mi-juin à mi-sept. : mar.-sam. 9h30-12h30, 14h-18h, dim. 9h30-12h ; reste de l'année : mar.-sam. 9h-12h - fermé j. fériés.

Cette bastide perchée est aussi jolie que son nom. Sur sa place à arcades alternent maisons en pierre et maisons à pans de bois. Parcourez le chemin de ronde. À l'extrémité de l'éperon se trouve un château Renaissance avec tour à mâchicoulis.

Revenir à la D 122 puis, au carrefour avec la D 656, suivre Frespech, au nord.

Frespech C2

Entouré de murailles du 11ᵉ s. (renforcées durant la guerre de Cent Ans), ce petit village plein de charme conserve une église romane du 11ᵉ s. ainsi que quelques vieilles maisons de pierre.

À 3,5 km de Frespech, dans la ferme de Souleilles, le chaleureux **musée du Foie gras** réconcilie le visiteur avec la pratique du gavage. Au programme, panneaux didactiques, scènes historiées, parcours ludique, borne interactive, vidéo et coups d'œil sur la poussinière et la salle de gavage, puis dégustation de spécialités maison… *05 53 41 23 24 - www.souleilles-foiegras.com - - juil.-août : 10h-19h ; sept.-juin : lun.-sam. 10h-19h, dim. et j. fériés 15h-19h - fermé 1ᵉʳ janv. et 25 déc. - 4 € visite et dégustation (-12 ans gratuit) ; billet combiné avec le musée du Pruneau à Granges-sur-Lot 5 €.*

Prendre à droite la direction de Hautefage-la-Tour.

Hautefage-la-Tour C2

Vous verrez de loin Hautefage où pointe une haute tour hexagonale Renaissance qui sert de clocher à l'**église**. Sur la placette, en contrebas, plantée de beaux platanes, se trouvent un ancien lavoir et une fontaine de pèlerinage. Un havre de paix hors du temps.

La D 103, la D 223 à gauche, puis la N 21 à droite ramènent à Villeneuve-sur-Lot.

NOS ADRESSES À VILLENEUVE-SUR-LOT

HÉBERGEMENT

À Villeneuve-sur-Lot

PREMIER PRIX

Hôtel La Résidence – *17 av. L.-Carnot - 05 53 40 17 03 - www.hotellaresidence47.com - fermé 27 déc.-5 janv. - 18 ch. 21/54 € - 6,50 €.* Aux portes de la bastide médiévale, hôtel convivial offrant un hébergement simple. Les chambres côté cour, claires et calmes, ont l'avantage de donner sur les jardins voisins.

À proximité

BUDGET MOYEN

Village Vacances Port-Lalande – *47550 Castelmoron-sur-Lot - 17 km à l'O par D 911 puis D13 - 04 68 37 65 65 - www.grandbleu.fr - 20 60/85 €.* Au bord du Lot et d'un petit port de plaisance, ce village vacances « à taille humaine » regroupe des chalets climatisés, particulièrement confortables. Piscine en plein air et espace bien-être (sauna, hammam et massages). Idéal pour des vacances en famille.

POUR SE FAIRE PLAISIR

Chambre d'hôte Château de la Seiglal – *Château de la Seiglal - 47380 Monclar-d'Agenais - 05 53 41 81 30 - www.chateau-de-la-seiglal.fr - P - - 5 ch. 69 €.* Bien-être et convivialité caractérisent cette belle demeure du 19e s. entourée d'arbres centenaires. Vous aimerez ses chambres confortables, baptisées du nom des cinq sœurs du propriétaire, avec vue sur le parc et les prairies.

Hôtel des Chênes – *À 4 km au S-O par D118 - Bel Air - 05 53 49 04 55 - www.hoteldeschenes.com - fermé 23 déc.-déb. janv. - 73/96 € - 11 €.* Face au village perché de Pujols, bâtisse inspirée de l'architecture régionale, égayée par une piscine et une terrasse. Chambres fraîches et bien tenues et tranquillité assurée.

RESTAURATION

À Villeneuve-sur-Lot

PREMIER PRIX

L'Amandine – *60 r. de Casseneuil - 05 53 70 10 37 - 5/10 € - fermé lun.* Boulangerie-pâtisserie-salon de thé, cette adresse sans prétention permet de combler les petites faims et les ventres gourmands : sandwichs, tartes salées ou sucrées, chocolats et macarons faits maison, le tout à petits prix. Vente à emporter ou dégustation sur place grâce aux quelques tables disposées dans l'annexe.

À proximité

BUDGET MOYEN

Lou Calel – *Au bourg - 47300 Pujols - 05 53 70 46 14 - restaurantloucel@orange.fr - fermé 10-17 juin, 7-22 oct., 7-22 janv., mar. et merc. - 24/40 €.* Cette auberge située dans le village vous accueille dans deux salles rustiques (dont une avec vue panoramique) ou sur sa terrasse surplombant la vallée du Lot. Goûteuse cuisine du terroir.

EN SOIRÉE

Bon à savoir – Au cœur de Villeneuve-sur-Lot, la **place Lafayette**, ou « place des Cornières », est l'objet d'une animation intense. Les rues alentour sont très commerçantes. On y trouve les bars où les couche-tard trouvent refuge.

ACHATS

Marchés – Marché traditionnel *(mar. et sam.)* et marché des producteurs pl. Lafayette *(vend. à partir de 17h en juil.-août)*. Marché bio pl. d'Aquitaine *(merc.)*.

Marché au gras – *De nov. à mars,* inclus dans le marché traditionnel du samedi.

Marché paysan de la ferme Souleilles – *Souleilles - musée du Foie Gras - 47140 Frespech - ✆ 05 53 41 23 24 - www.souleilles-foiegras.com - de déb. juil. à déb. sept. : vend. 9h-15h ; 1er vend. d'août : Festa Occitana avec concert et bal occitans gratuits.* Au menu : poulets à la ficelle, escargots, foie gras, confits, armagnac, fruits, légumes... L'idéal est de venir à l'heure du déjeuner et de pique-niquer.

La Boutique des Pruneaux – *Pl. de la Libération - ✆ 05 53 70 02 75 -www. boutique-des-pruneaux.fr - tlj sf dim. apr.-midi 9h-12h, 14h-19h.* Cette boutique située au pied de la porte de Paris est spécialisée dans les pruneaux et ses dérivés. Épicerie fine, vieux armagnacs de propriétaires, produits du terroir, chocolats fins et conserves sélectionnées attendent également les amateurs de bonne chère.

Maitre Prunille. – *Sauvaud - 47440 Casseneuil - ✆ 05 53 36 19 11 - www. maitreprunille.com - boutique : lun.-vend. 9h30-12h, 14h-19h.* Calibrage du fruit, réhydratation, reconditionnement... la culture et la transformation de la prune n'ont pas de secret pour Maître Prunille, plus gros producteur de prunes français. À découvrir dans la boutique : pruneaux, fruits secs, produits régionaux, etc.

ACTIVITÉS

Aviron villeneuvois – *Quai d'Alsace - ✆ 05 53 49 18 27 - accueil : juil.-août tlj 10h-18h.* Situé en plein centre-ville, ce club d'aviron organise en juillet et août des promenades en bateau électrique et des randonnées en canoë sur le Lot. Également location de bateaux électriques, canoës et pédalos.

Penne-d'Agenais

★

2 415 Pennois – Lot-et-Garonne (47)

NOS ADRESSES PAGE 547

S'INFORMER

Office du tourisme de Penne-d'Agenais – *R. du 14-Juillet - 47140 Penne-d'Agenais - ✆ 05 53 41 37 80 - www.penne-tourisme.com - juil.-août : lun.-sam. : 9h-12h30, 14h-18h30, dim. et j. fériés : 14h-18h - fermé 1er mai.*

SE REPÉRER

Carte de microrégion C2 (p. 510) – *carte Michelin Départements 336 G3.*
À 9 km à l'est de Villeneuve-sur-Lot par la D 911.

SE GARER

Stationnez à l'entrée du bourg médiéval, place Gambetta, et promenez-vous à pied.

À NE PAS MANQUER

La vue sur la vallée du Lot, Saint-Sylvestre et Monflanquin ; la bastide de Tournon-d'Agenais.

ORGANISER SON TEMPS

Si vous aimez la tranquillité, mieux vaut visiter Penne hors saison, avant que le village ne soit envahi par les visiteurs.

« Penne » signifie la colline. On se rend vite compte que son nom lui va comme un gant ! De petites rues montent jusqu'à une drôle d'église à coupole argentée. Difficile de ne pas se laisser séduire par Penne-la-rose, jolie vigile au-dessus des coteaux fertiles de l'Agenais. Une bonne balade en perspective !

Se promener

Place Gambetta

Avec sa terrasse ombragée, c'est un bon point de départ pour faire le tour de Penne-d'Agenay. La porte de la ville s'ouvre sous deux belles maisons du 16e s., dont l'une a longtemps servi de prison consulaire.

Franchir la porte (tout de suite à droite, le passage couvert devant l'office de tourisme mène à la place Aliénor-d'Aquitaine) et suivre la rue du 14-Juillet, puis, à gauche, la rue Notre-Dame.

N.-D.-de-Peyragude

Ce sanctuaire moderne, plutôt anachronique (de style néoroman-byzantin), se dresse au sommet de la colline. De là, vue étendue sur la vallée du Lot.

De nombreux pèlerins de St-Jacques viennent saluer la Vierge à N.-D.-de-Peyragude, entre mai et juin.

Contourner l'église et longer les quelques pans de mur qui constituent les vestiges du château fort.

★ Point de vue

De la table d'orientation, on domine la vallée du Lot, de Villeneuve-sur-Lot à Fumel; la vue porte au loin sur le haut Quercy et le Périgord.
S'engager dans la rue de Peyragude.
La **rue de Peygarude**, livrant de belles échappées à droite, mène à la porte de Ferracap.

Rue de Ferracap

Cette rue, tout comme les ruelles adjacentes, est bordée de belles maisons rénovées, certaines à colombages et à encorbellement. Le voisinage du gibet a valu son nom à la porte de Ferracap (« cap » signifiant la tête, le sens se comprend aisément).

Place Paul-Froment

Entre cafés et salles d'exposition, cette rue constitue une halte agréable.
Emprunter la rue entre l'église et la mairie.

Porte de Ricard

L'ancienne porte fortifiée tire son nom de Richard Cœur de Lion (« Ricard » en langue d'oc), qui apporta à la cité ses premières fortifications.
Revenir place Gambetta, à droite.

À proximité Carte de microrégion p. 510

Tournon-d'Agenais D2

16 km à l'est par la D 661.
Sur la crête d'une colline proche de la vallée du Lot, c'est ce qu'on appelle un **site★**. Au fur et à mesure que vous pénétrerez dans le bourg, vous découvrirez l'ancienne ligne des remparts (aménagée en promenade) sur lesquels se sont établies des maisons. La localité a gardé son plan de bastide avec ses rues étroites se coupant à angle droit. Du petit jardin public, jolie **vue** sur la vallée du Boudouyssou cultivée de vignes et de maïs *(table d'orientation)*. Remarquez, sur le beffroi, l'horloge lunaire.

Moulin de Lustrac D2

10 km au nord-ouest par la D 159 puis la D 243. Tourner à gauche à Clauzade.
Dépendance du château du même nom, ce moulin fortifié du 13e s. a conservé ses meules et ses vannes. Des abords, agréable point de vue sur les méandres du Lot.

NOS ADRESSES À PENNE-D'AGENAIS

RESTAURATION

POUR SE FAIRE PLAISIR

L'Air du Temps – *Mounet - 47140 Penne-d'Agenais - ✆ 05 53 41 41 34 - www.restaurant-lairdutemps.fr - fermé 2 sem. en fév., 1 sem. fin oct., 1 sem. en nov. - ♿ - P - déj. 14 € - 26/39 €.*
Cette ferme en brique et pierre du Lot est exquise : le restaurant est très cosy avec ses multiples recoins, son décor mi-rustique, mi-moderne, et ses délicieuses terrasses où l'on s'attarde volontiers pour déguster les bons petits plats maison. Accueil charmant.

Monflanquin

★

2 338 Monflanquinois – Lot-et-Garonne (47)

NOS ADRESSES PAGE 553

S'INFORMER

Office du tourisme de Monflanquin – *Pl. des Arcades - ✆ 05 53 36 40 19 - www.cc-monflanquinois.fr - juil.-août : 10h-13h, 14h-19h ; mai-juin et sept. : lun.-sam. 10h-12h, 14h-18h ; oct.-avr. lun.-sam. 10h-12h, 14h-17h.* C'est en compagnie du guide troubadour Janouille la Fripouille que vous découvrirez Monflanquin. Le soir, la visite se fait aux flambeaux. En été, visite-spectacle avec jongleurs et troubadours.

SE REPÉRER

Carte de microrégion C1 (p. 510) – *carte Michelin Départements 336 G2.*
À 17 km au nord de Villeneuve-sur-Lot par la D 676.

À NE PAS MANQUER

Le musée des Bastides, pour tout savoir sur ces villes caractéristiques de la région ; la forteresse de Gavaudun, sur son éperon rocheux.

ORGANISER SON TEMPS

Il faut quelques heures pour visiter la ville et son musée. En saison, de nombreuses animations sont organisées à Monflanquin et dans les villages alentour.

AVEC LES ENFANTS

Le musée des Bastides, les visites-spectacles de la ville ; une promenade en gabare au départ de Fumel *(voir la rubrique « Activités », p. 553).*

Aux confins du Périgord et de la Guyenne, le Pech de Monflanquin s'élève fièrement au cœur d'une paisible et charmante campagne. Dans cette ancienne bastide du 13e s., où se serrent les maisons aux toits de tuiles rondes, il fait bon flâner dans les ruelles à l'atmosphère médiévale. C'est à juste titre que Monflanquin est classé parmi les plus beaux villages de France.

Se promener

Bon à savoir – Des panneaux vous informeront sur l'histoire de la ville au cours de vos déambulations *(plan disponible à l'office de tourisme).*

Autour de la **place des Arcades** se déploient les *carrétots*, ruelles parfois enjambées par des *pontets* formant des passages couverts. Restaurée, la place est fermée à la circulation en été pour mieux profiter de ses agréables terrasses.

À l'emplacement des anciens remparts, démantelés sur ordre de Richelieu, une **promenade** a été aménagée : on y profite d'une jolie vue sur le paysage vallonné alentour *(table d'orientation à côté de l'église).*

Musée des Bastides

Au-dessus de l'office de tourisme - pl. des Arcades - ✆ 05 53 36 40 19 - http://bastides.free.fr. - juil.-août : 10h-13h, 14h-19h ; mai-juin et sept. : lun.-sam. 10h-12h, 14h-18h ; oct.-avr. : lun.-sam. 10h-12h, 14h-17h - 4 € (-12 ans gratuit).

UNE BASTIDE
Monflanquin fut fondée en 1256 par Alphonse de Poitiers, frère de Saint Louis, sur une colline *(pech)* à la limite des possessions anglaises du duché d'Aquitaine. Elle tomba sous administration anglaise dès le **traité d'Amiens** (1279) et, pendant la guerre de Cent Ans, passa tour à tour aux mains des Français et des Anglais. Puis elle devint l'un des principaux bastions huguenots de la région; l'église Notre-Dame fut incendiée par les calvinistes en 1569. Aujourd'hui, c'est l'un des « plus beaux villages de France » et une « station verte de vacances ».

Une muséographie moderne et interactive a été mise en place pour expliquer l'apparition des villes nouvelles aux 13e-14e s. dans le Sud-Ouest de la France, leur urbanisme, leur organisation sociale, leur rôle dans la société médiévale : maquettes, documents audiovisuels... Vous en ressortirez avec l'envie de (re)découvrir Monflanquin et d'aller voir d'autres bastides...
« Les bastides », p. 82.

À proximité Carte de microrégion p. 510

Sauveterre-la-Lémance D1

33 km au nord-est par la D 124, puis la D 710.
Édouard Ier, roi d'Angleterre et duc d'Aquitaine, y fit bâtir une **forteresse** à la fin du 13e s. pour protéger ses domaines face au royaume de Philippe le Hardi.
Musée de Préhistoire mésolithique Laurent-Coulonges – *05 53 40 73 03 - juin-août : mar.-vend. mat. et apr.-midi, sam. et dim. apr.-midi; avr. et sept.-oct. : lun.-vend. apr.-midi; reste de l'année sur demande préalable - fermé 1er mai - 3 € (-16 ans 2 €).* Il retrace les découvertes archéologiques effectuées de 1920 à nos jours dans la vallée de la Lémance, riche en vestiges de l'époque des derniers chasseurs-cueilleurs. Présentation des techniques préhistoriques de fabrication des outils *(vidéo 16mn).*

Circuit conseillé Carte de microrégion p. 510

ENTRE BASTIDES ET CHÂTEAUX

Pour visualiser ce circuit de 80 km au départ de Monflanquin, se reporter à la carte p. 510. Compter une journée.
Quitter Monflanquin par le nord (D 676).

Villeréal C1

Pl. de la Halle - 47210 Villeréal - 05 53 36 09 65 - www.villereal-tourisme.com - juil.-août : lun.-sam. 10h-12h30, 15h-18h30, dim. 10h-12h; reste de l'année : mar.-sam. 10h-12h, 14h-17h - fermé lun., dim. et j. fériés.
Cette bastide fondée en 1269, elle aussi par Alphonse de Poitiers, a conservé son plan initial, avec des rues en angle droit, des maisons à encorbellement et à toit débordant. Sur la place centrale, **halles à étage** (14e s.) supportées par des piliers de chêne. Édifiée au 13e s., l'**église fortifiée** possède une haute façade encadrée de deux tours couronnées de clochetons pointus et reliées par un chemin de ronde crénelé; la tour de gauche est percée de meurtrières. Au pied du village de Villeréal, équipements de loisirs au bord d'un **lac**.
Suivre au sud-est la D 255 jusqu'à Lacapelle-Biron, puis prendre la D 150.

LE FAÏENCIER ANIMALIER

Bernard Palissy (1510-1590), né à St-Avit près d'Agen, est certes l'auteur d'ouvrages techniques et philosophiques, mais il est surtout connu comme verrier et potier. Au prix d'un dur labeur et de lourds sacrifices – on raconte qu'il brûla même ses meubles pour alimenter ses fours –, il s'acharna à retrouver la composition de l'émail. Eurêka ! il réussit à mettre au point une poterie intermédiaire entre la faïence italienne et la terre vernissée. Ses bassins décorés en « rustique » (moulages colorés de serpents, lézards, poissons, écrevisses…) lui valurent un vif succès.

Foire à la poterie à St-Avit – *Chaque année le 2e dim. d'août.*

St-Avit D1

Dans ce hameau de pierre couleur terre de Sienne, à l'église couverte de lauzes et aux maisons anciennes aux toits patinés, **Bernard Palissy** *(voir le musée des Beaux-Arts à Agen)* est à l'honneur. Le **musée** qui porte son nom présente un diaporama sur sa vie ainsi que des collections de céramiques anciennes et contemporaines. Chaque année *(de mai à octobre)* a lieu une grande exposition. *℘ 05 53 40 98 22 - www.ceramique.com/Palissy - mai-sept. : apr.-midi sf mar. ; oct.-avr. : dim. apr.-midi - fermé 1er janv., Pâques, 1er mai, 1er nov. et 25 déc. - 3,20 € (-18 ans 1,60 €, -12 ans gratuit).*

La D 150 court entre la Lède et des bois escarpés où affleure la roche claire.

Gavaudun D1

Ce très beau **site★** dans l'étroite et sinueuse vallée de la Lède, entre plaine du Lot et vallée de la Dordogne, fut un haut lieu de l'histoire de l'Agenais. L'impressionnant **donjon** crénelé (11e et 13e s.) du château fort semble véritablement né de la roche, sur laquelle il dresse ses six étages. *℘ 05 53 40 04 16 - juil.-août : visite guidée (1h) tte la journée ; juin et sept. : w.-end tte la journée - 4 €.*

St-Sardos-de-Laurenque D1

L'**église** du 12e s. présente un intéressant portail sculpté, aux chapiteaux ornés d'animaux et de personnages et à la frise décorée de poissons. Remarquables chapiteaux également dans la nef romane. *℘ 05 53 40 04 16 - juil.-août : tte la journée ; avr.-juin : apr.-midi sf jeu. - clé disponible à la mairie - possibilité de visite guidée sur demande.*

Revenir à Gavaudun pour continuer sur la D 150, puis prendre la D 162 vers Fumel.

★★ Château de Bonaguil D1

℘ 05 53 71 90 33 - www.bonaguil.org - juil.-août : 10h-19h ; avr.-mai et oct. : 10h30-12h30, 14h-17h30 ; juin-sept. : 10h-12h30, 14h-18h - fermé janv. - 6 € (-7 ans gratuit). En été, nombreux ateliers-découverte organisés dans les salles - visite nocturne contée.

On pénètre dans le château par la **barbacane**, énorme bastion qui avait sa garnison autonome, ses magasins et son arsenal. La barbacane faisait partie de la première ligne de défense, longue de 350 m, dont les bastions permettaient le tir rasant grâce à des canonnières.

La seconde ligne se composait de cinq tours, dont la **Grosse Tour** qui est l'une des plus importantes tours de plan circulaire jamais construites en France. Haute de 35 m, couronnée de corbeaux, elle servait à ses étages supérieurs de logis d'habitation, tandis que ses étages inférieurs étaient équipés de mousqueteries, couleuvrines, arquebuses, etc.

Le château de Bonaguil, exemple abouti de l'architecture militaire à la fin du Moyen Âge.
ICP / Age fotostock

Dominant ces deux lignes, ultime bastion de la défense, le **donjon** à pans coupés était le poste de guet et de commandement. Ni circulaire ni carré, il a la forme d'un vaisseau dont la proue est tournée vers le nord, secteur le plus vulnérable. À l'intérieur, une salle abrite des armes et des objets provenant de fouilles effectuées dans les fossés. Panorama depuis la terrasse.
Un puits taillé dans le roc, des dépendances (dont un fournil) où l'on accumulait les provisions, des cheminées monumentales, un réseau d'écoulement des eaux fort bien conçu, des fossés intérieurs secs, voire des tunnels admirablement voûtés constituant de véritables axes de circulation rapide des troupes, permettaient à près d'une centaine d'hommes de soutenir un siège (ce qui n'arriva jamais !).
Prendre à l'est la D 158, puis à droite la D 673.

BONAGUIL, GLOIRE ET PUISSANCE D'UN CHÂTEAU

L'orgueil de Roquefeuil – « Par Monseigneur Jésus et tous les Saincts de son glorieux Paradis j'eslèveroi un castel que ni mes vilains subjects ne pourront prendre, ni les Anglais s'ils ont l'audace d'y revenir, voire même les plus puissants soldats du Roy de France », proclame, en 1477, Béranger de Roquefeuil. Fils de l'une des plus anciennes familles du Languedoc, l'orgueilleux baron ne lésine ni sur les exactions ni sur les violences. Mais ses sujets se révoltent ! Il fait alors transformer le château de Bonaguil, qui existait depuis le 13e s., en une forteresse inexpugnable.
Un fort inébranlable – Il fallut quarante ans à Roquefeuil pour édifier ce nid d'aigle, déjà anachronique à une époque où la mode tendait à la demeure de plaisance. Mais Bonaguil présente la particularité d'offrir, sous la carapace traditionnelle des châteaux forts, une remarquable adaptation aux techniques nouvelles des armes à feu : canonnières et mousqueteries. Jamais attaqué, c'est l'un des plus parfaits spécimens de l'architecture militaire de la fin du 15e s. et du 16e s. La Révolution, dans son ardeur à supprimer les symboles de l'Ancien Régime, démantèlera et découronnera bien le colosse, sans pour autant réussir à le déposséder de sa puissance.

Fumel D2

Pl. Georges-Escande - 47500 Fumel - 05 53 71 13 70 - www.tourisme-fumelois.fr - de mi-juin à mi-sept. : lun.-sam. 10h-18h30, dim. 10h-12h30 ; avr.-juin et sept.-oct. : lun.-vend. 10h-12h, 14h-17h ; nov.-mars : mar. 14h-17h, merc.-vend. : 10h-12h, 14h-17h - fermé j. fériés.

Au 11e s., les barons de Fumel y firent bâtir un château et l'habitèrent jusqu'au début du 19e s. Il abrite aujourd'hui la mairie, mais les jardins et les terrasses sont ouverts au public. Le **baron de Langsdorff** (propriétaire du château par mariage au 19e s.) ayant rapporté de ses chasses à l'étranger diverses essences d'arbres et d'arbustes, vous découvrirez, en contrebas du château, une végétation très variée.

En descendant du château vers le Lot, vous rencontrerez de vieilles maisons. Des promenades sont aménagées le long de la rivière.

En saison, vous pourrez également découvrir la vallée du Lot sur l'eau, grâce à un parcours commenté *(1h30)* d'une quinz. de kilomètres à bord d'une gabare *(voir la rubrique « Activités », p. 553).*

Sortir de Fumel par l'avenue Léon-Blum.

LE SAVIEZ-VOUS ?

Au fond d'une niche de pierre, dans le jardin du **château de Fumel**, un renard dresse l'oreille, aux aguets. La statue marquait, à l'origine, le point de départ d'une chasse à courre qu'appréciait tout particulièrement l'ancien propriétaire, le baron de Langsdorf : la chasse au renard !

Monsempron-Libos D2

Ce village fortifié du 12e s. perché sur une butte possède une **église★** romane, vaste mais très sobre. Elle aurait été construite à l'emplacement (ou à côté) d'un temple de Cybèle, déesse de la Fécondité. Si déesse il y eut, elle lui a donné son caractère réconfortant, la douceur de ses formes (gros piliers cylindriques, absidioles couvertes de coupoles rondes…).

Regagner Monflanquin par la D 124.

NOS ADRESSES À MONFLANQUIN

HÉBERGEMENT

BUDGET MOYEN

Chambre d'hôte Domaine de Majoulassie – *Lieu-dit Majoulassie - 47150 Gavaudun - ☎ 05 53 40 34 64 - www.villereal-tourisme.com/majoulassie - P - ⊭ - 5 ch. 55/65 € ☕ - rest. 28 €.* Un ruisseau, des bois, de la verdure, un vieux moulin et un étang de pêche composent l'environnement bucolique à souhait de cette longue bâtisse qui jadis tenait lieu de papeterie. Chambres au confort simple et grandes salles de bains neuves.

Domaine de Guillalmes – *47500 Condat - ☎ 05 53 71 01 99 - www.domainedeguillalmes.com - fermé nov.-fév. - 18 chalets, 1 roulotte - P - 60 € - rest. 10/15 €.* Inséré dans un très joli cadre, ce domaine riverain des eaux du Lot est l'adresse idéale pour se mettre au vert. Les chambres, aménagées dans des chalets individuels, sont toutes équipées d'un salon, d'une cuisinette et d'une terrasse. Côté détente : tennis, base nautique, jolie piscine avec jacuzzi, etc. Location de vélo et canoé.

POUR SE FAIRE PLAISIR

Chambre d'hôte Domaine du Moulin de Labique – *D 153 - lieu dit Labique - 47210 St-Eutrope-de-Born - ☎ 05 53 01 63 90 - www.moulin-de-labique.fr - P - 5 ch. 90/115 € (150 € la suite 2 ch. pour 4/5 pers.) - ☕ 10 € - rest. 25/31 €.* Domaine paisible, bordé par un ruisseau et agrémenté d'une piscine, d'un potager et d'un coin pêche. Belles chambres avec terrasse, logées dans la maison, l'écurie et la grange. Servie dans une salle à manger champêtre, la cuisine honore joliment le terroir.

RESTAURATION

À Monflanquin

BUDGET MOYEN

La Tonnelle – *Pl. du 8-Mai - ☎ 05 53 71 63 54 - http://tonnelle.free.fr - fermé janv.-14 fév., dim. soir, lun. et mar. sf juil.-août - ♿ - P - formule déj. 12 € - 20/33 €.* Le chef concocte une cuisine traditionnelle parfaitement maîtrisée à partir de produits frais. Salle à manger ornée d'une exposition de tableaux. Délicieuse terrasse agrémentée d'une fontaine et de rosiers grimpants. Coin brocante consacré aux objets en relation avec l'art culinaire.

À proximité

PREMIER PRIX

Auberge Le St-Hubert – *Rte de Périgueux - 47500 Cuzorn - ☎ 05 53 40 91 85 - fermé dim. soir, lun., le soir hors saison mar.-jeu. - ♿ - P - formule déj. 12,50 € - 8,90/34 €.* Dans cet établissement des années 1970, vous vous attablerez, selon la saison, dans la salle à manger réchauffée par de belles flambées, ou sur la terrasse tournée vers la campagne. Cuisine simple, traditionnelle.

ACHATS

Marché de Monflanquin – *☎ 05 53 36 40 05* - Chaque jeudi matin, depuis 1256 ! Nocturnes en été.

ACTIVITÉS

Promenade commentée en gabare – *Dép. de Fumel - de mi-juin à mi-sept. : 15h, 17h - réserv. à l'office de tourisme - ☎ 05 53 71 13 70 - 6 € (4-10 ans 4 €) - promenade bucolique et gourmande sur réserv. juil.-août : mar. et vend. 11h - 8 € (enf. 5 €).*

L'Aventure Michelin

Tout commence avec des balles en caoutchouc ! C'est ce que produit, vers 1880, la petite entreprise clermontoise dont héritent André et Édouard Michelin. Les deux frères saisissent vite le potentiel des nouveaux moyens de transport. L'invention du pneumatique démontable pour la bicyclette est leur première réussite. Mais c'est avec l'automobile qu'ils donnent la pleine mesure de leur créativité. Tout au long du 20e s., Michelin n'a cessé d'innover pour créer des pneumatiques plus fiables et plus performants, du poids lourd à la F 1, en passant par le métro et l'avion.

Très tôt, Michelin propose à ses clients des outils et des services destinés à faciliter leurs déplacements, à les rendre plus agréables... et plus fréquents. Dès 1900, le Guide Michelin fournit aux chauffeurs tous les renseignements utiles pour entretenir leur automobile, trouver où se loger et se restaurer. Il deviendra la référence en matière de gastronomie. Parallèlement, le Bureau des itinéraires offre aux voyageurs conseils et itinéraires personnalisés.

En 1910, la première collection de cartes routières remporte un succès immédiat ! En 1926, un premier guide régional invite à découvrir les plus beaux sites de Bretagne. Bientôt, chaque région de France a son Guide Vert. La collection s'ouvre ensuite à des destinations plus lointaines de New York en 1968... à Taïwan en 2011.

Au 21e s., avec l'essor du numérique, le défi se poursuit pour les cartes et guides Michelin qui continuent d'accompagner le pneumatique. Aujourd'hui comme hier, la mission de Michelin reste l'aide à la mobilité, au service des voyageurs.

MICHELIN AUJOURD'HUI

N°1 MONDIAL DES PNEUMATIQUES

- 69 sites de production dans 18 pays
- 115 000 employés de toutes cultures, sur tous les continents
- 6 000 personnes dans les centres de Recherche & Développement

Avancer
monde où la

Mieux avancer, c'est d'abord innover pour mettre au point des pneus qui freinent plus court et offrent une meilleure adhérence, quel que soit l'état de la route.

LA JUSTE PRESSION

- Sécurité
- Longévité
- Consommation de carburant optimale

- Durée de vie des pneus réduite de 20% (- 8 000 km)

- Risque d'éclatement
- Hausse de la consommation de carburant
- Distance de freinage augmentée sur sol mouillé

ensemble vers un mobilité est plus sûre

C'est aussi aider les automobilistes à prendre soin de leur sécurité et de leurs pneus. Pour cela, Michelin organise partout dans le monde des opérations **"Faites le plein d'air"** pour rappeler à tous que la juste pression est vitale.

L'USURE

COMMENT DETECTER L'USURE ?

Vos pneus MICHELIN sont munis d'indicateurs d'usure : ce sont de petits pains de gomme moulés au fond des sculptures et d'une hauteur de 1,6mm.
Lorsque la profondeur des sculptures est au même niveau que les indicateurs, les pneus sont usés et doivent être remplacés.

Les pneus constituent le seul point de contact entre le véhicule et la route, un pneu usé peut être dangeureux sur chaussée mouillée.

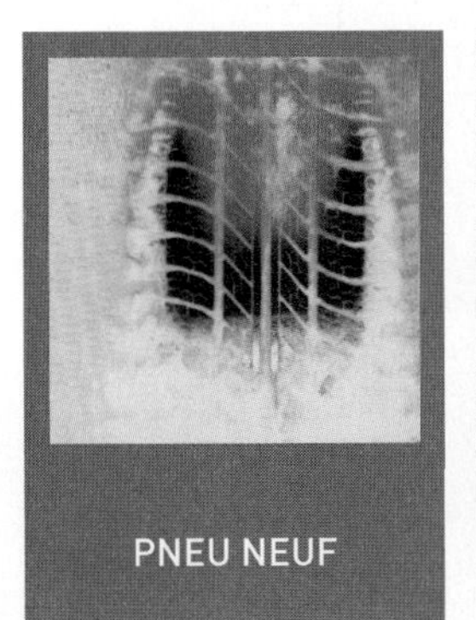

PNEU NEUF

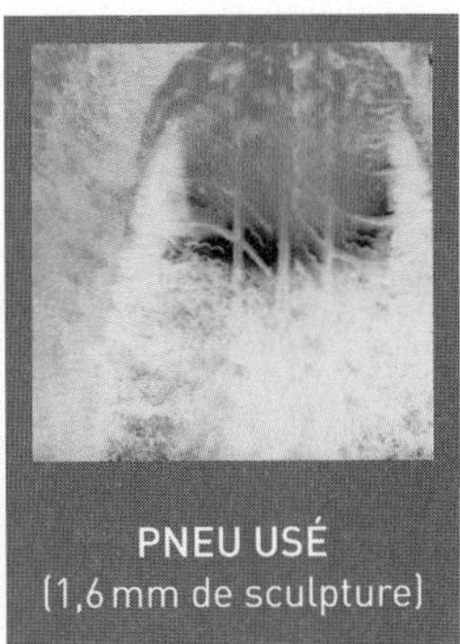

PNEU USÉ
(1,6 mm de sculpture)

Ci-contre, la zone de contact réelle photographiée sur chaussée mouillée.

Mieux avancer, c'est développer une mobilité durable.

INNOVATION ET ENVIRONNEMENT

Chaque jour, Michelin innove pour réduire la quantité de matières premières utilisée dans la fabrication des pneumatiques, et développe dans ses usines les énergies renouvelables. La conception des pneus MICHELIN permet déjà d'économiser des milliards de litres de carburant, et donc des milliards de tonnes de CO2.

De même, Michelin choisit d'imprimer ses cartes et guides sur des « papiers issus de forêts gérées durablement ». L'obtention de la certification ISO14001 atteste de son plein engagement dans une éco-conception au quotidien.

Un engagement que Michelin confirme en diversifiant ses supports de publication et en proposant des solutions numériques pour trouver plus facilement son chemin, dépenser moins de carburant.... et profiter de ses voyages !

Comme vous, Michelin s'engage dans la préservation de notre planète.

Chattez avec Bibendum

Rendez-vous sur:
www.michelin.com/corporate/fr
Découvrez l'actualité et
l'histoire de Michelin.

QUIZZ

Michelin développe des pneumatiques pour tous les types de véhicules. Amusez-vous à identifier le bon pneu...

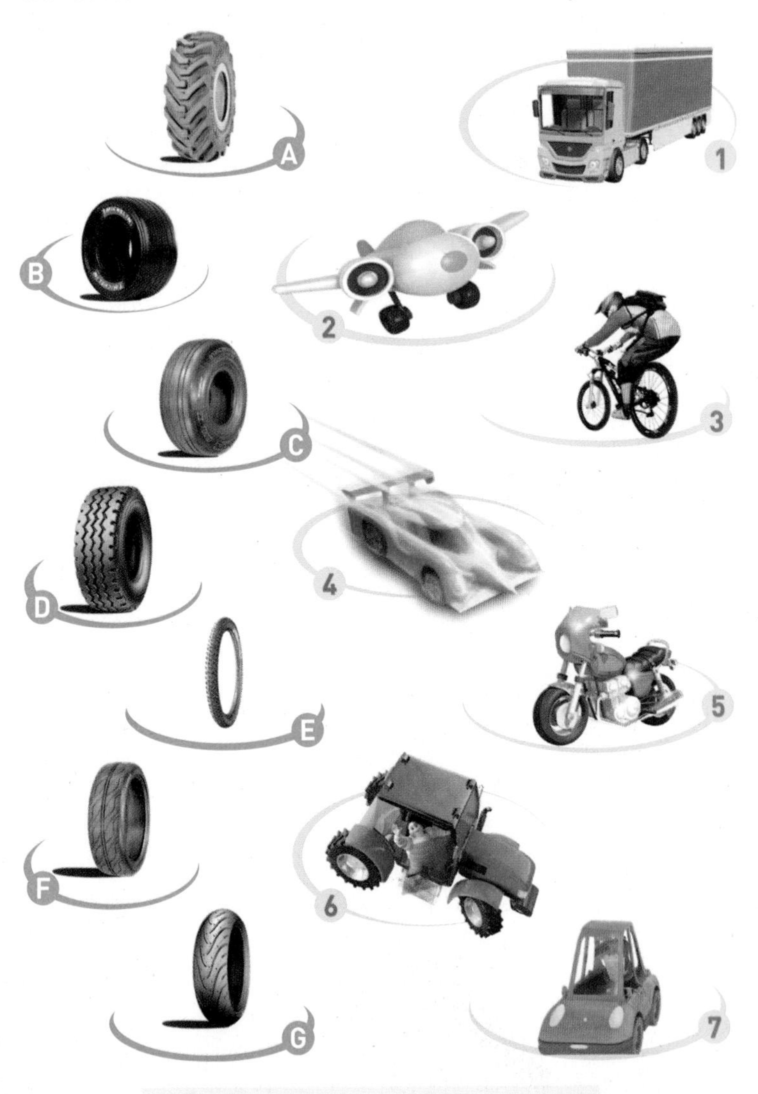

Résultat : A-6 / B-4 / C-2 / D-1 / E-3 / F-7 / G-5

Notes

Notes

INDEX GÉNÉRAL

Bordeaux : villes, curiosités et régions touristiques.
Albret, Jeanne d' : noms historiques ou termes faisant l'objet d'une explication.
Les sites isolés (châteaux, abbayes, grottes…) sont répertoriés à leur propre nom.
Nous indiquons par son numéro, entre parenthèses, le département auquel appartient chaque ville ou site. Pour rappel :
33 : Gironde
40 : Landes
47 : Lot-et-Garonne
64 : Pyrénées-Atlantiques

A

B

C

D

E

F

G

N

O

P

Q – R

S

T

U

V

W

X – Z

CARTES ET PLANS

CARTE GÉNÉRALE

Premier rabat de couverture

CARTES DES RÉGIONS

PLANS DE VILLE

CARTES THÉMATIQUES

CARTES DES CIRCUITS

LÉGENDE DES CARTES ET PLANS

Curiosités et repères

- Itinéraire décrit, départ de la visite
- Église
- Mosquée
- Synagogue
- Monastère - Phare
- Fontaine
- Point de vue
- Château - Ruine ou site archéologique
- Barrage - Grotte
- Monument mégalithique
- Tour génoise - Moulin
- Temple - Vestiges gréco - romains
- Temple : bouddhique - hindou
- Autre lieu d'intérêt, sommet
- Distillerie
- Palais, villa, habitation
- Cimetière : chrétien - musulman - israélite
- Oliveraie - Orangeraie
- Mangrove
- Auberge de jeunesse
- Gravure rupestre
- Pierre runique
- Église en bois
- Église en bois debout
- Parc ou réserve national
- Bastide

Sports et loisirs

- Piscine : de plein air - couverte
- Plage - Stade
- Port de plaisance - Voile
- Plongée - Surf
- Refuge - Promenade à pied
- Randonnée équestre
- Golf - Base de loisirs
- Parc d'attractions
- Parc animalier, zoo
- Parc floral, arboretum
- Parc ornithologique, réserve d'oiseaux
- Planche à voile, kitesurf
- Pêche en mer ou sportive
- Canyoning, rafting
- Aire de camping - Auberge
- Arènes
- Base de loisirs, base nautique ou canoë-kayak
- Canoë-kayak
- Promenade en bateau

Informations pratiques

- Information touristique
- Parking - Parking - relais
- Gare : ferroviaire - routière
- Voie ferrée
- Ligne de tramway
- Départ de fiacre
- Métro - RER
- Station de métro (Calgary, ...) (Montréal)
- Téléphérique, télécabine
- Funiculaire, voie à crémaillère
- Chemin de fer touristique
- Transport de voitures et passagers
- Transport de passagers
- File d'attente
- Observatoire
- Station service - Magasin
- Poste - Téléphone
- Internet
- H — Hôtel de ville - Banque, bureau de change
- J, POL — Palais de justice - Police
- GNR — Gendarmerie
- T, U, M — Théâtre - Université - Musée
- Musée de plein air
- Hôpital
- Marché couvert
- Aéroport
- Parador, Pousada (Établissement hôtelier géré par l'État)
- A — Chambre d'agriculture
- D — Conseil provincial
- G — Gouvernement du district, Délégation du Gouvernement Police cantonale
- L — Gouvernement provincial (Landhaus)
- P — Chef lieu de province
- Station thermale
- Source thermale

Axes routiers, voirie

- Autoroute ou assimilée
- Échangeur : complet - partiel
- Route
- Rue piétonne
- Escalier - Sentier, piste

Topographie, limites

- Volcan actif - Récif corallien
- Marais - Désert
- Frontière - Parc naturel

Comprendre les symboles utilisés dans le guide

LES ÉTOILES

★★★ **Vaut le voyage** ★★ **Mérite un détour** ★ **Intéressant**

HÔTELS ET RESTAURANTS

9 ch.	Nombre de chambres
7,5 €	Prix du petit-déjeuner en sus
50 €	Prix de la chambre double, petit-déjeuner compris
bc	Menu boisson comprise
	Air conditionné dans les chambres
	Restaurant dans l'hôtel
	Établissement servant de l'alcool (à l'étranger)
	Piscine
CC	Paiement par cartes de crédit
	Carte de crédit non acceptée
P	Parking réservé à la clientèle
Tram	Station de tramway la plus proche
M	Station de métro la plus proche

SYMBOLES DANS LE TEXTE

	À faire en famille
	Pour aller au-delà
	Promenade à pied
	Randonnée à vélo
	Facilité d'accès pour les handicapés
A2 B	Repère sur le plan

Note au lecteur

Michelin a apporté le plus grand soin à la rédaction de ce guide et à sa vérification. Toutefois, les informations pratiques (formalités administratives, prix, adresses, numéros de téléphone, adresses Internet...) doivent être considérées comme des indications du fait de l'évolution constante de ces données.

Il n'est pas totalement exclu que certaines d'entre elles ne soient plus, à la date de parution du guide, tout à fait exactes ou exhaustives. N'hésitez pas à nous signaler toute omission ou inexactitude que vous pourriez constater, ainsi qu'à nous faire part de vos avis et suggestions sur les adresses contenues dans ce guide.

Avant d'entamer toute démarche, formalités administratives ou douanières notamment, vous êtes invité à vous renseigner auprès des organismes officiels. Ces informations ne sauraient, de ce fait, engager notre responsabilité.

Collection Le Guide Vert sous la responsabilité d'Anne Teffo

Édition
Irène Lainey

Rédaction
Hélène Bouchoucha, Séverine Cachat, Blandine Catta, Pierre Chavot, Lucie Dejouhanet, Sophie Pothier, Sandrine Salier.

Cartographie
Pierre-Louis Centonze, Thierry Lemasson, Stéphane Anton, Michèle Cana.

Relecture
Blandine Veith

Remerciements
Aurélie Bleuzen, M. et Mme Borghetti, Didier Broussard, Maria Gaspar, Pascal Grougon, Danièle Jazeron, Sonia Lambert

Conception graphique
Christelle Le Déan

Régie publicitaire et partenariats
business-solutions@tp.michelin.com
Le contenu des pages de publicité insérées dans ce guide n'engage que la responsabilité des annonceurs.

Contacts
Michelin
Guides Touristiques
27 cours de l'Île-Seguin, 92100 Boulogne-Billancourt
Service consommateurs : tourisme@tp.michelin.com
Boutique en ligne : www.michelin-boutique.com

Écrivez-nous

Parution 2013

Michelin Travel Partner
Société par actions simplifiées au capital de 11 629 590 EUR
27 Cours de l'Ile Seguin - 92100 Boulogne Billancourt (France)
R.C.S. Nanterre 433 677 721

Dépôt légal : 01-2013 – ISSN 0293-9436
Compograveur : Nord Compo, Villeneuve-d'Ascq
Imprimeur : Tipografica Varese, Varese
Imprimé en Italie : 01-2013

Usine certifiée 14001
Sur du papier issu de forêts gérées durablement (100% PEFC)